D0255428

ullstein

Das Buch

Intelligent und ehrgeizig hat Alex Sontheim sich eine Position erarbeitet, von der andere nur träumen können: Sie ist *der* Star im New Yorker Investmentbanking. Erst vor kurzem hat die Firma Levy Manhattan Investment sie für ein Millionengehalt angeworben, Bonusleistungen und Büro mit Blick über Manhattan inklusive. Was Alex nicht ahnt: Sie stellt ihre Fähigkeiten einem wirtschaftskriminellen Kartell zur Verfügung. Berauscht von ihrem neuen Lebensstil, ignoriert sie alle Alarmsignale. Selbst als Bürgermeister Nick Kostidis, unbeirrbarer Kämpfer gegen die Kriminalität in New York City, die junge Frau warnt, will sie nichts davon hören. Erst ein Attentat auf die Familie des Bürgermeisters und Unstimmigkeiten in ihrer Firma wecken ihr Misstrauen. Als Alex auf eigene Faust zu recherchieren beginnt, macht sie eine ungeheuerliche Entdeckung. Und dann steht alles auf dem Spiel, ihr Job, ihr Ruf – und ihr Leben.

Die Autorin

Nele Neuhaus lebt seit ihrer Kindheit im Taunus und schreibt bereits genauso lange. Ihre Krimis um das Ermittlerduo Oliver von Bodenstein und Pia Kirchhoff machten sie zu einer der meistgelesenen deutschen Krimiautorinnen und auch international berühmt: Ihre Romane wurden bisher in zwölf Sprachen übersetzt.
Weitere Informationen finden Sie unter: www.neleneuhaus.de

Von Nele Neuhaus sind in unserem Hause bereits erschienen:

Eine unbeliebte Frau
Mordsfreunde
Tiefe Wunden
Schneewittchen muss sterben
Wer Wind sät
Böser Wolf (HC-Ausgabe)

Nele Neuhaus

UNTER HAIEN

Roman

Ullstein

Besuchen Sie uns im Internet:
www.ullstein-taschenbuch.de

Für meine Schwester Milla

Taschenbuchausgabe im Ullstein Taschenbuch
1. Auflage März 2012
13. Auflage 2012

Diese Ausgabe erscheint mit freundlicher Genehmigung des Prospero Verlags
in der Verlagshaus Monsenstein und Vannerdat OHG.
Umschlaggestaltung: bürosüd° GmbH, München
Titelabbildung: © bürosüd° (Hintergrund) / Getty Images (Frau)
Satz: Pinkuin Satz und Datentechnik, Berlin
Gesetzt aus der Sabon
Papier: Pamo Super von Arctic Paper Mochenwangen GmbH
Druck und Bindearbeiten: CPI – Ebner & Spiegel, Ulm
Printed in Germany
ISBN 978-3-548-28479-8

Liebe Leserinnen und Leser

Ich freue mich sehr, dass mein erstes Buch »Unter Haien«, das ich vor sechs Jahren veröffentlicht habe, nun die große Chance bekommt, aus dem Schatten meiner Taunuskrimis herauszutreten.

Inspiriert von einer Reise nach New York, begann ich Mitte der neunziger Jahre – also lange bevor ich an Oliver von Bodenstein und Pia Kirchhoff dachte – die Geschichte der deutschen Investmentbankerin Alex Sontheim aufzuschreiben. Viele Jahre lang arbeitete ich in jeder freien Minute an diesem Text, steckte meine ganze Begeisterung, mein Herzblut und unendlich viel akribische Recherche in die 600 Seiten. Irgendwann war das Manuskript fertig, und es gefiel mir so gut, dass ich mit der festen Überzeugung, einen spannenden und guten Thriller geschrieben zu haben, nach einem Verlag suchte. Vergeblich. Trotz aller Enttäuschungen und Rückschläge habe ich nicht aufgegeben und das Buch schließlich auf eigene Kosten veröffentlicht. Nun, viele Jahre später, wird »Unter Haien« im Ullstein Verlag erscheinen, neben meinen Taunuskrimis.

Das erste Buch ist und bleibt für einen Autor zweifellos etwas ganz Besonderes, und so werde ich mir wünschen, dass es Sie begeistern wird wie meine Taunus-Krimis.

Herzlichst,
Ihre
Nele Neuhaus

Prolog

Februar 1998 – New York City

Vincent Levy stand am Fenster seines Büros im 30. Stockwerk des LMI-Building und starrte nachdenklich hinaus. An diesem düsteren Februarnachmittag reichte die Sicht kaum bis zur Verrazano Narrow Bridge im Osten. Die Freiheitsstatue reckte ihren Arm in die Luft, und die Schiffe, die auf der Hudson Bay unterwegs waren, zogen schaumige, weiße Streifen ins aufgewühlte schwarze Wasser. Schneeflocken wirbelten durch die Luft, und ein eisiger Ostwind pfiff um die Glasfronten der Wolkenkratzer Manhattans. Vincent Levy war Anfang 50 und bereits der vierte Levy in der Firma. Sein Urgroßonkel hatte das Bankhaus Levy & Villiers 1902 gegründet, das dank einer umsichtigen und konservativen Geschäftspolitik beinahe ein Jahrhundert lang unbeschadet durch alle Stürme und Skandale der Finanzwelt gelangt war. Doch im Gegensatz zu seinen Vorgängern war Vincent Levy nicht damit zufrieden gewesen, eine angesehene Privatbank zu leiten. Schon Mitte der achtziger Jahre hatte er damit begonnen, die ehrwürdige Privatbank in eine Investmentfirma zu verwandeln. Aus dem Bankhaus Levy & Villiers war die Holding Levy Manhattan Investment geworden. Gemeinsam mit einem finanzkräftigen Teilhaber, der die Erfolg versprechenden Zukunftsaussichten eines global operierenden Finanzriesen erkannt hatte, hatte Levy Mitbewerber aufgekauft und viel Geld in die neueste Computertechnologie investiert, die es LMI ermöglichte, auf allen bedeutenden Finanzplätzen der Welt präsent zu sein. Levy fürchtete sich nicht vor spektakulären Neuerungen. Mit strategischem Geschick, Weitblick und gut getarnter Rücksichtslosigkeit war es ihm gelungen, LMI innerhalb von 15 Jahren zu einer Investmentfirma mit weltweit mehr als 2000 Mitarbeitern zu machen. Jede Abteilung hatte einen fähigen Leiter, der es verstand, das Optimum aus seinen Leuten herauszuholen: Ob Auslandsanleihen, Derivatehandel, Programm- und Wertpapierhandel, OTC, Konsortialgeschäfte, Index- und Risikoarbitrage, Futureshandel oder Beteiligungsfinanzierungen – LMI hatte sich einen ausgezeichneten Ruf erworben. Eigene Broker auf dem Parkett der NYSE und rund 200 Händler im Handelsraum im 14. Stock sorgten für gewaltige Umsätze und Gewinne. Doch obwohl LMI in vielen Geschäftsbereichen zu den Großen am Markt gehörte, war es Levy trotz aller Investitionen und Bemühungen bisher nicht gelungen, auf dem Gebiet, das ihm persönlich am meisten am Herzen lag, einen echten Profi anzuwerben. Im Bereich der M & A mischten an der Wall Street andere die Karten. Beim derzeit herrschenden Übernahmeboom flossen gigantische Geldströme an LMI vorbei in andere Taschen – ein schier unerträglicher Zustand! Aber das konnte sich in naher Zukunft ändern, denn gestern Abend hatte er erfahren, dass Alexandra Sontheim, der hellste Stern am M & A-Himmel der Wall Street, ihren Arbeitgeber Morgan Stanley im Streit verlassen hatte und einen neuen Job suchte. Es klopfte an der Tür, und Levy wandte seinen Blick von der Hudson Bay ab.

»Hallo, St. John«, sagte er zu seinem Besucher und nahm hinter seinem Schreibtisch Platz, »setzen Sie sich.«

»Was gibt's, Vince?«, fragte Zachary St. John in seiner gewohnt respektlosen Art, die Levy immer wieder missfiel. Er musterte den Leiter der leider noch so unbedeutenden M & A-Abteilung von LMI. St. John war kein Ass, was seinen Job betraf, aber zweifellos kannte er an der Wall Street alle und jeden. Seitdem er vor gut neun Jahren über Franklin Myers von Drexel Burnham Lambert zu LMI gekommen war, hatte er Kontakte zu beinahe allen Leuten geknüpft, die im oberen Management von LMI arbeiteten. Der Präsident von LMI mochte den Mann nicht, denn St. John war ein aalglatter, geldgieriger Opportunist, doch seine Dienste waren ausgesprochen wertvoll.

»Wie Sie wissen«, begann Levy nun, »ist es seit langem mein Wunsch, dass LMI auch auf dem Gebiet der M & A an Bedeutung gewinnt. Und nun ist mir gestern aus gut unterrichteter Quelle zugetragen worden, dass Alex Sontheim nach einem Streit Morgan Stanley verlassen hat.«

Er machte eine Pause, um diese sensationelle Neuigkeit auf St. John wirken zu lassen, aber der riss weder die Augen auf, noch wirkte er beeindruckt vom Insiderwissen seines Chefs.

»Das weiß ich schon«, St. John lächelte selbstgefällig. »Es war klar, dass sie nicht mehr lange bei Morgan Stanley bleibt, denn sie hatte keine Lust mehr, hinter diesem Volltrottel van Sand die zweite Geige zu spielen. Und nachdem er vor drei Tagen ihren TexOil-Deal gekippt hat, hat sie Neil Sadler die Pistole auf die Brust gesetzt.«

»Ach ja?« Levy war nicht wirklich erstaunt darüber, dass St. John bereits Einzelheiten kannte. »Was wissen Sie noch über sie?«

St. John lehnte sich zurück und streckte die Beine aus. Er war gerade von einer zweitägigen Geschäftsreise auf die Bahamas zurückgekehrt, er war braungebrannt und sein kurzes, rotblondes Haar wie immer sorgfältig nach hinten gekämmt und perfekt geölt.

»Alex Sontheim«, begann er, »stammt aus Deutschland. Sie ist 35, ledig, hat an der European Business School studiert, ging dann mit einem Stipendium nach Stanford, wo sie als Jahrgangsbeste mit dem MBA-Diplom graduiert hat. Sie schnitt als Beste im Trainee-Programm von Goldman Sachs ab und hätte dort sofort arbeiten können. Jedes große Wirtschaftsunternehmen hätte sie mit Kusshand genommen, aber sie nahm den am schlechtesten bezahlten Job an, bei einer Brokerfirma namens Global Equity Trust, und arbeitete dort als Fondsmanagerin. Nach zwei Jahren wechselte sie zu Franklin & Myers, machte dort Derivate, Futures und ein bisschen M & A. Danach kam sie zu Morgan Stanley und macht nun seit acht Jahren nur noch M & A. Wie gut sie in ihrem Job ist, weiß ja nun jeder.«

Vincent Levy nickte und lächelte schmal. Alex Sontheim war *der* Star auf dem Gebiet der Firmenfusionen und -übernahmen, kaum ein Geschäft ging im Moment an ihr vorbei. Diese Frau für seine Firma zu gewinnen konnte die Verwirklichung seines Traumes bedeuten.

»Sie ist ehrgeizig und rücksichtslos«, fuhr Zack St. John fort, »und das ist der Grund, weshalb es mit ihr und van Sand nicht länger gutgehen konnte. Zwar weiß jeder in der Stadt, dass sie die großen Deals macht, aber Douglas ist der Schwiegersohn vom großen Boss. Sie hätte niemals seinen Job gekriegt, und Alex ist keine Frau, die sich auf Dauer mit Platz zwei zufriedengibt.«

Vincent Levy betrachtete St. John mit ausdrucksloser Miene, aber sein Gehirn arbeitete auf Hochtouren. Er konnte die Schlagzeilen im *Wall Street Journal* schon vor sich sehen: Alex Sontheim geht zu LMI ...

»Hat sie irgendwelche Leichen im Keller?«, fragte er.

»Nicht, dass ich wüsste«, St. John schüttelte den Kopf. »Kein alkoholkranker Ex-Ehemann, keine unehelichen Kinder, keine Vorstrafen, keine Gerüchte. Diese Frau lebt für ihren Job. Sie ist clever und stahlhart.«

»Woher wissen Sie so gut über sie Bescheid, Zack?«, erkundigte Levy sich.

»Abgesehen davon, dass ich über die meisten Leute unserer Branche Bescheid weiß«, St. John grinste, und seine Stimme klang noch etwas selbstgefälliger als zuvor, »waren Alex und ich Kollegen bei Franklin & Myers. Ich kenne sie ziemlich gut.« Er gefiel sich in der Rolle des Allwissenden. Levy kniff die Augen zusammen und beobachtete ihn scharf.

»Angenommen, wir könnten sie für uns gewinnen«, sagte er, »dann wären Sie arbeitslos, Zack.«

»Oh, das glaube ich nicht«, St. John blätterte mit einem trägen Lächeln in seinem abgegriffenen Notizbuch, bevor er wieder aufblickte. »Ich bin zwar kein Star wie die Sontheim, aber ich wäre der ideale Managing Director. Was meinen Sie, Vince?«

»Eins nach dem anderen«, erwiderte Levy kühl. Der Posten des Managing Director bei LMI war unbesetzt, seitdem Gilbert Shanahan vor gut anderthalb Jahren auf dem Weg zu einer Anhörung vor der Börsenaufsichtsbehörde von einem LKW wortwörtlich plattgewalzt worden war. Der arme Gilbert war auf der Stelle tot gewesen.

»Ich bin sehr *loyal*«, St. John beugte sich vor, und in seinen Augen erschien ein lauernder Ausdruck, »wenn Sie verstehen, was ich meine.«

Levys Miene blieb gelassen, aber die nachdrückliche Betonung des Wortes ›loyal‹ erweckte ein flaues Gefühl in seinem Magen. St. John hatte bislang niemals ein Wort über die Hintergründe dieser unangenehmen Sache mit Shanahan fallen lassen, und so hatte Levy beinahe vergessen, dass der Mann ziemlich genau Bescheid wusste, was damals geschehen war.

»Darüber reden wir, wenn es so weit ist«, sagte er und erhob sich, um St. John zu signalisieren, dass das Gespräch beendet war. »Ich möchte Sie bitten, sich unverzüglich mit Alex Sontheim in Verbindung zu setzen. Kriegen Sie das hin?«

St. John hob spöttisch die Augenbrauen und grinste.

»Machen Sie Witze, Vince?« Er erhob sich ebenfalls. »Gleich heute oder reicht Ihnen morgen?«

Levy lächelte kalt.

»Am besten in einer Stunde«, parierte er und griff zum Telefonhörer. St. John verstand den Wink. Er deutete eine Verbeugung an und verließ Levys Büro. Dieser wartete, bis St. John die Tür hinter sich geschlossen hatte. Dann durchquerte er sein Büro und öffnete einen Schrank, in dem sich eine voll eingerichtete Bar befand. Er schenkte sich einen Scotch ein – pur, ohne Eis – und trat wieder ans Fenster. Durch die Verpflichtung von Alex Sontheim könnte sich für ihn persönlich ein Traum erfüllen. Und dafür würde er weder Kosten noch Mühen scheuen.

Teil Eins

Juli 1998 – New York City

Alex Sontheim hatte den Wechsel von Morgan Stanley zu Levy Manhattan Investment noch keinen Tag bereut, und sie wusste, dass auch Vincent Levy das Angebot, das er ihr im Februar gemacht hatte, ebenfalls noch nicht bereut hatte. Mit einem Fixum von zwei Millionen Dollar jährlich plus Bonus und Provisionen gehörte Alex zu den bestbezahlten Investmentbankern der Stadt, aber sie hatte mit bereits drei aufsehenerregenden Deals die Zweifler im Vorstand von LMI zum Schweigen gebracht. Abgesehen vom finanziellen Gewinn war es vor allen Dingen die schlagartig gestiegene Reputation auf dem hart umkämpften Markt der Unternehmensfusionen, die Levy in einen wahren Begeisterungstaumel versetzt hatte. General Engines und auch United Brake Systems waren Blue Chips, und LMI hatte sie durch Alex erfolgreich vertreten. Im *Journal* wurde LMI als ernstzunehmende Konkurrenz für Merrill Lynch, Goldman, Sachs und Morgan Stanley auf dem Gebiet der M & A bezeichnet, und das war einzig und allein Alex' Verdienst. Sie hatte das richtige Gespür für den Markt, sie besaß den Scharfblick, die Kaltblütigkeit und die Erfahrung sowie die nötigen Verbindungen, um in diesem Geschäft an der Spitze des Feldes zu bestehen. Von ihrem Glasbüro im 14. Stock des LMI-Building hatte Alex einen phantastischen Ausblick über die Wolkenkratzer von Midtown Manhattan bis zum Empire State Building. Es war ein atemberaubender Anblick, der ihr immer wieder vor Augen führte, wie unglaublich weit sie in den letzten Jahren gekommen war. Alex lächelte zufrieden. Mit 35 Jahren war sie ganz oben angelangt. Sie spielte nun in der ersten Liga. Und das hatte sie ganz allein geschafft. Das Telefon riss sie aus ihren Gedanken. Es war Zack, ihr ehemaliger Kollege von Franklin & Myers, derzeit Managing Director von LMI, dem sie ihren neuen Job mehr oder weniger verdankte. Er bat sie zu einer kurzfristig anberaumten Vorstandssitzung in den 30. Stock. Alex schloss den Laptop, ergriff ihre Aktentasche und durchquerte eilig den Handelsraum. Es war schon spät an einem Freitagnachmittag, und der große Raum, der üblicherweise vor Hektik brodelte, war bis auf eine Putzkolonne verwaist. Kurz nach Börsenschluss waren die Händler ins Wochenende entschwunden. Alex zog ihre Magnetkarte durch den Schlitz neben der Aufzugstür. Die Sicherheitsvorkehrungen bei LMI waren so drastisch wie im Pentagon, jede Benutzung der Magnetkarte wurde im Zentralrechner registriert. Während der Aufzug sie lautlos 16 Stockwerke höher trug, betrachtete Alex kritisch ihr Spiegelbild. Für eine Frau in ihrer Position war es ungleich schwerer als für einen Mann, von Kollegen und Geschäftspartnern akzeptiert und respektiert zu werden. Sie musste hart und unnachgiebig wie ein Mann sein, ohne dabei als Hyäne zu gelten. Diesen Drahtseilakt beherrschte Alex nach zwölf Jahren Wall Street jedoch perfekt. Sie lächelte ihrem Spiegelbild wohlwollend zu. Längst machte in dieser Stadt niemand mehr den Fehler, sie zu unterschätzen. Jemand hatte ihr einmal vorgeworfen, sie sei gefühlskalt und rücksichtslos, aber das hatte Alex als Kompliment gewertet. Sie musste so sein, um in dieser rauen Männerwelt bestehen zu können. Der Aufzug hielt mit einem leisen Läuten im 30. Stock, und Alex atmete tief durch. Sie ging den mahagonigetäfelten Flur entlang, an dessen Wänden raffiniert beleuchtete expressionistische Gemälde hingen, die unter Garantie echt und ein Vermögen wert waren. Die dicken Aubusson-Läufer auf dem rötlich glänzenden Marmor verschluckten ihre Schritte. Jeder Zentimeter der Einrichtung atmete Gediegenheit, Macht und Erfolg aus. Wer hier oben im 30. Stock saß, der hatte es geschafft. Alex lächelte. Eines nicht mehr so fernen Tages würde auch ihr Name an einer der Türen stehen, an denen sie vorbeiging. Es gab keinen Zweifel – Alex liebte den 30. Stock.

Sie klopfte an die Tür des großen Konferenzraumes, der die ganze Breite des Gebäudes einnahm, und trat ein. Die Glasfenster reichten von der Decke bis zum Boden, die Sicht nach Osten über den East River nach Queens und Brooklyn war spektakulär. Obwohl sie schon einige Male hier gewesen war, war sie aufs Neue von dem gewaltigen Raum beeindruckt. Für eine Sekunde durchzuckte sie der Gedanke, dass man den Raum aus genau diesem Grund so gestaltet hatte. Er sollte beeindrucken und einschüchtern. Der komplette Vorstand saß versammelt um den großen, runden Tisch aus poliertem Wurzelholz, der wie die sagenumwobene Tafelrunde aus Camelot aus einem einzigen Stück gefertigt zu sein schien: Vincent Levy, der Präsident, Isaac Rubinstein, der Vizepräsident, Michael Friedman, der Finanzvorstand, Hugh Weinberg, der Chefanalyst, Francis Dayton-Smith, der Leiter der Rechtsabteilung, Ron Schellenbaum, der Vorstandssprecher, John Kwai, der Vorstand für Emerging Markets und Auslandsgeschäfte, sowie Zack, der Managing Director.

»Guten Tag«, sagte Alex und lächelte, »ich hoffe, ich habe mich nicht verspätet.«

Vincent Levy sprang auf und kam lächelnd auf sie zu.

»O nein, Alex«, er reichte ihr die Hand, »danke, dass Sie gekommen sind. Mir kam spontan die Idee, Sie zu unserer Sitzung zu bitten. Schließlich verdanken wir die erfreulichen Zahlen der letzten Monate zu einem nicht unerheblichen Teil Ihnen.«

Alex lächelte in die Runde, sah wohlwollende, aber auch prüfende Blicke. Aus Levy wurde sie nicht ganz klug. Hinter seinem geschmeidigen Gebaren verbarg sich ein eisenharter Kern. An der Wall Street brachte man es nicht mit Freundlichkeit und Zurückhaltung nach ganz oben. Sie nahm zwischen John Kwai und Zack Platz. Ihr Herz klopfte aufgeregt, als sie sich darüber bewusst wurde, dass sie sich wie eine Gleichberechtigte unter den mächtigsten Männern der Firma befand. So aufregend und befriedigend ihr Job auch war, ein fester Platz in dieser Runde war das nächste Ziel, das es anzusteuern galt. Levy sprach über die erfreuliche Entwicklung auf dem Gebiet der M & A, aber auch beim Devisen- und Aktienhandel und bei den Konsortialgeschäften mit vielversprechenden Dotcom-Unternehmen. Dann berichtete Hugh Weinberg über die Prognosen für die Zukunft. Levy hatte ihn von *Prudential Securities* abgeworben. Weinbergs Meinung wurde an der Wall Street wie kaum eine zweite beachtet, er war für seine treffsicheren Analysen und Prognosen bekannt und gefürchtet. Es erfüllte Alex mit Stolz, dass er eine so hohe Meinung von ihrer Arbeit hatte. Seiner Marktanalyse folgte Michael Friedman mit einem trockenen Bericht über Umsatz- und Gewinnzahlen aus dem vergangenen Quartal. Als Levy sich um halb sieben bei den Anwesenden bedankte und die Sitzung damit beendete, fragte Alex sich, weshalb man sie überhaupt hierhergebeten hatte. Sie erhob sich und wollte ebenfalls gehen, als Levy ihr ein Zeichen gab, zu warten.

»Wir sind sehr zufrieden mit Ihrer Arbeit bei uns, Alex«, begann er freundlich, als sie allein im Konferenzraum waren. »Hugh ist beeindruckt von Ihren profunden Marktkenntnissen.«

»Danke«, Alex lächelte abwartend. Das war schließlich ihr Job, dafür bezahlte man ihr zwei Millionen Dollar im Jahr. Was wollte er wirklich?

»Die Effektivität und der Erfolg Ihrer Arbeit sprechen eine deutliche Sprache«, fuhr der Präsident von LMI fort, »und wie Sie wissen, sind wir bereit, Erfolg zu honorieren.«

Sein Lächeln vertiefte sich.

»Wir dachten an einen Bonus von 150000 Dollar, zuzüglich zu den üblichen Prämien.«

Es war ganz still in dem großen Raum. Alex glaubte, sich verhört zu haben.

»Das ist eine Menge Geld«, sie verbarg ihr Erstaunen und gab sich gelassen.

»In der Tat«, Levy lächelte auf eine gütige, väterliche Art, »aber Sie arbeiten 80 Stunden in der Woche und haben wirklich bemerkenswerte Ergebnisse vorzuweisen, und das in nicht einmal fünf Monaten! Diese Zeit benötigen andere, um sich überhaupt in einem neuen Unternehmen einzugewöhnen. Außerdem verdankt LMI Ihnen einen erstklassigen Ruf auf dem Gebiet der M & A. Wieso sollte sich die Firma dafür nicht bei Ihnen bedanken?«

»Oh«, Alex zuckte nicht mit der Wimper, »das ist aber wirklich ungeheuer großzügig.«

Sie hatte das Gefühl, dass sie vorsichtig sein musste. Woher diese Eingebung kam, konnte sie nicht sagen, aber das Gefühl war da.

»Ich möchte Ihnen ein Angebot machen«, sagte Levy, »hier, unter vier Augen. Nichts Schriftliches. Nennen wir es eine Abmachung. Natürlich könnte LMI Ihnen den Bonus in Form von Aktienoptionen geben, so, wie das allgemein üblich ist. Aber wir könnten Ihnen den Betrag auch bar, das heißt, hm, steuerfrei, auf ein Konto im Ausland einzahlen.«

Er lächelte harmlos und nicht so, als habe er ihr eben vorgeschlagen, Steuern zu hinterziehen.

»Die Entscheidung liegt bei Ihnen, Alex. Aktienoptionen sind gut. Aber der Vorteil einer Barauszahlung, bei Ihrer Steuerklasse, liegt klar auf der Hand.«

Alex wusste nicht recht, ob ihr der Vorschlag gefiel, aber sie begriff allmählich, weshalb Levy sie heute hierhergebeten hatte. Er wollte ausloten, inwieweit sie bereit war, legale Grenzen zu überschreiten, und wie groß ihre moralischen Bedenken waren.

»Ein ganz klein wenig illegal, nicht wahr?«, sagte sie leichthin und lächelte.

»Illegal«, Levy lachte leise, »was für ein hässliches Wort. Im Übrigen, finden Sie nicht auch, dass Sie genug Steuern bezahlen?«

Alex nickte. Wenn irgendwo ein paar Investmentbanker zusammensaßen, wurde unablässig über mehr oder weniger legale Steuertricks gesprochen. Bei den hohen Gehältern, die in ihrer Branche gezahlt wurden, waren die steuerlichen Abzüge immens, und ein Konto auf den Bahamas, den Cayman Islands, in der Schweiz oder sonst wo war keine Ausnahme, sondern die Regel.

»Sie sagen St. John Bescheid, wenn Sie sich entschieden haben«, sagte Levy freundlich, »aber das war ohnehin nur die eine Sache, die ich mit Ihnen besprechen wollte. Die andere ist die Selbständigkeit Ihrer Abteilung.«

»Ich dachte, Sie erwarten Eigeninitiative?« Alex war erstaunt.

»O ja, das tue ich auch«, versicherte Levy. »Verstehen Sie das bitte nicht als Kritik! Diskretion ist in Ihrem Job lebenswichtig. Und wir sind ja auch mehr als zufrieden. Aber vielleicht ist es Ihnen in Zukunft möglich, den Vorstand von geplanten Geschäften zu unterrichten, bevor Sie in erste Verhandlungen mit einem Kunden treten.«

Er machte eine Pause, um seine Worte auf Alex wirken zu lassen.

»Der Vorstand«, sagte er dann, »möchte gerne wissen, was in den einzelnen Abteilungen des Hauses vor sich geht. Das ist reines Interesse, keine Kontrolle. Die Entscheidungen treffen Sie wie bisher allein, nach Rücksprache mit Finanzvorstand und Rechtsabteilung.«

Alex sah Levy einen Augenblick an, dann nickte sie langsam. Sie wusste sehr genau, was man tun konnte, wenn man vor allen anderen Marktteilnehmern über bevorstehende Geschäfte informiert war. Wenn jemand in niedrig bewertete Aktien von übernahmebereiten Unternehmen investierte, bevor die Übernahmebereitschaft öffentlich bekannt wurde und dadurch die Kurse stiegen, konnte man eine Menge Geld verdienen. In wenige Worte gefasst bezeichnete man das als Insiderhandel, und es war als illegale Marktbeeinflussung so ungefähr das Verbotenste, was es überhaupt gab. Nicht umsonst gab es in Investmentfirmen die so genannte ›Chinesische Mauer‹, eine Informationssperre zwischen Händlern und Investmentbankern im eigenen Haus, damit vertrauliche Informationen nicht vorab genutzt werden konnten. Levy forderte sie mehr oder weniger auf, diese ›Chinesische Mauer‹ zu umgehen. Alex bemerkte, wie gespannt der Präsident von LMI auf ihre Antwort wartete, und sie beschloss, seinem Wunsch zu entsprechen.

»Das ist kein Problem«, sagte sie nach kurzem Zögern. »Ich werde Sie auf dem Laufenden halten.«

Ihr entging nicht der Ausdruck von Erleichterung, der nur für Bruchteile von Sekunden über Levys Gesicht huschte, bevor er wieder gütig lächelte.

»Großartig«, sagte er zufrieden, »ich wusste, dass wir uns verstehen. Ihr direkter Ansprechpartner ist Mr St. John.«

* * *

Zachary St. John, der zwar kein besonderes Gespür für das Bankgeschäft, sehr wohl aber für die Beurteilung des Machtgefüges an der Wall Street hatte, veranstaltete in regelmäßigen Abständen Partys in seiner Penthousewohnung in Battery Park City, zu der er immer die Leute einlud, die er für wichtig hielt. Alex war an diesem Abend zum ersten Mal eingeladen, und sie war mehr als gespannt darauf, wen sie dort treffen würde. Einladungen zu Zacks legendären Partys waren innerhalb der Wall-Street-Gemeinde heiß begehrt, denn bei feinstem Essen und dem teuersten französischen Champagner wurden wichtige Neuigkeiten ausgetauscht, Kontakte geknüpft und Deals eingefädelt. Eine ganze Weile hatte Alex überlegt, was sie anziehen sollte. Zuerst hatte sie an eines ihrer Business-Kostüme gedacht, die sie üblicherweise im Büro trug, aber schließlich hatte sie sich für ein sündhaft teures und knappes rotes Abendkleid von Versace entschieden. An diesem Abend würde sie allen zeigen, dass sie trotz ihrer Cleverness und Kaltblütigkeit vor allem eine Frau war. Es war halb zehn, als sie die Penthousewohnung betrat, und ihr blieb kurz die Luft weg, denn sie hatte bis dahin keine Ahnung gehabt, wie man in New York wohnen konnte, wenn man das nötige Kleingeld hatte. An die 200 Gäste verteilten sich auf luxuriösen 500

Quadratmetern, saßen und standen in Grüppchen herum und amüsierten sich bestens. Zack kam mit ausgebreiteten Armen und einem breiten Grinsen auf sie zu, eine dicke Cohiba zwischen den Fingern, und begrüßte sie herzlich. Bewundernd musterte er ihr Kleid und ihre schlanken, wohlgeformten Beine, dann ließ er es sich nicht nehmen, ihr ein paar wichtige Leute vorzustellen. Natürlich war der gesamte Vorstand von LMI nebst Damen anwesend, aber auch eine Menge anderer Leute: Anwälte, Broker, Analysten und natürlich Investmentbanker aus allen Sparten. Alex' anfängliche Befangenheit schwand schnell, als sie spürte, wie selbstverständlich sie in diesen illustren Kreis aufgenommen wurde, ja, jedermann schien sich regelrecht darum zu reißen, mit ihr zu sprechen. Irgendwann tauchte Zack wieder auf, als sie gerade in ein Gespräch mit John Kwai und Hugh Weinberg vertieft war.

»Tut mir leid, dass ich euch unterbreche«, Zack nahm Alex am Arm, »ich bring sie euch gleich wieder.«

»Was ist los?«, fragte Alex erstaunt.

»Komm mit«, flüsterte Zack und grinste geheimnisvoll, »ich will dich einem sehr wichtigen Mann vorstellen.«

Sie folgte ihm gespannt durch das ganze Penthouse hinaus auf die riesige Dachterrasse. In gemütlichen Rattansesseln saßen hier ein paar Männer zusammen, tranken Cognac, rauchten die dicken Cohibas, die überall zum Zugreifen auslagen, und lachten. In dem Augenblick, als Alex die Terrasse betrat, wandte sich einer der Männer um und ihre Blicke trafen sich. Das Lachen auf dem Gesicht des dunkelhaarigen Mannes erlosch. Er stellte sein Glas auf den niedrigen Tisch und stand auf.

»Wer ist das?«, raunte Alex in Zacks Ohr.

»Sergio Vitali. Du hast doch schon von ihm gehört, oder?«

Natürlich hatte sie das. Jeder in New York City kannte Sergio Vitali. Sein Gesicht war häufig genug im Fernsehen und in den Zeitungen zu sehen. Er war einer der mächtigsten Männer der Stadt, Bauunternehmer, Immobilientycoon und milliardenschwer, wenn man der Presse Glauben schenken durfte. Immer wieder machte er Schlagzeilen durch große Spenden an soziale Einrichtungen, durch glanzvolle Empfänge, zu denen nur die Spitzen der New Yorker Gesellschaft geladen und auf denen die wichtigsten Geschäfte der Stadt gemacht wurden. Sergio Vitali war ein Aushängeschild der amerikanischen Wirtschaft. Dem *Forbes-Magazin* zufolge gehörte er zu den reichsten Männern Amerikas. Ihm gehörte halb Manhattan. Er besaß Hotelketten und Spielcasinos in Las Vegas, Reno, Atlantic City und Miami, herrschte über ein ganzes Firmenkonglomerat und reiste in eigenen Learjets.

»Alex«, sagte Zack jetzt, »darf ich dir Mr Sergio Vitali vorstellen? Mr Vitali, das ist Alex Sontheim, die Leiterin der Abteilung Mergers and Acquisitions bei LMI.«

»Ich habe schon sehr viel von Ihnen gehört«, Vitalis Stimme war angenehm und kultiviert, »und ich freue mich, Sie endlich einmal persönlich kennenzulernen. Ihr guter Ruf eilt Ihnen voraus, aber niemand hat mir gesagt, was für eine außerordentlich schöne Frau Sie außerdem sind.«

Alex lachte verlegen und ergriff seine dargebotene Hand. Sein Händedruck war fest und warm, und Alex spürte, wie diese Berührung in ihrem Magen ein warmes Feuer entzündete, das sich schnell in ihrem ganzen Körper ausbreitete. Nie zuvor hatte sie einen Mann mit einer derart starken sinnlichen Ausstrahlung getroffen, und die verwirrende Anziehung, die er auf sie ausübte, erschreckte und verärgerte sie, die gerne alles unter Kontrolle hatte, zutiefst.

»Die Freude ist ganz auf meiner Seite«, erwiderte sie dann und zwang sich zu einem gelassenen Lächeln. Zweifellos war Sergio Vitali der attraktivste Mann, der ihr jemals begegnet war. Sein dichtes, schwarzes Haar, das an den Schläfen grau zu werden begann, und die Fältchen um Mund und Augenwinkel verliehen seinem markanten Gesicht mit dem Profil einer römischen Statue Charakter. Es war ein Gesicht, das man so schnell nicht vergaß, ein Gesicht, mit dem er in Hollywood hätte Karriere machen können. Aber das Auffälligste an ihm waren seine stahlblauen

Augen. Bevor sie noch ein Wort miteinander wechseln konnten, stellte Zack sich in die weit geöffneten Terrassentüren, klatschte in die Hände und bat seine Gäste um einen Moment der Aufmerksamkeit. Er hielt eine kurze Rede, von der Alex kein Wort mitbekam. Sie bemerkte, dass Vitalis verstörend unergründlicher Blick unverwandt auf ihr ruhte, und sie war hin- und hergerissen zwischen einer instinktiven Abneigung und einer eigenartigen Faszination. Der Mann verunsicherte sie, und sie wusste nicht, ob ihr das gefiel. Nichtsdestotrotz erwies er sich als ein ausgesprochen unterhaltsamer und aufmerksamer Gesprächspartner. Er stellte ihr seinen Freund und Anwalt Nelson van Mieren vor, der das genaue Gegenteil von Vitali war: klein, dick und kahlköpfig mit einem liebenswürdigen Lächeln auf den wulstigen Lippen und flinken, wachsamen Äuglein über feisten Hängebacken, die den ersten Eindruck von harmloser Gemütlichkeit Lügen straften. Van Mieren verabschiedete sich gegen halb eins. Danach fand Alex sich unversehens allein mit Vitali auf der Terrasse wieder. Sie trank sehr viel mehr Champagner als üblich, und ihre anfängliche Abneigung gegen Vitali verwandelte sich schnell in prickelnde Neugier. Es war halb drei, als sie feststellte, dass sie sich den ganzen Abend ausschließlich mit Sergio Vitali unterhalten hatte. Sie bedankte sich bei Zack für die Einladung, lehnte Vitalis Angebot, sie nach Hause zu fahren, höflich, aber bestimmt ab und verließ die Party mit einem Kribbeln im Bauch und dem sicheren Gefühl, bei einem der wichtigsten und einflussreichsten Männern der Stadt einen bleibenden Eindruck hinterlassen zu haben.

* * *

Mark Ashton saß an einem Freitagnachmittag im September an seinem Schreibtisch im 14. Stock des LMI-Building. Im Gegensatz zu dem seiner Chefin stand dieser in einem Großraumbüro, aber das störte ihn nicht. Ebenso wenig störte ihn die Arbeit, die ihm willkommene Ablenkung zu seinem wenig aufregenden

Privatleben bot. Vor rund zwölf Jahren hatte es ihn, den Harvardabsolventen und Juristen, an die Wall Street verschlagen. Nach sechs Jahren in einer der größten New Yorker Kanzleien war er zu LMI gekommen, hatte aber im Handelsraum kläglich versagt. Die Hektik und der Stress waren nichts für ihn, er war nicht geldgierig und rücksichtslos genug, um dort Erfolg zu haben. Auf eigenen Wunsch hatte die Personalabteilung Mark schließlich in die Abteilung für Konsortialgeschäfte abgeschoben, und dort hatte es ihm drei Jahre lang recht gut gefallen. Detaillierte Berechnungen, Bilanzen und betriebswirtschaftliche Auswertungen waren eher sein Ding. Aber als im Februar die neue M & A-Chefin jemanden für die trockene Researcharbeit gesucht hatte, hatte Mark sich spontan und erfolgreich beworben. Und das hatte er nicht bereut. M & A war eine aufregende Sache. Mark hielt bei seiner Arbeit inne, setzte seine runde Brille ab und rieb sich die Augen. Alex Sontheim war dic cleverste und kompetenteste Chefin, die er jemals gehabt hatte, und sie vermochte ihr Team auf eine unnachahmliche Weise zu motivieren. Sie bemerkte jeden Fehler und registrierte jede Schwäche, aber sie stellte nie jemanden bloß. Unvorbereitet sollte man nicht in ihr Büro kommen, das war schnell klar. Ein Lob von Alex kam einem Orden gleich, und es war ihr gelungen, die zusammengewürfelten Leute, die die neue M & A-Abteilung bildeten, innerhalb kürzester Zeit zu einem Team zu formen und ihnen ein Wir-Gefühl zu vermitteln, das in der Welt der Wall-Street-Egozentriker seinesgleichen suchte. Die gesamte Abteilung arbeitete, wenn es sein musste, klaglos bis spät in die Nacht und an den Wochenenden, man feierte Erfolge gemeinsam bei After-Work-Partys im *St. Johns Inn,* im *Luna Luna* oder im *Reggie's at Hanover Square*. Mark fühlte sich das erste Mal in seinem Leben als akzeptiertes und wichtiges Mitglied eines effektiven Teams, und das verdankte er Alex. Nicht zuletzt aus diesem Grund hatte er sich vorgenommen, sie loyal zu unterstützen, und gerade deswegen hätte er gerne gewusst, ob es sie interessierte, was er bei seinen Recherchen über einen potentiellen neuen Klienten herausgefunden hatte. Es war eine eigenartige Sache, und Mark wusste nicht, was er davon halten sollte. Hanson Paper Mill aus Wisconsin war eine der größten Papiermühlen des Landes und hatte daran Interesse bekundet, den renommierten, aber beinahe bankrotten Verlag American Road Map Publishers zu übernehmen. Mark fragte sich nach dem Sinn dieses Begehrens, da seiner Meinung nach überhaupt keine Synergieeffekte erkennbar waren. Um mehr darüber zu erfahren, hatte er Nachforschungen über Hanson Paper Mill angestellt und zu seinem Erstaunen herausgefunden, dass Hanson einer Holding-Gesellschaft namens SeViCo aus Panama gehörte. Die SeViCo wiederum gehörte einer Firma namens Sunset Properties, die 1985 auf den British Virgin Islands gegründet worden war. Und über die Sunset Properties gab es überhaupt keine Informationen. So weit spielte das alles keine Rolle, aber erstaunlich war, dass die American Road Map Publishers über den Umweg über die monegassische Firma Sagimex S. A. ebenfalls der Sunset Properties gehörte. Warum sollte eine Firma eine andere übernehmen, die ohnehin schon den gleichen Besitzer hatte? Mark kaute nachdenklich auf seiner Unterlippe. Sollte er Alex sagen, was er über Hanson und American Road Map herausgefunden hatte?

»Nein«, sagte er schließlich laut zu sich selbst und schüttelte den Kopf, »es spielt keine Rolle.«

Seine Aufgabe war es, die nötigen Zahlen zusammenzustellen, damit man ein interessantes Übernahmeangebot ausarbeiten konnte. Um alles andere kümmerte sich später, falls das Geschäft zustande kommen sollte, die Rechtsabteilung.

* * *

Der Tag war die reinste Hölle. Seit ein paar Wochen hatte den Markt eine unerklärliche Unruhe ergriffen. Die Hektik, die bei Börsenbeginn losbrach, war nur mit der Stimmung beim Endspiel um den Super Bowl zu vergleichen. Alex arbeitete unter Hochdruck an einem neuen Geschäft, sie hatte den ganzen Tag über eine Telefonkonferenz nach der anderen und quälte sich zwischendurch durch komplizierte Analysen, die sich auf ihrem Schreibtisch stapelten. Zu Mittag hatte sie ein Sandwich gegessen, das Abendessen rückte in weite Ferne, wenn sie nicht das ganze Wochenende durcharbeiten wollte. Es war kurz vor halb vier, als die externe Leitung ihres Telefons summte.

»Ja?«, sagte sie und rieb sich die brennenden Augen.

»Hallo, Alex«, die sonore Stimme, so dicht und unerwartet an ihrem Ohr, trieb unwillkürlich ihren Puls in die Höhe, »ich bin's, Sergio.«

»Oh, hallo, Sergio«, Alex zwang sich, gelassen zu klingen. Bereits am Tag, nachdem sie sich auf Zacks Party kennengelernt hatten, hatte Sergio sie angerufen und zum Mittagessen eingeladen. Die Aura der Macht, die ihn umgab, imponierte Alex. Seine Aufmerksamkeiten gefielen ihr, und die atemberaubenden Möglichkeiten, die sich durch eine nähere Bekanntschaft mit ihm ergeben konnten, hatten sie die wenig schmeichelhaften Gerüchte um die Herkunft seines sagenhaften Reichtums und die Tatsache, dass er verheiratet war, übersehen lassen. Bei ihren immer häufigeren Treffen hatte Alex gemerkt, wie fasziniert er von ihr war und wie er versuchte, sie zu beeindrucken. Sie hatte sich so lange kühl und unnahbar gegeben, bis sie ganz sicher sein konnte, ihn fest an der Angel zu haben. Das Gefühl, Macht über einen Mann wie Sergio Vitali zu besitzen, war aufregend und sehr viel besser als alles, was sie je zuvor erlebt hatte. Alex hatte noch nie eine längere Beziehung mit einem Mann gehabt, dafür fehlte ihr die Zeit. Hin und wieder verbrachte sie eine unverbindliche Nacht mit jemandem, um vor dem Morgengrauen zu verschwinden. Sergio Vitali aber war anders als alle Männer, die sie bis dahin gekannt hatte. Er war zweifellos der Rolls-Royce unter den Männern der Stadt, und er konnte ihre Eintrittskarte in die bessere Gesellschaft New Yorks sein. Als sie mit 23 Jahren nach New York gekommen war, war es ihr einziger, ehrgeiziger Wunsch gewesen, Karriere zu machen. Inzwischen hatte sich dieser Wunsch längst erfüllt. Sie war Teil dieses milliardenschweren Spiels, das Tag für Tag hinter den prachtvollen Fassaden gespielt wurde, sie gehörte zu den Großen im Nervenzentrum der Finanzwelt. Damals hatte sie geglaubt, sie würde zufrieden sein, wenn sie erst erfolgreich war, aber schnell hatte sie gemerkt, dass es ihr nicht ausreichte und ihr Ehrgeiz sie weitertrieb. Sie wollte so sein wie die Menschen, die sich ein Haus auf Long Island, im Westchester County oder in Cape Cod leisten konnten, und die selbstverständlich zu den wichtigen Ereignissen in der Stadt eingeladen wurden. Nach sechs Wochen hatte Alex dem beharrlichen Werben Sergios nachgegeben. Es hatte sie keine Überwindung gekostet, mit ihm ins Bett zu gehen. Er war ein attraktiver und phänomenal gut aussehender Mann, seine atemberaubende Wohnung in der Park Avenue, in die er sie an dem Abend vor 14 Tagen mitgenommen hatte, machte ihn in ihren Augen noch sehr viel begehrenswerter. Purer Luxus auf zwei Stockwerken verteilt, vier Meter hohe Decken, spiegelnde Marmor- und Parkettfußböden, die Salons eingerichtet mit feinsten Antiquitäten, französischen Kristallkronleuchtern und dicken Teppichen. Alex hatte schon viel von diesen Wohnungen gehört, die sich nur die Superreichen leisten konnten und die größer als so manches Landhaus waren, aber bis dahin noch keine von innen gesehen. Die Erinnerung an jene erste Nacht mit Sergio jagte ihr unwillkürlich einen angenehmen Schauer über den Rücken. Es hatte sie mit einem prickelnden Machtgefühl erfüllt, wie dieser beherrschte Mann ganz und gar die Kontrolle über sich verloren hatte. Sergio war verrückt nach ihr, und das allein war schon ziemlich schmeichelhaft, wenn man bedachte, wer er war. Doch damit er nicht glaubte, dass er sie nach einer einzigen, zugegebenermaßen aufregenden, Nacht gleich auf der Haben-Seite verbuchen konnte, war sie am nächsten Morgen gegangen, bevor er aufgewacht war. Es hatte keine acht Stunden gedauert, bis er vor ihrer Haustür gestanden und sie ins *Windows on the World* eingeladen hatte, das er für sie beide ganz allein reserviert hatte. ›Beeindrucken Sie mich‹, hatte Alex bei einem Treffen ein paar Tage zuvor herausfordernd zu ihm gesagt, und er hatte ihr versprochen, dies zu tun. Sergio hatte sein Versprechen gehalten.

»Wie geht's dir, Cara? Was macht die Arbeit?«

»Sie droht mich zu ersticken«, Alex machte ihrer Sekretärin Marcia ein Zeichen, ihr die Akten, mit denen sie hereinkam, auf den Schreibtisch zu legen, »aber ich will das ja gar nicht anders haben.«

»Ich wollte dich fragen, ob du heute Abend schon etwas vorhast«, fragte Sergio nun.

»Oh«, Alex musterte rasch die Aktenberge vor sich, »ich habe noch viel zu tun. Es kommt darauf an.«

»Auf was kommt es denn an?«

»Auf das, was du jetzt vorschlägst«, Alex lächelte leicht. Sergio sollte mittlerweile begriffen haben, dass sie nicht zu der Sorte Frau gehörte, die sofort angerannt kam, wenn er nur mit dem Finger schnippte.

»Hm«, erwiderte er, »ich weiß nicht, ob dir so etwas gefällt, und vielleicht ist es ja auch etwas sehr kurzfristig, aber ich wollte dich fragen, ob du nicht Lust hättest, mich heute Abend zum Wohltätigkeitsdinner der Stephen-Freeman-Stiftung ins *City Plaza* zu begleiten.«

Er sagte das im Plauderton, als handele es sich um eine Einladung zum Schlittschuhlaufen. Alex richtete sich auf. Arbeit und Akten waren schlagartig vergessen. In diesem Moment galt es, Prioritäten zu setzen, und eine solche Gelegenheit, wie Sergio sie ihr bot, hatte oberste Priorität.

»Wenn du natürlich zu viel Arbeit hast ...«, Sergios Stimme klang bedauernd, hatte aber einen spöttischen Unterton.

»Die Arbeit läuft mir schon nicht weg«, antwortete Alex.

»Heißt das, du kommst mit?«, fragte Sergio.

»Ja, sehr gerne.«

»Das freut mich«, antwortete er, »ich hole dich um acht Uhr ab.«

Als Alex den Telefonhörer aufgelegt hatte, lächelte sie zufrieden. Heute Abend würde sie einen weiteren, großen Schritt in die richtige Richtung unternehmen und den wirklich wichtigen Leuten dieser Stadt auf gesellschaftlicher Ebene begegnen. Und ganz zweifellos würde ihr erster Auftritt in Begleitung von Sergio Vitali viel beachtet werden. Alex warf ihrem Spiegelbild im Fenster ein triumphierendes Lächeln zu, dann griff sie zum Telefon. Sie musste absolut perfekt aussehen, und dafür blieben ihr noch knapp vier Stunden Zeit.

***

Beim festlichen Dinner fand Alex sich zwischen Sergio und Paul McIntyre, dem Leiter der New Yorker Baubehörde, wieder. An ihrem Tisch saßen außerdem Vincent Levy, der sich seine Überraschung darüber, seine M & A-Chefin an der Seite Sergio Vitalis zu sehen, nicht anmerken ließ, seine Frau, der bekannte Immobilienspekulant David Baines, Senator Fred Hoffman und andere wichtige Persönlichkeiten. Nachdem Alex eine Weile mit halbem Ohr zugehört hatte, wie sich Mrs McIntyre und Mrs Levy über einen Urlaub auf den Caymans unterhielten, und die Frau des Leiters der Baubehörde von der sensationellen Luxussuite schwärmte, die Mr Vitali ihnen schon zum wiederholten Male zur Verfügung gestellt hatte, hakte sie die Frauen dieser einflussreichen Männer rasch als uninteressant ab. Sie hatte sich noch nie etwas aus weiblicher Gesellschaft gemacht, und Frauengespräche wie diese erschienen ihr als Gipfel der Zeitvergeudung. Stattdessen konzentrierte sie sich auf die Gespräche der anwesenden Herren, die sich über ein Bauprojekt auf Staten Island unterhielten. Alex' Blicke wanderten durch den prachtvoll dekorierten Saal, und sie erkannte zahlreiche Prominente. Das Bewusstsein, dass sie mitten unter ihnen saß, erfüllte sie mit einem berauschenden Triumphgefühl. Aber sie wurde von den meisten Menschen mindestens ebenso neugierig gemustert, denn es war ganz und gar ungewöhnlich, dass Sergio Vitali mit einer Frau erschien, die dazu gänzlich unbekannt und wunderschön war. Den ganzen Abend genoss Alex Sergios ungeteilte Aufmerksamkeit. Er brachte sie mit kleinen Anekdoten über die anwesenden Leute immer wieder zum Lachen. Die sieben Gänge des Galamenüs waren von erlesener Güte, die Weine dazu sündhaft gut. Nachdem alle offiziellen Reden gehalten worden waren, forderte Sergio sie zum Tanzen auf. Alex war keine besonders gute Tänzerin und froh darüber, dass sie kaum mehr tun konnten, als sich auf der überfüllten Tanzfläche um die eigene Achse zu drehen.

»Hast du gesehen, wie Vince Levy geguckt hat, als er uns zusammen gesehen hat?« Alex kicherte. »Was glaubst du wohl, was er denkt?«

»Wahrscheinlich denkt er dasselbe, was alle hier denken«, Sergio lächelte, aber seine blauen Augen musterten sie mit einer Intensität, die ein vertrautes Prickeln in ihrem Körper auslöste, »nämlich, dass wir miteinander ins Bett gehen.«

Alex gelang ein gelassenes Lächeln.

»Wenn ich gewusst hätte, dass du so einen schlechten Ruf hast, hätte ich mich nicht mit dir eingelassen«, sagte sie.

»Tatsächlich?« Sergio hob die Augenbrauen. »Ich dachte, dir sei mein Ruf vollkommen gleichgültig.«

»Das ist er auch«, Alex lächelte, »aber *mein* Ruf ist mir wichtig.«

»Das mag ich an dir, Alex«, erwiderte Sergio amüsiert, »du erinnerst mich an mich selbst. Um dein Ziel zu erreichen, würdest du alles tun.«

»Keineswegs alles«, entgegnete Alex, »ich bin vielleicht ziemlich ehrgeizig, aber es gibt durchaus Grenzen.«

»Und wo sind diese Grenzen?«

»Finde es doch heraus.« Alex blickte ihm tief in die blauen Augen. Sergio erwiderte ihren Blick. Seine Hand glitt von ihrer Taille auf ihren nackten Rücken, er zog sie enger an sich. Wie war es ihr nur gelungen, ihn sechs Wochen auf Distanz zu halten? Sie sehnte sich nach ihm mit jeder Faser ihres Körpers.

»Das werde ich«, murmelte er. Seine Stimme dicht an ihrem Ohr ließ Alex erschauern. »Ich will nämlich alles über dich herausfinden.«

Sie tanzten eine ganze Weile schweigend, bis die Musik abbrach und die Kapelle eine kurze Pause einlegte. Sergio hielt Alex einen Moment in seinen Armen fest und sah sie an, während die anderen Tanzpaare die Tanzfläche verließen. An seinem Arm kehrte sie zum Tisch zurück. Immer wieder hielten sie an, und Sergio, der tatsächlich jeden Anwesenden zu kennen schien, stellte ihr zahllose Leute vor. Als sie ihren Tisch erreicht hatten, spürte Alex, wie Sergio an ihrer Seite fast unmerklich zusammenzuckte und sein Körper sich für den Bruchteil einer Sekunde versteifte. Sie folgte seinem Blick. Ihr Tischnachbar Paul McInytre und Senator Hoffman, ein weißhaariger Hüne, unterhielten sich mit einem anderen Mann, der Alex vage bekannt vorkam. Dieser richtete sich auf, als er Sergio erblickte, und lächelte schmal.

»Ah, guten Abend, Mr Vitali.«

»Guten Abend, Herr Bürgermeister«, erwiderte Sergio glatt. Natürlich! Das war Nicholas Kostidis, der ungeheuer populäre, wenngleich nicht unumstrittene Bürgermeister von New York City. Sein markantes Gesicht war oft genug im Fernsehen und in den Zeitungen zu sehen. Bevor er Bürgermeister geworden war, war er der Bundesstaatsanwalt gewesen, der zahlreiche Investmentbanker vor Gericht gebracht und sich außerdem den Ruf des erfolgreichsten Mafiajägers Amerikas erworben hatte. Alex betrachtete ihn neugierig. Etwa im selben Alter wie Sergio sah er nicht auf die klassische Weise gut aus, ja, er hätte auf den ersten Blick gegen die imposante Erscheinung von Senator Hoffman, Paul McIntyre und das blendende Aussehen von Sergio Vitali beinahe unscheinbar gewirkt, wenn da nicht diese zwingende Intensität seiner heißblütigen, fast schwarzen Augen unter schweren Lidern gewesen wäre, die Alex beeindruckte und beunruhigte. Kostidis' Körperhaltung strahlte Selbstbewusstsein und Macht aus. Sergio und der Bürgermeister maßen sich mit kalten Blicken. Alex konnte die feindselige Spannung zwischen den beiden Männern, die sich trotz ihres unterschiedlichen Äußeren durchaus ähnlich waren, fast körperlich spüren.

»Alex«, sagte Sergio nun, »hast du schon die Bekanntschaft unseres geschätzten Herrn Bürgermeisters gemacht?«

Kostidis' Blick wandte sich ihr zu. Sein kühler und zugleich brennender Blick hypnotisierte sie.

»Nein, bisher noch nicht.« Sie hielt seinem Blick mit einem Lächeln stand. »Mein Name ist Alex Sontheim. Ich habe schon viel von Ihnen gehört und freue mich, Sie persönlich kennenzulernen.«

Sergio hob bei ihren Worten spöttisch die Augenbrauen. In Kostidis' Miene spiegelten sich Interesse, aber auch Skepsis, als er ihr die Hand reichte und einen Moment festhielt.

»Die Freude ist ganz auf meiner Seite«, sagte er freundlich und beugte sich näher zu ihr hin, »es ist immer wieder schön, ein neues Gesicht zwischen all den allzu bekannten zu sehen.«

Bevor sie antworten konnte, ergriff Sergio das Wort.

»Ich höre, Sie haben es geschafft, in der Sache Zuckerman einen Untersuchungsausschuss einzusetzen«, sagte er im Plauderton.

»Oh, ja!« Kostidis lächelte und ließ Alex' Hand los. »Es hat mich zwar etwas Überzeugungsarbeit gekostet, aber ich denke, es wird sich lohnen.«

»Das denke ich zwar nicht, aber ich wünsche Ihnen viel Glück«, erwiderte Sergio, ebenfalls lächelnd. Alex blickte irritiert zwischen den beiden Männern hin und her. Unter ihrer Höflichkeit brodelte der blanke Hass.

Die Härte und Furchtlosigkeit in Kostidis' Augen standen im Widerspruch zu seinem liebenswürdigen Tonfall.

»Danke«, sagte er, »ich habe allerdings die Erfahrung gemacht, dass Glück oft nicht ausreicht, wenn man in ein Haifischbecken springt. Wie dem auch sei, ich wünsche Ihnen noch einen angenehmen Abend. Amüsieren Sie sich gut. Miss Sontheim, es war nett, Ihre Bekanntschaft gemacht zu haben.«

Alex nickte nur verwirrt. Kostidis klopfte Paul McIntyre auf die Schulter und ging weiter.

»Arschloch«, knurrte Sergio überhaupt nicht mehr höflich,

als der Bürgermeister außer Hörweite war, und zog den Stuhl für Alex heran, damit sie sich setzen konnte. Sie wusste nicht recht, ob ihr Nick Kostidis gefiel oder nicht, doch auf jeden Fall war er ein ungewöhnlicher Mann. Das sagte sie zu Sergio, als sie sich wieder an den Tisch gesetzt hatten. Sergio musterte sie mit einem rätselhaften Ausdruck in den Augen.

»Nicholas Kostidis ist die Pest«, sagte er mit einer so kalten Stimme, dass Alex ihn erstaunt ansah. »Er ist ein machtgieriger, rücksichtsloser Fanatiker und besessen von dem Gedanken, die Stadt zu einem Kinderspielplatz zu machen.«

»Aber Sicherheit und die Senkung der Kriminalität sind doch eine gute Sache«, wandte Alex, die von der ›*no tolerance*‹-Politik des Bürgermeisters zur Verbrechensbekämpfung gehört hatte, arglos ein. Sergio blickte sie einen Moment durchdringend an, dann lachte er.

»Aber sicher ist es das.«

»Kostidis ist ein Demagoge und Volksverhetzer«, bemerkte Vincent Levy, nachdem er sich vergewissert hatte, dass ihnen niemand zuhörte. »Er ist gefährlich, weil er nichts außer seiner eigenen Wahrheit gelten lässt, und er kommt bei den kleinen Leuten so gut an, weil diese Wahrheit sehr einfach gestrickt ist.«

Er senkte seine Stimme.

»Er hat aus dieser Stadt einen Polizeistaat gemacht und ...«

»Kostidis kann tun, was er will«, unterbrach Sergio ihn und winkte lässig einem Kellner, der sofort die Gläser nachfüllte, »aber auch mit Maßanzug und Seidenkrawatte bleibt er nur ein kleiner, griechischer Straßenköter aus Bedford Stuyvesant, der laut kläfft und anderen gerne ans Bein pinkelt.«

Die beiden Männer lachten abfällig.

»Über was für einen Untersuchungsausschuss hat er gesprochen?«, erkundigte sich Alex.

»Ein neuer Spleen von Kostidis«, Sergio winkte ab. »Er hat mich schon seit Jahren im Visier. Immer wieder versucht er, Mitarbeiter von mir einzuschüchtern, in der Hoffnung, irgendjemand würde ihm einen dunklen Fleck in meinem Leben auf einem Silbertablett servieren. Sein Hass auf jeden, der einen italienischen Namen trägt, ist pathologisch. Vielleicht wurde er als Kind mal von einem Italiener verprügelt.«

Er lachte unbekümmert und hob sein Glas.

»Ich trinke auf unseren Herrn Bürgermeister und seinen unglaublichen Ehrgeiz, der ihm eines Tages das Genick brechen wird.«

Alex bemerkte das kalte Glitzern in Sergios Augen und zog es vor, zu schweigen. Es gab keinen Grund für sie, Partei für Kostidis zu ergreifen.

* * *

Eine halbe Stunde später entschuldigte sie sich bei Sergio. Während sie sich mit einem Lächeln durch die Menschenmenge bis ins Foyer treiben ließ, hatte sie die Begegnung mit dem Bürgermeister schon beinahe vergessen. Sie genoss es in vollen Zügen, zu diesen privilegierten Menschen zu gehören, die sich überhaupt nichts dabei dachten, für ein Abendessen mehr Geld auszugeben, als ein Arbeiter in einem halben Jahr verdiente. Sie wanderte die langen Flure des luxuriösen City Plaza Hotel entlang, bis sie feststellte, dass sie sich verlaufen hatte, denn sie befand sich vor dem Eingang zur Küche. Sie wandte sich um und stieß beinahe mit zwei Männern zusammen, die eilig auf eine Tür mit der Aufschrift ›Nur für Personal‹ zugingen. Zu ihrer Überraschung erkannte Alex Nick Kostidis. Der Bürgermeister schien das Hotel durch den Hinterausgang verlassen zu wollen.

»Oh!« Kostidis lächelte, als er sie erkannte, und blieb stehen. »Wollten Sie die Küche inspizieren, Miss Sontheim?«

Er hatte sich ihren Namen gemerkt! Das Handy des anderen Mannes begann zu klingeln, worauf dieser ein Stück weiter ging.

»Nein, ich ... ich habe mich wohl verlaufen«, erwiderte sie. Kostidis war nur wenig größer als sie selbst. Seine Augen waren so dunkel, dass sie fast schwarz wirkten, und er hatte für einen Mann ungewöhnlich lange und dichte Wimpern.

»Sie stammen nicht aus New York, nicht wahr?«, fragte er.

»Nein, ich komme aus Deutschland. Aber ich lebe schon seit zwölf Jahren hier.«

»Deutschland!« Kostidis lächelte freundlich. »Das Land der Dichter und Denker! Was hat Sie ausgerechnet hierher verschlagen?«

»Ich wollte Karriere machen«, entgegnete Alex.

»Sie arbeiten?« Er zog die Augenbrauen hoch.

»Was dachten Sie denn?« Sie sah ihn spöttisch an. »Ich bin keine reiche Erbin. Ich war sechs Jahre lang bei Morgan Stanley und arbeite jetzt bei LMI.«

»Aha. Bank. Das große Geld«, Kostidis lachte, aber seine Augen blieben ernst und forschend.

»Mein Job gefällt mir«, Alex glaubte plötzlich, sich rechtfertigen zu müssen, »genauso, wie mir diese Stadt gefällt. New York ist so lebendig.«

»Das ist es, in der Tat«, Kostidis nickte. »Meine Eltern kamen aus Griechenland hierher, aber ich bin hier geboren und aufgewachsen, und ich hatte nie den Wunsch, woanders zu leben. Aus beruflichen Gründen war ich eine Weile in Washington, da fühlte ich mich wie in der Verbannung. Für mich gibt es nur New York City. Ich liebe diese Stadt, trotz all ihrer Schwächen. Und ich arbeite mit meiner ganzen Kraft dafür, dass New York schöner und lebenswerter wird.«

Alex starrte Nick Kostidis an und staunte über die echte, ungekünstelte Begeisterung und Leidenschaft in seinen Worten. Beim Reden benutzte er seine Hände, und mit seiner lebendigen Mimik zog er den Zuhörer unweigerlich in seinen Bann. Ihr fiel wieder ein, dass Levy ihn einen Demagogen genannt hatte, und sie dachte an die verächtlichen Worte von Sergio. Nun, da sie Kostidis persönlich kennengelernt hatte, wunderte sie sich nicht mehr, weshalb er die Wahlen zum Bürgermeister vor gut anderthalb Jahren mit einer so überragenden Mehrheit für sich entschieden hatte. Er besaß eine nahezu magische Anziehungskraft und die einzigartige und seltene Begabung, seinem Gesprächspartner das Gefühl zu vermitteln, er sei in diesem Augenblick der wichtigste Mensch auf der ganzen Welt. Die Bevölkerung von New York liebte und verehrte ihn, weil er seinen Worten Taten folgen ließ. Er hatte in wenigen Monaten für die Sicherheit und Verbesserung der Lebensqualität mehr getan als seine Vorgänger in zehn Jahren.

»Nick?« Der junge Mann mit dem dünnen blonden Haar und dem blasierten Gesichtsausdruck hatte sein Telefonat beendet und kam näher. Er musterte Alex mit einer Mischung aus Neugier und Misstrauen.

»Kommen Sie, Nick? Wir müssen los.«

»Ich komme«, sagte Kostidis, ohne seinen eindringlichen Blick von Alex abzuwenden, »gehen Sie schon vor, Ray.«

»Okay«, der Mann gehorchte widerwillig.

»Mein Kindermädchen«, Kostidis lächelte bedauernd, »ein Termin jagt den nächsten, und Mr Howard achtet darauf, dass ich überall rechtzeitig und lange genug erscheine. Er ist nicht zu beneiden.«

Er reichte Alex die Hand.

»Es war sehr nett, Sie kennenzulernen, Miss Sontheim.«

»Ja, das ... das fand ich auch«, stotterte sie und spürte zu ihrem Ärger, dass sie errötete wie ein Schulmädchen.

»Erlauben Sie mir, dass ich Ihnen einen Rat gebe, auch wenn wir uns kaum kennen«, Kostidis beugte sich etwas vor und senkte seine Stimme, »seien Sie vorsichtig bei der Wahl Ihrer Freunde. Auch wenn es aufregend sein mag, es ist gefährlich, mit den Haien zu schwimmen. Es sei denn, Sie sind selber einer, aber das glaube ich nicht.«

Er ließ ihre Hand los und lächelte wieder.

»Übrigens, die Toiletten finden Sie, wenn Sie die Treppe im Foyer hinuntergehen«, er zwinkerte ihr noch einmal zu, bevor er die Tür öffnete und verschwand. Alex starrte ihm wie betäubt nach. Sie hatte täglich mit wichtigen und einflussreichen Menschen zu tun und ließ sich schon lange nicht mehr von ihnen beeindrucken, aber Nicholas Kostidis war das soeben gelungen. Er hatte sie tief beeindruckt. Und er hatte sie verunsichert.

***

Sergio Vitali betrat das Lagerhaus an den Brooklyner Docks, über dessen Eingangstür ein Schild mit der Aufschrift *Fichiavelli & Sons – Italian Wine and Food Company* angebracht war. Ihm stand der Sinn überhaupt nicht nach einer weiteren sinnlosen Diskussion mit seinem missratenen jüngsten Sohn, aber Cesare hatte wieder einmal grandiosen Mist gebaut. Nelson hatte Cesare am Morgen gegen Kaution aus dem Gefängnis geholt, und Sergio hatte befohlen, den Jungen nach Brooklyn zu bringen. An diesem Samstagmorgen waren die Büros, die Lager, Kühlräume und Laderampen wie ausgestorben, nur im vordersten Büro warteten drei Männer auf Sergio. Er nickte Silvio Bacchiocchi und Luca di Varese zu und musterte seinen jüngsten Sohn, der mit einer Mischung aus Trotz und Angst seinen Blick erwiderte, aber mit verschränkten Armen sitzen blieb, während sich die beiden anderen Männer erhoben. Cesare war 21, ein hübscher junger Mann mit den blauen Augen und dem sinnlichen Mund seines Vaters, der leider nicht die geringste Neigung zeigte, irgendeiner Arbeit nachzugehen. Im Gegensatz zu seinen älteren Brüdern Massimo und Domenico, die Schule und Studium zielstrebig abgeschlossen hatten und im Unternehmen des Vaters arbeiteten, war Cesare nicht besonders intelligent und besaß dazu ein unbeherrschtes und hitziges Temperament, das ihn häufig genug in Schwierigkeiten brachte. Sergio hatte unzählige Male seine Beziehungen spielen lassen, um Cesare zu helfen. Er hatte im Laufe der Jahre sieben verschiedenen Schulen ansehnliche Spenden zukommen lassen, damit der Junge wenigstens einen Schulabschluss bekam, aber alle Hilfe war vergeblich gewesen.

»Hallo, Cesare«, sagte Sergio, der nicht die geringste Lust hatte, sich um dieses verzogene Bürschchen kümmern zu müssen.

»Hi, Dad«, antwortete Cesare.

»Steh auf, wenn ich mit dir rede.«

Cesare zog die Nase hoch und blieb sitzen. Luca und Silvio bemerkten, wie Sergios Gesicht kalt wie Eis wurde und sich seine Wangenmuskulatur anspannte. Diesen Ausdruck kannten und fürchteten sie. Silvio Bacchiocchi arbeitete seit 25 Jahren für Sergio, er war Ende 40, blond und blauäugig, wie viele seiner norditalienischen Vorfahren, und neigte zum Dickwerden. Durch Sergio war er ein wohlhabender Mann geworden und dankte ihm dies mit bedingungsloser Treue. Niemand, der den netten und immer fröhlichen Silvio kannte, hätte es für möglich gehalten, dass er die Geschäfte für seinen Boss mit eiserner Hand führte und vor nichts und niemandem zurückschreckte.

»Steh schon auf, wenn dein Papa mit dir spricht«, sagte er zu Cesare, der daraufhin widerwillig gehorchte. Sergio sah seinen Sohn an, bemerkte die laufende Nase und den dünnen Schweißfilm auf dessen Stirn.

»Du nimmst das verdammte Zeug, nicht wahr?«, stellte er fest. Cesare rieb sich nervös die Hände, wischte sie an seiner Jeans ab und wich dem Blick des Vaters aus.

»Antworte mir gefälligst!«

»Ab und zu. Aber nicht viel.«

Das war gelogen. Sergio hatte schon genug Kokser gesehen, um zu wissen, wie einer aussah, der regelmäßig das teuflische weiße Pulver schnupfte. Es wunderte ihn nicht einmal, denn Cesare war hinter seinem großen Maul und seiner Brutalität ein schwacher Mensch.

»Du hast dich verhaften lassen, du Idiot! Warum bist du nicht abgehauen?« Sergio kochte vor Zorn über so viel Dummheit. »Hast du eigentlich noch immer nichts kapiert? Du heißt mit Nachnamen ›Vitali‹, und du weißt, was das bedeutet. Weshalb hast du nicht wenigstens das Zeug weggeworfen, als die Bullen aufgetaucht sind? Die Presse wird sich darauf stürzen, und wenn erst Kostidis davon erfährt, kann dir niemand mehr helfen. Du bist wirklich ein Vollidiot, Cesare!«

Für einen Moment herrschte Stille in dem kleinen Büro. Cesare grinste dümmlich und verlegen, was Sergio noch wütender machte. Kostidis war seit Jahren hinter ihm her und wartete nur auf eine Schwachstelle, einen kleinen Fehler oder eine unüberlegte Dummheit wie diese, um zuzuschlagen. Sergio wusste nur zu gut, dass Cesares hirnloses Benehmen eines Tages sein ganzes Machtgefüge erschüttern könnte. Bei Körperverletzung drückten die Cops noch ein Auge zu, aber Drogenhandel war ein Verbrechen, bei dem sie empfindlich reagierten. Durch die harte Politik dieses fanatischen Bürgermeisters galt Drogenhandel in New York fast als schlimmer als Mord, und schon die kleinen Crackdealer aus der Bronx oder East Harlem wurden drastisch bestraft.

»Silvio wird dir einen Anwalt besorgen«, sagte Sergio zu seinem Sohn, »einen, der nichts mit uns zu tun hat. Und dann werden wir sehen, was der für dich tun kann. Wenn sich die Cops stur stellen, kann ich auch leider nichts mehr machen.«

»Was soll das heißen?« Cesare hörte auf zu grinsen.

»Dass du eine Weile in den Knast wanderst«, Sergio erhob sich. Es hatte keinen Sinn, länger mit dem Jungen zu reden. Er wandte sich ab.

»He!« Cesare ergriff seinen Vater an der Schulter, worauf dieser wie elektrisiert herumfuhr und seinen Sohn wegstieß. Die Abscheu und die Eiseskälte in Sergios Augen ließen Cesare zurückweichen. Nie zuvor hatte er den Vater so wütend gesehen.

»Papa, du kannst mich doch nicht …«, begann er.

»Ich habe dir jede erdenkliche Chance gegeben, Cesare«, sagte Sergio mit mühsam beherrschter Stimme. »Ich habe gehofft, dass du eines Tages erwachsen werden und kapieren würdest, worum es im Leben geht. Aber stattdessen prügelst du dich wie ein Kind, kokst und säufst dir das Gehirn weg und wirst immer dümmer. Ich verachte Dummheit. Sie ist das Schlimmste, was es auf Erden gibt.«

Cesare lief rot an und ballte die Fäuste. Sein Vater war der einzige Mensch auf der Welt, den er fürchtete. Aber genauso sehr hasste er ihn auch.

»Tu doch nicht so moralisch!«, schrie er ihn an. »Glaubst du, ich weiß nicht, dass du eine Menge Kohle mit dem Zeug verdienst? Es ist dir doch scheißegal!«

»Stimmt«, Sergio sah ihn kalt an, »ich habe es allerdings selber nie genommen, und ganz sicher habe ich mich niemals mit Drogen von der Polizei erwischen lassen. Das ist der Unterschied.«

»Was soll ich jetzt tun? Ich bin doch dein Sohn! Du musst mir helfen!« In Cesares Augen stand die nackte Panik. Er war todsicher gewesen, dass sein Vater nur ein paar Anrufe tätigen musste, um die Angelegenheit aus der Welt zu schaffen.

»Mir ist schmerzlich bewusst geworden, dass alle meine Bemühungen, aus dir einen vernünftigen Menschen zu machen, verschwendete Zeit sind«, Sergios Stimme troff vor Verachtung. »Du denkst nicht eine Sekunde darüber nach, dass du uns alle in Gefahr bringst. Ich habe keine Lust mehr, für dich die Kohlen aus dem Feuer zu holen. Alles, was ich jemals von dir dafür bekommen habe, ist Undank. Wenn du dich nicht an meine Regeln halten willst, dann kannst du auch nicht erwarten, dass ich dir helfe.«

Cesares Mundwinkel zuckte nervös, der Schweiß rann ihm über das Gesicht. Er fror und schwitzte gleichzeitig.

»Wenn ich in den Knast komme«, sein Blick war lauernd, »und wenn sie mich über dich ausfragen, dann sag ich, was ich über dich weiß.«

Sergios Gesichtszüge gefroren zu Eis. Silvio und Luca wechselten einen bekümmerten Blick. Etwas Schlimmeres hätte er kaum sagen können. Nun bemerkte auch Cesare, dass er einen Fehler gemacht hatte. Der letzte Rest von Selbstsicherheit fiel von ihm ab, und ihm sprangen die Tränen in die Augen.

»Papa!«, rief er flehend. »Das wollte ich nicht sagen.«

»Das hast du aber getan.«

»Ich würde nie etwas tun, was dir schaden könnte!«

»Wie solltest du das auch können«, Sergio verzog das Gesicht zu einem verächtlichen Lächeln, »du hast dich doch nie für etwas anderes interessiert als für Weiber, Drogen und Schlägereien. Mach nur so weiter.«

»Papa!« Cesares Stimme war weinerlich, er streckte die Hände aus. »Ich werde nie wieder Drogen nehmen, das schwöre ich dir! Bitte, geh nicht! Ich bin doch dein Sohn!«

»Bedauerlicherweise bist du das. Ich muss gehen. Ich habe noch Termine«, Sergio sah auf die Uhr. »Luca, du fährst mit mir in die Stadt. Ich muss noch etwas mit dir besprechen.«

Sergio musterte seinen Sohn voller Abneigung.

»Du hast die Hauptregel meiner Welt nicht verstanden, Cesare.«

»Hauptregel? Was meinst du damit?« Cesare blickte nervös zwischen seinem Vater und den beiden Männern, die mit unbeweglichen Gesichtern neben ihm standen, hin und her.

»Man scheißt nicht dahin, wo man isst.«

Die ungewohnt vulgäre Ausdrucksweise seines Vaters ließ Cesare zusammenzucken.

»Halte mich auf dem Laufenden, Silvio«, sagte Sergio und verließ in Lucas Begleitung den Raum. Cesare sank auf den Stuhl und begann zu schluchzen. Silvio klopfte ihm auf die Schulter und seufzte. Der Boss hatte recht. Bei dem Jungen waren Hopfen und Malz verloren.

* * *

Luca di Varese nahm auf der Rückbank der Limousine neben seinem Boss Platz und wartete, bis dieser das Wort ergriff. Er ahnte, über was Sergio mit ihm sprechen wollte. Luca war ein schweigsamer, schlanker Mann von 38 Jahren. Er stammte aus der South Bronx und war schon mit vier Jahren Vollwaise geworden, als seine Eltern bei einem Häuserbrand ums Leben gekommen waren. Die Schwester seiner Mutter war die Cousine von Sergios Frau Constanzia. Irgendwann hatte Sergio den Jungen kennengelernt und dessen Intelligenz erkannt. Er hatte Luca auf eine Schule geschickt, ihm später ein Studium der Betriebswirtschaft finanziert und ihn mit nur 26 Jahren zum Geschäftsführer der Crown Royal Corporation gemacht. Die Gesellschaft mit dem klangvollen Namen verwaltete sämtliche Hotels und Casinos, die Sergio in ganz Amerika besaß, doch tatsächlich verbarg sich dahinter der illegale Zweig seiner Unternehmungen. Luca di Varese kontrollierte für seinen Boss das illegale Glücksspiel, die Prostitution und den Drogenhandel, aber er war auch zuständig für Geldwäsche der aus diesen Geschäftszweigen stammenden Gelder.

»Der Junge wird allmählich zu einem ernsten Risiko«, sagte Sergio nach einer Weile und schüttelte nachdenklich den Kopf. »Er kann auf gar keinen Fall in der Stadt bleiben.«

»Werden Sie ihm wirklich nicht helfen?«, fragte Luca.

»Natürlich werde ich das«, Sergio seufzte, »ich hoffe, ich kann die Sache noch heute aus der Welt schaffen. Sobald die Anklage gegen ihn fallen gelassen wird, muss er für eine Weile von hier verschwinden. Ich habe an Europa gedacht.«

»Er könnte bei Barandetti in Neapel arbeiten«, schlug Luca vor, »natürlich nicht für uns, sondern im Fischgroßhandel und im Lager. Gabelstapler fahren und so etwas.«

»Klingt gut. Ruf Michele an. Wenn er nichts für ihn hat, versuche es bei Stefano Piesini in Verona. Es würde Cesare nicht schaden, einen Sommer lang auf einem Weingut zu arbeiten.«

Luca nickte. Eine Weile saßen sie schweigend im Fond der Limousine.

»Allerdings wird er wohl kaum einen ganzen Sommer in Europa bleiben«, sagte Sergio finster, »seine Mama wird ihn wieder bei sich aufnehmen. Wie immer.«

Er wandte den Kopf und blickte Luca ernst an.

»Ich sage es jetzt nur dir, Luca, und nur ein einziges Mal«, seine Stimme war leise, »aber wenn der Fall eintreten sollte, dann erwarte ich von dir, dass du nicht eine Sekunde lang zögerst.«

Luca sah seinen Boss an, ohne mit der Wimper zu zucken.

»Es ist mir egal, ob er mein Sohn ist oder nicht. Bevor er mir mit seiner Dummheit ernste Schwierigkeiten macht, werde ich ihn opfern. Hast du mich verstanden, Luca?«

»Ja, Boss.«

»Du versprichst mir, dass du dich persönlich darum kümmerst?«

Keine Regung in seinem Gesicht verriet, was Luca di Varese von der Entscheidung seines Bosses hielt. Er stellte keine Fragen, versuchte nicht, ein gutes Wort für Cesare einzulegen. Lucas Loyalität war bedingungslos und ohne jede Kritik.

»Ich verspreche es, Boss.«

***

Alex war bis auf die Haut durchnässt, als sie mit ihren Einkäufen am späten Nachmittag nach Hause kam. Sie stellte die vier Papiertüten auf den Küchentisch und räumte den Inhalt in den Kühlschrank, der wie üblich unter chronischer Leere litt. Sergio hatte eigentlich mit ihr den Tag verbringen wollen, aber dann war ihm ein Termin dazwischengekommen, und er hatte sie um halb neun nach Hause fahren lassen. Wie jedes Mal, wenn Alex aus der Park Avenue in ihre Wohnung in Greenwich Village kam, fühlte sie sich wie Aschenputtel und ärgerte sich, dass sie zu wenig Zeit hatte, um sich um eine schönere Wohnung zu kümmern. Sie zündete sich eine Zigarette an und dachte über den vergangenen Abend nach. Bei der Erinnerung an die vielen bewundernden und neugierigen Blicke der Leute, die ihr gegolten hatten, weil Sergio Vitali den ganzen Abend lang nur Augen für sie gehabt hatte, musste sie grinsen. Sicherlich spekulierte halb New York heute darüber, wer sie war und in welcher Beziehung sie zu Sergio stand. Es war einfach schier unglaublich, wie weit sie es gebracht hatte! Sie fühlte sich wie im siebten Himmel. Das Summen ihres Handys riss sie aus ihren Gedanken.

»Einen wunderschönen guten Tag«, es war Zack, und er klang

spöttisch, »wie hat dir dein Ausflug in die Welt der Schönen und Reichen gefallen?«

»Was meinst du damit?« Alex stellte sich dumm. Woher konnte Zack schon wissen, wo sie gestern Abend gewesen war?

»Vince hat mir erzählt, dass er dich in Begleitung von Vitali im City Plaza getroffen hat. Er war etwas ... überrascht.«

»Ich bin erwachsen. Ich kann mich treffen, mit wem ich will«, erwiderte Alex kühler, als sie es eigentlich beabsichtigt hatte.

»Aber sicher doch, Süße«, Zack lachte auf eine anzügliche Weise, »bist du scharf auf Vitali oder nur auf seine Beziehungen?«

»Das geht dich gar nichts an, Zack«, erwiderte Alex ärgerlich.

»Tut es auch nicht«, gab er zu, »aber ich verstehe jetzt, weshalb du mich immer abwimmelst. Warum solltest du dich auch mit mir abgeben, wenn du den Lottogewinn haben kannst?«

»Spinnst du?«

»Bilde dir nur nichts darauf ein«, sagte Zack, und seine Stimme hatte einen gehässigen Beiklang, » Vitali vögelt jede Frau, die ihm gefällt.«

»Bist du etwa sauer, weil du bei mir nicht landen kannst?«

»Unsinn«, Zack lachte, »du bist gar nicht mein Typ.«

Alex lachte auch, wenn auch etwas gezwungen. Zack *war* gekränkt, und zwar nicht, weil sie seine Annäherungsversuche konsequent zurückwies, sondern weil sie dabei war, ihm in gesellschaftlicher Hinsicht den Rang abzulaufen. Sie hatte einen ganzen Abend im City Plaza am Tisch von Vince Levy gesessen und er nicht. Möglicherweise war er auch eifersüchtig auf ihren Erfolg und ihr Ansehen beim Vorstand von LMI. In Zukunft musste sie ihn mit Vorsicht behandeln. Zack war schwer zu durchschauen, und es war nicht gut, ihn zum Feind zu haben.

»Hör mal«, sagte er nun, »eigentlich wollte ich mit dir über Micromax reden. Ich habe aus sicherer Quelle erfahren, dass sie gravierende Probleme im Management haben und die Quartalszahlen erheblich geschönt waren. Es gibt ein paar größere

Filmgesellschaften, die mehr als scharf auf Micromax sind. Das könnte eine gute Sache werden.«

Alex stutzte. Wollte Zack ihr in ihren Job hereinreden, oder wollte er sie mit Informationen ködern?

»Hört sich ganz interessant an«, antwortete sie, »lass uns am Montag darüber reden. Okay?«

»Okay«, Zacks Stimme klang nicht mehr spöttisch oder kränkend, sondern ganz normal, »und Alex, darf ich dir einen Rat geben?«

»Was für einen Rat?« Sie ging innerlich in die Defensive. Er zögerte kurz.

»Lass die Finger von Vitali.«

Schon wieder eine Warnung! Erst Kostidis und nun Zack. Welchen Grund sollte er haben, sie vor Sergio zu warnen? War er einfach eifersüchtig, oder tat sie ihm vielleicht Unrecht?

»Danke, Zack«, sagte sie, »du musst dir keine Sorgen um mich machen. Ich weiß schon, was ich tue«

»Hoffentlich. Bis Montag dann.«

* * *

Nelson van Mieren saß schwitzend unter einem Sonnenschirm auf einer der Terrassen von Sergios luxuriöser Villa auf dessen Privatinsel Cinnamon Island, die zum Archipel der British Virgin Islands gehörte. Missmutig beobachtete er, wie sein Boss und diese Alex Sontheim Hand in Hand vom Anlegesteg in der Bucht hinauf zur Villa kamen. Den ganzen Tag waren sie mit Sergios schneeweißer 30-Meter-Yacht *Stella Maris,* mit der sie vor sechs Tagen hierhergekommen waren, durch die Gewässer um Cinnamon Island gekreuzt, während Nelson sinnlos herumsaß. Sergio hatte ihn gestern Morgen in New York angerufen und ihn herbeordert, obwohl er genau wusste, dass Nelson das Klima und die ganze Insel hasste. Er war unverzüglich nach Tertola geflogen und von dort aus mit dem Helikopter auf die Insel, nur um den ganzen Abend lang das fünfte Rad am Wagen zu sein. Mit wachsender Besorgnis hatte er beobachtet, welche Veränderung mit Sergio vorgegangen war. Sogar für einen Blinden war zu erkennen, wie vernarrt er in dieses blonde Weibsstück war. Nelson hatte gehofft, am gleichen Abend die grässliche Insel wieder verlassen zu können, aber Sergio schien es nicht eilig zu haben, ihm zu sagen, weshalb er so dringend mit ihm hatte sprechen wollen. Es war für Nelson geradezu unerträglich mit anzusehen, wie Sergio sich benahm, und als er nach dem Dinner mit dem Weib auch noch in den Pool sprang, um dort wie ein Teenager mit ihr herumzualbern und zu knutschen, hatte Nelson sich zurückgezogen. Noch nie in den langen Jahren ihrer Freundschaft hatte Nelson van Mieren erlebt, dass Sergio sich so kindisch benommen hatte, und er verspürte fast so etwas wie Eifersucht. Die beiden Männer hatten sich auf dem katholischen Jungeninternat in Philadelphia kennengelernt, in das man sie mit sechs Jahren abgeschoben hatte, und die Freundschaft, die die beiden Jungen vor 40 Jahren geschlossen hatten, dauerte bis zum heutigen Tage an. Nelson van Mieren war weit mehr als ein einfacher Anwalt. Er war Spezialist für Straf- und Wirtschaftsrecht und seit gut 30 Jahren Sergios rechte Hand. Gemeinsam hatten sie ein gewaltiges Imperium aufgebaut. Nelson mochte Alex Sontheim nicht, und es gefiel ihm immer weniger, wie sehr sie Sergio den Kopf verdreht hatte. Sie war zweifellos ungewöhnlich schön und sehr intelligent, und genau das machte ihm Sorgen. Es wäre anders, wenn sie ein dummes Ding gewesen wäre, aber intelligente Frauen waren gefährlich. Während sich die beiden den ganzen Tag miteinander vergnügt hatten, war Nelson zu dem Schluss gekommen, dass er Alex' Einfluss auf Sergio unter allen Umständen unterbinden musste. Es konnte nicht sein, dass Sergio auf andere Ratgeber hörte als auf ihn, und schon gar nicht auf eine Frau. Endlich war Alex im Haus verschwunden. Sergio nahm sich einen Whisky und setzte sich zu Nelson auf die Terrasse. Er lächelte entspannt und wirkte in Shorts und T-Shirt um Jahre jünger. Ein paar Minuten sprachen sie über Belanglosigkeiten, aber dann beschloss Nelson, Sergio nach dem Grund seiner Anwesenheit zu fragen, bevor das Weibsstück wieder auftauchen konnte.

»Ich wollte dich um einen Rat in einer persönlichen Angelegenheit bitten«, antwortete Sergio auf seine Frage, und das erhöhte Nelsons Alarmbereitschaft unwillkürlich um ein Vielfaches.

»Ich habe mich noch nie in meinem Leben so wohl gefühlt«, Sergio lehnte sich zurück und streckte die Beine aus, »seitdem ich Alex kenne, fühle ich mich wie 30. Sie tut mir unglaublich gut.«

»Schön, schön«, erwiderte Nelson. Sergio lächelte vor sich hin und ließ die Eiswürfel in seinem Glas kreisen.

»Was hältst du von ihr?« Die Frage klang beiläufig, aber Nelson war sofort bewusst, wie immens wichtig die richtige Antwort war. Er wischte sich mit einem Taschentuch den Schweiß von der Stirn. Die tropischen Temperaturen machten seinem Herz und seinem Kreislauf zu schaffen.

»Ich würde gerne deine ehrliche Meinung über sie hören«, sagte Sergio. Nelson zögerte.

»Sie ist eine attraktive Frau«, antwortete er ausweichend.

»Ja, das ist sie«, Sergio nickte, fast ein wenig ungeduldig, »aber darüber hinaus gibt es noch viel mehr, was mir an ihr gefällt. Ich spiele mit dem Gedanken, mich von Constanzia scheiden zu lassen.«

»Das kann nicht dein Ernst sein!« Nelson starrte seinen Freund ungläubig an. »Willst du die Kleine etwa heiraten?«

»Ich bin einer Frau wie ihr noch nie begegnet«, Sergio lächelte versonnen, »sie hat ihren eigenen Willen. Sie ist erfolgreich. Wenn ich nur an sie denke, habe ich Herzklopfen. Das ist mir noch nie passiert! Ich bin jetzt 56, und ich habe festgestellt, dass ich nicht mehr so leben möchte, wie ich es bisher getan habe. Mit Alex macht mir alles viel mehr Spaß.«

»Spaß!« Nelson schnaubte verächtlich, aber er war nun ernsthaft besorgt. »Du klingst wie ein Achtzehnjähriger! So habe ich dich noch nie reden hören. Was hat diese Frau mit dir gemacht?«

Er ließ seinen Freund nicht aus den Augen. Es reichte nicht, Alex schlechtzumachen. Sergio musste Zweifel an ihr bekommen.

»Was weißt du über sie, über ihre Herkunft, ihre Beweggründe? Mag sie dich, oder ist sie vielleicht nur scharf auf dein Geld, deine Macht und das, was du besitzt? Welches Mädchen fände es nicht toll, mit einem der reichsten Männer Amerikas auf einer 30-Meter-Yacht zu seiner Privatinsel zu kreuzen?«

»Warum sagst du so etwas?« Sergio richtete sich auf und warf seinem Anwalt einen ungehaltenen Blick zu. Er hatte aufgehört zu lächeln, zwischen seinen Augenbrauen stand plötzlich eine scharfe Falte.

»Weil ich möchte«, antwortete Nelson behutsam, »dass du dir darüber klar bist, was du aufs Spiel setzt, wenn du jemandem, den du kaum kennst, leichtfertig Vertrauen schenkst.«

»Ich war noch nie leichtfertig!«, entgegnete Sergio heftig.

»Das weiß ich. Deshalb bin ich jetzt umso erstaunter darüber, was du da gerade gesagt hast«, Nelson betrachtete den Freund aufmerksam. Üblicherweise gelang es Sergio sehr gut, jedes Gefühl hinter einer unergründlichen Miene zu verbergen, aber in diesem Moment konnte er in seinem Gesicht lesen wie in einem offenen Buch. Sergio war es gefährlich ernst mit der Frau.

»Ich habe mir in den letzten Wochen überlegt«, sagte Sergio nach kurzem Zögern, »dass Alex Shanahans Part übernehmen könnte. Sie macht einen Spitzenjob bei LMI, sie ist clever und kaltblütig ...«

»Um Gottes willen, Sergio!«, unterbrach Nelson ihn. »Bedenke doch, was du da sagst!«

»Wieso?«

»Sergio«, Nelson beugte sich vor, und seine Stimme klang eindringlich, »du weißt selbst, wie riskant diese Sache ist. Denk doch bitte mal nach! Wie gut kennst du Alex? Wie sehr kannst du ihr vertrauen? Was wirst du tun, wenn sie plötzlich Skrupel bekommt? Eine solche Fehleinschätzung wie mit Shanahan können wir uns kein zweites Mal leisten!«

Sergio schwieg einen Moment. Er wusste auch, dass Vincents Fehler mit Shanahan ihn sehr viel Geld und eine Menge Anstrengungen gekostet hatte, alles unter den Teppich zu kehren.

»Solange ich dich kenne«, Nelson legte seine Hand auf den Arm des Freundes, »hast du dich nicht von persönlichen Gefühlen leiten lassen, und du bist damit immer recht gut gefahren. Gut, du bumst die Kleine, sie gefällt dir. Sicherlich ist sie hübsch und clever, aber gerade das ist gefährlich. Vor cleveren Frauen muss man sich in Acht nehmen.«

Sergio verzog das Gesicht. Das war nicht das, was er hatte hören wollen.

»Du magst Alex nicht, stimmt's?«, fragte er.

»Es spielt überhaupt keine Rolle, ob ich sie mag oder nicht«, erwiderte Nelson, »Frauen gehören nicht in unser Geschäft. Sie sind zu unberechenbar. Und Alex halte ich für ganz besonders unberechenbar. Vielleicht wäre es anders, wenn du nichts mit ihr hättest, aber diese Konstellation finde ich, gelinde gesagt, zu gefährlich für dich und uns alle.«

Sergio starrte seinen Freund an.

»Ich werde sie auf jeden Fall gründlich überprüfen«, sagte Nelson nun.

»Wozu?«, fragte Sergio gereizt. »Ich habe nicht vor, ihr von heute auf morgen die Geschäftsführung meiner Firma zu übertragen oder sie als meine Alleinerbin einzusetzen.«

Nelson hob die Augenbrauen.

»Du hast mich um einen Rat gebeten«, sagte er kühl, »und den gebe ich dir: Halte sie strikt von deinen Geschäften fern. Es reicht völlig, wenn sie ihren Job gut macht und Zack den Rest erledigt.«

Sergio schwieg. Hinter seiner unbewegten Miene trugen Gefühl und Verstand einen heftigen Kampf miteinander aus.

»Außerdem«, fuhr Nelson fort, »rate ich dir, Privatleben und Geschäft auseinanderzuhalten.«

Sergio starrte stumm vor sich hin. Es war ganz still bis auf das Zirpen der Zikaden im Hibiskus unterhalb der Terrasse. Nelson wagte kaum zu atmen. Endlich stieß Sergio einen deprimierten Seufzer aus.

»Du hast wohl recht«, sagte er schließlich widerstrebend, und Nelson hatte das Gefühl, nur ganz knapp eine Katastrophe verhindert zu haben. Seine Reise hierher war jede Strapaze wert gewesen.

»Mach nicht so ein Gesicht«, er warf unauffällig einen Blick auf seine Uhr und überlegte, ob er noch nach Tertola zurückfliegen konnte, bevor Alex wieder auftauchen und ihn mit einem falschen Lächeln einladen konnte, noch einen Abend zu bleiben, »mach dir noch ein paar schöne Tage mit ihr. Aber lass dich nicht von ihr um den Finger wickeln. Ein bisschen Distanz kann nicht schaden.«

Sergio nickte langsam.

»Danke für deinen Rat, Nelson«, sagte er dann entschlossen, »wahrscheinlich werde ich einfach alt und sentimental.«

»Unsinn. Alex ist ein hübsches Ding. Behalt sie dir fürs Bett, wenn es dir gefällt, aber für mehr nicht«, Nelson wuchtete seine Körperfülle aus dem Rattansessel. »Ich lasse euch jetzt allein. Ich habe noch einen Termin auf Tertola bei Chester Milford wegen der Gründungsverträge der neuen IBCs. Wir sehen uns in ein paar Tagen in der Stadt.«

***

Als Nelson gegangen war, schenkte Sergio sich an der Bar einen Whisky ein und starrte hinaus auf die smaragdgrüne See. Er hatte einen ganz anderen Rat von seinem Freund erhofft. Womöglich hatte Nelson recht. Aber vielleicht auch nicht. Sergio hatte den Freund noch nie um Rat in einer persönlichen Angelegenheit gebeten, aber er hatte auch noch nie so heftige und verwirrende Gefühle erlebt. Bis er Alex kennengelernt hatte, hatten Frauen in seinem Leben eine nebensächliche Rolle gespielt, aber nun war plötzlich alles anders. Seit ihrer ersten Begegnung war sie in seinem Kopf herumgespukt und in Träumen aufgetaucht, die er bis dahin nie gehabt hatte. Ihre anfänglich kühle Unnahbarkeit hatte sein Verlangen bis ins Unerträgliche gesteigert. Die meisten Frauen machten sich zu leichter Beute, wenn sie erst wussten, wer er war, und das war mehr als langweilig, aber Alex hatte ihn sechs lange Wochen zappeln lassen. Die Mischung aus Kühle und Leidenschaft in ihren Augen hatte einen Funken in ihm entzündet, der sich in seinem Inneren zu einem wahren Flächenbrand ausgeweitet hatte. Beharrlich hatte er um sie geworben, und die erste gemeinsame Nacht hatte ihm bewiesen, dass sich das Warten gelohnt hatte. Sergio hatte schon mit einigen Frauen geschlafen, aber das, was er mit Alex erlebt hatte, war unvergleichlich gewesen. Ihr aufgestautes Verlangen hatte sich wie bei einem Gewitter mit Blitz und Donner entladen, er hatte Dinge getan und mit sich tun lassen, an die er, der Altmodische, früher im Traum nicht gedacht und gegen die er sogar einen prüden Widerwillen empfunden hatte. Sie hatten sich bis zum Morgengrauen leidenschaftlich geliebt, und als sie erschöpft und keuchend aufgegeben hatten, da hatte Sergio gewusst, dass er sich tatsächlich in Alex verliebt hatte. Umso schlimmer war es gewesen, als er beim Aufwachen feststellen musste, dass sie einfach verschwunden war. Sie hatte genau das getan, was normalerweise er zu tun pflegte: Sie hatte mit ihm geschlafen und war gegangen, ohne zu fragen, ob und wann sie sich wiedersehen würden. Das hatte ihn tief gekränkt und gleichzeitig noch verrückter nach ihr gemacht. Zum ersten Mal in seinem Leben hatte Sergio nicht begreifen können, was in ihm vorging, aber er hatte an jenem Morgen beschlossen, dass er diese Frau um jeden Preis besitzen wollte. In den Wochen, die auf diese erste Nacht gefolgt waren, war er so glücklich gewesen wie nie zuvor in seinem Leben. Die Tage auf der *Stella Maris* und auf Cinnamon Island hatten ihn in der Erkenntnis bestärkt, dass Alex die Frau seines Lebens war. Von Nelson hatte er eine Bestätigung für die Richtigkeit seines Tuns erwartet, eine Art Segen, deshalb hatte er ihn auf seine Insel kommen lassen. Aber das, was Nelson ihm eben gesagt hatte, hatte ihn ernüchtert und seine Euphorie schlagartig zerstört. Plötzlich kam er sich vor wie ein sentimentaler Idiot, der sich von einer Frau hatte einwickeln lassen. Verärgert kippte Sergio den Whisky in einem Zug hinunter. Nelson hatte recht. Er musste Alex auf Distanz halten. Privatleben und Geschäft hatten wahrhaftig nichts miteinander zu tun.

Mai 1999

Alex und Mark saßen auf einer Bank, ließen sich als Mittagessen Hühnchensandwichs von Bandi's Deli schmecken und genossen die warmen Sonnenstrahlen der Maisonne im Battery Park an der Südspitze Manhattans, wie es viele Angestellte aus den Wolkenkratzern des Finanzdistrikts taten. Alex streckte die Beine aus, bewegte die Zehen in den bequemen Turnschuhen, die sie gegen die schicken Pumps getauscht hatte, und sah zu, wie eine Horde Touristen an Bord einer der Circle-Line-Fähren ging, die zur Freiheitsstatue fuhren.

»Waren Sie auch schon mal auf der Freiheitsstatue, Mark?«, fragte sie.

»Na klar«, erwiderte er und nickte, »schon drei Mal.«

»Ich war noch nie da«, sagte Alex, »wie ist es?«

»Tja«, Mark kaute an seinem Sandwich, »man muss endlos Schlange stehen, dann gibt es nur einen Aufzug, in den maximal zwei Leute passen, oder man schiebt sich Schritt für Schritt die Treppe hinauf.«

»O Gott«, Alex winkte ab, »schon erledigt.«

»Meine Großmutter kam 1943 mit dem Schiff aus Europa, sie ist Jüdin«, sagte Mark, »der Anblick von Miss Liberty war für sie der Moment, als sie begriffen hat, dass sie den Nazis, dem Krieg und den zerbombten Städten wirklich entkommen und frei war. Sie hat mir und meinen Brüdern so viel davon erzählt, dass ich unbedingt einmal in meinem Leben auf die Freiheitsstatue wollte.«

Alex lag schon eine zynische Erwiderung auf der Zunge, aber

sie schwieg, als sie die ehrliche Ergriffenheit Marks spürte, den sie nur als nüchternen und etwas langweiligen Menschen kannte.

»Die Freiheitsstatue ist ein Symbol unserer Demokratie«, fuhr er fort, »und immer, wenn ich sie sehe, empfinde ich ein Gefühl der Demut und der Dankbarkeit, dass ich hier lebe und nicht in Afrika oder in Russland.«

»Sie sind ja ein richtiger Philosoph«, entgegnete Alex mit einem spöttischen Unterton. Er warf ihr einen raschen Blick zu.

»Haben Sie Gott noch nie dafür gedankt, dass Sie so viel Glück im Leben hatten? Dass Sie gesund, clever und hübsch sind und Ihre Chancen nutzen konnten?«

Alex fühlte sich mit einem Mal unwohl. Sie zerknüllte das Sandwichpapier und schnippte es in den Mülleimer neben der Bank. Was hatte wohl Gott damit zu tun, dass sie erfolgreich war? Sie war es doch, die so hart gearbeitet und auf vieles verzichtet hatte, um Erfolg zu haben!

»Sind Sie bei den Zeugen Jehovas oder bei Scientology?«, witzelte sie mühsam.

»Nein«, erwiderte Mark ernst, »ich bin Jude.«

»Das sollte ein Witz sein«, Alex schnitt eine Grimasse.

»Über Gott und den Glauben macht man keine Witze.«

Sie blickte ihn an, dann zuckte sie die Schultern, aber mit einem Mal überkam sie die Erinnerung an die Werte, die ihre streng katholischen Eltern ihr vermittelt hatten. Seit Jahren hatte sie keinen Fuß mehr in eine Kirche gesetzt, obwohl es in New York über 2500 Kirchen gab, und ganz plötzlich hatte sie ein schlechtes Gewissen. Um ihre Verlegenheit zu überspielen, warf sie einen Blick auf ihre Uhr.

»Die Mittagspause ist um«, sagte sie, »die Arbeit ruft!«

»Ich hoffe, ich habe Sie nicht verärgert«, Mark rückte seine Krawatte zurecht, »ich wollte Sie nicht …«

»Vergessen Sie's«, unterbrach sie ihn rasch, »gehen wir.«

Sie gingen schweigend durch den Park zurück, als ein Mann, der ihnen entgegengekommen war, stehen blieb.

»Mark? Bist du's?«

Sie drehten sich um. Alex hatte den Mann noch nie gesehen. Er war ungefähr Mitte 30, sonnengebräunt und trug eine runde Spiegelsonnenbrille. In Jeans, einem T-Shirt der Knights, den hellen Timberlands und dem Rucksack über der Schulter wirkte er wie ein Tourist.

»Oliver?« Marks Stimme klang ungläubig. Als der Mann nickte, lachten beide und umarmten sich dann herzlich.

»Alex«, sagte Mark, »darf ich Ihnen meinen alten Freund Oliver Skerritt aus Harvardzeiten vorstellen? Wir haben zusammen Jura studiert und ein Zimmer geteilt. Ollie, das ist meine Chefin – Alex Sontheim.«

»Hi, Alex«, Oliver setzte seine Sonnenbrille ab und reichte ihr lächelnd die Hand. Er hatte ein gut geschnittenes Gesicht, einen schmalen Bart über der Oberlippe und am Kinn und wirkte selbstbewusst und gelassen.

»Hi, Oliver«, antwortete Alex und lächelte. Seine grauen Augen musterten sie prüfend, und unwillkürlich hatte Alex das Gefühl, beurteilt zu werden. Sie wusste nicht, ob ihr das gefiel.

»Seit wann bist du wieder in der Stadt?«, erkundigte sich Mark nun.

»Seit drei Wochen«, entgegnete Oliver und grinste, »es gibt nichts Schlimmeres, als dort arbeiten zu müssen, wo andere Urlaub machen.«

»Wo waren Sie denn?«, erkundigte Alex sich höflich, aber ohne großes Interesse.

»Auf den Caymans«, Oliver Skerritt verzog das Gesicht, »leider geschäftlich. Allerdings hatte ich auch Gelegenheit, ein bisschen zu tauchen. Wirklich nett dort.«

»Oliver arbeitet für die *Financial Times*«, erklärte Mark.

»Ach?« Alex war überrascht. »Was tun Sie dann in der Karibik?«

»Eine Reportage über Offshore-Gesellschaften«, sagte er vage, »ich kenne mich etwas mit der Materie aus.«

»Etwas ist gewaltig untertrieben«, mischte Mark sich ein. »Oliver war bei Simon, Weinstein, Cooper und auf Gesellschaftsrecht spezialisiert. Danach war er Fondsmanager bei Trelawney & Hobbs und betreute spekulative und riskante Hedge-Fonds.«

Alex betrachtete den Mann mit neuem Interesse.

»Wieso sind Sie jetzt bei einer Zeitung?«, fragte sie. Oliver lächelte, aber seine Augen blieben ernst.

»Ich hatte den Job einfach satt«, erwiderte er. »Man wird zu einer skrupellosen, rücksichtslosen Maschine gedrillt, es geht nur noch um immer mehr Kohle und immer mehr Erfolg. Ich wollte mir einen letzten Rest von Menschlichkeit bewahren. Das ganze Geschäft gefällt mir von außen wesentlich besser als von innen, und ich muss endlich nicht mehr meinen Mund halten.«

»Hat man Sie gefeuert?«, fragte Alex direkt. In seinen grauen Augen blitzte es spöttisch auf.

»Nein«, auf seinem Gesicht zeigte sich ein Anflug von Belustigung, »ich bin einfach ausgestiegen, habe mir ein Haus auf Martha's Vineyard gekauft, ein Loft im Village und mein Hobby zum Beruf gemacht.«

»Aha«, Alex konnte nicht nachvollziehen, wie man einen Job bei Trelawney & Hobbs, dem weltweit größten Fondsverwaltungsunternehmen, gegen den bei einer Zeitung tauschen konnte, und sie argwöhnte, dass man ihn in Wirklichkeit doch gefeuert hatte. »Und was ist Ihr Hobby?«

»Schweinereien aufdecken«, sagte Oliver lächelnd, »und an die Öffentlichkeit bringen.«

Er und Alex maßen sich mit abschätzenden Blicken.

»Sie sind also ein Nestbeschmutzer«, stellte sie fest, und er wurde ernst.

»Wenn es sein muss, bin ich auch das«, sagte er, »und deshalb habe ich Mark auch geraten, so schnell wie möglich bei LMI zu kündigen.«

»Oliver, du kannst doch nicht bei meiner Chefin ...«, begann Mark, dem der Verlauf, den das Gespräch nahm, peinlich wurde.

»Lassen Sie nur, Mark«, Alex wandte keinen Blick von Oliver. »Können Sie mir erklären, aus welchem Grund Sie das getan haben?«

»Ihnen würde ich dasselbe raten«, antwortete er, »Sie haben in der Branche einen guten, unbescholtenen Ruf, aber das könnte sich bald ändern, wenn Sie weiter in dem Laden arbeiten. Ich habe ein paar ziemlich delikate Dinge herausgefunden, die im direkten Zusammenhang mit LMI stehen. Da geht es nicht um Kursbeeinflussung oder ein bisschen Steuerhinterziehung, sondern um handfesten Betrug und mindestens einen Toten.«

»Ach?«

»Haben Sie schon einmal den Namen Gilbert Shanahan gehört? Nicht? Fragen Sie Mark mal nach ihm.«

Mark machte ein Gesicht, als wäre er am liebsten im Erdboden versunken.

»Stellen Sie sich vor«, Alex wurde ungehalten, »dieser Gilbert Irgendwas interessiert mich nicht im Geringsten. Ich habe einen gut bezahlten, hochinteressanten und anstrengenden Job, für den ich hart gearbeitet habe.«

Oliver sah sie einen Moment durchdringend an.

»Vor ein paar Jahren habe ich ähnlich reagiert, wie Sie es jetzt tun«, sagte er. »Es tut weh, sich eingestehen zu müssen, dass man als Rädchen in einem kriminellen Spiel missbraucht wird. Und kriminell ist dieses Spiel in höchstem Maße.«

»Hören Sie, Mr Skerritt«, fiel Alex Oliver scharf ins Wort, »Sie können in ernsthafte Schwierigkeiten kommen, wenn Sie weiterhin düstere Andeutungen machen, die Sie im Zweifel nicht einmal belegen können.«

»Shanahan ist in das Visier der Börsenaufsichtsbehörde geraten«, erwiderte Oliver ungerührt, »weil er Gelder unbekannter Herkunft in verschiedene exotische Steueroasen verschoben hat. Er war auf dem Weg zu einer Anhörung vor der SEC, als er überfahren wurde. Von einem gestohlenen LKW mit einem gestohlenen Kennzeichen, den man ein paar Wochen später ausgebrannt auf einem Parkplatz in Vermont gefunden hat. Shanahans Witwe behauptete, ihr Mann habe namens und im Auftrag der Geschäftsführung von LMI gehandelt, was diese natürlich vehement bestritten hat. Levy gab bei der Polizei an, Shanahan würde mit Insiderwissen illegale Geschäfte auf eigene Rechnung machen.«

»Hören Sie auf damit!«, zischte Alex wütend. »Ich habe absolut kein Interesse an Ihren bizarren Verschwörungstheorien. Kommen Sie, Mark. Die Mittagspause ist lange herum, und auf uns wartet eine Menge Arbeit. Einen schönen Tag noch, Mr Skerritt.«

Damit drehte sie sich auf dem Absatz um und marschierte davon, ohne Oliver Skerritt noch eines Blickes zu würdigen. Mark holte sie erst am Ausgang des Parks ein.

»Alex, es ... es tut mir leid.« Er war atemlos und schwitzte. Alex blieb abrupt stehen und musterte ihren Mitarbeiter.

»Ich will über dieses Thema kein Wort mehr hören«, sagte sie nachdrücklich. »Wir beide werden von LMI bezahlt, und das nicht schlecht. Dafür schulden wir unserem Arbeitgeber Loyalität. Wenn Sie in dieser Beziehung nicht mit mir einer Meinung sind, dann sollten Sie dem Rat Ihres Freundes folgen und kündigen. Habe ich mich klar ausgedrückt?«

»Ja«, Mark nickte und senkte den Kopf.

»Okay«, Alex setzte sich wieder in Bewegung. Weshalb hatte sie so zornig auf Skerritts Worte reagiert? Sie hätte mit einem Lächeln und einem Achselzucken darüber hinweggehen sollen, aber da war plötzlich dieser kleine nagende Zweifel in ihrem Innern, ein warnendes Flüstern, das sie an ihr Gespräch mit Levy erinnerte. Sie hatte den angebotenen Bonus damals angenommen, sich aber für Aktienoptionen entschieden anstatt für Bargeld. Und seitdem fragte sie sich, wie eine seriöse Investmentfirma an 150000 Dollar Bargeld kam. Weshalb flog Zack alle paar Wochen auf die Bahamas, die Virgin Islands oder nach Grand Cayman? Verdammt! Alex fröstelte unwillkürlich, aber dann verscheuchte sie energisch diese düsteren Gedanken. Sie wollte nichts wissen und ungestört ihren Job machen, mehr nicht. Oliver Skerritt sollte zur Hölle fahren!

***

Mark fiel es den Rest des Tages schwer, sich auf seine Arbeit zu konzentrieren. Die Begegnung mit Oliver im Battery Park war keineswegs zufällig gewesen, sondern von Mark sorgfältig arrangiert, denn er hatte in den letzten Wochen immer mehr Zweifel an der Legalität der Deals bekommen, an denen er arbeitete. Bei den Recherchen für den aktuellen Micromax-Deal, der auf den ersten Blick eher unspektakulär erschien, war Mark darauf gestoßen, dass Finley Desmond, dem Hauptaktionär der Ventura Film Corp aus Los Angeles, die Micromax übernehmen wollte, bereits ein großes Aktienpaket von Micromax auf Umwegen über eine dubiose kanadische Firma gehörte. Und diese kanadische Firma gehörte wiederum einer alten Bekannten, nämlich der SeViCo Holding, und damit der Sunset Properties. Das war schon ein ziemlich eigenartiger Zufall und sah fast nach Geldwäsche aus. Mark mochte den Gedanken nicht, für ein Unternehmen zu arbeiten, das zwielichtige Geschäfte machte, und ihm war mittlerweile klar, dass es bei LMI nicht ganz mit rechten Dingen zuging. Als er Oliver von seinen Vermutungen erzählt hatte, hatte der ihm noch einiges mehr erzählt und vermutet, Alex wisse darüber Bescheid. Das hatte Mark ihm nicht glauben wollen, aber es enttäuschte ihn doch sehr, dass Alex Oliver nicht wenigstens angehört hatte. Er erinnerte sich lebhaft daran, wie sich Gilbert Shanahan in den Wochen vor seinem Tod verändert hatte. Bevor er zu LMI gekommen war, war er Spitzenverkäufer im Wertpapierhandel bei Cantor gewesen, er hatte mehrere Ferraris und eine Villa auf Long Island besessen. Doch aus dem großspurigen Mann war ein Nervenbündel geworden, ein Schatten mit blutunterlaufenen Augen, der bei jedem Klingeln des Telefons zusammenzuckte und den Druck, dem er ausgesetzt war, nicht mehr ertragen konnte. Mark hatte Shanahan jeden Tag gesehen, er hatte seine wachsende Panik bemerkt und auf den Zusammenbruch gewartet, dem der Tod zuvorgekommen war. Hatte Shanahan tatsächlich auf eigene Rechnung illegale Geschäfte gemacht? Oder stimmte die Version von Oliver, der sich dessen sicher war, dass man Shanahan benutzt und schlussendlich geopfert hatte, als die Machenschaften aufzufliegen drohten? Tat Alex vielleicht dasselbe, was Shanahan getan hatte? Mark starrte vor sich hin. Einzig seine Bewunderung für seine Chefin und die Tatsache, dass es nicht mehr so einfach war wie vor zehn Jahren, einen gut bezahlten Job zu finden, wenn man kein Spezialist auf irgendeinem Gebiet war, hatten ihn bisher davon abgehalten, dem Rat seines Freundes Oliver zu folgen. Aber wenn Alex nun wirklich über die dubiosen Verbindungen ihrer Klienten Bescheid wusste und … Das Summen des Telefons riss ihn aus seinen Gedanken. Es war Alex. Sie wartete auf die Berechnung der zu erwartenden Einnahmenüberschüsse bei der Neuemittierung eines Wertpapiers, das LMI herausgeben würde, um den Kauf von Micromax für Ventura zu finanzieren. Mark ergriff seine Unterlagen und machte sich auf den Weg zu Alex' Büro. Er würde die ganze Sache beobachten. Das war das Einzige, was er tun konnte.

17. Mai 1999

Alex saß todmüde in der U-Bahn auf dem Weg nach Hause. Sie hatte heute ein sehr lukratives Geschäft abgeschlossen, das sie in den vergangenen Wochen beinahe rund um die Uhr beschäftigt hatte, aber sie hatte sich ziemlich schnell von der Feier ihrer Mitarbeiter im *Luna Luna,* einer Kellerbar gleich um die Ecke bei LMI, abgeseilt. Ihr war nicht nach Feiern zumute, sie fühlte sich ausgebrannt und gleichzeitig so, als hätte sie aus Versehen ein Hochspannungskabel berührt. Der Stress machte ihr nichts aus, wohl aber der Artikel in der Klatschspalte der *Post,* die ihr jemand während ihrer Mittagspause aufgeschlagen auf den Schreibtisch gelegt hatte. Seitdem sie es gelesen hatte, kochte Alex vor Zorn. Sergio war am letzten Wochenende auf einem Benefiz-Golfturnier auf Long Island gewesen, und zwar schon zum dritten Mal hintereinander in Begleitung des bekannten Topmodels Farideh Azzaeli. Noch am Freitag zuvor hatte er Alex angerufen und sie gebeten, sich das Wochenende frei zu halten, was sie auch getan hatte. Sie hatte zwei Einladungen abgelehnt, um dann zwei Tage lang sinnlos herumzusitzen, weil er sich nicht mehr bei ihr gemeldet hatte. Seitdem sie von Cinnamon Island zurückgekehrt waren, hatte sich Sergio ihr gegenüber völlig verändert. Hatte er sich vorher manchmal dreimal am Tag bei ihr gemeldet, so rief er seitdem nur noch gelegentlich an, und auch das nur, wenn er mit ihr ins Bett gehen wollte. Alex konnte sich sein verändertes Verhalten nicht erklären, aber es kränkte und ärgerte sie maßlos, dass sie, die in ihrem Job so kompetent und mächtig war, sich von einem Mann derart demütigen ließ. Alex verließ die U-Bahn an der Ecke Broadway Achte Straße, kaufte beim Italiener Pasta und eine Flasche Brunello di Montalcino und überhörte stur das wiederholte Summen ihres Handys auf dem Weg zu ihrem Haus, nachdem sie mit einem Blick auf das Display festgestellt hatte, dass es Sergio war. Sie verspürte nicht die geringste Lust, mit ihm zu sprechen. Als Ersatz für ein verhungertes, kuhäugiges Model war sie sich wahrhaftig zu schade. Sie bog um die Ecke und sah den Fahrradfahrer zu spät. Er bremste zwar noch, aber Vorderreifen und Lenker trafen sie unsanft an der Hüfte und am Ellbogen. Die Tüte mit den Nudeln und dem Wein rutschte ihr aus der Hand.

»Verdammt!«, fuhr sie den Fahrradfahrer an, der beinahe gestürzt wäre. »Können Sie nicht die Augen aufmachen?«

»Sie hätten ja auch mal gucken können, wohin Sie rennen!«

Alex kam die Stimme bekannt vor, und sie sah den Mann genauer an. Es dauerte ein paar Sekunden, bis sie Oliver Skerritt erkannte.

»Ach, Sie sind's«, sagte sie sarkastisch, »jagen Sie wieder einer Verschwörung hinterher, oder warum haben Sie's so eilig?«

Da erkannte er sie auch und grinste.

»So ein Zufall«, sagte er. »Ehrlich gesagt wollte ich nur rüber zu Giovanni und mir was zu essen holen. Tut mir leid.«

»Mein Abendessen haben Sie auf jeden Fall gerade ruiniert.« Alex bückte sich, um die Scherben aufzuheben.

»Warten Sie, ich helfe Ihnen.«

»Danke, es geht schon. Aua!« Alex fluchte, als sie sich den Finger an einer Scherbe schnitt. Sie war wütend auf Sergio, müde und hungrig, und plötzlich stiegen ihr die Tränen in die Augen.

»Hier«, Oliver reichte ihr ein sauberes Papiertaschentuch, das sie sich um den blutenden Finger wickelte, und machte sich daran, die Überreste ihres Abendessens zusammenzuklauben. Alex wischte sich die Tränen ab.

»Warum tun Sie das?«, fragte sie.

»Ich kann Mädchen nun mal nicht weinen sehen.« Er lächelte, sein Gesicht war auf gleicher Höhe mit ihrem. Sie stellte fest, dass er schöne Augen hatte. Er trug die Haare kürzer als noch vor ein paar Wochen und war bei genauer Betrachtung ziemlich attraktiv.

»Ich weine nicht mehr«, antwortete sie, »aber ich muss mir jetzt noch etwas zu essen holen.«

»Wenn Sie mögen, lade ich Sie zu einer Portion *Tagliatelle al Salmone* drüben bei Giovanni ein«, Oliver richtete sich auf, »als Schadensersatz sozusagen.«

Alex musterte ihn einen Moment misstrauisch, dann zuckte sie die Schultern. Sie hatte keine Lust, alleine in ihrer Wohnung zu hocken, bis womöglich noch Sergio auftauchte, weil sie nicht ans Telefon ging.

»Ich habe wirklich Hunger«, sagte sie, »aber ich habe keine Lust, mir den ganzen Abend Ihre abstrusen Verschwörungstheorien anzuhören.«

Oliver warf ihr einen amüsierten Blick zu, dann machte er ein ernstes Gesicht.

»Ich schwöre«, er hob die Hand wie zu einem Schwur, »dass ich LMI oder Gilbert Shanahan mit keinem Wort erwähnen werde.«

»Okay«, Alex musste wider Willen lächeln, »überredet. Aber wenn Sie einen Ton sagen, stehe ich auf und verschwinde auf der Stelle.«

»Das würde ich niemals riskieren«, erwiderte Oliver und hob sein Fahrrad auf. »Ich bin zwar mit Leib und Seele Journalist, aber ich bin kein Idiot.«

Das war er tatsächlich nicht. Er war sogar ausgesprochen unterhaltsam und besaß jede Menge Humor. Bei einer Riesenportion Pasta und einer Flasche Chianti erzählte er von seiner Jugend in Maine, wo sein Vater mehrere Fischkutter besaß, von seinem Studium in Harvard und Europa. Er hatte eine Weile in Paris, London, Frankfurt und Rom gelebt und gearbeitet, und schon bald sprachen Alex und er über Frankfurt, bestellten noch eine zweite Flasche Chianti und dann eine dritte. Alex hatte ihr Handy ausgeschaltet und war überrascht, wie schnell die Zeit vergangen war. Es war nach Mitternacht, als sie das Lokal verließen. Oliver hatte sein Versprechen gehalten und kein Wort über LMI und Shanahan gesagt. Alex hatte einige Mühe geradeaus zu laufen und stolperte über den Bordstein. Oliver ließ sein Fahrrad fallen und bekam ihren Arm zu fassen.

»Hoppla«, murmelte sie. »Ich glaube, ich habe ein bisschen zu viel getrunken.«

Es fühlte sich gut an in seinen Armen. Sie sahen einander in die Augen. Bevor sie sich versah, beugte er sich vor und küsste sie. Der Blitz des sexuellen Begehrens, der durch ihren Körper zuckte, kam so unerwartet, dass sie nicht dagegen protestierte. Im Gegenteil, sie schlang ihre Arme um seinen Hals und erwiderte seinen Kuss. Atemlos hielten sie inne und sahen sich an. Der zweite Kuss geriet ausführlicher und leidenschaftlicher als der erste. Oliver gefiel ihr. Ausnehmend gut sogar. Sergio hatte sie mit diesem Model betrogen und sie versetzt. Alex spürte, wie ihr abwechselnd heiß und kalt wurde. Keine halbe Stunde später zahlte sie Sergio seine Untreue mit gleicher Münze heim.

14. Juni 1999

Sergio blickte stumm auf die Fotos, die vor ihm auf dem Schreibtisch lagen. Er blätterte sie langsam durch und bemerkte verärgert, dass seine Finger zitterten.

»Wer ist der Kerl?«, fragte er mit mühsam beherrschter Stimme.

»Er heißt Oliver Skerritt«, antwortete Silvio Bacchiocchi. »Arbeitet freiberuflich für die *Financial Times* und wohnt in der Barrow Street im Village.«

Sergio spürte, wie eine Welle der Eifersucht durch seine Adern rann. Seit Tagen versuchte er vergeblich, Alex zu erreichen. Ihre Sekretärin wimmelte ihn jedes Mal ab, seine Nachrichten auf ihrer Mailbox blieben unbeantwortet. Deshalb hatte er vor ein paar Tagen Silvio damit beauftragt, sie zu überwachen, und nun musste er feststellen, dass sie mit einem anderen Kerl Hand in Hand durch die Stadt lief! Er hatte getan, was Nelson ihm geraten hatte. Eigentlich hatte er Alex mit dieser tauben Nuss Farideh Azzaeli nur zeigen wollen, dass er sie nicht brauchte, auch wenn es ihm entsetzlich schwer fiel, weil er vor Sehnsucht nach Alex beinahe wahnsinnig wurde. Sergio ärgerte sich über seine Besessenheit, und doch konnte er den Gedanken, dass sie sich mit einem anderen Mann traf, nicht ertragen.

»Wie oft trifft sie sich mit ihm?«, fragte er.

»In der letzten Woche war sie dreimal bei ihm«, sagte Silvio. »Dienstag, Donnerstag und Freitag. Am Wochenende waren sie die ganze Zeit zusammen. Sie waren im Central Park, in ein paar Bars, am Washington Arch, einkaufen.«

»War sie auch ... nachts bei ihm?«

»Äh ... ja.«

Sergio fegte die Fotos von der Schreibtischplatte und erhob sich. Mit steinerner Miene starrte er aus dem Fenster seines Büros im obersten Stock des VITAL-Building hinunter auf die Stadt. Der Gedanke, dass sie sich womöglich mit diesem Kerl über ihn unterhielt, vielleicht sogar über ihn lachte, fraß Sergio innerlich auf. Diese Kränkung war eine Niederlage, die er kaum ertragen konnte. Alex sollte ihn kennenlernen!

»Was soll ich machen?«, fragte Silvio hinter seinem Rücken.

Bring den Kerl um, dachte Sergio, aber dann besann er sich.

»Nichts«, sagte er, ohne sich umzudrehen, »behalte ihn im Auge und halte mich auf dem Laufenden.«

»Okay, Boss«, Silvio sammelte die Fotos vom Boden auf und verließ das Büro. Sergio setzte sich hinter seinen Schreibtisch und verbarg sein Gesicht in den Händen. Wie recht Nelson gehabt hatte! Beinahe hätte er Alex vertraut! Er hatte geglaubt, er bedeute ihr etwas, und nun musste er feststellen, dass sie ihm einen armseligen Zeitungsschmierer vorzog, der auf Rollschuhen durch den Park fuhr und Hotdogs mampfte! Das erste Mal, seitdem er denken konnte, nahm ihn sein Privatleben so sehr in Anspruch, dass er darüber das Geschäft vernachlässigte, und das erboste ihn noch zusätzlich. Alex war zu einer gefährlichen Obsession geworden, und das beschäftigte ihn über alle Maßen, weil er einfach nicht begreifen konnte, was in ihm vorging.

* * *

Alex hatte sich nicht vor einem Erscheinen bei der alljährlichen, von LMI gesponserten Benefizveranstaltung im Metropolitan Museum of Art drücken können, sosehr sie es auch mit allen erdenklichen Argumenten versucht hatte. Eine persönliche Einladung von Vincent Levy kam einem Befehl gleich. Einen Moment lang hatte sie überlegt, Oliver zu fragen, ob er sie begleiten wollte, damit er sich gleich vor Ort ein Bild von den Wall-Street-

Haien machen konnte, die er so gerne belauerte und diffamierte, aber sie hatte es nicht getan. Sie mochte Oliver wirklich. Er war scharfsinnig und humorvoll, sensibel und intelligent. In seiner Gesellschaft hatte sie nicht das unangenehme Gefühl, eine Rolle spielen zu müssen. Das vergangene Wochenende, das dritte, das sie gemeinsam verbracht hatten, war vielleicht nicht so spektakulär gewesen wie eines mit Sergio, aber weitaus entspannter und unterhaltsamer. Oliver und sie waren im Central Park Inlineskates gefahren, sie hatten die Frick Collection besucht, hatten bei Zabar's eingekauft und einen ganzen Nachmittag am Washington Arch damit verbracht, Leute zu beobachten. Und sie hatten miteinander geschlafen. Zwischen ihnen gab es keinen verkrampften Wettstreit um die Überlegenheit, kein Taktieren und keine Verstellung wie mit Sergio. Sergio! Er war der eigentliche Grund, weshalb Alex lieber nicht auf diese Veranstaltung gegangen wäre, aber sie konnte ihm schließlich nicht dauernd ausweichen. Seit drei Wochen ignorierte sie konsequent seine Anrufe, seine Stimme auf ihrem Anrufbeantworter, die Blumen, die er ihr ins Büro schickte, und die Telefonnotizen, die Marcia ihr stapelweise auf den Schreibtisch legte. Seit ihrer Ankunft im Metropolitan Museum stand Alex unter einer beinahe unerträglichen Anspannung, und auf einmal stand Sergio vor ihr. Fast hatte sie vergessen, wie unglaublich beeindruckend allein seine physische Präsenz war. Er sah atemberaubend gut aus. Wenn sie geglaubt hatte, sie hätte ihn sich mit Oliver so einfach aus dem Kopf schlagen können, dann hatte sie sich geirrt.

»Guten Abend, Cara«, sagte er, und der Klang seiner dunklen Stimme ließ sie erschauern, »ich habe gehofft, dich heute Abend hier zu sehen.«

»Hallo, Sergio«, erwiderte Alex mit einem unverbindlichen Lächeln, »das habe ich auch.«

»Du siehst einfach umwerfend aus«, Sergio erwähnte mit keinem Wort die Tatsache, dass Alex ihn ganz offensichtlich gemieden hatte, und tat ganz so, als sei alles in bester Ordnung. Sie plauderten eine Weile über dies und das, wie entfernte Bekannte, bis er schließlich die Frage stellte, die ihm auf der Seele zu brennen schien.

»Warum habe ich das Gefühl, dass du mir in den letzten Wochen ausweichst?« Er ließ es beiläufig klingen, nahm einem vorbeigehenden Kellner zwei Gläser Champagner vom Tablett und reichte Alex eines. Sie bemerkte, dass Zack sich in der Nähe herumtrieb und sie aus den Augenwinkeln neugierig beobachtete.

»Wieso sollte ich dir ausweichen?«, fragte sie.

»Das frage ich mich auch«, er nahm einen Schluck Champagner und beobachtete sie scharf.

»Ich habe viel Arbeit«, Alex senkte die Stimme, weil Zacks Ohren schon Elefantengröße erreicht hatten, »und als ich in der Zeitung gelesen habe, dass du dich lieber von Farideh Azzaeli als von mir begleiten lässt, dachte ich, dass du meiner überdrüssig geworden bist.«

Er lächelte, aber seine Augen waren undurchdringlich.

»Bist du eifersüchtig?«, erkundigte er sich.

»Nein, das bin ich nicht. Ich kenne durchaus auch noch andere Männer als dich«, mit boshafter Befriedigung konstatierte sie, wie das Lächeln auf seinem Gesicht erlosch. »Ich habe es nicht nötig, mich von dir versetzen zu lassen. Eine Zeitlang dachte ich, dir liegt etwas an mir, aber das tut es offenbar nicht. Und ich habe keine Lust auf Spielchen.«

Sergio zog die Augenbrauen hoch.

»Spielchen?«

»Genau. Oder wie würdest du diese Farce bezeichnen? Als eine Beziehung? Du rufst an und sagst, ich soll mir das Wochenende frei halten, und dann lese ich in der Zeitung, dass du diesen verhungerten Kleiderständer vögelst!«

Er mochte es nicht, wenn sie sich so vulgär ausdrückte, aber wie üblich verbarg Sergio jede Gefühlsregung hinter einer ausdruckslosen Miene.

»Ich habe nicht mit dieser Frau geschlafen«, sagte er.

»Ach nein?« Alex verzog spöttisch das Gesicht. »Ich glaube dir kein Wort.«

»Es ist aber wahr. Im Übrigen warst du es, die mich zuerst versetzt hat.«

»Ich habe einen harten Job«, sagte Alex, ohne den Blick von seinen blauen Augen zu wenden. »Ich arbeite 80 Stunden in der Woche und kann nicht immer verfügbar sein, wenn dir gerade danach ist.«

»Was erwartest du von mir?«, fragte Sergio.

Ja, was erwartete sie? Erwartete sie überhaupt noch irgendetwas von ihm? Plötzlich hatte Alex keine Lust mehr auf dieses alberne Kräftemessen. Sie wollte nicht mehr länger mit ihm diskutieren.

»Ich weiß es nicht«, sie stieß einen Seufzer aus, »lass uns ein anderes Mal darüber reden. Ich hatte einen langen Tag.«

Sergio sah sie lange und eingehend an, dann nickte er.

»Ich rufe dich morgen an«, sagte er. »Es wäre schön, wenn du dich nicht wieder verleugnen lassen würdest.«

»Okay«, Alex fühlte sich plötzlich elend, weil sie an Oliver dachte. Sie hatte ihm nie etwas von Sergio erzählt, und zu ihrem Erstaunen wünschte sie sich mit einem Mal, sie hätte den Mut, Sergio zu sagen, dass er sie in Ruhe lassen sollte. Bevor er noch etwas sagen konnte, drängte sie sich durch die Menge in Richtung Garderobe.

***

Auf den Stufen des Metropolitan Museum holte Alex tief Luft. Sie sehnte sich nach Oliver. Kurz entschlossen nahm sie ihr Handy und tippte seine Nummer ein, aber es meldete sich nur die Mailbox. Enttäuscht steckte sie das Handy in ihre Tasche. Mit einem Seufzer setzte sie sich auf die Stufen und zündete sich eine Zigarette an. Es war ihr egal, ob sie jemand sehen und den Kopf über ihr Verhalten schütteln würde. Nach einer Weile fühlte sie sich etwas besser, und als sie die Zigarette schließlich wegschnippte, war sie in der Lage, nach einem Taxi Ausschau zu halten. Sie lehnte sich an einen Poller und atmete tief die laue

Nachtluft und den Duft nach Erde und frisch gemähtem Gras ein, der vom Central Park kam. Sie überlegte gerade, ob sie wieder ins Museum gehen sollte, um Sergio zu sagen, dass er sich seine Anrufe sparen konnte, als sie ein gellender Schrei aus ihren Gedanken riss. Im matten Schein der Straßenlaterne sah sie eine Frau, die eben das Museum verlassen hatte und von zwei Männern bedrängt wurde. Ohne lange nachzudenken, sprang Alex auf, streifte sich die Pumps von den Füßen und rannte los. Die Frau lag auf dem Boden, einer der Männer zerrte an ihrer Handtasche, der andere trat mit den Füßen nach ihr. Alex rammte dem Mann, der die am Boden liegende Frau trat, ihren Ellbogen mit ungebremster Wucht in den Rücken. Der Kerl, ein schmuddeliger Weißer mit schlechten Zähnen, ging zu Boden und prallte mit dem Kopf gegen die Mauer. Sein Kumpel ließ vor Überraschung die Tasche los. Endlich hatte Alex ein Ventil für ihre aufgestaute Frustration und ihren unterschwelligen Zorn gefunden. Sie holte aus und schlug dem anderen Kerl ihre Handtasche ins Gesicht, dann trat sie ihm in den Magen, worauf er mit einem gurgelnden Stöhnen in die Knie ging. Die Frau kroch wimmernd zur Seite, die nackte Angst stand in ihren aufgerissenen Augen.

»Sind Sie okay?«, rief Alex der Frau zu und betrachtete mit wilder Befriedigung ihr Werk. Der eine Kerl lag bewusstlos am Boden, der andere war kampfunfähig.

»Ich ... ich glaube ja«, flüsterte die Frau. Ihr Rock war hochgerutscht, und ihr Knie blutete. Sie stand unter Schock und presste ihre Handtasche an ihre Brust. Die Tränen rannen ihr über das Gesicht. Sie mochte etwa Anfang 40 sein und machte einen sehr gepflegten Eindruck. Auf der anderen Straßenseite waren Passanten stehen geblieben, zwei Männer kamen nun über die Straße.

»Könnten Sie bitte die Polizei rufen?«, rief Alex und beugte sich über die Frau, die am ganzen Körper zitterte.

»Meine Kette«, flüsterte die Frau und tastete ihren Hals ab, »sie haben sie mir abgerissen.«

»Sie kann ja nicht weit sein«, Alex rieb ihr beruhigend den Arm. Einer der Helfer von der anderen Straßenseite fand die Kette auf dem Pflaster, der andere hielt den Kerl in Schach. Sekunden später rauschte ein Streifenwagen mit Geheul heran und hielt direkt neben ihnen, wenig später folgte ein zweiter. Die Beamten erkundigten sich bei der Frau, wie es ihr ging und was geschehen sei.

»Ich war im Metropolitan Museum auf einer Benefiz-Veranstaltung«, flüsterte die Frau, »ich dachte, ich könnte zu Fuß nach Hause gehen. Es sind nur drei Häuserblocks.«

»Das ist aber ziemlich leichtsinnig von Ihnen, Ma'am«, sagte einer der Beamten, worauf die Frau, die noch immer Alex' Hand umklammert hielt, wieder in Tränen ausbrach. »Sie haben großes Glück gehabt, dass diese Dame hier Ihnen zu Hilfe gekommen ist.«

»Ich bin Ihnen so dankbar!« Die Frau wischte sich die Tränen und die verlaufene Schminke mit dem Handrücken vom Gesicht. »Wie kann ich Ihnen nur danken?«

»Das war selbstverständlich«, erwiderte Alex, »schon gut.«

»So etwas ist hier leider ganz und gar nicht selbstverständlich«, sagte einer der Polizeibeamten und wirkte beeindruckt. »Die meisten Leute gehen schnell weiter, wenn sie einen Menschen in Bedrängnis sehen. Die Kerle hätten außerdem bewaffnet sein können.«

»Waren sie aber nicht.« Alex sah auf die Uhr. »Können Sie die Dame nach Hause bringen? Ich muss meine Schuhe holen und dann auch nach Hause fahren.«

»Oh, bitte!« Die Frau griff wieder nach Alex' Hand. »Begleiten Sie mich doch! Ich wohne in der Park Avenue, nicht weit von hier. Unser Fahrer wird Sie dann nach Hause fahren, dann müssen Sie kein Taxi nehmen.«

Alex zögerte. Sie wollte sich nicht als große Retterin feiern lassen. Nachdem die Polizei alle Personalien aufgenommen und Alex erstaunt festgestellt hatte, dass sie der weltberühmten Opernsängerin Madeleine Ross-Downey zu Hilfe geeilt war, stieg sie aber doch mit in den Streifenwagen, der sie in die Park Avenue 1016 brachte. Alex kannte die Gegend, denn genau im Nachbarhaus der Downeys lag Sergios Wohnung. Der Bereich der Park Avenue zwischen der 60. und der 80. Straße war das beste und teuerste Wohnviertel der ganzen Stadt. In den alten und großen Kalksandsteinhäusern, die besser an einen der Prachtboulevards in Paris als nach New York City gepasst hätten, lebten die Reichen und Mächtigen in einem elitären Mikrokosmos, abgeschirmt von der Armut und Verzweiflung des nur eine Meile entfernten East Harlem. Wachpersonal und private Leibwächter sorgten dafür, dass die Park Avenue so sicher war wie eine englische Kleinstadt. Der Portier von Nummer 1016 war entsetzt und schockiert, als er eine ramponierte Mrs Ross-Downey aus dem Streifenwagen steigen sah. Sie hatte ihren ersten Schock überwunden und versicherte dem besorgten Mann, dass sie in Ordnung sei.

»Kann ich Sie jetzt allein lassen, Mrs Ross-Downey?«, fragte Alex.

»Oh, bitte, nennen Sie mich Madeleine«, die Opernsängerin lächelte unsicher, »und bitte, kommen Sie noch mit nach oben. Mein Mann wird es mir nicht verzeihen, wenn ich ihm meine Retterin nicht vorstelle.«

Neugierig auf die Wohnung und Madeleines Mann Trevor Downey, der als Erbe der gleichnamigen Kaufhauskette auch als der ›Kaufhaus-König von Manhattan‹ bezeichnet wurde, fuhr Alex mit ihr im marmorverkleideten Luxusaufzug hinauf in den 3. Stock. Trevor erwartete sie, vom Portier alarmiert, bereits in der offenen Wohnungstür. Schockiert und erleichtert nahm er seine Frau, die bei seinem Anblick wieder anfing zu weinen, in die Arme. Als Madeleine ihre Fassung wiedergefunden hatte, stellte sie Alex ihrem Mann vor. Trevor Downey war ungefähr Mitte 40, hatte schütteres, sandfarbenes Haar und freundliche braune Augen. Sie gingen in einen der Salons, den ein wuchtiger Kamin dominierte, und nahmen in weichen Lederfauteuils Platz. Trevor schenkte seiner Frau und Alex Cognacs ein, die sie beide dankbar austranken. Während Madeleine wortreich den Überfall und Alex' mutiges Eingreifen schilderte, schweiften Alex' Blicke durch die luxuriöse Wohnung, die freundlicher wirkte als der kalte Marmorpalast von Sergio im Haus nebenan: glänzendes Parkett, raffiniert beleuchtete Bilder in prächtigen Goldrahmen, wertvolle Antiquitäten. Durch die geöffneten Flügeltüren erspähte sie im Nachbarsalon einen schneeweißen Konzertflügel. Sehr besorgt um seine Frau legte Trevor ihr eine Wolldecke um die Schultern und streichelte ihre Wange. Es war nicht zu übersehen, dass sich Trevor Downey und seine Frau von ganzem Herzen liebten und respektierten, das merkte Alex sofort an der liebevollen und dennoch selbstverständlichen Art und Weise, wie sie miteinander umgingen. Sie empfand einen Stich, fast so etwas wie Neid, und das erste Mal in ihrem Leben spürte Alex, dass Geld und Erfolg nicht alles waren.

»Ich mache mir schreckliche Vorwürfe, dass ich so leichtsinnig sein konnte.« Madeleine hielt ihr Cognacglas mit beiden Händen umklammert, ihr Gesicht war blass und tränenverschmiert, aber sie wirkte in ihrer vertrauten Umgebung einigermaßen ruhig. »Don und Liz, die mit mir gegangen sind, wollten mich nach Hause fahren, aber ich dachte, ein kurzer Spaziergang kann nicht schaden. Ich glaube, wenn man in dieser behüteten Welt lebt, verliert man den Bezug zur Realität.«

Trevor legte seine Hand auf ihre Schulter.

»Hauptsache ist doch, dass dir dank deiner Retterin nichts Schlimmeres zugestoßen ist«, er lächelte Alex an, »der Himmel hat Sie geschickt.«

»Es war ungeheuer mutig von Ihnen, Alex!« Madeleines Augen blitzten bewundernd, dann kicherte sie leise. »Sie haben diese beiden fiesen Typen regelrecht k.o. geschlagen! Hatten Sie denn gar keine Angst?«

»Es ging so schnell, dass ich gar keine Zeit zum Nachdenken hatte«, gab Alex zu und dachte kurz an ihren wilden Zorn auf Sergio und ihre ganze Situation, der sich in ungezügelter Aggressivität auf die beiden Männer entladen hatte. Aber vor diesen beiden kultivierten und höflichen Menschen würde sie diesen dunklen Charakterzug nicht erwähnen. Sollten sie sie ruhig für eine edelmütige Retterin halten.

»Meine Frau und ich möchten uns auf jeden Fall für Ihr couragiertes und selbstloses Eingreifen herzlich bedanken.« Trevor nahm neben seiner Frau Platz, sie hielten sich an den Händen.

»Wir werden Nick davon erzählen«, sagte Madeleine. »Er wird schockiert sein, wo er doch so viel für die Sicherheit in dieser Stadt tut. Und dann passiert ausgerechnet mir so etwas!«

»Nick Kostidis und seine Frau Mary sind enge Freunde von uns«, erklärte Trevor Downey und legte einen Arm um die Schultern seiner Frau. »Es ist unhöflich, Alex, aber bei all der Aufregung habe ich mir Ihren Nachnamen nicht gemerkt.«

»Sontheim. Alexandra Sontheim.«

»Ach«, er beugte sich vor und betrachtete sie mit neuem Interesse, »ja, natürlich! Alex Sontheim. Die Veranstaltung heute Abend wurde ja von Ihrem Arbeitgeber ausgerichtet. Ich habe schon viel von Ihnen gehört. Sie haben einen bemerkenswerten Ruf an der Wall Street.«

»Oh, vielen Dank«, Alex lächelte bescheiden, obwohl es ihr gefiel, dass selbst der Kaufhaus-König von Manhattan ihren Namen kannte. Dann fiel ihr ein, dass er als Freund des Bürgermeisters unmöglich ein Freund von Sergio sein konnte.

»Wall Street?«, fragte Madeleine erstaunt. »Arbeiten Sie an der Börse?«

»Nein, bei einer Investmentbank«, entgegnete Alex, »ich bin Leiterin der Abteilung Mergers & Acquisitions bei LMI«

»Wie faszinierend!«, rief Madeleine.

»Das ist doch nebensächlich«, Alex zuckte die Achseln.

»Ganz und gar nicht«, Madeleine blickte sie neugierig an, »ich dachte immer, dieses Geschäft würden nur Männer betreiben. Irgendwie habe ich mir eine Investmentbankerin immer ganz anders vorgestellt.«

»Und ich dachte, alle Opernsängerinnen sehen aus wie Montserrat Caballé«, konterte Alex lächelnd, und damit war das Eis gebrochen. Sie waren sich auf Anhieb sympathisch. Alle drei lachten, und Trevor schenkte noch eine Runde Cognac ein.

***

Es war halb drei morgens, als Alex auf die Uhr blickte und erschrocken feststellte, wie spät es war. Trevor bestand darauf, Alex von seinem Chauffeur nach Hause bringen zu lassen, und sie nahm dieses Angebot dankbar an, nachdem die Downeys ihr das Versprechen abgenommen hatten, sich wiederzusehen. Nachdenklich saß Alex wenig später im Fond der Limousine und starrte aus dem Fenster. Die vergangenen drei Stunden, die sie mit den Downeys verbracht hatte, hatten ihr in aller Deutlichkeit vor Augen geführt, was in ihrem Leben fehlte. Sie hatte bisher nie einen Gedanken an Ehe und Freundschaft verschwendet, weil ihr die Karriere weitaus wichtiger gewesen war, aber in den letzten Monaten hatte sie sich oft sehr einsam gefühlt. Echte Freunde gab es nicht in ihrem Leben, und ihre Beziehung zu Sergio war oberflächlich und ohne Zukunft. Sie wusste überhaupt nicht mehr, was sie wirklich wollte, und das war ein eigenartiges und beklemmendes Gefühl. Aus einem Impuls heraus bat Alex den Chauffeur, sie in die Barrow Street zu fahren. Sie hoffte, dass Oliver zu Hause sein und es ihr nicht übelnehmen würde, wenn sie mitten in der Nacht bei ihm auftauchte. Es dauerte eine Weile, bis er verschlafen an die Sprechanlage kam.

»Ich bin's, Alex«, sagte sie, »entschuldige bitte, dass ich so spät störe, aber lässt du mich trotzdem rein?«

Wenn er überrascht war, ließ er es sich nicht anmerken. Nur mit einer Unterhose bekleidet öffnete er ihr die Tür und lächelte verschlafen. Ohne etwas zu sagen, schlang sie ihm die Arme um den Hals und küsste ihn. Seine Haut war warm und roch leicht nach Schweiß, und plötzlich überkam sie der Wunsch, auf der Stelle mit ihm zu schlafen und so vertraut mit ihm zu sein, wie Madeleine und Trevor es waren. Sie schafften es mit Mühe und Not bis in sein Bett und liebten sich voller Zärtlichkeit.

»Und jetzt erzähl mal der Reihe nach«, sagte Oliver, als sie angenehm erschöpft und eng umschlungen nebeneinanderlagen. Alex erwähnte die Veranstaltung im Museum nur mit einem Satz, dafür schilderte sie ausführlich, wie sie die beiden Männer regelrecht ausgeknockt hatte, das Auftauchen der Polizei und ihre Überraschung, als sie erfahren hatte, wem sie da zu Hilfe geeilt war. Sie erzählte von den Downeys und ihrer Wohnung, während Oliver beeindruckt lauschte. Alex fühlte sich ihm in diesem Augenblick sehr nahe und beschloss, ein wenig mehr von sich preiszugeben.

»Es war mir peinlich, wie oft sie sich bei mir bedankt und mich wie eine edelmütige und selbstlose Retterin behandelt haben«, sagte sie.

»Aber das bist du auch«, wandte Oliver ein. »Ich hätte mich nicht getraut, zwei Kerle anzugreifen. Ehrlich. Das ist Mut.«

»Nein«, Alex drehte sich auf die Seite, um ihn im Halbdunkel der Nacht besser ansehen zu können, »es war eine Kurzschlussreaktion. Ich war so entsetzlich wütend, dass es einfach ein Ventil für meine Wut war. Hätte ich einen Baseballschläger statt einer Handtasche in der Hand gehabt, hätte ich die Kerle krankenhausreif geprügelt.«

Oliver sah sie schläfrig an und streichelte ihren Arm.

»Es macht einen schon rasend, wenn man hilflos mit ansehen muss, wie jemand überfallen wird«, murmelte er. Er begriff nicht.

»Es hatte nichts mit diesem Überfall zu tun«, Alex schüttelte den Kopf, »ich hatte im Museum bei dieser Veranstaltung den Mann getroffen, mit dem ich in den letzten Monaten ein ... hm ... Verhältnis hatte.«

»Ich dachte, dieser Mann wäre ich«, Oliver lächelte.

»Ich hab dir bisher nichts von ihm erzählt, weil ich nicht wusste, was ich eigentlich erzählen soll«, sagte Alex, »es ist eine seltsame Sache mit ihm, nichts Ernstes. Er ist verheiratet.«

»Das ist schlecht.«

»Nein, das spielte keine Rolle. Ich hatte nicht vor, eine wirkliche Beziehung mit ihm einzugehen«, erklärte Alex, »als ich ihn kennengelernt habe, dachte ich mir, dass es ideal wäre, wenn man hin und wieder miteinander ausgehen und etwas Spaß haben könnte. Außerdem kennt er viele wichtige Leute, und ich dachte, dass ich von ihm in gewisser Weise profitieren könnte …«

Oliver war nun gar nicht mehr schläfrig, sondern sehr aufmerksam.

»Ich gebe zu, dass es mir schmeichelte, dass er sich für mich interessierte«, fuhr Alex fort, »er hat einmal für uns beide das komplette *Windows on the world* gemietet. Wir waren mit seinem Flugzeug in Las Vegas bei einem Boxkampf und auf der Oscar-Verleihung. Es war absolut verrückt und aufregend und ungewöhnlich.«

»Er wollte dich beeindrucken«, Oliver setzte seine Brille auf.

»Ja, ganz sicher wollte er das.«

»Und warum hast du dich jetzt so über ihn geärgert?«

»Weil er mich dreimal versetzt hat und ich drei Wochenenden lang zu Hause herumgesessen und darauf gewartet habe, dass er anruft. Das hat mich geärgert und gekränkt.«

»Aha. Und als du so richtig verärgert und gekränkt warst, bin ich dir über den Weg gelaufen.«

»Du hast mich mit dem Fahrrad umgefahren«, erinnerte Alex ihn und lächelte, »an dem Abend wurde mir klar, dass ich überhaupt nichts für ihn empfinde. Es war eben aufregend mit ihm. Ein Ausflug in die High Society. Er wohnt auch in der Park Avenue.«

»Toll«, machte Oliver wenig beeindruckt und richtete sich auf, »aber wie hat dieser Mann, für den du doch angeblich nichts empfindest, dich so wütend machen können, dass du zwei andere Männer k.o. geschlagen hast, um dich abzureagieren? Um derart wütend zu werden, muss man doch noch etwas empfinden, oder nicht?«

Alex sah ihn verwirrt an. War er jetzt sauer auf sie?

»Hätte ich dir besser nichts von ihm erzählen sollen?«

»Du kommst nachts um halb vier hierher, schläfst mit mir und erzählst mir dann von einem anderen Kerl«, antwortete Oliver. »Wie soll ich das finden?«

»Okay, dann sag ich jetzt nichts mehr.« Sie lächelte und streckte die Hand nach ihm aus, aber er ergriff sie nicht.

»Hat dieser Park-Avenue-Wahnsinns-Typ auch einen Namen?«

»Ja. Du hast ihn sicher schon gehört. Er heißt Sergio Vitali.«

»Ach du Scheiße!« Oliver warf mit einem Ruck die Bettdecke zurück, angelte nach seiner Unterhose und sprang auf. Er drückte auf den Lichtschalter, zog die Unterhose an und verließ das Schlafzimmer. Alex blinzelte verständnislos in das helle Licht. Sie stand auf und folgte ihm in die Küche.

»Was hast du denn?«, fragte sie. Oliver fuhr herum. Da war kein Lächeln mehr in seinem Gesicht, seine grauen Augen waren kalt.

»Es ist besser, wenn du dich jetzt anziehst und gehst«, sagte er und öffnete die Tür des Kühlschranks. Alex bereute ihre Aufrichtigkeit, denn sie empfand echte Zuneigung für Oliver und verstand nicht, was ihn so erboste.

»Geh!«, wiederholte er, ohne sie anzusehen. »Ich werde dich besser ganz schnell vergessen.«

Seine Stimme klang bitter.

»Du kannst mich doch nicht einfach so rauswerfen, nur weil ich …«, begann Alex zaghaft. Es war ihr ungeheuer wichtig, sein Wohlwollen zu erhalten. Sie wollte jetzt nicht einfach so gehen. Oliver knallte den Kühlschrank zu und fuhr herum. Alex erschrak, als sie das zornige Funkeln in seinen Augen sah. Was hatte ihn so wütend gemacht?

»Du hast mein Vertrauen ausgenutzt«, stieß er hervor, »und das kannst du nicht mehr gutmachen.«

Alex starrte ihn verständnislos an.

»Ich habe dir versprochen, nichts von den Ungeheuerlichkeiten zu sagen, die ich im Laufe der letzten Jahre und Monate über LMI herausgefunden habe. Ich habe akzeptiert, dass du nichts Nachteiliges über deinen Arbeitgeber wissen willst, und gehofft, dass du es eines Tages selber merkst, am besten, bevor es zu spät ist. Dummerweise habe ich angefangen, dich wirklich gern zu mögen. Nicht im Traum hätte ich daran gedacht, dass du etwas mit *Vitali* zu tun haben könntest!«

Alex schluckte betroffen.

»Ich habe mir in den vergangenen Jahren über diesen Typen eine ziemlich umfassende Meinung bilden können, weil ich bei fast allen Recherchen immer wieder auf seinen Namen gestoßen bin. Dieser Mann hat seine Finger in beinahe jedem kriminellen Geschäft in dieser Stadt. Er ist unter anderem an LMI beteiligt. Sein ganzes Imperium ist auf Blut und Verbrechen gegründet. Er ist ein gewissenloser und brutaler Gangster. Und abgesehen davon, was ich über ihn und seine Geschäfte weiß, will ich mit solchen Menschen nichts zu tun haben. Es ist eine Ironie des Schicksals, dass ich ausgerechnet mit einer Frau im Bett lande, die sich von ihm vögeln lässt!«

Seine schonungslose Offenheit traf Alex wie eine Ohrfeige.

»Schade um dich, Alex, wirklich schade.« Oliver ließ sich auf einen Küchenstuhl sinken und musterte sie mit einer Mischung aus Bedauern und Verachtung. »Ich hatte dich wirklich anders eingeschätzt. Aber du bist wohl doch auch nur eine von den Frauen, die in ihrem krankhaften Ehrgeiz Augen und Ohren vor der Realität verschließen, nur um mit allen Mitteln ihr Ziel zu erreichen.«

Alex war schockiert über die Kälte, mit der er das sagte.

»Aber das stimmt doch alles nicht«, erwiderte sie. »Sergio hat mit LMI überhaupt nichts zu tun.«

»Willst du mich verarschen, oder bist du wirklich so blauäugig?« Oliver schüttelte den Kopf, dann lachte er, aber es war kein frohes Lachen. »Er sitzt im Aufsichtsrat von dem Laden!«

»Aber ... das ist nicht wahr«, flüsterte Alex fassungslos, »das hätte er mir doch gesagt!«

»Nicht zu fassen«, sagte Oliver, mehr zu sich selbst als zu Alex, »ich habe ein Gangsterliebchen gebumst!«

Da verschlug es Alex für einen Augenblick die Sprache.

Gangsterliebchen! Das war ja ungeheuerlich! Ein heißer Zorn stieg in ihr empor.

»Was bildest du dir eigentlich ein?«, schrie sie, und ihr sprangen die Tränen in die Augen. »Was glaubst du, wer du bist, dass du so über andere Leute urteilen darfst?«

»Zufällig ist das ein freies Land, und ich kann urteilen, wie ich will«, erwiderte er kalt, »und mein Urteil über dich hat sich in den letzten zehn Minuten um hundert Prozent geändert.«

Er stand auf und drängte sich an ihr vorbei.

»Ich wünsche dir noch viel Glück«, sagte er und öffnete die Haustür. »Geh zu deinem Mafia-Liebhaber! Wenn du so weitermachst, bist du sicher bald im Vorstand von LMI. Hoffentlich war es dann alles wert, was du investiert hast. Leb wohl.«

»Darf ich mich noch anziehen?«

Oliver antwortete darauf nicht. Er schien jedes Interesse an ihr verloren zu haben. Alex zog sich eilig an, das Blut rauschte in ihren Ohren, und sie zitterte am ganzen Körper. Aber erst, als sie die Wohnungstür hinter sich geschlossen hatte, ließ sie ihren Tränen freien Lauf. Olivers kalte Verachtung und die verletzenden Worte schmerzten wie eine Brandwunde. Im Osten rötete sich bereits der Himmel, als sie tränenblind und fassungslos die Straße entlangstolperte. *Gangsterliebchen!* Diese Beleidigung dröhnte in ihren Ohren wie ein Gongschlag, sie weinte verzweifelte Tränen des Zorns und der Demütigung. Warum nur musste sie immer wieder an die falschen Männer geraten? Erst Sergio, der sie versetzte, und nun das! Oliver Skerritt setzte allerdings allem die Krone auf. Die Tränen versiegten, und eine lähmende Kälte ergriff von ihr Besitz. Das Klacken ihrer Absätze auf dem Pflaster hallte in den leeren Straßen, und mit jedem Schritt fühlte sie sich kläglicher. Olivers Worte hatten einen Punkt berührt, über den sie lieber nicht nachdenken wollte. Bisher hatte sie innerlich immer abgeblockt, wenn in der Presse über Sergios Verbindungen zur Unterwelt spekuliert wurde. Sie hatte Olivers Argumente gegen LMI nicht hören wollen, aber an diesem Morgen begriff Alex mit gnadenloser Klarheit, dass sie nicht länger so tun konnte, als gäbe es diese Zweifel nicht, die sie quälten. Ihr wurde bewusst, wie einsam sie war. Es gab niemanden, mit dem sie reden, dem sie vertrauen konnte. Vor ihren Augen begann ihre ganze Welt zu bröckeln, und auf einmal war sie nicht mehr davon überzeugt, ob es wirklich so ungeheuer wichtig und richtig war, was sie tat. Es war ein ganz und gar elendes Gefühl.

***

Drei Stunden später saß Alex mit verquollenen Augen vor einem pechschwarzen Kaffee an ihrem Schreibtisch. Die vor ihr liegende Woche versprach heiß zu werden, denn die feindliche Übernahmeschlacht, zu der sich die Fusionsverhandlungen zwischen den beiden führenden Müllentsorgungsunternehmen des Landes ausgewachsen hatten, ging in die entscheidende Phase. United Waste Disposal wehrte sich bereits seit Wochen nach Kräften gegen die Übernahmepläne von Waste Management. Alex hatte das aufmerksam verfolgt, denn sie hatte Fred W. Watkins, dem Präsidenten von A & R Ressources, den Vorschlag gemacht, sich als Weißer Ritter in die Übernahmeverhandlungen einzuschalten. Watkins, den Alex vor ein paar Monaten durch Sergio kennengelernt hatte, war von diesem Vorschlag mehr als begeistert gewesen. A & R Ressources war ein hoch spezialisiertes Unternehmen, das sich in erster Linie mit der Entsorgung von militärischen Abfällen beschäftigte, aber Alex hatte erfahren, dass Watkins seit längerem nach einem breiteren Betätigungsfeld suchte, um weiter zu expandieren. Ohne Zögern hatte Watkins Alex den Auftrag erteilt, sich um die Übernahme von Waste Disposal zu bemühen, und so war sie nun in diesen mit harten Bandagen geführten Kampf involviert. Ein weiterer Grund für die angespannte Atmosphäre an der Wall Street war die erwartete Leitzinserhöhung durch die US-Notenbank. Alan Greenspan hatte eine Erhöhung zur Bekämpfung der Inflation in Aussicht gestellt, und nun waren Markt und Anleger über alle Maßen nervös, denn niemand konnte voraussagen, ob eine solche Zinsanhebung eine Konsolidierung bedeutete oder gar zu einem Absturz eskalierte. Im Handelsraum herrschte ein ohrenbetäubender Lärm, denn die Händler versuchten verzweifelt, ihre Kunden zu beruhigen. Bereits in den ersten Minuten nach Börsenbeginn war der NASDAQ ins Rutschen geraten. Alex hatte noch nicht einmal ihr Notebook eingeschaltet, als Marcia mit einem Stapel Notizzettel hereinkam.

»Der Termin mit den Anwälten von A & RR um zwölf steht«, verkündete sie, »Mr Watkins und Mr Levy werden dabei sein, Steve Cavanaugh von Schuyler & Partner bittet um Rückruf, ebenso Franklin Mills und Mr Weinberg. Außerdem hat Mr Vitali angerufen. Ich habe ihm gesagt, Sie seien noch in einer Besprechung. War das okay?«

Ja. Nein. Alex rieb sich mit Zeigefinger und Daumen die Nasenwurzel. In den letzten drei Wochen hatte Marcia den strikten Befehl gehabt, Sergio mit allen Mitteln abzuwimmeln.

»Er sagte, er ruft wieder an.«

»Dann können Sie ihn durchstellen.« Alex tippte ihr Codewort in die Tastatur und war froh, dass Marcia kein Wort über ihr katastrophales Aussehen an diesem Morgen verlor. Die vergangene Nacht erschien ihr mittlerweile wie ein irrsinniger Alptraum oder ein schlechter Film, den sie im Halbschlaf gesehen hatte und an den sie sich nur bruchstückhaft erinnern konnte. Natürlich hätte sie Oliver längst etwas von Sergio erzählen sollen, aber dennoch fühlte sie sich entsetzlich gekränkt und verletzt durch sein Verhalten. *Gangsterliebchen!* Alex ärgerte sich, weil sie Oliver wirklich mochte, und doch war sie wütend. Wie konnte er sie nur so gemein beschimpfen, ihr überhaupt keine Chance für eine Rechtfertigung lassen? Gerade als sie ihre aktuellen E-Mails überflog, stellte Marcia ihr ein Telefongespräch durch. Es war Sergio. Unwillkürlich machte ihr Herz einen Satz.

»Ich habe die ganze Nacht über das nachgedacht, was du gestern gesagt hast«, sagte er, ohne sich mit einer Begrüßung aufzuhalten, »und du hast recht. Was hältst du davon, wenn wir einen Strich unter alles ziehen, was bisher war, und einen neuen Anfang wagen?«

»Meinst du, das hat einen Sinn?«

»Geh heute Abend mit mir essen, Cara. Lass uns in Ruhe über alles reden. Bitte.«

Ein Lämpchen an Alex' Telefon blinkte auf.

»Ich habe heute einen Termin nach dem anderen«, erwiderte sie zögernd, »der Vorstand eines neuen Klienten aus Texas ist in der Stadt.«

Diese lahme Ausrede ließ Sergio nicht gelten. Und ungeachtet dessen, welche Zweifel Oliver mit seinen Worten in Alex' Herz gesät haben mochte, so hatte Sergio sich im vergangenen halben Jahr zum wichtigsten Menschen in ihrem Leben entwickelt.

»Ich muss dich sehen, Cara«, den bittenden Tonfall in seiner Stimme hatte Alex noch nie zuvor gehört, »außerdem habe ich noch eine Überraschung für dich.«

Alex zögerte. Sergios Überraschung konnte sich als ein Trip nach Las Vegas oder ein Abendessen in Miami herausstellen.

»Okay«, sagte sie schließlich halbherzig.

»Wunderbar. Ich komme um acht zu dir. Ciao, Cara.«

***

Die großzügige Penthousewohnung mit Terrasse und Wintergarten lag direkt an der Central Park West in Höhe der 66. Straße und bot einen grandiosen Blick über den Park. Acht geschmackvoll eingerichtete, großzügige Salons auf zwei Ebenen, verteilt auf 300 Quadratmetern an der Upper West Side waren purer Luxus und der Traum von Millionen New Yorkern. Ein eigener Aufzug führte von der Tiefgarage direkt bis in das Penthouse, die umlaufende Dachterrasse konnte man von allen Räumen heraus betreten. Ein sternenklarer Nachthimmel wölbte sich über die Stadt, die Luft war lau und weich. Die üppig blühenden Rosen, die sich an einer Pergola emporrankten, verströmten einen betörenden Duft. Sergio beobachtete Alex, die staunend durch die

Räume wanderte und schließlich auf die Terrasse trat. Er wusste, dass sie die Nacht wieder bei diesem Kerl verbracht hatte. Silvio hatte sie um halb vier morgens mit einer Limousine ankommen und in das Haus in der Barrow Street gehen sehen. Die versteckten Minikameras, die Silvios Leute vor ein paar Tagen in der ganzen Wohnung angebracht hatten, hatten aufgezeichnet, wie sie es mit dem Kerl getrieben hatte. Sergio hatte sich diesen Film heute dreißigmal hintereinander angesehen und mit kalter Wut gehört, was sie dem Kerl erzählt hatte. »*... an dem Abend wurde mir klar, dass ich überhaupt nichts für ihn empfinde. Es war eben aufregend mit ihm. Ein Ausflug in die High Society. Er wohnt auch in der Park Avenue ...*« Sergio hatte auch gehört, was der Kerl über ihn gesagt hatte, und die pure Mordlust war in ihm emporgekrochen. Nach einem heftigen Streit hatte Alex um kurz nach fünf das Haus verlassen und war zu Fuß nach Hause gelaufen. Und während Alex und er heute Abend im *Le Cirque* gepflegt gespeist hatten, hatte Oliver Skerritt eine schmerzhafte Begegnung mit drei von Silvios Leuten gehabt. Falls ihn schon jemand gefunden hatte, war er jetzt sicher im Krankenhaus. Mit einem Gefühl gehässiger Befriedigung dachte Sergio an die Bilder von Skerritts entstellter Visage, die Silvio ihm vor einer Stunde auf sein Handy geschickt hatte. Dieser Mistkerl würde in Zukunft die Finger von Alex lassen, da war er ganz sicher.

»Gefällt dir die Wohnung?« Er lehnte in der geöffneten Terrassentür und beobachtete sie.

»Machst du Witze?« Alex wandte sich zu ihm um.

»Wem würde so eine Wohnung nicht gefallen? Wer wohnt hier?«

Bis vor drei Tagen hatten hier noch Leute gewohnt, aber Sergio hatte sie fristlos kündigen lassen, um eine Wohnung zu haben, die Alex ganz sicher gefallen würde.

»Du hast einmal erwähnt, dass du gerne mit Blick auf den Park wohnen würdest«, sagte er beiläufig, während er die Champagnerflasche ergriff, die seinen Anweisungen gemäß in einem Eiskühler auf dem Tisch stand, »und als ich erfahren habe, dass die Wohnung leer steht, habe ich daran gedacht. Du kannst sie haben.«

Alex lehnte sich an die Brüstung und lächelte, und dieses Lächeln zog Sergio unwillkürlich an wie der Norden eine Magnetnadel.

»Eine solche Wohnung kann ich mir nicht leisten.«

»Du weißt doch gar nicht, was sie kostet.« Sergio schenkte den Champagner in zwei Gläser und hielt ihr eines hin. Alex ergriff es.

»Meinst du das ernst?« Sie legte ungläubig den Kopf schief.

»Zufällig gehört mir das ganze Haus«, erwiderte Sergio, »ich würde dir die Wohnung für 2500 im Monat vermieten.«

»Da machst du aber ein schlechtes Geschäft.«

»Ich mache nie schlechte Geschäfte«, er stand ganz nah vor ihr, »also?«

Sie sah ihn mit einem schwer zu deutenden Ausdruck in den Augen an. Das schwere, glänzende Haar fiel offen auf ihre Schultern, und sie war so schön und begehrenswert, dass er es kaum noch ertragen konnte, sie nicht zu berühren. Merkwürdigerweise war es ihm sogar egal, dass sie vor kaum 24 Stunden mit einem anderen Kerl geschlafen hatte.

»Wann kann ich einziehen?«

Da lächelte Sergio. Sie hatte den Köder geschluckt.

»Noch heute, wenn du willst«, er nahm ihr das Glas aus der Hand. Bevor sie noch etwas sagen konnte, hob er sie hoch und trug sie ins Schlafzimmer.

***

Es war schon weit nach Mitternacht, als sie erschöpft und keuchend dalagen, die schweißfeuchten Glieder ineinander verschlungen, und Alex erinnerte sich an das, was Oliver gestern Nacht über Sergio gesagt hatte. Sie entschloss sich, diesen Moment der Nähe auszunutzen.

»Sergio?« Sie küsste seine nackte Schulter.

»Mhm ...« Er lag auf dem Rücken und lächelte schläfrig.

»Ich möchte dich etwas fragen, aber du sollst mir nur antworten, wenn du mir auch die Wahrheit sagst.«

In Sergios Augen erschien ein wachsamer Ausdruck.

»Okay.«

»In den Zeitungen schreiben sie immer wieder, dein Vater sei ein Mafioso gewesen.«

»Ja, das war er wohl.« Er drehte seinen Kopf, damit er sie besser ansehen konnte. »Sein schlechter Ruf macht mir heute noch zu schaffen, wie du merkst. Die Leute denken leider, wenn man einen italienischen Namen trägt und erfolgreich ist, gehöre man automatisch zur Mafia.«

»Sie behaupten, dein Vater hätte Leute umgebracht.«

Sergio betrachtete Alex nachdenklich.

»Ich war 19, als mein Vater erschossen wurde«, sagte er langsam, »und ich denke, er hatte diesen Tod verdient, denn er hat eine Menge Leute umgebracht.«

Alex erschauerte.

»Das klingt spannend.«

»Spannend?« Sergio verzog das Gesicht. »Mein Vater war ein Berufskiller. Er kam als junger Mann aus Sizilien nach Amerika und hatte nichts anderes gelernt, als Schafe zu hüten und mit einer Waffe umzugehen. Er tat es, um zu überleben, denn es war damals ein Geschäft wie jedes andere auch. Das Leben in den dreißiger Jahren war schwer, ehrliche Arbeit war rar und dazu schlecht bezahlt.«

»Hast du deinen Vater gemocht?«

Sergio überlegte einen Moment, bevor er antwortete.

»Wenn ich ehrlich bin, weiß ich es nicht mehr. Ich habe ihn kaum gekannt. Er schickte mich auf ein Internat, als ich fünf oder sechs war. Mein Bruder war gestorben, und er wollte nicht, dass ich in Schwierigkeiten gerate. Ich war zehn Jahre lang nur zu Weihnachten in New York. Erst als mein Vater tot war, kam ich zurück.«

Eine Weile lagen sie schweigend da. Tief unter ihnen brodelte das nächtliche Leben in der Stadt, die niemals schlief, und der Autolärm drang gedämpft zu ihnen herauf.

»Hast du auch Leute umgebracht?«, fragte Alex leise. Sergio sah sie mit einem wachsamen Funkeln in den Augen an.

»Weshalb möchtest du das wissen, Cara?«

»Es steht so viel in den Zeitungen«, erwiderte sie, »all diese Sachen über Mafia und Unterwelt. Ich möchte wissen, was davon wahr ist.«

Sergio küsste sie, machte sich sanft von ihr los und stand auf. Trotz seiner Nacktheit wirkte er nicht schutzlos oder lächerlich. Seine Haltung war von einem lässigen Selbstbewusstsein, wie bei einer antiken Statue.

»Ist es wichtig für dich?«, fragte er.

»Ja«, sie erwiderte ruhig seinen Blick, »es ist wichtig für mich.«

»Was würde es für dich verändern, wenn du erfahren würdest, dass ich all das bin, was die Presse von mir behauptet? Würde die Vergangenheit eine so große Rolle für dich spielen, dass du mich nicht mehr sehen wolltest?«

»Nein«, Alex schüttelte den Kopf, »das hat damit gar nichts zu tun.«

Sie wusste, dass er viele Geheimnisse vor ihr hatte, und das störte sie nicht einmal. Es waren grundlegende Wahrheiten, die sie über ihn wissen wollte, spätestens seitdem Oliver gestern Nacht solche Dinge über ihn gesagt hatte.

»Was ist es dann?«, fragte Sergio, und Alex richtete sich auf. Sie dachte an die Downeys, an die vertrauensvolle Zuneigung zwischen ihnen.

»Ich möchte von dir hören, ob es wahr ist, was die Zeitungen schreiben, oder nicht. Auch wenn es wahr ist und du mir das sagst, dann ist es in Ordnung für mich. Ich möchte dir nur vertrauen und glauben können.«

Sergio setzte sich auf den Bettrand und sah sie an. Für den Bruchteil einer Sekunde fühlte er sich versucht, Alex zu sagen, was sie hören wollte, aber dann dachte er wieder an Nelsons

Warnung und an den Kerl, mit dem sie ihn betrogen hatte, und die Vernunft gewann die Oberhand. Er konnte Alex noch immer nicht besser einschätzen als am ersten Tag. Ganz sicher begehrte er sie wie keine Frau zuvor, er wollte sie besitzen und beherrschen, aber genau das ließ sie nicht zu. Nein, er durfte sich keine Schwäche erlauben, und erst recht nicht Alex gegenüber. Sentimentalitäten machten verwundbar, und deshalb konnte er ihr nie und nimmer die Wahrheit sagen, denn die Lektion, dass er niemandem trauen konnte, hatte er schon sehr früh in seinem Leben gelernt. Großmütigkeit und Offenheit waren Schwächen, die tödlich sein konnten, und da es zu viele falsche Freunde geben konnte, bevorzugte Sergio es, keine Freunde zu haben. Er hatte zuverlässige Geschäftspartner, an die ihn keine emotionalen Fesseln banden. Menschen, die zu viel über ihn wussten, konnten ihm schaden, ihn schwächen oder gar zerstören. Selbst in den Reihen der eigenen Familie konnte er niemandem wirklich vertrauen, das hatte ihm Cesares lächerliche Drohung bewiesen. Der harte Kampf ums Überleben auf den Straßen von Little Italy und der Lower East Side und die brutalen Morde an seinem Bruder und seinem Vater hatten Sergio für immer geprägt und es ihm absolut unmöglich gemacht, sich jemandem ganz und gar zu öffnen. Er war sich darüber bewusst, dass er sich, wenn es die Umstände eines Tages erfordern sollten, ohne zu zögern von Alex trennen würde. Er wusste, dass er das konnte und auch tun würde. Und doch hoffte er, dass dies niemals geschehen würde. All das ging ihm durch den Kopf, während Alex ihn abwartend ansah. Einen kurzen Moment lang kam Sergio sich schäbig vor, weil er sie anlügen würde.

»Hör zu, Cara«, sagte er und sah sie offen an, »ich habe mein ganzes Leben lang hart kämpfen müssen, um dorthin zu gelangen, wo ich jetzt bin. Ich führe ein großes Wirtschaftsunternehmen und habe die Verantwortung für Tausende von Menschen. Als ich jung war, habe ich ganz sicher viele Geschäfte gemacht, die nicht ganz einwandfrei waren, aber wer von den Begründern großer Vermögen hat das nicht getan?«

Alex nickte.

»Wenn die Zeitungen schlecht über mich schreiben, dann ist das nichts als Neid und die Verärgerung darüber, dass sie nicht mehr über mich erfahren. Deshalb kochen sie immer wieder die alten Geschichten von meinem Vater und seinem Leben auf. Über Ignazio Vitali und die *Murder Inc.* wurden schon ganze Bücher geschrieben, und es ist kein Geheimnis, dass er und seine Kollegen in der Zeit der Prohibition dutzende Leute erschossen haben. Aber damit habe ich nichts zu tun. Ich mache meine Geschäfte, so wie es Unternehmer auf der ganzen Welt tun. Ich bin vielleicht etwas cleverer und rücksichtsloser, aber ich bezahle meine Steuern und lege meine Bilanzen offen, vor jedem, der sie lesen will. Ich bin nicht vorbestraft und auch kein Verbrecher. Das Gerede von Mafia und Unterwelt wird immer ein beliebtes Thema sein, aber es entspricht in meinem Fall nicht der Realität.«

Sergio sah Alex ruhig an, und das, was er sagte, klang in ihren Ohren plausibel und überzeugend.

»Bist du jetzt zufrieden, Cara?«

Sie nickte.

»Du machst deinen Job, und ich mache meinen«, fuhr Sergio fort. »Wir sind beide erfolgreich. Und wenn ich dich sehe, Cara, dann möchte ich nicht an meine Geschäfte denken, sondern an dich. Das hat nichts damit zu tun, dass ich dir etwas verheimlichen möchte.«

»Hm«, Alex legte ihre Arme um seine Mitte, »was hast du mit LMI zu tun?«

Sergio war auf diese Frage vorbereitet, denn er wusste, dass dieser Kerl ihr davon erzählt hatte.

»Ich bin im Aufsichtsrat«, er zog sie in seine Arme und küsste sie, »so, wie ich in noch 24 anderen Aufsichtsräten bin. Außerdem machen meine Firmen hin und wieder mit LMI Geschäfte. Das ist alles.«

Alex seufzte. Zum Teufel mit Oliver und seinen Verschwörungstheorien! Wenn Sergio ihr jetzt verschwiegen hätte, dass er Aufsichtsratsmitglied bei LMI war, dann hätte sie ihm auch alles andere nicht geglaubt, aber so hatte sie das Gefühl, dass Sergio aufrichtig war. Und das genügte ihr.

***

Sie wachte früh am nächsten Morgen auf und brauchte ein paar Sekunden, um zu begreifen, wo sie war. Ihr Blick fiel auf Sergio, der noch tief und fest schlief. In der letzten Nacht hatte sie eine Entscheidung getroffen. Die kurze Affäre mit Oliver war beendet. Es hatte sie tief gekränkt, weil er sie beleidigt und aus seiner Wohnung geworfen hatte, ohne ihr Gelegenheit für Erklärungen zu geben. Sergio konnte ihr ohnehin sehr viel mehr bieten. Ein Penthouse am Central Park, eine eigene Tiefgarage für ihren Porsche, ein Tisch im *Le Cirque* ohne Voranmeldung. Sergio Vitali machte alles möglich, und es hatte keinen Sinn, sich einzureden, er wäre ihr gleichgültig. Das stimmte nicht. In der letzten Nacht hatte sie für kurze Zeit das Gefühl gehabt, eines Tages könnte es doch das Vertrauen zwischen ihnen geben, wie sie es sich wünschte. Sergio öffnete die Augen und blinzelte in das helle Sonnenlicht. Er streckte den Arm nach ihr aus, und Alex schmiegte sich in seine Arme.

»Woran denkst du, Cara?«, flüsterte er.

»An alles Mögliche.« Sie streichelte sein zerwühltes Haar und war für den Bruchteil einer Sekunde versucht, ihm die Wahrheit über ihre Gefühle zu sagen. Aber dann dachte sie an Oliver und wohin sie ihre Aufrichtigkeit geführt hatte. Nein, sie konnte es ihm nicht sagen, selbst nicht in dieser Sekunde, in der sie sich ihm so nahe fühlte.

»Hat es mit mir zu tun?«

»Nein«, log sie, »ich denke darüber nach, wie es mir gelingen könnte, 32 Millionen Dollar für A & RR aufzutreiben. Ich dachte daran, eine …«

Sergio fuhr hoch.

»Du bist wirklich unglaublich«, sagte er, »du liegst mit mir im Bett und denkst ans Geschäft!«

Er warf ihr einen so verletzten Blick zu, dass sie erschrocken innehielt. Sergio machte sich von ihr los, sprang auf und durchquerte das Zimmer. Alex biss sich auf die Lippen, als er im Badezimmer verschwand. Am liebsten wäre sie hinter ihm hergelaufen und hätte ihm die Wahrheit gesagt. Aber sie konnte ihm unmöglich gestehen, wie tief sein Verhalten sie gekränkt und dass sie ihn mit einem anderen Mann betrogen hatte, nur weil sie gehofft hatte, ihn sich so aus dem Kopf schlagen zu können! Unmöglich. Nein, sie musste weiter so tun, als sei er eben nur ein Bekannter, mit dem sie ab und zu gerne ein paar Stunden verbrachte. Ihr Handy, das irgendwo zwischen ihren achtlos hingeworfenen Kleidern auf dem Fußboden lag, begann zu klingeln. Sie sprang auf, durchwühlte ihre Kleider und fand es unter einem Sessel. Zu ihrer Überraschung war es Madeleine Ross-Downey. Alex ging hinaus auf die Terrasse. Madeleine entschuldigte sich, dass sie so früh anrief, aber sie musste für drei Tage an die Westküste reisen und wollte sich melden, bevor sie es im Terminstress vergaß. Sie bedankte sich erneut für die mutige Rettung, aber dann lud sie Alex für den Freitagabend zu einem Abendessen zu sich nach Hause ein. Es seien ein paar Freunde da, eine zwanglose Sache, aber Trevor und sie würden sich ausgesprochen freuen, wenn Alex dabei sein würde. Zuerst wollte Alex absagen, so, wie sie beinahe immer Einladungen absagte, aber sie hatte Madeleine und ihren Mann auf Anhieb sympathisch gefunden, und außerdem reizte sie der Gedanke, sich mit Leuten zu treffen, die mit Sergios Feind Kostidis befreundet waren. Als sie sich umdrehte, sah sie Sergio in der offenen Terrassentür stehen.

»Das war Madeleine Ross-Downey«, sagte Alex, »sie hat mich für Freitagabend zu sich nach Hause eingeladen.«

»Ach«, Sergio zog die Augenbrauen hoch, »wie kommst du zu der Ehre?«

Alex erzählte ihm von dem Vorfall am Museum vor zwei Tagen.

»Nicht zu fassen«, Sergio blickte sie mit einer Mischung aus

Staunen und Belustigung an, »du hast dich mit bloßen Händen auf zwei Straßenräuber gestürzt und sie niedergeschlagen?«

»Genau.«

»Ich sollte dich als Leibwächterin engagieren«, er grinste.

»Spotte nicht«, sagte Alex ärgerlich, »ich konnte schlecht so tun, als ob ich nichts davon mitbekomme.«

»Ich spotte nicht«, widersprach Sergio, »das meine ich ehrlich! Es gibt nicht viele Menschen, die das getan hätten. Trevor war sicher glücklich, dass seiner Maddy nichts passiert ist.«

»Das war er allerdings. Ich war an dem Abend noch mit bei ihnen zu Hause. Kennst du die Downeys?«

»Natürlich. Ich kenne alle Leute in der Stadt.«

Bei jedem anderen hätte sich diese Aussage überheblich angehört, doch bei Sergio war es lediglich eine Feststellung, die den Tatsachen entsprach.

»Kannst du sie leiden?«

»Madeleine ist eine wirklich großartige Sängerin, ich verehre ihre Kunst sehr«, erwiderte er, dann wurde seine Stimme verächtlich, »aber Trevor Downey ist ein wachsweiches, verwöhntes Söhnchen, das zufällig eine Kaufhauskette geerbt hat, weil sein älterer Bruder ein Bluter war und mit 20 Jahren das Zeitliche gesegnet hat. Außerdem ist er ein Busenfreund von unserem hochverehrten Herrn Bürgermeister.«

»Ich hasse es, wenn du so sarkastisch bist.« Alex bemerkte das spöttische Funkeln in seinen Augen.

»Und ich hasse es, wenn du über Geschäfte nachdenkst, während du mit mir im Bett liegst«, erwiderte Sergio zu Alex' Verblüffung.

»Das habe ich in Wirklichkeit gar nicht getan«, sagte sie leise.

»Und warum hast du es dann gesagt?«

»Weil«, sie kämpfte einen Moment mit sich und vermied es, ihn anzusehen, »weil ich nicht zugeben wollte, dass dies eine der schönsten Nächte meines Lebens war.«

Darauf erwiderte Sergio nichts. Er ging zurück ins Schlafzimmer, um sich anzuziehen. Verärgert über sein Schweigen folgte sie ihm.

»Soll ich dir sagen, weshalb ich dir nicht die Wahrheit gesagt habe?«, sagte sie und unterdrückte mühsam das wütende Beben in ihrer Stimme.

»Ja«, er saß auf dem Bettrand und band sich die Schuhe zu.

»Weil ich befürchtet habe, dass du genau so reagieren würdest. Nämlich gar nicht. Du verlangst von mir Aufrichtigkeit und sagst selbst keinen Ton.«

Ein Schatten flog über Sergios Gesicht, und als er wieder aufblickte, hatte er seine unnahbare Maske abgelegt. Sein Blick war wachsam und angespannt und erstaunlich verletzlich. Er ergriff ihre Handgelenke.

»Alex«, sagte er leise, »bist du denn auch wirklich aufrichtig zu mir?«

Sie zögerte. Der Moment war gekommen, in dem sie ihm gestehen konnte, dass sie etwas mit Oliver angefangen hatte, weil sie eifersüchtig und wütend gewesen war. In dieser Sekunde hätte sie ihm von Olivers Anschuldigungen, die Zweifel in ihr geweckt hatten, erzählen können. Und sie hätte ihm sagen können, wie sehr sie sich nach seiner Liebe und seinem Vertrauen sehnte. Aber sie fürchtete sich davor, sich vor ihm eine Blöße zu geben, und ließ deshalb diese Chance ungenutzt verstreichen.

»Ich denke«, entgegnete sie stattdessen, »ich bin so aufrichtig zu dir wie du zu mir.«

Sergio seufzte. Er ließ ihre Handgelenke los und erhob sich.

»Dann lassen wir alles so, wie es ist«, sagte er mit rauer Stimme, »aber eines kann ich dir voller Aufrichtigkeit sagen: Es war eine wunderbare Nacht. Ich habe sie sehr genossen.«

15. August 1999

Sergio Vitali betrat sein Büro im VITAL-Building. Massimo und Nelson van Mieren erwarteten ihn bereits. Er lächelte knapp, als sie ihm zu seinem heutigen Geburtstag gratulierten, dann setzte er sich hinter seinen Schreibtisch.

»Also?«, fragte er und blickte seinen ältesten Sohn an. Massimo war mutig und intelligent, aber sein unbeherrschter Jähzorn verleitete ihn immer wieder zu Fehlern, die bisher glücklicherweise keine schwerwiegenden Folgen gehabt hatten. Sergio hoffte, dass sein Sohn eines Tages lernen würde, sein Temperament im Zaum zu halten, um in schwierigen Situationen kühl und besonnen handeln zu können.

»Wir haben Ärger im Hafen«, sagte Massimo ohne Einleitung. »Johnnie Craven, der Chef der Dockarbeitergewerkschaft, hält sich nicht an die Abmachungen.«

»Was hat er getan?«

»Gestern kam eine Lieferung aus Deutschland, russische Kalaschnikows und Computersteuerungen für ICBMs. Sie waren als ›Kühlaggregate‹ deklariert, wie immer. Normalerweise sorgt Craven dafür, dass der Kram durch den Zoll geht, aber gestern hat er's nicht getan.«

»Hast du mit ihm gesprochen?«

»Ja«, Massimo beugte sich vor, »er behauptet, seine Leute hätten aus Versehen vergessen, die Zollbeamten von Bord fernzuhalten. Er hat mich angelogen! Niemand außer ihm ist dafür zuständig, dafür bezahlen wir ihn, und das nicht gerade schlecht!«

»Weiter …«

»Als Lieferadresse war Ficchiavelli angegeben. Die Cops haben alle Lagerhäuser durchsucht. Wir hatten Glück, dass die letzte Ladung schon ausgeliefert war, so haben sie nichts gefunden. Ich habe behauptet, in Deutschland habe man wohl die Ladung vertauscht.«

»Nelson?« Sergio blickte den Anwalt an.

»Sie können uns nicht beweisen, dass die Waffen für uns bestimmt waren. Die Lieferpapiere für die Kühlaggregate waren okay. Wir haben nur das Problem, dass die Hafenpolizei das FBI eingeschaltet und die gesamte Ladung beschlagnahmt hat.«

»Für wen war die Lieferung bestimmt?«

»Für Houston.« Massimo ballte die Faust. »Tommasino war stinksauer, als ich ihm mitgeteilt habe, dass wir frühestens in drei Wochen liefern können. Aber abgesehen davon, dass ein Geschäft für zweieinhalb Millionen Dollar in die Hose gegangen ist, ist es viel schlimmer, dass es so aussieht, als würden wir Ärger mit der Dockarbeitergewerkschaft bekommen.«

»Lässt Craven mit sich reden?«

»Nein. Er hat gesagt, dass er sich nicht länger von Scheiß-Itakern herumkommandieren lässt.«

»So«, Sergio hob die Augenbrauen, »dann hat es wohl keinen Sinn. Wer ist der zweite Mann nach Craven?«

»Er heißt Michael Burns. Das ist der kommende Mann. Die Männer im Hafen haben eine Menge Respekt vor ihm. Und er scheint es auch zu sein, dem wir die Unruhe zu verdanken haben.«

»Kann man mit dem Mann reden?«

Massimo verstand, was sein Vater meinte, und schüttelte den Kopf.

»Er ist Ire, Papa.«

»Hm«, Sergio überlegte einen Moment. Der Hafen war strategisch sehr wichtig, und das Risiko, noch mehr wertvolle Lieferungen zu verlieren, groß. Vor allen Dingen brauchten sie den Hafen für die Drogenlieferungen aus Kolumbien und dem Fernen Osten. Ärger konnten sie sich nicht leisten.

»Gibt es einen zuverlässigen Mann an den Docks?«

»Ja«, Massimo nickte, »Angelo Lanza, der Neffe von Giuseppe Lanza. Er ist ein guter Mann.«

»Gut. Burns muss verschwinden, und zwar noch heute. Ich will keinen weiteren Ärger am Hafen«, sagte Sergio, »Nelson, Luca soll Manzo mit der Sache beauftragen.«

Nelson van Mieren nickte.

»Wir haben allerdings noch ein Problem, Sergio«, der Anwalt räusperte sich, »und das ist ziemlich ernst.«

»Worum geht es?«

»David Zuckerman.«

»Ich dachte, das sei längst erledigt«, Sergio warf Nelson einen ungehaltenen Blick zu.

»Das dachte ich auch«, van Mieren hob die Schultern, »sie müssen ihn schwer in die Zange genommen haben, denn gestern Abend hat er sich bereit erklärt, doch noch vor dem Untersuchungsausschuss auszusagen. Dafür haben sie ihm Straffreiheit zugesichert. Unser Mann aus City Hall hat mich vor einer halben Stunde angerufen.«

Sergio sprang auf. Auf seinem Gesicht lag ein Ausdruck mörderischer Wut.

»Verdammt! Das haben wir nur Kostidis zu verdanken!«, stieß er wütend hervor. »Dieser kleine Bastard gibt einfach keine Ruhe! Die Staatsanwaltschaft wollte längst die Akten schließen, aber Kostidis hat darauf bestanden weiterzubohren! Ich könnte ihm den Hals umdrehen!«

»Sie müssen ihm ganz schön zugesetzt haben«, ließ sich Massimo vernehmen. »David würde niemals etwas sagen.«

Sergio überhörte diese Bemerkung. Er dachte ganz anders über Zuckerman, als es Massimo offensichtlich tat. Der Junge musste noch sehr viel über Menschenkenntnis lernen.

»Wie gefährlich kann Zuckerman uns werden, Nelson?«, fragte er.

»Ziemlich gefährlich«, erwiderte der Anwalt. »Er war bei allen Verhandlungen mit NYCB dabei. Er weiß, dass McIntyre unser Mann ist. Er kennt die Absprachen, er kennt die Summen, die wir gezahlt haben. Und das über Jahre hinweg. Er kann alles hochgehen lassen.«

»Kommen wir an ihn heran?«

»Er sitzt in einem Hotelzimmer im Milford Plaza.« Van Mieren wiegte den Kopf. »Er wird vom FBI besser bewacht als Fort Knox. Es ist so gut wie unmöglich.«

»Es gibt kein ›unmöglich‹«, sagte Sergio kalt. »Wann berufen sie den Ausschuss wieder ein?«

»Am Montag schon. Kostidis hat alles darangesetzt und die Mitglieder aus dem Urlaub holen lassen.«

»Ich will, dass er heute noch verschwindet. Nelson, gib dem Neapolitaner den Auftrag. Es ist mir egal, wie er es anstellt. Er soll mir noch heute Abend Bericht erstatten.«

»Aber Papa«, wandte Massimo ein, »David ist ...«

»Er ist eine Gefahr für uns geworden«, unterbrach Sergio seinen Sohn und warf ihm einen kalten Blick zu. »Er wird reden. Ich kann mir keine Nachsicht leisten. Das weißt du so gut wie ich.«

Massimo seufzte und nickte. Er wusste, dass sein Vater einen Entschluss gefasst hatte, und der war unumstößlich. Mit einem Anflug echten Bedauerns dachte Massimo an David Zuckerman, den er gut leiden konnte. Davids und seine eigene Frau waren befreundet, die Kinder spielten oft zusammen. Zu schade um ihn. Aber die Würfel waren gefallen.

»Wir sehen uns dann heute Abend auf deiner Party.« Nelson erhob sich mit einem Schnaufen.

»Ja. Bis später.«

Sergio wartete, bis die beiden Männer sein Büro verlassen hatten, drehte sich dann um und starrte aus dem Fenster. Seine Macht beruhte auf einem Netz von spinnwebendünnen Beziehungsfäden. Es aufzubauen und aufrechtzuerhalten hatte ihn viele Jahre und eine Menge Geld gekostet. Nur sehr wenige Männer wussten so viel, dass sie ihm gefährlich werden konnten. Und die meisten dieser Männer würden lieber ins Gefängnis gehen, als den Mund aufzumachen. Doch leider gab es immer wieder Schwachstellen, und Zuckerman war zu einer solchen geworden. Bedauerlich, denn er war ein guter Mann und auf dem Gebiet der Akquisition in der Baubranche ein Ass. Ihm verdankte Sergio viele lukrative Aufträge. Aber nun war Zuckerman in das Visier der Behörden geraten und würde ihm in Zukunft keine Dienste mehr erweisen können. Sergio wusste, dass der Mann ein Feigling war, der zu viel Wert auf sein Ansehen in der Gesellschaft legte. Bevor er für ein oder zwei Jahre ins Gefängnis ging, würde er ihn verraten. Offenbar hatte Zuckerman vergessen, wem er seine Villa auf Long Island, sein Wochenendhaus auf Cape Cod und sein Luxusleben verdankte. Doch nun war es zu spät, ihn daran zu erinnern. Der Mann war ein Risiko geworden, und solche Risiken schätzte Sergio Vitali überhaupt nicht.

***

Alex lenkte ihren schwarzen Porsche Cabrio auf den Henry Hudson Parkway, der später in den Saw Mill River Parkway überging. Bei Hawthorne bog sie auf den Taconic State Parkway ab. Sie fuhr durch eine sanfte waldige Hügellandschaft und passierte die exklusiven Vororte Bedford und Mount Kisco. Seit Tagen hatte sie überlegt, ob sie tatsächlich der Einladung zu Sergios Geburtstagsfeier in sein Haus im Westchester County folgen sollte. Ihr war nicht recht wohl dabei, der Frau gegenüberzutreten, mit deren Mann sie ein Verhältnis hatte, aber ihre Neugier auf Sergios Haus und seine Familie überwog schließlich. Sergio hatte gesagt, dass eine Menge interessanter Gäste kommen würden, und es konnte nicht schaden, wenn sie neue Kontakte knüpfte. Am Ortsausgang von Mount Kisco bog sie in eine schmale asphaltierte Straße ein. Hier, im Westchester County, waren die Anwesen so weitläufig, dass man die Häuser von der Straße aus nicht sehen konnte. Nachdem Alex schon eine ganze Weile an einer übermannshohen Taxushecke entlanggefahren war, glaubte sie schon, sich verfahren zu haben, aber dann tauchte ein großes Tor auf, vor dem ein paar Männer in dunklen Anzügen mit Sonnenbrillen und Funkgeräten standen. Sie bremste, ließ die Scheibe herunter und präsentierte dem Wachmann ihre Einladung. Mit klopfendem Herzen fuhr sie durch das weit geöffnete schmiedeeiserne Tor. Das Grundstück war gewaltig groß. Die mit Kies bestreute Auffahrt wand sich durch einen sorgfältig angelegten Park mit kunstvoll beschnittenen Büschen, saftig grünen Rasenflächen, die an einen Golfplatz erinnerten, hier und da unterbrochen von waldigen Baumgruppen. Alex war tief beeindruckt, als sie um eine Kurve bog und in der Dämmerung auf einem Hügel das hell erleuchtete Haus erblickte, das aus der Ferne wie ein französisches Schloss wirkte. Auf dem großen Platz vor der Villa parkten eine Menge Autos, und ein sonnenbebrillter Mann wies ihr einen Parkplatz zu. Alex hatte geahnt, dass auf dem ›kleinen Gartenfest‹, wie Sergio es genannt hatte, sämtliche Spitzen der New Yorker Gesellschaft versammelt sein würden. In dem Augenblick bremste neben ihr ein knallroter Ferrari Maranello, und Alex erkannte Zack. Sie war insgeheim erleichtert, ihn hier zu sehen.

»Hallo, Zack«, sagte sie und musterte ihn. Er war braungebrannt und wirkte in dem hellen Leinenanzug wie ein Playboy, nicht wie ein Investmentbanker.

»Wie war dein Urlaub auf den Caymans?«

»Urlaub«, er küsste sie auf beide Wangen und lachte amüsiert, »du bist gut! Es ist harte Arbeit, das Geld, das ihr tüchtigen Banker verdient, gewinnbringend zu vermehren!«

»Du siehst wirklich so aus, als hättest du extrem hart gearbeitet«, bemerkte Alex spöttisch, während sie auf die breite Freitreppe zugingen, an deren Fuß zwei steinerne Löwen thronten.

»Zugegeben«, Zack lachte gutgelaunt und bot ihr seinen Arm, »ich hab zwischendurch auch mal am Strand gelegen. Wie findest du übrigens diese Hütte? Drinnen wird's noch besser!«

»Nicht zu fassen, dass normale Menschen so leben«, antwortete Alex.

»Na ja«, Zack schürzte die Lippen und warf ihr einen raschen Seitenblick zu, »Vitali ist etwas mehr als ein normaler Mensch.«

»Wie meinst du das denn?«

»Herrgott, Alex, du kennst ihn doch wohl besser als ich«, sagte Zack, »normale Maßstäbe kannst du bei ihm wirklich nicht anlegen.«

Ein Butler öffnete die vier Meter hohen weißen Flügeltüren, und sie traten in eine großzügige, schwarzweiß geflieste Eingangshalle. Aus dem Hintergrund ertönte gedämpfte Musik. Alex erblickte Sergio bei einer Gruppe von Leuten. Beeindruckt erkannte sie Robert Landford Rhodes, den Gouverneur des Staates New York, der in Albany residierte, und Clarence Whitewater, den obersten Bundesrichter in New York. Neben ihm standen Charlie Rosenbaum, einer der größten Immobilienspekulanten der Stadt, und Carey Newberg, der Herausgeber des *TIME Magazine*. Sergio blickte auf, als sie mit Zack eintrat, entschuldigte sich und kam lächelnd auf sie zu. Alex spürte, wie unwillkürlich die Schmetterlinge in ihrem Bauch flatterten.

»Alex! Zack! Schön, dass Sie kommen konnten!«

Er reichte erst Alex die Hand, dann Zack. Der Blick aus seinen stahlblauen Augen ließ sie erschauern. Sie gratulierten ihm zum Geburtstag und plauderten ein wenig, bis neue Gäste ankamen und Sergio sich entschuldigte. Zack ging ein paar Schritte weiter.

»Ich freue mich, dass du gekommen bist, Cara«, raunte Sergio Alex zu.

»Kleine Party«, sie grinste, »gibt es irgendwen, der nicht hier ist?«

»Nur wenige«, erwiderte er amüsiert, »wir sehen uns gleich draußen.«

Er drückte noch einmal ihre Hand, bevor er sich den Neuankömmlingen zuwandte. Neugierig sah Alex sich um. Die geschmackvolle, edle, aber dennoch unpersönliche Einrichtung des Hauses, das die Ausmaße eines Schlosses hatte, mochte eine innenarchitektonische Meisterleistung sein, aber das ganze Haus besaß etwas von einem Mausoleum.

»Da bleibt einem die Spucke weg, was?« Zack grinste. »So ein Haus will ich auch einmal haben.«

»Ich bitte dich«, Alex hob die Augenbrauen, »das ist kein Haus, sondern ein Tempel!«

»Trotzdem. Es ist beeindruckend. Wer so lebt, der hat es geschafft.«

Damit hatte er zweifellos recht. Sie gingen ein paar Stufen zu der großen Terrasse hinunter. Von hier aus hatte man einen atemberaubenden Blick über den parkähnlichen Garten, der mit einigen antiken weißen Statuen dekoriert war, den großen Pool aus weißem Marmor und das Poolhaus. Auf der Rasenfläche zwischen der Balustrade der Terrasse und dem Pool saßen zahlreiche Menschen an Tischen und Bänken, eine Band auf einem Podest spielte italienische Folkloremusik, unter weißen Pagodenzelten war ein üppiges Büfett aufgebaut. Alles war herrlich geschmückt mit bunten Lampions, brennenden Fackeln und prächtigem Blumenschmuck. Direkt am Pool war eine Bar errichtet worden, um die sich Stehtische gruppierten. Es war der perfekte Rahmen für ein Sommerfest der feinen Gesellschaft. Auf der Terrasse trafen sie den beinahe kompletten Vorstand von LMI an. Vincent Levy, Isaac Rubinstein und Hugh Weinberg mit ihren Ehefrauen waren da, wenig später kamen Michael Friedman und Max Rudensky, der Inhaber einer bekannten Broker- und Arbitragefirma, dazu. Die Stimmung war entspannt, und als Levy vorschlug, das Büfett in Augenschein zu nehmen, wandten sich alle der Treppe zu, nur Alex, die aus dem Augenwinkel gesehen hatte, dass Sergio aus dem Haus trat, blieb an der Brüstung der Terrasse stehen. Die laue Luft duftete nach Flieder, Schwalben schossen durch die dunstige prachtvolle Abenddämmerung.

»Wie gefällt dir mein Haus, Cara?«, fragte Sergio hinter ihr.

»Es ist sehr imposant«, sie drehte sich um, ein spöttisches

Lächeln flog über ihr Gesicht, »es scheint mir fast so, als hättest du schon zu Lebzeiten dein eigenes Mausoleum erbaut. Wie die Pharaonen im alten Ägypten.«

»Das schätze ich so an dir«, Sergio grinste amüsiert, »jeder andere hätte gesagt, es sei einfach wundervoll und sagenhaft …«

»Über das Stadium der Höflichkeitsfloskeln sind wir wohl hinaus.«

»Ja, das sind wir wohl«, Sergio lehnte sich neben ihr an die Brüstung. Alex blickte ihn prüfend an. Er wirkte gelassen und gut gelaunt, aber sie erkannte in seinen Augen eine wachsame Anspannung, die er sich äußerlich nicht anmerken ließ. Plötzlich erinnerte sie sich daran, was Oliver in jener Nacht zu ihr gesagt hatte: *Bist du so blauäugig, oder willst du mich verarschen?* Gerade wollte sie Sergio fragen, weshalb er ihr nicht schon früher davon erzählt hatte, dass er im Aufsichtsrat von LMI war, als sie bemerkte, dass er einen Punkt hinter ihrem Rücken fixierte.

»Ah, da kommt meine Frau«, sagte er. Alex erstarrte für einen Moment, dann zwang sie sich zu einem freundlichen Lächeln. Constanzia Vitali war eine gepflegte Frau, das elegante Kostüm kaschierte ihre rundliche Figur hervorragend. Früher mochte sie sehr hübsch gewesen sein, doch ihre Schönheit war längst verblüht. Sergio war mit nun 57 Jahren so unglaublich attraktiv und voller Energie, dass seine Frau neben ihm wie eine verwelkte Rose wirkte. Er stieß sich mit einer lässigen Bewegung von der Mauer ab.

»Constanzia«, er legte seinen Arm um die Schultern der Frau, »darf ich dir Alex Sontheim vorstellen? Sie ist eine der besten Mitarbeiterinnen von Vince Levy. Alex, das ist meine Frau Constanzia.«

Die beiden Frauen reichten sich die Hand, und Alex verspürte unwillkürlich ein schlechtes Gewissen, als sie den forschenden Blick von Sergios Ehefrau bemerkte.

»Sie arbeiten in einer Investmentfirma?« Constanzia Vitalis Miene war freundlich und ausdruckslos. »Das muss sehr aufregend sein.«

»Ja, das ist es zweifellos.«

Sie wechselten ein paar höfliche Worte, dann wandte Constanzia Vitali sich an ihren Mann und sagte etwas auf Italienisch. Alex, die ziemlich gut italienisch sprach, verstand, dass Constanzia ihren Mann aufgefordert hatte, seine Ansprache zu halten. Sergio erwiderte etwas mit gesenkter Stimme, worauf Constanzia sich zum Gehen wandte, nicht ohne Alex noch einen prüfenden Blick zugeworfen zu haben.

»Ich muss mich jetzt leider meinen anderen Gästen widmen.« Sergio legte Alex kurz seine Hand auf den Arm. »Nimmst du mich später mit in die Stadt?«

»Mal sehen. Ich weiß nicht, ob ich so lange bleibe.«

»Es würde mich sehr freuen«, sagte er, »bis später.«

* * *

Für den Rest des Abends sah Alex Sergio nur noch aus der Ferne. Er war blendender Laune, scherzte mit den Damen seiner Geschäftspartner und Freunde, tanzte mit seiner Frau und war der perfekte Gastgeber. Alex genoss den Abend auch ohne ihn in vollen Zügen. Vor einer Woche war sie in das Penthouse an der Upper West Side gezogen, sie war zu Gast auf einer privaten Feier eines der reichsten Männer Amerikas, und man behandelte sie wie jemanden, der ganz selbstverständlich dazugehörte. Sie fühlte sich geschmeichelt, dass die meisten der Anwesenden ihren Namen kannten. Während die Ehefrauen gelangweilt lauschten, diskutierte Alex mit ihren Männern über die erwartete Leitzinserhöhung, die größere Leverage beim Optionshandel im Gegensatz zum Aktienkauf, die rasant steigenden Kurse der neuen Computerwerte und die daraus zu erwartenden Möglichkeiten für den Markt und über die Auswirkungen politischer Entscheidungen auf die Börse. Sie saß am Tisch mit Zack, Levy, Weinberg, Friedman, Max Rudensky, David Norman, einem Vorstandsmitglied der NYSE, und einem Mann namens Jack Lang von der Brokerfirma Manhattan Portfolio Management, von der Alex allerdings noch nie etwas gehört hatte. Das Essen vom besten Feinkost-Caterer New Yorks war sensationell, der schwere, französische Rotwein ein Gedicht, und die perfekt gemixten Cocktails trugen ihr Übriges dazu bei, dass Alex gar nicht merkte, wie schnell die Zeit verging. Es war schon dunkel, als sie sich nach Sergio umblickte. Er war nirgendwo zu sehen. Mit einem Ohr hörte sie, wie Zack, Rudensky und Jack Lang halblaut über Fonds sprachen, die mit sensationellen Gewinnmargen in Wagniskapitalgesellschaften investierten. Es ging um International Business Companies, so genannte IBCs, die aus Gründen der Steuerfreiheit in Offshore-Finanzzentren wie den Cayman Islands, Samoa, Labuan oder anderen exotischen Orten eingetragen wurden. Alex mischte sich nicht ein, denn sie interessierte es viel mehr, wo Sergio war. Seine Frau saß ein paar Tische weiter entfernt und war in ein Gespräch mit einer älteren grauhaarigen Frau vertieft. Schließlich entschuldigte sie sich und ging zum Haus, um eine Toilette zu suchen. Während sie neugierig durch die großen Salons und die langen Gänge streifte, merkte sie, dass sie zu viel getrunken hatte. Plötzlich zuckte sie zusammen, als sie unvermittelt einem Mann gegenüberstand. Er war kleiner als sie, mager, und sein Frettchengesicht war von Aknenarben entstellt. Alex lief es eiskalt über den Rücken. Es war nicht einmal die Hässlichkeit des Mannes, sondern seine kalten und seltsam leblosen Augen, die ihr Angst einflößten. Es waren die gelblichen Augen eines Raubtiers, die sie für den Bruchteil einer Sekunde erfassten und zu durchbohren schienen.

»Buona sera«, sagte er mit einer heiseren Stimme und ging an ihr vorbei. Alex starrte ihm nach. Was war das für ein fürchterlicher Mensch, der am Abend von Sergios Geburtstagsparty in dessen Haus auftauchte? Schlagartig ernüchtert hatte sie das Gefühl, so rasch wie möglich zu den anderen Gästen zurückkehren zu müssen. Sie ging eilig einen Gang entlang, von dem sie annahm, dass er sie zurück in den Garten führen würde.

***

Cesare Vitali war schlechter Laune. Die lachenden Leute gingen ihm genauso auf die Nerven wie die schnulzige Spaghetti-Musik, aber vor allen Dingen ärgerte er sich über Silvio, Luca und seinen Bruder Massimo. Sie hatten ihn wie ein dummes, kleines Kind behandelt. Vor einer halben Stunde waren sie an ihm vorbei ins Haus gegangen, und als er gefragt hatte, wohin sie gingen, hatte Massimo erwidert, sie hätten noch etwas zu besprechen. Die Männer hatten ihn einfach stehen lassen und waren im Haus verschwunden, wo sein Vater sie sicher schon erwartete wie ein König seine Untertanen – selbstsicher, furchtlos und mächtig. Cesare hätte gerne die Achtung und den Respekt seines Vaters errungen, aber irgendwie machte er immer alles falsch. Seine Kumpels respektierten ihn zwar und die Nutten an der Lower East Side hatten Angst vor ihm, das war ein gutes Gefühl, aber in den Augen seines Vaters war er ein kleiner Versager, der von den Familiengeschäften ferngehalten wurde. Cesare fror plötzlich, obwohl es warm war. Er brauchte dringend eine Nase Koks. Das weiße Pulver konnte seine schlechte Laune schlagartig verjagen und ihn zu dem großen Mann machen, der er sein wollte. Angewidert kippte er den Whisky über die Brüstung der Terrasse und stand auf. Es interessierte ihn brennend, was sie da drin zu reden hatten. Außer Silvio, Luca und Massimo war auch Nelson da. Scheinbar lief da eine große Sache. In aufwallendem Zorn dachte er für einen Moment daran, einfach in die Bibliothek zu gehen. War er nicht ebenso ein Sohn von Sergio Vitali wie Massimo? Hatte er nicht auch das Recht, bei solchen Besprechungen anwesend zu sein? Aber er tat es nicht. Der Vater würde es fertigbringen, ihn vor seinem Bruder und den anderen Männern hinauszuwerfen. Cesare durchquerte die Halle und betrat die Gästetoilette. Rasch pulte er das weiße Pulver aus dem Stanniolpapier, schüttete es auf den kleinen Taschenspiegel, den er zu diesem Zweck immer bei sich trug, formte es mit der goldenen Rasierklinge, die in einer Hülle an einer Halskette um seinen Hals hing, zu zwei *lines* und rollte geschickt mit dem Daumen und Zeigefinger der rechten Hand einen Geldschein zu einer Röhre. Er zog das Pulver scharf ein. Es brannte in der Nase und ließ seine Augen tränen. Cesare schmeckte den bitteren Geschmack des Kokains an seinem Gaumen und holte tief Luft. Die Kälte verschwand aus seinem Körper und machte einer berauschenden Hitze Platz. Ein grandioses Gefühl der Sicherheit und Überlegenheit ergriff ihn. Er lächelte seinem Spiegelbild zu, steckte den Spiegel in die Gesäßtasche seiner Jeans und öffnete die Tür.

***

Alex irrte durch Salons, die sich in ihrer überdimensionalen Größe alle ähnelten, und stellte irgendwann fest, dass sie sich in einem entlegenen Winkel des Hauses befand und nicht in der Nähe der Terrasse. Sie wollte sich gerade umdrehen, um zurückzugehen, als sie aus dem Nachbarraum gedämpfte Stimmen vernahm. Normalerweise lauschte sie nicht an Türen, aber dieser abstoßende Mann mit den gelben Raubtieraugen hatte ihre Neugier geweckt. Sie hielt den Atem an und blieb vor dem Raum stehen, dessen große Flügeltüren nur angelehnt waren. Durch den schmalen Türschlitz blickte sie in eine Bibliothek. Vor den bis unter die Decke reichenden Bücherregalen befand sich ein wuchtiger Schreibtisch aus Marmor und Glas, hinter dem Sergio stand. Alex erkannte drei der anwesenden Männer. Einer war Nelson van Mieren, Sergios Anwalt, der andere Massimo, Sergios ältester Sohn, und der dritte war Luca di Varese, einer von Sergios engsten Mitarbeitern. Der magere Mann mit den Aknenarben und den gelben Augen stand vor dem Schreibtisch mit dem Profil zur Tür.

»Und? Was für eine Nachricht hast du für mich, Natale?«, fragte Sergio auf Italienisch.

»Es ist erledigt«, erwiderte der Mann heiser, »Zuckerman wird kein Sterbenswörtchen mehr sagen.«

Alex stockte der Atem, und sie glaubte zuerst, sich verhört zu haben.

»*Bene*«, sagte Sergio, und in seiner Stimme lag kalter Triumph, »was ist mit dem Iren an den Docks, Luca?«

»Er ist bei den Fischen«, antwortete der Angesprochene, »man wird ihn nie mehr finden.«

»Gute Arbeit«, Sergio nickte und setzte sich hinter seinen Schreibtisch. Alex spürte, wie sich kaltes Grauen in einer düsteren Welle heranwälzte. Ihr Herz pochte so laut, dass es jeder hören musste, und in ihrem Kopf wirbelten wirre Gedankenfetzen umher. Die Männer in diesem Raum sprachen darüber, dass jemand umgebracht worden war! Heute, an diesem schönen Augusttag, waren zwei Menschen gestorben, nicht etwa durch einen tragischen Unfall oder eine schwere Krankheit, sondern weil sie jemandem im Weg gewesen waren. Und dieser Jemand hatte den Auftrag gegeben, sie zu töten. Alex schloss die Augen. Ihr Magen rebellierte, und ihr wurde schwindelig bei dem Gedanken, der sich unbarmherzig in ihrem Kopf formte. Dieser Jemand war kein anderer als Sergio Vitali. Er hatte ihr versichert, dass er nichts mit den Gerüchten zu tun hatte, die die Presse über ihn verbreitete. Sie hatte ihm geglaubt, weil er so überzeugend gewesen war und weil sie ihm hatte glauben wollen. Nun begriff sie, dass er ihr Vertrauen schamlos ausgenutzt und sie eiskalt belogen hatte. Olivers Worte fielen ihr wieder ein: *Sein ganzes Imperium ist auf Blut und Verbrechen gegründet. Er ist ein gewissenloser und brutaler Gangster.* Alex' Mund war trocken vor Angst, sie fühlte sich entsetzlich elend und unfähig, wegzulaufen. Etwas in ihrem Inneren flehte darum, sie vom Gegenteil des Gehörten zu überzeugen. Sie wollte nichts Schlechtes von Sergio denken, sie wollte nicht glauben, dass er tatsächlich mit solch fürchterlichen Dingen zu tun hatte. Vielleicht hatte sie auch nur falsch verstanden.

»Ich bin sehr zufrieden mit dir, Natale«, sagte Sergio nun, und Alex konnte durch den Türschlitz sein Gesicht sehen. Sie verstand nicht, was der hässliche Mann erwiderte, aber sie verstand sehr wohl seinen Gruß.

»Noch alles Gute zum Geburtstag und einen schönen Abend, Don Sergio.«

Don Sergio. Sergio nahm mit einem lässigen Nicken die Ehrerbietung des Mannes entgegen. Alex glaubte, der Boden würde unter ihren Füßen schwanken. Eine eisige Hand griff um ihr Herz, und ihr war speiübel vor Angst und Entsetzen. Nichts von dem, was in den Zeitungen geschrieben worden war, war erfunden. Es war sogar noch untertrieben. *Gangsterliebchen*, dachte sie. Oliver hatte vollkommen recht gehabt, aber sie hatte ihm nicht glauben wollen! Sie, Alexandra Sontheim, war die Geliebte eines Mafiabosses, eines Mannes, der Killer damit beauftragte, andere Menschen zu töten. Sie drehte sich um, um aus diesem Haus zu flüchten, doch da wurde ihr eiskalt vor Schreck. Vor ihr stand ein Mann und blickte sie aus kalten, blauen Augen an.

»Haben Sie sich verlaufen?« Der Mann musterte sie anzüglich von Kopf bis Fuß.

»Ich ... nein ... ich habe die Toilette gesucht«, stotterte Alex. Durch die angelehnte Tür hörte man die Stimmen der Männer in der Bibliothek. Sie erwachte aus ihrer Erstarrung und wollte an dem Mann vorbeischlüpfen, aber er packte ihr Handgelenk.

»Nicht so hastig«, sagte er misstrauisch, »was haben Sie vor der Tür gemacht?«

»Ich sagte doch, ich habe die Toilette gesucht«, Alex glaubte, sie müsse jeden Augenblick tot umfallen. Sie wusste nicht weshalb, aber sie empfand eine instinktive Abneigung gegen den jungen Mann, in dessen Augen ein brutaler, hinterhältiger Ausdruck lag.

»Würden Sie mich jetzt bitte loslassen?«, wiederholte sie mit aller Bestimmtheit, zu der sie noch fähig war.

»O nein, das werde ich nicht. Ich glaube Ihnen nämlich nicht, dass Sie sich verlaufen haben. Und ich denke, mein Vater findet es nicht so toll, wenn er erfährt, dass Sie an Türen lauschen.«

Mein Vater ... Alex starrte den jungen Mann an, und nun fiel ihr die frappierende Ähnlichkeit auf. Genauso musste Sergio mit 25 Jahren ausgesehen haben. Der junge Mann war Sergios Sohn. Ihr wurde schlecht vor Angst. In dem Raum nebenan waren Männer, die über zwei Morde gesprochen hatten, und sie hatte es gehört. Sie dachte an die Mafiafilme, die sie gesehen hatte. Dort wurden unerwünschte Mitwisser mit einem Betonklotz an den Füßen in den East River geworfen. Zu den Fischen. Und Sergio, der Mann, den sie zu kennen geglaubt hatte, war *Don Sergio,* der Pate von New York. Es wäre ein Leichtes für ihn, sie verschwinden zu lassen.

»Hören Sie«, flüsterte sie, »das ist doch alles nur ein Missverständnis.«

»Das werden wir ja gleich sehen«, der junge Mann stieß die Tür auf, ohne anzuklopfen, und zerrte Alex mit. Sergio, der gerade etwas gesagt hatte, verstummte mitten im Satz und starrte seinen jüngsten Sohn und Alex überrascht an. Die anderen Männer wandten sich um.

»Cesare, was soll das?«, fuhr Sergio seinen Sohn mit kalter Stimme an.

»Papa!«, rief Cesare triumphierend und verstärkte seinen brutalen Griff um Alex' Handgelenk. »Diese Frau stand vor der Tür und hat gelauscht!«

Sergio sah Alex erstaunt an.

»Lass sie los!«, befahl er. Alex erkannte, dass er wütend war. Cesare gehorchte widerwillig und versetzte ihr noch einen Stoß, so dass sie beinahe das Gleichgewicht verlor.

»Ich habe überhaupt nicht gelauscht«, stieß Alex hervor, »ich habe die Toiletten gesucht und mich verlaufen, und plötzlich kommt dieser Kerl, packt mich und zerrt mich hier hinein.«

»Du bist ein verdammter, kleiner Idiot, Cesare!«, sagte Sergio mit mühsam beherrschtem Zorn auf Italienisch. »Weshalb belästigst du meine Gäste? Hast du wieder Kokain genommen?«

»Sie stand vor der Tür, Papa!«, rechtfertigte sich der junge Mann, der mit einem Mal unsicher wirkte. »Du solltest mir dankbar sein, dass ich dir …«

»Dankbar?«, schrie Sergio so unvermittelt, dass Alex zusammenzuckte. Nie zuvor hatte sie ihn so wütend gesehen, und er war wahrhaftig furchteinflößend in seinem Zorn. Sie hatte Mühe zu verstehen, was er sagte, weil er so schnell italienisch sprach und viele umgangssprachliche Ausdrücke benutzte, die sie nicht kannte.

»Du hast sie hierher gebracht, du hirnloser, dämlicher Idiot! Sie versteht doch sowieso kein Wort, aber was muss sie jetzt denken? Warum, zum Teufel, kannst du nicht einmal in deinem Leben nachdenken? Ich glaube wirklich, du hast dein ganzes Gehirn versoffen und vervögelt!«

Cesare schwieg verletzt. Niemand im Raum regte sich. Alex war kein ängstlicher Mensch, aber in diesem Moment hatte sie Angst, entsetzliche, nackte Angst. Sergio war ein Fremder, diese Männer waren Fremde, und sie ängstigten sie zu Tode. Cesare lachte heiser. Seine glasigen Augen glitzerten hasserfüllt.

»Du musst mir gerade was sagen!«, sagte er ebenfalls auf Italienisch zu seinem Vater. »Ich weiß genau, dass du es mit dieser Nutte treibst, und du lädst sie noch in Mamas Haus ein.«

Sein Gesicht war vor Wut und Enttäuschung verzerrt.

»Halt den Mund!«, unterbrach Sergio ihn.

»Wieso soll ich den Mund halten?« Cesare lachte hässlich. »Ihr meint wohl, ich weiß nicht, was ihr hier zu besprechen habt, was? Ihr haltet mich für ein kleines Kind, aber ...«

Sergio holte unvermittelt aus und versetzte seinem Sohn eine Ohrfeige, die diesen taumeln ließ.

»Geh mir aus den Augen, Cesare«, seine Stimme war nur noch ein zorniges Flüstern, »bevor ich mich vergesse und etwas tue, was mir später leidtut. Verschwinde aus meinem Haus! Sofort!«

Cesare hielt sich die Wange und wich zurück. Seine Augen blickten wild.

»Das wirst du bereuen! Das werdet ihr alle bereuen! Ich scheiß auf euch!«, schrie er. Luca und Silvio waren aufgesprungen und blickten ihren Boss an.

»Lasst ihn gehen«, sagte Sergio auf Italienisch, »er weiß nichts. Er ist nur ein vollgekokstes Großmaul, sonst nichts.«

Er kam zu Alex und legte ihr den Arm um die Schultern.

»Es tut mir leid, dass er dich erschreckt hat«, sagte er, dann wandte er sich an die anderen Männer und schickte sie hinaus. Er ließ Alex los und ging zu einer kleinen Bar, die sich in einem der Bücherregale befand.

»Möchtest du etwas trinken?«

»Ja, gerne«, Alex versuchte, ihre panische Angst unter Kontrolle zu bekommen und das Zittern zu unterdrücken. Sie musste auf der Stelle dieses Haus verlassen! Am liebsten wäre sie noch in dieser Sekunde nach Deutschland geflogen, zu ihren Eltern, um sich in ihrem sicheren Kinderzimmer zu verkriechen. Auf was hatte sie sich da bloß eingelassen? Sergio reichte ihr einen Whisky und betrachtete sie durchdringend. Er schien zu überlegen, ob sie vielleicht wirklich an der Tür gelauscht hatte.

»Hast du verstanden, was ich eben zu Cesare gesagt habe?«, fragte er auf Italienisch, aber Alex' Gehirn funktionierte noch und sie reagierte instinktiv richtig.

»Ich verstehe dich leider nicht«, sie lächelte schwach, »vielleicht könntest du mit mir Englisch sprechen.«

»Nein, schon gut«, Sergio lächelte und nahm ihr das leere Glas ab. Er nahm sie in die Arme und küsste sie auf die Wange. Sie hätte ihn beinahe weggestoßen, aber es gelang ihr, diesen Impuls zu unterdrücken.

»Cesare ist manchmal etwas übereifrig«, sagte Sergio leise, »er hat dir Angst eingejagt.«

»Er hat es versucht«, Alex gelang ein Lächeln, »aber mir kann man so schnell keine Angst machen.«

Nach allem, was sie heute Abend über Sergio erfahren hatte, konnte ihr überhaupt gar nichts mehr Angst einjagen. Da draußen saßen Senatoren, Bankvorstände, der Gouverneur des Staates New York, Richter und Anwälte. Sie konnten unmöglich die Wahrheit über Sergio Vitali wissen! Der kultivierte, charmante und großzügige Sergio Vitali war ein Gangster, der seine Feinde eiskalt von Killern umbringen ließ. *Don Sergio,* der eine Armee von Mördern befehligte und sich mit Geld und Mord den Weg ebnete, den zu gehen er sich vorgenommen hatte. Alex fröstelte.

»Komm, Cara«, sagte Sergio, »lass uns zu meinen Gästen hinausgehen. Wir trinken noch ein Glas Champagner und amüsieren uns.«

»Ja«, murmelte Alex benommen, »ja, das klingt gut.«

Sie folgte ihm hinaus auf den Flur. Vor der Tür blieb er stehen und sah sie prüfend an.

»Ist alles in Ordnung mit dir? Du bist ganz blass.«

»Nein, nein. Es ist alles okay«, Alex lächelte, »das ist nur der Schreck.«

Über ihr ganzes Leben war an diesem Abend ein düsterer Schatten gefallen, und sie fragte sich verzweifelt und voller Angst, was sie nun tun sollte.

***

Frank Cohen gähnte und rieb sich die Augen. Seine Uhr zeigte Viertel nach zehn. Außer ihm waren in der City Hall nur noch Sicherheitsbeamte und Putzkolonnen unterwegs. Während des Tages herrschte im Büro des Bürgermeisters von New York City so viel Hektik, dass Frank sich die Dinge, die Konzentration erforderten, für den Abend aufhob. Seit zwei Abenden beschäftigte er sich mit Recherchen über Donald Coleman, einen schwarzen Prediger aus Harlem, der vor 15 Jahren in seiner Kirche von unbekannten Tätern erstochen worden war. Sein Tod hatte damals beinahe einen Bürgerkrieg ausgelöst und Coleman zu einem Märtyrer gemacht. Morgen würde Bürgermeister Kostidis einen Jugendtreff eröffnen, der nach Donald Coleman benannt werden würde. In diesem Jugendtreff in einem der ärmsten Stadtviertel East Harlems würden sich zehn Sozialarbeiter um die Straßenkinder der Gegend kümmern. Es gab eine Bibliothek, Computerräume sowie eine Beratungsstelle für drogensüchtige und arbeitslose Jugendliche. Der Drucker spuckte die vier Seiten aus, die alle Informationen über Donald Coleman enthielten, derer Frank hatte habhaft werden können. Der Bürgermeister würde sie morgen in zwei Minuten überfliegen – zwei Minuten für mindestens acht Stunden Arbeit – und eine brillante Rede über Donald Coleman vor den Gästen bei den Eröffnungsfeierlichkeiten halten, so als sei Coleman jahrelang sein engster Freund gewesen. Frank lächelte vor sich hin, während er seine Unterlagen zusammenräumte und den Computer abschaltete. Nicholas Kostidis war zweifelsohne der beeindruckendste Mensch, den er je getroffen hatte. Er hatte ihn vor knapp zwölf Jahren kennengelernt, als Kostidis stellvertretender Generalstaatsanwalt im Justizministerium in Washington D.C. gewesen war. Frank war damals gerade von der Universität gekommen und hatte als frischgebackener Jurist mit Prädikatsexamen einen der wenigen und heißbegehrten Praktikumsplätze im Justizministerium ergattert. Man hatte ihn dem Stab von Kostidis zugeteilt, und Frank war sofort von diesem Mann fasziniert gewesen. Er besaß eine schier unerschöpfliche Energie, eine scharfe Intelligenz, eine mitreißende charismatische Ausstrahlung und die Fähigkeit, andere Menschen zu begeistern. Nick Kostidis war gradlinig und unbestechlich, ehrgeizig, ohne arrogant zu sein, und ihm lag die Bekämpfung des Verbrechens im Gegensatz zu den meisten anderen, die nur ihre politische Karriere im Kopf hatten, ehrlich am Herzen. 16-Stunden-Tage waren normal, er nahm keine Rücksicht auf sich selbst und verlangte von seinen Mitarbeitern absolute Loyalität und harte Arbeit. Dafür war er ein unkonventioneller und großzügiger Chef. Kleinlichkeit und Beamtentum waren ihm fast so verhasst wie das organisierte Verbrechen und der Drogenhandel, deren Bekämpfung er sich später, als leitender Staatsanwalt von New York City, zur Hauptaufgabe machte. Nick Kostidis' Begeisterung wurde von seinen Gegnern oft als Fanatismus bezeichnet, wobei Frank zugeben musste, dass es manchmal tatsächlich den Anschein erweckte, als sei es so. Er erinnerte sich lebhaft an den Winter des Jahres 1984/85. Nach monatelangen, intensiven Vorbereitungen der RICO-Anklagen gegen führende Mafiabosse der Stadt war Kostidis nur noch ein Schatten seiner selbst gewesen, bleich, mit tiefen Rändern unter den Augen, nur noch von seiner schier unmenschlichen Energie angetrieben. Er lebte für seinen Beruf, und er liebte die Stadt, in der er geboren und aufgewachsen war. Manchmal war es geradezu beängstigend zu sehen, wie er nach fünf Stunden Schlaf voller Tatendrang in seinem Büro auftauchte und ein Tempo vorlegte, bei dem selbst beträchtlich jüngeren Mitarbeitern die Luft ausging. Nick Kostidis stellte hohe Ansprüche an seine Leute, er war hart und mutig und bereit, alles zu geben. Außerdem besaß er einen sicheren Instinkt für Marketing und konnte sehr gut mit den Vertretern der Medien umgehen. Geschickt bediente er sich der Presse und scheute nicht davor zurück, seine Meinung unverblümt vor laufender Kamera zu äußern. Ein großer Teil der Bevölkerung von New York City liebte ihn dafür, aber es gab auch viele Menschen, die ihn hassten, weil er ihre lukrativen, aber häufig illegalen Geschäfte bedrohte. Frank war im Laufe der Jahre zu der Erkenntnis gelangt, dass man Nick Kostidis entweder hassen oder lieben musste, zumindest konnte man ihm, wenn man ihn einmal kennengelernt hatte, nicht gleichgültig gegenüberstehen. Frank hatte es nie bereut, dass er nicht auch Rechtsanwalt geworden war wie sein Vater und seine Brüder. Das Schicksal hatte ihn mit Nick Kostidis bekannt gemacht, und Frank war dafür dankbar. Zwar war sein Job stressig, nicht sonderlich gut bezahlt und hatte auch eigentlich nichts mehr mit dem zu tun, was er auf der Uni gelernt hatte, aber als engster Mitarbeiter des Bürgermeisters von New York City hielt jeder Tag neue Herausforderungen und Aufgaben für ihn bereit. Bei seiner Arbeit wurde Frank mit den unglaublichen Gipfeln und Abgründen des Lebens konfrontiert, wie es sie nur in einer Metropole wie New York geben konnte. Reichtum und Elend, Verbrechen und Wohltätigkeit, grenzenloser Egoismus und herzerwärmende Großzügigkeit, Korruption, Betrug, Ärger und Freude wechselten sich in rascher Folge ab wie ein Kaleidoskop. Manchmal empfand er seine Arbeit als bedrückend und frustrierend, und oft glaubte er, in einem erstickenden Sumpf zu stecken, doch es gab immer wieder Lichtblicke, die ihn weitermachen ließen. Der größte Lichtblick aber war Nick Kostidis, dieser unglaubliche

Mann, der über der Politik niemals die Menschlichkeit vergaß. Frank hätte Nick bei seinem unermüdlichen Einsatz im Kampf für die Verbesserung der Situation der Menschen in New York nie im Stich gelassen. Darüber dachte er nach, als das Telefon klingelte.

»Büro des Bürgermeisters, guten Abend«, meldete er sich.

»Ihr seid ja noch da«, sagte eine unangenehme schnarrende Stimme am anderen Ende der Leitung.

»Hallo, Mr McDeere«, Frank schloss die müden Augen, »was gibt's noch so spät am Abend?«

Truman McDeere war FBI-Beamter und mit der Bewachung des wichtigen Kronzeugen David Zuckerman beauftragt. Frank mochte den glatzköpfigen Mann mit dem verbissenen Gesichtsausdruck und der gelblichen Gesichtsfarbe eines Leberkranken nicht. Er hatte ihn damals bei der Anklage gegen die Mafiabosse der Stadt kennengelernt und war froh, als die Zusammenarbeit mit dem Beginn der Gerichtsverfahren beendet war.

»Wo kann ich den Bürgermeister erreichen?«

»Er ist heute Abend privat unterwegs. Soll ich ihm etwas ausrichten?«

»Ich muss ihn unbedingt sprechen. Es ist etwas passiert, was er erfahren sollte.«

Es war sehr ungewöhnlich, dass der arrogante McDeere so verlegen herumstotterte, und in Frank machte sich ein ungutes Gefühl breit.

»Ist etwas mit Zuckerman passiert?«, fragte er und öffnete die Augen.

»Herrgott, ja! Er ist tot. Und das, obwohl wir 15 Mann in dem beschissenen Hotel haben!«

»O Gott!« Frank sprang so heftig auf, dass er sich sein Knie an der Schreibtischschublade stieß. »Das ist nicht wahr, oder? War es Selbstmord?«

»Nein«, McDeere klang kleinlaut, »er wurde erschossen. Mit einer .45er mit Schalldämpfer.«

»Scheiße«, Frank sank auf seinen Stuhl und rieb sich das

schmerzende Knie. Seine Gedanken rasten. Nick hatte alle Hoffnungen auf Zuckermans Aussage gesetzt. Er war todsicher gewesen, dass er mit Hilfe dieses Mannes endlich an Sergio Vitali herankommen konnte. Zuckerman hatte in den Monaten im Gefängnis seine anfängliche Überheblichkeit verloren, und in den letzten Wochen war er regelrecht zusammengefallen. Gestern Nacht hatte er sich überraschend zu einer umfassenden Aussage vor der Grand Jury entschlossen. Er hatte angekündigt, über den Korruptionsskandal beim Bau des World Financial Center zu reden, der damals mangels Beweisen im Sande verlaufen war. Zuckerman hatte wie ein Wasserfall von Bestechung und Erpressung, von gefälschten Bauanträgen und falschen Plänen, von überhöhten Kalkulationen und Preisabsprachen geredet. Seine Aussage wäre für Sergio Vitali mehr als unangenehm geworden. Bei der ersten Untersuchung vor der Grand Jury im November des vergangenen Jahres hatte Zuckerman sich auf Anraten seines Anwalts auf den 5. Zusatzartikel zur Verfassung der Vereinigten Staaten berufen, nach dem man eine Aussage verweigern kann, falls man sich durch sie selbst belastet. Obwohl dies als ein deutliches Schuldanerkenntnis zu werten war, hatte die Staatsanwaltschaft die Untersuchung mit der Begründung, es gebe keine stichhaltigen Beweise, beendet. Kostidis war an die Decke gegangen und hatte alles darangesetzt, dass Zuckerman in Haft blieb und der Fall wieder aufgerollt wurde. Es war ihm gelungen, eine neue Untersuchungskommission einzusetzen, und er war sich hundertprozentig sicher, dass Vitali diesmal seinen Kopf nicht mehr aus der Schlinge ziehen konnte. Ohne Zweifel würde es Nick tief erschüttern, wenn er vom Tod Zuckermans erfuhr. Erst vor zwei Tagen hatte man den Mann in einer Nacht-und-Nebel-Aktion vom Metropolitan Correction Center unter der Bewachung von 15 FBI-Agenten in ein Hotel gebracht, wo er vor seiner Aussage völlig abgeschirmt werden sollte. Und nun war er tot. Erschossen. Ganz offensichtlich hatte Vitali davon erfahren, dass Zuckerman beschlossen hatte, mit den Behörden zu kooperieren. Er hatte nicht lange gezögert und einen Killer geschickt, der seinen Job heute Abend erledigt und das FBI damit düpiert hatte. Frank seufzte. Er hätte seinem Chef gerne einen ruhigen Abend mit seiner Frau gegönnt, aber er musste ihm die Hiobsbotschaft sofort überbringen, bevor er sie am nächsten Morgen aus der Zeitung erfuhr.

»Ich werde den Bürgermeister sofort informieren«, sagte Frank zu dem FBI-Beamten, »danke, dass Sie angerufen haben, Truman.«

Er hängte ein und schaltete seinen Computer aus.

»So eine gottverdammte Scheiße«, fluchte er und machte sich auf den Weg zu seinem Auto in der Tiefgarage der City Hall.

***

Eine halbe Stunde später stand Frank seinem Chef gegenüber. Eigentlich hatte er einen Wutanfall erwartet, wilden Zorn und harte Worte über die Dummheit des FBI, doch stattdessen nahm Nick Kostidis die Nachricht vom Tode des Hauptbelastungszeugen gegen Sergio Vitali lediglich mit einem resignierten Kopfnicken auf. Er ließ sich auf eine der steinernen Bänke am Rande des Vorplatzes des Delacorte-Theaters im Central Park sinken und rieb sich müde die Augen.

»Dahinter steckt Vitali, kein Zweifel«, sagte er düster.

Gedämpft klangen Stimmen und Applaus aus dem vollbesetzten Halbrund des Theaters herüber.

»Es tut mir echt leid, Chef«, sagte Frank leise. Im hellen Licht der Laternen bemerkte er die Falten, die sich in Kostidis' Gesicht gegraben hatten, die dunklen Schatten unter den müden Augen, in denen jedes Feuer erloschen schien. Mit einem Mal fand Frank, dass sein Chef um Jahre gealtert wirkte. Seine Energie, seine unglaubliche Vitalität und seine Begeisterung waren verschwunden. Kostidis hob den Kopf und starrte seinen engsten Mitarbeiter einen Moment stumm an. Dann seufzte er.

»Ich frage mich manchmal, ob es richtig ist, was ich tue, oder ob ich nicht vor lauter Übereifer gravierende Fehler mache«, sagte er leise.

»Fehler?« Frank war erstaunt. Er kannte seinen Chef nicht als Zweifler.

»Ja«, Kostidis lehnte sich zurück und schloss die Augen, »Zuckerman würde noch leben, wenn ich nicht darauf bestanden hätte, ihn so lange in Haft zu lassen, bis er auspackt. Mit meiner Besessenheit, Vitali das Handwerk zu legen, habe ich seine Frau zur Witwe und seine Kinder zu Halbwaisen gemacht. Jetzt ist er tot, und wir sind trotzdem keinen Schritt weiter.«

Frank schwieg betroffen.

»Vitali ist stärker als ich«, fuhr Nick Kostidis fort, »er ist stärker, weil er rücksichtslos ist. Weil er kein Gewissen hat und sich nicht um Menschenleben schert. Was habe ich nur angerichtet?«

»Aber Nick«, widersprach Frank, »wir waren im Recht. Wie konnten wir ahnen, dass man Zuckerman erschießen wird? Mit seiner Aussage hätten wir zehn Fliegen mit einer Klappe schlagen können.«

»Haben wir wirklich das Recht, im Namen der Gerechtigkeit das Leben eines Menschen aufs Spiel zu setzen?« Kostidis öffnete die Augen. »Ich weiß es selbst nicht mehr. Früher war ich mir immer sicher, dass das, was ich tat, richtig und gut war. Heute zweifle ich daran, dass etwas gut sein kann, was andere Menschen unglücklich macht.«

Die Zweifel und die Niedergeschlagenheit seines Chefs berührten Frank mehr, als es jeder Wutausbruch getan hätte, aber er hatte keine Worte des Trostes.

»Fahren Sie nach Hause, Frank«, Kostidis legte dem jüngeren Mann seine Hand auf die Schulter, »Sie haben sich Ihren Feierabend verdient.«

»Okay«, Frank nickte, »ich wollte Ihnen nicht den Abend verderben, aber ich dachte, es wäre besser, Sie erfahren die schlechte Nachricht von mir, als aus dem Radio.«

»Ja, das stimmt. Danke.« Nick Kostidis richtete sich auf, als nun die ersten Zuschauer aus dem Halbrund des Freilichttheaters strömten. »Rufen Sie Jerome Harding und Michael Page an. Ich würde sie gerne morgen früh um zehn in meinem Büro sprechen, okay?«

»Wird gemacht«, Frank nickte. Dann verabschiedete er sich von seinem Chef und machte sich nachdenklich auf den Heimweg.

* * *

Mary Kostidis ließ sich langsam von der Menge treiben und hielt nach ihrem Mann Ausschau. Irgendetwas war wieder passiert, etwas so Dringendes, das nicht bis zum nächsten Morgen hatte warten können. Sie hatte den Rest der Theateraufführung nicht mehr verfolgt, weil sie darüber nachgedacht hatte, was vorgefallen sein könnte. Als sie nun ihren Mann erblickte, sagte ihr sein Gesichtsausdruck alles. Er war nicht zornig oder aufgebracht, sondern zutiefst frustriert. Mary Kostidis kannte ihren Mann seit 32 Jahren, und sie kannte ihn gut. Sie hatte ihn immer unterstützt und sein Engagement bewundert, aber sie sah mit Sorge, wie hart er kämpfen musste. Die Falten in seinem Gesicht waren tiefer geworden, und sein volles dunkles Haar wurde von ersten grauen Strähnen durchzogen. Als Bürgermeister war er angreifbarer als je zuvor. Er stand viel mehr im Licht der Öffentlichkeit, und jeder kleine Fehler, der ihm unterlief, wurde von seinen Feinden gierig aufgegriffen und erbarmungslos ausgeschlachtet. Der Druck, unter dem er stand, war ungeheuer, und in den letzten Wochen war er so angespannt, dass er ihr oft überhaupt nicht richtig zuhörte. Irgendetwas beschäftigte ihn, doch sie wusste, dass es keinen Sinn hatte, ihn zu drängen. Wenn er es für richtig hielt, würde er sich ihr mitteilen. Nach außen wirkte Nick stark und unerschrocken wie immer. Die Umstände und die zermürbenden Jahre des Kampfes hatten ihn äußerlich hart wie Granit gemacht, aber in seinem Inneren war er ein sensibler und mitfühlender Mensch geblieben, der darunter litt, wenn seine

Bemühungen scheiterten. Sehr oft hatte Mary schon Angst um ihren Mann gehabt, weil er sich mit mächtigen Männern verfeindete, aber Nick hatte sich nie gefürchtet. Er war wirklich ein ganz besonderer Mann, und sie liebte ihn so sehr wie am ersten Tag, als sie sich das erste Mal an der Bücherausgabe der New York Public Library getroffen hatten. Mary bewunderte seinen Ehrgeiz und seine Gradlinigkeit, sie liebte seine Fähigkeit, sich eine Niederlage eingestehen zu können, ohne zu verbittern. Nick hielt sich nicht für den Mittelpunkt der Welt, aber er wollte für die, die an ihn glaubten und ihm ihr Vertrauen schenkten, eine bessere Welt schaffen. Immer wieder durchkreuzte er mit seinen Plänen die Geschäfte anderer Leute. Es hatte schon häufig Morddrohungen gegeben, feindselige Presseberichte und anonyme Telefonanrufe. Aber das alles hatte Nick nie davon abhalten können, das zu tun, was er für richtig hielt. Mary machte sich Sorgen, wenn er unmenschliche 16 Stunden am Tag arbeitete, wenn er mit der U-Bahn durch die Stadt fuhr oder im Fernsehen Missstände anprangerte, aber sie belästigte ihn nie mit ihrer Besorgnis. Wenn ein Mensch wusste, was er tat, dann war es Nick. Und sie würde ihn als seine Frau in allem unterstützen, was er tun musste, um seinen großen Lebenstraum, die Verbesserung der Lebensqualität in New York City für alle seine Bewohner, zu verwirklichen.

»Was ist denn passiert?«, fragte sie, als sie ihren Mann erreicht hatte. Sie ergriff seine Hand, und er wandte sich zum Gehen.

»David Zuckerman, der Mann, der vor dem Untersuchungsausschuss aussagen sollte, ist erschossen worden«, sagte Nick, als sie schon eine Weile gelaufen waren. »Frank war hier und hat es mir gesagt.«

»O Gott!« Mary wusste, wie viel es ihrem Mann bedeutet hatte, eine Aussage gegen Sergio Vitali zu bekommen, eine Möglichkeit, diesen mächtigen Feind, der immer wieder über ihn triumphierte, festzunageln. »Das ist ja furchtbar.«

»Nein«, Nick lief mit gesenktem Kopf, »es ist zum Kotzen.«

Sie verließen den Park in der Höhe des Metropolitan Museum. Immer wieder wurde Nick von jemandem gegrüßt, aber er erwiderte keinen einzigen Gruß. Mary ahnte, dass der Vorfall mit Zuckerman ihren Mann wahrhaftig sehr mitgenommen haben musste, denn normalerweise war er in der Öffentlichkeit ganz in seinem Element. Er war dafür bekannt, dass er für jeden ein offenes Ohr hatte, doch heute Abend sah er müde und sehr erschöpft aus. Sie überquerten die Straße, und Nick machte den vorbeifahrenden Taxis Zeichen.

»Ich möchte wissen, ob Frank überhaupt ein Privatleben hat«, sagte er nachdenklich. Mary lächelte und zuckte die Schultern. Sie kannte Frank Cohen seit vielen Jahren, aber sie mochte den wortkargen und verschlossenen Mann nicht wirklich. Nicks anderer Assistent, Raymond Howard, war ihr um einiges lieber. Er war ein echter New Yorker mit seinem bissigen, manchmal zynischen Humor. Howard war lebhaft, charmant und sehr unterhaltsam, er sprach schnell, bewegte sich, als sei er ständig unter Zeitdruck, und blickte mit kaum verhohlener Herablassung auf die herab, die das Pech hatten, nicht in New York geboren zu sein. Verglichen mit ihm wirkte Frank steif und eigentümlich, und während Ray Howard es genoss, an Nicks Seite im Licht der Öffentlichkeit zu stehen, erledigte Frank lieber die Arbeiten im Hintergrund. Einmal hatte Mary ihrem Mann gegenüber bemerkt, dass Frank etwas Seltsames an sich habe, doch da hatte Nick nur gelacht.

›Gott, Mary‹, hatte er gesagt, ›ich bin heilfroh, dass ich einen Mann wie Cohen habe. Er organisiert das ganze Büro für mich und scheint mir oft der einzig normale Mensch in meiner ganzen Umgebung zu sein.‹

Bereits das dritte Taxi hielt an.

»Christopher kommt am Wochenende in die Stadt«, sagte Mary, als sie auf dem Rücksitz des gelben Taxis saßen, das von der 5th Avenue in die 86. Straße Richtung Carl-Schurz-Park abbog, wo sich Gracie Mansion, die offizielle Residenz des New Yorker Bürgermeisters, befand.

»Oh«, murmelte Nick gedankenverloren, »schön.«

»Er bringt seine Freundin mit«, Mary merkte, dass ihr Mann nicht richtig zuhörte, »er will sie dir vorstellen. Du hast am Wochenende doch sicher etwas Zeit für die beiden, oder?«

»Wie bitte?« Nick blickte seine Frau entschuldigend an. »Ich war gerade in Gedanken.«

Mary seufzte und wiederholte geduldig das Gesagte.

»Chris hat eine Freundin?«, fragte Nick überrascht. »Davon weiß ich ja gar nichts!«

»Deshalb kommt er ja in die Stadt«, erwiderte Mary, »sie heißt Britney Edwards und studiert Kunstgeschichte und Philosophie im dritten Semester in Radcliffe. Ihre Familie lebt in Hudson Valley, und ihr Vater ist ein hochrangiger Offizier in West Point.«

»Aha. Und wie ernst ist Chris diese Sache?«

»Ich denke, ziemlich ernst. Er will sie heiraten.«

»Heiraten?« Nick starrte seine Frau irritiert an.

»Wieso nicht?« Sie lachte. »Er ist immerhin schon 29. Da waren wir beide schon lange verheiratet und hatten ein Kind.«

»Ja, sicher, aber ...«, Nick schüttelte den Kopf. Unglaublich, dass der Junge schon 29 sein sollte! Es kam ihm so vor, als sei sein erster Schultag erst gestern gewesen! Wie schnell doch die Zeit verging. Christopher war ein guter Junge, der ihm nie Sorgen gemacht hatte. Highschool, zwei Jahre bei der Air Force, ein abgeschlossenes Medizinstudium und nun ein guter Job im Washington Memorial Hospital – sein Lebenslauf war vorbildlich. Und er hatte es ihm nie zum Vorwurf gemacht, dass er so wenig Zeit für ihn gehabt hatte. Er hatte sich nicht darüber beschwert, dass sein Vater nur selten mit ihm zum Baseball oder ins Kino ging, wie es die Väter seiner Freunde zu tun pflegten.

»An seinen Kindern merkt man erst, wie alt man wird«, sagte Nick und fuhr sich mit einer Hand über das Gesicht, »ich habe noch so viele Pläne für die Zukunft, aber ich habe immer öfter das Gefühl, dass mir die Zeit davonläuft und ich es nicht mehr schaffen werde, sie alle umzusetzen.«

»Du bist doch nicht alt, mein Lieber«, Mary ergriff seine Hand, »du bist ein Mann in den besten Jahren.«

»Ein taktvoller Euphemismus«, Nicks Lächeln war bitter, »ich fühle mich uralt. Alles wird schwerer. Ich war so euphorisch und so sicher, dass ich Erfolg haben werde. Und jetzt ...«

Er verstummte.

»Du darfst den Tod dieses Mannes nicht persönlich nehmen.«

»Das tue ich nicht. Es ist die Situation, die ich persönlich nehme. Ich habe versagt. Es ist nicht wie im Film, wo am Ende immer die Guten gewinnen.«

»Bist du sicher, dass Vitali hinter dem Attentat steckt?«

»Ziemlich sicher, ja«, Nick seufzte, »irgendwie hat er erfahren, dass Zuckerman bereit war, auszusagen. Und er hat sofort gehandelt. Ich mache mir Vorwürfe, dass ich den Mann gezwungen habe, mit uns zu kooperieren. Ich bin für seinen Tod verantwortlich.«

»Das bist du nicht. Er war es, der sich mit Verbrechern eingelassen hat.«

»Das ändert nichts an der Tatsache, dass er noch leben würde, wenn ich nicht darauf gedrungen hätte, ihn zu einer Aussage zu zwingen.«

Der grimmige Ausdruck auf dem Gesicht ihres Mannes erweckte ein flaues Gefühl in Mary. Sie ahnte, dass hinter seiner Niedergeschlagenheit mehr als nur der Tod dieses Mannes steckte.

»Aber die Staatsanwaltschaft hat doch entschieden, ihn weiterhin im Gefängnis zu lassen«, bemerkte sie vorsichtig. Wenigstens sprach er mit ihr, statt in dumpfes, brütendes Schweigen zu verfallen, wie er das in den vergangenen Wochen so häufig getan hatte.

»De Lancie hätte ihn schon vor einem halben Jahr laufen lassen«, Nick machte eine wegwerfende Handbewegung, »er hatte kein Interesse an der Verfolgung dieser Angelegenheit, ja, es schien ihm ausgesprochen unwohl dabei, Zuckerman weiterhin unter Anklage stehen zu lassen.«

»Unwohl? Er hätte einen Bestechungsskandal aufdecken können!«

»Genau das ist der Punkt, der mir zu schaffen macht«, Nick zuckte die Schultern und starrte aus dem Fenster, »mir scheint es nämlich fast so, als ob de Lancie genau das verhindern wollte.« Mary begriff, und sie schauderte.

»Du meinst, dass de Lancie …«

»Ja. Ich habe den Verdacht, dass Vitali ihn gekauft hat.«

»O Gott. Den Bundesstaatsanwalt?«

»Mit genug Geld kann man jeden kaufen.«

»Dich nicht«, Mary berührte Nicks Hand, aber er reagierte nicht auf diese Geste der Zuneigung. Er wollte keinen Trost, und so zog sie ihre Hand wieder zurück.

»Ja«, Nick lachte unfroh, »mich nicht. Ich bin der Idiot, der gegen Windmühlen kämpft. Nicht nur, dass ich bald jeden mächtigen Mann in der Stadt gegen mich habe, viel schlimmer: Ich habe auch noch einen Verräter unter meinen eigenen Mitarbeitern.«

»Wie kommst du denn darauf?«

»Vitali hat innerhalb von zwölf Stunden von Zuckermans Sinneswandel erfahren. Das wussten außer dem FBI nur meine Leute, sonst niemand.«

»Und de Lancie?«

»Ihn habe ich zuerst auch verdächtigt, aber er war in Europa und hätte erst morgen davon erfahren.«

Mary schwieg betroffen. Ein Verräter in den eigenen Reihen, ein Maulwurf! Nun verstand sie, was ihren Mann so mutlos machte. Er konnte furchtlos gegen Feinde kämpfen, die er kannte, aber es war schrecklich zu wissen, dass ein enger Mitarbeiter, ein Vertrauter, heimlich mit diesem Feind kooperierte und sein vertrauliches Wissen weitergab.

»Ich schaffe es nicht«, sagte Nick mit leiser Stimme, und Mary sah im Licht der entgegenkommenden Autoscheinwerfer den düsteren Ausdruck in seinen Augen. »Ich habe so oft gewonnen, so viele Erfolge gehabt, obwohl ich zuerst nicht daran geglaubt habe. Aber diesmal werde ich verlieren, ich weiß es.«

Mary lief bei diesen seltsam prophetisch klingenden Worten

ein Schauer über den Rücken, und sie fröstelte, obwohl die Augustnacht warm war.

»Aber das ist doch nicht wahr«, flüsterte sie.

»Doch«, er schüttelte den Kopf, ohne sie anzusehen, »sie sind stärker. Sie werden alles dransetzen, mich zu vernichten, weil ich ihnen im Weg stehe. Und ich kann mich nicht wehren, nicht, wenn sie meine engsten Mitarbeiter korrumpieren.«

Er stieß einen Seufzer aus. Manchmal hatte er das Gefühl, mit einem Löffel Wasser aus einem leckgeschlagenen Boot schöpfen zu wollen. Kaum hatte er irgendwo einen Missstand beseitigt, ein Loch gestopft, riss an einer anderen Stelle ein noch größeres auf. Er war so voller Idealismus gewesen, als er sein Amt angetreten hatte, und er war weiß Gott nicht unerfahren oder naiv gewesen, aber so frustrierend und aussichtslos hatte er sich die Arbeit, seine Wahlversprechen einzulösen, nicht vorgestellt. Sicher, er hätte es so halten können wie viele seiner Vorgänger. Er hätte Absprachen mit Leuten wie Vitali treffen können, anstatt sie zu bekämpfen und sich dabei aufzureiben. Aber Nick wusste, dass er sich im Spiegel nicht mehr anschauen könnte, wenn er dies täte. Zahlreiche andere New Yorker Größen aus Wirtschaft, Finanzwelt oder Politik waren mehr oder weniger offen an ihn herangetreten, doch er hatte kategorisch alles abgelehnt, was man als Bestechung hätte auslegen können. Erst vor 14 Tagen hatte er auf einem der vielen prunkvollen Empfänge, die als Wohltätigkeitsveranstaltungen getarnte Akquisitionstreffen waren, einen Disput mit Charlie Rosenbaum, einem der größten Baulöwen der Stadt, gehabt. Rosenbaum hatte der Stadt den kostenlosen Bau eines Kindergartens in Harlem versprochen, und als Nick ihn nach dem Preis für seine Großzügigkeit gefragt hatte, hatte Rosenbaum erwidert, dass es sehr freundlich wäre, wenn man ihm vonseiten des Bauamtes eine nachträgliche Genehmigung für die sechs Stockwerke, die er ›aus Versehen‹ zu viel auf sein neues Hochhaus downtown gebaut hatte, erteilen könnte. Das war die Art, wie es in New York lief, aber genau das hatte Nick immer gestört. Die Reichen konnten sich alles erlauben, für sie existierten keine Gesetze und keine Verbote. Sie legten Geld auf den Tisch, und schon durften sie tun und lassen, was sie wollten. Sie durften betrunken Auto fahren, die Bauvorschriften verletzen, betrügen, lügen, stehlen, unterschlagen und sogar Menschen umbringen.

›Ich habe meinen Wählern versprochen, dass ich dafür sorgen werde, dass New York ehrlicher und sicherer wird‹, hatte er Rosenbaum geantwortet, ›und dieses Versprechen werde ich einhalten.‹

›Was ist denn an dem Geschäft, das ich Ihnen vorschlage, unehrlich?‹ Rosenbaum hatte in gespieltem Erstaunen die Augen aufgerissen. ›Ich spendiere der Stadt einen schönen, neuen Kindergarten, modern, hell und mit allem Schnickschnack ausgerüstet. Das ist eine gute Publicity für euch und für mich. Dafür kriege ich eine nachträgliche Genehmigung. In die sechs Stockwerke ziehen Unternehmen ein, die wiederum Steuern zahlen. Das hat für die Stadt nur Vorteile. Wen juckt es schon, ob ein Hochhaus 116 oder 122 Stockwerke hat?‹

›Es geht ums Prinzip.‹

›Prinzip! Nick! Die Stadt braucht private Investoren, weil sie pleite ist. Ich investiere, aber dafür will ich auch eine Gegenleistung. So ist das im Geschäftsleben. Von Wohltätigkeit alleine kann keiner leben.‹

›Das ist Bestechung.‹

Rosenbaums Miene hatte sich verfinstert.

›Das ist ein böses Wort für eine so gute Tat, die vielen Kindern, die jetzt auf der Straße herumhängen und in ein paar Jahren Crack rauchen und kriminell werden, eine sinnvolle Freizeitgestaltung ermöglicht.‹

Es war zu verlockend gewesen! In der Tat waren die Stadtkassen chronisch leer, und eine neue Kindertagesstätte in der South Bronx oder Harlem war mit städtischen Mitteln nicht realisierbar.

›Charlie‹, hatte Nick schließlich gesagt, ›wie kann ich Ihnen diese Genehmigung verschaffen, ohne vor meinen Leuten und meinen Wählern als Opportunist dazustehen? Natürlich hätte ich gerne einen schönen, neuen Kindergarten, der die Stadt nichts kostet, aber ich kann nicht zur Baubehörde gehen und sagen: *Hey, Mr Rosenbaum hat aus Versehen sechs Stockwerke mehr auf sein Haus gebaut als ursprünglich genehmigt, es tut ihm sehr leid, aber er braucht jetzt eine Genehmigung, obwohl ihr es vor zwei Jahren bei der Planung abgelehnt habt …*‹

›Sie sind der Bürgermeister, Nick. Sie können das tun.‹

›Das kann ich nicht, ohne dabei mein Gesicht zu verlieren. Es tut mir leid, Charlie.‹

›Ich werde die Genehmigung bekommen. Es wird nur eine Weile dauern und mich eine Menge Geld kosten. Geld, das ich lieber in einen Kindergarten stecken würde als in Anwälte und Gutachter.‹

›Ich kann das nicht tun.‹

Rosenbaum hatte verstanden und mit einem schmalen Lächeln die Schultern gezuckt.

›Ich habe Sie immer für einen intelligenten Mann gehalten. Aber ich habe mich offensichtlich geirrt. Mit Ihrer Sturheit und Kompromisslosigkeit werden Sie dieser Stadt sehr schaden. Die Geldleute und Investoren werden woanders hingehen. Dorthin, wo sie mit offenen Armen willkommen geheißen werden und eine gute Tat nicht als Bestechung bezeichnet wird.‹

Rosenbaum war so deutlich geworden wie niemand zuvor, und Nick hatte das erste Mal schmerzlich begreifen müssen, dass er mit seiner hohen moralischen Einstellung vielleicht wirklich nicht der richtige Mann für diesen Job war. Zum Wohle der Stadt und seiner Bürger hätte er zustimmen, hätte sein Schwarz-Weiß-Denken vergessen und gegen seine Grundsätze handeln müssen. Hunderte von Kindern würden von einem neuen Kindergarten profitieren, und es würde tatsächlich niemanden stören, wenn ein neues Hochhaus etwas höher wurde als ursprünglich geplant und genehmigt. Aber es ging wirklich um das Prinzip. Wenn er sich nur ein einziges Mal auf einen solchen Handel einließ, würde er beim nächsten Mal nicht mehr ›Nein‹ sagen können. Und dann wäre er nicht besser als viele seiner Vorgänger, die er selbst einmal verächtlich als korrupte Marionetten des Establishments bezeichnet hatte. Die Bevölkerung von New York hatte ihn nicht zuletzt deshalb gewählt, weil er versprochen hatte, so etwas nicht zu tun. Und deshalb durfte er es nicht, ganz gleich, was die Konsequenzen waren.

›Schade‹, hatte Rosenbaum gesagt, ›ich dachte, Sie wären lange genug im Geschäft, um zu begreifen, dass Sie mit dieser engstirnigen Politik nichts erreichen werden, außer dass Sie als der Bürgermeister in die Geschichte eingehen, der mit seiner übertriebenen Moral die Stadt in den völligen Bankrott gewirtschaftet hat.‹

Nick hatte seit diesem Gespräch oft über Rosenbaums Worte nachgegrübelt. Seither quälten ihn ernsthafte Zweifel an der Richtigkeit seiner Einstellung. Er hatte nachts wach gelegen und nachgedacht, aber schließlich hatte er entschieden, dass er bei seiner harten und unnachgiebigen Linie bleiben musste, wenn er sich selbst treu bleiben wollte.

Das Taxi hielt vor dem schmiedeeisernen Tor des Carl-Schurz-Parks an der East End Avenue Höhe East 88th Street. Nick zahlte das Taxi, dann stiegen sie aus. Die Sicherheitsbeamten erkannten den Bürgermeister und seine Frau und grüßten höflich. Sie waren daran gewöhnt, dass Nick Kostidis häufig mit Taxi und U-Bahn unterwegs war. Mary und Nick schlenderten schweigend hinüber zum Haus, das mit seiner umlaufenden Veranda und den weißen Geländern einer Südstaatenvilla ähnelte. Der Duft des Flieders vermischte sich mit dem der Rosen, das Laub war so tief und dunkel, dass die Auffahrt schmal wirkte. Es war eine schöne Nacht. Das Licht des Vollmondes lag wie Silber auf den Rasenflächen, doch Mary suchte vergeblich Trost in der Schönheit des Parks. Ihr Mann ging wie ein Fremder neben ihr her, die Hände tief in den Hosentaschen vergraben, den Blick gesenkt. Sie suchte verzweifelt nach den passenden Worten, um ihn aus dieser Stimmung zu befreien, die sie nur zu gut kannte. In der letzten Zeit litt er öfter unter Anfällen von Melancholie.

Dann schottete er sein Inneres ab und bekam einen leeren, bitteren Blick, der Mary weh tat.

»Nick«, sagte sie, als sie sein Schweigen nicht mehr ertragen konnte. Motten umspukten die Laterne, und aus der Ferne drangen die nie verstummenden Geräusche der Großstadt wie ein gedämpftes Murmeln zu ihnen herüber.

»Ja?« Er vermied es, ihr in die Augen zu sehen.

»Es tut mir weh, dich so verzweifelt und mutlos zu sehen. Du hast immer gekämpft, egal wie aussichtslos die Situation auch zu sein schien. Du darfst jetzt nicht aufgeben!«

Nick antwortete nicht.

»Ich liebe dich«, sagte Mary leise, »und es ist mir völlig egal, was andere Leute über dich sagen.«

»Mary«, Nicks Stimme klang gepresst, »du verstehst nicht. Es ist …«

Er verstummte und schüttelte den Kopf.

»Ich muss einsehen, dass ich nicht der richtige Mann für diesen Job bin.«

»Aber das ist doch Unsinn! Du bist der beste Bürgermeister, den diese Stadt je hatte!«

Nick starrte sie an, und sein Blick, hilflos und verächtlich zugleich, traf Mary wie eine Ohrfeige.

»Danke«, er lachte spöttisch, »wenigstens eine, die das glaubt.«

Damit wandte er sich ab und ging mit schnellen Schritten zum Haus. Mary folgte ihm langsam. So grob hatte er sie noch niemals zurückgewiesen. Tränen brannten in ihren Augen und schmerzten wie ein Kloß in ihrer Kehle. Er hatte sich innerlich von ihr entfernt, und sie verstand nicht weshalb.

* * *

Am nächsten Morgen passierte Nick Kostidis das Tor, versicherte den beiden Sicherheitsbeamten wie so oft, dass er durchaus in der Lage sei, allein bis in die Stadt zu kommen, und ging die 86. Straße entlang, bis er an der Ecke Lexington Avenue die U-Bahn-Station erreichte. Mit raschen Schritten lief er die Treppe hinunter, erwischte gerade noch den Downtown Express Train und setzte sich im hintersten Wagen auf eine leere Sitzbank. Um die frühe Uhrzeit an einem Sonntagmorgen war die U-Bahn bis auf ein paar frühe Touristen fast menschenleer. Ratternd und scheppernd raste der Zug durch die dunklen Tunnels. Ab und zu flogen die hell erleuchteten Stationen vorbei, die der Express Train auf seinem Weg in die City ausließ. Nick lehnte sich zurück und schloss die Augen. Er hatte in der vergangenen Nacht kaum geschlafen. Schweißgebadet war er um vier Uhr früh aus einem Alptraum erwacht, an den er sich nicht mehr erinnern konnte. Aber er verspürte noch jetzt das lähmende Gefühl der Machtlosigkeit, das er in seinem Traum empfunden hatte. Bis zum Morgengrauen hatte er wach im Bett gelegen und darüber nachgedacht, wer von seinen Mitarbeitern ein falsches Spiel spielte. Wer hatte gewusst, dass Zuckerman in dieses Hotel gebracht worden war, und dass er bereit gewesen war, gegen Vitali auszusagen? Der Zug bremste quietschend, die Türen öffneten sich, um sich wenige Sekunden später mit einem pneumatischen Seufzen wieder zu schließen. Vibrierend fuhr der Zug an und gewann rasch an Fahrt, bevor er wieder in den dunklen Untergrund New Yorks eintauchte. An der Canal Street stieg Nick in die Linie N um und hatte eine Station später die City Hall erreicht. Er blinzelte in die helle Augustsonne, die von einem strahlendblauen Himmel lachte, als er den City Hall Park betrat. Für einen kurzen Moment verharrte er und betrachtete seinen Amtssitz mit einer Mischung aus Stolz und Resignation. Er war stolz auf dieses historische Bauwerk, auf dessen Turm zwischen der amerikanischen Flagge und der Flagge des Staates New York die Statue der Justitia, als Sinnbild der Gerechtigkeit, thronte. Der Gedanke daran, wie viele Bürgermeister vor ihm mit mehr oder weniger Erfolg versucht hatten, die Geschicke dieser unvergleichlichen Stadt seit 1812 von diesem Gebäude aus zu lenken, erfüllte ihn aufs Neue mit Ehrfurcht und Respekt. Aber gleichzeitig empfand er die arrogante Nähe der modernen Glas- und Stahlbetonwolkenkratzer, die die City Hall so gewaltig überragten, als geradezu symbolisch: Die wahre Macht in dieser Stadt ging von jenen aus, die in den Wolkenkratzern saßen, von den Banken und Konzernen und den skrupellosen und geldgierigen Männern an ihrer Spitze. Nick Kostidis seufzte und stieg die Treppen der City Hall hinauf. Im Foyer lungerte eine ganze Horde Presseleute herum, die, kaum dass sie ihn erblickt hatten, schon auf ihn zugestürmt kamen.

»Herr Bürgermeister!«, rief eine eifrige junge Frau. »Was sagen Sie zu den Vorwürfen, Sie hätten etwas mit dem Tod von David Zuckerman zu tun?«

In Sekundenschnelle fand er sich in einem Pulk von Reportern, Fotografen und Kameraleuten wieder, die ihm ihre Mikrophone vor die Nase hielten. Woher, zum Teufel, wusste die Presse schon von der Sache mit Zuckerman?

»Nick!« Das war John Steele von *Network America*. »Es heißt, Zuckerman sei von der Mafia umgebracht worden. Was sagen Sie dazu?«

Nick hob die Hände und wartete, bis sich das Geschrei gelegt hatte.

»Guten Morgen erst mal«, er bemühte sich um eine freundliche Miene, »ich kann Ihnen zu diesem Zeitpunkt überhaupt nichts sagen, denn ich weiß selbst noch nicht mehr, als dass Mr Zuckerman gestern Nacht erschossen wurde. Ich habe jetzt eine Besprechung mit dem Polizeipräsidenten. Sie bekommen heute noch eine Erklärung.«

»Mr Kostidis«, die Dunkelhaarige blieb beharrlich, »es heißt, Sie hätten etwas mit dem Tod von Zuckerman zu tun. Was ist an diesen Vorwürfen dran?«

Nick sah unprofessionelle Sensationsgier in ihren Augen.

»Diese Vorwürfe sind absolut aus der Luft gegriffen«, erwiderte er, »Zuckerman stand unter Anklage wegen Beihilfe zur Begünstigung, Betrug und Bestechung. Das ist einzig und allein Sache der Staatsanwaltschaft. Ich bin der Bürgermeister von

New York City, und diese Angelegenheit fällt nicht in meinen Kompetenzbereich.«

»Aber«, sagte die Dunkelhaarige hartnäckig, »laut Gerüchten soll Zuckerman für Sergio Vitali gearbeitet haben. Es ist ja bekannt, dass Sie und Mr Vitali …«

»Hören Sie«, unterbrach Nick sie ungeduldig, »Sie wissen offenbar mehr als ich. Warum warten Sie nicht, bis ich überhaupt weiß, um was es hier geht? Okay?«

Damit drängte er sich brüsk durch die Menge der Journalisten und verschwand eilig in dem Flur, der zu seinem Büro im Erdgeschoss führte. Vor der Tür kam ihm Frank Cohen entgegen.

»Woher wissen die Presseleute von dieser Sache?«, rief Nick seinem Assistenten erzürnt zu. »Was ist das für eine verdammte Scheiße?«

»Die Presse?« Frank sah ihn erstaunt an.

»Ja, verdammt«, Nick ging mit schnellen Schritten den Gang entlang, »sie haben mir im Foyer aufgelauert und mich mit Fragen bombardiert. Ich hasse es, wenn ich unvorbereitet von denen überfallen werde. Sie haben mich gefragt, ob ich etwas mit dem Tod von Zuckerman zu tun hätte!«

»Sie?«, fragte Frank überrascht. »Wie kommen die denn darauf? Überhaupt, woher weiß die Presse eigentlich, was passiert ist?«

Nick blieb so unvermittelt stehen, dass der junge Mann fast in ihn hineingelaufen wäre.

»Genau das frage ich mich auch. Aber hier ist wohl überhaupt kein Geheimnis mehr sicher! Keine zehn Stunden sind vergangen, und jeder in der Stadt scheint besser Bescheid zu wissen als ich!«

Seine Augen blitzten zornig, aber in Wirklichkeit war er nicht wütend. Er empfand ein Gefühl der Machtlosigkeit, so, als habe ihm jemand das Ruder aus der Hand genommen. Und er hasste es, machtlos zu sein.

»Truman McDeere wartet übrigens in Ihrem Büro«, sagte Frank, »seit einer halben Stunde.«

Sie hatten den Westflügel der City Hall erreicht. Am Wochenende war nichts von der Hektik zu spüren, die an Wochentagen hier herrschte. Die Büros waren leer, nur Nicks Sekretärin Allie Mitchell saß an ihrem Schreibtisch, ebenso Raymond Howard.

»Die Presse bombardiert uns mit Anrufen«, teilte Allie Nick mit, »außerdem hat Mr de Lancie angerufen, und Gouverneur Rhodes bittet um Rückruf.«

»Na prima«, Nick verzog das Gesicht, »sie müssen warten. Ich will erst wissen, was McDeere sagt.«

Damit verschwand er in seinem Büro, während Frank, Ray und Allie vielsagende Blicke wechselten.

***

Truman McDeere erhob sich von dem Stuhl am Konferenztisch, als Nick Kostidis sein Büro betrat. Er sah noch verkniffener aus als gewöhnlich.

»Wie konnte das passieren, McDeere?«, fuhr Nick den FBI-Beamten an, nachdem er ihn knapp begrüßt hatte.

»Ich bin Ihnen keine Rechenschaft schuldig, Herr Bürgermeister«, erwiderte der glatzköpfige Bundespolizist spitz. »Wir haben uns nichts zuschulden kommen lassen.«

»Außer, dass ein Mann, der von 15 FBI-Leuten bewacht werden sollte, erschossen wurde.«

McDeeres Miene wurde noch finsterer.

»Niemand wusste von dieser Aktion. Die Leute, die daran beteiligt waren, sind auch erst vor Ort über die Identität des Mannes informiert worden«, schnappte er verärgert. »Sie kannten sich untereinander nicht, und erst recht kannte keiner von ihnen vorher den Ort, an den Zuckerman gebracht werden sollte. Das wusste niemand außer Ihren Leuten und mir.«

»Und welches Interesse sollte irgendjemand von uns daran gehabt haben, dass Zuckerman umgelegt wird?«

McDeere zuckte die Schultern und zündete sich ein Zigarillo

an. Nick betrachtete ihn scharf. Er kannte McDeere schon eine ganze Weile und ahnte, dass mehr an der Sache dran war, als der FBI-Beamte zugeben wollte.

»Also, Truman«, sagte er versöhnlicher, »was ist wirklich passiert?«

McDeere schien einen Moment mit sich zu ringen, doch dann holte er tief Luft und begann, mit leiser Stimme zu reden.

»Wir hatten im ganzen Hotel unsere Leute postiert. An allen Hintereingängen, in der Küche, der Tiefgarage, an den Aufzügen. Ein Mann war ständig bei Zuckerman im Zimmer. Es war kurz vor halb neun, als ein Mann an der Zimmertür klopfte. Er kannte das vereinbarte Klopfzeichen und war ja auch unbehelligt bis in den 6. Stock gelangt. Der Beamte öffnete also. Er glaubte, den Mann bei der Besprechung früher am Abend gesehen zu haben, und ging deshalb davon aus, dass er zur Truppe gehörte. Als er gesagt bekam, er solle sich im Foyer zur Ablösung melden, verließ er also das Zimmer.«

Nick schloss die Augen. Ein uralter, dreister Mafiatrick, und die Feds waren darauf hereingefallen!

»Na ja«, McDeere fiel es sichtlich schwer, den Fehler zuzugeben, »als der Beamte unten auftauchte, war sofort klar, dass etwas nicht stimmte. In wenigen Minuten waren sie wieder oben, aber da war es schon zu spät. Zuckerman war mausetot. Zwei Schüsse aus nächster Nähe ins Herz und einen in den Kopf. Die Tatwaffe war eine .45er Smith & Wesson mit Schalldämpfer. Wir haben sie gefunden.«

»Ach?« Nick öffnete wieder die Augen.

»Sie lag in einem Wagen mit Schmutzwäsche.«

»Wurde sie identifiziert?«

»Nein. Keine Seriennummer, keine Fingerabdrücke, nichts. Die Waffe wird im Moment in der Ballistik genauer untersucht, aber ich sehe keine Chance, durch die Waffe etwas über die Täter zu erfahren. Das war Profiarbeit.«

»Sieht nach Mafia aus.«

»Allerdings«, McDeere nickte verdrossen, »wir haben einen

Fehler gemacht, gerade weil wir sichergehen wollten, dass nichts schiefgeht. Deshalb haben wir Beamte, die sich untereinander nicht kennen, eingesetzt. Und genau das war die Chance für den Killer, seine Nummer abzuziehen.«

»Er muss genau Bescheid gewusst haben«, sagte Nick. Seine düstersten Befürchtungen schienen sich zu bewahrheiten. Hinter der kaltblütigen Exekution konnte niemand anderes als Vitali stecken.

»Ja«, erwiderte McDeere nun, »der Mörder von Zuckerman war bestens informiert. Nichts macht den Mann mehr lebendig, aber ich möchte wissen, woher der Mörder seine Informationen hatte. Es gab nur sehr wenige Leute, die genau Bescheid wussten, und das engt den Personenkreis beträchtlich ein.«

»Lloyd Connors von der Staatsanwaltschaft wusste Bescheid, der Polizeipräsident, eure Leute.«

»Und Sie.«

»Ich wusste nichts Genaues«, Nick schüttelte den Kopf. »Gut, ich wusste, in welchem Hotel Zuckerman untergebracht werden sollte, aber über den genauen Ablauf des Einsatzes war ich nicht unterrichtet.«

McDeere drückte sein Zigarillo im Aschenbecher aus.

»Ich gebe zu«, räumte er ein, »dass wir keine ruhmreiche Rolle gespielt haben, aber ich weise den Verdacht, dass jemand von meinen Männern geplaudert haben könnte, entschieden zurück.«

Die beiden Männer sahen sich stumm an.

»Der Maulwurf«, sagte McDeere, »sitzt in der Staatsanwaltschaft, bei der Polizei oder hier, in der City Hall.«

Nick fuhr sich mit der Hand über das Gesicht. Er wünschte, er hätte den Vorwurf, einen Verräter in seinen eigenen Reihen zu haben, genauso entschieden zurückweisen können, wie McDeere es getan hatte. Aber das konnte er nicht. Ungefähr 15 seiner engsten Mitarbeiter hatten über die Angelegenheit Bescheid gewusst, 15 Leute, denen er nicht mehr vertrauen konnte.

»Korruption bis in die Stadtverwaltung hat es leider schon

immer gegeben, Nick«, sagte McDeere nun. »Wenn Sie wollen, können wir Ihre Leute überprüfen.«

»Nein, nein«, wehrte Nick schnell ab, »ich muss das auf eine andere Art und Weise herausbekommen. Vielleicht ist es auch jemand aus der Staatsanwaltschaft.«

Er dachte an seine Mitarbeiter, die er alle schon seit vielen Jahren kannte. In Zukunft würde er bei jedem Wort, das er sagte, daran denken, dass sein Gegenüber womöglich ein Spitzel seiner Feinde sein könnte. Es war ein entsetzlicher Gedanke, und Nick wünschte, er hätte Einfluss auf die Bezahlung seiner Leute. Für das oft gewaltige Arbeitspensum, das sie zu bewältigen hatten, wurden sie wirklich geradezu lächerlich bezahlt. Kein Wunder, dass der eine oder andere von ihnen einer zusätzlichen Geldquelle gegenüber sehr aufgeschlossen war.

McDeere verabschiedete sich ein paar Minuten später, und Nick blieb sehr nachdenklich zurück. In den sechziger Jahren hatte der damalige Bürgermeister John Lindsay New York City als unregierbar bezeichnet. Korruption, eine katastrophale Infrastruktur, der krasse Gegensatz zwischen Arm und Reich auf engstem Raum, die Arbeitslosigkeit in den ärmeren Stadtbezirken und dazu die chronische Geldnot im städtischen Haushalt – das alles machte eine vernünftige Politik quasi unmöglich. Bisher hatte Nick sich nicht davon beeindrucken lassen. Mit viel Elan und einer gehörigen Portion Optimismus war er die Probleme, an denen seine Vorgänger gescheitert waren, energisch angegangen und hatte schon viel geleistet. Die Zustimmung aus breiten Teilen der Bevölkerung gab ihm recht. Aber es gab auch genug Leute, denen sein Kampf gegen die Kriminalität und der Aufbau einer starken Polizeiarmee missfielen. Immer wieder wurde die harte Gangart der Polizei öffentlich kritisiert, und bisher hatten nur die eindeutigen Erfolge seiner ›*no tolerance*‹-Politik seinen Gegnern den Wind aus den Segeln genommen. In nur anderthalb Jahren war es ihm gelungen, die Kriminalitätsrate in der Stadt drastisch zu senken, und das Schreckgespenst der Mafia war seit seinem harten Durchgreifen in den achtziger Jahren völlig verblasst, aber nun drohten drei verdammte Schüsse den Erfolg seiner Arbeit zunichtezumachen! Nick ahnte, dass der Mord an Zuckerman erneut eine rege und vollkommen fruchtlose Diskussion über die Sicherheit der Stadt zur Folge haben würde. Es gab keine Möglichkeit, die Sache vor der Öffentlichkeit geheim zu halten, ja, er konnte die reißerischen Überschriften schon vor sich sehen: *Mafiamord in Manhattan! Wie sicher ist die Stadt?* Man würde lautstark den Sinn seiner Sicherheitspolitik in Frage stellen, und all das Positive, das Nick in puncto Sauberkeit, Sicherheit und Verbesserung der Infrastruktur bisher geleistet hatte, würde in Vergessenheit geraten. Er vergrub sein Gesicht in den Händen. Er war ein Kämpfer. Sein Leben lang hatte er kämpfen müssen, und es hatte ihm nichts ausgemacht. Aber der schlimme Verdacht, dass er einen Verräter in seinen eigenen Reihen hatte, entmutigte ihn zutiefst.

»Mr Harding ist da, Sir«, meldete Allie über die Sprechanlage.

»Schicken Sie ihn rein«, erwiderte Nick, »und bringen Sie uns bitte Kaffee.«

Er stand auf und ging dem Polizeipräsidenten entgegen. Jerome Harding, der Chef des New York Police Department, war Ende 50. Er hatte als Streifenpolizist in der Bronx seine Karriere begonnen und sich einen Ruf als harter Cop erworben. Er war von kräftiger Statur, sein markantes Gesicht mit dem vorspringenden Kinn gab ihm ein aggressives Aussehen. Mit dem Maßanzug und der teuren Seidenkrawatte sah Harding äußerlich zivilisiert aus, doch unter der Fassade war er noch immer der brutale Schläger aus der Bronx, der nicht vergab und nicht vergaß. Mit 25 Jahren war er auf die Polizei-Akademie gegangen, danach hatte er es im Morddezernat zum Leiter der Abteilung gebracht. Ehrgeizig, wie er war, hatte er in einem Abendstudium sein Jurastudium nachgeholt und sich beim Büro des Staatsanwalts von New York beworben, wo er rasch zum Leiter des Dezernats für Wertpapierbetrug aufgestiegen war. Dort hatte Nick ihn kennen und seine effektive Arbeitsweise bald schätzen gelernt, obwohl er ihn persönlich nicht besonders mochte. Das beruhte auf Gegenseitigkeit, doch beide Männer waren professionell genug, um ihre beruflichen Ziele über die persönliche Abneigung zu stellen. Jerome Harding war für sein hitziges Temperament bekannt, für seinen Jähzorn, aber auch für seine Beharrlichkeit. Er war ein energischer, unbarmherziger Inquisitor, der nicht von unnützen Gewissensbissen gequält wurde. Der Erfolg der Strafverfolgung im Insider-Trading-Skandal an der Wall Street in den achtziger Jahren war zu einem großen Teil der Arbeit Hardings zu verdanken. Als Polizeipräsident war er in den vergangenen Jahren einer von Nicks wichtigsten und stärksten Mitstreitern im Kampf gegen das Verbrechen geworden.

»Jerome«, Nick reichte dem rotgesichtigen Mann lächelnd die Hand, »es tut mir leid, dass ich Sie an einem Sonntagmorgen hierherbitten musste. Danke, dass Sie kommen konnten.«

»Kein Problem«, Harding lachte und zwinkerte ihm zu, »Sie wissen doch: Die Polizei schläft nie.«

Die beiden Männer nahmen an dem großen Konferenztisch Platz und warteten, bis Allie den Kaffee serviert hatte.

»Also, was gibt's? Wie kann ich Ihnen helfen, Nick?«

»Tja«, Nick verschränkte seine Finger ineinander und ertappte sich bei der Frage, wie es um die Loyalität von Jerome Harding bestellt sein mochte. Aber er wischte seine Zweifel sofort beiseite. Sein Gegenüber war für seine Unerbittlichkeit gegenüber jedem Kriminellen bekannt. Nein, Harding mochte zwar einige unsympathische Eigenschaften besitzen, aber er war nicht korrupt!

»Sie haben ja sicherlich von der Schlappe gehört, die das FBI im Fall Zuckerman einstecken musste.«

»Allerdings«, Harding machte eine verächtliche Handbewegung. »Die Feds haben es vermasselt. Aber Sie haben ja darauf bestanden, dass das FBI die Bewachung von Zuckerman übernimmt.«

Nick überhörte die spitze Bemerkung.

»Wie kann es passieren, dass ein Killer an einen Mann herankommt, der von 15 Leuten bewacht wird?«

»Sie sind wie Anfänger in eine klassische Mafia-Falle getappt, diese Idioten!« Harding lachte abfällig. »Wahrscheinlich war der Killer schon von Anfang an dabei, und sie haben es nicht bemerkt!«

»Und gerade das macht mir Kopfschmerzen! Wir sind doch beide schon lange genug im Geschäft, um zu wissen, dass genau so etwas nicht passieren darf!«

Jerome Harding warf Nick einen scharfen Blick zu.

»Auf was wollen Sie hinaus?«

»Die Auftraggeber des Mörders wussten über die bevorstehende Aussage Zuckermans Bescheid, sie kannten den geheimen Aufenthaltsort und den Ablauf der ganzen Aktion. Verstehen Sie, Jerome, mir geht es weniger darum, diesen Killer zu schnappen, das wird uns wahrscheinlich ohnehin nicht gelingen. Ich will wissen, wie es geschehen konnte, dass solche geheimen Informationen in einer so kurzen Zeit nach außen dringen konnten! Ich will wissen, wo die schwache Stelle in unseren Reihen ist!«

Harding schien für den Bruchteil einer Sekunde zu zögern, bevor er eine unerwartete Antwort gab.

»Sie nehmen das Ganze zu persönlich.« Er trank einen Schluck Kaffee und lehnte sich zurück. »Das FBI hat sich blamiert. Aber damit haben Sie und ich nichts zu tun.«

Nick schwieg. Hatte Harding recht? Nahm er das alles zu persönlich, weil es Vitali wieder einmal gelungen war, durch die Maschen des ausgelegten Netzes zu schlüpfen?

»Nein«, erwiderte er, »das ist es nicht. In ein paar Tagen fragt niemand mehr nach der Verantwortlichkeit. Aber diese Sache wird uns eine Menge negativer Publicity bescheren. Mein Hauptversprechen an meine Wähler war, dass ich die Stadt sicherer machen will. Wir haben schon viel erreicht, aber meine politischen Gegner werden diesen Mord zum Anlass nehmen, um uns in der Luft zu zerreißen. Sie wissen selbst, dass vielen die harte Gangart der Polizei nicht gefällt, und jetzt wird man den Sinn einiger Polizeiaktionen wieder öffentlich diskutieren.«

Das abfällige Grinsen verschwand von Hardings Gesicht.

»Sie sehen das zu dramatisch. Bisher konnten wir den verdammten liberalen Weicheiern immer überzeugend das Maul stopfen, und das werden wir auch weiterhin tun.«

»Sie meinen also, wir sollten gar nichts tun?«

»Richtig«, Harding nickte, »geben Sie der Presse irgendeinen nichtssagenden Bericht, verweisen Sie auf die Verantwortlichkeit des FBI und der Staatsanwaltschaft. Abwarten und Tee trinken. Nur keine Statements, die die ganze Sache in der Öffentlichkeit hochputschen könnten.«

Nick sah den Polizeipräsidenten zweifelnd an. Harding schien ungewöhnlich zurückhaltend, und sein Vorschlag, Ruhe zu bewahren, war vollkommen untypisch für ihn.

»Ich würde aber gerne wissen, woher der Killer die Einzelheiten wusste«, beharrte Nick.

»Mein Gott«, Harding schnalzte ungeduldig mit der Zunge, »wollen Sie wirklich eine Lawine lostreten? Wollen Sie eine öffentliche Diskussion über Korruption provozieren? Damit schaden Sie sich mehr, als wenn Sie das Thema Zuckerman einfach auf sich beruhen lassen.«

* * *

Nick war alles andere als zufrieden mit dem Ergebnis seiner Besprechung, und seine Telefonate mit dem Bundesstaatsanwalt John de Lancie und Gouverneur Rhodes hoben seine Laune auch nicht. Fast schien es ihm, als ob niemand außer ihm besonders traurig über den Tod des Kronzeugen gegen Vitali sei. Eine Aussage von Zuckerman hätte zweifellos viel Staub aufgewirbelt. Es klopfte an der Tür, und Michael Page, Nicks Stabschef, trat ein.

»Ich habe eine Presseerklärung vorbereitet«, sagte er und reichte dem Bürgermeister drei Blätter. »Wir werden keinen Raum für Spekulationen lassen.«

»Hm«, Nick betrachtete nachdenklich die Blätter, »Harding, de Lancie und Gouverneur Rhodes sind der Ansicht, man sollte die Angelegenheit auf sich beruhen lassen.«

»Tatsächlich?« Michael Page schien erstaunt. »Und was denken Sie?«

»Ich weiß nicht. Ich glaube fast, es steckt mehr hinter der ganzen Angelegenheit, als es auf den ersten Blick den Anschein hat.«

»Ich kann die Presseerklärung ändern.«

»Nein, warten Sie. Ich möchte sie erst lesen«, Nick vertiefte sich in den Text, und dann flog ein Lächeln über sein Gesicht.

»Brillant, Michael«, sagte er, als er fertig war, »damit stelle ich mich zwar gegen alle anderen, aber so haben wir nur eine Schlacht verloren und nicht den ganzen Krieg.«

»Genau«, der Stabschef nickte zufrieden, »die öffentliche Empörung wird sich gegen Vitali, Rosenbaum und Konsorten wenden. Wir lassen uns nicht den Schwarzen Peter zuschieben.«

Nick korrigierte den Text noch ein wenig.

»Ändern Sie das noch«, sagte er zu Page, »dann faxen Sie es an McDeere. Wenn er einverstanden ist, verteilen Sie es persönlich an die Presse im Foyer und geben es in den üblichen Verteiler.«

***

Sergio Vitali saß an seinem Schreibtisch im 86. Stockwerk des VITAL-Building und las mit grimmiger Miene die Titelstory der *New York Times*. ›*Mafiamord in Manhattan?*‹, lautete die fett gedruckte Überschrift, und darunter hieß es:

»*In der Nacht vom 15. auf den 16. August wurde der bekannte Immobilienhändler David Zuckerman (42) aus New York City in einem Hotel in Midtown Manhattan von einem unbekannten Täter erschossen. Zuckerman, dem vorgeworfen wurde, Mitte der achtziger Jahre in einige dubiose Geschäfte vor allen Dingen bei der Auftragsvergabe beim Bau des*

World Financial Center verwickelt gewesen zu sein, sollte am Montag vor dem Untersuchungsausschuss der Staatsanwaltschaft von Manhattan zu diesen Vorwürfen befragt werden. Bereits im Oktober des vergangenen Jahres war Zuckerman unter dem dringenden Tatverdacht der Bestechung, der verbotenen Preisabsprache und des Betruges in mindestens vier Fällen unter Anklage gestellt worden. Nachdem Zuckerman, Besitzer einer Villa auf Long Island und eines luxuriösen Wochenendhauses auf Cape Cod, sich bei der ersten Anhörung auf sein Recht zur Aussageverweigerung berufen hatte, wollte ihn die Staatsanwaltschaft aus Mangel an Beweisen auf freien Fuß setzen. Bürgermeister Kostidis, selbst langjähriger Bundesstaatsanwalt von Manhattan, sorgte aufgrund begründeter Zweifel an der Unschuld des Beklagten für eine Wiederaufnahme des Verfahrens, bei der sich der Verdacht in allen Punkten durch neue Beweise erhärtete. In die Korruptionsaffäre sind zahlreiche Bauunternehmen der Stadt verwickelt, an erster Stelle die VITAL BUILDING Corp., die den Zuschlag zum Bau der beiden Teilabschnitte des World Financial Center bekommen hatte. Ihr Inhaber Sergio Vitali ist in dieser Hinsicht kein unbeschriebenes Blatt. Schon mehrfach wurden ihm in Verbindung mit Bauaufträgen Bestechung und illegale Preisabsprachen vorgeworfen. Die Affäre um den Bau des World Financial Center ist jedoch der weitaus größte und umfangreichste Fall, in den zahlreiche renommierte Unternehmen und Banken verwickelt sein sollen. Die Staatsanwaltschaft erhoffte sich von der Aussage Zuckermans eine umfassende Aufklärung der Hintergründe und die Möglichkeit, Vitali für seine dubiosen und kriminellen Geschäfte endlich zur Rechenschaft ziehen zu können …«

»Merda«, knurrte Sergio zornig und las weiter.

»… das FBI tappt auf der Suche nach dem Täter völlig im Dunkeln. Der Leiter des Einsatzkommandos, Truman McDeere, sagte gestern bei der Pressekonferenz: ›Das war

ein eiskalter, brutaler Mord, der die Handschrift der Mafia trägt. Ganz offensichtlich befürchtete jemand, Zuckermans Aussage vor dem Untersuchungsausschuss könnte einige unangenehme Wahrheiten ans Tageslicht bringen ...‹«

»Ich hätte nicht gedacht, dass die Feds ein solches Aufsehen um die Sache machen«, bemerkte Nelson van Mieren besorgt, »ihr Versagen war doch eher peinlich.«

»Das kommt nicht vom FBI«, Sergio schlug mit der flachen Hand auf die Zeitung, »dieser Artikel ist auf Kostidis' Mist gewachsen.«

Er lachte böse.

»Er dachte, dass er mich endlich hat, und muss nun feststellen, dass ich ihm wieder einmal durch die Lappen gegangen bin.«

»Das gefällt mir überhaupt nicht, Sergio«, wandte der Anwalt ein, »dieses Gerede von Mafia und Korruption schadet deinem Ansehen. Es ist ein gefundenes Fressen für die Medien.«

»Ach was, ich scheiße auf mein Ansehen«, Sergio erhob sich und zerknüllte die Zeitung. »In ein paar Wochen kräht kein Hahn mehr danach. Kostidis kann so viel ahnen, wie er will, er kann mir nichts beweisen. Und das weiß er genau.«

»Ich glaube nicht, dass sie diesmal so schnell Ruhe geben werden«, erwiderte Nelson, »es ist eine Möglichkeit, dich öffentlich zu diskreditieren. Du weißt doch selber, wie sensibel das Thema immer noch ist. Es wird schwierig werden, unsere Freunde bei der Stange zu halten, wenn die Presse die Sache aufgreift. Politiker hassen negative Publicity.«

»Aber sie lieben mein Geld«, Sergio lachte kalt, »mir ist es völlig gleichgültig, ob sie mich mögen oder nicht. Sie gehören mir. Ich weiß zu viel über sie und ihre geheimen steuerfreien Nebeneinkünfte, als dass sie mir in den Rücken fallen könnten.«

Nelson van Mieren seufzte. Es hatte lange Jahre harter Arbeit gekostet, Sergios Imperium einen legalen und seriösen Anstrich zu geben. Ein paar negative Schlagzeilen und Fernsehberichte konnten unglaublich viel zerstören. Und es würde ohne Zweifel

Schlagzeilen geben, denn im Sommer war die Presse nach solchen Sensationen geradezu ausgehungert.

»Paul McInytre hat eben angerufen«, sagte Nelson.

»Der kriegt schon das große Flattern«, Sergio setzte sich wieder in seinen Sessel und lehnte sich mit einem kalten Lächeln zurück. »Er hat im letzten Monat 25 000 Dollar von uns bekommen! Was soll er schon tun? Er wird die Hand, die ihn füttert, nicht beißen.«

Er schwang seinen Sessel zur Seite und blickte auf das Empire State Building und die Wolkenkratzer von Midtown Manhattan.

»Schau sie dir an, Nelson«, sagte er, »zu unseren Füßen liegt meine Stadt! Ich bin der König von Manhattan, und jeder, der hier ein Geschäft machen will, muss zuerst an mir vorbei!«

Er lachte, aber in seinen Augen glomm ein eisiger Funke, als er nun seinen engsten Berater ansah.

»Ich bin nicht größenwahnsinnig, Nelson, das weißt du. Ich habe es von den Straßen von Little Italy bis hierher geschafft, und mir hat niemand geholfen. Ich bin Gegenwind gewöhnt, und er erschreckt mich nicht. Ganz im Gegenteil: Ich kämpfe gerne! Und ich gewinne gerne. Ich werde auch diesmal gewinnen.«

»Kostidis wird versuchen, dich fertigzumachen.«

»Das versucht er doch seit Jahren«, Sergio machte eine wegwerfende Handbewegung. »Es interessiert mich nicht. Ich brauche keine Banken, bei denen ich kreditwürdig sein muss, denn ich habe meine eigenen. Ich habe Macht, denn ich habe viel Geld. Ich dränge mich nicht in die Öffentlichkeit, nein, ich bleibe im Hintergrund und ziehe die Fäden, so, wie ich es immer getan habe. Weißt du, Nelson, was schlimm wäre?«

»Nein.«

»Wenn ich diese Leute da unten noch brauchen würde, das wäre schlimm. Aber ich brauche sie nicht«, Sergio lächelte nachdenklich. »Eigentlich könnte ich mich längst zur Ruhe setzen. Ich habe in der letzten Zeit ernsthaft darüber nachgedacht, aber ...«

»Aber?« Nelson sah ihn aufmerksam an.

»Massimo ist noch nicht so weit, um all das hier zu führen«, Sergio machte eine weit ausholende Bewegung, »und außerdem macht mir das ganze Spiel einfach noch zu viel Spaß.«

Nelson betrachtete seinen Freund und Boss mit einem unguten Gefühl. Er hatte dessen unaufhaltsamen Aufstieg miterlebt und wusste, wie kalt und rücksichtslos Sergio Vitali sein konnte. Aber in einem Punkt irrte er. Ihm konnte sein Ruf in der Öffentlichkeit nicht gleichgültig sein, denn viele seiner Geschäftspartner konnten es sich nicht erlauben, mit einem Mann zusammenzuarbeiten, der in der Presse als Mafioso bezeichnet wurde. Sergios auf Gewalt und Blut gegründetes Imperium war nur deshalb so stark und mächtig geworden, weil er es geschickt verstanden hatte, einflussreiche Männer auf seine Seite zu ziehen. Wenn er nun annahm, nichts und niemand könne es mehr erschüttern, dann täuschte er sich. Auf dem Weg nach oben hatte er sich viele Feinde geschaffen, und Nelson war davon überzeugt, dass auch viele der gekauften Freunde nur auf den Moment warteten, in dem Sergios Imperium zu wanken begann, um dann schnell von Bord zu gehen. Es gab auf der Welt keine größeren Opportunisten als Politiker.

»Was ist los, Nelson?«, fragte Sergio. »Hast du etwa Angst wegen dieser Zeitungsschmierereien?«

»Ich finde, du nimmst alles zu sehr auf die leichte Schulter«, antwortete der Anwalt, »wir dürfen uns keine Fehler erlauben, die dazu führen könnten, wichtige Beziehungen zu verlieren.«

»Was willst du damit andeuten?« Sergios eisblaue Augen schienen van Mieren durchbohren zu wollen. Nelson schauderte. Nicht auszudenken, was passieren würde, wenn jemand ausstieg, der wirklich etwas wusste. Vincent Levy zum Beispiel. Würde er den Ruf seiner Bank riskieren, indem er Sergio öffentlich beistand? Nie und nimmer! Levy war Geschäftsmann, und er war kein Italiener, er war Jude. Wenn es hart auf hart kam, würde er die Seiten wechseln, um selbst zu überleben. Aber es hatte keinen Sinn, mit Sergio zu diskutieren, denn er wollte einfach keine Realität akzeptieren, außer seiner eigenen. Nelson begriff, dass Sergio längst aufgehört hatte, wirklich auf seine Ratschläge zu hören.

»Nichts«, sagte er also, »du hast recht. Wahrscheinlich spricht in ein paar Tagen kein Mensch mehr davon.«

Sergio lächelte.

»Du wirst doch auf deine alten Tage keine schwachen Nerven bekommen, Nelson, alter Freund?«, sagte er freundlich. »Spekulationen, ob ich etwas mit der Mafia zu tun habe, schaden weniger als die Aussage eines Mannes, der Zahlen und Fakten kennt. Der Sturm um Zuckerman wird sich legen, und dann kommen die Speichellecker aus Politik, Justiz und Verwaltung wieder. Die uralte Gier der Menschen nach Geld und Reichtum hat sie längst an mich geschmiedet.«

Er stand auf und starrte aus dem Fenster. Mochten sie ihm auch eine Weile aus dem Weg gehen, sie würden ihm nie ihre Treue aufkündigen. Einer, der das vorgehabt hatte, lag nun kalt und starr im Kühlhaus der Gerichtsmedizin. Mit Sergio Vitali war nicht zu scherzen.

»Was ist mit der Frau?«

Sergio fuhr herum und blickte Nelson überrascht an.

»Alex?«

»Ja.«

»Nichts. Was soll mit ihr sein?«

»Ist sie auf deiner Seite?«

»Das weiß ich nicht«, Sergio zuckte die Schultern, »sie macht ihren Job, und den macht sie gut. Ich spreche mit ihr nicht über meine Geschäfte.«

Nelson atmete auf. Er hatte insgeheim befürchtet, Sergio hätte seiner Schwäche für diese Frau nachgegeben und sie in die geheimen Geschäfte eingeweiht, wie er es vorgehabt hatte.

»Du hast Angst, ich könnte wegen einer Frau ein Risiko eingehen?« Sergio lachte auf.

»Na ja«, erwiderte Nelson, »immerhin hast du mit dem Gedanken gespielt, sie zu deiner Vertrauten zu machen.«

»Das habe ich aber nicht getan. Ein sentimentaler Moment. Er ist vergangen.«

Er setzte sich wieder an den Schreibtisch, aber das Lächeln war von seinem Gesicht verschwunden und hatte einem grimmigen Gesichtsausdruck Platz gemacht.

»Hol mir McIntyre ans Telefon«, sagte er zu Nelson, »ich muss mit ihm sprechen, bevor er durchdreht.«

»Sergio!«, rief Paul McIntyre mit halblauter Stimme, die nach nackter Panik klang. »Haben Sie schon die Zeitung gelesen?«

Seine selbstsichere und arrogante Art war wie weggeblasen.

»Ja«, erwiderte Sergio, »habe ich. Stand etwas drin, was mich interessieren könnte?«

»Herrgott«, McIntyre senkte seine Stimme zu einem aufgeregten Flüstern, »Zuckerman ist tot! Keine Untersuchungskommission mehr! Kostidis ist stinksauer, und jetzt kommen sie sicher zu mir.«

»Unsinn. Wer sollte denn kommen?«

»Der Staatsanwalt, Kostidis, was weiß ich!«

»Es wird niemand kommen, Paul, das verspreche ich Ihnen. Jetzt beruhigen Sie sich erst einmal. Ich habe etwas mit Ihnen zu besprechen.«

»Beruhigen!« McIntyre lachte verzweifelt. »Die ganze Stadt steht Kopf, und Sie sagen, dass ich mich beruhigen soll!«

»Wie war der Urlaub?« Sergio lehnte sich bequem in seinem Sessel zurück und legte die Schuhe auf die spiegelblanke Mahagoniplatte. »War alles zu Ihrer Zufriedenheit arrangiert?«

McIntyre verstand den Hinweis sofort. Er zögerte einen Moment, aber dann klang seine Stimme wieder etwas ruhiger. »Natürlich. Es war perfekt, wie immer. Meine Frau war sogar tauchen.«

»Das freut mich. Hoffentlich hat sie ordentlich Geld ausgegeben.«

»Hm ... ja ...«

»Ich habe erfahren, dass wieder eine nette, kleine Summe auf Ihr Konto in Georgetown transferiert wurde.«

»Großartig«, McIntyre war noch immer angespannt, aber er hatte sich wieder unter Kontrolle.

»Paul«, sagte Sergio, »ich habe eine Bitte. Ein Freund von mir hat ein kleines Problem.«

Der Leiter der New Yorker Baubehörde verdrehte stumm die Augen. Dieser Satz aus Vitalis Mund war in bestimmten Kreisen der Stadt wohlbekannt und bedeutete alles andere als eine Bitte. Aber Vitali entlohnte denjenigen, der ihm einen Gefallen tat, fürstlich, das wusste McIntyre auch. Vor gut 15 Jahren hatte er als Sachbearbeiter in der Baubehörde das erste Mal einer seiner Bitten entsprochen, und er hatte es nie bereut. Seine Kinder hatten Privatschulen statt der schäbigen öffentlichen Schulen besuchen können, seine Familie konnte Urlaube in allen Hotels machen, die Vitali auf der ganzen Welt besaß, und das zu einem Freundschaftspreis. Und immer wurden sie behandelt, als seien sie enge Verwandte Vitalis. Außerdem verfügte McIntyre mittlerweile über eine ansehnliche Zusatzrente für sein Alter. Zwar musste er jetzt noch aufpassen, dass er nicht über seine Verhältnisse lebte, doch dafür konnte er später, wenn er erst im Ruhestand war, in Saus und Braus leben.

»Um was geht's denn?«

»Charlie Rosenbaum hat Probleme mit seinem neuen Wolkenkratzer in der 52. Straße«, begann Sergio.

»Um Gottes willen! Da kann ich weiß Gott nichts tun! Der Bürgermeister selbst hat erst letzte Woche bei mir nachgefragt, ob Rosenbaum schon um eine nachträgliche Genehmigung nachgesucht hätte!«

Sergio spürte den heißen Zorn in sich aufsteigen, den er jedes Mal empfand, wenn er diesen Namen nur hörte. Kostidis! Dieser Schweinehund mischte sich auch überall ein! Hatte er als Bürgermeister nicht genug zu tun, dass er sich auch noch um den Job des Staatsanwalts und des Bausenators kümmern musste?

»Und?«, er zwang sich zur Gelassenheit. »Hat er?«

»Nein.«

»Na also. Dann stellen Sie ihm jetzt eine aus. Kostidis hat im Moment andere Sachen im Kopf und wird so schnell nicht wieder fragen.«

»Unmöglich!«

»Das Wort kenne ich nicht, Paul.«

»Es kann mich meinen Job kosten.«

»Ich habe meinem Freund versprochen, dass ich ein gutes Wort für ihn einlege.«

Rosenbaum hatte Sergio als Entlohnung für seine Vermittlertätigkeit zur Baubehörde zwei wunderbar heruntergekommene Wohnblocks in Morrissania und Hunts Point zu einem wahren Freundschaftspreis angeboten. Rosenbaum konnte natürlich nicht wissen, dass genau diese Gegenden der South Bronx in der City Hall als vordringliche Sanierungsprojekte vorgesehen waren. Spätestens in ein paar Jahren, wenn nicht noch früher, würden die Grundstücke nach Abriss der maroden Mietskasernen das Hundert- oder Tausendfache wert sein. Diese Information verdankte Sergio seinem absoluten Lieblingsspitzel, der direkt in Kostidis' Büro saß. Dessen Existenz entschädigte Sergio für den vielen Ärger, den er mit dem Bürgermeister hatte. Eine seltsame Laune des Schicksals hatte einen alten Studienfreund von Zachary St. John zum Mitglied des engsten Stabes von Nick Kostidis gemacht. Es war für Sergio ein Leichtes gewesen, den unzufriedenen Mann durch St. Johns Vermittlung für sich zu gewinnen. Außer einer regelmäßigen Zahlung hatte Sergio dem Mann versprochen, dessen eigene ehrgeizige politische Ambitionen zu unterstützen. Beim Gedanken daran lächelte Sergio zufrieden. Er hatte ein Auge und ein Ohr direkt im Büro des Bürgermeisters. So weit oben hatte er nie zuvor einen Maulwurf in der City Hall gehabt. Nick Kostidis mochte tun, was er wollte, Sergio war sofort über alles informiert und konnte, wenn nötig, Gegenmaßnahmen ergreifen. Der 108. Bürgermeister von New York City würde ohne Zweifel als der Erfolgloseste von allen in die Geschichte eingehen.

»Also, Paul, was ist?«, fragte Sergio. McIntyre seufzte, und Sergio wusste, dass er gewonnen hatte. Der Leiter der Baubehörde wehrte sich pro forma noch ein bisschen.

»Übrigens«, spielte Sergio seinen stärksten Trumpf aus, »ich habe zufällig genau das Haus gefunden, von dem Ihre Frau seit Jahren träumt. An der Küste von Long Beach mit Blick auf Fire Island. Ein echter Traum mit einem eigenen Bootsanlegesteg und Privatstrand.«

Damit waren die letzten Zweifel beseitigt. Die Gier hatte wieder einmal gesiegt.

»Okay«, Paul McIntyre gab seinen Widerstand auf, »richten Sie Rosenbaum aus, er soll mich anrufen.«

»Sie sind mein Freund, Paul«, Sergio tippte mit der Spitze seines Schuhs gegen die Bronzeminiatur der Freiheitsstatue auf seinem Schreibtisch, »und Sie wissen ja, dass ich meine Freunde niemals vergesse.«

***

Alex hatte den Artikel in der *New York Times* auch gelesen. Die Andeutung einer Verbindung zwischen Sergio und der Mafia war alles andere als Spekulation, sondern die reine Wahrheit. Der hässliche Mann, dem sie in Sergios Haus begegnet war, war der Mörder von David Zuckerman. Es bestand kein Zweifel daran, dass Sergio sie belogen hatte. Sie hatte seinen Beteuerungen geglaubt, weil sie ihnen hatte glauben wollen. Am Samstagabend war es ihr gelungen, unbemerkt aus seinem Haus zu entkommen. Während der Fahrt in die Stadt hatte sie kurz daran gedacht, Oliver anzurufen, aber sie hatte es nicht getan. Zu lebhaft war die Erinnerung an seine Verachtung, und sie hätte es nicht ertragen, wenn er ihr die Tür vor der Nase zugeschlagen hätte. Die ganze Nacht hatte sie hellwach und zitternd vor Angst in der dunklen Wohnung gesessen und versucht, Klarheit in ihre Gedanken zu bekommen. Sergio ahnte nicht, dass sie die Wahrheit über ihn erfahren hatte, und er durfte es auch nie wissen. Sie musste so weiterleben, als hätte sie nicht den geringsten Verdacht geschöpft. Wieder kroch die Angst in ihr empor. Waren die Gäste auf Sergios Party wirklich alle so ahnungslos, wie sie das angenommen hatte, oder wussten sie über ihren Gastgeber Bescheid? War sie vielleicht die Einzige gewesen, die keine Ahnung gehabt hatte? Und doch erschien es ihr unmöglich, dass der Gouverneur, der Herausgeber des *TIME Magazine* oder gar der Vorstand von LMI wissen sollte, was sie nun mit Gewissheit wusste. Alex kaute an ihrer Unterlippe und grübelte darüber nach, wie es ihr gelingen konnte, ihre Beziehung zu Sergio unauffällig abkühlen zu lassen, als es an der Glastür ihres Büros klopfte. Ihre Nerven waren so angespannt, dass sie hochfuhr, als ob man auf sie geschossen hätte.

»Hi, Alex«, es war Mark, und er konstatierte erstaunt ihren erschrockenen Gesichtsausdruck, »ich habe hier die Unterlagen über Xiao-Ling Industries und Midway Porter.«

»Ja, danke«, Alex nickte geistesabwesend. Glücklicherweise konnte sie Sergio für acht Tage entrinnen, da sie zusammen mit John Kwai eine Geschäftsreise nach Fernost und Europa unternehmen musste. Bis sie zurückkehrte, würde sie sich eine Strategie überlegt haben.

»Geht es Ihnen gut?«, fragte Mark besorgt. »Sie sehen krank aus.«

»Mir geht es blendend«, erwiderte sie und zwang sich zu einem Lächeln. Ihr fiel ein, dass Mark mit Oliver befreundet war. Hatte Oliver ihm von der peinlichen Episode in seiner Wohnung erzählt?

»Was gibt's noch?«, fragte sie Mark, der noch immer die Akten in den Händen hielt und aussah, als ob er etwas auf dem Herzen hätte.

»Da gibt es etwas, über das ich mit Ihnen sprechen wollte«, sagte er.

»Ist es dringend? Ich habe jetzt noch eine Besprechung, bevor ich zum Flughafen muss.«

»Es ist vielleicht wichtig«, antwortete Mark ernst, »ich habe Ihnen ein paar Informationen zusammengestellt, die Sie lesen sollten. Es sind Ungereimtheiten, auf die ich in den letzten Wochen und Monaten gestoßen bin. Ich weiß, dass Sie nichts darüber hören wollten, aber ich bin sicher, dass es Sie interessieren wird.«

Er legte einen dicken Umschlag auf den Schreibtisch.

»Was sind das für Informationen?« Alex musterte ihren Mitarbeiter misstrauisch. Sie sah, wie Zack durch den Handelsraum schlenderte, und Mark sah ihn auch. Da es noch vor Börsenbeginn war, war es relativ ruhig, und Zack sprach mit ein paar Händlern.

»Es ist besser, wenn St. John diesen Umschlag nicht in die Finger bekommt«, sagte Mark. Alex überkam plötzlich ein ungutes Gefühl.

»Warum geben Sie mir diese Sachen ausgerechnet jetzt?«, fragte sie. Mark warf einen Blick in den Handelsraum.

»Ich möchte, dass Sie wissen, dass Sie mir vertrauen können«, sagte er mit gesenkter Stimme, »aber sehr vielen anderen hier nicht. Bitte, Alex, lesen Sie das alles, aber sprechen Sie mit niemandem darüber.«

In dem Moment betrat Zack Alex' Büro, woraufhin sich Mark entschuldigte und ging. Alex steckte den Umschlag mit den Unterlagen, die sie für ihre Reise brauchte, in ihren Aktenkoffer.

»Du warst gestern so plötzlich verschwunden«, Zack ließ sich unaufgefordert auf einem der Besucherstühle nieder, seine Augen huschten neugierig über ihren Schreibtisch. »Du hast das Feuerwerk verpasst. Es war grandios.«

»Das glaube ich«, Alex bemühte sich um Gelassenheit, »aber ich war auf einmal todmüde. Und ich muss heute nach Hongkong fliegen.«

Während Zack über das Feuerwerk und die Party plauderte, hatte Alex das Gefühl, in ihrem Aktenkoffer tickte eine Bombe, und auf einmal fiel ihr wieder Zacks Warnung ein. *Sei vorsichtig mit Vitali.* Zu gerne hätte sie ihn gefragt, was er damals gemeint hatte. Wusste er etwa über Sergio Bescheid? Sie wusste nicht, wem sie überhaupt noch glauben konnte.

23. August 1999 – London

Weder in Hongkong noch in Singapur hatte Alex Zeit gefunden, den Umschlag zu öffnen, den Mark ihr gegeben hatte. Sie war sich auch noch nicht darüber klargeworden, wie sie sich Sergio gegenüber verhalten sollte, wenn sie in drei Tagen wieder in New York sein würde. Wie es nicht anders zu erwarten war, hatte sich die Presse in der sommerlichen Saure-Gurken-Zeit mit Wonne auf den Skandal gestürzt, den der Mord an Zuckerman nach sich zu ziehen versprach. Je nach Seriosität der Zeitung oder des Senders wurde das Thema ›Mafia in New York‹ genüsslich breitgewalzt. Alex kaufte sich jeden Tag jede erreichbare amerikanische Zeitung und verfolgte aufmerksam, was geschrieben wurde. Sergio musste es sich gefallen lassen, dass er öffentlich verdächtigt wurde, etwas mit der Ermordung des Mannes im Milford Plaza zu tun zu haben, und einmal mehr wurde das kriminelle Leben seines Vaters bis zu dessen gewaltsamem Tod ausführlich beschrieben. Wenngleich auch alle Vorwürfe, die jemals gegen Sergio erhoben worden waren, aus den Archiven hervorgekramt wurden, so ging doch kein Journalist so weit, ihn als Gangster zu bezeichnen, aber die massiven Mutmaßungen genügten, ihn in einem denkbar ungünstigen Licht darzustellen. Nach einem endlos langen Abendessen mit neuen Klienten öffnete Alex in ihrem Hotelzimmer schließlich Marks Umschlag. Er enthielt einen ordentlich zusammengehefteten Stapel von kopierten Zeitungsausschnitten über Gilbert Shanahan, und Alex überlief eine Gänsehaut, als sie sie las. Dann fand sie eine Aufstellung über sämtliche Deals, die sie in den vergangenen Monaten abgewickelt hatte: Camexco, Hanson Paper Mill, American Road Map, National Concrete, Sherman Industries, Seattle Pacific Woods Inc., Diamond Crown, Redwood Lumber, Storer, Hale-Newport, A & RR, Micromax. Mark hatte wirklich ausgesprochen akribisch recherchiert und herausgefunden, dass hinter jedem dieser Klienten irgendwo entweder die Holdinggesellschaft SeViCo aus Panama oder eine Firma namens Sunset Properties steckte. Die Sunset Properties waren 1985 auf den British Virgin Islands gegründet worden. Er hatte Pfeildiagramme angefertigt, die sich alle an einem Punkt trafen. Alex schüttelte verständnislos den Kopf. Was sollte das bedeuten? Dann folgte eine Liste mit Fonds, die LMI in den letzten Monaten aufgelegt hatte. Viele dieser Fonds waren zur Finanzierung ihrer Deals herausgegeben worden, sie waren Teil ihrer eigenen Finanzierungskonzepte. Mit gelbem Marker war ein Fonds angestrichen, der sich Private Equity Technology Partners nannte und mit einer Kapitalisierung von 500 Millionen Dollar zu einem der überdurchschnittlich stärksten Fonds zählte. Er war hoch spekulativ und investierte in Wagniskapitalgesellschaften, die sich auf technologieorientierte Unternehmen in ihren frühen Gründungsstadien spezialisiert hatten, unter anderem in eine, die sich Venture Capital SeaStarFriends Limited Partnership nannte. Alex zündete sich eine Zigarette an und starrte nachdenklich auf die gelb angestrichene Stelle. Sie verstand die Zusammenhänge nicht und blätterte weiter. In ihrem Kopf wirbelten die Gedanken umher, aber plötzlich erstarrte sie. *Bist du so blauäugig, oder willst du mich verarschen?* SeViCo. Sergio Vitali Corporation. Ihre Hand, in der sie die Zigarette hielt, begann zu zittern. *Einige meiner Firmen machen Geschäfte mit LMI ...* Das hatte Sergio zu ihr gesagt, als sie ihn gefragt hatte, ob er etwas mit LMI zu tun hatte. Hier stand schwarz auf weiß, dass diese SeViCo hinter jedem einzelnen Geschäft steckte, das sie in den letzten Monaten betreut und abgewickelt hatte. Alex blätterte zurück. Venture Capital SeaStarFriends Limited Partnership. Sea Star – Seestern. *Stella Maris.* War das alles ein Zufall? Mit angehaltenem Atem schlug sie die letzte Seite von Marks Zusammenstellung auf. Ganz oben stand handschriftlich:

... WNBC Broadcast Satellite Corp. übernahm im April 1997 die Tallahassee News Group zu hundert Prozent. Der Deal wurde von LMI betreut. Im März 1997 stieg der Aktienkurs von TNG auf ein All-Time High von $23,30 und fiel danach auf einen Wert von $7,95. Zur selben Zeit wurde auf den BVI eine IBC namens Magnolia Limited Partnership gegründet, mit einem Volumen von $320000. Diese starke Kursschwankung von TNG wurde von der Börsenaufsichtsbehörde untersucht. Gilbert Shanahan wurde vorgeladen und am Tag der Vorladung überfahren. Es kam heraus, dass die Rechtsabteilung von LMI eine Satzung für die Magnolia, deren einziger Gesellschafter Gilbert Shanahan gewesen war, ausgearbeitet hatte. LMI behauptete vor der Börsenaufsichtsbehörde, nichts davon gewusst zu haben, und damit hatte Shanahan den Schwarzen Peter, aber er war praktischerweise zu diesem Zeitpunkt schon tot.

Alex hielt die Luft an, als sie die nächste Seite überflog. Hier hatte Mark die Börsenkurse ihrer Geschäfte mit Datum notiert. Ihr wurde eiskalt. Jedes Mal waren die Kurse leicht angestiegen, bevor die Übernahme oder Fusion öffentlich bekanntgegeben worden war. Ganz unten stand ein handschriftlicher Satz von Mark: *Wer weiß vor Bekanntgabe eines Geschäfts darüber Bescheid?* Alex brach der kalte Schweiß aus. Sie wusste, wer es war, und derjenige wusste es einzig und allein von ihr, weil sie es ihm mitteilte: Es war Zack, und es sah ganz so aus, als ob er Geschäfte mit diesem Wissen machte. Es blieb nur die Frage offen, für wen er diese Geschäfte tätigte: für sich oder gar für Vincent Levy? Blicklos starrte sie gegen die Wand des Hotelzimmers, und allmählich lichtete sich das Durcheinander in ihrem Kopf. Die Zahnräder griffen ineinander, und plötzlich war alles glasklar. Sergio war auf Zacks Party gewesen. Dort hatte sie ihn kennengelernt. Sie hatte sich nie gefragt, was er dort zu suchen gehabt hatte. Aber er hatte auch Zack zu seiner Geburtstagsfeier eingeladen. Warum? Weil sie gute Geschäftspartner waren?

Versorgte Zack auch Sergio mit den Informationen, die sie ihm auf Levys Weisung hin gab? Wenn Sergio hinter den Geschäften steckte, hinter denen sich die SeViCo verbarg, dann hatte er dort das erste Mal kräftig verdient, und möglicherweise kassierte er durch Zack ein zweites Mal, und das illegal und steuerfrei! Das war unfassbar! Ihre Fassungslosigkeit verwandelte sich in kalten Zorn, als ihr dämmerte, wie naiv und blind sie gewesen war. Hatte Sergio vielleicht sogar dafür gesorgt, dass man sie bei LMI einstellte? Das war möglich. Levy hatte getestet, inwieweit sie bereit war, bei den schmutzigen Geschäften mitzumachen, und sie hatte sich von ihm mit diesem dubiosen Bonus bestechen lassen. Wenn Mark recht hatte und sie die Ergebnisse seiner Recherchen richtig interpretierte, dann war sie die ganze Zeit über nichts anderes als eine willige Marionette in einem betrügerischen Spiel von gigantischen Ausmaßen gewesen. Eine ganze Weile saß Alex regungslos auf dem Bett in ihrem Londoner Hotelzimmer. Es war ganz einfach, das herauszufinden. Sie würde Zack eine Falle stellen. Wenn er hineintappte, dann wusste sie Bescheid.

***

Alex warf den Schlüssel auf den Tisch an der Garderobe, streifte die Sandalen von den Füßen und zog den Blazer aus. Ohne Licht zu machen ging sie in die Küche und öffnete die Kühlschranktür. Sie nahm eine Flasche Milch heraus und genehmigte sich einen tiefen Schluck. Der Abend mit Madeleine und Trevor war sehr unterhaltsam gewesen, aber sie hatte mehr Rotwein getrunken, als ihr guttat. Die Downeys hatten sie für das Wochenende in ihr Haus nach Long Island eingeladen, und Alex freute sich, der stickigen Hitze in der Stadt zu entkommen. Im Juli war sie bereits einmal in Amangansett gewesen, sie war mit Madeleine am Strand geritten und hatte eine Menge Spaß mit ihr und Trevor gehabt. Barfuß ging sie ins Wohnzimmer und drückte im Vorbeigehen auf den Lichtschalter. Plötzlich erstarrte sie und ließ vor Schreck beinahe die Milchflasche fallen. Auf der Couch saß Sergio.

»Himmel!«, stieß sie hervor. »Wie kannst du mich so erschrecken? Was tust du hier im Dunkeln?«

»Hallo, Cara«, er lächelte, und seine Zähne blitzten weiß in seinem dunklen Gesicht, »ich warte schon seit drei Stunden auf dich. Dein Handy war ausgeschaltet.«

»Waren wir verabredet?« Alex stellte die Milchflasche auf den Boden und bemerkte, dass sie zitterte. Es war das erste Mal seit diesem entsetzlichen Abend in seinem Haus, dass sie ihn sah, und obwohl sie wütend, verletzt und entsetzt von der Wahrheit über ihn war, musste es ihr gelingen, sich zu beherrschen.

»Du hast dich nicht mehr gemeldet, seitdem du aus Europa zurück bist, und ich hatte einfach Sehnsucht nach dir. Wie geht es dir?«

»Gut«, sie blieb neben dem Lichtschalter stehen und musterte ihn, »und wie geht's dir?«

»Ausgezeichnet.«

»Sollte man nicht glauben, wenn man die Zeitungen liest«, sagte sie kühl.

»Zeitungsschmierereien«, Sergio lachte verächtlich, »das hat mich noch nie interessiert.«

»Es heißt, dass du etwas mit dem Mord an diesem Immobilienkerl zu tun hast«, Alex bebte innerlich. Nur mit Mühe widerstand sie dem Drang, ihm alles, was sie erfahren hatte, ins Gesicht zu schreien.

»Ja, das würden sie mir gerne in die Schuhe schieben«, Sergio schlug die Beine übereinander und grinste. Auch wenn er es niemals zugeben würde, machte ihm die bösartige Pressekampagne gegen ihn sehr zu schaffen. Auf Nelsons Anraten hatte er sich zu keinem Vorwurf geäußert, aber die Wehrlosigkeit machte ihn wütend. Dazu war es kaum zu ertragen, wie selbstgerecht Bürgermeister Kostidis im Fernsehen auftrat. Am Montag war wieder einmal die Steuerfahndung bei Ficchiavelli aufgetaucht und hatte den ganzen Laden auf den Kopf gestellt. Massimo hatte in einem unbeherrschten Wutanfall einen der Beamten angegriffen, und es hatte Sergio unzählige Telefonate mit allen möglichen einflussreichen Leuten, die auf seiner Schmiergeldliste standen, gekostet, um den Vorfall aus der Presse herauszuhalten. Darüber hinaus hatte er feststellen müssen, dass sich einige seiner ›Freunde‹ verleugnen ließen, ein deutliches Indiz dafür, dass Kostidis' Hetzkampagne Wirkung zeigte. Überall gab es Probleme, und dann hatte er Alex nicht erreichen können. Sergio war über alle Maßen angespannt und gereizt, und er sehnte sich danach, mit Alex zu schlafen.

»Dieser kleine Bastard Kostidis führt seit 15 Jahren einen persönlichen Kreuzzug gegen mich«, fuhr er fort, »er ist besessen von dem Gedanken, mich hinter Gitter zu bringen. In seiner Zeit als Bundesstaatsanwalt hat er nichts unversucht gelassen, um mich zu denunzieren. Es hat ihm nicht gereicht, die ganze Unterwelt New Yorks und die halbe Wall Street vor Gericht zu zerren, er will mich.«

Er stand auf, ohne Alex aus den Augen zu lassen. Auf den ersten Blick wirkte er so selbstsicher und gelassen wie immer, doch zwischen seinen Brauen waren Falten der Anspannung eingegraben.

»Er hat schon alles versucht: Er beschuldigte mich sämtlicher Mafia-Aktivitäten, der Bestechung, der Erpressung, er versuchte, mir Betrug und Gewerkschaftsmanipulation anzuhängen. Alles ohne Erfolg. Ich weiß nicht, wie viele Monate oder Jahre die Staatsanwaltschaft damit zugebracht hat, irgendetwas gegen mich zu erfinden. Es hat alles nichts genützt.«

Sein Gesicht verfinsterte sich.

»Ich zahle meine Steuern, ich gebe Tausenden von Menschen Arbeit, ich trage eine Menge Verantwortung«, seine Stimme klang zornig, »und da kommt dieser kleine griechische Straßenköter mit seinem heiligen Zorn auf jeden, der einen italienischen Namen trägt, und nennt mich einen Gangster und Mafioso. Er hat mir schon viel Schaden zugefügt durch seine verleumderischen Reden, aber ich ärgere mich nicht länger über ihn. Soll er sich doch mit seinem missionarischen Eifer lächerlich machen.«

Sergio lachte grimmig.

Alex wusste, dass es alles andere als lächerlich war, aber insgeheim bewunderte sie die Schauspielkunst, die Sergio aufbot. Er hielt ihrem Blick stand, ohne mit der Wimper zu zucken, und wenn sie es nicht besser gewusst hätte, hätte sie ihm geglaubt. *Don Sergio,* dachte sie, und ihr lief ein kalter Schauer über den Rücken.

»Warum wehrst du dich nicht gegen diese Vorwürfe?« Sie musste sein Spiel mitspielen. »Weshalb lässt du es zu, dass man deinen Namen in den Dreck zieht?«

»Ich habe es nicht nötig, mich für etwas zu rechtfertigen, mit dem ich nichts zu tun habe.« Er starrte sie an, und obwohl er lächelte, waren seine blauen Augen kalt wie Eis. »Die öffentliche Meinung ist mir scheißegal.«

»Aber ein schlechter Ruf kann deinen Geschäften schaden.«

»So ein Quatsch«, Sergio schüttelte verächtlich den Kopf, »die Leute, mit denen ich Geschäfte mache, sind keine kleinkarierten Spießer, die sich von ein paar reißerischen Zeitungsartikeln ins Bockshorn jagen lassen.«

Alex schwieg, aber ihr Herz klopfte bis zum Hals.

»Was ist, Cara?« Er legte seine Hände auf ihre Schultern, und sein intensiver Blick bohrte sich in ihre Augen. »Glaubst du etwa, was über mich gesagt wird?«

»Ich wünschte, ich könnte mit ›Nein‹ antworten«, erwiderte Alex, »aber das kann ich nicht.«

Er ergriff ihre Handgelenke.

»Spielt es für dich wirklich eine Rolle, was in den Zeitungen steht?«

»Nein«, sie schüttelte den Kopf, »was in den Zeitungen steht, interessiert mich genauso wenig wie dich. Es wäre mir egal, wenn du nur ehrlich zu mir wärst. Und ich habe das Gefühl, dass du es nicht bist.«

Sergio ließ sie los.

»Warum willst du Dinge wissen, die dich nichts angehen?« Er steckte die Hände in die Hosentaschen und lächelte nicht mehr. »Meinst du, weil ich ab und zu mit dir ins Bett gehe, muss ich Rechenschaft über mein Leben vor dir ablegen?«

Alex starrte ihn ungläubig an.

»Ich habe niemals verlangt, dass du dich für irgendetwas rechtfertigst. Aber du verlangst von mir, dir zu glauben. Die Presse schreibt und sagt seit Wochen etwas anderes von dir. Wieso sollte ich dir glauben und dir vertrauen, wo du mir doch ganz offensichtlich nicht vertraust?«

»Es ist so, wie ich es dir sage.«

»Wie in der Bibel, was?« Alex lachte und fröstelte plötzlich. »Ganz nach dem Motto ›Selig sind die, die nicht sehen und doch glauben‹!«

Sergio sah sie ernst an. Sein gut geschnittenes Gesicht war wie aus Stein gemeißelt.

»Ich liebe dich«, sagte er unvermittelt.

»Das tust du nicht«, Alex schüttelte den Kopf, »du begehrst mich vielleicht, das ist alles.«

Sie dachte an die liebevolle Selbstverständlichkeit, mit der Trevor und Madeleine miteinander umgingen. Sergio war zu so etwas überhaupt nicht fähig. Plötzlich wollte sie ihn nicht mehr sehen. Sie war müde und wollte schlafen.

»Ich habe ein paar harte Tage hinter mir«, sagte sie und wandte sich ab, »ich bin erschöpft. Du solltest jetzt gehen.«

Da flammte Sergios Zorn auf, den er nun seit einer halben Stunde mühsam unterdrückt hatte. Mit drei Schritten war er bei ihr und packte sie grob am Arm.

»Lass mich los«, sagte Alex, »ich will ins Bett.«

»Ich auch«, Sergio zog sie an sich und presste seinen Unterleib fordernd gegen ihren, »und zwar mit dir.«

»Aber ich nicht mit dir«, sie stemmte ihre Arme gegen seine Brust und wehrte sich, aber er ließ sie nicht los, und er war rasend vor Begierde. In einem Anfall von Panik trat und schlug sie nach ihm, aber die Schmerzen, die sie ihm zufügte, steigerten seine wilde Lust in eine unkontrollierbare Ekstase. Es war ein irrsinniger, zorniger, geradezu verbissener Kampf, den Alex verlor. Sie erduldete seine brutale Leidenschaft mit abgewandtem Gesicht und ohnmächtigem Zorn, und als er mit einem dumpfen Keuchen zum Höhepunkt kam, wusste sie, dass sie ihn hasste. Kochend vor Zorn beobachtete sie, wie er aufstand und gelassen und ohne Eile seine Hose schloss und seine Krawatte gerade rückte.

»Du Schwein«, flüsterte sie, »du hast mich vergewaltigt!«

Sergio beugte sich über sie und bog ihr Gesicht nach oben, so dass sie ihn ansehen musste.

»Eins solltest du dir für die Zukunft gut merken, Cara mia«, er lächelte, aber die Kälte in seinen Augen war arktisch, »ich bekomme immer, was ich will.«

Damit ging er zur Tür und verschwand. Alex schluchzte auf, und sie spürte, wie eine Welle von Angst und Verzweiflung über sie hinwegrollte. Warum hatte sie nicht auf die Warnungen gehört, obwohl sie insgeheim geahnt hatte, dass die schlimmen Gerüchte der Wahrheit entsprachen? Sie war nicht länger Herrin der Lage, ja, sie war es überhaupt nie gewesen. Sergio Vitali ließ sich nicht einfach so wegschicken, das hatte sie soeben schmerzlich am eigenen Leib erfahren müssen.

21. Dezember 1999

Kurz vor Weihnachten gelang Alex eines der spektakulärsten Geschäfte, die es in diesem Jahr im Bereich der Firmenfusionen und -übernahmen gegeben hatte. Maxxam war ein Blue-Chip-Wert mit hohem internationalen Ansehen, ein Mischkonzern, der auf dem Sektor der Computertechnologie gewaltig expandierte. Alex hatte erfahren, dass sich Maxxam für IT-Systems, einen Hardwaregiganten aus Texas, interessierte, und ihr war es in cleveren und geschickten Verhandlungen gelungen, die gesamte Konkurrenz auszustechen. Mit besonderer Genugtuung aber erfüllte sie die Tatsache, dass sie Zack kein Sterbenswörtchen davon gesagt hatte, und sie war mehr als gespannt auf seine Reaktion, wenn sie gleich bei der Sitzung, bei der das Hauptthema eigentlich die bevorstehende Bilanzpressekonferenz im Januar sein sollte, dem versammelten Vorstand verkündete, dass LMI Maxxam vertreten würde. Zwar hatten Mark und sie nicht herausbekommen können, wie die komplizierten Verschachtelungen mit den Offshore-Gesellschaften und LMI zusammenhingen, aber sie waren mittlerweile beide fest davon überzeugt, dass Zack die Informationen, die Alex weitergab, dreist benutzte. Deshalb hatten sie den Maxxam-Deal in aller Heimlichkeit vorbereitet und ausgearbeitet. Wenn Zack heute davon erfuhr, war es zu spät, um Positionen in Maxxam oder IT-Systems aufzubauen. Alex hatte sich sorgfältig auf ihren heutigen Auftritt vorbereitet. Auch wenn sie nach dem gewaltigen Arbeitspensum von 120 Wochenstunden am Rande ihrer Kräfte war, so freute sie sich auf den Triumph, der zweifellos vor ihr lag. Bevor Vincent Levy die Sitzung offiziell eröffnete, erhob sie sich von ihrem Platz zwischen John Kwai und Ron Schellenbaum und bat um Gehör.

»Meine Herren«, sagte sie, als alle Gespräche rings um den runden Tisch verstummt waren, »ich habe Ihnen eine Mitteilung zu machen, die Sie sicherlich alle sehr erfreuen wird. Sozusagen ein vorgezogenes Weihnachtsgeschenk.«

Alle blickten sie erwartungsvoll an.

»Ich freue mich, Ihnen mitteilen zu können, dass Maxxam Enterprises uns mit der Ausarbeitung eines Leveraged Buyout für die Übernahme von IT-Systems beauftragt hat.«

In dem großen Konferenzraum herrschte Totenstille, alle starrten Alex sprachlos an. Jeder hatte schon davon gehört, dass Maxxam Interesse an IT-Systems hatte, aber mehr als Gerüchte hatte es bisher nicht gegeben. Mit einem Mal redeten alle durcheinander, und Alex konnte nur mit Mühe ein zufriedenes Lächeln unterdrücken.

»Ich habe einen LBO für 40 Dollar pro Aktie ausgearbeitet«, fuhr sie fort und hatte sofort wieder die ungeteilte Aufmerksamkeit aller. »Wir werden eine Schuldverschreibung mit hohem Zinssatz herausgeben und so 500 Millionen Dollar aufbringen. LMI fungiert bei dieser Neuemission als Underwriter.«

Levy fragte Michael Friedman, den Finanzvorstand, ob LMI tatsächlich in der Lage sein würde, einen derart gigantischen Deal zu finanzieren. Alex fand diese Frage sehr heuchlerisch, wenn sie an den Private Equity Technology Trust dachte, der allein ein Kapital von 500 Millionen verwaltete.

»Wie soll denn das gehen?«, fragte Zack nun, sichtlich aufgeregt und verärgert. »Wie kannst du solche Pläne ausarbeiten, ohne vorher jemanden darüber zu informieren?«

Alex schenkte ihm ein kühles Lächeln.

»Es ist mein Job«, sagte sie, »und die ›Chinesische Mauer‹ verbietet mir, über einen solchen LBO im Haus zu reden. Abgesehen davon, dass das Management von Maxxam begeistert war, habe ich mit unserer Abteilung für Unternehmensfinanzierung ausführliche Berechnungen angestellt.«

Zack verstummte, aber seine Augen schossen zornige Blitze.

»Maxxam hat im Moment nicht genug eigene Mittel, um IT-Systems zu kaufen, also müssen sie den Kauf finanzieren«, sagte Alex laut, »IT-Systems ist ein sehr gutes und profitables Unternehmen, der Marktführer auf dem Gebiet der Computer-Hardware. Leider ist es von einem schlechten Management ziemlich heruntergewirtschaftet worden, aber außer Maxxam haben noch andere Branchenriesen großes Interesse an IT-Systems: HP und Microsoft zum Beispiel. Ich hatte keine andere Wahl, als einen riskanten Weg einzuschlagen. Der von mir geforderte Zinssatz lag einen Punkt unter dem, was die Konkurrenz wollte, und das hat für Maxxam schließlich den Ausschlag gegeben, uns mit dem LBO zu beauftragen. Es geht hier um ein Gesamtvolumen von 1,2 Milliarden Dollar, meine Herren. Zusätzlich zu den fälligen Provisionen für unsere Tätigkeit werden wir aus den von uns emittierten Bonds Finanzierungsgebühren von ungefähr 100 Millionen Dollar kassieren.«

»Sie wollen damit sagen, dass wir bei einem einzigen Deal so viel verdienen wie bei allen anderen Geschäften im vergangenen Jahr?« Friedman klappte der Mund auf.

»So ist es«, Alex lächelte triumphierend, »wenn ich Mr Levy richtig verstanden habe, dann wollte er, dass LMI zu den ganz Großen in der Branche gehört. Mit diesem Geschäft werden wir das zumindest auf dem Gebiet der M & A auf jeden Fall sein.«

Sie öffnete ihre Aktentasche und nahm einen Stapel Fotokopien des ausgearbeiteten Planes heraus, die sie an jeden Anwesenden verteilte.

»Es ist unverantwortlich!« Zack sprang auf. In seinem Gesicht brannten hektische rote Flecken.

»Ich finde es brillant«, Levy blickte von seinem Schriftsatz auf, »einfach großartig. Wie weit sind die Verhandlungen bisher gediehen, Alex?«

»Morgen wird der Vorstand von IT-Systems zusammentreten und aller Voraussicht nach den LBO-Plan beschließen. Ich habe eben noch mit Bernie Ritt, dem Präsidenten von IT-Systems, ausführlich gesprochen. Maxxam räumt den Aktionären von IT-Systems sehr gute Konditionen ein. Sie werden die Aktien 1:1 tauschen und einen Extrabonus von einer Aktie für zehn zahlen. Sämtliche Mitarbeiter werden übernommen, bis auf das Management, das abgefunden wird. Wenn alles glattgeht, haben wir noch vor Weihnachten das Okay. Es ist der größte Deal seit Jahren. Und LMI hat den Fisch an der Angel.«

»Und wenn das Management von IT-Systems nicht zustimmen sollte?«, fragte Zack lauernd.

»Für diesen Fall«, erwiderte Alex gelassen, »hat der Vorstand von Maxxam keinen Zweifel daran gelassen, dass es eine sehr viel weniger lukrative, feindliche Übernahme geben wird. Im Endeffekt bestimmen die Aktionäre über die Zukunft, und sie werden kein zweites Angebot wie das von Maxxam erhalten. Alle anderen potentiellen Käufer würden IT-Systems zerschlagen und aufspalten.«

»Hören Sie schon auf, Zack«, sagte Levy zu seinem Managing Director, »Alex hat erstklassige Arbeit geleistet, das sollten wir anerkennen, auch wenn es etwas überraschend für uns alle kommt. Es ist ohne Zweifel das größte Geschäft, das LMI bisher jemals finanziert hat.«

Für den Rest der Sitzung war natürlich der Maxxam-Deal das Hauptgesprächsthema und drängte die Bilanzpressekonferenz in den Hintergrund. Alex hatte ihren Job getan, nun war es Sache der Unternehmensfinanzierung, der Wertpapier- und Kreditabteilung, den Leveraged Buyout in die Praxis umzusetzen und die Neuemission an ihre Kunden zu verkaufen. Als die Konferenz beendet war, beeilte Alex sich, aus dem Sitzungssaal zu kommen, denn ihr komplettes Team wartete schon im *Luna Luna* auf sie, damit man gemeinsam den Abschluss dieses gigantischen Deals feiern konnte. Sie verabschiedete sich lächelnd. Jeder hatte sie beglückwünscht, jeder, außer Zack, und das wunderte sie nicht besonders. Es war die Bestätigung ihrer düsteren Vermutungen.

»Alex!«

Sie blieb stehen, als sie Zacks Stimme hinter sich hörte.

»Komm in mein Büro!«, befahl er, und sie gehorchte mit einem Achselzucken. Er nahm hinter seinem Schreibtisch Platz, forderte sie aber nicht auf, sich ebenfalls hinzusetzen. Es gelang ihm recht gut, seinen Zorn hinter einem falschen Lächeln zu verbergen.

»Wieso erfahre ich auf diesem Wege von einem solchen Deal?«, fragte er. »Hatten wir nicht die Absprache, dass du mich vorab informierst?«

»Es war eine unglaubliche Hektik«, antwortete Alex und lächelte genauso falsch, »du warst nicht in der Stadt. Vielleicht habe ich es einfach vergessen.«

»Vergessen?« Zack riss die Augen in gespielter Überraschung auf. »Ich glaube, du überschätzt deine Kompetenzen hier ein bisschen, Süße.«

Alex hörte auf zu lächeln. Sie stellte ihren Aktenkoffer ab und stemmte beide Hände auf die Tischplatte. Zack verschränkte die Hände hinter dem Kopf und grinste liebenswürdig.

»Ich habe den leisen Verdacht, dass du die Bedeutung einer ›Chinesischen Mauer‹ in der Vergangenheit unterschätzt hast«, sagte sie leise, »denn ein Vögelchen hat mir gesungen, dass jedem meiner Deals seltsame Kursbewegungen vorausgegangen sind. Ein sicheres Indiz für illegalen Handel mit Insiderwissen.«

Zack war ein geübter Schauspieler, aber um Klassen schlechter als Sergio. Alex bemerkte ein winziges erschrockenes Flackern in seinen Augen, und seine Mundwinkel zuckten in kurzer Panik.

»Du nimmst dich ziemlich wichtig«, stellte er fest.

»Nein, ich nehme meine Verantwortung wichtig«, sie richtete sich wieder auf, »denn ich habe eine Verantwortung dem Markt gegenüber. Und deine Reaktion hat meinen Verdacht erhärtet.«

»Du bist eine ganz arrogante Ziege!« Zack wurde plötzlich unprofessionell beleidigend, und Alex grinste daraufhin.

»Und du bist ein schlechter Verlierer«, konterte sie und ergriff ihre Aktentasche. »Ich gehe mit meinen Leuten noch etwas feiern, sie haben es verdient. Noch einen schönen Abend, Mr St. John!«

***

Sämtliche Mitarbeiter ihrer Abteilung waren schon im *Luna Luna*, einer gemütlichen Bierkneipe in der Broadstreet, die vorwiegend von Brokern und Bankern frequentiert wurde. Alex wurde mit Applaus und begeisterten Pfiffen empfangen, als sie hereinkam. Sie verschaffte sich Gehör und berichtete vom Verlauf der Sitzung und der Reaktion der Vorstandsmitglieder.

»So, Leute«, Alex hob die Hand, und es wurde wieder leise, »jetzt aber Schluss damit, lasst uns zum gemütlichen Teil des Abends übergehen. Ihr habt alle einen Spitzenjob gemacht, und ich bin unheimlich stolz auf euch alle. Als kleines Dankeschön für die Abende und Wochenenden, die ihr euch um die Ohren geschlagen habt, seid ihr heute Abend alle eingeladen! Also: Feiert euren Erfolg, ihr habt es euch verdient!«

Erneuter Applaus brandete auf, dann kam die erste Runde. Die Stimmung war fröhlich und ausgelassen, der Alkohol floss in Strömen, und die unmenschlichen 100-Stunden-Wochen waren vergessen. Vor ihnen lag Weihnachten, der Jahreswechsel und damit eine ruhige Zeit. Nachdem Alex mit allen ein paar Runden getrunken hatte, fand sie einen Moment, um mit Mark zu sprechen.

»Wie lief es?«, erkundigte sich Mark neugierig.

»Zack ist ausgerastet. Er konnte sich kaum beherrschen.«

»Bingo«, Mark nickte ernst, »Sie hatten also recht.«

»Tja«, Alex seufzte, »aber ich weiß immer noch nicht, wie weit nach oben seine kleinen Geschäfte gehen. Weiß Levy davon?«

»Er hat das mit Shanahan auch gewusst«, sagte Mark leise, »und ganz sicher weiß er auch jetzt Bescheid.«

Alex verzog das Gesicht. Sie steckte selbst bis an den Hals mit in der Sache drin, denn kein Mensch würde ihr glauben, dass sie bis vor kurzem so dämlich gewesen war, nicht zu wissen, was Zack mit ihren Informationen tat. Wenn die Behörden Wind davon bekamen, dann konnte sie neben einer saftigen Strafe auch mit dem Entzug der Arbeitserlaubnis rechnen.

»Verdammt«, ihre gute Laune war wie weggefegt, »ich war eine überhebliche Idiotin, und mir geschieht es nicht anders.«

»Wieso denn das?« Mark blickte sie überrascht an.

»Oliver wollte mir damals davon erzählen«, Alex hob die Schultern, »ich habe ihm aber nicht zuhören und schon gar nicht glauben wollen. Er hatte mit allem recht.«

»Ich habe ihm erst auch nicht geglaubt«, erwiderte Mark.

»Sehen Sie und Oliver sich hin und wieder?«, fragte Alex. Der Alkohol hatte ihre Hemmschwelle herabgesetzt, und auf einmal wollte sie unbedingt wissen, ob Mark wusste, was sich zwischen ihr und Oliver abgespielt hatte, und was er davon hielt.

»Schon eine Weile nicht mehr«, Mark warf ihr einen kurzen Blick zu, »er hat im Mai die Stadt für ein paar Monate verlassen, weil ...«

Er brach ab.

»Weil – was? Reden Sie weiter, Mark!«

»Ich weiß nicht. Es ... es geht mich nichts an.«

»Was hat er Ihnen erzählt?«

Mark kämpfte noch einen Augenblick mit sich, dann sah er Alex an.

»Er wurde im Mai überfallen und ziemlich übel zugerichtet. Außerdem wurde seine Wohnung verwüstet, während er im Krankenhaus lag.«

»Was?« Alex gefror das Blut in den Adern. »Wann war das genau?«

»Ich weiß nicht, ob ich darüber reden sollte«, erwiderte Mark ausweichend und biss sich auf die Lippen, »es geht mich wirklich ...«

»Mark!«, drängte Alex. »Sagen Sie mir, was passiert ist! Bitte!«

»Oliver hat mir erzählt, Sie wären eines Nachts bei ihm aufgetaucht und hätten ihm gesagt, dass Sie ... hm ... eine Affäre mit Sergio Vitali hätten«, sagte er verlegen, »und daraufhin hätten Sie Streit bekommen. Am nächsten Abend warteten drei maskierte Männer im Hausflur auf ihn und schlugen ihn ziemlich übel zusammen. Einer der Männer sagte zu ihm, er solle seine Nase aus Angelegenheiten lassen, die ihn nichts angingen, und seine Finger von Ihnen.«

»O mein Gott«, flüsterte Alex zutiefst entsetzt. Sergio wusste von Oliver und ihr, und er hatte es nie auch nur mit einer Silbe erwähnt! Er konnte es nur wissen, weil er sie ... nein! Der Gedanke, dass Sergio sie überwachen und beobachten ließ, war so ungeheuerlich und beängstigend, dass sie ihn kaum zu Ende denken wollte. Sie versuchte, sich an den Tag nach dem Streit mit Oliver zu erinnern. Ja! Sergio hatte sie zum Essen ins *Le Cirque* ausgeführt und ihr danach die Penthousewohnung gezeigt. Während sie mit ihm gegessen und gelacht hatte, hatte er Oliver brutal zusammenschlagen lassen. In ihr Entsetzen mischte sich kalte Angst. Sie wusste gut genug, wozu Sergio fähig war. Ließ er sie noch immer beobachten? Wurde sie verfolgt, damit er wusste, was sie tat und mit wem sie sprach? Unwillkürlich blickte sie sich in der gedrängt vollen Kneipe um, suchte nach einem Unbekannten zwischen den fröhlichen Gesichtern ihrer Mitarbeiter.

»Wie ... wie geht es Oliver jetzt?«, flüsterte sie.

»Ich glaube, er ist wieder okay«, antwortete Mark, »aber er war fast drei Wochen im Krankenhaus.«

Alex zitterte am ganzen Körper. Der Triumph über den gelungenen Deal war vergessen, und sie empfand außer ihrer Angst tiefe Schuldgefühle Oliver gegenüber.

»Hier«, Mark schob ihr einen neuen Drink hin, »trinken Sie was.«

Sie hob den Kopf und blickte Mark verzweifelt an.

»Das kann ich niemals wiedergutmachen«, sagte sie leise, »ich hatte ja keine Ahnung! Oliver wird mich dafür hassen, weil er denkt ...«

»Nein, er hasst Sie nicht«, unterbrach Mark sie rasch, »ganz im Gegenteil. Aber er macht sich große Sorgen um Sie.«

Das glaubte Alex ihm nicht. Sie hatte Oliver in Gefahr gebracht! Und wahrscheinlich würde jeder Mann in Gefahr sein, mit dem sie redete, wenn Sergio glaubte, derjenige sei eine Bedrohung für ihn. Es war einfach entsetzlich, und sie konnte nichts dagegen tun. In dem Moment betrat Zack mit einem anderen Mann zusammen die Kneipe. Er blickte sich um und grinste, als er Alex erblickte. Dann drängte er sich durch die Menge in ihre Richtung.

»Der hat mir gerade noch gefehlt«, murmelte sie, »lassen Sie mich jetzt bloß nicht alleine, Mark.«

»Ich weiche nicht von der Stelle.« Mark hatte Zack auch gesehen.

»Hallo, schöne Frau«, Zack quetschte sich neben Alex an die Bar. Sie roch, dass er schon ordentlich getrunken hatte. Sein sonst so makelloses Aussehen hatte leichten Schaden genommen, die Krawatte saß schief, und die obersten Hemdknöpfe standen auf.

»Hi, Zack. Was machst du denn hier?« Alex tat erstaunt.

»Ray«, Zack wandte sich an seinen Begleiter, »was trinken wir? Wodka on the rocks?«

Der Mann mit dem dünnen blonden Haar grinste und nickte. Alex warf dem Mann einen raschen Blick zu. Er kam ihr vage bekannt vor, aber sie wusste nicht, wohin sie sein Gesicht stecken sollte.

»Barkeeper«, Zack schnippte mit den Fingern, »zwei doppelte Wodka on the rocks mit wenig Eis!«

Alex hatte nur noch den Wunsch, sich irgendwo verkriechen zu können. Zack musterte sie mit einem verschwommenen Blick aus blutunterlaufenen Augen. Er ergriff sein Glas und hob es hoch.

»Ich trinke auf unsere großartige, brillante M & A-Chefin«, seine Aussprache war undeutlich, aber laut genug, damit die Umstehenden jedes Wort hören konnten, »die hinabgestiegen ist aus den Betten der Park Avenue, um mit dem gemeinen Volk zu feiern. Sehr gütig!«

»Spinnst du, Zack? Was soll das?«

»Ich bewundere dich, Miss Sontheim, ich bewundere dich!« Zack legte ihr vertraulich den Arm um die Schultern und flüsterte: »Wo ist denn dein reicher Liebhaber, hm? Oder hast du heute alleine Ausgang?«

»Du bist betrunken«, sie wollte sich von ihm losmachen, aber Zack hielt sie eisern fest.

»Du hast es schlau angestellt, Alex, das muss ich dir lassen«, fuhr er fort, »du bist mit dem richtigen Kerl in die Kiste gesprungen, Hut ab! Hast du dich auch schon an Vince rangemacht? Der frisst dir ja aus der Hand, der alte Mistkerl. Genau wie der ganze Rest von dem bescheuerten Verein, die würden dich doch am liebsten alle mal f…«

»Es reicht!«, unterbrach Alex ihn scharf. Er lachte bösartig und kippte seinen Wodka mit einem Schluck hinunter.

»Noch einen!«, rief er dem Barkeeper zu.

»Hast du irgendein Problem?« Alex merkte, wie Zack ihr in Sekundenschnelle im höchsten Maße unsympathisch wurde.

»Ich habe kein Problem.« Er grinste, aber in seinen Augen stand der blanke Hass, und seine Lippen berührten ihre Wange, als er zischte: »Ich liebe es, in deinem Schatten zu stehen. Ich liebe es, ein Trottel zu sein, der die ganze Drecksarbeit machen darf. Es macht mich wahnsinnig scharf, wenn ich den ganzen Tag nur Alex, Alex, Alex höre!«

Sie wischte sich angeekelt seinen Speichel von der Wange. Das Grinsen verschwand aus seinem Gesicht, und Alex erkannte erschüttert das ganze Ausmaß seiner Eifersucht. Er war eifersüchtig auf ihren Erfolg, auf ihr Ansehen beim Vorstand, und er war gekränkt und wütend, weil er bei ihr keine Chance hatte. Seine Freundlichkeit war die ganze Zeit nur Fassade gewesen. Zack war nicht ihr Freund. Ganz im Gegenteil. Sie rutschte vom Barhocker.

»Ich gehe jetzt«, sagte sie kühl, »du bist ja völlig betrunken.«

»Ja, ich bin betrunken«, er stand so dicht vor ihr, dass sie jede Pore in seinem Gesicht erkennen konnte, »aber glaub nicht, dass ich so bescheuert bin wie die anderen Idioten. Du hast mich gelinkt, du kleines Miststück. Das machst du nicht noch einmal mit mir!«

In diesem Moment griff Mark ein. Er schob Zack zur Seite, und beinahe wäre es zu einer Schlägerei gekommen, aber sämtliche Männer aus Alex' Abteilung hielten Zack in Schach und sorgten dafür, dass sie unbeschadet aus der Bar gelangen konnte. Am ganzen Körper zitternd und den Tränen nahe stand sie auf der Straße im Schneeregen.

»Alles in Ordnung?« Mark blickte sie so besorgt und mitfühlend an, dass sie beinahe den letzten Rest an Selbstbeherrschung verlor. Es war einfach alles zu viel gewesen in den letzten Tagen, und die Erkenntnis, dass Sergio von ihr und Oliver wusste, und nun Zacks bösartige Gemeinheiten brachten das Fass zum Überlaufen.

»Ja, alles okay«, sagte sie mit zitternder Stimme.

»Ich bringe Sie nach Hause«, bot Mark an. Alex dachte wieder an Oliver. Vielleicht lauerten schon irgendwo in der Nähe Sergios Spione. Sie wollte auf keinen Fall, dass auch Mark irgendetwas passierte.

»Nein, schon gut. Ich nehme ein Taxi. Gehen Sie rein und feiern Sie noch ein bisschen mit den Jungs.«

»Ich lasse Sie jetzt nicht alleine«, Mark blieb stur und winkte einem vorbeifahrenden Taxi, das zufällig leer war und anhielt.

»Doch. Es geht schon«, Alex gelang ein Lächeln, »ich bin okay.«

»Darf ich Sie wenigstens später noch anrufen?« Mark war ehrlich besorgt, und Alex nickte. Dann umarmte sie ihn spontan.

»Danke für alles, Mark. Und danke, dass ich Ihnen vertrauen kann.«

Mark schluckte und nickte. Alex stieg rasch in das wartende Taxi und winkte ihm zum Abschied zu.

***

Ein blassblauer Himmel wölbte sich über dem mit Raureif bedeckten Land, und die Dezembersonne bemühte sich um ein wenig Wärme, als Alex und Madeleine durch die Dünen hinunter zum Strand ritten. Alex war froh, dass sie Trevors und Madeleines Einladung nach Lands End House auf Long Island gefolgt war. Schon bei ihrem ersten Besuch im Juli hatte sie sich in das massive Herrenhaus aus roten Ziegeln verliebt, das trotz seiner imponierenden Größe nicht protzig wirkte. Trevors Ururgroßvater hatte es im Jahr 1845 am nördlichen Ende Long Islands, zwischen den Orten Montauk und Amangansett erbaut, und seitdem war es im Familienbesitz. Trevor und Madeleine waren zu wirklichen Freunden geworden, und in ihrem Haus fühlte Alex sich geschützt und sicher. Sie genoss die fröhliche und familiäre Atmosphäre in dem prachtvoll weihnachtlich geschmückten Haus, die langen Gespräche am Kamin und die vorbehaltlose Sympathie, die die Downeys ihr entgegenbrachten und die Alex von Herzen erwiderte. Einmal hatte sie mit Madeleine und Trevor über Sergio gesprochen, weil sie fand, dass ihre Freunde ein Recht darauf hatten, darüber Bescheid zu wissen. Beklommen hatte sie die Reaktion der beiden erwartet und hatte sich innerlich auf offene Ablehnung gefasst gemacht, aber die Downeys akzeptierten es, ohne zu urteilen.

»Ich bin entsetzlich aufgeregt«, sagte Madeleine zu Alex, als sie den Strand erreicht hatten und nebeneinanderher ritten. »Seit 18 Jahren organisiere ich nun diese Christmas Party, und jedes Mal habe ich wieder Angst, dass etwas schiefgeht.«

»Ach was, Maddy«, Alex grinste, »was soll denn schiefgehen? Ihr seid ein eingespieltes Team, außerdem bin ich ja da, um dir beizustehen.«

»Dafür bin ich dir sehr dankbar«, Madeleine seufzte, aber dann lachte sie, »du bist so praktisch und behältst immer den Überblick. Ich drehe sofort durch.«

»Es ist mein Job, immer die Nerven zu bewahren, selbst wenn es drunter und drüber geht.«

»Stell dir vor: Sogar Cliff Gordon und seine Frau kommen mit dem Hubschrauber von Martha's Vineyard rüber.«

»Oh«, Alex wusste, dass Trevor ein Studienfreund von Robert Gordon, dem jüngeren Bruder des Präsidenten, war und die Familien, die beide zum amerikanischen Adel gehörten, seit Generationen befreundet waren, »ihr seid wirklich unglaublich vornehm.«

»Ach, hör auf zu spotten!« Madeleine grinste. »Du kennst doch mindestens genauso viele wichtige Leute.«

»Lass uns ein Stück traben«, schlug Alex vor, die lieber nicht über die wichtigen Leute sprechen wollte, die sie kannte. Die steife Brise, die vom Atlantik kam, wühlte das graue Meer auf und ließ hohe Wellen an den Strand rollen. Die salzige Gischt der Brandung wehte den beiden Frauen ins Gesicht. Alex atmete tief durch und lächelte. Hier, im Pferdesattel, den kalten Wind im Gesicht und das schier endlos weite Meer vor Augen, konnte sie alle Sorgen für eine Weile vergessen und sich wieder so frei und unbeschwert fühlen wie als Kind. Die Möwen kämpften mit traurigen Schreien gegen den Wind an. Der Strand erstreckte sich meilenweit bis hinauf nach Montauk. Oben auf den Dünen standen hin und wieder prachtvolle Villen, deren Bewohner um diese Uhrzeit noch tief und fest schliefen. Alex' Pferd machte übermütige Bocksprünge. Es wollte galoppieren.

»Lass ihn nur laufen«, sagte Madeleine, »ich komme nach.«

Die beiden Reiterinnen hatten die weite Bucht der Stony Bay erreicht.

»Okay!« Alex zwinkerte der Freundin zu. »Dann los!«

Der Fuchswallach stob los wie mit einem Kickdown, und ein unerfahrener Reiter wäre bei dieser plötzlichen Beschleunigung unweigerlich aus dem Sattel geschleudert worden. Alex jedoch beugte sich nach vorne und hielt sich nur mit Knien und Schenkeln fest. Nun hatte das Pferd keine Zeit mehr zu bocken! In weit ausgreifenden Galoppsprüngen donnerte es mit gespitzten Ohren den Strand entlang, mit dem Sturmwind und den Möwen um die Wette. Schneller, schneller! Sie lachte glücklich. Der Wind trieb ihr die Tränen in die Augen, sie duckte sich über den Hals des Pferdes und freute sich an seiner herrlichen, geschmeidigen Kraft. Zwei frühe Spaziergänger, die mit einem Retriever in den Dünen unterwegs waren, starrten ihr entgeistert nach, als sie wie eine fleischgewordene Walküre an ihnen vorbeijagte. Sie ließ das Pferd die ganze weite Stony Bay umrunden, bevor sie allmählich das Tempo drosselte und sich umblickte. Die beiden Spaziergänger mit dem Retriever waren nun am Strand, und Alex sah, dass Madeleine neben ihnen angehalten hatte und mit ihnen sprach. Sie ließ ihr Pferd wieder angaloppieren. Bei dem wilden Galopp vorhin hatte sich das Haarband aus ihrem Pferdeschwanz gelöst, und nun flatterte ihr blondes Haar wie der blonde Schweif des Pferdes im eisigen Dezemberwind. Madeleine winkte Alex zu, und diese parierte den Fuchs ein paar Meter vorher durch, als sie bemerkte, dass die beiden Fußgänger respektvoll zurückwichen. Atemlos und mit geröteten Wangen hielt sie ihr Pferd schließlich an.

»Kann sie nicht einfach sagenhaft reiten?«, sagte Madeleine zu dem Ehepaar. Alle drei sahen Alex mit unverhohlener Bewunderung zu, wie sie das nervöse Pferd beruhigte.

»In der Tat«, sagte der Mann, »beeindruckend.«

»Alex!«, rief Madeleine. »Kennst du Nick und Mary Kostidis?«

Alex fuhr zusammen und wandte überrascht den Kopf. Tatsächlich, der Mann, der neben Madeleines Pferd stand, war der Bürgermeister von New York City. Mit der blauen Daunenjacke und den Jeans sah er ganz anders aus, aber sie erkannte sofort diese brennenden dunklen Augen wieder, die sie damals so nachhaltig beeindruckt hatten.

»Hallo«, sagte sie und lächelte, »ja, wir sind uns einmal begegnet.«

»Alex Sontheim«, Kostidis nickte und musterte sie eingehend, »im City Plaza. Ich erinnere mich.«

Alex fiel ein, wie abfällig Sergio sich über diesen Mann zu äußern pflegte und wie sehr er ihn hasste. Einen Fanatiker hatte er ihn genannt, einen Straßenköter, die Pest. Während Madeleine und Mary Kostidis über die Pferde sprachen, fragte sie sich, was der Bürgermeister von New York am Weihnachtsmorgen um halb acht an einem gottverlassenen Strand im Norden Long Islands tat. Madeleine lüftete schließlich das Geheimnis.

»Ist Christopher mit euch bei deiner Schwester?«, fragte sie die Frau des Bürgermeisters.

»Nein«, diese lachte, »in diesem Jahr ist er über Weihnachten bei seinen zukünftigen Schwiegereltern in Hudson Valley.«

Alex bemerkte, dass Kostidis sie die ganze Zeit unverwandt ansah. Sie wusste nicht weshalb, aber sein forschender, ernster Blick verwirrte und verärgerte sie gleichermaßen. Wenn er wusste, wer sie war, dann wusste er auch von ihrer Beziehung zu Sergio Vitali. Erkannte sie da Verachtung in seinem Blick? Sie bemühte sich, gelassen und gleichgültig zu erscheinen. Madeleine und Mary unterhielten sich, ohne dass Alex ein Wort von ihrem Gespräch mitbekam. Als sie wieder aufblickte, trafen ihre Augen die von Nick Kostidis. Für ein paar Sekunden hielten sich ihre Blicke aneinander fest. Sie spürte, wie ihr eine heiße Röte in die Wangen stieg, und wandte sich wieder ab.

»Wir müssen weiter, Maddy«, sagte sie, »die Pferde haben geschwitzt. Sie werden sich erkälten.«

»Oh, natürlich!« Madeleine machte ein schuldbewusstes Gesicht. »Ich habe wirklich einen schlechten Pferdeverstand!«

»Noch viel Spaß beim Reiten!«, wünschte Nick Kostidis. »Bis später!«

»Ja, bis später!« Madeleine lächelte und winkte. Schweigend ritt Alex im Schritt neben Madeleine her. Weshalb hatte Kostidis sie so seltsam angesehen? Der Ausdruck in seinen Augen war schwer zu deuten. Wahrscheinlich sagte er in dieser Sekunde zu seiner Frau: ›Hast du sie gesehen? Das ist die Geliebte von Vitali. Ein *Gangsterliebchen*!‹ Sie hasste es, so verunsichert zu sein, und die Aussicht, dass Kostidis auch auf Downeys Party sein würde, verdarb ihr die Freude auf die Feier. Am liebsten hätte sie auf der Stelle die Koffer gepackt und wäre von hier verschwunden, bevor sie ihn noch einmal traf.

***

Sie saß noch in ihrem Zimmer, als die ersten Gäste in Lands End House eintrafen, und überlegte, ob sie überhaupt hinuntergehen sollte. Ihr war nicht nach dem üblichen Smalltalk zumute. Der Ausritt hatte ihre angespannte Stimmung für einen Augenblick vertreiben können, aber die unerwartete Begegnung mit Nick Kostidis hatte das Glücksgefühl jäh zerstört. Alex fühlte sich nicht wohl in Kostidis' Gegenwart, und dennoch verspürte sie den Drang, ihn zu sehen. Sie konnte sich ihre widerstreitenden Gefühle nicht erklären, diese Mischung aus Anziehung und Abneigung, die der Bürgermeister von New York auf sie ausübte. Es war etwas in seinen Augen, ein Ausdruck, den sie nicht deuten konnte. War es Spott oder Verachtung, oder bildete sie sich das alles nur ein? Von unten vernahm sie Weihnachtsmusik und Gelächter. Sie wusste, dass Trevor und Madeleine enttäuscht sein würden, wenn sie nicht an der Party teilnahm. Schließlich schlüpfte sie in ihr Cocktailkleid von Ferragamo, das sie extra für diesen Anlass mitgenommen hatte, begutachtete ihr Aussehen im Spiegel und öffnete mit einem Seufzer die Tür, um nach unten zu gehen. Die Party war bereits in vollem Gange. Die Bezeichnung ›kleine‹ Christmas-Party war genauso untertrieben wie damals Sergios ›kleine‹ Geburtstagsfeier. Alles, was an der Ostküste Rang und Namen hatte, war eingeladen und natürlich auch gekommen. Doch im Gegensatz zu Sergios Fest tummelte sich hier der alte Geldadel, die wirkliche Upperclass, die Aristokratie Amerikas. Nicht umsonst wurde der Norden Long Islands ›die Goldküste‹ genannt, und das nicht etwa wegen der Farbe des Sandes seiner Strände, sondern wegen der Vermögensverhältnisse seiner Bewohner. Alex war schon lange nicht mehr beeindruckt von großen Namen und großem Vermögen. Sie arbeitete tagtäglich mit gigantischen Geldsummen und kannte die reichsten Menschen Amerikas. Irgendwo im Gewühl traf sie auf Madeleine, die in ihrem bordeauxroten Kleid und den aufgeregt geröteten Wangen bezaubernd und mädchenhaft aussah.

»Wie gefällt es dir?«, rief sie mit glänzenden Augen. »Ist es nicht herrlich? Ich habe vorher immer Angst, aber wenn dann alle da sind, ist es einfach wundervoll!«

»Es ist wirklich toll.«

»Der Präsident und die First Lady sind auch schon da«, raunte Madeleine ihr zu, umarmte sie und eilte weiter. Alex nahm sich ein Glas Champagner und schlenderte durch das große Haus, das voller Menschen war, die sie nicht kannte. Im Blauen Salon erblickte sie den Präsidenten im Gespräch mit Trevor, Senator Hoffman, Gouverneur Rhodes, dem Kongressabgeordneten James Vaillant III, Ted Kennedy und Nick Kostidis, der die Jeans gegen einen dunkelgrauen Anzug und eine rote Krawatte getauscht hatte. Sie wollte den Raum gerade wieder unauffällig verlassen, als Trevor sie sah und sie zu sich winkte. Lächelnd zog er sie in die Runde.

»Cliff«, sagte er zum Präsidenten, »darf ich dir Alex Sontheim vorstellen? Sie ist eine gute Freundin von Maddy und mir.«

»Oh«, Cliff Gordon lächelte sie freundlich an und reichte ihr die Hand, »ich freue mich, Sie kennenzulernen, Mrs Sontheim.«

»Ganz meinerseits, Mr President«, Alex' Herz klopfte aufgeregt, als sie dem mächtigsten Mann des Landes gegenüberstand. Trevor stellte sie auch den anderen Herren vor. Alex erinnerte sich, dass sie den Senator und auch Gouverneur Rhodes auf Sergios Geburtstagsfeier gesehen hatte. Was würden die beiden wohl sagen, wenn sie sie jetzt darauf ansprechen würde? Trevor schilderte dem Präsidenten gerade, auf welch ungewöhnliche Art und Weise Madeleine Alex vor einem halben Jahr kennengelernt hatte, und der Präsident war beeindruckt. Alex spürte den Blick von Nick Kostidis. Der Präsident fragte sie nach ihrer Arbeit und schenkte Alex zu ihrem Erstaunen seine ungeteilte Aufmerksamkeit.

»Sie haben einen außergewöhnlichen Ruf an der Wall Street«, sagte er schließlich, »unser Land braucht Leute wie Sie, Mrs Sontheim. Intelligente junge Menschen mit Zivilcourage.«

Sie lächelte verlegen, und als Cliff Gordon sie ins Weiße Haus einlud, zitterte sie innerlich vor Aufregung und Stolz. Ihr Blick begegnete dem von Nick Kostidis, und sie glaubte, eine Spur von Spott in seinen Augen zu erkennen. Sofort verflog das Gefühl des Stolzes, das sie noch eine Sekunde zuvor verspürt hatte. Sie war froh, als sich andere Leute um den Präsidenten scharten, und entschuldigte sich unter einem Vorwand. Um den vielen Menschen für einen Moment zu entkommen, flüchtete sie in eines der Nebenzimmer und setzte sich in einen Sessel am Fenster. Sie hätte Kostidis mit Freude umbringen können! Er hatte ihr nicht nur die Begegnung mit Cliff Gordon, sondern den ganzen Tag verdorben! Ihr kam es vor, als habe er sie heimlich verspottet. Alex Sontheim, der Star der Wall Street, die selbstlose Retterin der berühmten Opernsängerin Madeleine Ross-Downey war doch nur ein Mädchen aus Deutschland, das sich mit einem dubiosen Emporkömmling wie Sergio Vitali, dem Paten von New York City, eingelassen hatte! Was würde Präsident Gordon sagen, sollte er erfahren, dass sie die Geliebte eines Mannes war, der Leute umbringen ließ? Hätte er sie dann auch noch ins Weiße Haus eingeladen? Wütend merkte sie, wie ihr die Tränen in die Augen stiegen, und sie suchte in ihrer Handtasche nach einer Zigarette. Hinter ihr hörte sie ein Räuspern und flog herum. Sie traute ihren Augen kaum, als hinter ihr im Türrahmen ausgerechnet Nick Kostidis stand, vor dem sie geflohen war.

»Hallo«, sagte sie abweisend, »falls Sie die Toiletten suchen, die sind zwei Türen weiter.«

Kostidis lächelte.

»Danke, ich weiß«, sagte er und betrat den Raum, »aber ich habe eigentlich Sie gesucht.«

»Ach«, Alex zog an ihrer Zigarette, »und weshalb?«

Sie ärgerte sich über ihre verweinten Augen.

»Darf ich mich einen Augenblick zu Ihnen setzen?«

Sie war drauf und dran, ihn zu bitten, sich zur Hölle zu scheren, aber es gelang ihr, sich zu beherrschen.

»Bitte«, sagte sie nur. Er setzte sich in den Sessel ihr gegenüber. Einen Moment herrschte angespanntes Schweigen zwischen ihnen.

»Was kann ich für Sie tun, Herr Bürgermeister?«

»Nennen Sie mich Nick«, antwortete er, »›Bürgermeister‹ klingt so förmlich.«

»Gut«, Alex hob die Schultern, »Nick. Was kann ich also für Sie tun?«

»Ich weiß nicht, ob Sie etwas für mich tun können«, Nick schlug seine Beine übereinander und sah sie wieder so durchdringend an, dass ihr unwohl wurde. Am liebsten wäre sie aufgestanden und weggerannt.

»Ich kenne Sie kaum«, fuhr Kostidis fort, »ja, eigentlich überhaupt nicht. Allerdings verfolge ich Ihren beruflichen Werdegang schon seit einiger Zeit mit großem Interesse in der Presse. Und meine Freunde Trevor und Madeleine schwärmen in den höchsten Tönen von Ihnen.«

»Aha«, Alex war auf der Hut.

»Sie sind eine erfolgreiche Frau. Intelligent, ehrgeizig und mutig.«

»Und Sie fragen sich, warum ich mit Vitali zu tun habe«, unterbrach sie ihn kühl. »Das ist es doch, worauf Sie hinauswollen, oder?«

Kostidis ließ es sich nicht anmerken, wenn er überrascht war, doch dann nickte er langsam.

»Ich weiß, was Sie von ihm halten«, sagte Alex, »und wahrscheinlich halten Sie auch dasselbe von mir.«

Sie sprang auf und trat ans Fenster.

»Nein!« Kostidis schüttelte den Kopf. »Das ist nicht wahr! Wie gesagt, ich kenne Sie nicht, Alex, ich weiß über Sie nur, was die Zeitungen schreiben und was meine Freunde, die Downeys, über Sie sagen, und deshalb ...«

Alex drehte sich wieder um und sah den Mann an, der sie gleichermaßen beeindruckte und verunsicherte.

»Ja?« Sie versuchte, ihre gewohnte Selbstsicherheit zurückzugewinnen, doch ihre Stimme klang zu ihrer Verärgerung dünn.

»Alex«, Kostidis beugte sich vor und sah sie eindringlich an, »es liegt mir fern, mich in Ihr Privatleben einzumischen.«

»Das geht Sie auch überhaupt nichts an«, entgegnete sie schroff. Kostidis hörte auf zu lächeln.

»Sergio Vitali«, sagte er mit ruhiger Stimme, »ist ein sehr gefährlicher Mann. Viele Leute halten mich für besessen, weil ich seit Jahren versuche, ihn für seine kriminellen Machenschaften zur Rechenschaft zu ziehen. Ich weiß eine ganze Menge über ihn und seine Geschäfte, aber leider konnte ich ihm bisher nie etwas nachweisen. Vitali schreckt nicht davor zurück, seine Machtstellung mit Gewalt zu verteidigen. Wir hatten schon oft etwas gegen ihn in der Hand, aber plötzlich verloren wichtige Zeugen über Nacht ihr Gedächtnis oder sie verschwanden einfach. Manche wurden wiedergefunden. Als Leichen.«

Alex' Knie wurden weich. *Er ist erledigt. David Zuckerman wird kein Sterbenswörtchen mehr sagen* ... Sie spürte wieder das Entsetzen und die Übelkeit. Sie wusste nur zu gut, dass Kostidis die reine Wahrheit sagte.

»Wieso erzählen Sie mir das alles?«, wollte sie wissen.

»Ich möchte, dass Sie meine Situation verstehen«, erwiderte er leise. »Es ist keine persönliche Sache zwischen Vitali und mir, wie die Medien immer behaupten. Es geht um viel mehr. Einer meiner Vorgänger nannte New York ›unregierbar‹. Ich habe geglaubt, ich könnte die Verschuldung, die schlechte Infrastruktur, die katastrophalen sozialen Unterschiede in den Griff bekommen. Dafür arbeite ich sehr hart, und ich habe schon viel verbessern können. Aber das schlimmste Übel ist die Korruption. Vitali ist nur deshalb so unantastbar, weil er viele einflussreiche Politiker und Richter besticht. Bis zu einem gewissen Grad kann ich durchaus mit Korruption leben, aber nun befürchte ich, dass

Vitali einen Spitzel ganz in meiner Nähe hat, durch den er Dinge erfährt, die er nicht erfahren soll.«

Er machte eine Pause und fuhr sich mit der Hand über das Gesicht. Er sah müde aus.

»Am 15. August«, sagte Nick Kostidis, »wurde ein Mann erschossen. Er war noch jung, er hatte eine Frau, die nun Witwe ist, und zwei kleine Kinder, die ein Mörder zu Halbwaisen gemacht hat.«

Alex schluckte. Die kalte Angst ballte sich in ihrem Magen zusammen wie eine Faust. Sie wusste, wer der Mörder von Zuckerman war. Sie wusste, wer ihm den Auftrag gegeben hatte. Genau genommen war sie verpflichtet, der Polizei ihr Wissen mitzuteilen, aber davor fürchtete sie sich. Sergio würde erfahren, was sie getan hatte, und dann war ihr Leben keinen Pfifferling mehr wert. Selbst wenn sie wollte, konnte sie Kostidis nicht helfen.

»Dieser Mann«, fuhr der Bürgermeister fort, »hätte mit seiner Aussage vor dem Untersuchungsausschuss Vitali empfindlich geschadet. Das wussten wir, und deshalb haben wir ihn unter allerhöchster Geheimhaltung in ein Hotel bringen lassen, wo er bis zu seiner Aussage völlig abgeschirmt werden sollte. Darüber waren nur sehr wenige Leute informiert. Und trotzdem hat jemand davon erfahren und den Mann zum Schweigen gebracht.«

Seine Worte erweckten ein schwarzes, leeres Gefühl in Alex' Innerem, gleichzeitig verspürte sie einen wilden, hilflosen Zorn. Was erwartete Kostidis von ihr? Sie bedeutete ihm nichts. Ihm war es völlig gleichgültig, was mit ihr geschah, wenn sie ihm tatsächlich Informationen über Sergio gab. Er wollte mit allen Mitteln an Sergio herankommen, und er fing es wahrhaftig geschickt an, indem er an ihr Gewissen und ihre Moral appellierte. Die Übelkeit wurde stärker.

»Ich weiß nichts von Vitalis Geschäften«, sagte sie. Wusste Kostidis, dass sie ihn anlog?

»Ich will ganz offen sein«, Nick Kostidis ließ sie nicht aus den Augen, »nach Madeleines und Trevors Schilderungen über Sie hatte ich den Eindruck gewonnen, Sie besäßen genug Mut, um das Richtige zu tun.«

Alex starrte ihn stumm an. Mut! Was wusste dieser Mann darüber, wie grausam Sergio sein konnte? Früher war alles so einfach gewesen. Es hatte die Guten und die Bösen gegeben, aber nun war ihre ganze Welt durcheinandergeraten. Nichts war mehr einfach. Ihre Zukunft stand auf dem Spiel, ihre Karriere, ja sogar ihr Leben. David Zuckerman war tot. Selbst wenn sie dem Bürgermeister nun verriet, wer der Mörder war, würde es den Mann nicht mehr lebendig machen.

»Das hat nichts mit Mut zu tun.« Sie hatte das Gefühl, Kostidis könne ihre Gedanken lesen, ganz so, als trüge sie ein T-Shirt mit der Aufschrift: Ich weiß, wer David Zuckerman erschossen hat.

»Mit was dann?«

Alex konnte Kostidis' Blick nicht länger ertragen. Es war ihm gelungen, sie zu verunsichern. Sie hasste es, auf diese Weise benutzt zu werden. Am liebsten hätte sie sich auf ihn gestürzt, ihn angeschrien, er solle verschwinden und sie in Ruhe lassen. Was hatte sie nur getan, um in eine solche Situation zu geraten?

»Hören Sie, Nick«, sagte Alex und hoffte, einen gelassenen und beherrschten Eindruck zu machen, »Ihre Sorgen sind mir durchaus nicht gleichgültig, und wenn ich könnte, würde ich Ihnen helfen, aber ich kann es nicht. Verstehen Sie das?«

Nick Kostidis nickte langsam und seufzte.

»Natürlich«, sagte er und lächelte wieder, aber in seinen Augen lag ein wachsamer Ausdruck, »ich verstehe Sie gut. Vergessen Sie, was ich gesagt habe.«

Ihre Blicke trafen sich. Sie versuchten, sich gegenseitig einzuschätzen.

»Sie wissen ja, wo Sie mich erreichen können.«

»Danke, das wird nicht nötig sein«, erwiderte sie kühl. Kostidis warf ihr einen letzten forschenden Blick zu.

»Vielleicht doch«, sagte er mit einem unergründlichen Lächeln, dann wandte er sich um und verließ den Raum.

Teil Zwei

6. Juni 2000 – LMI

Die Glastür von Alex' Büro wurde aufgerissen, und Mark stürmte in ihr Büro. Auf seinem Gesicht lag ein besorgter Ausdruck.

»Hallo, Mark«, Alex blickte von ihren Akten auf, »was gibt's?«

Er schloss die Tür hinter sich.

»Haben Sie sich heute schon den Kurs von PBA Steel angeschaut?«

»Ja, heute Morgen«, sie sah ihren sonst so besonnenen Mitarbeiter überrascht an, »er stand auf siebzehneinhalb Dollar.«

»Vor zwei Minuten stand der Kurs auf 26,8.«

»Wie bitte?« Sie wandte sich ihren Bildschirmen zu und holte die sich ständig verändernden Werte des laufenden Börsentages. Ungläubig starrte sie auf den Wert von PBA Steel, der nochmals um einen Dollar zugelegt hatte.

»Das ist doch nicht möglich!«

Sie überlegte rasch. Ihr Kunde BLUE STEEL, der größte unabhängige Stahlkonzern der Ostküste, hatte auf ihr Anraten der recht maroden, aber alteingesessenen Pittsburgher Stahlhütte erst letzte Woche ein Übernahmeangebot von 21,8336 Dollar je Aktie gemacht, und das war unter Ausschluss der Öffentlichkeit geschehen. Das Management von PBA Steel hatte noch gezögert und wollte zuerst mit seinen Aktionären abklären, ob diese einer Übernahme durch BLUE STEEL zustimmen würden. Selbst für Marktprofis hatte nichts darauf hingedeutet, dass ein solches Übernahmeangebot bevorstand, denn PBA war von einem Bankrott weit entfernt und immer noch ein guter und sicherer Wert.

BLUE STEEL hatte im vergangenen Jahr allerdings mit einem neuen Management überdurchschnittliche Gewinne eingefahren und suchte nun Investitionsmöglichkeiten, um von der zu erwartenden Steuer nicht aufgefressen zu werden. Aus diesem Grund hatte Alex sich auf dem Markt umgesehen und war auf PBA Steel gestoßen. Alles in allem sollte es ein unspektakuläres und eher durchschnittliches Geschäft werden. Das Telefon summte, und sie hob mit einem unguten Gefühl ab. Tatsächlich, es war Marty Freeman, der Präsident von BLUE STEEL.

»Alex, haben Sie sich PBA mal angesehen?«, brüllte er ins Telefon. »Soll das ein Witz sein, was Sie uns da vorgeschlagen haben? Wir bieten 21 Dollar pro Aktie, und jetzt rast der Kurs auf die 30 zu! Wie kann das sein, dass ein Kurs, der seit Monaten und Jahren unter 20 Dollar liegt, plötzlich einen derartigen Höhenflug bekommt?«

»Ich weiß es auch nicht, Marty«, versuchte Alex den aufgebrachten Mann zu besänftigen. »Ich habe PBA über Wochen beobachtet und Jahre zurückverfolgt. Es gab nur unbedeutende Kursschwankungen von ein paar Cents. Meine Berechnungen waren absolut in Ordnung.«

»Soll ich Ihnen mal was sagen«, Freeman senkte die Stimme um ein paar Dezibel, »da hat jemand von der Sache Wind bekommen! Wir sind auf jeden Fall nicht an einer Übernahme interessiert, wenn wir pro Aktie 50 Dollar bezahlen müssen. Sie wissen so gut wie ich, dass dieser alte Schrotthaufen das nicht wert ist!«

In diesem Ton ging es noch eine Weile weiter, während der Kurs immer weiter nach oben kletterte. PBA Steel war schon jetzt völlig überbewertet, das war eindeutig, und spätestens bei Bekanntgabe eines Übernahmeangebotes von BLUE STEEL würde sich unweigerlich die Börsenaufsichtsbehörde einschalten, weil sie eine verbotene Marktbeeinflussung witterte.

»So ein Misterkerl!«, fluchte Alex, als Freeman aufgelegt hatte. »Jetzt geht er zu weit!«

»Glauben Sie, Zack steckt dahinter?« Mark zog die Augenbrauen hoch, und Alex nickte grimmig. Nachdem sie Zack den Maxxam-Deal verschwiegen und ihm damit demonstriert hatte, dass sie über ihn Bescheid wusste, war sie in Kleinigkeiten wieder kooperativ. Zwischen ihnen war nie mehr ein Wort über sein Verhalten im *Luna Luna* gefallen, aber ihr Verhältnis war seitdem kühl und geschäftsmäßig.

»Mark«, Alex überlegte blitzschnell, »wenn es Zack ist, müssen wir das sofort herausbekommen. Es ist mir egal, wie Sie das anstellen, aber ich will es wissen. Am besten noch vor Börsenschluss.«

»Und wenn er es tatsächlich ist? Was dann?«, fragte Mark.

»Dann wird er eine Lektion von mir bekommen, die er nicht mehr vergisst«, antwortete Alex finster. Mark verschwand, und sie folgte ihm wenig später durch den Handelsraum. Die Händler waren um diese Uhrzeit in vollem Einsatz. Die Telefone schrillten, es wurde geschrien, gestikuliert und gewinkt, manche hatten zwei Hörer am Ohr und einen in der Hand. Alex warf einen Blick auf das LED-Tickerband, das an der Stirnseite des großen Raumes angebracht war und ständig die aktuellsten Kurse der an der NYSE notierten Aktien zeigte. Marty Freeman musste sie für eine dämliche Anfängerin halten! Ihre Gedanken rasten. Die gläserne Schiebetür, die vom Handelsraum in den Flur führte, glitt auf, als sie sich dem Bewegungssensor näherte. Als sie hindurchstürmte, stieß sie fast mit Zack zusammen.

»Oh, hallo, Alex«, sagte er und lächelte übertrieben freundlich, »wie laufen die Geschäfte?«

»Bestens«, sie zwang sich zu einem Lächeln, das genauso falsch war wie das von Zack. Sie wusste, dass er sie spätestens seit ihrem grandiosen Erfolg mit Maxxam hasste, aber war er so dumm, die geheimen Informationen derart offensichtlich zu benutzen? Oder wollte er ihr ein Bein stellen? Insiderhandel war ein sehr ernst zu nehmender Verstoß gegen die Wertpapiergesetze. Sie schwor sich, ihm nur noch ein einziges Mal eine Information zu geben. Aber die würde es in sich haben.

»Kann ich dich zum Lunch einladen?«, fragte Zack.

»Ich habe leider keine Zeit. Ein anderes Mal gerne.«

»Na dann«, er warf lässig sein Armani-Jackett über die Schulter und wandte sich zum Gehen, »noch viel Erfolg.«

Sie starrte ihm nach, bis er im Aufzug verschwunden war. Es war an der Zeit, dass sie das Versteckspiel ein Stück aufgab. Levy musste merken, dass sie misstrauisch geworden war. An seiner Reaktion würde sie feststellen können, ob er Bescheid wusste oder ob Zack nur auf eigene Rechnung arbeitete. Alex machte auf dem Absatz kehrt und ging zurück in ihr Büro. Sie überlegte einen Moment, dann tippte sie die Nummer von Max Rudensky ein und wartete ungeduldig, bis er sich meldete. Max war seit Urzeiten im Geschäft, er war lange Jahre Broker in London und New York gewesen. Nach dem Austausch der üblichen Höflichkeitsfloskeln kam sie gleich auf den Punkt. Sie fragte ihn, ob er auf dem Markt etwas über PBA Steel gehört hatte. Es war nicht ungewöhnlich, dass sie ihn um Rat fragte, und er hatte sie in der Vergangenheit hin und wieder auf verschiedene gute Geschäfte aufmerksam gemacht. Seitdem sie ihn bei Sergios Party gesehen hatte, hatte sie allerdings einige Zusammenhänge begriffen, denn die Deals, auf die er sie hingewiesen hatte, betrafen sämtlich Firmen, an denen die dubiose SeViCo beteiligt war. Falls sie mit ihrem Verdacht richtig lag, dann würde Max innerhalb kürzester Zeit Zack über ihren Anruf informieren. Oder vielleicht sogar Sergio. Dieser Gedanke war noch weitaus beängstigender, denn bisher hoffte sie noch, dass Sergio nicht in diese Angelegenheiten verstrickt war. Wie Alex es schon vorhergesehen hatte, tat Rudensky ahnungslos, aber das war ihr auch egal. Ihr ging es einzig und allein darum, dass er wiederum Zack anrief. Während sie auf Marks Rückkehr wartete, starrte sie düster vor sich hin. Das PBA-Steel-Geschäft war gegessen. Eine Stunde später war Mark zurück und ließ sich atemlos auf einen Stuhl sinken.

»Die meisten Aktienkäufe wurden über eine Firma namens Manhattan Portfolio Management abgewickelt«, berichtete er.

»Außerdem kauft Rudensky wie verrückt. Von unseren Händlern weiß keiner, woher die Kauforders kommen.«

Alex nickte. Rudenskys Beteiligung an den Käufen hatte sie erwartet, aber wer war die Manhattan Portfolio Management? Irgendwo hatte sie den Namen schon gehört, aber wo?

»Was machen wir jetzt?«, wollte Mark wissen. In diesem Moment fiel es Alex ein. Manhattan Portfolio Management. Jack Lang. Sergios Geburtstagsfeier! Zack hatte sich mit dem Mann über Offshore-Gesellschaften unterhalten!

»Wir müssen herausfinden, wer sich hinter dieser MPM verbirgt«, sagte sie entschlossen. »Zack kennt diese Firma nämlich recht gut, das weiß ich. Aber wie kriegen wir etwas heraus?«

»Man könnte es über das Gewerbeamt versuchen«, schlug Mark vor.

»Gute Idee«, Alex richtete sich auf und lächelte grimmig, »kümmern Sie sich darum, Mark. Ich werde währenddessen eine nette kleine Falle vorbereiten.«

Sie hatte eine wunderbare Idee, wie sie Zack eine richtig schmerzliche Lektion erteilen konnte.

***

Als die Börse schloss, stand PBA Steel mit 32 Dollar pro Aktie auf einem historischen Höchststand. Derjenige, der den Kurs hatte hochdrücken wollen, hatte außerordentlich unklug gehandelt, denn PBA Steel war natürlich das Thema des Tages. Alex tippte Zacks Durchwahl ein, und er meldete sich sofort.

»Hast du PBA beobachtet?«, fragte sie harmlos. »Unglaublich, was sich da getan hat, oder?«

»Ja, in der Tat«, antwortete er aalglatt, »und das einen Tag, nachdem du mir gesagt hast, dass sich etwas für uns mit PBA ergeben könnte.«

»Ich habe schon gedacht, du hättest etwas mit dem Kursanstieg zu tun«, Alex lachte. Zack stimmte ein paar Sekunden später in ihr Lachen ein, doch es klang gezwungen.

»Dann haben wir uns gegenseitig verdächtigt.«

»Unsinn«, entgegnete sie, »welches Interesse sollten wir daran haben, dass der Kurs derart hochgeht? Der Deal ist geplatzt, und die BLUE STEEL-Leute sind stinksauer.«

Lauernd wartete sie auf Zacks Reaktion.

»Vince wird nicht sehr erfreut sein, wenn aus der Sache nichts wird.«

»Tja, das ist Pech«, erwiderte Alex, »meine Berechnungen basierten auf einem Kurs von 21 Dollar je Aktie. Aber es ist nicht so schlimm. Ich habe noch etwas anderes in petto.«

»Tatsächlich? Was denn?« Zack konnte sein Interesse nicht verhehlen.

»He, nicht so neugierig! Ich arbeite gerade daran. Es könnte so gut wie der Maxxam-Deal werden, wenn nicht noch besser.«

»Du wirst mir nicht sagen, um was es geht, oder?«

»Du erfährst es früh genug von mir. Bisher habe ich nur die ersten Gespräche geführt. Aber es könnte ein Riesenknaller werden.«

»Na komm schon, spann mich nicht auf die Folter!«

Alex grinste. Sie konnte sich genau vorstellen, wie Zack unruhig auf seinem Stuhl hin- und herrutschte, mit Dollarzeichen in den Augen.

»Okay«, sagte sie also, »mein zukünftiger Klient sucht eine Möglichkeit, Kapital aufzustocken. Er hat in der letzten Zeit viele große Investitionen getätigt und ist aus diesem Grund nicht besonders liquide, aber er will ein renommiertes Unternehmen aufkaufen. Meine Idee war die Gründung einer Limited Partnership und die Emission eines Fonds, der beispielsweise in interessante Startups investiert. Das ist zwar etwas riskant, bringt aber eine gigantische Rendite. Ich habe auch an hochverzinsliche Schuldverschreibungen und Anleihen gedacht, ach, ich erzähle schon viel zu viel.«

»Hört sich gut an. Du bist wirklich ein cleveres Mädchen. Hast du nicht Lust, heute Abend mit mir essen zu gehen?«

›Schleimscheißer‹, dachte Alex verächtlich. Alles, was sie Zack soeben erzählt hatte, war ihrer Phantasie entsprungen. Es gab keinen neuen Kunden. Aber das war Teil ihres Planes. Sie hatte den Köder gelegt und musste nur noch darauf warten, dass derjenige anbiss, für den er gedacht war. Alex spürte eine prickelnde Erregung in sich aufsteigen. Sie war eine geschickte Strategin mit dem Instinkt einer Jägerin, und sie würde sich ganz sicher nicht in die Rolle der Gejagten drängen lassen. Ganz im Gegenteil.

Es war halb sechs, als Mark aufgeregt zurückkehrte.

»Haben Sie etwas herausbekommen?«, fragte Alex neugierig.

»Natürlich«, er grinste geheimnisvoll, »ich habe eine Bekannte, die in der Stadtverwaltung arbeitet. Sie hat mir alles herausgesucht, was ich wissen wollte.«

Er kramte in seiner Aktentasche und förderte die Kopie eines Handelsregisterauszuges zutage. Wie er das fertiggebracht hatte, wollte Alex nicht wissen, aber dass es ihm gelungen war, war ein Beweis dafür, wie tüchtig er war.

»Der Geschäftsführer von Manhattan Portfolio Management ist ein gewisser Jackson Patrick Lang, wohnhaft in der Leroy Street, Greenwich Village«, sagte er, »und jetzt halten Sie sich fest, Alex.«

Sie blickte ihren Mitarbeiter abwartend an.

»Manhattan Portfolio Management – kurz MPM – gehört der Venture Capital SeaStarFriends Limited Partnership.«

»Das gibt's doch nicht«, Alex schüttelte den Kopf, »irgendeine natürliche Person muss doch eingetragen sein.«

»Nein, muss es nach geltendem Recht nicht. Ich habe mit einem Anwalt, der auf Gesellschaftsrecht spezialisiert ist, telefoniert, und der hat es mir bestätigt.« Mark beugte sich aufgeregt vor und senkte die Stimme. »Verstehen Sie, was das bedeutet? Wir haben eine Verbindung zu LMI! Fonds, die in unserem Haus aufgelegt wurden, investierten in eine auf den British Virgin Islands gegründete Offshore-Gesellschaft namens SeaStarFriends! Erinnern Sie sich?«

Alex starrte ihn sprachlos an, als sie die Tragweite seiner Worte begriff.

»Natürlich«, flüsterte sie, »das darf doch nicht wahr sein.«

»Wir müssen nur noch herausfinden, wer hinter SeaStar-Friends steckt«, sagte Mark, »und dann wissen wir, ob Zack auf eigene Rechnung Geschäfte macht oder mit Wissen von Vince Levy.«

Er sah sich um, als ob er erwartete, dass Zack hinter ihm auftauchte.

»Dabei ist es eigentlich schon jetzt offensichtlich«, er flüsterte auch, »denn LMI legt keinen Fonds mit einer Kapitalisierung von 500 Millionen Dollar auf, der in eine fremde Wagniskapitalgesellschaft investiert. Sie wollen doch, dass das Geld im Haus bleibt.«

»Klar.«

Tausende Fragen fluteten durch Alex' Gehirn. Es war unmöglich, mehr über eine Gesellschaft herauszufinden, die in einem Offshore-Zentrum gegründet worden war, denn es gab dort keine Offenlegungs- oder Buchhaltungspflicht, solange die Firma nur Geschäfte mit Unternehmen außerhalb des Landes machte, in dem sie eingetragen war.

»Ich kenne jemanden, der sich wirklich gut mit Offshore-Gesellschaften auskennt«, sagte Mark nach kurzem Zögern. Alex seufzte.

»Den kenne ich auch«, antwortete sie, »es ist nur sehr fraglich, ob er Ihnen helfen wird, wenn er erfährt, dass ich mit der Sache zu tun habe.«

»Oliver ist mein Freund«, sagte Mark, »mehr als ›Nein‹ kann er nicht sagen.«

Ihr war nicht recht wohl bei dem Gedanken, Oliver Skerritt um einen Gefallen zu bitten, aber dann siegte ihre Neugier. Sie wollte wissen, wer an ihren Geschäften illegal mitverdiente. Das Telefon summte.

»Gehen Sie dran, Mark«, sagte sie rasch, »wenn es Zack ist, sagen Sie ihm, dass ich gerade gegangen bin.«

Er war es. Alex lächelte bitter. Der Fisch umkreiste noch vorsichtig, aber gierig den ausgeworfenen Köder. Sie kritzelte eine

Notiz auf einen Zettel, den Zack nicht übersehen konnte, wenn er in ihrem Büro herumschnüffelte. Zweifellos hatte er nur angerufen, um zu erfahren, ob sie noch da war. Er würde noch eine Weile warten und dann herunterkommen und ihren Schreibtisch durchwühlen.

›Viel Spaß dabei, Mr St. John‹, dachte Alex, als Mark und sie in den Aufzug stiegen, ›hoffentlich verbrennst du dir richtig die Finger!‹

* * *

Den nächsten Tag verbrachte Alex in Baltimore, um das Management von BLUE STEEL zu besänftigen. Die Aktienkurse von PBA hatten sich wieder bei durchschnittlichen 18,5 eingependelt. Das war möglicherweise ihrem Anruf bei Rudensky zu verdanken, der seine Auftraggeber darüber informiert hatte, dass sie hellhörig geworden war. Um den Deal nicht völlig zu ruinieren, hatten sie ihre Positionen glatt gemacht, und der Markt hatte sich beruhigt. Alex war abends völlig erledigt, als sie in ihrem Apartment eintraf. Sie öffnete eine Flasche Coors, ging hinaus auf die Terrasse und rief Mark von ihrem Handy aus an. Seitdem sie erfahren hatte, dass Sergio sie beobachten ließ, traute sie ihm zu, dass ihr Telefon abgehört wurde. Mark meldete sich nach dem zweiten Klingeln. Zack hatte sich den ganzen Tag nicht in ihrer Abteilung oder im Handelsraum blicken lassen. Außerdem hatte Mark Oliver erreicht, der allerdings in Europa war und erst Anfang Juli wieder in der Stadt sein würde. Alex hoffte inständig, dass Zack alleine hinter der ganzen Sache steckte. Ohne Zweifel hatte er die Möglichkeiten, um so ein Ding alleine durchzuziehen, er hatte zahlreiche Bekannte und Informanten in der Welt des großen Geldes. Und dazu, das wusste sie, war Zack maßlos in seiner Geldgier und Geltungssucht. Aber würde er wirklich das Risiko eingehen, Levy und damit auch Sergio zu hintergehen? Mitten in ihre Gedanken platzte das Schrillen des Telefons. Die Uhr zeigte kurz nach elf. Bevor der Anrufbeantworter ansprang, drückte Alex die Empfangstaste des tragbaren Telefons und meldete sich.

»Hallo, Cara«, es war Sergio, als habe er gewusst, dass sie an ihn dachte, »wie geht es dir?«

»Bescheiden«, erwiderte sie, »ich hatte einen grässlichen Tag. Mir ist wahrscheinlich ein Geschäft, das ich schon unter Dach und Fach hatte, kaputtgegangen.«

»Was für ein Geschäft?«, fragte er. Verstellte er sich, oder wusste er es tatsächlich nicht? Alex merkte, dass sie ihm überhaupt nicht mehr traute.

»BLUE STEEL und PBA Steel«, sagte sie, »es schien alles klar, und ich hatte Levy schon davon unterrichtet, aber gestern schossen die Kurse von PBA plötzlich auf mehr als das Doppelte. Ich war heute den ganzen Tag in Baltimore, aber ich wusste auch nicht, was ich den BLUE STEEL-Leuten noch sagen sollte. Und dazu befürchte ich, dass sich die Börsenaufsicht einschaltet. Es sieht doch so aus, als ob wir versucht hätten, den Kurs hochzutreiben, um mehr an dem Deal zu verdienen!«

»Mach dir keine Gedanken um die Börsenaufsicht.«

Alex richtete sich auf.

»Wie meinst du das? Die SEC hat schon aus weitaus geringerem Anlass Untersuchungen anberaumt.«

»Ich meine es so, wie ich es sage. Vergiss die SEC.«

Vergiss die SEC! Am liebsten hätte sie ihn ganz direkt nach SeaStarFriends gefragt, aber bisher war seine Beteiligung an MPM eine bloße Vermutung. Sergio war zwar kein Banker, aber er hatte genug Ahnung von dem Geschäft, um ein Auftauchen der Leute von der Börsenaufsichtsbehörde, die den gesamten Wertpapierhandel beaufsichtigte, zu fürchten. Gerade, wenn er wusste, dass MPM und LMI mit Insider-Informationen handelten. War seine Sorglosigkeit ein Indiz für seine Unschuld oder das genaue Gegenteil? Seit ihrem Gespräch mit Nick Kostidis am Weihnachtstag im Haus der Downeys hatte sie häufig an den Bürgermeister gedacht und voll Verärgerung feststellen müssen, dass sie hinter jedem von Sergios Worten auf verräterische Untertöne horchte.

Sie hatte Kostidis nicht wieder gesehen, aber dennoch verdankte sie ihm ein bohrendes Schuldbewusstsein, auf das sie liebend gerne verzichtet hätte. Zu ihrer Erleichterung war Sergio noch in Chicago, und es klang in ihren Ohren fast wie eine Drohung, als er sich nach einer Viertelstunde verabschiedete und sagte, er werde sich bei ihr melden, wenn er wieder in der Stadt sei.

***

Sergio war drei Tage lang in Las Vegas gewesen und mit dem Geschäft, das er nach langwierigen und zähen Verhandlungen endlich abgeschlossen hatte, ausgesprochen zufrieden. Neben dem *Gold Nugget,* dem *Pyramid* und dem *Southern Cross* gehörte ihm nun auch das vierte Luxushotel am Strip, das *Meridian.* Es waren zähe Verhandlungen gewesen, aber Angelo Canaletti, dem letzten Spross der früher so bedeutenden Canaletti-Familie aus New York, die in den Sechzigern in den Westen abgewandert war, fehlte jeglicher Geschäftssinn. Er hatte sich zu sehr an das süße Leben im Überfluss gewöhnt und dank eines miserablen Managements die Goldgrube, die das *Meridian* mit seinen 600 Betten und dem riesigen Casino war, völlig heruntergewirtschaftet. Das Wasser stand ihm bis zum Hals, das Finanzamt forderte Millionen von ihm. Für Sergio war der Kauf ein Schnäppchen gewesen, es hatte nur Geduld bedurft. Aber mit dem Vertragsabschluss hatte er seine Vormachtstellung in Las Vegas endgültig ausgebaut. Die Profite aus den Casinos waren hoch – krisensichere und solide Einnahmequellen. Sehr viel wichtiger war allerdings das Treffen mit Jorge Alvarez Ortega gewesen. Ortega war nach dem gewaltsamen Tod von Emilio Arqueros vor wenigen Monaten die unbestrittene Nummer eins des mächtigen kolumbianischen Drogenkartells in Torellin. Bei den Verhandlungen mit Ortega ging es um den gesamten Kokainimport in die USA. Durch Sergios neu gefestigten Einfluss im Brooklyner Hafen war er der Einzige, der Ortega eine nahezu risikolose Einfuhr der Drogen aus Kolumbien in die USA garantieren konnte. Die alten

Routen über Florida oder Mexiko waren zu riskant geworden, zu viele Kuriere flogen auf, aber Sergios Leute wussten, wie sie das Rauschgift problemlos unter den Augen des Zolls und der Polizei direkt nach New York einschleusen konnten. Sergio verlangte 30 Prozent des Umsatzes für seine Dienste, Ortega bot ihm nur 15. Die Gespräche mit dem Kolumbianer hatten sich die ganze Nacht hingezogen und Sergios Geduld auf eine harte Probe gestellt. Sie hatten fürstlich gegessen und getrunken, und Franco Cavalese, Sergios Mann in Vegas, hatte die hübschesten Mädchen der Stadt aufgetrieben. Mit einer Mischung aus Verachtung und Belustigung hatte Sergio beobachtet, wie Ortega, diesem ungehobelten, südamerikanischen Bauern, die Augen übergegangen waren. Um drei Uhr morgens war er mit drei blutjungen Blondinen in seiner Suite verschwunden. Sergio und er waren sich bis dahin bei ihren Verhandlungen noch kein Stück näher gekommen. Um halb vier hatte Sergio das Hotel verlassen und sich zum Flughafen bringen lassen. Er hatte es nicht nötig, auf diesen Bauern zu warten! Wenn Ortega etwas von ihm wollte, sollte er nach New York kommen! Als Warnung dafür, dass Sergio es mit der dreißigprozentigen Beteiligung ernst meinte, würde er die nächste Lieferung aus Kolumbien auffliegen lassen. Kaum in Chicago angekommen, hatte Sergio dann die Nachricht von Levy erhalten, dass durch das unbedachte Verhalten von St. John eine Untersuchung der Börsenaufsicht gegen LMI und MPM drohte. Das war schon schlimm, aber mit ein paar Telefonaten mit den richtigen Leuten gelang es Sergio, den angerichteten Schaden in Grenzen zu halten. Weitaus gravierender war die Tatsache, dass Alex misstrauisch zu werden schien. Zack hatte Jack Lang von MPM und Rudensky wie verrückt Aktien eines Unternehmens kaufen lassen, das LMI bei einer Übernahme vertreten sollte. Normalerweise benutzte Zack sein Wissen geschickt, aber diesmal hatte er einen Fehler gemacht. Sergio musste dringend mit Alex sprechen und überprüfen, ob sie etwas bemerkt hatte. Als er das Gespräch beendet hatte, überkam ihn eine wilde Sehnsucht nach ihr. Sie hatte seinen unbeherrschten

Übergriff vom Oktober letzten Jahres nie mehr mit einem Wort erwähnt und verhielt sich ihm gegenüber ganz so wie immer. Sergio war sicher, dass sie ihm seinen Fauxpas verziehen hatte. Trotz Nelsons mahnender Worte auf Cinnamon Island dachte Sergio immer wieder daran, sich von Constanzia scheiden zu lassen. Er wünschte sich nichts mehr, als Alex Tag und Nacht an seiner Seite zu haben. Bei den Beobachtungen und der Überprüfung ihrer Telefongespräche und E-Mails kam nichts Auffälliges heraus. Sie ging arbeiten, nach Hause, traf sich regelmäßig mit ihm, und wenn sie ausging, dann mit ihren Mitarbeitern zu After-Work-Partys oder mit den Downeys, mit denen sie hin und wieder ein Wochenende auf Long Island verbrachte. Außer ihm gab es keinen anderen Mann in ihrem Leben. Sergio schenkte sich einen Whisky ein und überlegte, ob er den Termin morgen früh sausen lassen sollte. Er sehnte sich mit jeder Faser seines Körpers nach Alex und ärgerte sich gleichzeitig, weil er so besessen von ihr war. Sein Zorn auf Ortega und St. John hatte ihn in einen unerträglichen Zustand der Anspannung versetzt, er brauchte dringend ein Ventil, um sich Erleichterung zu verschaffen, bevor er jemanden umbrachte, deshalb bestellte er sich ein Mädchen aufs Zimmer. Sergio trank noch einen Whisky, und einen dritten. Das Mädchen war jung und blond und sehr hübsch, aber plötzlich dachte Sergio an Alex. Und obwohl die kleine Hure sich redlich Mühe gab, musste Sergio zu seiner Bestürzung feststellen, dass sich bei ihm absolut nichts tat. Er fühlte sich entsetzlich gedemütigt und schickte das Mädchen verärgert weg. In diesem Augenblick hasste er Alex aus tiefstem Herzen. Sie war schuld daran, dass er versagt hatte. Sie hatte ihn verhext.

***

Am Dienstag, den 14. Juni 2000, ging der Zollbehörde am Brooklyner Hafen ein ganz dicker Fisch ins Netz. Früh am Morgen hatten die Männer des Zollamtes einen anonymen Hinweis bekommen, sie sollten den panamaischen Frachter

Cabo de la Nao, der aus Costa Rica kam und Kaffeebohnen geladen hatte, genauer in Augenschein nehmen. An Bord des Schiffes hatten sie tatsächlich mehr als 200 Kilo reines Kokain mit einem Schwarzmarktwert von mehreren Millionen Dollar gefunden. Das Rauschgift stammte aus Kolumbien und war in Plastikbeutel verschweißt in den Kaffeesäcken versteckt worden. Der Kapitän und die Mannschaft der *Cabo de la Nao* waren sofort verhaftet und zum Verhör gebracht, die gesamte Ladung beschlagnahmt worden. Am Hafen oder an den Flughäfen der Stadt fanden die Zollbeamten und Drogenfahnder immer wieder Rauschgift, aber meistens handelte es sich um ein paar Gramm oder ein Kilo. Dieser Fund aber war zweifelsohne einer der größten in der Geschichte der Vereinigten Staaten. Die Dreistigkeit, mit der die kolumbianischen Drogenbosse agierten, war einfach unglaublich. Selbstverständlich war der Kokainfund in Brooklyn den ganzen Tag über das alles beherrschende Thema in allen Nachrichtensendungen. Stolz verkündete Bürgermeister Kostidis einen bedeutenden Schlag gegen die Drogenkriminalität und das organisierte Verbrechen in New York City. Sergio lachte verächtlich und wandte sich vom Fernseher ab.

»Sehr gut«, sagte er zu Massimo, Nelson, Luca und Silvio, die mit ihm in seinem Apartment an der Park Avenue die Nachrichten verfolgt hatten, »das wird Ortega zum Einlenken bringen.«

»Oder es gibt Krieg«, äußerte Nelson seine Bedenken.

»Das kann sich Ortega nicht leisten. Er braucht unsere Verbindungen am Hafen, um so große Lieferungen ins Land bringen zu können. Und er ist auf den amerikanischen Markt angewiesen.« Sergio schüttelte den Kopf und betrachtete wieder mit grimmiger Miene den Bürgermeister auf dem Bildschirm. »Dieser Idiot glaubt wirklich, seine Cops hätten das alleine fertiggebracht.«

»Vielleicht solltest du noch einmal mit Ortega reden«, sagte Nelson, »er wird jetzt ...«

»Nelson!« Sergio sah seinen Freund erstaunt an. »Was ist denn los mit dir? So kenne ich dich gar nicht!«

»Mir ist nicht wohl bei dem Gedanken, dass du dich mit den Kolumbianern anlegst. Sie sind gefährlich.«

»Hört sich ja an, als ob du auf deine alten Tage Angst bekommst.« Sergio grinste amüsiert.

»Nenn es, wie du willst«, antwortete Nelson, »ich bin zumindest nicht scharf auf einen Krieg mit diesen Leuten.«

»Es gibt keinen Krieg«, Sergio schaltete ungeduldig den Fernseher ab und erhob sich, »Ortega wird sich melden. Und dann werden wir verhandeln.«

»Ich hoffe, du irrst dich nicht.«

»Ortega ist ein Geschäftsmann, Nelson«, erwiderte Sergio, »ein Krieg fordert zu viele Opfer und kostet zu viel Geld.«

Donnerstag, 16. Juni 2000

Um halb neun schaltete Alex den Computer aus und räumte ihren Schreibtisch auf. Außer ihr und dem Wachdienst war kein Mensch mehr in dem ganzen Gebäude. Noch immer hatten Mark und sie nicht mehr über die geheimnisvolle Partnership mit dem Namen SeaStarFriends herausbekommen. Der Kurs von PBA hatte sich normalisiert, nachdem sich die Börsenaufsicht eingeschaltet hatte. Seltsamerweise war die Untersuchung schon nach zwei Tagen wieder abgeblasen worden. Die ganzen Vorgänge um PBA waren mehr als mysteriös, aber das Geschäft mit BLUE STEEL würde in den nächsten Wochen über die Bühne gehen. Alex wollte gerade ihr Büro verlassen, als die externe Leitung ihres Telefons summte. Sie zögerte kurz, aber dann hob sie ab.

»Alex Sontheim«, meldete sie sich.

»Hallo, Alex, ich hatte gehofft, Sie noch im Büro anzutreffen.«

Die Stimme war unverkennbar.

»Hallo, Nick«, sie setzte sich wieder hin, »Sie hatten Glück. Ich wollte gerade gehen. Wie geht's Ihnen?«

»Danke, mir geht es gut«, erwiderte der Bürgermeister, »und Ihnen? Wie laufen die Geschäfte?«

»Ich bin zufrieden.«

Weshalb rief er an? Und woher hatte er ihre Durchwahlnummer?

»Ich habe eben erfahren, dass Sie Ihre Teilnahme an der Auszeichnung verdienter Mitbürger unserer Stadt abgesagt haben«, sagte Kostidis, »und ich wollte mich nach dem Grund Ihrer Absage erkundigen.«

Vor ein paar Wochen hatte Alex einen Brief vom Büro des Bürgermeisters erhalten, in dem man ihr mitgeteilt hatte, dass sie für ihre mutige Rettung von Madeleine im vergangenen Jahr von der Stadt New York eine Auszeichnung erhalten sollte. Gemeinsam mit anderen Menschen, die sich auf irgendeine Art und Weise um ihre Mitbürger oder die Sicherheit der Stadt verdient gemacht hatten, sollte sie während einer Feierstunde in der City Hall geehrt werden. Alex hatte nicht vor, daran teilzunehmen, deshalb hatte ihre Sekretärin ihre Teilnahme abgesagt.

»Sagen Sie bloß, Sie rufen jeden persönlich an, der absagt«, antwortete sie spöttisch. Sie hatte häufig an Kostidis gedacht, und das ärgerte sie.

»Nein«, er lachte, »sicher nicht. Aber es sagen auch nur sehr wenige Leute ab.«

»Das glaube ich«, ihre Stimme klang sarkastisch, »die meisten sind scharf darauf, ihren Namen in der Zeitung zu lesen.«

»Das mag sein«, entgegnete der Bürgermeister, »aber sie haben auch ein Recht darauf. Die Menschen, die ausgezeichnet werden, haben alle etwas Außergewöhnliches geleistet.«

»Hören Sie, Nick«, Alex merkte, dass sie sich wieder in ein Gespräch verstricken ließ, das ihr nicht behagte, »ich wäre sehr gerne gekommen, aber ich muss an diesem Tag nach Houston fliegen. Tut mir leid.«

»Daran kann man nichts ändern«, erwiderte Kostidis, »schade. Aber weshalb ich anrufe ...«

Alex ging unwillkürlich in eine innere Abwehrhaltung.

»Ich wollte Sie für den 15. Juli zu einem Dinner in Gracie Mansion einladen«, sagte er zu ihrer Überraschung, »selbstverständlich erhalten Sie noch eine schriftliche Einladung. Meine Frau und ich würden uns sehr freuen, wenn Sie kommen.«

»Oh, vielen Dank. Wie komme ich zu der Ehre?«

Kostidis ließ sich nicht von ihrem Sarkasmus beirren.

»Es ist ein Empfang für den kanadischen Botschafter«, sagte

er ruhig, »zu solchen Anlässen laden wir immer gerne interessante Leute ein. Die Downeys werden auch da sein, und meine Frau kam auf die Idee, Sie ebenfalls einzuladen. Mary war sehr beeindruckt von Ihnen.«

Alex glaubte fast das Lächeln in seiner Stimme zu hören. Machte er sich über sie lustig? Er hatte ganz andere Beweggründe sie einzuladen, und die Behauptung, seine Frau sei auf diese Idee gekommen, war mehr als fadenscheinig.

»Ich gehe davon aus, dass diese Einladung nur für mich gilt«, sagte sie spitz.

»Selbstverständlich dürfen Sie in Begleitung kommen«, erwiderte Kostidis glatt. Alex konnte nichts daran ändern, aber dieser Mann provozierte sie einfach dazu, zynisch zu reagieren.

»Ich werde in meinem Terminkalender nachsehen, ob ich an diesem Tag Zeit habe«, antwortete sie kühl.

»Schön. Haben Sie übrigens noch einmal über unser Gespräch nachgedacht?«

Aha. Endlich kam er zu dem Thema, auf das er sicherlich von Anfang an hinausgewollt hatte. Das war auch ganz sicher der Grund für die Einladung zu dieser Ehrungsfeier und nun zu dem Empfang in Gracie Mansion.

»Nein«, sagte sie, »dazu hatte ich in den letzten Monaten keine Zeit.«

Es war gelogen. In Wirklichkeit dachte sie unablässig darüber nach.

»Schade.«

»Nick«, Alex senkte die Stimme, obwohl sie lieber geschrien hätte, »ich mag es nicht, wenn man versucht, mich zu benutzen. Es tut mir aufrichtig leid, wenn Sie Probleme haben. Wenden Sie sich an das FBI oder die CIA. Ich kann Ihnen nicht helfen.«

»Mir tut es leid, wenn Sie das Gefühl haben, ich wollte Sie benutzen. Das war nicht meine Absicht.« Er machte eine kurze Pause. »Haben Sie schon von dieser Rauschgiftsache am Brooklyner Hafen gehört?«

»Ja«, Alex war verwundert über den plötzlichen Themenwechsel, »es gibt ja kein anderes Thema mehr. Was hat das mit mir zu tun?«

»Experten vom FBI vermuten«, sagte Kostidis, »dass es in Kürze zu einem Krieg zwischen dem kolumbianischen Drogenkartell und der New Yorker Unterwelt kommen wird.«

»Warum sagen Sie mir das?«

Er schwieg einen Moment.

»Weil ich befürchte, dass Mr Vitali in die Sache verwickelt ist.«

Alex rann ein Schauer über den Rücken.

»Ich möchte verhindern, dass Ihnen etwas geschieht, Alex.«

»Sie versuchen es wirklich mit allen Mitteln«, erwiderte Alex frostig. »Vielen Dank für Ihre Besorgnis, aber wie ich Ihnen schon einmal versichert habe, habe ich mit Mr Vitalis Geschäften nicht das Geringste zu tun.«

Nick seufzte.

»Dann ist es ja gut. Werden Sie unsere Einladung annehmen?«

»Ich gebe Ihnen Bescheid.«

»Gut. Ich wünsche Ihnen ein schönes Wochenende.«

»Danke, das wünsche ich Ihnen auch.«

Alex' Herz klopfte zum Zerspringen, als sie den Hörer aufgelegt hatte. Verdammt, warum konnte Kostidis sie nicht einfach in Ruhe lassen!

Samstag, 18. Juni 2000

Es klingelte an der Tür, wenig später drehte sich der Schlüssel im Schloss und Sergio betrat die Wohnung.

»Alex?«, rief er. »Ich bin da!«

»Ich komme sofort!«, erwiderte sie aus dem Badezimmer. Sie starrte ihr Spiegelbild an. Heute hatte sie sich das lange dunkelblonde Haar bis auf Kinnlänge abschneiden und blond färben lassen, weil sie hoffte, dass es Sergio so wenig gefiel wie das hautenge, silberne Missoni-Kleid, das für seinen altmodischen Geschmack viel zu auffällig war. Alex konnte ihn nicht mehr ertragen, die Anstrengung, sich in seiner Gegenwart ständig verstellen zu müssen, zerrte an ihren Nerven, und der Gedanke an seine unbeherrschte Brutalität ließ sie schaudern. Seit Wochen schon schob sie die wichtige Entscheidung, die sie getroffen hatte, vor sich her, aber heute Abend würde sie die Beziehung, die für sie zu einer echten Qual geworden war, beenden. Sie holte tief Luft, bevor sie das Badezimmer verließ.

»Hallo«, sagte sie.

»Hallo«, erwiderte er, und sein Blick unter hochgezogenen Augenbrauen glitt von ihren Haaren bis zu den silbernen Riemchensandalen und wieder zurück. Er lächelte nicht, aber er küsste ihre Wange.

»Was hast du mit deinen Haaren gemacht?«

»Ich war beim Friseur«, Alex wartete auf das vertraute Herzklopfen bei seinem Anblick, aber es blieb aus, »können wir gehen?«

»Natürlich.«

Schweigend fuhren sie mit dem Aufzug nach unten. In der Eingangshalle wartete Luca. Alex nickte ihm kurz zu.

»Seit wann brauchst du Leibwächter, wenn du mit mir ausgehst?«, fragte sie. Für einen Moment verdunkelte sich Sergios Gesicht.

»Damit dich niemand stiehlt, Cara«, erwiderte er leichthin. Seine Limousine wartete mit laufendem Motor direkt vor der Eingangstür des Hauses, und da fielen Alex Kostidis' Worte ein. Der Rauschgiftfund im Hafen, das kolumbianische Drogenkartell, die New Yorker Unterwelt. *Ich befürchte, dass Mr Vitali in die Sache verwickelt ist ...* Nein, das konnte nicht sein. Sergio wirkte so gelassen wie immer, nicht gerade wie jemand, der einen Krieg mit südamerikanischen Drogenhändlern erwartete. Kostidis schien tatsächlich unter Wahnvorstellungen zu leiden. Eine Viertelstunde später hielt die Limousine vor dem *Le Bernardin* in der 51. Straße. Sergio wurde vom Inhaber des französischen Nobelrestaurants überschwänglich begrüßt, und der Mann, den Sergio ›Jean‹ nannte, begleitete sie zu einem Tisch in einer Ecke des Restaurants. Bewundernde Blicke folgten Alex durch das ganze Restaurant, und sie registrierte, dass Sergio es bemerkte.

»Das Kleid ist vielleicht ein bisschen zu luftig für ein Dinner«, sagte er leise, »findest du nicht?«

»Den anderen Gästen hier scheint es zu gefallen«, sie zündete sich mit ausdrucksloser Miene eine Zigarette an, »dir etwa nicht?«

»Ich platze vor Eifersucht, wenn andere Männer dich so anstarren.«

»Tatsächlich?« Sie lächelte spöttisch. »Ich dachte, du wärst über so profane Gefühle wie Eifersucht erhaben.«

Sergio wurde durch das Erscheinen des Chef de Cuisine einer Antwort enthoben, und während des Essens bemühte er sich darum, so unterhaltsam wie immer zu sein. Alex stellte fest, dass sein Charme an ihr abprallte, und musste sich zwingen, nicht auf die Uhr zu sehen. Sie wollte ihm sagen, was sie ihm zu sagen hatte, und dann so schnell wie möglich verschwinden.

»Was ist los mit dir, Cara?«, fragte Sergio, als sie beim Dessert angelangt waren. »Weshalb bist du so kühl zu mir? Nach einem solch wunderbaren Essen könntest du eigentlich etwas freundlicher sein.«

Sie sah ihn nachdenklich an.

»Ich habe bis nach dem Essen gewartet«, sagte sie dann, »um dir mitzuteilen, dass ich eine Entscheidung getroffen habe.«

»Aha«, er lächelte gelassen, aber in seinen Augen erschien ein wachsamer Ausdruck, »was für eine Entscheidung hast du denn getroffen?«

»Seit dem Vorfall im letzten Jahr«, begann Alex, »ist mir klargeworden, dass etwas sehr Wichtiges in unserer Beziehung fehlt. Du liebst mich nicht, sondern betrachtest mich als dein Eigentum, das du nach deinem Gutdünken benutzen kannst. Du respektierst mich nicht.«

Sergio sagte nichts, sondern sah sie nur aufmerksam aus seinen unglaublich blauen Augen an.

»An dem Abend«, fuhr sie fort, »an dem du mich vergewaltigt hast, habe ich begriffen, wie du wirklich bist.«

»Und wie bin ich?« Ihm gelang es zu lächeln.

»Du bist ein Egoist. Für dich gibt es nur Sergio Vitali, sonst nichts. Dein Verhalten hat mich tief gekränkt.«

»Das tut mir leid.«

»Das glaube ich dir nicht.«

»Cara«, er beugte sich vor und legte seine Hand auf ihre, »ich habe noch nie zuvor in meinem Leben eine Frau so sehr begehrt wie dich.«

»Und?«

»Und?« Er sah sie irritiert an. »Was meinst du?«

»Ich weiß, dass du meinen Körper begehrst«, antwortete sie, »aber ich erwarte von einer Beziehung mehr als nur Sex. Ich bin bald 37 Jahre alt und habe keine Lust, nur das Betthäschen von einem Mann zu sein, der sich einen Dreck um meine Gefühle und Bedürfnisse schert.«

»Was erwartest du von mir?« Ein schwer zu deutender Ausdruck lag in seinen Augen. War es Unsicherheit? Oder war es lediglich Verärgerung darüber, dass er sich dieser Diskussion nicht entziehen konnte?

»Nichts«, Alex zuckte die Schultern, »ich erwarte nichts von dir. Zwischen uns wird nie mehr sein als Sex. Du wirst mich nie als gleichberechtigte Partnerin oder Vertraute akzeptieren. Ich weiß nicht weshalb, ich habe sehr häufig darüber nachgedacht. Manchmal dachte ich, es läge an mir, aber das ist nicht so. Du willst von einer Frau eben nicht mehr als das, was du dir bei mir holst. Und für mich reicht das auf Dauer nicht.«

Sergio schwieg einen Moment, sein Gesicht war ausdruckslos.

»Ich werde nicht zulassen, dass du mich verlässt«, sagte er dann und ließ ihre Hand los.

»Was willst du tun? Wirst du mich mit vorgehaltener Pistole zwingen, mit dir ins Bett zu gehen?«

Er reagierte nicht auf diese spöttische Bemerkung.

»Sag mir, was ich tun kann, damit du deine Meinung änderst.«

»Nichts. Es ist zu spät.«

»Das kann ich nicht akzeptieren«, erwiderte Sergio.

»Du hättest mich nicht anlügen sollen«, sagte Alex, »aber du lügst immer wieder. Wieso sind wir heute Abend nicht alleine unterwegs? Warum die Limousine, die Leibwächter, die jeden anstarren, der ins Restaurant hineinkommt?«

Sie stieß einen Seufzer aus und schüttelte den Kopf.

»Ich war bereit, dich zu lieben, Sergio. Wenn du ehrlich zu mir gewesen wärst, hätte ich jede Wahrheit akzeptiert, und wenn sie noch so schlimm gewesen wäre.«

Sie bemerkte am Ausdruck seiner Augen, dass sie einen wunden Punkt berührt hatte.

»Meine Frau hat in 30 Jahren nicht verlangt, dass ich ihr etwas von meinen Geschäften erzähle«, sagte er steif. »Wieso können wir es nicht einfach so lassen, wie es ist?«

»Ich habe dir gesagt weshalb«, sie drückte die Zigarette aus, »und jetzt möchte ich nach Hause.«

Sergio schluckte. Er wollte Alex unter keinen Umständen verlieren. Sie bedeutete ihm mehr, als ihm jemals eine Frau bedeutet hatte. Vielleicht sollte er doch Nelsons Warnung in den Wind schlagen und ihr die Wahrheit über sich erzählen. Mit ihr an seiner Seite konnte er unschlagbar sein, denn Alex hatte all das, was seinem Sohn Massimo fehlte. Sie war eine glänzende und kaltblütige Taktikerin, sie war bei aller Risikofreudigkeit besonnen und weitsichtig. Aber wie würde sie auf die Wahrheit reagieren? Wenn sie plötzlich Skrupel zeigte, wäre sie eine Gefahr und ihm würde nichts anderes übrigbleiben, als sie eliminieren zu lassen. Frauen waren schwer einzuschätzen, und Alex erst recht. Sergio hasste nicht einschätzbare Risiken. Er brauchte Zeit, um sich über die beste Strategie in diesem Fall klarzuwerden. Fürs Erste schien es deshalb das Beste zu sein, ihre Beziehung auf Eis zu legen. Bereits in dem Moment als er das dachte, verspürte er seine Sehnsucht nach ihr so schmerzhaft wie einen Messerstich. Allein der Gedanke, dass ein anderer Mann sie anfasste, brachte ihn um den Verstand.

»Lass uns ein anderes Mal darüber sprechen«, sagte er schließlich und zwang sich mit aller Kraft zu einem Lächeln, »ich muss über das, was du gesagt hast, nachdenken.«

»Einverstanden.«

Es war Viertel nach zwölf, als sie das *Le Bernardin* verließen. Luca und der andere Mann, die den ganzen Abend über im Foyer des Restaurants herumgelungert hatten, standen schon auf der Straße. Alex ging auch hinaus, während Sergio sich noch kurz mit dem Inhaber des Restaurants unterhielt. Draußen war es kühl für den Monat Juni, es nieselte leicht. Sergio schlug den Kragen seines Trenchcoats hoch, als er auf die Straße trat.

»Wo ist der Wagen?«, schnauzte er Luca ungehalten an.

»Er musste einmal um den Block fahren«, erwiderte dieser. Alex stand fröstelnd neben Sergio, als sie Reifen quietschen hörte und den Kopf hob. Ein alter brauner Ford wechselte mit hohem Tempo die Fahrspur und kam direkt auf sie zugebraust. Sie bemerkte, dass die Fenster trotz des Regens heruntergedreht waren, und wunderte sich darüber. Sie dachte an das, was Kostidis ihr gesagt hatte. Sie dachte an die Vorwürfe gegen Sergio in den Medien, nein, sie dachte eigentlich gar nichts, sondern ihr Gehirn verarbeitete in Sekundenschnelle die Bruchteile verschiedenster Informationen. Und instinktiv spürte sie, dass von dem braunen Auto Gefahr ausging.

»Sergio!«, schrie sie. »Pass auf!«

Durch ihren Schrei gewarnt fuhr Sergio herum, in der gleichen Sekunde blitzte Mündungsfeuer einer Maschinenpistole aus dem Wageninneren auf. Alex hörte das trockene Bellen der Gewehrsalve und spürte einen harten Stoß im Rücken, als Luca sie zu Boden stieß. Sie hörte, wie die Kugeln in Autoblech schlugen, die Glastür des Restaurants in tausend Glassplitter zersprang und Querschläger mit einem jammernden Heulen über ihr durch die Luft pfiffen. Die Szene, die nur wenige Sekunden dauerte, spielte sich vor ihren ungläubigen Augen wie in Zeitlupe ab. Dann war der Spuk vorbei. Das Auto raste mit aufheulendem Motor in Richtung Rockefeller Center davon. Die Passanten, die zu dieser späten Stunde noch unterwegs waren, schrien voller Panik, Autos bremsten und hupten. Alex befreite sich aus Lucas Griff und sprang auf. Sergio und der andere Mann hatten schutzsuchend hinter einem parkenden Auto, das nun von Kugeln durchlöchert war, gekauert.

»Cara«, er streckte den Arm nach ihr aus, »ist dir etwas passiert?«

»N… n… nein«, sie konnte vor Schreck kaum sprechen, »und dir?«

»Mir geht's gut«, versicherte er. Sein Gesicht war blass, als er sich nun erhob, aber er war äußerlich so ruhig und beherrscht wie immer. Eine neugierige Menschenmenge bildete sich in respektvollem Abstand, aus dem Restaurant kamen der vor Schreck wachsbleiche Inhaber und einige Gäste, die die Schüsse gehört hatten.

»Mr Vitali!«, rief der Restaurantbesitzer. »Soll ich die Polizei rufen? Oder einen Krankenwagen?«

»Nein, nein, lassen Sie nur, Jean«, Sergio klopfte sich mit der rechten Hand den Schmutz vom Mantel, »es ist alles in Ordnung.«

»Jemand hat auf dich geschossen!« Alex' Stimme zitterte hysterisch. Erst jetzt spürte sie Panik in sich aufsteigen. Ihre Knie waren weich wie Pudding, und sie zitterte am ganzen Körper. Das Auto war längst im nächtlichen Verkehrsgewühl von Midtown Manhattan verschwunden.

»Es ist alles in Ordnung«, wiederholte Sergio und ging zu seiner Limousine, die nun am Straßenrand angehalten hatte. Der ganze Vorfall hatte nicht länger als 15 oder 20 Sekunden gedauert, aber Alex kam es so vor, als seien es Stunden gewesen. Langsam kam ihr zu Bewusstsein, wie nahe sie dem Tod gewesen war. Das war kein Film gewesen, sondern Realität! Die Besitzer der beschädigten Autos diskutierten erregt, und jemand rief nach der Polizei.

»Du musst die Polizei rufen, Sergio!« Alex' Stimme klang schrill, und sie bebte vor Angst. »Jemand hat versucht, dich zu erschießen!«

»Nein, muss ich nicht«, erwiderte Sergio, ohne sie anzusehen, »ich habe doch gesagt, es ist nichts passiert. Komm, steig ein.«

Alex öffnete den Mund zu einer Erwiderung, aber Luca, der ihr eben das Leben gerettet hatte, drängte sie in die Limousine. Kaum war die Tür zugefallen, gab der Fahrer Gas. Alex spürte ihren rasenden Herzschlag. Ihr wurde abwechselnd heiß und kalt. Sie konnte noch immer nicht ganz begreifen, was soeben passiert war. Im dämmerigen Licht, das im Inneren der Limousine herrschte, starrte sie wie betäubt auf ihre Hand, mit der sie eben Sergios Schulter berührt hatte. Sie war voller Blut. Sergio zog mit schmerzverzerrtem Gesicht seinen Mantel und sein Jackett aus. Entsetzt sah Alex den rasch größer werdenden Blutfleck auf seinem Hemd.

»O Gott, du bist verletzt!«, flüsterte sie. »Du bist getroffen worden!«

»Armando, gib ihr einen Drink«, befahl Sergio und knöpfte sein Hemd auf, »was ist mit euch? Seid ihr verletzt?«

»Nein«, antwortete Luca, und auch Armando verneinte. Mit weit aufgerissenen Augen und stumm vor Angst und Entsetzen starrte Alex die Männer an, bis ihr Blick auf Sergio hängen blieb. Unter seinem Hemd trug er eine kugelsichere Weste.

»Warum hast du so ein Ding an?«, flüsterte sie, aber langsam griffen ihre Gedanken ineinander. Das, was Kostidis ihr am Telefon gesagt hatte, entsprach der Wahrheit. Sergio hatte damit gerechnet, dass man auf ihn schießen würde!

»Sergio!«, wiederholte sie, aber er reagierte gar nicht.

»Trink das, Cara«, sagte er stattdessen, nachdem Armando ihr ein Glas randvoll mit Whisky in die Hand gedrückt hatte, »das wird dir guttun.«

Gehorsam kippte Alex den Whisky hinunter, und das Zittern ließ nach.

Armando holte aus einem Erste-Hilfe-Koffer Verbandsmaterial, und Luca machte sich daran, Sergios heftig blutende Schulterwunde notdürftig zu verarzten. Sie sprachen leise auf Italienisch miteinander, Luca öffnete die Trennscheibe und gab dem Fahrer den Befehl, zu einer bestimmten Adresse nach Brooklyn zu fahren. Alex stand unter Schock. Sie bekam kaum mit, dass die Limousine über die hellerleuchtete Brooklyn Bridge rollte. Luca führte zwei kurze Telefongespräche mit dem Handy. Sergio hatte die Augen geschlossen und hielt die Hand auf den Verband gepresst, der sich unter seinen Fingern rot färbte. Alex war nicht zimperlich, und der Anblick von Blut machte ihr nichts aus, aber das hier war etwas ganz anderes! Jemand hatte auf Sergio geschossen, in der Absicht ihn zu töten.

»Sergio«, sie beugte sich vor und versuchte, das Zittern in ihrer Stimme zu unterdrücken, »wer war das? Wer hat auf dich geschossen?«

»Zerbrich dir nicht deinen Kopf darüber«, er öffnete die Augen und lächelte matt, »ich habe nur einen Kratzer abbekommen.«

»Du könntest jetzt tot sein!«

»Ja. Aber du hast mich rechtzeitig gewarnt.«

Alex schwieg. Wenn sie nicht geschrien hätte, wäre er jetzt wahrscheinlich tot. Der Wagen bog in eine verlassene Straße ein. Alex erkannte langgestreckte Lagerhäuser und sah auf der anderen Seite des Flusses die Lichter Manhattans.

»Wo sind wir hier?«, fragte sie.

»Jemand wird dich nach Hause bringen«, Sergio wich einer direkten Antwort wie üblich aus und ergriff ihre Hand, »du hast mir das Leben gerettet, Cara. Dafür danke ich dir.«

Der Wagen stoppte.

»Was tust du hier? Warum bist du nicht in ein Krankenhaus gefahren?« Alex war viel zu durcheinander, um zu begreifen, was sich hier abspielte. Armando öffnete die Tür, und Sergio stieg schwerfällig aus. Es regnete stärker, doch trotz der Kühle stand ihm der Schweiß auf der Stirn. Autos kamen durch den stärker werdenden Regen mit abgeblendeten Scheinwerfern heran. Männer stiegen aus. Der Regen wehte schräg durch das Licht der Lampe über dem Eingang. Niemand beachtete Alex, und so folgte sie ihnen in das Lagerhaus. Sie erkannte Sergios Sohn Massimo und Nelson van Mieren. Dicht an die Wand eines kleinen Büros gepresst verfolgte sie fassungslos, was sich um sie herum abspielte. Draußen fuhren weitere Autos vor. Alex hörte das Zuschlagen von Autotüren. Ernste Männer mit entschlossenen, grimmigen Gesichtern betraten das Lagerhaus und unterhielten sich leise auf Italienisch. Sie spürte die unauffälligen Blicke und sah, dass alle Männer bis an die Zähne bewaffnet waren. Bisher war die Mafia für Alex nicht viel mehr als ein abstrakter Begriff mit negativem Klang gewesen – und auf einmal befand sie sich mittendrin. Sie fuhr zusammen, als plötzlich Massimo vor ihr stand und sie ansprach.

»Dario wird Sie jetzt in die Stadt fahren«, sagte er.

»Wie geht es Ihrem Vater?«, fragte Alex. »Kann ich kurz zu ihm?«

Massimo musterte sie mit einem forschenden Blick, dann

nickte er. Sie folgte ihm durch einen Raum, in dem sich Ordner in wackeligen Regalen bis zur Decke stapelten. Weshalb war Sergio hierhergefahren und nicht in seine Wohnung oder in ein Krankenhaus? Massimo blieb vor einer Tür stehen und klopfte. Als die Tür geöffnet wurde, sagte er leise etwas auf Italienisch zu Nelson van Mieren, der Alex einen scharfen Blick voller Abneigung zuwarf, dann aber nickte. Sie trat mit wild klopfendem Herzen ein. Sergio lag mit nacktem Oberkörper auf einem schmalen Bett. Ein älterer Mann untersuchte seine Schulter.

»Die Kugel ist noch drin«, sagte er gerade und wischte sich die blutigen Finger an einem Handtuch ab, »ich fürchte, eine Ader ist verletzt.«

»Wir bringen dich zu Dr. Sutton, Sergio«, sagte Nelson, »ich habe ihn schon angerufen. In seiner Klinik bist du sicher.«

Sicher? Vor was? Vor einem zweiten Attentat? Alex spürte, wie ihre Knie wieder zu zittern begannen. Kostidis hatte sie gewarnt, aber sie hatte ihm wieder nicht glauben wollen. Nun gab es keine Ausflüchte mehr, keine Beschönigungen und keinen Zweifel daran, dass Sergio mit der Unterwelt zu tun hatte. Vor einer halben Stunde hatte sie miterlebt, wie jemand ein Attentat auf sein Leben verübt hatte, das nur aus Zufall fehlgeschlagen war, und draußen befanden sich fast 50 schwerbewaffnete Männer. Der Gedanke, dass sie sich im New Yorker Hauptquartier der Mafia befand, war fast schon grotesk.

»Okay«, sagte Sergio gerade mit schmerzverzerrtem Gesicht, »wo ist Natale? Er soll …«

Van Mieren machte eine Handbewegung, und Sergio verstummte. Sein Blick fiel auf Alex, die wie gelähmt an der Wand neben einem Aktenregal stand und ihn angstvoll anstarrte.

»Cara«, Sergio streckte seine rechte Hand aus und lächelte mühsam, »komm her zu mir.«

Zögernd ging sie zu ihm und ergriff seine Hand, die ungewöhnlich kalt war. Seine Augen glänzten wie im Fieber, er schwitzte, obwohl es nicht sonderlich warm war. Obwohl offensichtlich geschwächt, war er noch immer ganz Herr der Lage.

»Ich bedaure, dass du das mitbekommen hast«, er verzog das Gesicht, »aber du wolltest ja wissen, weshalb ich heute Abend mit Leibwächtern unterwegs war.«

Alex verschlug es einen Moment die Sprache, und dann verwandelte sich ihre Angst in heißen Zorn. Sie zog ihre Hand weg.

»Du hast damit gerechnet, dass so etwas passieren könnte«, flüsterte sie, »aber du hast es nicht für notwendig gehalten, mir das zu sagen. Ich bin dir in Wahrheit so gleichgültig, dass du mich leichtfertig in Lebensgefahr gebracht hast!«

»Es tut mir leid.«

Alex ballte die Hände zu Fäusten. Am liebsten hätte sie ihm in sein ausdrucksloses Gesicht geschlagen.

»Fahr zur Hölle, Sergio«, zischte sie, »das werde ich dir niemals verzeihen.«

Sie wandte sich ab, bevor er etwas erwidern konnte. Je schneller sie dieses düstere Lagerhaus, diese finsteren Gestalten und den ganzen Alptraum hinter sich lassen konnte, desto besser.

* * *

Marvin Finnegan spielte mit ein paar Kollegen Karten, als um kurz nach ein Uhr morgens eine Notrufmeldung bei der Zentrale des 41. Polizeireviers in Morrissania in der South Bronx einging. Es war eine vergleichsweise ruhige Nacht, und die Beamten, die nicht auf Streife waren, vertrieben sich die Zeit mit Kartenspielen. Die Gegend, in der das 41. Polizeirevier lag, gehörte zu den heruntergekommensten Stadtvierteln New Yorks und schien von den glitzernden Wolkenkratzern Manhattans, von den Edelboutiquen an der Fifth Avenue und den vornehmen Appartementhäusern der Upper East Side so weit entfernt zu sein wie vom Mond. Von der Stadtverwaltung traute sich schon lange niemand mehr in die South Bronx, in der viel zu wenige desillusionierte und korrupte Polizisten oberflächlich für Ruhe sorgten. Drogen waren nichts Ungewöhnliches in der South Bronx. Der ganze Stadtbezirk war vollkommen heruntergewirtschaftet, und die Leute, die in den menschenunwürdigen Behausungen lebten, waren verbittert, entmutigt oder hatten längst resigniert. Das Rauschgift tröstete sie über ihr alltägliches Elend hinweg. Es gab keine Familie, in der nicht mindestens einer an der Nadel hing. Die meisten Männer vertranken die paar Dollar, die sie von der Sozialhilfe bekamen, und handgreifliche Familienstreitigkeiten waren in den winzigen Wohnungen, in denen manchmal mehr als zehn Personen aufeinanderhockten, an der Tagesordnung. Das Elend und die Verwahrlosung waren bedrückend. Die hässlichen Mietskasernen verfielen, weil sich niemand mehr um den Erhalt der Bausubstanz kümmerte, manchmal brannten sie ab, und der Anblick der Trümmerhalden und Ruinen war allgegenwärtig, genauso wie der Anblick der Prostituierten und Stricher am Hunts Point, der Drogendealer und jugendlichen Gewaltverbrecher. Die meisten Polizisten waren nicht weniger frustriert als die Bewohner des Viertels. Sie nahmen Schmiergelder von Drogenhändlern und kassierten Schutzgelder von Ladenbesitzern, wenn sie sich nicht krankschreiben oder in eine andere Gegend der Stadt versetzen ließen. Marvin Finnegan war seit 16 Jahren Polizist in diesem elendsten aller Stadtviertel New York Citys. Er war hier geboren und aufgewachsen und hatte die South Bronx nur verlassen, um seinen Dienst bei der Army abzuleisten und später die Polizeiakademie zu besuchen. Er war ein harter, aber gerechter Cop, sein Name in der South Bronx längst Legende, denn er war unbestechlich und entschlossen, die ehrliche Bevölkerung vor den Verbrechern zu schützen.

»He, Marvin!« Patrick Peters, der Lieutenant vom Dienst, streckte um kurz nach eins seinen Kopf zur Tür des Aufenthaltsraumes herein. »Eine Frau aus einem Wohnblock Flatbush Street Ecke Sound View Avenue hat gerade gemeldet, dass wieder diese Bande aufgetaucht ist und die Leute da terrorisiert. Ich habe Hank und Freddie hingeschickt.«

Finnegan legte sein Blatt mit kurzem Bedauern hin. Er hatte ein Fullhouse auf der Hand, aber das war Pech.

»Jungs«, sagte er zu seinen Kollegen, »auf geht's!«

Tom Ganelli, seit drei Jahren Finnegans Partner, grinste aufgeregt.

»Pat«, sagte Finnegan, während er in seine Jacke schlüpfte, »versuch, Valentine und Burns zu erreichen. Sie sollen da hinkommen, aber ohne Sirene. Heute Abend legen wir diesen Schweinen ein für alle Mal das Handwerk.«

Nur zehn Minuten später hielt der Streifenwagen in einer Stichstraße unweit des Wohnblocks. Bei dem Gebäude handelte es sich um eines dieser nur halb bewohnten, fast verfallenen Häuser, in denen Arbeiterfamilien neben Fixertreffs, Pennerquartieren und illegalen Spielhöllen hausten. Schon von weitem hörten Finnegan und Ganelli Schreie und das Geräusch von splitterndem Glas. Im Schatten der bröckeligen Mauern huschten sie zur rückwärtigen Seite des Hauses, wobei sie aufpassen mussten, nicht über Schutt und Unrat zu stolpern. Sie kamen an einem ausgebrannten Autowrack vorbei, wie sie zu Dutzenden in dieser Gegend zu finden waren. Finnegan zog seine Dienstwaffe. In den letzten Wochen war es zu einer ungewöhnlichen Häufung dieser nächtlichen Überfälle auf abbruchreife Wohnblocks gekommen, bei denen die Bewohner der Häuser zusammengeschlagen und bedroht wurden. Zweimal war ein Haus angezündet worden, und da man jedes Mal die Hydranten in der Nähe blockiert hatte, waren sie bis auf die Grundmauern niedergebrannt. Für die Männer des 41. Polizeireviers sah es nach gezielten Entmietungsaktionen aus. Wenn die Bewohner aus Angst und des ständigen Terrors müde endlich aufgegeben hatten und ausgezogen waren, rückten die Bagger mit den Abrissbirnen an und machten das Haus dem Erdboden gleich. Überall standen ausgebrannte Ruinen oder lagen Schuttberge, wo früher einmal Wohnblöcke gestanden hatten. Bauland war rar in New York City. Irgendwann würden hier neue Gebäude entstehen, teure Eigentumswohnungen oder Bürogebäude. Vielleicht würde dieser Bezirk in ein paar Jahren saniert werden, und die gewissenlosen Immobilienspekulanten, die die Grundstücke für billiges Geld erworben hatten, würden einen gewaltigen Reibach beim Verkauf machen. Die armen Leute aber würden nach East Harlem oder in andere, noch verkommenere Stadtviertel abgedrängt. Per Funk verständigten sich die Polizeibeamten und schlossen einen Ring um das Haus.

»Wie viele sind es, und wo sind sie?«, wollte Finnegan wissen.

»Sie sind im Haus«, erwiderte sein Kollege von der anderen Seite, »ich schätze, es sind fünf oder sechs.«

Langsam näherten sie sich dem Haus.

»Hier riecht es verdammt nach Benzin«, sagte Ganelli leise, »die wollen wohl die Bude abfackeln.«

In diesem Moment erhellte schon ein Feuerschein die Nacht, Fenster wurden aufgerissen, und Leute schrien verzweifelt.

»Ruf die Feuerwehr«, sagte Finnegan und schaltete sein Funkgerät an, »alle anderen rücken vor!«

Gerade als sie vor dem Haus auftauchten, wollten die Brandstifter durch die geborstene Haustür flüchten.

»Polizei!«, brüllte Finnegan und stürmte mit gezogener Waffe los. »Stehen bleiben!«

Ganelli ließ den hellen Scheinwerfer aufflammen und richtete ihn auf die Männer. Für eine Sekunde verharrten die Typen geblendet, dann zog einer von ihnen eine Waffe.

»Runter!«, schrie Finnegan und duckte sich. Keine Sekunde zu spät, denn der Mann begann schon in der Gegend herumzuballern. Finnegan riss seine .38er Magnum hoch und drückte ab. Gewissensbisse oder ein kurzes Zögern konnten in einer Situation wie dieser tödlich sein. Er hörte hinter sich einen erstickten Schrei, dann erlosch der Scheinwerfer. Die anderen Beamten stürzten sich auf die fünf Typen, die nun brav wie die Chorknaben dastanden.

»Tommy?« Marvin Finnegan beugte sich besorgt über seinen Partner. »He, Tommy!«

»Ich glaub, mich hat's erwischt«, flüsterte der junge Mann und stöhnte.

»Scheiße!« Finnegan richtete sich auf. »Wir brauchen einen Krankenwagen! Es hat Tommy erwischt!«

Zwei Polizeibeamte kamen herbeigelaufen. Im Licht der Stablampe von Mendoza erkannte Finnegan, dass Ganelli von der Kugel im Bauch getroffen worden war. In der Eile hatte er vergessen, seine kugelsichere Weste anzuziehen.

»Verdammte Scheiße«, fluchte er und tätschelte dem Freund und Partner verzweifelt das Gesicht, »halt durch, Tommy! Halt bloß durch! Wir bringen dich ins Krankenhaus, Junge. Es wird alles wieder gut.«

Ganelli lächelte matt. Von ferne näherten sich schon die Sirenen der Feuerwehr. Schaulustige tauchten auf. Aus den zerbrochenen Kellerfenstern des Hauses drang beißender Qualm. Die Beamten zwangen die fünf Männer, sich mit gegrätschten Beinen an die mit Graffiti beschmierte Hauswand zu stellen, und durchsuchten sie nach Waffen, bevor sie ihnen Handschellen anlegten. Jimmy Soames beugte sich über den Mann, den Finnegan erwischt hatte.

»Der braucht keinen Krankenwagen mehr«, bemerkte er und steckte seine Dienstwaffe ins Schulterhalfter, »der ist mausetot.«

Finnegan hockte neben seinem verletzten Partner auf dem Boden im Nieselregen, der seine Uniform durchweichte, bis der Krankenwagen anrückte. Er sah das Blut, das Ganelli in einem schmalen Rinnsal aus dem Mundwinkel rann, er sah den glasiger werdenden Blick und ahnte, dass der Junge sterben würde. Dabei war er erst 28 Jahre alt.

***

Als sie das Revier erreichten, hatte die Nachricht, dass ein Kollege niedergeschossen worden war, bereits die Runde gemacht. Im Wachraum herrschte eine für diese Uhrzeit ungewöhnlich hektische Betriebsamkeit. Wie Motten vom Licht waren Scharen von Reportern von der Meldung angezogen worden, dass man in der South Bronx ein paar Kerle bei einer offensichtlichen Entmietungsaktion festgenommen hatte und ein Polizist angeschossen worden war. Lieutenant O'Malley trat Finnegan in den Weg.

»Du wirst es nicht glauben«, sagte er, »aber einer von den Typen ist der Sohn von Vitali, diesem Baulöwen aus Manhattan.«

»Ach«, Finnegan grinste kalt, »das ist ja ein echtes Sahnehäubchen.«

Ungeduldig schob er sich durch die wartenden Presseleute, ohne auf ihre Fragen einzugehen. Im Untergeschoss bei den Verhörräumen traf er auf Lieutenant Peters.

»Schlimm, das mit Tommy«, sagte er mitfühlend zu Finnegan, »man hat ihn ins Fordham gebracht.«

»Wenigstens ist eins von diesen Schweinen hinüber.«

»Ja«, Peters nickte, »ich hab's gehört. Kopfschuss.«

»Es war nur zu spät. Er hatte Tommy schon erwischt.«

Peters blickte Finnegan prüfend an, dann klopfte er ihm auf die Schulter.

»Ich glaube, es ist besser, du machst Schluss für heute, Marv.«

»Nein, ich bleibe hier, bis ich weiß, was mit Tommy los ist«, widersprach Finnegan. »Mir geht es gut, Pat. Ich bin ganz ruhig, okay?«

»Okay«, Pat Peters nickte, »euch scheint übrigens ein großer Fisch ins Netz gegangen zu sein. Sieht so aus, als könnten wir tatsächlich mal an einen der Hintermänner rankommen.«

»Ich hab's schon gehört. Der Sohn von Vitali«, erwiderte Finnegan. »Du solltest den Bürgermeister informieren. Das wird ihn interessieren.«

»Das soll Captain Tremell entscheiden«, sagte Peters, »er ist auf dem Weg hierher.«

Finnegan hängte seine Jacke über den Kleiderständer und ging zu den Verhörräumen, in denen die fünf Verhafteten eingesperrt worden waren. Mendoza und Soames kamen ihm entgegen, während Lieutenant Peters hoch in den Wachraum ging, um

Captain Tremell, dem Kommandanten des 41. Polizeireviers, Bericht über die nächtlichen Vorfälle zu erstatten.

»Wo ist Vitali junior?«, fragte Finnegan den wachhabenden Beamten. Der warf einen Blick auf das entschlossene Gesicht seines Kollegen und kapierte. Er nickte in Richtung der Tür direkt gegenüber seinem Schreibtisch und stand auf.

»Ich geh mir mal 'nen Kaffee holen …«

***

Cesare Vitali blickte die drei Beamten mit einem höhnischen Grinsen an, das selbstsicher wirken sollte. In seinen dunklen Augen aber las Finnegan Angst. Er erkannte mit einem Blick, dass der Kerl high war. Natürlich hatte er kein Crack geraucht oder H gespritzt, wie es die armen Bürschchen hier taten, er hatte Koks genommen. Mendoza und Soames bauten sich vor der Tür auf.

»Ich will telefonieren!«, forderte der Junge.

»Jetzt nicht«, entgegnete Finnegan gelassen.

»Ich habe das Recht, einen Anruf zu tätigen.«

»Einen Scheißdreck hast du.«

Finnegan hasste diese schmierigen Itakertypen. Er hasste die reichen Söhnchen mit ihren teuren Lederjacken und Gel in den Haaren, die mit ihren protzigen Schlitten nur in diese Gegend kamen, um Zoff zu machen. Er hasste Kokainsüchtige.

»He, Bulle, ich will meinen Anwalt anrufen«, sagte Cesare Vitali und lehnte sich lässig zurück. Finnegan hasste es auch, ›Bulle‹ genannt zu werden.

»Steh auf, wenn ich mit dir rede, du kleiner Spaghetti-Wichser.«

Cesare sah ungläubig zu den beiden anderen Polizisten hinüber, dann grinste er.

»Leck mich am Arsch, Bulle.«

Darauf hatte Finnegan nur gewartet. Mit einem Schritt war er bei dem Jungen und packte ihn an der Jacke. Die Tatsache, dass dieses kleine arrogante Schwein schuld daran war, dass Tommy schwer verletzt worden war, machte ihn zornig. Finnegan ohrfeigte den Jungen so hart, dass er zu Boden ging.

»Was hast du eben gesagt?«, fragte er liebenswürdig. In aller Seelenruhe zog er seinen Gummiknüppel und ließ ihn in seine Handfläche sausen.

»Wenn mein Vater erfährt, wie Sie mich hier behandelt haben, dann sind Sie die längste Zeit Ihres Lebens ein Cop gewesen«, sagte Cesare, und in seinen Augen stand die nackte Angst.

›Weichei‹, dachte Finnegan verächtlich.

»Oh, jetzt zittern mir die Knie«, sagte er laut und riss die Augen in gespielter Angst auf. »Ich will wissen, was du heute Nacht in meinem Viertel zu suchen hattest, du kleine Itakerratte!«

»Ich sage kein Wort ohne meinen Anwalt«, Cesare kreuzte die Arme vor der Brust und setzte ein trotziges Gesicht auf. Mit einer lässigen Armbewegung ließ Finnegan den Gummiknüppel auf die Schulter des Jungen sausen. Cesare schrie auf und krümmte sich zusammen. Finnegan schlug auf ihn ein, bis er winselnd um Gnade bettelte.

»So, du kleine Ratte«, sagte er ruhig, »und jetzt leg mal los. Sonst werde ich nämlich richtig unangenehm.«

Cesare liefen die Tränen über die Wangen. Seine Selbstsicherheit war wie weggefegt.

»He, du heulst ja!«, stellte Finnegan fest. »Bist du ein Mädchen oder ein kleines, schwules Bürschchen?«

In Cesares Augen blitzte für einen Moment Zorn auf, aber seine Angst war größer.

»Ich sage gar nichts. Und Sie werden mächtig Ärger kriegen.«

»Und weshalb, wenn ich fragen darf?« Finnegans Stimme war seidenweich.

»Sie haben mich geschlagen!«

»Was?« Finnegan wandte sich erstaunt zu seinen Kollegen um, die nur grinsten. »Er behauptet, ich hätte ihn geschlagen! Jimmy, Freddie, was sagt ihr dazu?«

»Weißt du, wie Typen aussehen, die Marv geschlagen hat?« Mendoza grinste. Fassungslos blickte Cesare ihn an, aber dann begriff er. Diese Cops waren keine Zeugen, die auf seiner Seite waren. Mit einem Schlag war das Hochgefühl, das der Genuss des Kokains in ihm ausgelöst hatte, verschwunden. Niemand würde ihm glauben, wenn er behauptete, dass ein Polizist ihn misshandelt hatte. Als gestellter Verbrecher hatte er vor einer Jury keine besonders hohe Glaubwürdigkeit. Auch die Drohung mit seinem Vater war unsinnig gewesen. Cesare wusste, dass der vor Wut explodieren würde, wenn er von der Verhaftung erfuhr. Wieder einmal hatte er alles falsch gemacht. Er hatte sich erwischen lassen, nur diesmal saß er richtig in der Tinte. Er würde im Knast landen, und sein Vater würde keine Anstalten machen, ihm zu helfen, nicht nach dem, was vorgefallen war.

»Ihr verdammten Itaker habt meinen Partner niedergeschossen«, sagte Finnegan nun mit kalter Stimme, »und wir stehen hier überhaupt nicht auf Typen, die auf einen von uns schießen.«

Er krempelte sich die Ärmel hoch, und Cesare blickte sich panisch um. Es gab keinen Fluchtweg. Die beiden Cops an der Tür wandten ihm den Rücken zu.

»Machst du jetzt endlich dein beschissenes Maul auf«, zischte Finnegan, »oder bist du so ein Mafiaschwein, das lieber krepiert, als dass es etwas sagt?«

Sein Gummiknüppel sauste herab, und Cesare spürte, wie sein Nasenbein brach und die Lippe aufplatzte. Er war in den schlimmsten Alptraum seines Lebens geraten und hatte solch panische, entsetzliche Angst vor den Schmerzen, dass er sich in die Hose machte.

»Ich weiß nichts!«, heulte er. »Bitte! Ich weiß echt nichts!«

»Komisch, ich hab das Gefühl, dass du mich anlügst. Und ich mag es nicht, wenn man mich anlügt.«

Wieder setzte es Schläge. Sie trafen ihn überall, und Cesare schmeckte sein Blut. Er konnte kaum noch sprechen, spuckte einen Zahn aus. Finnegan hob wieder den Gummiknüppel.

»Nein! Bitte nicht mehr schlagen! Ich sag auch alles, was ich weiß!« Cesare verbarg sein Gesicht hinter seinen Armen.

»Na bitte«, Finnegan grinste, »das hättest du auch leichter haben können. Also, dann schieß mal los.«

***

Die Privatklinik von Dr. Martin Sutton lag ein paar Meilen von Southhampton entfernt auf Long Island in einem großzügigen Park, umgeben von einer mannshohen Hecke. Früher einmal war Dr. Sutton ein weltbekannter Chirurg gewesen und hatte lange Jahre am berühmten Mount-Sinai-Krankenhaus an der Upper East Side gearbeitet, bevor ein Skandal um eine illegale Abtreibung, bei der die Patientin starb, seine Karriere beendete. Nur seine guten politischen Verbindungen verhinderten, dass Sutton aus der Ärztekammer ausgeschlossen wurde und seine Approbation verlor. Er kaufte die Villa auf Long Island und baute sie zu einer Privatklinik um, in der er sich einen Namen als Schönheitschirurg machte. Zu seinen Patientinnen gehörten die schönsten Frauen der Welt, die den erstklassigen Ruf und die Diskretion der Klinik schätzten. Schon einige Male hatte Dr. Sutton seinem alten Freund Sergio Vitali geholfen, wenn es galt, Verletzte zusammenzuflicken, die bei einer Schießerei mit der Polizei oder anderen Banden verletzt worden waren. Sutton war verschwiegen und hatte Vitali nie vergessen, was dieser nach der traurigen Abtreibungssache für ihn getan hatte. Als sich fast alle Menschen von ihm, dem gefeierten Star-Chirurgen, abgewendet hatten, weil sein Name in die negativen Schlagzeilen geraten war, hatte Vitali ihm, ohne zu zögern, beigestanden und seine Verbindungen für ihn spielen lassen. Dr. Sutton hatte es allein diesem Mann zu verdanken, dass er noch immer als Arzt arbeiten konnte. Als Nelson van Mieren den Arzt um ein Uhr früh aus dem Schlaf schreckte, machte dieser sich unverzüglich auf den Weg hinüber in seine Klinik, ohne zu fragen, was geschehen war. Wenn Vitali es ihm sagen wollte, war es gut. Und wenn er es nicht sagte, würde Martin Sutton nicht danach fragen. Er beauftragte den Dienst habenden Arzt damit, den OP vorzubereiten. Nach van Mierens Schilderungen schien Vitali selbst schwer verletzt zu sein. Es war halb drei, als dieser eintraf, und er hatte mittlerweile schon sehr viel Blut verloren. Sergio Vitali war hart im Nehmen, kein einziges Mal kam ein Stöhnen über seine Lippen, als Dr. Sutton die Schusswunde untersuchte. Die Schwester bereitete eine Bluttransfusion vor, während Sutton Sergios Schulter röntgte.

»Ich muss sofort operieren«, entschied er.

»Ich habe morgen früh eine wichtige Sitzung«, sagte Sergio. Seine Lippen waren papiertrocken, und er fühlte sich benommen und kraftlos. Zuerst war ihm die Verletzung nicht so schlimm erschienen, aber die Wunde hatte nicht aufgehört zu bluten. Das Schlimmste war die eisige Kälte, die sich in seinem Körper ausbreitete.

»Sie haben eine Menge Blut verloren«, Sutton schüttelte den Kopf, »die Kugel hat eine Arterie verletzt. Es wird ein paar Tage dauern, bis Sie wieder auf den Beinen sind.«

»Blutdruck 120 zu 65«, sagte die Schwester.

»Wenn der Unterwert 80 erreicht hat, operieren wir«, sagte Sutton und wechselte den Beutel mit Blutplasma. »Rufen Sie Dr. Johnson. Er soll die Narkose vorbereiten.«

Die Schwester nickte und verschwand. Dr. Sutton beobachtete besorgt, wie das Blut, das er dem Verletzten zuführte, beinahe genauso schnell wieder aus der Schulterwunde herausströmte. Er konnte nicht länger warten, sonst würde Vitali unter seinen Händen verbluten. Der Anästhesist betrat den Raum. Auch er stellte keine Fragen. Gemeinsam bereiteten die Ärzte Sergio auf die Operation vor.

* * *

Nelson rief Massimo im Büro des Lagerhauses in Brooklyn an.

»Du solltest deiner Mutter Bescheid sagen, Massimo«, sagte

der Anwalt und versuchte, sich seine Besorgnis nicht anmerken zu lassen. »Es sieht nicht gut aus.«

»Hier sieht es noch viel schlimmer aus«, entgegnete Massimo. »Cesare ist in der Bronx verhaftet worden, als er mit ein paar von Silvios Leuten ein Haus angezündet hat.«

»O mein Gott«, van Mieren spürte, wie ihm eiskalt wurde. Was war denn das heute nur für ein Katastrophentag! Er hatte seit dem Vorfall im Hafen eine böse Vorahnung gehabt, aber Sergio hatte ihn nur verspottet, als er seine Befürchtungen geäußert hatte. Doch diesmal hatte der Boss sich geirrt. Ortega hatte zu einem entschlossenen Racheakt ausgeholt. Für Nelson war es glasklar, dass einzig der Kolumbianer hinter dem Attentat auf Sergio steckte. Und nun war zu allem Unglück auch noch Cesare verhaftet worden! Das hatte in dieser Situation gerade noch gefehlt! Nelson konnte die Schlagzeilen in den Zeitungen schon vor sich sehen.

›Vielleicht hat Sergio wirklich recht und ich werde langsam alt‹, dachte der Anwalt müde. ›Ich habe nicht mehr dieselben Nerven wie vor 20 Jahren.‹

Er sehnte sich nach seinem Haus auf dem Land, nach seiner Frau, seinen Kindern und Enkeln. Was tat er hier überhaupt noch? Sergio hörte doch ohnehin nicht mehr auf ihn.

»Ich werde Mama vorläufig noch nicht anrufen«, entschied Massimo, »aber du solltest in die Bronx fahren, um Cesare herauszuholen, bevor er sich um Kopf und Kragen redet.«

»Sie werden eine hohe Kaution festsetzen«, gab Nelson zu bedenken.

»Das ist egal. Fahr sofort los, Nelson«, sagte Massimo. »Ich schicke Silvio mit genug Geld hin. Cesare muss verschwinden, bevor er etwas noch Dümmeres macht, als er sowieso schon getan hat.«

»In Ordnung. Ich lasse Luca hier.«

»Ja, okay. Wie geht es meinem Vater?«

»Sie operieren ihn gerade. Die Kugel hat eine Ader durchschlagen. Er hat viel Blut verloren.«

»Er wird es schon schaffen. Papa ist zäh.«

Nelson stellte fest, dass Massimos Stimme der seines Vaters in solchen Situationen ähnelte. Er schien die Sache im Griff zu haben. Und doch durfte nichts mehr geschehen, solange Sergio außer Gefecht war.

***

Nick Kostidis tastete verschlafen nach dem Telefonhörer, als das Telefon morgens um drei klingelte. Die Geheimnummer seines Privatanschlusses kannten nur wenige Leute, daher war er auch nicht besonders erstaunt, als er am anderen Ende der Leitung Franks Stimme vernahm.

»Frank«, sagte er leise und warf einen Blick zu Mary hinüber, die sich im Schlaf bewegte und nicht aufgewacht war, »schlafen Sie denn nie?«

»Doch, ab und zu«, erwiderte Frank Cohen. »Ich habe noch am Programm für den Moskauer Bürgermeister gearbeitet.«

»Was gibt's?« Nick gähnte und rieb sich die Augen.

»Wer ist das?«, fragte Mary mit schlaftrunkener Stimme. Nick legte die Hand über die Sprechmuschel: »Es ist Frank.«

»Captain Tremell vom 41. Polizeirevier hat mich angerufen«, berichtete Frank. »Es sieht so aus, als hätten sie heute Nacht den Sohn von Vitali bei einer illegalen Entmietungsaktion in der Bronx festgenommen, bei der ein Polizist schwer verletzt worden ist.«

Nick war sofort hellwach.

»Ich dachte, das würde Sie interessieren.«

Und ob es das tat! War das die langersehnte Möglichkeit, endlich an Vitali heranzukommen?

»Wann war das?«, fragte Nick und machte Licht an. »Wurde er schon dem Haftrichter vorgeführt?«

»Nein, erst morgen früh. Scheint so, als ob die Jungs vom 41. an ihm und seinen Komplizen ein Exempel statuieren wollten. Sie sind seit Monaten hinter dieser Bande her, die die Leute im Viertel terrorisiert und Häuser niederbrennt.«

»Ich fahre sofort hin«, sagte Nick.

»Ach, Nick, noch etwas«, sagte Frank. »Alle Häuser, die sich diese Bande vorgenommen hat, liegen in Morrissania und Hunts Point zwischen der Westchester Avenue und der Boston Road. Sagt Ihnen das etwas?«

»Nein, im Augenblick nicht.«

»Dieses Gebiet wurde im letzten Jahr zu einem vorrangigen Sanierungsprojekt erklärt.«

»Was wollen Sie damit sagen?«

»Wenn es Vitali ist, der hinter den Überfällen auf die Wohnblocks steckt, dann könnte er von den Sanierungsplänen erfahren haben.«

Nick verstand, was Frank meinte, und er fröstelte unwillkürlich. Wieder einmal der Maulwurf.

»Was ist denn passiert?« Mary blinzelte verschlafen in das helle Licht. »Musst du wirklich weg?«

»Sie haben Vitalis Sohn festgenommen. Vielleicht ist das endlich meine Chance, den Kerl festzunageln«, Nicks Augen glänzten. Vitali war Nicks Besessenheit. Mary hatte gehofft, es würde aufhören, als ihr Mann den Job als Staatsanwalt an den Nagel gehängt hatte, aber es war nicht so. Immer wieder Vitali. Ein unbestimmtes Gefühl sagte ihr, dass es eines Tages wegen dieses Mannes zu einem Unglück kommen würde.

»Fahr nicht!«, bat sie ihn eindringlich. »Es ist doch nicht mehr deine Aufgabe!«

»Mary«, er setzte sich ungeduldig auf die Bettkante, um seine Schuhe zuzubinden, »ich bin seit fast 20 Jahren hinter diesem Kerl her, und jedes Mal, wenn ich ihn fast hatte, ist er mit einem höhnischen Grinsen davonspaziert. Vielleicht kann ich heute Nacht dafür sorgen, dass es nicht mehr so ist!«

»Ich habe Angst«, sagte sie leise, »ich habe Angst um dich.«

»Ach was«, er stand auf, »du brauchst keine Angst zu haben. In zwei Stunden bin ich zurück.«

Die Aussicht, über Vitalis Sohn an den Vater heranzukommen, elektrisierte Nick. Er dachte an die vielen Male, in denen er ihm durch die Finger geschlüpft war, an die verschwendeten Stunden, Tage und Wochen, die er und seine Leute darauf verwandt hatten, ihm seine kriminellen Taten nachzuweisen. Und er dachte seltsamerweise an Alex Sontheim, diese schöne und schwer einzuschätzende Frau, die ihm seit ihrer ersten Begegnung im City Plaza Hotel nicht mehr aus dem Kopf gegangen war. Nick zog sich rasch an. Statt in Anzug und Krawatte schlüpfte er in ein weißes T-Shirt und nahm die Lederjacke aus dem Schrank. Mary blickte ihm traurig und besorgt nach, als er die Treppe hinunterlief, ihr Herz krampfte sich vor Angst zusammen. Wohl zum tausendsten Mal in ihrem Leben wünschte sie sich, ihr Mann wäre nur irgendein kleiner Postbeamter in einem winzigen Kaff, weit weg von dieser brutalen und gewalttätigen Stadt, die sie mittlerweile hasste. In dem Augenblick, als die Tür hinter ihm ins Schloss fiel, begann sie zu weinen.

***

Es war vier Uhr morgens, als der Wagen vor dem festungsartigen Gebäude des 41. Polizeireviers in der Simpson Street hielt. Vor den Stufen des Gebäudes drängten sich Reporter im durchdringenden Nieselregen. Trotz seiner Tarnung mit Lederjacke und Jeans erkannten sie den Bürgermeister sofort. Blitzlichter flammten auf, zwei Kamerascheinwerfer erhellten das Dunkel der Nacht, und die Reporter stürzten sich auf Nick.

»Stimmt es, dass der Sohn von Sergio Vitali verhaftet worden ist?«

»Wissen Sie, ob der verletzte Polizist noch lebt?«

»Was sagen Sie dazu, dass Vitali heute Nacht niedergeschossen wurde?«

»Glauben Sie, das Attentat hat etwas mit dem Drogenfund im Hafen zu tun?«

Nick drängte sich stumm durch die Schar der Presseleute und holte tief Luft, als er den Wachraum des 41. Reviers betrat.

»Was für ein Attentat?«, zischte er Frank zu.

»Ich weiß es auch nicht«, Frank zuckte die Schultern. Captain Tremell, der Kommandeur des 41. Reviers, kam mit besorgtem Gesicht auf sie zu, gefolgt von Lucas Morgan, dem stellvertretenden Polizeichef von New York City. Nick war erstaunt, Morgan zu sehen, denn es war höchst ungewöhnlich, dass dieser Mann einmal seine Behörde verließ. Im Gegensatz zu Jerome Harding war Morgan kein Mann der Straße, sondern ein echter Beamter, der sich beharrlich und wenig spektakulär die Karriereleiter emporgearbeitet hatte und nun darauf wartete, eines Tages Hardings Job zu übernehmen. Nick begrüßte die beiden Männer.

»Die Presseleute erzählen, dass Vitali heute Nacht niedergeschossen wurde«, sagte er, »stimmt das?«

»In der 51. Straße gab es kurz nach Mitternacht eine Schießerei«, bestätigte Morgan, während die Männer in das Büro des Captains gingen. »Anwohner haben uns informiert, aber es gab keine Verletzten. Allerdings hat die Spurensicherung Einschüsse in der Mauer gefunden, und die Eingangstür eines Restaurants wurde zerstört. Augenzeugen berichteten, man hätte aus einem fahrenden Auto mit einer Maschinenpistole auf drei Männer und eine Frau geschossen, die aus dem *Bernardin* gekommen sind.«

Drei Männer und eine Frau! Alex! Nick dachte an seine Befürchtung, Vitali habe etwas mit der Drogensache in Brooklyn zu tun.

»Und?«, fragte er.

»Die Männer und die Frau verschwanden mit einer Limousine. In keinem Krankenhaus der Stadt gab es heute Nacht eine eingelieferte Schussverletzung, die auf die Beschreibung dieser Leute zutreffen würde.« Morgan hob die Schultern. »Wir wissen nicht, ob es sich tatsächlich um Vitali gehandelt hat. Der Inhaber vom *Bernardin* konnte sich nicht daran erinnern, ob Vitali zum Essen da gewesen war.«

»Informieren Sie mich, wenn es neue Erkenntnisse gibt«, sagte Nick. Er war erleichtert, dass Alex, wenn sie es denn gewesen war, nicht verletzt war.

***

»Mr de Lancie?«

Der Bundesstaatsanwalt von Manhattan klemmte sich den Telefonhörer zwischen Schulter und Ohr und tastete verschlafen nach seiner Brille und dem Lichtschalter.

»J... ja«, er räusperte sich, »wer spricht da?«

»Hier ist Massimo Vitali.«

Sofort fiel alle Schlaftrunkenheit von John de Lancie ab, und sein Herz begann zu klopfen.

»Hören Sie, de Lancie«, sagte Massimo Vitali mit barscher Stimme, »man hat heute Nacht meinen Bruder in der Bronx verhaftet. Ich möchte Sie bitten, dafür zu sorgen, dass er sofort entlassen wird.«

»Ich ... äh ... weshalb rufen Sie mich an?« John de Lancie gefiel der Tonfall nicht, in dem der Mann mit ihm sprach. Außerdem erschreckte es ihn, dass jemand anderes als Sergio Vitali von der geheimen Abmachung, die zwischen ihnen bestand, wusste. Offiziell war Vitali alles andere als sein Freund, schon gar nicht nach der Zuckerman-Sache im vergangenen Jahr. Bisher hatte de Lancie nur mit Sergio persönlich zu tun gehabt, deshalb zog er es vor, sich dumm zu stellen. Schließlich konnte der Anruf auch eine Falle sein.

»Mein Vater ist vor einer Stunde angeschossen worden und liegt im Krankenhaus«, fuhr Massimo fort. »Ich kann ihn schlecht mit dieser Angelegenheit belämmern. Wir brauchen Ihre Hilfe, und zwar sofort! Mein Bruder darf nicht ins Gefängnis kommen, verstehen Sie?«

»Was soll ich denn tun? Sie haben doch sicherlich einen Anwalt, der ...«

»Ich weiß, dass Sie meinem Vater einen Gefallen schulden«, unterbrach Massimo ihn grob, für höfliche Floskeln schien ihm die Zeit zu fehlen. In de Lancies Gehirn begann es zu arbeiten. Konnte er tatsächlich mitten in der Nacht auf ein Polizeirevier fahren und einen Mann, der wegen irgendeines Verbrechens verhaftet worden war, laufen lassen? Sein Job war schließlich das Gegenteil.

»Ich werde sehen, was ich tun kann«, erwiderte er, und Massimo legte auf. Keine 30 Sekunden später klingelte das Telefon erneut. Es war einer der jungen Staatsanwälte aus de Lancies Büro, der bestätigte, was Massimo eben gesagt hatte. Es hatte einen Überfall auf ein Wohnhaus gegeben. Ein Polizist war angeschossen worden, einer der Gangster war tot. Unter den Verhafteten befand sich der Sohn von Vitali, und das 41. Polizeirevier hatte jemanden von der Staatsanwaltschaft angefordert. John de Lancie befand sich in einer Zwickmühle. Er war Vitali tatsächlich verpflichtet, aber es war ihm sehr unangenehm, sich in einer solch delikaten Angelegenheit zu exponieren. Zwar hatte er Vitali Hilfe zugesagt, aber damit hatte er eher Hintergrundarbeit gemeint. Auf der anderen Seite konnte nicht viel passieren. Wahrscheinlich hatte kaum jemand etwas mitbekommen, denn in der South Bronx waren solche Vorfälle alltäglich. Kaum ein Reporter würde in einer verregneten Nacht aufstehen, um im berüchtigten 41. Revier auf eine Verhaftung zu warten.

»Ich fahre selber hin«, sagte er zu seinem Mitarbeiter, der dies verblüfft zur Kenntnis nahm. »Es ist besser, wenn ich das selbst übernehme. Die Presse ist im Moment ziemlich sensibel, wenn es um diesen Vitali geht, und da dürfen keine Fehler gemacht werden.«

***

Lieutenant Patrick Peters brach der Schweiß aus.

»Das kann ich nicht machen«, sagte er leise, »unmöglich ...«

»Ihnen wird schon was einfallen«, Luca di Varese lächelte nicht, »hier sind drei Riesen. Noch mal drei, wenn die Sache erledigt ist.«

Der Polizeibeamte schluckte. Luca blickte ihn abwartend an. Ihm gefiel nicht, was er hier tat, aber der Befehl, den sein Boss ihm damals auf der Rückfahrt von Brooklyn in die Stadt gegeben hatte, war eindeutig gewesen. Sergio Vitali hatte geahnt, dass sein jüngster Sohn eines Tages irgendeine Dummheit machen und im Knast landen würde. Und er hatte auch geahnt, dass er im Knast vor Angst und Feigheit wie eine Nachtigall singen würde. Der Boss war bereit, seinen Sohn zu opfern, um seine Geschäfte zu schützen. Entgegen Lucas Hoffnungen war der Fall nun eingetroffen, und da Sergio Vitali nicht in der Lage war, eine Entscheidung zu treffen, Massimo, Silvio oder van Mieren nichts davon erfahren durften, so war es an ihm, den Befehl auszuführen. Lieutenant Peters nahm nach minutenlangem Zögern das Bündel Geldscheine.

»Er soll ... tot sein, wenn ich richtig verstanden habe«, flüsterte er.

»Richtig«, Luca nickte mit ausdrucksloser Miene. Dann drehte er sich um und verließ den Parkplatz des 41. Polizeireviers, ohne dass ihn jemand gesehen hätte, und machte sich auf den Rückweg nach Long Island.

***

Captain Tremell berichtete von den nächtlichen Vorfällen.

»Vitali junior hat ausgepackt«, sagte er mit gesenkter Stimme, und Nick spürte, wie ihm ein Schauer über den Rücken rieselte. Er konnte es nicht fassen.

»Er war wohl eher zufällig dabei«, fuhr Tremell fort, »die Typen haben im Auftrag eines gewissen Silvio Bacchiocchi das Haus überfallen und angezündet. Dieser Bacchiocchi ist Vitalis Mann fürs Grobe, das wissen wir schon seit langem. Er hat ein paar Vorstrafen, kleine Sachen, aber deshalb haben wir ihn im Computer.«

»Das bedeutet, die Verbindung zu Vitali ist da«, stellte Nick fest. Es fiel ihm schwer, ruhig zu bleiben.

»Tja«, Lucas Morgan nickte langsam, »wir haben schon einen Haftbefehl gegen Bacchiocchi und werden ihm ein paar Fragen stellen. Vitali junior hat uns einige Informationen gegeben, die er erst einmal entkräften muss.«

»Und das alles hat der Junge einfach so ausgeplaudert?«, fragte Nick ungläubig.

»Nicht einfach so«, Tremell hüstelte verlegen, »meine Männer sind sehr aufgebracht. Einer ihrer Kollegen ist bei der Aktion heute Nacht niedergeschossen worden. Sie haben Vitali ziemlich in die Mangel genommen, und dann hat er ... hm ... geredet.«

»Ein erzwungenes Geständnis«, bemerkte Morgan, »vor Gericht hat es keine Bedeutung.«

»Das spielt doch keine Rolle«, erwiderte Nick heftig, »Hauptsache, die Verbindung zu Vitali ist da.«

Es klopfte an der Tür.

»Captain«, sagte der Dienst habende Lieutenant, »der Anwalt von Vitali ist da und verlangt, den Jungen gegen eine Kaution mitzunehmen.«

»Es wurde noch keine Kaution festgelegt«, erwiderte Tremell, »er wird erst morgen früh dem Haftrichter vorgeführt.«

»Der Typ ist ziemlich außer sich, Sir«, der Lieutenant verzog das Gesicht, »er schreit herum, das wäre Freiheitsberaubung und Nötigung.«

»Sagen Sie ihm, dass wir Vitali 24 Stunden festhalten dürfen. Es besteht begründeter Verdacht auf Hausfriedensbruch, Brandstiftung, Körperverletzung, bewaffneten Widerstand gegen die Staatsgewalt und was weiß ich noch alles. Bis zum Haftrichtertermin morgen früh bleibt er in der Zelle.«

»Okay, Sir«, der Lieutenant verschwand wieder.

»Woher, zum Teufel, weiß der Anwalt, dass wir den Jungen festgenommen haben?« Tremell war verärgert. »Wir haben eine totale Nachrichtensperre verhängt!«

»Wenn es sogar die Reporter schon wissen«, sagte Morgan.

»Vitalis Finger reichen eben auch bis ins 41. Polizeirevier«, seufzte Nick. Irgendwer hatte Cesares Vater informiert, einer der Beamten oder sogar einer der Polizeioffiziere. Überall saßen Männer, deren Namen auf Vitalis Schmiergeldlisten standen. Nicht nur hier, auch bei ihm, in der City Hall.

***

Als Lucas Morgan, Captain Tremell, Frank und Nick wieder in Richtung Wachraum gingen, vernahmen sie schon von weitem erregte Stimmen. Es war Vitalis Anwalt, der mit ein paar Beamten diskutierte, und der Dienst habende Sergeant machte ein Gesicht, als wünsche er sich auf den Mond. Drei Beamte standen an der Tür, um zu verhindern, dass die Reporter das Gebäude stürmten.

»Ich verlange«, schrie Vitalis Anwalt, »dass ich *auf der Stelle* zu meinem Mandanten gelassen werde! Er hat das Recht auf anwaltlichen Beistand!«

Nick blieb stehen.

»Hallo, Nelson«, sagte er ruhig, »weshalb regen Sie sich so auf?«

Van Mieren fuhr herum und starrte Nick verblüfft an. Aber er hatte sich schnell wieder gefasst.

»Ah, Herr Bürgermeister!«, rief er mit seiner sonoren Verteidigerstimme, die in den letzten Winkel eines noch so großen Gerichtssaales zu dringen vermochte. »Ich hätte mir denken können, dass Sie schon hier sind!«

Nick und van Mieren hatten sich einige Male im Gerichtssaal gegenübergestanden, und jedes Mal hatte Nick als Vertreter der Anklage den Kürzeren gezogen. Heute Abend aber fühlte er sich seltsam siegessicher, und das lag daran, dass van Mieren seine gewohnte Ruhe und Gelassenheit verloren hatte. Ein Ausdruck von Panik lag in seinen Augen, und er schien um Jahre gealtert. Wie bei vielen dicken Männern, die zu schnell abnehmen, war das Fett im Gesicht zwar verschwunden, nicht aber am Bauch, er sah krank aus, und sein Anzug wirkte zu groß für ihn.

»Sie sind ja auch schon hier, Nelson«, erwiderte Nick, »und das, obwohl eine Nachrichtensperre verhängt wurde. Es scheint so, als ob die Buschtrommeln noch immer gut funktionieren.«

»Ich verlange zu meinem Mandanten gelassen zu werden«, beharrte van Mieren, ohne auf Nicks Bemerkung einzugehen. Vor der Tür des Polizeigebäudes entstand wieder ein Tumult, dann erschien ein Mann. Nick erkannte überrascht John de Lancie, den Bundesstaatsanwalt von New York City.

***

De Lancie hatte schon vor dem Polizeigebäude in der Bronx gemerkt, dass er einen großen Fehler gemacht hatte. Ganz offensichtlich war die Angelegenheit bereits publik geworden, denn eine ganze Schar von Reportern drängte sich vor der wuchtigen Granitfassade in der Simpson Street. Ein wahres Blitzlichtgewitter ging auf ihn hernieder, als er sich mit grimmigem Schweigen einen Weg durch die aufdringliche Pressemeute in das Innere des Gebäudes bahnte. De Lancies Zorn mischte sich mit kalter Angst, als er im Wachraum ausgerechnet den Bürgermeister persönlich erblickte, seinen Amtsvorgänger, an dem er noch immer gemessen wurde und gegen den er, wie er nur zu gut wusste, recht blass aussah. Es war zu spät, um die Sache unauffällig aus der Welt zu schaffen, aber nun war er hier und konnte schlecht einfach wieder verschwinden. Irgendwie musste er retten, was noch zu retten war, ohne dass diesem schlauen Fuchs Kostidis ein Verdacht kam. Noch nie zuvor in seinem Leben hatte John de Lancie eine solch ohnmächtige Wut verspürt, und niemals vorher war ihm vor Angst der Schweiß ausgebrochen, wie in der Sekunde, als er neben Captain Tremell und Lucas Morgan Nick Kostidis erblickte. Cesare Vitali war de Lancie völlig gleichgültig, aber er musste sich jetzt konzentrieren, um keinen taktischen Fehler zu machen, der fatale Folgen haben konnte.

»Was ist hier eigentlich los?«, fragte er gereizt. Sofort wiederholte Nelson van Mieren seine Beschwerde.

»Sie werden schon mit ihm sprechen können«, sagte de Lancie, aber er starrte Nick an. In seinen Augen stand Zorn, aber Nick meinte, auch eine Spur von Unsicherheit zu erkennen.

»Was tun *Sie* hier?«, fragte de Lancie scharf. »Wollen Sie Ihren alten Job wiederhaben, oder sind Sie nachts öfter zufällig in dieser Gegend?«

Seine Stimme troff vor Feindseligkeit.

»Nennen Sie es Neugier oder auch persönliches Interesse.« Nick fragte sich, weshalb der Staatsanwalt so empfindlich auf seine Anwesenheit reagierte.

»Ich verstehe nicht, weshalb wegen der Verhaftung von ein paar Randalierern, die eine heruntergekommene Baracke in der South Bronx anzünden wollten, der Bürgermeister, der stellvertretende Polizeichef und der Bundesstaatsanwalt hierhergerufen werden!«, ereiferte sich de Lancie. »Was ist denn schon dabei?«

»Es gab einen schwerverletzten Polizisten, einen Toten und erheblichen Sachschaden«, mischte Tremell sich ein, »außerdem hatte ich nur jemanden von der Staatsanwaltschaft angefordert und nicht Sie persönlich, Sir.«

John de Lancie fuhr herum, als habe der Captain ihm ein Messer zwischen die Rippen gestoßen. Er öffnete den Mund zu einer heftigen Bemerkung, zog es aber vor zu schweigen, als er Nicks forschendem Blick begegnete.

»Na ja«, fuhr er nach einer Weile in ruhigerem Tonfall fort, »wie ich das sehe, sind wir hier, weil der Sohn eines Mannes verhaftet wurde, der in dieser Stadt viel Macht und Einfluss hat. Es geht wohl weniger um die Tat als solche, sondern um eine Schadensbegrenzung in der Öffentlichkeit.«

»Wie bitte?« Nick glaubte, sich verhört zu haben. »Ein Polizeibeamter ringt im Krankenhaus mit dem Tod! Was für einen Schaden wollen Sie denn begrenzen?«

»Mein Gott, Nick«, de Lancie standen die Schweißtropfen auf der Stirn, »es ist doch überhaupt nicht geklärt, ob der Junge auf den Beamten geschossen hat oder nicht. Nur weil Sie mit seinem Vater verfeindet sind, müssen wir uns doch nicht vorwerfen lassen, wir würden wegen einer Lappalie wie dieser überreagieren!«

Captain Tremell und Lucas Morgan klappte vor Erstaunen der Mund auf. Die nächtlichen Überfälle auf Wohnhäuser, bei denen Menschen bedroht und verletzt wurden, waren wohl kaum als eine Lappalie zu bezeichnen!

»Ich bin mit Vitali nicht verfeindet«, gab Nick zurück, »ich halte ihn für einen gewissenlosen Verbrecher. Und ich habe meine Meinung nicht mit meinem Job gewechselt. Nach wie vor denke ich, dass man ihm das Handwerk legen muss, wenn man ein Minimum an Sicherheit und Ordnung in dieser Stadt herstellen will.«

Nick bemerkte de Lancies Nervosität, er sah den Schweiß auf dessen Stirn und erinnerte sich an seinen Verdacht, Vitali habe de Lancie gekauft. Es war unglaublich, aber es schien die Wahrheit zu sein. Sicherlich hatte Vitali den Staatsanwalt hierhergeschickt, um die Sache schnell aus der Welt zu schaffen, und das wäre wahrscheinlich auch gelungen, wenn er, Nick Kostidis, nicht zufällig auch von der Angelegenheit Wind bekommen hätte. De Lancies Wangenmuskulatur vibrierte, und sein Gesicht hatte eine ungesunde rote Farbe.

»Ich würde gerne mit dem Jungen reden«, sagte Nick zu Captain Tremell.

»Das werden Sie nicht tun«, unterbrach de Lancie ihn heftig.

»Und warum nicht?«

»Sie haben mit der ganzen Sache nichts zu tun!« De Lancie schwitzte noch mehr. Der Kragen seines Hemdes war schon ganz durchnässt.

»Ich bin der Bürgermeister dieser Stadt«, sagte Nick ungerührt und starrte seinen Amtsnachfolger durchdringend an, »ich bin für die Sicherheit meiner Bürger verantwortlich. Nur aus diesem Grund möchte ich dem Jungen ein paar Fragen stellen.«

Der Staatsanwalt starrte Nick an. In seinem Gehirn arbeitete es fieberhaft. Er musste unter allen Umständen verhindern, dass der Bürgermeister mit Cesare Vitali sprach. De Lancie kannte Kostidis nur zu gut. Früher, als junger Staatsanwalt, hatte er ihn bewundert, denn kaum jemand war im Gerichtssaal so erfolgreich, wie Nick es gewesen war. Er konnte der donnernde Ankläger oder der verständnisvolle Freund sein, seine Plädoyers waren berühmt und brillant, er spielte jede Rolle, die ihn zum Erfolg führen konnte. Er wusste, wie er die Geschworenen beeinflussen und die Zeugen der Verteidigung zu Aussagen, die sie niemals machen wollten, bringen konnte. Die Geheimnisse seines legendären Erfolges als Staatsanwalt waren seine Menschenkenntnis und die Begabung, sich wie ein Psychologe in die Gedanken seines Gegenübers einfühlen zu können, aber auch seine Beharrlichkeit und sein computerähnliches Gedächtnis. Cesare Vitali würde diesem Mann vollkommen ausgeliefert sein, das wusste de Lancie. Er erwiderte Kostidis' Blick mit ohnmächtigem Zorn, ballte seine Hände zu Fäusten und öffnete sie wieder.

»Niemand wird mit Mr Vitali sprechen, bevor er nicht dem Haftrichter vorgeführt wurde«, beendete Captain Tremell die Diskussion, »auch nicht der Kaiser von China!«

»Ich bin der leitende Bundesstaatsanwalt des Staates New York!«, sagte de Lancie mit Nachdruck. »Wir haben die Untersuchungen in diesem Fall übernommen, und ich verlange, den Mann jetzt zu sehen!«

Captain Tremell wechselte mit Lucas Morgan einen Blick, dann zuckte er die Schultern. Er führte die Männer in einen der Verhörräume und machte sich auf den Weg, den Verhafteten zu holen.

»*Sie* werden nicht hier bleiben!« De Lancie deutete mit dem Zeigefinger auf Kostidis. Dieser blickte den Staatsanwalt einen Augenblick an, dann zuckte er die Schultern.

»Holen Sie den Anwalt von Mr Vitali!«, schnauzte de Lancie den Polizeibeamten, der an der Tür stand, an. »Der Mann hat das Recht auf anwaltlichen Beistand.«

Auch Lucas Morgan bemerkte verständnislos, dass sich de Lancie für einen Staatsanwalt recht ungewöhnlich benahm. Außerdem schien er sich vor Kostidis zu fürchten, aber aus welchem Grund?

»Warum dauert das so lange?« De Lancie blickte nervös auf seine Uhr und durchquerte mit großen Schritten den Raum.

»Mir wird es auch zu spät«, sagte Nick, »glücklicherweise hat der Junge ja schon alles gestanden. Sieht so aus, als ob wir Vitali diesmal wirklich etwas nachweisen könnten.«

De Lancie fuhr herum. Sein Adamsapfel hüpfte nervös auf und ab, und der Schweiß rann in Bächen von seiner Stirn. »Seien Sie doch froh, John«, sagte Nick mit gespielter Harmlosigkeit, »ich war 20 Jahre hinter Vitali her und hatte niemals so gute Beweise gegen ihn wie Sie heute.«

»Ich muss Sie daran erinnern, dass das nicht mehr Ihre Sache ist, Kostidis!«, zischte de Lancie. »Sie haben mit der Arbeit der Staatsanwaltschaft nichts mehr zu tun!«

Nick drehte sich im Türrahmen um.

»Ich frage mich manchmal«, sagte er langsam, ohne de Lancie aus den Augen zu lassen, »auf wessen Seite Sie eigentlich stehen.«

Der Staatsanwalt starrte Nick sprachlos nach. Seine Nerven waren kurz vor dem Zerreißen, und er bemühte sich, äußerlich ruhig zu bleiben. Nick ging hinüber zu Frank, der am Schreibtisch des wachhabenden Sergeanten auf ihn gewartet hatte.

»Wir gehen«, sagte Nick zu ihm, »Vitali hat ohnehin gestanden, zwar unter Druck, aber immerhin wissen wir, dass die Leute im Auftrag von Vitalis Handlanger gehandelt haben. Damit ist die Verbindung da.«

Frank starrte seinen Chef an.

»De Lancie ist Vitalis Mann«, sagte dieser leise, »ich habe es geahnt.«

»Der Bundesstaatsanwalt?« Frank riss die Augen auf.

»Ja«, erwiderte Nick, »mit seiner Reaktion hat er sich eben verraten.«

Er fuhr sich mit der Hand über sein müdes Gesicht.

»Er weiß auch, dass ich es ahne«, sagte er, »ich bin ihm ziemlich auf die Füße getreten. Ich fürchte, von nun an wird er nichts unversucht lassen, um mich in der Öffentlichkeit zu kompromittieren.«

»Hm«, Frank machte ein besorgtes Gesicht. In dem Moment brach bei den Zellen ein Tumult aus. Captain Tremell und zwei Beamte kamen im Laufschritt mit wachsbleichen Gesichtern aus dem Zellentrakt.

»So eine verdammte Scheiße!« Der sonst so besonnene Kommandant des 41. Reviers war außer sich. »Vitali hat sich in seiner Zelle erhängt!«

»Wie bitte?«, fragten Nick und Frank wie aus einem Mund.

»Ja, verdammt noch mal! Man hat vergessen, ihm seinen Gürtel abzunehmen! Er hat sich am Heizungsrohr aufgehängt!« De Lancie kam aus dem Verhörraum gestürzt, die Augen quollen ihm fast aus dem blutroten Gesicht.

»Was ist denn das für ein Bockmist!«, brüllte er. »Sind denn hier alle bescheuert?«

Der Polizeiarzt rannte vorbei, gefolgt von van Mieren und weiteren Beamten. De Lancies Blick fiel auf Nick.

»Das passt Ihnen ja genau in den Kram!«, sagte er gehässig.

»Nein, überhaupt nicht«, erwiderte Nick, »lebendig hätte er mehr genützt. Gute Nacht, John!«

»Fahr zur Hölle!«, knurrte de Lancie dem Bürgermeister nach. Trotz seiner Angst war er insgeheim erleichtert, dass Cesare Vitali tot war. Damit musste er sich nur noch um eine Leiche kümmern, aber nicht mehr darum, einen überführten Verbrecher vor dem verdienten Knast zu bewahren.

* * *

»Da stinkt etwas gewaltig«, sagte Nick, als sie die Treppe hochgingen.

»De Lancie wird jetzt versuchen, die ganze Sache zu vertuschen«, überlegte Frank. »Wenn Ihre Vermutung zutrifft, dass er Vitalis Mann ist, wird er auf keinen Fall zulassen, dass die Wahrheit herauskommt.«

»Mist«, Nick blieb nachdenklich stehen, »und wir haben keine Möglichkeit, das zu verhindern.«

»Doch«, erwiderte Frank, »sie können es nicht mehr vertuschen, wenn morgen in der Zeitung steht, weshalb man ihn verhaftet und was er vor seinem Selbstmord gestanden hat.«

»Die Zeitungen für morgen sind längst gedruckt.«

»Dann muss es eben im Fernsehen laufen. Die Jungs von WNBC und WNCN warten doch draußen.«

Nick überlegte einen Moment, dann grinste er.

»Okay. So machen wir's. Kommen Sie, Frank.«

***

John de Lancie hatte in der letzten Nacht kein Auge mehr zugemacht, und als er am Sonntagmorgen um neun das Gebäude der Bundesstaatsanwaltschaft an der St. Andrews Plaza hinter dem Bundesgericht am Foley Square betrat, fühlte er sich wie gerädert. Kurz nachdem der Polizeiarzt den Tod Cesare Vitalis festgestellt und den Totenschein ausgestellt hatte, hatte de Lancie das 41. Polizeirevier durch den Hinterausgang verlassen. Er hatte keine Lust, den Aasgeiern von der Presse gegenüberzutreten, und war heilfroh, dass er Kostidis nicht mehr begegnet war. Es war aber nicht die Sache mit Cesare Vitali, die de Lancie Magenschmerzen bereitete, sondern die Befürchtung, dass der Bürgermeister ihm auf die Schliche gekommen sein könnte. Vor seinem Büro wurde er von einer aufgeregten Menschenmenge erwartet, die ihn mit Fragen bestürmte, aber er drängte sich ungehalten durch.

»Was ist denn hier los?«, fragte er seine Assistentin gereizt. »Warum sind die ganzen Leute hier?«

»Aber Sie waren doch gestern Nacht selbst da«, erwiderte die Frau überrascht. »Haben Sie heute Morgen noch kein Fernsehen geschaut? Die Sache, die gestern in der Bronx passiert ist, ist Hauptthema auf allen Kanälen!«

Unwillkürlich überfiel de Lancie ein ungutes Gefühl, fast eine düstere Vorahnung. Er öffnete die Tür zu seinem großen, mahagonigetäfelten Büro, an dessen Wänden handsignierte Bilder von Ronald Reagan, George Bush, J. Edgar Hoover und anderen wichtigen Persönlichkeiten hingen.

»Ich habe hier eine Liste von Leuten, die um Rückruf gebeten haben«, sagte seine Assistentin, die ihm gefolgt war. »Soll ich den Fernseher anstellen?«

»Ja«, sagte de Lancie kurz angebunden und starrte auf den Fernsehapparat, der in einem der mit juristischer Fachliteratur gefüllten Wandregale stand. Auf dem Bildschirm erschien fast augenblicklich Nick Kostidis auf den Stufen des 41. Polizeireviers, und de Lancie begriff in derselben Sekunde, dass er in der vergangenen Nacht einen schwerwiegenden Fehler begangen hatte, als er durch den Hinterausgang verschwunden war. Er hatte Kostidis kampflos die Bühne überlassen, und das hatte der medienbesessene Bürgermeister natürlich ausgenutzt.

»... als Bürgermeister dieser Stadt bin ich für die Sicherheit der Bürger verantwortlich«, sagte Kostidis gerade, und de Lancie verspürte eine mörderische Wut in sich aufsteigen, die jedoch rasch einem Gefühl der Hilflosigkeit wich. *»Ich kann und werde es nicht zulassen, dass rücksichtslose Menschen harmlose und gesetzestreue Bürger auf diese Art und Weise terrorisieren. Diese sechs jungen Männer haben versucht, ein Mietshaus in Brand zu stecken. Ein Haus, in dem viele Familien leben. Einer von ihnen wurde von der Polizei erschossen, nachdem er einen Polizeibeamten, der nur seine Pflicht erfüllte, lebensgefährlich verletzt hat. Die anderen fünf wurden festgenommen.«*

»Stimmt es, dass der Sohn von Sergio Vitali dabei ist?«, fragte eine junge Reporterin.

»Ja, das stimmt«, erwiderte Kostidis. Er wirkte, wie er dastand – unrasiert und mit einer Lederjacke im Nieselregen –, genau wie ein Mann, der sich für seine Bürger aufopfert. Widerwillig musste de Lancie anerkennen, dass Kostidis alles andere als ein farbloser Politiker war, wie so viele seiner Vorgänger. Er besaß ein unnachahmliches Talent für PR und ein geniales Gespür für dramatische Inszenierungen, und dafür wurde er von den Leuten geliebt. Kostidis gelang es immer wieder, noch aus den unbedeutendsten Vorfällen Medienereignisse zu machen. Im Gegensatz zu vielen Politikern, die vor der Kamera und den Mikrophonen künstlich und einstudiert wirkten, waren Kostidis' Auftritte vollkommen glaubhaft. Seine Gegner bezeichneten ihn zynisch als einen begnadeten Schauspieler, der eher nach Holly-

wood als nach New York gepasst hätte, aber auch sie mussten zugeben, dass er der populärste Bürgermeister seit Fiorello La-Guardia war.

»*Sind Sie deshalb heute Nacht hier, Mr Kostidis?*«, fragte ein Reporter. Kostidis scheute sich wie üblich nicht davor, die Wahrheit zu sagen.

›Oder das, was er für die Wahrheit hält‹, dachte de Lancie bitter.

»*Ja, das ist ein Grund. Wir haben seit langem den Verdacht, dass Mr Vitali mit den zahlreichen Überfällen auf Mietshäuser in der Bronx zu tun hat, und die Beteiligung seines Sohnes Cesare scheint hierfür der endgültige Beweis zu sein. Er hat gestanden, dass er und seine Komplizen im Auftrag gehandelt haben. Immer wieder versuchen Immobilienspekulanten mit brutalen Methoden, Bewohner aus ihren Häusern zu vertreiben, um diese dann abreißen zu können. Das ist blanker Terror, und den kann ich in meiner Stadt nicht dulden!*«

Kostidis' Augen blitzten zornig.

»*Es ist bekannt, dass Sie und Mr Vitali keine Freunde sind …*«, begann ein Reporter.

»*Das hat mit persönlichen Gefühlen überhaupt nichts zu tun!*«, unterbrach der Bürgermeister den Mann. »*Ich habe schon während meiner Zeit als Bundesstaatsanwalt vehement gegen jede Art von Verbrechen gekämpft, und das tue ich noch heute! Als Bürgermeister habe ich den Bürgern und Gästen dieser Stadt gegenüber eine große Verantwortung. Ich kann nicht dulden, dass Menschen terrorisiert und aus ihren Wohnungen vertrieben werden. Dabei spielt es überhaupt keine Rolle, ob nun der Sohn von Mr Vitali oder jemand anderes daran beteiligt ist.*«

»*Bundesstaatsanwalt de Lancie ist auch heute Abend hier. Es scheint, als ob dieser Fall ein Politikum ist.*«

»*Zweifellos hat diese Verhaftung durch die Beteiligung des Sohnes eines so bekannten Bürgers wie Sergio Vitali einen höheren politischen Stellenwert bekommen*«, sagte Kostidis glatt. »*Immerhin könnte dies ein Beweis dafür sein, dass Vitali wo-*

möglich doch seine Finger in diesen dunklen Geschäften hat, wenngleich er es in der Öffentlichkeit stets bestreitet und viel Geld in sein makelloses Image investiert.«

Er war unglaublich redegewandt, ein Meister des Konjunktivs, und seine lebhafte Mimik und Gestik sagten mehr als das, was er in Worten ausdrückte. Er hütete sich geschickt davor, einen direkten Verdacht zu formulieren, aber die Art und Weise, wie er etwas sagte, ließ den Zuschauer verstehen, was er wirklich meinte.

»Übrigens denke ich, dass Mr de Lancie mit mir einer Meinung ist, dass dieser Fall nicht anders behandelt werden darf als der Fall eines x-beliebigen Täters. Ein prominenter Name schützt nicht vor der Härte des Gesetzes.«

De Lancie wurde abwechselnd heiß und kalt. Dieser gottverdammte Mistkerl! Wenn ihn nur der Blitzschlag treffen würde! Geschickter hätte er es kaum anfangen können. In der Öffentlichkeit war Kostidis erneut der Held, der unermüdliche Kämpfer gegen das Verbrechen. Es war ihm gelungen, Vitali als rücksichtslosen Immobilienspekulanten hinzustellen, ohne ihn jedoch wirklich anzugreifen. Und er erwähnte mit keinem Wort die Tatsache, dass Cesare Vitali tot war! Aber es kam noch besser. De Lancie wurde übel, und sein Magengeschwür verursachte ihm stechende Schmerzen.

»Ist es nicht großartig?«, ließ sich seine Assistentin vernehmen. »Es sieht fast so aus, als hätten wir endlich was gegen Vitali in der Hand!«

In der Staatsanwaltschaft von New York galt Sergio Vitali seit Jahrzehnten als der Feind schlechthin, im Keller stapelten sich Berge von Akten über ihn.

»Haben Sie nichts anderes zu tun, als hier herumzustehen?«, schnauzte de Lancie, und seine Assistentin warf ihm einen erstaunten Blick zu. Sie hatte angenommen, ihr Chef sei zufrieden, aber das Gegenteil schien der Fall zu sein.

»Gehen Sie schon!« De Lancie presste eine Hand gegen seinen Magen. Als sie die Tür hinter sich geschlossen hatte, wankte er

zu seinem Schreibtisch und ließ sich auf den Stuhl sack
verdammten Magenschmerzen wollten ihn schier zerreiß
Telefon summte. John de Lancie nahm mit einem Seufz
nachdem er den Ton des Fernsehers abgestellt hatte.

»Das verstehen Sie unter Hilfe?«, ertönte Massimo Vit
kalte Stimme an seinem Ohr. »Sie waren wirklich großartig. I
kann nur sagen, mein Vater hat in Ihrem Fall eine schlechte In
vestition gemacht.«

»Hören Sie!«, rief de Lancie aufgeregt. »Es tut mir leid! Als ich ankam, war Kostidis schon da! Ich konnte nichts mehr tun, ich habe wirklich alles versucht, aber …«

»Sie haben es verpatzt«, unterbrach Massimo Vitali ihn kühl, »ich hoffe nur, Sie wissen, was Sie jetzt zu tun haben. Es könnte unangenehme Folgen für Sie haben, wenn Sie den Schaden, den Sie angerichtet haben, nicht wenigstens begrenzen.«

»Aber …«

Da war die Leitung tot. Dieser arrogante Scheißkerl hatte einfach aufgelegt! De Lancie brach der kalte Schweiß aus, und er verbarg das Gesicht in beiden Händen. Er hatte die Drohung nur zu gut verstanden. Wenn herauskam, dass er Geld von Vitali angenommen hatte, dann war er auf immer und ewig erledigt. Ihm würde nichts anderes mehr übrigbleiben, als sich einen Revolver in den Mund zu stecken und abzudrücken. Welcher Teufel hatte ihn auch geritten, als er, der noch nie in seinem Leben mit dem Gesetz in Konflikt gekommen war, sich auf Sergio Vitali eingelassen hatte? Damit hatte er alles aufs Spiel gesetzt, was er in seinem Leben erreicht hatte! Er hob den Kopf und starrte in das Gesicht des Bürgermeisters auf dem Bildschirm. Wie sollte er bloß jetzt noch etwas tun? Kostidis hatte für die Schlagzeilen des Tages gesorgt, und er konnte sich als oberster Staatsanwalt wohl kaum auf die Seite eines Mannes stellen, der seit Jahren wegen des Verdachts krimineller Machenschaften von seiner eigenen Behörde verfolgt wurde! Vor allen Dingen durfte de Lancie bei seinen Mitarbeitern kein Misstrauen aufkommen lassen. Er musste jetzt wohl oder übel die Rolle spielen, die man von ihm erwartete. Eine Rolle, in die ihn Nick Kostidis gedrängt hatte. Hatte der Bürgermeister gestern Nacht durchschaut, was er getan hatte? *Ich frage mich manchmal, auf wessen Seite Sie eigentlich stehen ...* O Gott! Wie hatte er sich ausgerechnet vor Kostidis eine solche Blöße geben können, wie er es gestern getan hatte! Nun saß er richtig in der Klemme. Er musste Vitali helfen, sonst war er erledigt. Aber es durfte nicht zu offensichtlich geschehen. Es musste einen Weg geben, sein Gesicht zu wahren und trotzdem Vitali einen Gefallen zu tun. Sein größtes Problem war nicht Vitali, sondern Nick Kostidis, der Bürgermeister von New York City.

***

Auch Alex hatte die ganze Nacht nicht geschlafen. Seit Sergios Fahrer sie nach Hause gebracht hatte, war sie ruhelos in ihrer Wohnung auf und ab gelaufen. Sie zitterte am ganzen Körper, erst drei Gläser mit purem Wodka hatten sie etwas beruhigen können. Es waren nicht einmal die Schüsse, die aus dem fahrenden Auto abgefeuert worden waren, sondern die glasklare Erkenntnis, dass sie in eine Situation geraten war, aus der sie sich nicht mehr befreien konnte. Kostidis hatte genauso recht wie Oliver, als er behauptet hatte, Sergio sei ein Verbrecher. Sie hatte es nicht hören wollen, weil sie die Wahrheit lieber nicht erkennen wollte. Aber jetzt konnte sie nicht weiterhin Augen und Ohren verschließen und so tun, als wäre Sergio nur irgendein unseriöser Geschäftsmann, der hin und wieder etwas fragwürdige Geschäfte tätigte. Wenn sie zu Kostidis ging und ihm sagte, was er wissen wollte, würde Sergio das erfahren, und dann würde er sie töten lassen, so wie er es mit David Zuckerman getan hatte. Niemand konnte sie dann noch schützen. Die einzige Lösung schien, ihren Job aufzugeben und das Land zu verlassen. In Singapur oder Japan konnte sie vielleicht einen neuen Job finden, so weit weg wie möglich von Sergio und den bedrohlichen Männern in diesem düsteren Lagerhaus in Brooklyn. Aber würde sie mit dem Wissen weiterleben können, dass Sergio weiterhin ungestraft Menschen umbringen ließ? War es nicht ihre Pflicht, ihn daran zu hindern? Sie dachte an Kostidis' Worte am Weihnachtstag im Haus der Downeys. *Ich hatte den Eindruck gewonnen, dass Sie genug Mut hätten, um das Richtige zu tun ...* Sie zuckte zusammen, als sie genau in diesem Augenblick Nick Kostidis auf dem Bildschirm sah. Er stand vor einem Polizeirevier, von Reportern umdrängt, und seine dunklen Augen schienen sie direkt anzusehen. Bittend. Fordernd. Zwingend. Dieser Mann war genauso wenig zu durchschauen wie Sergio. Alex traute ihm nicht. Es gab so viele Geheimnisse, und die Wahrheit hinter diesen Geheimnissen war weitaus komplexer und gefährlicher, als es auf den ersten Blick den Anschein machte. Alex war so in Gedanken, dass sie nicht zugehört hatte, von was Kostidis überhaupt sprach. Erst jetzt stellte sie den Ton lauter. Sergios Sohn Cesare war in der vergangenen Nacht verhaftet worden.

»*Wir haben seit langem den Verdacht, dass Mr Vitali mit den zahlreichen Überfällen auf Mietshäuser in der Bronx zu tun hat*«, sagte der Bürgermeister gerade, »*und die Beteiligung seines Sohnes scheint hierfür der endgültige Beweis zu sein ...*«

Alex tastete nach dem Zigarettenpäckchen. Als sie feststellte, dass es leer war, zerknüllte sie es ungeduldig. Ein Reporter fragte Kostidis, ob er glaube, dass das Attentat auf Vitali im Zusammenhang mit dem Drogenfund am Brooklyner Hafen stünde. Alex richtete sich auf.

»*Ich wurde darüber informiert, dass Mr Vitali heute Nacht offenbar in eine Schießerei verwickelt war*«, sagte Kostidis, und es kam Alex vor, als ob er sie direkt ansehen würde. »*Augenzeugen berichteten, dass aus einem fahrenden Auto auf Vitali und seine Begleiter geschossen wurde, als sie ein Restaurant in der 51. Straße verließen. Allerdings ist bis jetzt nichts über eventuelle Täter oder Hintergründe bekannt. Man weiß noch nicht einmal, ob Vitali überhaupt verletzt wurde oder vielleicht sogar gar nicht mehr am Leben ist.*«

»Oh, mein Gott«, murmelte Alex und schlang die Arme um ihre Knie, als ob sie fröre. Sie wusste es. Wenn sie nicht so schnell reagiert hätte, wäre Sergio jetzt vermutlich tot. Und darüber wäre Bürgermeister Kostidis wahrscheinlich nicht besonders traurig.

***

Vor der Tür des Krankenzimmers warteten Nelson und Massimo darauf, mit Sergio sprechen zu dürfen. Den beiden Männern stand die Nervosität ins Gesicht geschrieben.

»Wann kann ich mit meinem Vater sprechen, Doktor?«, fragte Massimo Dr. Sutton.

»Es wird noch eine Weile dauern«, sagte der Arzt, »er braucht viel Ruhe nach dem großen Blutverlust und der Operation.«

»Ich kann nicht warten!« Massimo dämpfte seine Stimme nur mit Mühe. »Mein Bruder hat sich letzte Nacht umgebracht! Mein Vater ist der Einzige, der mir sagen kann, was ich jetzt tun soll!«

»Wirklich, Martin«, mischte sich Nelson van Mieren ein, »die Lage ist sehr ernst.«

»Also gut«, der Arzt resignierte, »aber regen Sie ihn bitte nicht zu sehr auf.«

Massimo öffnete die Tür des Krankenzimmers, und Nelson folgte ihm.

»Papa«, der junge Mann trat an Sergios Bett und erschrak, als er sah, wie schlecht der Vater aussah. Samstagnacht war ihm die Verletzung gar nicht so schlimm erschienen. Die vielen Schläuche und Geräte machten Massimo noch nervöser, als er es ohnehin schon war. Bis gestern hatte er kaum eine Ahnung davon gehabt, was sein Vater wirklich tat und welch fatale Auswirkungen eine einzige falsche Entscheidung haben konnte. Massimo hatte zuversichtlich geglaubt, es sei nicht so schlimm, wenn der Vater für ein paar Tage ausfiel, aber die Ereignisse der letzten 48 Stunden hatten den jungen Mann eines Besseren belehrt. Er fühlte sich so hilflos wie auf einem Schiff in Seenot, dessen Kapitän ausgefallen war. Die Verhaftung und der Tod seines jüngsten Bruders zogen auf einmal so große Kreise, dass Massimo Angst bekam. Im Fernsehen wurde öffentlich über Zusammenhänge zwischen seinem Vater und illegalen Entmietungsaktionen sowie dem Drogenfund im Hafen spekuliert. Die Reporter sprachen von einem Unterweltkrieg mit dem kolumbianischen Drogenkartell, und Massimo wusste nicht, wie er sich verhalten sollte. Die Leute von der Presse richteten einen gewaltigen Schaden an, und dann waren gestern Abend noch drei Männer am Hafen erschossen worden, die für seinen Vater gearbeitet hatten. Die Situation drohte außer Kontrolle zu geraten.

»Massimo«, sagte Sergio mit schwacher Stimme.

»Ja, Papa, ich bin's. Wie geht's dir?«

»Beschissen«, erwiderte Sergio so ehrlich wie selten, »wo ist Nelson?«

»Ich bin hier.«

»Du hattest recht«, murmelte Sergio, »Ortega hat nicht lange gezögert.«

Der Anwalt sah, dass es Sergio wirklich schlechtging, und zögerte, ihm von den Problemen zu berichten, die aufgetaucht waren.

»Hast du deiner Mutter erzählt, was passiert ist, Massimo?«

»Ja, das habe ich. Aber ...«, er verstummte und wechselte einen raschen Blick mit Nelson.

»Aber?« Sergios Blick wanderte von Massimo zu Nelson und zurück zu seinem Ältesten. Er sah ihre grauen Gesichter und ahnte, dass etwas Schlimmes geschehen sein musste.

»Was ist passiert?«, fragte er mit flacher Stimme.

»Cesare ist tot«, sagte Massimo endlich. In kurzen Worten schilderten er und Nelson abwechselnd, was vorgefallen war, angefangen von Cesares Verhaftung, Kostidis' und de Lancies Auftauchen auf dem Polizeirevier, Cesares Selbstmord, der Ermordung der drei Männer am Hafen bis zu den wilden Spekulationen der Presse. Sergio schwieg, als sie alles erzählt hatten. Er brauchte eine Weile, um die Zusammenhänge zu begreifen, und für einen Augenblick war er versucht, dem Gefühl der Schwäche in seinem Inneren nachzugeben. Cesare hatte sich nicht umgebracht. Nie und nimmer. Dazu war er viel zu feige. Er war schuld am Tod des Jungen, denn er hatte Luca den unmissverständlichen Auftrag gegeben, dafür zu sorgen, dass Cesare nicht auspackte, sollte er jemals in eine brenzlige Situation geraten. Wie hatte er ahnen können, dass dieser Fall wirklich eintreten würde? Er hatte sich in den letzten Jahren oft über seinen jüngsten Sohn geärgert. Es war schmerzlich für ihn gewesen, als er begreifen musste, dass Cesare ein Taugenichts war. Der Junge war dumm und charakterschwach, aber trotz alledem war er sein eigenes Fleisch und Blut, sein Sohn, und nun war er tot.

»Was sollen wir jetzt tun, Papa?«, fragte Massimo fast verzweifelt.

»Vor allen Dingen musst du die Nerven bewahren«, erwiderte Sergio, »egal, was noch geschieht. In Deckung gehen und abwarten, keine vorschnellen Handlungen. Was ist mit de Lancie? Ist er noch auf unserer Seite?«

»Ich denke schon«, erwiderte Massimo.

»Kostidis ist allerdings außer Rand und Band«, bemerkte Nelson, »er wittert seine Chance, an dich heranzukommen.«

»Ja, das denke ich mir«, Sergio verzog das Gesicht und überlegte. Er musste so schnell wie möglich die Zügel wieder in die Hand nehmen, bevor ein nicht wiedergutzumachender Schaden angerichtet war.

»Weiß Constanzia schon von der Sache mit Cesare?«

»Ja«, Massimo nickte, »es ist ja dauernd im Fernsehen. Domenico ist bei ihr. Sie ist völlig zusammengebrochen. Sie sagt, dass …«

Er brach ab und sah unbehaglich zu Boden. Sergio wusste, dass Constanzia diesen jüngsten und schwächsten Sohn mehr als ihre anderen beiden Söhne geliebt hatte. Er konnte sich unschwer vorstellen, welche Szenen sich bei ihm zu Hause abspielten.

»Was sagt sie?«, fragte er scharf.

»Sie sagt«, Massimo holte tief Luft, und es fiel ihm schwer, dem Vater in die Augen zu sehen, »dass du ihn hast umbringen lassen.«

Sergios Finger krampften sich in die Bettdecke. Constanzia kannte ihn doch besser, als er es für möglich gehalten hatte.

»Das ist doch Unsinn«, sagte Nelson jetzt, »dein Vater liegt seit Samstagnacht in dieser Klinik!«

»Ich weiß, dass du nie viel von Cesare gehalten hast, Papa«, Massimos Stimme klang bittend, »aber ich habe Mama gesagt, dass du so etwas niemals tun würdest. Das stimmt doch, Papa, oder?«

»Natürlich habe ich nichts dergleichen getan«, log Sergio, ohne mit der Wimper zu zucken. Massimo schien erleichtert, aber Nelson hatte noch etwas auf dem Herzen.

»Bevor Cesare sich erhängt hat«, sagte er, »hat er den Cops erzählt, dass sie in Silvios Auftrag das Haus überfallen hätten. Sie haben ihn gestern verhaftet.«

Sergio schloss die Augen. Cesare hatte wirklich gar nichts begriffen. Nicht einmal das allerwichtigste Gesetz, nach dem sie lebten, das Gesetz des Schweigens, der *Omertá*.

»Sie werden diese Aussage nicht gegen dich verwenden können«, fuhr Nelson fort, »weil sie unter massivem Druck gemacht wurde.«

»Jetzt ist es sowieso zu spät«, antwortete Sergio mit heiserer Stimme, »Cesare ist tot, daran ist nichts mehr zu ändern. Wir müssen die Sache anders angehen.«

Es strengte ihn unglaublich an, klar zu denken.

»Findet jemanden, der behauptet, er habe auf mich geschossen«, sagte er heiser, »denkt euch einen glaubhaften Grund aus. In der Öffentlichkeit muss bekanntwerden, dass die Schüsse auf mich nichts mit Ortega zu tun haben. Nelson, du holst Silvio gegen Kaution aus dem Knast raus.«

Er machte erschöpft eine Pause. Die Schatten unter seinen Augen waren dunkler geworden, seine Kehle schmerzte vom Sprechen. Sergio verfluchte die Medikamente, die sein Gehirn lähmten.

»Nelson«, murmelte er, »lass dir irgendetwas einfallen, womit man die Presse ablenken kann. Wir haben schon einmal über eine Möglichkeit gesprochen, du erinnerst dich.«

Der Anwalt nickte. Dr. Sutton trat ein, nachdem er geklopft hatte.

»Mr Vitali braucht jetzt wirklich Ruhe«, sagte er nachdrücklich, »bitte, meine Herren.«

»Nelson!«, flüsterte Sergio, und der Anwalt beugte sich näher zu ihm hin. »Ruf bitte Alex an. Sag ihr … sag ihr …«

›Ich war bereit, dich zu lieben, Sergio. Wenn du ehrlich gewesen wärst, hätte ich jede Wahrheit akzeptiert, und wenn sie noch so schlimm gewesen wäre.‹

Er sah die Ablehnung in Nelsons Augen aufflackern. Nein, es war keine gute Idee, Alex anzurufen. Sie sollte ihn nicht so sehen, so schwach und hilflos, mit diesen Schläuchen in seinem Körper.

»Nein«, er schüttelte den Kopf, »ruf sie nicht an. Aber sorge dafür, dass sich Domenico um seine Mutter kümmert. Sie darf jetzt nicht allein sein.«

»Das werde ich tun.« Nelson drückte die Hand seines Freundes voller Mitgefühl. »Wir bekommen das wieder in den Griff. Mach dir keine Sorgen.«

* * *

In der City Hall liefen seit dem frühen Morgen die Telefonleitungen heiß. Obwohl Nick Kostidis in den vergangenen Nächten kein Auge zugetan hatte, spürte er keine Müdigkeit. Die Verhaftung und der Selbstmord von Cesare Vitali und das Attentat auf seinen Vater waren *die* Themen auf allen Fernsehkanälen, dafür hatte er gesorgt. Sergio Vitali war allerdings noch immer wie vom Erdboden verschluckt. Entweder war er tot oder so schwer verletzt, dass er sich nicht öffentlich zur Wehr setzen konnte, wie Nick es eigentlich erwartet hätte. Auf jeden Fall hatte er mit seinem nächtlichen Fernsehauftritt in der Bronx verhindern können, dass die Sache einfach unter den Teppich gekehrt wurde. Er hatte de Lancie dazu gezwungen, den Fall zu verfolgen. Es klopfte an der Tür.

»Mr Harding ist hier, Sir«, sagte Allie. Der Polizeichef wartete nicht, sondern drängte die Sekretärin einfach zur Seite und stürmte mit hochrotem Gesicht in das Büro des Bürgermeisters.

»Zum Teufel, Nick, was fällt Ihnen eigentlich ein?«, schrie er wütend. »Ich war zwei Tage nicht in der Stadt, und dann muss ich so etwas hören!«

Er war so außer sich, dass Nick für einen Moment glaubte, er würde sich auf ihn stürzen und ihn verprügeln.

»Was meinen Sie, Jerome?« Er tat erstaunt.

»Sie sind nicht mehr der verdammte Staatsanwalt!«, brüllte Harding. »Wie kommen Sie dazu, sich in die Arbeit der Polizei einzumischen? Was fällt Ihnen ein, vor laufender Kamera zu behaupten, Vitali sei von der kolumbianischen Drogenmafia niedergeschossen worden?«

»Das habe ich nicht gesagt …«

»Natürlich nicht!« Hardings Stimme überschlug sich fast vor Zorn. »Sie haben es nur *angedeutet,* aber das genügt schon! Der Gouverneur hat mich angerufen, der Innensenator, ja sogar der stellvertretende Justizminister aus Washington will wissen, was hier vor sich geht! Ich stehe wie ein Vollidiot da und muss mich fragen lassen, warum der Bürgermeister meinen Job macht!«

Nick unterdrückte ein zufriedenes Grinsen.

»Beruhigen Sie sich, Jerome«, sagte er, »es ist doch nichts passiert, außer dass ich auf die Missstände in der Bronx hingewiesen habe. Sie stimmen ja wohl mit mir überein, dass diese Überfälle auf die Mietshäuser …«

»Ersparen Sie mir Ihre PR-Rede«, unterbrach Harding ihn grob, »mir können Sie nichts vormachen! Sie nutzen die Situation aus, um Ihren Kreuzzug gegen Vitali führen zu können, und dabei bedienen Sie sich Ihres öffentlichen Ansehens! Aber damit behindern Sie die Arbeit der Polizei und der Justiz!«

»Inwiefern tue ich das?« Nick blickte den Polizeichef aus

schmalen Augen an. »Etwa, weil ich de Lancie daran gehindert habe, diesen Vorfall schleunigst zu vertuschen, wie er es vorgehabt hat?«

»Das ist nicht mehr Ihre Aufgabe«, erwiderte Harding heftig. »Wissen Sie, was Vitali tun wird, wenn er erfährt, wie Sie ihn verleumden?«

Da sprang Nick auf.

»Es ist mir ziemlich egal, was er tut«, sagte er kalt, »ich vertrete lediglich die Interessen meiner Stadt, wenn es schon sonst niemand tut. Dem Bundesstaatsanwalt ging es Samstagnacht nur um das Wohl von Cesare Vitali. Er hat mit keinem Wort nach dem verletzten Polizeibeamten gefragt! Es kam mir fast so vor, als versuchte er, die Vorfälle unter den Teppich zu kehren, und ich frage mich: Weshalb? Welches Interesse hat Mr de Lancie, den Ruf eines Mannes wie Vitali zu schützen? Und auch Sie, Jerome, was interessiert es Sie, was Vitali denkt?«

Harding lief blutrot an, aber Nick sprach unbeirrt weiter.

»Im Keller der Staatsanwaltschaft stapeln sich die Akten über Vitali. Jeder weiß es, aber man kann ihm nichts beweisen! Jetzt ist eine winzige Möglichkeit da, ihn eines Verbrechens zu überführen, und ich werde nicht zulassen, dass irgendein korrupter Beamter diese Gelegenheit zerstört!«

»Vorsicht, Herr Bürgermeister!« Hardings Stimme war nur noch ein drohendes Flüstern. »Was wollen Sie damit andeuten?«

»Was ich damit andeuten will?« Nick blieb nur ein paar Zentimeter vor dem hünenhaften Polizeichef, der ihn um Haupteslänge überragte, stehen. »Ich habe den Verdacht, dass Vitali sich eine Menge einflussreicher Leute gekauft hat. Durch ihr Stillschweigen und Wegsehen ist er in der Lage zu schalten und zu walten, wie es ihm gefällt. Aber ich dulde es nicht länger, dass in meiner Stadt der Mob regiert, und ich hoffe, Sie sind mit mir in diesem Punkt einer Meinung, Jerome!«

Harding starrte ihn an und holte tief Luft. Doch dann fuhr er sich mit der Hand durch seinen dichten weißen Haarschopf und seufzte. Seine Wut schien plötzlich verraucht.

»Sie haben recht«, sagte er schließlich und ließ sich in einen der Ledersessel am Konferenztisch fallen, »diese Stadt ist so korrupt wie eh und je. Wir kämpfen gegen Windmühlen. Aber so, wie Sie es angefangen haben, geht es nicht.«

»Doch«, widersprach Nick, »nur so geht es. Man muss diese Mauschelei öffentlich anprangern. Kein Politiker wird es jetzt noch wagen, Partei für einen Mann wie Vitali zu ergreifen. Fürs Erste ist seine politische Seilschaft gelähmt.«

Der Polizeichef schwieg.

»Jerome!« Nick sah ihn beschwörend an. »Ich habe so viele Jahre gegen Korruption und Verbrechen gekämpft, dass ich nicht tatenlos mitansehen kann, wie meine Stadt zu einem Kriegsschauplatz wird! Das hier ist meine Aufgabe, mein Kampf, und ich werde nicht aus Bequemlichkeit oder Angst kapitulieren und wegsehen, wie es so viele andere tun! Ich will Sergio Vitali das Handwerk legen!«

»Wenn er es nicht ist, kommt ein anderer«, sagte Harding und zog eine Grimasse. »Es wird nie aufhören. Das wissen Sie so gut wie ich.«

Es klopfte an der Tür, und Frank Cohen trat ein.

»Sie haben den Mann, der das Attentat auf Vitali verübt hat. Es ist gerade in den Nachrichten. Er hat sogar schon ein Geständnis abgelegt.«

Jerome Harding und der Bürgermeister fuhren hoch.

»Es heißt, es sei ein ehemaliger Leibwächter von Vitali gewesen, der sich an ihm rächen wollte.«

»Kein kolumbianisches Drogenkartell, Nick«, sagte Harding spöttisch, »nur ein frustrierter Ex-Leibwächter.«

Nick antwortete nicht und schüttelte stumm den Kopf.

»Falls Sie mich brauchen sollten, ich bin im Präsidium«, sagte der Polizeichef, »ich werde mich wohl am besten selbst um die Sache kümmern, bevor noch mehr Schaden angerichtet wird.« Kaum hatte Harding das Büro verlassen, schaltete Nick den Fernsehapparat ein. Frank und er verfolgten stumm einen Bericht über die Verhaftung des angeblichen Attentäters.

»Ist es nicht seltsam«, sagte Frank, »dass sich dieser Kerl der Polizei stellt und ein Geständnis ablegt, obwohl noch gar nicht nach ihm gefahndet wurde? Das ist ja zu schön, um wahr zu sein.«

»Einfache Lösungen machen mich immer misstrauisch.« Nick runzelte nachdenklich die Stirn. »Vier Tage, nachdem eine große Ladung Kokain aufgrund eines anonymen Hinweises gefunden wurde, wird ein Attentat auf Vitali verübt. Über Mittelsmänner wissen wir, dass sich ein Streit zwischen dem kolumbianischen Drogenkartell und der hiesigen Unterwelt anbahnt. Dann werden drei Männer am Hafen erschossen, Italiener, die, wenn man es genau untersuchen würde, garantiert Vitalis Leute waren.«

Er schaltete den Fernseher ab.

»Vitali ist verschwunden. Sicherlich ist er verletzt, deshalb hört und sieht man nichts von ihm. Verdammt, das gehört alles zusammen. Aber außer uns will das wohl niemand wahrhaben.«

»Wie will dieser Typ gleichzeitig das Auto gesteuert und mit einer Kalaschnikow aus dem offenen Fenster geschossen haben?« Frank schüttelte den Kopf.

»Mir scheint, es gibt Leute, denen es ganz gut in den Kram passt, wenn sich alles so einfach auflöst«, sagte Nick, »diese ganze Sache ist ...«

Das Telefon summte, und er drückte auf den Knopf der Gegensprechanlage.

»Es ist Eugene Varelli«, sagte Allie, »er sagt, es wäre dringend.«

»Okay, stellen Sie durch.«

Eugene Varelli war der Leiter der Gesundheitsbehörde.

»Hallo, Nick«, sagte er, »es tut mir leid, dass ich Sie belästigen muss, aber es sieht so aus, als hätten wir ein ernsthaftes Problem.«

»Na wunderbar.« Nick verdrehte die Augen und stellte das Telefon laut, damit Frank mithören konnte. »Um was für ein Problem handelt es sich diesmal?«

»Wir hatten heute einen Erpresserbrief in der Post, anonym, deshalb haben meine Leute ihn nicht ernst genommen«, sagte Varelli, »aber vor einer Stunde erhielt ich einen Anruf. Ein Mann droht damit, Lebensmittel mit Milzbranderregern zu infizieren. Er nannte mir Adressen von zwei Läden in Queens und Morningside Heights. Es soll sich um tiefgefrorene Hamburger der Marke *Freezo* handeln. Ich habe Leute hingeschickt, die alle in Frage kommenden Produkte zur Überprüfung mitnehmen.«

»Na wunderbar.«

»Wir nehmen diese Sache ziemlich ernst, Nick. Der Mann klang nicht wie ein Verrückter, außerdem hat er ganz konkrete Forderungen und kündigte an, die Sache an die Öffentlichkeit zu bringen.«

»Und was fordert er?«

»Drei Millionen Dollar auf ein Nummernkonto im Ausland. Und ...«

»Und was?«

»Ihren Rücktritt.«

»Aha. Aber das Geld will er nicht von mir persönlich haben, oder?«

»Ich halte Zynismus in dieser Situation nicht für angebracht«, erwiderte Varelli steif. »Wie sollen wir weiter vorgehen?«

Nick warf Frank einen Blick zu, dann seufzte er.

»Informieren Sie die Polizei und das Bundesgesundheitsministerium. Und das FBI.«

»Okay.«

»Ach, Eugene«, sagte Nick, »halten Sie mich auf dem Laufenden.«

Er hängte ein. Einen Moment herrschte Ruhe, dann sprang Nick unvermittelt auf.

»Vitali lässt die Artillerie aufmarschieren«, sagte er. »Ich verwette meine rechte Hand darauf, dass diese Erpressung nur ein Ablenkungsmanöver ist, um den Tod von Cesare und das Attentat aus den Schlagzeilen zu verdrängen.«

Frank machte ein besorgtes Gesicht.

»Und wenn es sich um einen echten Erpresser handelt?«

»Dann«, Nick grinste müde, »trete ich zurück und werde den Rest meines Lebens mit Golfspielen und Fliegenfischen verbringen. Und ich werde mich nicht nach Sodom und Gomorrha umdrehen, das schwöre ich Ihnen, Frank.«

***

Natürlich war die Geschichte von der Erpressung und den vergifteten Lebensmitteln trotz höchster Geheimhaltungsstufe bis zur Presse durchgesickert. Die Reaktion der Bevölkerung grenzte an Hysterie, und die Medien trugen noch dazu bei, die Panik zu schüren. Die Presse konzentrierte sich auf den anonymen Erpresser und seine seltsamen Forderungen. Aus den verstaubten Archiven der Fernsehsender wurden Dokumentationen hervorgekramt, die Menschen zeigten, die an Milzbrand erkrankt waren. Es gab Berichte über die Gefährlichkeit von Milzbranderregern, Interviews mit irgendwelchen obskuren Spezialisten, die bestätigten, dass die Krankheit in zwei bis drei Tagen zum sicheren Tod führte. Die Gesundheitsbehörde hatte alle Produkte der Firma *Freezo* überall in der Stadt beschlagnahmt, was zu heftigen Protesten der Geschäftsführung des Unternehmens führte. Das FBI überprüfte Labors im ganzen Land, um herauszufinden, woher die Erreger stammen könnten, mit denen die Lebensmittel verseucht werden sollten. Der Bürgermeister hatte einen Krisenstab eingerichtet und eine Hotline schalten lassen, bei der sich besorgte Bürger informieren konnten. Die Telefone klingelten unablässig, und zahlreiche Familien beschlossen, dass es an der Zeit war, entfernte Verwandte auf dem Land zu besuchen. Die Freeways, die aus der Stadt hinausführten, waren seit dem frühen Morgen hoffnungslos verstopft.

»Das war gute Arbeit«, sagte Sergio zufrieden, als van Mieren ihm vom Erfolg der Aktion berichtet hatte.

»Sie haben ihren Attentäter, und der hat nichts mit irgendwelchen Kolumbianern zu tun«, Nelson lächelte, »es wird keinen Bandenkrieg geben, und alle sind beruhigt.«

»Dein Name ist aus den Schlagzeilen«, bekräftigte Massimo. Er war erleichtert, dass der Vater so schnell das Krankenhaus verlassen hatte und wieder in der Lage war, Entscheidungen zu treffen. Auf dem Weg von Long Island nach Mount Kisco flog der Helikopter über Queens hinweg, und Sergio diktierte Nelson während des Fluges die Reihenfolge der Leute, mit denen er sprechen wollte. Er musste wissen, wer auf seiner Seite stand und was Kostidis als Nächstes im Schilde führte. Sergio war sich ganz sicher, dass der Bürgermeister die Geschichte von dem geständigen Attentäter nicht glauben würde. Mehr als je zuvor hatte er das Gefühl, dass Kostidis eine ernsthafte Bedrohung darstellte. Es war am späten Nachmittag, als Sergio sein Haus in der Nähe von Mount Kisco im Westchester County betrat. Sein zweitältester Sohn Domenico kam ihm mit ernstem Gesichtsausdruck entgegen.

»Papa!«, rief er. »Gott sei Dank!«

Sergio umarmte ihn unbeholfen mit dem rechten Arm.

»Wie geht es deiner Mutter?«

»Sie weigert sich, Beruhigungsmittel zu nehmen. Aber sie ist einigermaßen gefasst. Ich kann immer noch nicht glauben, dass Mimo tot ist.«

»Ja, es ist schrecklich.«

Sergio durchquerte die Halle, gefolgt von seinen Söhnen und Nelson van Mieren. Er betrat das große Wohnzimmer. Constanzia saß auf der wuchtigen Ledercouch, neben ihr die Schwiegertöchter Victoria und Isabelle sowie Constanzias Schwester Rosa und ihre Cousine Maria. Die fünf Frauen hatten verweinte Gesichter und trugen schwarze Kleidung. Sergios Blick fiel auf das große gerahmte Foto von Cesare, das jemand mit einem Trauerflor versehen hatte, und für einen Augenblick krampfte sich sein Magen schmerzhaft zusammen.

»Guten Tag«, sagte Sergio.

»Mr Vitali«, der Arzt, ein junger Mann aus Mount Kisco, kam eilig auf ihn zu, »mein Beileid. Es ist wirklich tragisch.«

»Ja, das ist es in der Tat. Danke«, Sergio nickte. In diesem Moment erblickte Constanzia ihren Ehemann und sprang mit einer Behändigkeit auf, die man ihr nicht zugetraut hätte. Ihr vom Weinen verquollenes Gesicht war zu einer wütenden Maske verzerrt.

»Assassino!«, schrie sie mit schriller Stimme und stürzte sich auf Sergio, bevor sie jemand daran hindern konnte. *»L'hai ammazzato! Bestia! Assassino!* Du hast ihn umbringen lassen, deinen eigenen Sohn!«

Die anderen Frauen waren entsetzt aufgesprungen, und Massimo und Domenico ergriffen ihre tobende Mutter. Sie waren sichtlich erschüttert über die Vorwürfe, die sie dem Vater entgegenschleuderte. Der Arzt starrte die Frau entsetzt an. Er verstand nicht, was sie sagte, denn sie sprach italienisch, aber der Zorn und der Hass in ihrer Stimme bedurften keiner Übersetzung.

»Er hat dich gestört!«, schrie Constanzia. »Du hast ihn immer verachtet, weil er nicht so kalt war wie du! Du hast ihn umbringen lassen, du eiskaltes Schwein! So wie du meinen Vater hast ins Gefängnis gehen lassen, obwohl du wusstest, dass es sein Tod sein würde! Du hast schon so viele Menschen umbringen lassen, nur weil sie dir im Weg waren, und nun mein Baby, meinen Liebling, oh, *dio mio*!«

Sie taumelte und brach in lautes Wehgeschrei aus. Ihre Stimme hatte kaum noch etwas Menschliches.

»Du bist nicht bei Verstand, Constanzia«, sagte Sergio und streckte die Hand nach ihr aus.

»Fass mich nicht an, du Mörder!«, kreischte sie.

»Niemand hat Cesare etwas getan«, sagte er mit ruhiger Stimme. » Er ist durchgedreht und hat sich mit seinem eigenen Gürtel erhängt. Wahrscheinlich war er wieder total vollgekokst.«

Er bemerkte die fassungslosen Blicke des Arztes und seiner Schwiegertöchter, er erkannte die Zweifel in den Augen Nelsons und wusste, dass sogar seine beiden Söhne einen Augenblick der Mutter glaubten.

»Du hast Cesare nie gemocht«, sagte Constanzia nun leiser. »Für dich gab es nur immer deine verfluchten Geschäfte! Ich hasse dich!«

»Geben Sie ihr eine Beruhigungsspritze«, wandte sich Sergio an den Arzt, »der Schmerz über den Tod unseres Sohnes ist zu viel für ihre Nerven.«

»Ja!« Constanzia lachte hasserfüllt. »Erzähl ihnen das nur! Aber ich kenne dich, Sergio Vitali! Ich weiß genau, wozu du fähig bist! Du bist eiskalt!«

»Mama!«, sagte Domenico verzweifelt. »Sei ruhig, bitte! Lass uns nach oben gehen. Papa ist gerade aus dem Krankenhaus gekommen, er ist auch traurig.«

»Das ist er nicht«, Constanzia machte sich los, »dieser Mann ist niemals traurig. Er kennt keine Gefühle, denn er hat kein Herz.«

Damit drehte sie sich um und verließ den Salon, gefolgt von Victoria, Rosa, Maria und dem Arzt. Sergio wartete, bis sie den Raum verlassen hatte, dann setzte er sich schwerfällig in einen Sessel.

»Gib mir einen Whisky, Massimo«, sagte er. Sein Sohn gehorchte, während die anderen schweigend und unbehaglich dastanden. Der unbeherrschte Zornausbruch Constanzias, die sonst immer ruhig und freundlich war, hatte sie alle tief erschüttert.

»Was starrst du mich so an, Isabelle?«, fragte Sergio die Frau seines Sohnes Massimo. »Denkst du etwa auch, ich hätte Cesare umbringen lassen?«

»Nein«, die junge Frau schüttelte eilig den Kopf, »natürlich nicht. Es ist nur schrecklich, Mama so leiden zu sehen. Sie hat sehr an Cesare gehangen.«

»Ja, ich weiß«, erwiderte Sergio, »es ist schlimm für sie. Sie kann den Tod nicht akzeptieren. Genauso hat sie mir damals die Schuld am Tod ihres Vaters, der an Krebs gestorben ist, gegeben. Sie wird sich wieder beruhigen.«

***

Alex saß an ihrem Schreibtisch und las einen Artikel über den Selbstmord Cesare Vitalis in der *New York Times*. Mit einem Schaudern erinnerte sie sich an die erste und einzige Begegnung mit Sergios jüngstem Sohn, die sehr verhängnisvoll für sie hätte enden können. Sie war nicht sehr betroffen über den Tod des jungen Mannes, der ihr ausgesprochen unsympathisch gewesen war. Marcia blickte zur Tür herein.

»Mr Vitali ist am Telefon«, flüsterte sie dramatisch, »und Mr St. John bittet um Rückruf. Dringend.«

»Danke«, Alex nahm den Hörer. Seit drei Tagen hatte sie auf eine Nachricht von Sergio gewartet. Die Ereignisse schienen sich zu überschlagen. Erst das Attentat auf Sergio, dann der Tod seines Sohnes, und nun, nachdem man angeblich den Attentäter gefunden hatte, beherrschte eine Erpressung die Schlagzeilen der Zeitungen. Alex wusste genau, dass die Männer in dem Auto keine ehemaligen Leibwächter gewesen waren, aber vielleicht war es besser, wenn niemand davon erfuhr. Sie zumindest verbot sich jeden Gedanken an die fürchterliche Nacht.

»Sergio?«, sagte sie.

»Nein. Hier ist Massimo Vitali.«

»Oh. Wie geht es Ihrem Vater?«

»Besser. Er möchte Sie sehen, Alex. Wenn es Ihnen möglich ist, sofort.«

»Ich habe sehr viel zu tun«, sagte Alex ausweichend. Sie wollte Sergio nicht sehen.

»Es ist wichtig. Mein Vater bittet Sie, zu ihm in die Park Avenue zu kommen. Wenn Sie möchten, schicke ich Ihnen einen Wagen.«

»Nein, das ist nicht nötig. Ich nehme ein Taxi«, antwortete Alex, »und Massimo – das mit Ihrem Bruder tut mir sehr leid. Ich habe es heute in der Zeitung gelesen.«

»Danke«, sagte Sergios Sohn mit derselben kalten Stimme, wie sein Vater sie manchmal hatte, »wann werden Sie hier sein?«

»In einer Stunde.«

Alex stand kurz entschlossen auf. Besser, sie brachte den Besuch bei Sergio sofort hinter sich, anstatt ihn vor sich herzuschieben. Mark Ashtons Platz im Handelsraum war leer, aber Alex traf ihn unten in der Halle. Er kam gerade vom Lunch. »Haben Sie Oliver erreicht?«

»Ich treffe mich am Wochenende mit ihm«, erwiderte Mark, »er hat gesagt, er würde mir helfen, wenn er kann.«

Da fiel Alex noch etwas ein.

»Hat St. John Sie heute zufällig nach Syncrotron gefragt?«

»Ja«, Mark blickte seine Chefin überrascht an, »das hat er tatsächlich. Ist das ein neuer Kunde?«

»Nein«, Alex grinste und zwinkerte ihm zu, »es ist ein Teil meines Plans. Wir werden Mr St. John in eine hübsche Sackgasse locken, um zu sehen, was passiert.«

***

Sergio lag auf der Couch in seinem Apartment in der Park Avenue. Stundenlang hatte er ein Telefongespräch nach dem anderen geführt, um sich der Loyalität seiner ›Freunde‹ zu versichern, doch das Ergebnis war in fast allen Fällen niederschmetternd. Die meisten hatten sich mit fadenscheinigen Ausreden verleugnen lassen, und die Männer, mit denen er sprechen konnte, gaben sich zurückhaltend, wenn nicht gar abweisend. Den ganzen Morgen waren Luca, Massimo und Nelson damit beschäftigt, alle möglichen Leute anzurufen.

»Fred Schumer ist nicht im Büro«, Nelson legte den Telefonhörer auf, »seine Sekretärin weiß nicht, wann er zurück sein wird.«

Sergio seufzte. Fred Schumer war der Vorsitzende des mächtigen Aufsichts- und Ermittlungsausschusses des Repräsentantenhauses, ein wichtiger Mann, der sich normalerweise nicht um Gerüchte kümmerte. Sergio kannte ihn seit über 20 Jahren. Schumer war ihm einige Male ausgesprochen hilfreich gewesen.

»Es sieht nicht gut aus«, Nelson machte ein besorgtes Gesicht.

»Diese verdammten Feiglinge«, knurrte Sergio zornig, »feige Opportunisten. Sie können mich am Arsch lecken!«

Er war erschöpft, und seine verletzte Schulter schmerzte, aber wenigstens funktionierte sein Gehirn wieder einwandfrei.

»Wir brauchen sie aber«, gab Nelson zu bedenken.

»Das weiß ich selbst!«, fuhr Sergio auf. »Aber was zum Teufel soll ich denn tun?«

Massimo und Luca warfen sich einen vielsagenden Blick zu. Die Situation war wirklich ernst, denn ohne den Schutz seiner politischen Verbindungen würde Sergio viel Macht verlieren. Der Fernseher lief und brachte stündlich die neuesten Erkenntnisse über die Erpressung und den Tod von Cesare. Da erschien Bürgermeister Kostidis auf dem Bildschirm. Er stand auf der Treppe der City Hall, umdrängt von Dutzenden von Fernsehkameras und Reportern. Sergio richtete sich auf, Massimo, Luca und Nelson verstummten und lauschten ebenfalls.

»*Mr Kostidis, was sagen Sie dazu, dass die Erpresser Ihren Rücktritt fordern?*«, fragte die Reporterin von WNBC.

»*Meiner Meinung nach ist diese Erpressung nichts anderes als ein geschicktes Ablenkungsmanöver*«, erwiderte Kostidis ruhig. Er war, obwohl er seit Samstag kaum Schlaf bekommen hatte, voller Energie und scheinbar ganz Herr der Lage.

»*Was für ein Ablenkungsmanöver?*«, rief ein anderer Journalist.

»*Samstagnacht wurde ein Mordanschlag auf Sergio Vitali verübt*«, sagte Kostidis, »*nachdem am Dienstag vergangener Woche eine große Menge Kokain am Hafen in Brooklyn von der Zollbehörde beschlagnahmt wurde. Das Rauschgift befand sich auf einem Frachter, der aus Costa Rica kam, der klassische Weg also, auf dem das Drogenkartell aus Kolumbien Drogen in unser Land schmuggelt. Die Polizei und die Zollbehörden hatten einen anonymen Hinweis erhalten. Der Hafen ist in der Hand von Vitali, das ist uns bereits seit langem bekannt.*«

»Dieser verdammte Bastard«, murmelte Sergio mit unbewegtem Gesicht. Die anderen Männer schwiegen.

»Es herrscht Krieg zwischen Vitali und dem kolumbianischen Drogenkartell. Am Sonntagabend wurden am Hafen drei Männer erschossen, drei Amerikaner italienischer Herkunft, die möglicherweise für Vitali arbeiteten. Meiner Meinung nach wurde das Attentat auf Vitali aus Rache dafür verübt, dass er eine Drogenlieferung auffliegen ließ.«

»Aber der Täter wurde doch gefasst«, wandte eine Reporterin ein.

»Ziemlich unwahrscheinlich, oder?« Kostidis lächelte. *»Ich nehme an, dass dieser Mann, der die Tat angeblich gestanden hat, von Vitali dafür bezahlt wurde, ein Geständnis abzuliefern. Man wird ihn für zwei Jahre ins Gefängnis schicken, und bei guter Führung ist er nach einem Jahr wieder draußen. Aber die Öffentlichkeit ist beruhigt – nur ein Spinner und kein Unterweltkrieg.«*

»Woher wissen Sie das alles, Mr Kostidis?«

»Ich weiß gar nichts«, erwiderte der Bürgermeister, *»aber ich habe eben diese Vermutung, dass auch die Erpressung mit den vergifteten Lebensmitteln nur dem Zweck dient, von den wahren Hintergründen des Mordanschlags auf Vitali abzulenken.«*

»Sie stellen gefährliche Vermutungen an, Mr Kostidis«, sagte ein Reporter. *»Haben Sie denn irgendwelche Beweise?«*

»Noch nicht. Aber die werde ich bekommen. Ich war Staatsanwalt und habe lange genug gegen diese Verbrecher gekämpft, um ihre Denk- und Handlungsweisen zu kennen.«

»Sie können Mr Vitali nicht als Verbrecher bezeichnen!«

»So? Kann ich das nicht?« Kostidis' dunkle Augen blitzten. *»Ich tue es aber! Er mag viele seriöse Unternehmungen besitzen und Millionen Dollar für wohltätige Zwecke spenden, aber wenn Sie einen Blick hinter die Maske der Wohlanständigkeit werfen könnten, die er sich aufgesetzt hat, dann würden Sie erkennen, dass er ein Verbrecher ist. Sergio Vitali ist der Pate von New York City.«*

Massimo, Luca und Nelson warfen Sergio verstohlene Blicke zu, doch der verzog keine Miene.

»Eins muss man dem Mann lassen«, sagte er schließlich, »er ist verdammt clever. Wirklich schade, dass er nicht auf unserer Seite steht.«

»Er ist gefährlich«, erwiderte Nelson besorgt, »brandgefährlich. Er hat alles durchschaut.«

»Aber er hat keine Beweise«, wandte Massimo ein, »er redet und redet, und das ist alles.«

»Kostidis braucht keine Beweise«, antwortete Sergio grimmig. »Mit jedem Wort, das er sagt, verunsichert er die Leute, die wir auf unserer Seite haben. Niemand von denen wird sich mehr öffentlich zu uns bekennen, wenn er solche Dinge im Fernsehen von sich gibt. Sie können es sich nicht leisten, weil sie sonst ihre Jobs los sind.«

»Dann lass uns etwas gegen ihn unternehmen!«, rief Massimo heißblütig. »Wieso zeigen wir ihn nicht wegen Verleumdung und übler Nachrede an? Wie kann er so etwas behaupten?«

Sergio warf seinem Sohn einen Blick zu und schüttelte langsam den Kopf. »Wir müssen tatsächlich etwas gegen ihn unternehmen«, sagte er.

»Aber was willst du tun?«, fragte Nelson. »Ich könnte versuchen, eine einstweilige Verfügung zu erwirken, die es ihm verbietet ...«

»Ach was«, schnitt Sergio ihm das Wort ab, »Kostidis schert sich einen Dreck um einstweilige Verfügungen und Verleumdungsklagen. Er ist besessen davon, im Recht zu sein, und wenn man es ganz genau nimmt, ist er das ja auch.«

»Wir stopfen ihm das Maul!«, sagte Massimo.

»Das ist leider nicht so einfach«, entgegnete Sergio. »Er ist der Bürgermeister dieser Stadt, er hat eine Menge Einfluss, und er ist ungeheuer populär. In seinem Fall gibt es nur eine einzige Lösung.«

Es herrschte Totenstille. Jeder der Männer begriff, was Sergio meinte.

»Nein«, Nelson brach das Schweigen und erhob sich, »du kannst nicht den Bürgermeister umbringen.«

»Wer sagt etwas von umbringen?« Sergio starrte düster auf den Fernsehbildschirm. »Ein Unfall, ein tragischer, bedauernswerter Unfall. Ein Menschenleben ist so empfindlich.«

Nelson blickte seinen alten Freund an und erkannte, dass dieser es ernst meinte. Sergio befand sich in einer schwierigen Lage, gesundheitlich schwer angeschlagen und persönlich unter Druck durch den Tod von Cesare und Constanzias heftiger Reaktion. Alte Freunde ließen sich verleugnen, das Kartenhaus sensibler Beziehungen drohte einzustürzen. Dazu kamen die Probleme mit Ortega und am Hafen. Kostidis konnte mit seinen Worten großen Schaden anrichten, und die Krise, in der sie sich befanden, hatte eine Dimension angenommen, die zweifellos sofortige Maßnahmen verlangte. Es bedurfte einer geschickten Strategie, um die Worte von Kostidis in der Öffentlichkeit zu entkräften.

»Er muss weg«, sagte Sergio in diesem Augenblick, »je schneller, desto besser.«

»Man sollte nicht sofort an die letzte Möglichkeit denken«, wandte Nelson behutsam ein. »Wir könnten Kostidis einschüchtern, ihm nachdrücklich mitteilen, dass es besser für ihn wäre, wenn er den Mund hält.«

»Einschüchtern?« Sergio lachte und verzog sofort schmerzerfüllt das Gesicht. »Wie willst du wohl diesen Mann einschüchtern? Kostidis fürchtet nicht einmal den Teufel persönlich!«

»Man könnte ihn ... körperlich einschüchtern.«

Sergio schnaubte verächtlich und hielt Luca sein leeres Glas hin, das dieser sofort wieder mit Whisky füllte.

»Er bringt es fertig, sich noch halbtot vor die Kameras zu schleppen, um seine Verdächtigungen herauszuposaunen.« Sergio trank das Glas mit einem Zug leer, nachdem er drei Schmerztabletten eingenommen hatte. »Nein, Nicholas Kostidis versteht keine Drohungen.«

»Aber wenn er tot ist, wird man dich sofort verdächtigen.«

»Wenn er nicht mehr da ist, habe ich endlich Ruhe. Vergiss nicht, dass die Männer, die seinen Tod untersuchen werden, auf unseren Gehaltslisten stehen.«

Nelson van Mieren schüttelte entschieden den Kopf. Es war ihm gleichgültig, ob Massimo und Luca Zeuge seiner Gehorsamsverweigerung wurden.

»Das mache ich nicht mit«, sagte er schließlich. »Ich war immer auf deiner Seite, Sergio, und ich habe mit dir manche Schlacht geschlagen und manchen Krieg geführt. Wir haben alles zusammen aufgebaut, und es ist uns gelungen, den Schritt in die Legalität zu tun. Ich habe eingesehen, dass es ab und zu notwendig war, jemanden aus dem Weg zu räumen. Aber wenn du jetzt den Bürgermeister umbringen lässt, dann wird das so weite Kreise ziehen, dass wir uns nicht mehr retten können. Sein Tod wird uns alle in den Abgrund reißen!«

Sergio starrte seinen ältesten und treuesten Verbündeten erstaunt an. Von ihm war er so deutliche Worte der Opposition nicht gewohnt.

»Ich weiß, dass du dich vor nichts fürchtest«, fuhr Nelson mit beschwörender Stimme fort, »aber wir können das Problem auch anders lösen. Wichtig ist es, mit Ortega einig zu werden, alles andere wird sich finden.«

»Kostidis zerstört alles, was ich aufgebaut habe«, sagte Sergio finster. »Jetzt hat er Blut geleckt, und er wird nicht mehr lockerlassen, das weißt du so gut wie ich!«

»Wenn du planst, ihn umzubringen, mache ich nicht mit«, wiederholte Nelson mit leiser Stimme und wich Sergios Blick nicht aus. Der erhob sich mühsam, aber trotz seiner körperlichen Schwäche hatte er nichts von seiner Kraft eingebüßt.

»Nelson«, sagte er mit weicher Stimme, »du bist mein ältester Freund. Ja, du bist der einzige Mensch, den ich auf dieser Welt überhaupt als Freund bezeichnen würde. Aber du weißt, dass ich mir kein Risiko leisten kann. Du verstehst doch, dass Kostidis mittlerweile zu einem unkalkulierbaren Risiko geworden ist, oder?«

»Ja«, Nelson nickte, »aber deswegen musst du ihn nicht töten!«

Sergio starrte ihn lange an, und der Blick aus seinen eisblauen Augen war zwingend. Nach einer Weile senkte Nelson den Kopf.

»Entschuldigt mich«, sagte er, »ich muss in die Gerichtsmedizin. Um ein Uhr soll das Ergebnis der Obduktion da sein. Außerdem muss ich die Kaution für Silvio hinterlegen.«

Als Nelson den Raum verlassen hatte, setzte Sergio sich wieder. Eine ganze Weile sagte er gar nichts, sondern starrte nur finster vor sich hin.

»Luca«, sagte er schließlich, »du wirst einen Plan ausarbeiten, wie wir Kostidis zum Schweigen bringen können. Es ist mir egal, wie du das machst, Hauptsache es geht schnell.«

Luca nickte.

»Und du suchst zwei deiner besten Männer aus. Sie sollen Nelson keine Sekunde mehr aus den Augen lassen.«

»Okay, Boss«, Luca deutete eine Verbeugung an und verschwand.

»Papa«, Massimo, der schweigend die Szene verfolgt hatte, wandte sich an seinen Vater, »glaubst du, dass Nelson uns verraten wird?«

»Nein«, erwiderte Sergio müde, »Nelson ist krank. Und er wird alt. Er hat nicht mehr die besten Nerven. Früher war er anders, aber während der letzten Jahre hat er verlernt, was es bedeutet, einen Krieg zu führen.«

»Aber Ortega ...«, begann Massimo.

»Ich spreche nicht von Ortega«, unterbrach Sergio seinen Sohn. »Kostidis führt einen Krieg gegen mich. Seine Waffen sind um einiges subtiler als die eines Jorge Ortega, aber deshalb nicht weniger wirkungsvoll. Er nutzt jede Schwäche aus, und er ist clever.«

* * *

Als Alex in Sergios Apartment eintraf, musste sie feststellen, dass er, obwohl er gesundheitlich ganz offensichtlich angegriffen war, die Situation klar im Griff hatte. Sein Gesicht war hagerer als sonst, die Züge schärfer und kälter. Er wirkte wie ein Feldherr, stolz, und sich seiner Macht sehr bewusst. Das Apartment, in dem sonst nie jemand war, war voller Männer. Alex hatte es sich gefallen lassen müssen, dass man ihre Tasche durchsuchte.

»Das mit deinem Sohn tut mir sehr leid«, sagte Alex und blieb ein paar Meter weit von ihm entfernt stehen und machte keine Anstalten, ihn zu küssen. Sie hatte nicht vergessen, dass er sie wissentlich in Lebensgefahr gebracht hatte.

»Danke«, erwiderte er, »es ist schlimm für seine Mutter.«

»Und für dich?«

Seine Augen verengten sich für eine Sekunde, dann zuckte er die Schultern.

»Cesare war ein schwacher Mensch«, sagte er. »Er war drogensüchtig und labil.«

»Aber er war dein Sohn!« Alex war entsetzt über die Gleichgültigkeit, mit der er das sagte.

»Und er hat mir doch nicht mehr bedeutet als irgendjemand sonst«, entgegnete Sergio. »Bist du jetzt schockiert? Weshalb sollte ich dir den zu Tode betrübten Vater vorspielen, wenn ich es nicht bin?«

Alex schwieg. Wenn sie geglaubt hatte, dass er nach allem, was geschehen war, Trost brauchte, dann hatte sie sich geirrt. Sergio war meilenweit von allen menschlichen Gefühlen entfernt.

»Wie geht es dir, Cara?«, fragte er nun.

»Mir geht es gut«, antwortete Alex, »und dir?«

»Es wird schon wieder. Die Kugel wurde entfernt.«

Alex konnte nicht fassen, dass er so tat, als handele es sich lediglich um eine Lappalie wie eine Blinddarmoperation.

»Ich frage mich, weshalb du eine halbe Armee von Leibwächtern in deiner Wohnung hast«, sagte sie kühl. »Im Fernsehen heißt es doch, man hätte den Attentäter verhaftet.«

Sergio setzte sich auf das Sofa.

»Man kann ja nie wissen«, ein rätselhafter Ausdruck stahl sich in seine Augen.

»Vielleicht erinnerst du dich dunkel, dass ich neben dir stand, als auf dich geschossen wurde«, entgegnete Alex scharf, »und zwar ohne schusssichere Weste. Dieser Kerl war es nicht. Aber wer war es dann?«

»Ich weiß es«, entgegnete Sergio, »aber das spielt keine Rolle. Es war nicht persönlich gemeint.«

»Es war nicht persönlich gemeint?« Alex lachte ungläubig. »Ich glaube, ich würde es ziemlich persönlich nehmen, wenn jemand versuchen würde, mich zu erschießen!«

»Ich bin jemandem auf die Füße getreten«, Sergio trank einen Schluck Whisky, der die Schmerzen in seiner Schulter wenigstens etwas betäubte, »das war seine Antwort.«

Alex starrte Sergio an. Er war ihr fremder als je zuvor, und die Anwesenheit der vielen bewaffneten Männer verursachte ihr dasselbe unbehagliche Gefühl wie in dem Lagerhaus in Brooklyn.

»Komm, setz dich zu mir!«, forderte Sergio sie auf. Alex zögerte, dann kam sie seiner Bitte nach, aber sie setzte sich auf die andere Seite des Sofas.

»Weshalb wolltest du mich sehen?«, fragte sie steif. »Ich habe alles stehen und liegen gelassen, weil dein Sohn sagte, es sei dringend.«

»Ich habe über unser Gespräch nachgedacht«, sagte Sergio. »Du hast gesagt, dass du unsere Beziehung beenden möchtest.«

Alex schwieg und wartete darauf, dass er weitersprach.

»Ich verstehe, dass du wütend auf mich bist«, fuhr er ungewöhnlich einsichtig fort, »ich habe Fehler gemacht. Aber ich will dich nicht verlieren, und deshalb möchte ich dir etwas vorschlagen.«

Alex wollte seinen Vorschlag nicht hören. Sie wollte ihn nicht mehr sehen. Doch bevor sie aufstehen konnte, beugte er sich vor und ergriff ihre Hand.

»Du musst mir jetzt nicht gleich eine Antwort geben. Lass dir

Zeit, denk darüber nach.« Er lächelte nicht, und seine Augen waren unergründlich. Eine Weile sah er sie an, dann ließ er ihre Hand los und erhob sich.

»Ich werde mich von Constanzia scheiden lassen«, sagte er zu Alex' völliger Überraschung, »und ich möchte, dass du meine Frau wirst.«

Alex glaubte, sich verhört zu haben. Sergio heiraten? Noch vor einem Jahr hätte sie vielleicht darüber nachgedacht, aber in der Zwischenzeit hatte sie zu viel von Sergios Welt gesehen. Und was sie gesehen hatte, erfüllte sie mit tiefer Abscheu. Sergio drehte sich zu ihr um.

»Was hältst du davon?«

Alex bemühte sich, die Fassung zu wahren. Sie fühlte sich in die Enge getrieben, denn auf diese Wendung der Dinge war sie nicht vorbereitet. Verzweifelt suchte sie nach den passenden Worten.

»Das ...«, sie zögerte, »das kommt jetzt ziemlich überraschend.«

»Du könntest weiterhin arbeiten oder nicht, du kannst alles tun, was du tun willst«, seine Stimme war rau, »ich kaufe dir ein Haus, wir könnten Kinder haben. Das willst du doch.«

Alex schrak vor dem Gedanken zurück, wie es sein müsste, mit Sergio verheiratet, ihm ganz und gar ausgeliefert zu sein. Menschen waren gestorben, weil er es so befohlen hatte, und bei der Erinnerung an das düstere Lagerhaus in Brooklyn überlief sie ein eisiger Schauer.

»Versprichst du mir, dass du darüber nachdenkst?« Er ging vor ihr in die Hocke und ergriff ihre Hände. Der Blick aus seinen blauen Augen war wachsam, und hinter seinen Augen lag etwas, das Alex alarmierte. Sergio war ein Mann mit vielen Gesichtern. Wenn er etwas tat, dann nicht ohne Grund. Aber welchen Grund mochte er haben, sie nun auf einmal heiraten zu wollen? Was war geschehen?

»Ich denke darüber nach«, erwiderte sie, »das verspreche ich dir.«

»Gut«, in seinem Lächeln lag eine Spur von Triumph, der Alex nicht gefiel. Unwillkürlich beschlich sie das eigenartige Gefühl, Teil eines Plans zu sein, den sie nicht nachvollziehen konnte. Froh darüber, dass er nicht versucht hatte, sie zu küssen oder gar mit ihr zu schlafen, verabschiedete sie sich wenig später und lehnte sein Angebot ab, sie zurück nach Downtown fahren zu lassen.

Sie wollte nur weg aus dieser Wohnung und von diesem Mann, den sie nicht durchschaute und der ihr Angst einjagte.

* * *

Der Polizeibeamte Thomas Ganelli, der bei dem Überfall auf das Wohnhaus in der Bronx angeschossen und wenige Tage später seinen schweren Verletzungen erlegen war, wurde auf dem Astoria Park Cemetry in Queens beerdigt. Auf seinem Sarg, der von den Kollegen des 41. Polizeireviers getragen wurde, lag die amerikanische Flagge. Unzählige Polizisten in ihren prächtigen Paradeuniformen und ihre Ehefrauen schwitzten in der Gluthitze des Julinachmittags, die Erschütterung und der Zorn über den sinnlosen Tod des Kameraden stand ihnen in die Gesichter geschrieben. Selbstverständlich hatte es sich Jerome Harding, der Polizeipräsident, nicht nehmen lassen, an dieser von der Öffentlichkeit sehr beachteten Beerdigung teilzunehmen. Außer ihm waren Beamte des Innenministeriums, hochrangige Beamte des NYPD und der Bürgermeister von New York City gekommen. Harding hielt am offenen Grab eine halbstündige, flammende Rede, in der er ein noch härteres Durchgreifen gegen jeden Kriminellen forderte. Nick Kostidis fasste sich in seiner Rede kurz. Er wusste, dass Hardings übertriebenes Pathos in dieser Situation fehl am Platze war, und beschränkte sich daher auf mitfühlende und tröstende Worte an die Familie und die Kollegen des Verstorbenen. Außerdem dankte er allen Polizisten für ihre oft so gefährliche und dennoch so wichtige Arbeit. Frank Cohen stand ganz hinten und bewunderte wieder einmal die Begabung seines Chefs, in jeder Lage spontan die richtigen Worte zu finden. Obwohl er diesen jungen Polizisten überhaupt nicht gekannt hatte, war Frank ehrlich ergriffen. Als der offizielle Teil der Beerdigungsfeier vorüber war und Nick den Eltern und der jungen Witwe kondoliert und unbürokratische Hilfe seitens der Stadtverwaltung zugesagt hatte, gingen die beiden Männer schweigsam über den Friedhof zurück zu der wartenden Limousine. Carey Lhota nahm den Grand Central Parkway bis zur 31. Straße, bis er später auf den Long Island Expressway fuhr, um durch den Queens-Midtown-Tunnel zurück nach Manhattan zu gelangen.

»Es ist eine verdammte Schande, dass so junge Leute sterben müssen«, sagte Nick nach einer Weile und starrte düster auf die vorbeiziehenden Häuserblocks. »Es ist so absolut sinnlos.«

»Ganellis Eltern waren wirklich getröstet durch Ihre Worte«, bemerkte Frank. »Die Leute merken, dass Sie es ehrlich meinen.«

»Ich wünschte, ich hätte ihnen ehrliche Worte zu seiner Tapferkeitsauszeichnung sagen können und nicht zu seiner Beerdigung.« Nick lehnte sich müde zurück. Die letzten Wochen waren sehr anstrengend gewesen. Der Erpresser hatte sich nicht mehr gemeldet, und das FBI hatte trotz intensiver Suche nicht feststellen können, ob irgendwann aus einem Labor Milzbranderregerkulturen entwendet worden waren. Die Schlammschlacht der gegenseitigen Verdächtigungen zwischen Nick und Sergio Vitali befand sich im Augenblick in einem Zustand des Waffenstillstands, und die Presse beschäftigte sich vorübergehend mit anderen Themen, nachdem die Obduktion Cesare Vitalis eindeutig einen Tod durch Genickbruch ergeben hatte, herbeigeführt durch das Erhängen mit einem Ledergürtel. Eine äußere Gewaltanwendung, die direkt im Zusammenhang mit dem Tode des jungen Mannes stand, hatte nicht nachgewiesen werden können. Aber trotz der oberflächlichen Entspannung der Lage schienen sich bereits neue, bedrohliche Wolken am Horizont zu ballen. Heute Morgen hatte Nick auf seinem Schreibtisch einen Brief ohne Absender gefunden. Das kam öfter vor, aber dieser

Brief hatte keinen Poststempel und keine Briefmarke getragen, und sein Inhalt war beängstigend. *Sie werden sterben, wenn Sie nicht schweigen,* hatte da gestanden, mehr nicht. Es hatte sich um ein einfaches weißes Blatt ohne Wasserzeichen gehandelt, ein normales Blatt Kopierpapier. Und die Schrift stammte offensichtlich aus einem Laserdrucker. Niemand im Büro wusste, wie der Brief auf den Schreibtisch des Bürgermeisters gelangt war. Nick hatte ihn kopfschüttelnd zerknüllt und in den Papierkorb geworfen, nachdem er die Worte rasch überflogen hatte. Aber Frank hatte das Schreiben aus dem Papierkorb gefischt und eingesteckt.

»Nick«, begann er nun vorsichtig, als sie den Tunnel hinter sich gelassen und Manhattan erreicht hatten, »ich weiß, dass Sie es nicht hören wollen, aber ich mache mir ernsthafte Sorgen wegen dieses Briefes.«

»Ach was«, Nick lächelte nachsichtig, »Sie wissen doch, wie viele solcher Drohbriefe ich in meinem Leben schon bekommen habe. Das ist eben so, wenn man ein politisches Amt bekleidet. Bei irgendwem macht man sich immer unbeliebt.«

»Nein«, widersprach Frank, »diesmal ist es anders. Besonders vor dem Hintergrund dessen, was in den letzten Wochen geschehen ist. Ich habe das Gefühl, dass dies eine ernstgemeinte Drohung ist. Vielleicht ist es dieser dubiose Erpresser, vielleicht steckt aber auch Vitali dahinter. Sie haben ihn durch Ihre Äußerungen ziemlich in die Enge getrieben.«

»Anonyme Briefe sind nicht Vitalis Art.«

»Bitte, Nick. Sie brauchen Personenschutz, bis sich das ganze Theater um Vitali etwas gelegt hat.«

»Ich will nicht von irgendwelchen Leuten bis aufs Klo verfolgt werden«, wehrte Nick ab. »Es wird schon nichts passieren.«

»Ich fände es trotzdem besser, wenn Sie wenigstens für Ihre Frau ...«

»Mary muss davon nichts erfahren«, erwiderte Nick, »es würde sie nur unnötig aufregen. Sie fährt ohnehin in ein paar Tagen mit Christopher und seiner Verlobten zu ihrer Schwester nach Montauk, um die Hochzeit vorzubereiten. Und danach ist der ganze Spuk hoffentlich vorbei.«

Nick lächelte Frank beruhigend an.

»Ihre Nerven sind überreizt, Frank. Sie haben in den letzten Wochen zu wenig Schlaf bekommen. Warum nehmen Sie sich nicht einmal das Wochenende frei?«

»Weil ich mir Sorgen um Sie mache«, antwortete Frank. »Versprechen Sie mir wenigstens, dass Sie nicht mehr mit der U-Bahn alleine durch die Stadt fahren?«

»Wenn Sie mir dafür keine Leibwächter auf den Hals hetzen.« Nick grinste, aber Frank gab sich noch nicht geschlagen.

»Wie ist dieser Brief auf Ihren Schreibtisch gelangt? Das macht mir Kopfzerbrechen.«

»Ich möchte von diesem albernen Brief nichts mehr hören«, Nick schüttelte den Kopf. »Jede Putzfrau kann ihn hingelegt haben!«

»Ihr Wort in Gottes Ohr, Chef«, Frank seufzte und verzog das Gesicht.

* * *

Raymond Howard war mit den letzten Änderungen für die große Parade zum Unabhängigkeitstag beschäftigt. Er saß in seinem Büro mit zwei Telefonhörern am Ohr und versuchte, abwechselnd den am Rande eines Nervenzusammenbruchs stehenden Leiter der Parade und den vor Zorn kochenden Vorsitzenden des Veteranenverbands zu besänftigen, als er Frank im Türrahmen stehen sah. Mit einem genervten Gesichtsausdruck gab er seinem Kollegen ein Zeichen zu warten und beendete dann beide Gespräche.

»Himmelherrgott, diese Idioten«, fluchte er, »dieses Kompetenzgerangel jedes Jahr ist ja nicht mehr zu ertragen.«

Das eine Telefon klingelte, aber er beachtete es nicht.

»Gut, dass du da bist«, sagte er zu Frank. »Du kannst mir mal helfen, die Sitzordnung auf der Ehrentribüne festzulegen.

Die Tochter von Mr President kommt nun doch mit, und dazu noch eine kleine Freundin.«

Da bemerkte er Franks sorgenvollen Gesichtsausdruck.

»Was ist los mit dir? Gibt's irgendwelche Probleme?«

»Ich weiß nicht.« Frank nahm den zerknitterten Zettel aus seiner Jackentasche und reichte ihn Howard. »Was hältst du davon?«

Howard ergriff das Blatt und überflog die Zeile mit hochgezogenen Augenbrauen. Das zweite Telefon begann auch zu klingeln.

»Hm«, er blickte auf, »klingt ziemlich entschlossen. Was sagt Nick dazu?«

»Er nimmt es nicht ernst«, sagte Frank niedergeschlagen, »wie immer.«

»Und du?«

»Ich habe so ein komisches Gefühl. Ich habe in den letzten Jahren schon einige Drohbriefe gesehen, die er bekommen hat, aber nie stand so deutlich drin, dass man ihn umbringen will.«

Howard zuckte die Schultern.

»Wenigstens hat er mir versprochen, dass er in nächster Zeit nicht mehr mit der U-Bahn durch die Stadt fährt.« Frank faltete das Blatt und steckte es ein. »Lhota soll für sein Geld mal etwas tun.«

»Na, das scheint mir doch eine gute Idee zu sein«, Raymond Howard nickte und legte seine Hand auf den Telefonhörer, »es wird schon nichts dahinterstecken.«

»Hoffentlich hast du recht«, Frank brachte ein gezwungenes Lächeln zustande, dann ging er wieder hinaus und fragte sich, ob er der Einzige war, der diesen Brief für bedrohlich genug hielt, um ihn ernst zu nehmen.

***

Als Alex aus der Dusche stieg, hörte sie das Telefon klingeln. Wie immer hatte sie den Anrufbeantworter eingeschaltet, aber sie lauschte, wessen Stimme nach dem Piepsen ertönte. Sie hatte sich nicht mehr bei Sergio gemeldet und war froh, dass er bisher auch nicht angerufen hatte, um sie nach ihrer Antwort zu fragen.

»Alex!« Es war Mark, und er klang ungewöhnlich aufgeregt. »Wenn Sie da sind, gehen Sie doch bitte dran! Es ist dringend!«

Alex wickelte sich eilig das Handtuch um den Körper und griff nach dem Hörer.

»Hey, Mark. Was gibt es denn so Wichtiges?«

»Können wir uns heute Abend noch sehen?«, fragte Mark. »Wir haben eine Möglichkeit gefunden, wie man ...«

»Moment!«, unterbrach Alex ihren Mitarbeiter. Sie hatte noch immer die Befürchtung, dass Sergio ihr Telefon abhören ließ.

»Ich rufe Sie sofort auf dem Handy zurück«, sagte sie rasch und legte auf. Mit einem Blick auf die Uhr tippte sie die Nummer ihres Mitarbeiters in ihr Handy und ging hinaus auf die Terrasse. Heute Abend war sie in Gracie Mansion eingeladen. Wie Kostidis es ihr versprochen hatte, hatte sie eine schriftliche Einladung erhalten, und nach einigem Überlegen und Madeleines Drängen hatte sie zugesagt.

»Was gibt es?«, fragte sie, als Mark sich meldete.

»Vielleicht sollten wir das besser nicht am Telefon besprechen«, Mark sprach hastig. »Können Sie heute Abend mit nach Boston fliegen?«

»Nein, ich bin heute Abend beim Bürgermeister eingeladen«, erwiderte Alex. »Jetzt erzählen Sie schon, Mark. Was ist los?«

»Oliver meint, dass es so gut wie ausgeschlossen ist, auf legalem Wege an die Registrierung einer Offshore-Gesellschaft zu kommen«, sagte Mark, »aber gestern kam ihm eine Idee. Aus unserer gemeinsamen Studienzeit kennen wir jemanden, der am MIT in Boston arbeitet. Der Mann ist ein echter Computerfreak.«

»Langsam«, Alex schüttelte verwirrt den Kopf, »was hat dieser Mann mit Offshore-Gesellschaften zu tun?«

»Nichts. Aber er ist ein Profi-Hacker. Er arbeitet am MIT als

Programmierer und prüft Software auf ihre Sicherheit. Oliver hat mit ihm telefoniert und über das Problem gesprochen, natürlich ohne Namen zu nennen. Unser Freund versteht etwas davon, in Rechner einzudringen«, Mark senkte seine Stimme zu einem aufgeregten Flüstern.

Alex begriff allmählich.

»Das hört sich ziemlich verboten an.«

»Es ist auch verboten, mit Insiderinformationen zu handeln.«

Alex überlegte einen Moment. Das konnte vielleicht wirklich funktionieren! Und wenn nicht, dann hatten sie es wenigstens probiert.

»Wir könnten morgen früh nach Boston fliegen«, drängte Mark. Alex spürte, wie ihr Herz aufgeregt klopfte. Sie musste wissen, wer hinter diesen dubiosen Geschäften steckte, doch auf der anderen Seite hatte sie Angst vor dem, was sie vielleicht erfahren konnte. Aber schließlich war ihre Neugier stärker als alle Befürchtungen.

»Buchen Sie die Frühmaschine nach Boston«, sagte sie nach kurzem Zögern, »sprechen Sie mir auf die Mailbox vom Handy, wann ich am Flughafen sein soll. Wird Oliver mitfliegen?«

»Ich denke schon. Wenn Sie nichts dagegen haben.«

»Um Himmels willen, nein!« Sie fürchtete sich zwar vor der Begegnung mit ihm, aber trotzdem freute sie sich, Oliver wiederzusehen.

»Dann machen wir es so. Ich melde mich. Und viel Spaß heute Abend.«

»Danke.«

* * *

Alex fuhr gemeinsam mit Trevor und Madeleine zum Empfang des Bürgermeisters nach Gracie Mansion. Sicherheitsbeamte kontrollierten ihre Einladungen und ließen sie dann das Tor passieren. Die im Kolonialstil erbaute Villa lag in einem herrlichen Park am East River zwischen hohen, alten Bäumen. Seit sich Bürgermeister Fiorello LaGuardia 1942 das Haus als Wohnsitz ausgesucht hatte, war es Tradition, dass jeder seiner Amtsnachfolger hier lebte. Alex spürte, wie ihr Herz klopfte, als sie mit Madeleine und Trevor das Haus betrat. Sie war sich nicht klar darüber, ob sie Nick Kostidis mochte oder nicht, zudem wusste sie nicht, ob es eine gute Idee gewesen war, seiner Einladung zu folgen. In der Eingangshalle kam Kostidis mit ausgebreiteten Armen und einem herzlichen Lächeln auf sie zugeeilt.

»Meine Frau und ich freuen uns wirklich sehr, dass Sie heute Abend unser Gast sein werden, Alex«, sagte er mit echter Herzlichkeit.

»Es ist mir eine Ehre und eine Freude«, erwiderte sie höflich. Sie traten durch die geöffneten Glastüren hinaus auf eine große Terrasse, von der man einen herrlichen Blick über den East River hatte. Alex lernte Christopher, den Sohn von Nick und Mary Kostidis, kennen und Britney Edwards, dessen Verlobte. Danach stellte Kostidis ihr die anderen Gäste vor, wie Jacques Toussaint, den kanadischen Botschafter, und seine Frau Véronique, Patrick Grimford, den fast schon legendären Herausgeber der *New York Times*, den Hollywoodschauspieler Michael Campione, der in TriBeCa lebte, den Modekönig Kevin Lang und Francis Dulong, den Seniorpartner der sehr renommierten Anwaltskanzlei Dulong & Kirschbaum. Alex plauderte angeregt mit verschiedenen Leuten. Es war herrlich, sich mit neuen, interessanten Menschen zu unterhalten und die Alltagssorgen für eine Weile vergessen zu können. Die Champagnercocktails und die japanischen Vorspeisen, die livrierte Kellner den Gästen anboten, waren hervorragend, die laue Abendluft nach dem stickig heißen Julitag und die friedliche Atmosphäre trugen zu Alex' guter Laune bei. Mary Kostidis war eine unaufdringliche und zuvorkommende Gastgeberin. Alex mochte sie sofort. Sie sprachen lange miteinander, und Alex spürte an der Art und Weise, wie sie über ihren Mann redete, ähnlich wie bei den Downeys, das Vertrauen und die tiefe

Verbundenheit, wie sie nur durch echte Liebe entstehen kann. Ihr lief ein Schauer über den Rücken, als sie daran dachte, wie es wohl wäre, wenn sie tatsächlich Sergio Vitali heiratete. Zumindest würde sie keine Einladung mehr nach Gracie Mansion erhalten.

Während des Dinners, das in einem der prachtvollen Salons mit weit geöffneten Terrassentüren stattfand, saß Alex zwischen Kevin Lang und dem Filmschauspieler Michael Campione und genoss einen sehr kurzweiligen Abend. Der kanadische Botschafter und seine Frau verabschiedeten sich gegen elf, woraufhin die Stimmung familiärer und geselliger wurde. Die Anwesenden schienen sich alle gut zu kennen, und man ging in einen anderen Salon, in dem bequeme Sofas und Fauteuils standen. Alex sprach gerade mit Trevor, Madeleine, Michael Campione, Francis Dulong und dessen Frau, als sich Nick Kostidis zu ihnen gesellte.

»Der einzige Grund, den es für mich geben könnte, Bürgermeister dieser Stadt zu werden, wäre dieses Haus«, sagte Trevor scherzhaft.

»Nicht wahr?«, erwiderte Nick. »Ehrlich gesagt war es auch für mich ein wichtiger Grund. Vor allen Dingen muss man nicht selbst den Rasen mähen.«

Alle lachten, und Alex fand, dass der Bürgermeister ausgesprochen sympathisch sein konnte, wenn er so entspannt war.

»Es freut mich wirklich, dass Sie gekommen sind«, sagte Nick zu ihr. »Ich hoffe, Sie amüsieren sich gut.«

»Doch, wahrhaftig. Es ist ein äußerst unterhaltsamer Abend«, sie lächelte.

»Möchten Sie noch etwas trinken?«

»Ja, gerne.«

Nick winkte einem der Kellner, der Alex' Glas mit Champagner füllte.

»Lassen Sie uns einen Moment hinaus an die frische Luft gehen«, schlug Nick vor, und Alex stimmte zu. Sie traten hinaus auf die Terrasse. Es war eine sanfte, laue Nacht, fast wie auf dem Land. Die Lichter der Stadt funkelten im tintenschwarzen Wasser des Flusses, und die Luft duftete nach Flieder und dem süßlichen Geruch verwelkender Blumen.

»Herrlich«, Alex trat an die Brüstung der Terrasse und atmete tief ein, »es ist kaum zu fassen, dass wir mitten in New York City sind.«

»Vermissen Sie Ihre Heimat manchmal?«, fragte Nick Kostidis hinter ihr. Sie drehte sich um. Er hatte eine Hand in die Hosentasche gesteckt, mit der anderen hielt er sein Glas und betrachtete sie mit freundlichem Interesse.

»Hin und wieder vermisse ich bestimmte Orte, an denen ich meine Kindheit verbracht habe«, sie lächelte. »Waren Sie schon einmal in Deutschland?«

»Nein, leider nicht«, erwiderte Nick bedauernd. »Ich war überhaupt noch nie in Europa.«

»Ich habe beinahe alle Ferien in Frankreich oder im Tessin bei Verwandten verbracht«, erzählte Alex. »Meine Familie ist groß, wir haben überall Onkel, Tanten und Cousins. Im Winter war ich besonders gerne in den Bergen. Sie sind ... unvergleichlich. Bevor der erste Schnee kommt, ist die Luft so klar wie Glas. Man steht morgens auf, und das Land ist weiß. Der eisige Wind treibt den Schnee wie gemahlenen Nebel vor sich her. Hier in der Stadt empfindet man die Jahreszeiten nicht wirklich.«

Sie blickte nachdenklich in die Dunkelheit des Parks.

»Ich vermisse den Geruch des Herbstes, diesen Duft nach feuchter Erde, verfaulendem Laub und Feuer. Manchmal ist der Himmel hoch und weit, dann ist wieder alles neblig. Im Frühling, nach den langen dunklen Winterwochen, kommt das erste Grün, und es fließt wie ein smaragdgrüner Teppich über die Hänge. Ich erinnere mich genau an das Gefühl, wenn ich nach dem dunklen Winter das erste Mal draußen reiten und über die Wiesen galoppieren konnte. Ich war so glücklich.«

Sie hielt inne, in ihren Erinnerungen gefangen, und bemerkte nicht, wie hingerissen und fasziniert Nick Kostidis sie ansah.

»In der Natur«, fuhr Alex fort, »fühlt man sich so klein und unbedeutend wie eine Ameise. Irgendwie rückt es das Bewusstsein der eigenen Bedeutung wieder in die richtige Dimension.«

»Wie meinen Sie das?« Das Lächeln war aus Nicks Gesicht verschwunden, und er sah sie ernst, beinahe betroffen, an.

»Wir nehmen uns so ernst«, erwiderte Alex, »unser Leben, unsere Probleme und Alltagssorgen. Im Angesicht der Schönheit der Natur merkt man erst, wie unwichtig man eigentlich ist.«

»Ist man das? Unwichtig?«

Alex sah ihn an und spürte, dass seine Frage ernst gemeint war.

»Im Verhältnis zur Natur – ja. Denken Sie nur daran, in wie vielen Millionen Jahren unsere Erde entstanden ist. Was ist dagegen ein Menschenleben? Und wen interessiert eigentlich, was man tut und für was man sich abrackert, wenn man plötzlich nicht mehr da ist?«

»Das sind ziemlich beängstigende Gedanken.«

»Ich weiß nicht. Ich finde, der Lauf der Natur in seiner Stetigkeit ist etwas sehr Tröstliches.«

»Sie sind ja eine Philosophin«, stellte Nick fest. Alex sah ihn scharf an, um festzustellen, ob sie eine Spur von Spott in seiner Stimme gehört hatte, aber er hatte es ehrlich gemeint.

»Nein«, sie lachte verlegen, »ich bin vielleicht etwas ins Schwärmen geraten.«

Sie wunderte sich, wie offen sie mit Nick Kostidis sprechen konnte. Mit Sergio hatte sie sich noch niemals so unterhalten.

»Auf jeden Fall haben Sie mein Interesse an Europa geweckt«, sagte Nick. Sie sahen sich einen Augenblick schweigend an, dann wandte Alex den Blick ab. Sie wollte das Gespräch nicht in einen zu persönlichen Bereich abgleiten lassen.

»Ich konnte es gar nicht fassen, dass ich ausgerechnet neben Michael Campione sitzen durfte. Ich habe früher sehr für ihn geschwärmt«, sagte sie und lächelte.

»Tatsächlich?« Nick schien auch froh, wieder über ein unverfängliches Thema sprechen zu können. »Mike ist ein alter

Freund von mir. Wir sind im selben Viertel aufgewachsen und hatten ähnlich ehrgeizige Träume.«

»Haben Sie Ihre Träume verwirklicht?«, fragte Alex.

»Ich habe viele meiner Ziele erreicht«, Nick blickte sie, ernst an, »aber mit Träumen ist das so eine Sache ...«

»Von den Schattenseiten träumt man nicht«, sagte sie, und er nickte.

»Das stimmt«, bestätigte er. Eine Weile sahen sie sich schweigend an.

»Welcher von Mikes Filmen hat Ihnen am besten gefallen?«

Alex sah ihn einen Moment lang an, dann lachte sie verlegen.

»Wenn ich Ihnen das sage, werden Sie wahrscheinlich denken: natürlich, was sonst.«

»Weshalb?«

Der Blick aus seinen dunklen Augen machte sie nervös, aber sie musste insgeheim zugeben, dass sie Nick Kostidis Unrecht getan hatte. Er war in Wirklichkeit sympathisch und sehr authentisch.

»Es ist *Murder Inc* ...«

Aus dem Haus drangen Stimmen und Gelächter.

»Wieso sollte ich das denken?«, fragte Nick leise.

»Psychologisch gesehen würde meine Vorliebe für ausgerechnet diesen Film meine Faszination für einen Mann wie Vitali erklären, oder nicht?«

Nick betrachtete sie, dann schüttelte er leicht den Kopf.

»Ich glaube, so sehr fasziniert er Sie gar nicht mehr.«

Alex stockte der Atem. Wie konnte er das wissen?

»Sie waren sehr verärgert, als ich Sie an Weihnachten auf ihn angesprochen habe«, sagte Nick. »Sie waren verunsichert und wütend auf mich, weil Sie erkannten, dass ich es gemerkt habe.«

Alex lachte unsicher.

»Haben Sie Psychologie studiert?«

»So ähnlich«, er lächelte und zuckte die Schultern, »ich war sehr lange Staatsanwalt, und ich glaube, ich habe mir eine recht gute Menschenkenntnis angeeignet. Ich …«

Mary Kostidis trat in Begleitung eines jungen Mannes auf die Terrasse. Alex erkannte den blonden Mann, den sie schon einmal mit Nick zusammen gesehen hatte. Es war an dem Abend im City Plaza gewesen, an dem Abend, als er sie vor Sergio Vitali gewarnt hatte. Aber irgendwo hatte sie ihn nochmals gesehen, und sie verband eine negative Assoziation mit ihm.

»Ich möchte nicht stören«, sagte Mary. »Nick, Ray würde gerne kurz mit dir sprechen.«

»Ja, natürlich.« Er wandte sich an Alex: »Würden Sie mich bitte entschuldigen, Alex?«

Sie nickte und blickte ihm mit einer Mischung aus Faszination und Verunsicherung nach, als er mit dem Mann im Haus verschwand.

»Kommen Sie mit herein, Alex«, sagte Mary freundlich, »es gibt noch ein kleines Dessert.«

***

»Was gibt es denn so Wichtiges?«, fragte Nick seinen Assistenten, als er die Tür des Arbeitszimmers hinter sich geschlossen hatte.

»Es ist wieder ein Brief für Sie abgegeben worden«, erwiderte Raymond Howard und reichte ihm einen Umschlag, auf dem nur sein Name stand.

Nick riss den Briefumschlag auf und faltete den Papierbogen auseinander. *Du hast nicht geschwiegen. Du wirst sterben.*

»So ein Quatsch!« Er knüllte das Blatt ungehalten zusammen. »Woher kommt das?«

»Es wurde vorne am Tor bei einem der Sicherheitsbeamten abgegeben«, sagte Howard. Nick zuckte die Schultern und setzte sich an seinen Schreibtisch. Mit allen zehn Fingern fuhr er durch sein dichtes, dunkles Haar und starrte aus dem Fenster in den nachtdunklen Park.

»Übrigens hat die Staatsanwaltschaft eine gerichtliche Untersuchung im Fall Cesare Vitali angeordnet.«

»Warum denn das wohl?« Nick blickte seinen Assistenten konsterniert an. »Ich denke, die Obduktion hat ergeben, dass es Selbstmord war!«

»Vitali behauptet, sein Sohn sei ermordet worden.«

»Das ist doch Unsinn! Der Junge war mit Koks vollgepumpt und hat die Nerven verloren!«

»Tja«, Howard schlenderte durch den Raum, »de Lancie will Sie bei der Untersuchung vorladen.«

»Wie bitte?« Nick spürte, wie ein kalter Zorn in ihm aufstieg. »Was soll denn das alles? Was habe ich damit zu tun?«

»Sie sind de Lancie auf die Füße getreten«, entgegnete Howard. »Sie haben ihn bloßgestellt, als Sie an dem Abend vor die Fernsehkameras getreten sind. Und de Lancie ist sehr empfindlich.«

»Rufen Sie ihn an. Jetzt.«

»Es ist kurz nach Mitternacht.«

»Das ist mir scheißegal!«, brüllte Nick unvermittelt. »Ich will ihn sprechen! *Sofort!*«

Howard warf seinem Chef einen kurzen Blick zu, dann ergriff er den Telefonhörer und wählte eine Nummer. Es dauerte einige Minuten, in denen Nick zornig in seinem Arbeitszimmer auf und ab ging, bis Howard den Bundesstaatsanwalt erreicht hatte.

»John!«, rief Nick ärgerlich ins Telefon. »Ich höre gerade, Sie wollen eine gerichtliche Untersuchung über den Selbstmord von Cesare Vitali veranlassen.«

»Ja, stimmt«, erwiderte John de Lancie, ohne eine Bemerkung über die ungewöhnliche Uhrzeit des Anrufs zu machen. »Es gibt einige Ungereimtheiten, die der Aufklärung bedürfen.«

»Was für Ungereimtheiten? Der Junge hat mit ein paar polizeibekannten Kriminellen im Auftrag seines Vaters ein Mietshaus überfallen, um die Bewohner zu verjagen. Dabei wurden zwei Menschen getötet. Vitali war labil, er war mit Drogen vollgepumpt und hat in einer Kurzschlusshandlung Selbstmord begangen!«

»Er wurde unter Druck gesetzt und körperlich misshandelt«, entgegnete de Lancie. »Die Innere Abteilung des NYPD überprüft zurzeit alle Beamten des 41. Reviers, die in der besagten Nacht Dienst hatten.«

»Und aus welchem Grund?«

»Vitalis Leiche wies am ganzen Körper Verletzungen auf. Jemand hat ihn geschlagen, bevor er starb.«

»Aha«, sagte Nick, »und weshalb soll ich vorgeladen werden? Meinen Sie etwa, ich wär's gewesen?«

»Normalerweise bin ich nicht verpflichtet, Ihnen das mitzuteilen«, antwortete de Lancie, »aber ich sage es Ihnen trotzdem. Sie waren an diesem Abend erstaunlich schnell auf dem Polizeirevier. Sie haben mit den Beamten geredet, Sie haben sich vor die Kameras gestellt und mich damit in eine unmögliche Situation gebracht.«

»Sie wollen mich vorladen, weil Sie sich darüber ärgern, dass ich Ihre Arbeit gemacht habe?«

»Sie haben sich in laufende polizeiliche Ermittlungen eingemischt«, erwiderte der Staatsanwalt mit kalter Stimme, »und Sie waren es, der die ganze Sache an die große Glocke gehängt hat. Jetzt dürfen Sie sich nicht darüber wundern, dass Sie in den Fall verstrickt worden sind.«

»Das ist doch lächerlich, das wissen Sie genau!«

»Ich weiß nur, dass der Junge misshandelt wurde, um ein Geständnis aus ihm herauszupressen. Und es besteht der begründete Verdacht, dass das auf Ihre Veranlassung geschehen ist.«

»Das ist ja unglaublich!« Nick sprang wütend auf. »Sie wollen mir doch nicht allen Ernstes unterstellen, ich hätte Polizeibeamte aufgefordert, einen Inhaftierten zu foltern?«

»Ich unterstelle Ihnen gar nichts«, sagte de Lancie. »Die Familie des Verstorbenen besteht auf eine Untersuchung der Vorfälle.«

»Jetzt hören Sie mir mal zu, John«, fiel Nick dem Staatsanwalt mit gefährlich leiser Stimme ins Wort. »Ich habe weiß Gott genug andere Dinge zu tun, aber ich werde nicht tatenlos mit ansehen, wie Sie versuchen, mich in der Öffentlichkeit in Misskredit zu bringen, denn das ist ganz offensichtlich die Absicht, die dahintersteckt.«

»Ich kann nicht anders«, begann de Lancie, aber Nick ließ ihn nicht ausreden.

»O doch, das können Sie!«, rief er. »Ich habe Ihren Job lange genug gemacht, um zu wissen, dass niemand auf Sie Druck ausüben kann, schon gar nicht die Angehörigen eines Mannes, der in flagranti bei einem Verbrechen festgenommen wurde! Es sei denn, jemand hat ein Druckmittel gegen Sie in der Hand.«

»Was meinen Sie damit?« De Lancies Stimme war nun kalt wie Eis.

»Soll ich deutlicher werden?« Nick war so zornig, dass er de Lancie am liebsten einen Handlanger der Mafia genannt hätte, aber das durfte er nicht tun, denn er hatte keine Beweise. Ohne stichfeste Beweise war das nur eine Vermutung.

»Ich warne Sie, Kostidis«, sagte John de Lancie, »kümmern Sie sich nicht um Dinge, die Sie nichts angehen.«

»Sie selbst waren auch ziemlich rasch auf dem Polizeirevier in jener Nacht. Weshalb haben Sie nicht einfach einen Ihrer Mitarbeiter geschickt, wie Sie das sonst zu tun pflegen?«

Die Stimme des Staatsanwalts wurde noch eisiger, als er nun antwortete:

»Sie mögen der Bürgermeister dieser Stadt sein, Sie mögen ungeheuer populär sein, aber das ist mir egal. Was Sie da gerade angedeutet haben, ist eine bodenlose Unverschämtheit. Ich werde Sie vor den Untersuchungsausschuss laden, und ich rate Ihnen, dort zu erscheinen, sonst wird das sehr unangenehme Folgen für Sie haben, Mr Kostidis. Gute Nacht!«

»Soll ich Ihnen etwas sagen, Ray«, Nick knallte den Hörer auf die Gabel und grinste grimmig, »der Mistkerl hat Angst. Jemand setzt ihn gewaltig unter Druck, jemand, dem er verpflichtet ist. Und dieser Jemand ist Vitali.«

»Sie meinen, de Lancie wurde von Vitali gekauft?« Howard riss die Augen auf. »Der Bundesstaatsanwalt von New York?«

»Ja, das meine ich.« Nick fuhr sich mit der Hand durchs Haar. »Der einzige Grund, weshalb er eine Untersuchung anberaumt, ist der, mich fertigzumachen. Es ist ein Witz! Ich habe mit überhaupt keinem Polizisten an dem Abend gesprochen. Niemand außer Vitali selbst kann ein Interesse daran gehabt haben, dass der Junge stirbt. Lebendig hätte er wahrhaftig mehr genützt.«

»Man wird Sie wegen Verleumdung anzeigen, wenn Sie das öffentlich behaupten«, warnte Howard.

»Das werde ich auch nicht tun«, entgegnete Nick. »De Lancie weiß, dass ich ihn der Bestechlichkeit verdächtige. Aber er hat nicht die besten Nerven. Eines Tages wird er einen Fehler machen. Ich werde schon herausbekommen, wer dahintersteckt.«

Es klopfte an der Tür, und Mary betrat das Arbeitszimmer. Sie sah ihren Mann mit düsterem Gesichtsausdruck am Fenster stehen, die Hände hinter dem Rücken verschränkt. Er starrte hinaus auf den Fluss.

»Einige der Gäste wollen gehen, Nick.«

»Ich komme sofort«, erwiderte er knapp, und sie ging wieder hinaus.

»Was werden Sie tun?«, fragte Howard.

»Was meinen Sie?« Nick blickte seinen Assistenten argwöhnisch an.

»Nun ja«, dieser zuckte die Schultern, »zu viel negative Publicity können auch Sie sich nicht leisten. Werden Sie es sich gefallen lassen, dass man versucht, Sie in der Öffentlichkeit fertigzumachen?«

»Ich bin nur meinen Wählern und mir selbst Rechenschaft schuldig.« Nick drehte sich um. »Ich erfülle dieses Amt, das mir die Menschen dieser Stadt anvertraut haben, nach bestem Wissen und Gewissen. Ich arbeite 16 Stunden am Tag, und ich werde mich nicht vom Mob und seinen bezahlten Schergen von meinem Kurs abbringen lassen! Nicht durch einen Untersuchungsausschuss, nicht durch eine Erpressung und auch nicht durch Drohbriefe! Ich habe mich noch nie einschüchtern lassen, das sollte Vitali wissen.«

Seine brennenden schwarzen Augen schienen Howard durchbohren zu wollen, und dem Mann stieg unwillkürlich das Blut ins Gesicht. Nick kam auf ihn zu und blieb direkt vor ihm stehen.

»Dies ist *meine* Stadt, Ray, verstehen Sie? Ich bin hier geboren und aufgewachsen. Ich musste immer kämpfen, um zu überleben, das bin ich gewöhnt. Und ich schäme mich nicht meiner Herkunft. Aber ich habe zu hart gearbeitet, um mich von einem Mafioso und anderen kriminellen Subjekten von dem abhalten zu lassen, was ich dieser Stadt und den Menschen, die in ihr leben und mir vertrauen, versprochen habe. Ich bin bereit zu kämpfen.«

Howard wandte den Blick ab. Er hatte Nicks aggressive Reaktion für Schwäche gehalten, aber er hatte sich geirrt. Nicholas Kostidis war mutig, und er war hart. Stahlhart. Er war ein guter Bürgermeister, der beste, den die Stadt je gehabt hatte. Aber er war für diesen Job zu gradlinig, zu stur und zu wenig kompromissbereit. Er stand einflussreichen Männern im Weg, Männern, denen ein Menschenleben nicht viel bedeutete.

»Ich muss wieder zu meinen Gästen«, sagte Nick nun. »Fahren Sie nach Hause, Ray. Wir sehen uns morgen früh hier um neun. Und dann denken wir uns eine Strategie aus.«

»Okay«, Howard nickte, »gute Nacht, Chef.«

»Gute Nacht«, Nick legte die Hand auf die Türklinke und lächelte, »wir werden uns von denen nicht unterkriegen lassen.«

»Nein«, Howard erwiderte sein Lächeln, doch es erlosch, als der Bürgermeister das Zimmer verlassen hatte. Schade. Schade um diesen Mann. Männer wie Nick Kostidis gab es nur sehr selten. Aber nun war er einem mächtigen Mann zu sehr auf die Füße getreten. Für ihn gab es keine Zukunft mehr, und es war eindeutig besser, auf der Seite des Mannes zu stehen, der noch eine besaß. Der Bürgermeister von New York City hatte nur noch höchstens 24 Stunden zu leben.

***

Ein strahlendblauer Himmel wölbte sich über den Wolkenkratzern der City und verhieß einen weiteren heißen Tag, als Alex mit einem Taxi zum LaGuardia Airport fuhr. Der gestrige Abend hatte ein eigenartiges Gefühl in ihr hinterlassen. Bisher hatte sie Nick Kostidis verdächtigt, sie lediglich als Mittel für seine Zwecke benutzen zu wollen, aber dessen war sie sich nun nicht mehr sicher. Gestern hatte sie ihn von einer Seite kennengelernt, die ihr durchaus sympathisch war, und das erfüllte sie mit Unsicherheit, aber gleichzeitig mit Neugier. Sie bedauerte, dass sie ihr Gespräch mit Nick nicht hatte fortsetzen können, denn sie hätte gerne gewusst, was er ihr hatte sagen wollen. Zweifellos hatte er sich mehr Gedanken über sie gemacht, als sie angenommen hatte, und sein Interesse hatte sie berührt. Er war nicht der besessene Fanatiker, als den Sergio ihn bezeichnete, er war menschlich und ungekünstelt, ganz im Gegensatz zu den meisten Leuten, die sie in New York kennengelernt hatte, und die ihre Mitmenschen nur unter dem Gesichtspunkt der Nützlichkeit betrachteten. Nick Kostidis war anders, und Alex musste sich eingestehen, dass sie ihm Unrecht getan hatte. Das Taxi hielt vor dem Flughafengebäude. Sie zahlte und stieg aus. Ihr Herz krampfte sich zusammen, als sie Oliver am Schalter von Delta Airlines stehen sah. Mehr als ein Jahr war vergangen, seitdem sie ihn das letzte Mal gesehen hatte. Alex nahm ihren ganzen Mut zusammen und ging zu ihm hinüber.

»Hi«, sagte sie, als sie endlich vor ihm stand.

»Hi, Alex«, seine grauen Augen hinter den runden Brillengläsern musterten sie aufmerksam. Er wirkte so gelassen und unerschütterlich wie immer. Auf einmal merkte sie, wie sehr sie ihn vermisst hatte. Sie lächelte schüchtern, und da lächelte er auch. Er breitete die Arme aus, und sie fiel ihm um den Hals.

»Bist du noch sauer auf mich?«, flüsterte sie, und Oliver schüttelte stumm den Kopf. »Es tut mir schrecklich leid, was dir passiert ist. Ich hatte keine Ahnung, bis Mark mir davon erzählt hat.«

»Ich hab's überlebt.« Oliver hielt sie für einen Moment fest an sich gedrückt, dann blickte er sie prüfend an. »Du siehst ziemlich mitgenommen aus.«

»Ich wünschte, ich hätte auf dich gehört«, Alex stieß einen Seufzer aus, »aber jetzt stecke ich viel zu tief in allem drin. Danke, dass du mir hilfst.«

»Ich lass mich doch nicht von so ein paar Mafia-Schlägern einschüchtern«, sagte er leichthin, und Alex wusste nicht, ob sie lachen oder weinen sollte. Aber mit einem Mal erschien ihr die Angst, die ihr ständiger Begleiter geworden war, ein wenig erträglicher.

»Ich hab dich vermisst, Alex«, sagte Oliver leise und nahm ihr Gesicht in seine Hände, »und ich hab mir große Sorgen um dich gemacht.«

»Ich hab dich auch vermisst.« In ihrer Kehle saß ein dicker Kloß, und sie wischte sich mit dem Handrücken eilig eine Träne ab, als sie Mark durch die Halle kommen sah. Oliver ergriff ihre Hand und drückte sie fest.

Um Viertel vor neun bestiegen sie die Frühmaschine nach Boston. Während des Fluges sprachen sie über ihren Verdacht. Oliver erklärte Alex und Mark, wie die Registrierung einer International Business Corporation auf den British Virgin Islands vor sich ging und was er durch seinen Freund Justin zu erfahren hoffte. Am Flughafen in Boston mieteten sie ein Auto bei *Budget* und fuhren nach Cambridge, wo sich das weltberühmte *Massachusetts Institute of Technology* befand. Justin Savier erwartete sie am Eingang des Wiesner Building, einem futuristischen Gebäude, in dem sich das Media Lab befand. Justin war nicht der weltfremde Computerfreak, mit dem Alex gerechnet hatte, sondern ein hagerer, sonnenverbrannter Mann mit einer Masse dunkler Rastazöpfe, der Jeans, Turnschuhe und ein ausgewaschenes T-Shirt trug. Nachdem die drei Männer sich herzlich begrüßt hatten und Alex vorgestellt worden war, reichte Justin ihnen Plastikschildchen mit ihren Namen, die sie an ihren T-Shirts befestigten. Sie passierten das Drehkreuz einer Sicherheitsschranke, und Alex war erstaunt über die nahezu klösterlich schlichten Korridore.

Nichts deutete darauf hin, dass hinter diesen Türen an den bedeutendsten Hightech-Erfindungen der Welt gearbeitet wurde. Sie fuhren mit einem Aufzug zwei Stockwerke unter die Erde und erreichten einen großen Vorraum, in dem sich eine Stahltür befand, die an einen Tresorraum erinnerte.

»Hinter dieser Tür befinden sich die heiligen Hallen«, erklärte Justin mit einer Ehrfurcht, die Alex erstaunte. »Die geistige Elite Amerikas verbringt hier ihr halbes Leben. Hier stehen die leistungsfähigsten Computer der westlichen Welt, Supercomputer im Wert von mehreren 100 Millionen Dollar. Sie sind das Herz und das Gehirn der modernen Technologiewelt.«

Er stellte sich vor einen Netzhaut-Scanner, der in die Wand neben der Tür eingelassen war, und blickte auf eine grünlich beleuchtete Scheibe. Es piepste, die Stahltür sprang mit einem leisen Klicken auf, und sie betraten eine gewaltige Halle.

»Willkommen in der Welt der künstlichen Intelligenz«, Justin grinste. Gegen die weihevolle Stille der oberen Stockwerke war der große, neonhell erleuchtete Raum fast ein Schock. Riesige Rechner in grauen Gehäusen standen in langen Reihen und verbreiteten einen unerwarteten Lärm.

»Das sind die Klimaanlagen«, sagte Justin, bevor Alex überhaupt gefragt hatte, »ohne die wäre es hier unerträglich heiß. Diese Rechner brauchen eine gewaltige Menge Strom, so viel wie eine Kleinstadt.«

Alex hatte das beklemmende Gefühl, unbefugt in ein geheimes militärisches Sperrgebiet eingedrungen zu sein.

»Wir arbeiten mit den modernsten Supercomputern der Welt«, fuhr Justin fort und blieb vor einem der Geräte, die mit ihren schlichten, grauen Gehäusen zweckmäßig und wenig spektakulär wirkten, stehen. »Dies hier ist zum Beispiel ein *Cray-2*. Er schafft mit einem Zentralspeicher von 2 Gigabyte rund 1,6 Millionen Gleitkommaoperationen in der Sekunde. Hier drüben haben wir einen *ETA*, der schon die achtfache Leistung erreicht. Der *Suprenum* ist noch etwas schneller: Er besteht aus 32 parallel arbeitenden und untereinander in Verbindung stehenden

Höchstleistungs-Knotenrechnern und kann 640 Megaflops pro Sekunde durchführen. Es sind die gigantischsten Datenbanken der zivilen westlichen Welt.«

Alex, Oliver und Mark nickten fasziniert. Sie gingen weiter.

»Diese Supercomputer sind auf dem besten Weg, die Beschränkungen des menschlichen Gehirns zu überwinden. Die Zukunft unserer Welt gehört Maschinen wie diesen«, sagte Justin.

»Hört sich an wie *Krieg der Sterne*«, bemerkte Oliver, und Justin grinste.

»Cool, nicht wahr?«, sagte er. Alex spürte, wie ihr eine Gänsehaut über den Rücken lief. Sie waren in ein verwirrendes Labyrinth aus Gängen gelangt, die zwischen all den großen Rechnern hindurchführten. Nach einer Weile erreichten sie einen Raum, in dem sich, ähnlich wie bei LMI, einige Büros aneinanderreihten, die nur durch Glasscheiben voneinander getrennt waren. Justin betrat den dritten Glaskasten, an dessen Tür sein Name stand. Wie nicht anders zu erwarten, war der kleine Raum mit modernster Computertechnologie vollgestopft. Rechner, Drucker, Monitore und alle erdenklichen Geräte, von denen Alex sich nicht vorstellen konnte, wozu sie dienten, standen neben- und übereinander. Ein beeindruckendes Kabelgewirr verschwand im Boden. Justin nahm an seinem hoffnungslos überladenen Schreibtisch, auf dem nicht weniger als fünf Monitore standen, Platz, lehnte sich zurück und zündete sich eine Zigarette an. Gleichzeitig betätigte er einen Schalter, woraufhin in der Decke ein Abluftventilator ansprang. Alex setzte ihm mit wenigen Worten ihr Arbeitsgebiet auseinander und erzählte ihm von der PBA-Steel-Sache und ihrem Verdacht, dass hinter ihrem Rücken jemand mit ihren vertraulichen Informationen illegale Geschäfte machte.

»Mark hat herausgefunden, dass es eine Verbindung zwischen dieser Brokerfirma, die die Aktienkäufe getätigt hat, und LMI gibt«, sagte sie, »und wir würden gerne erfahren, wer dahintersteckt.«

Oliver erklärte Justin, was Offshore-Gesellschaften waren,

und dass es so gut wie unmöglich war herauszufinden, wer sie gegründet hatte.

»Hm«, Justin kratzte sich am Kopf, »eure Firma hat eine Gesellschaft gegründet, die wiederum im Besitz einer anderen Firma ist, die illegale Geschäfte macht. Hab ich das richtig kapiert?«

»So in etwa«, Alex war von Justins Auffassungsgabe beeindruckt, »LMI hat einen Fonds aufgelegt, der unter anderem in eine Wagniskapitalgesellschaft namens SeaStarFriends investiert, die wiederum auf den British Virgin Islands registriert ist.«

Justins Finger trommelten auf die Schreibtischplatte.

»Wo soll ich anfangen?« Er blickte der Reihe nach in die Gesichter seiner Besucher.

»Bei LMI«, entschied Oliver, »dieser Fonds interessiert mich.«

»Kommst du in den Zentralcomputer von LMI rein?«, erkundigte sich Mark.

»Das sollte kein Problem sein«, Justin nickte, »die werden mit einem branchenspezifischen Betriebssystem arbeiten.«

»Kennst du dich damit aus?«, wollte Alex wissen und erntete für diese Frage einen amüsierten Blick.

»Ein bisschen«, grinste Justin.

Er ließ sich ein paar Daten über LMI geben, dann sausten seine Finger über eine Tastatur. Nach ein paar Minuten hob er lächelnd den Kopf.

»Willkommen bei LMI«, verkündete er nicht ohne Stolz, wenn er diesen auch mit lässiger Professionalität überspielte. »Sie arbeiten mit BankManager 5.3, einem guten, alten Bekannten von mir, was die Sache sehr vereinfacht.«

Mark und Alex beugten sich ungläubig vor, Oliver grinste.

»Bei LMI gibt's eine Abteilung für Computersicherheit«, gab Alex zu bedenken. »Sie werden merken, wenn jemand von außen in den Rechner eindringt.«

»Klar«, Justin nickte, »BankManager 5.3 besitzt wie alle großen, an das Internet angeschlossenen Netzwerke eine *Firewall.* Aber zufälligerweise beauftragte IBM uns seinerzeit mit der Sicherheitsüberprüfung für dieses System, was wir übrigens häufig für Softwarehersteller tun. Wir haben damals ein ›Hintertürchen‹ installiert, das es uns erlaubt, den normalen Systemschutz zu umgehen, um jederzeit Zugriff auf das gesamte System zu bekommen.«

»Das heißt«, sagte Mark, »du kannst, wann immer du willst, in den Zentralrechner einer Firma gelangen, die mit diesem Programm arbeitet?«

»So ist es«, Justin lehnte sich mit einem zufriedenen Lächeln zurück, »aber uns interessiert die Sicherheit eines Systems. Wir arbeiten an der Verbesserung des Schutzes vor Chaoten, die aus reiner Zerstörungswut in Systeme eindringen, in denen sie nichts zu suchen haben.«

Er wandte den Blick seinem Monitor zu und bearbeitete unablässig seine Tastatur.

»Dann werden wir jetzt mal die Hintertür öffnen und hineinspazieren«, sagte er mit einem konzentrierten Gesichtsausdruck. »BM 5.3 ist durch eine *Secure-Access-Firewall* geschützt. Das ist ein passwortgestütztes Authentifizierungsverfahren. Secure-Access arbeitet mit *Phazer*, einem Glasfaser-Device, das Eingriffe in das Netzwerk, ob von innen oder außen, erkennt und abwehrt.«

Alex beugte sich vor und blickte auf den Monitor, auf dem ein unverständliches Zahlen- und Buchstabenchaos in hoher Geschwindigkeit ablief.

»Aber wenn dieses Ding jeden Zugriff erkennt«, fragte sie, »wie kommst du dann in den Rechner rein, ohne dass es einer merkt?«

»Wie gesagt, durchs Hintertürchen«, antwortete Justin. »Es gibt einen Befehl, der mir Administrator-Berechtigung verschafft.«

»Aha.«

»Bei so großen und komplexen Systemen wie BM 5.3 gibt es natürlich strenge Zugriffskontrollen. Der Netzwerkadministrator ist als Einziger dazu befugt, sämtliche Dateien des Systems zu lesen, zu modifizieren oder zu löschen. Er ist es, der die Zugriffsberechtigungen der einzelnen Anwender zuteilt und überwacht. BM 5.3 hat eine Verzeichnisstruktur, wir nennen es *Listing*, mit dem der Netzwerkadministrator die Berechtigungen steuern kann. Jeder Benutzer hat seinen eigenen Identifikationscode, den UIC. Aufgrund dieser persönlichen Codes erkennt der Computer, welche Ressourcen dem Benutzer nach dem Einloggen zur Verfügung stehen.«

»Du meinst, diese Person, die das alles überwacht, kann auch in meinen Dateien herumschnüffeln?«, fragte Alex ungläubig.

»Natürlich«, Justin nickte.

»Das ist ja wohl das Letzte!« Sie schüttelte empört den Kopf. »Ich habe zig geheime Sachen in meinem Rechner gespeichert.«

»Wenn sie so geheim sind, dass niemand davon erfahren soll, darfst du sie nicht auf deinem Computer speichern. Ich kann dir aber einen Trick verraten, wie du dir eine geheime Datei anlegen kannst, die selbst euer Admin nicht knacken kann.«

»Mit einem einzigen Befehl kriegt man die komplette Zugangsberechtigung?« Mark war schwer fasziniert.

»Ja«, Justin blickte auf und grinste, »ganz einfach, oder? Man muss eben nur diesen Befehl kennen. Wenn du versuchen würdest, die Passwörter zu hacken, würde das sofort auffallen, denn die meisten Programme zum Passwort-Hacking brauchen unwahrscheinlich viel Kapazität. Wir haben damals in BM 5.3 außerdem *Stealth* installiert, ein Programm, das es uns ermöglicht, unerkannt in das System zu gelangen. *Stealth*, so genannt wie der Tarnkappenbomber, den das feindliche Radar nicht erkennen kann, verhindert, dass ein externer Benutzer für den Netzwerkadministrator sichtbar wird.«

»Wie heißt der geheime Befehl?«, fragte Mark neugierig.

»Euch sage ich's«, antwortete Justin lächelnd, »denn der bloße Befehl bringt euch nicht viel weiter.«

Er drehte den Monitor ein Stück nach rechts, damit Alex, Oliver und Mark den Bildschirm erkennen konnten, und tippte eine Buchstaben-Zahlen-Kombination in die Tastatur.

```
RloginBM5.0LMINY.target.com-1-froot<
```

Der Bildschirm wurde für ein paar Sekunden schwarz, dann erschien die Passwortanfrage.

»Und jetzt?«, fragte Mark.

»Bei diesem System gibt es einen Befehl, der das Passwort umgeht. Ihr müsst es euch wie einen Universalschlüssel vorstellen.«

```
>etx/passw/10pht.com.unix<
```

Der Rechner brummte geschäftig, dann flackerte der Bildschirm und zeigte die Meldung, die Justin offensichtlich erwartet hatte, und die Alex und Mark den Atem stocken ließ.

Willkommen bei Levy Manhattan Investment, New York City.

»Nicht zu fassen«, murmelte Alex.

»Genial!«, sagte Mark hingerissen.

»Jetzt haben wir uneingeschränkten Zugriff auf den Server«, Justin leckte sich zufrieden wie eine Katze die Lippen. »Versuchen wir mal, ob wir euer Problem lösen können. Wonach soll ich suchen?«

»Private Equity Technology Partners«, sagte Alex prompt.

»Fondsverwaltung«, ergänzte Oliver. Es dauerte ein paar Minuten, bis Justin sich durch die verschiedenen Schnittstellen des LMI-Servers manövriert und die Informationen der Fonds- und Wertpapierabteilung gefunden hatte.

»Mein lieber Mann«, sagte er, »die haben Hunderte davon!«

»Klar«, Alex nickte, »Anlagefonds sind ja auch eine ganz legale Sache.«

Oliver beugte sich vor und blickte Justin über die Schulter.

»Da ist es«, sagte er, »lässt du mich mal ran?«

»Bitte sehr«, Justin rückte gefällig zur Seite. Alex betrachtete Olivers konzentrierte Miene. Sie hatte ihn noch nie bei der Arbeit gesehen und bemerkte, dass er sich hier auf vertrautem Terrain befand. Aber die erwartungsvolle Spannung in seinem Gesicht wich nach einer Weile einem Ausdruck der Resignation.

»Hier sind wir falsch«, stellte er fest und kaute nachdenklich auf seiner Unterlippe. »Sie verwalten nur ganz legale Fonds, und es gibt auch keine Hinweise auf riskante Investitionen.«

Er machte Justin wieder Platz.

»Wir müssen in den Bereich des Rechners gelangen, wo die Offshore-Gesellschaften verwaltet werden«, dachte er laut nach. »Möglicherweise machen sie das nicht von der Zentrale aus, sondern von der Niederlassung auf den Caymans oder in der Schweiz.«

»Okay«, Justin nickte, »ich versuche es mal mit einem Hilfebefehl.«

Wieder tippte er Zahlen und Buchstaben ein.

»Ah ja«, sagte er schließlich, »hier haben wir's. Es gibt eine Reihe von Limited Partnerships, die von Außenstellen der Firma verwaltet werden. Und wir haben hier mehrere zur Auswahl: LMI in Los Angeles, Chicago, London, Frankfurt, Hongkong, Kapstadt oder Singapur, Banque Villiers Suisse in Genf, Zürich, Monaco und Liechtenstein, Levy & Villiers in Zürich, in Nassau/Bahamas, in Georgetown/Grand Cayman, LV Invest auf Samoa und Labuan, SeViCo in Panama City, Gibraltar, in Roadtown/BVI ...«

»Halt!«, rief Oliver, und alle blickten ihn überrascht an.

»Lass mal sehen«, sagte er, »sie führen die SeViCo als Außenstelle von LMI? Nicht zu fassen! Ich dachte, dass dahinter nur Vitali steckt, aber ...«

Er brach ab und blickte auf. Sein Blick traf den von Alex, die unwillkürlich schauderte.

»SeViCo«, murmelte sie, »kann auch Sergio und Vincent bedeuten.«

»Genau«, Oliver nickte, »und das wäre der Beweis, dass die beiden gemeinsame Sache machen.«

Justin arbeitete beinahe eine Stunde hochkonzentriert und schweigend, aber dann schüttelte er den Kopf.

»Sackgasse«, sagte er und kratzte sich am Kopf, »mit der SeViCo komme ich nicht weiter. Das läuft anders, aber ich kapiere nicht, wie.«

Die vier blickten sich ratlos an. Die ganze Angelegenheit war einfach zu verschachtelt, als dass sie durchschauen konnten, welche Firma wie und mit wem zu tun hatte. Oliver sprang auf und begann, in dem kleinen Büro hin und her zu gehen.

»Lasst uns rekapitulieren«, sagte er. »Alex hat den Verdacht, dass jemand mit ihren geheimen Insiderinformationen illegale Geschäfte macht. Mark und Alex haben festgestellt, dass die Firma MPM zu einem Zeitpunkt Aktien von Firmen kauft, die kurz vor einer Übernahme oder Fusion stehen. MPM gehört laut Handelsregisterauszug der Venture Capital SeaStarFriends Limited Partnership, in die wiederum ein von LMI aufgelegter Fonds namens Private Equity Technology Partners investiert. Richtig?«

Alex und Mark nickten.

»SeaStarFriends ist eine IBC und wurde auf den British Virgin Islands gegründet, in einem Offshore-Finanzzentrum. Und das alles stinkt ganz gewaltig nach Geldwäsche.« Oliver zog die Stirn in Falten, dann schüttelte er den Kopf. »Wir müssen an einem anderen Punkt ansetzen. Justin, versuche doch mal, in den Rechner der Handelskammer auf den British Virgin Islands reinzukommen.«

»Klar«, Justin machte sich wieder ans Werk. Angespannt verfolgten Oliver, Mark und Alex seine Bemühungen, registrierten jedes Hochziehen der Augenbrauen und Luftholen.

»Ich sollte mich auf Provisionsbasis bei der Steuerfahndung bewerben«, sagte er nach einer guten halben Stunde, »ich bin drin.«

Die drei zuckten wie elektrisiert hoch.

»Die Sicherheitsvorkehrungen sind wirklich lächerlich.« Justin wies auf seinen Monitor. »Hier habt ihr die Registrierungsnummern von sämtlichen auf den British Virgin Islands eingetragenen Firmen.«

Es dauerte nur zehn Minuten, bis Oliver gefunden hatte, wonach sie suchten.

»Venture Capital SeaStarFriends Limited Partnership«, sagte er mit einem triumphierenden Lächeln, »gegründet am 25. Mai 1998. Firmeninhaber ist Vincent Isaac Levy, Shareholder Mr Sergio Ignazio Vitali.«

»Großer Gott«, flüsterte Alex, »das darf doch nicht wahr sein.«

»MPM gehört Levy und Vitali«, stellte Oliver fest.

»Zack macht die Geschäfte also nicht auf eigene Rechnung, sondern für sie.« Alex fühlte sich mit einem Mal entsetzlich elend. Vincent Levy und Sergio Vitali machten über eine Strohfirma in großem Stil und nahezu risikolos riesige Gewinne mit Insider-Informationen, die sie ausgerechnet von ihr geliefert bekamen! Sie musste gar nicht erst nach den Daten der einzelnen Aktienkäufe suchen, denn sie war ganz sicher, dass MPM immer zu dem Zeitpunkt gekauft hatte, wenn eine bevorstehende Fusionierung oder Übernahme noch nicht allgemein bekanntgegeben worden war. Durch ihre Informationen musste Sergio in den vergangenen Monaten Millionen, wenn nicht gar Milliarden verdient haben! Ein wilder Zorn stieg in ihr auf. Sergio hatte sie die ganze Zeit nur benutzt. Jetzt durchschaute sie auch seinen Versöhnungsversuch an dem Abend, als man auf ihn geschossen hatte, genauso wie seinen Heiratsantrag: Er befürchtete, sein Goldfisch könne davonschwimmen, wenn sie sich von ihm trennte. Das Schlimmste an der ganzen Sache aber war, dass sie mit ihrer Entdeckung nichts anfangen konnte. Niemand würde ihr glauben, dass sie nichts von MPM und SeaStarFriends gewusst haben wollte. Sie war Sergios Geliebte, man würde sie selbstverständlich für eine Mitwisserin halten.

»Genauso, wie es Shanahan gemacht hat«, bemerkte Oliver, aber Alex antwortete nicht darauf. Er hatte die ganze Zeit recht gehabt.

»Wenn es eine Gesellschaft wie diese gibt«, gab Mark zu bedenken, »dann existieren vielleicht noch mehr von der Sorte, und wenn LMI durch eigene Fonds in diese Gesellschaften investiert, dann würde das bedeuten, dass Levy und Vitali an jedem Fonds verdienen. Steuerfrei.«

Alex fröstelte. Sergio und Levy hatten SeaStarFriends zu dem Zeitpunkt gegründet, als sie bei LMI angefangen hatte. Von Anfang an hatten sie an ihren Deals mitverdient, aber im Gegensatz zu Shanahan, der gewusst hatte, was er tat, hatte man sie nicht eingeweiht. Sergio hatte sie in jeder Hinsicht belogen, denn er hatte sehr viel mehr mit LMI zu tun, als er zugegeben hatte.

»Was machen die wohl mit der ganzen Kohle?«, fragte Justin in das spannungsgeladene Schweigen. »Ich meine, was wollen die mit so vielen Millionen?«

»Hast du eine Million, dann willst du zwei«, erwiderte Oliver, »hast du zwei, dann willst du zehn, hast du zehn, dann willst du 100. Die Gier mancher Menschen ist unersättlich.«

»Das System ist nahezu perfekt«, bemerkte Mark, »eigentlich sollte man denjenigen, der sich so etwas ausdenkt, bewundern.«

»Das ist wahr«, Oliver schüttelte den Kopf, »und es ist absolut sicher für die Hintermänner. Wenn eine Firma auffliegt, kann man kaum zurückverfolgen, wer dahintersteckt. Die Behörden haben genug zu tun, und wenn eine Spur in ein Offshore-Finanzzentrum führt, strecken sie die Waffen und halten sich an die kleinen Fische, die sie im eigenen Land erwischen können.«

»Trotzdem«, Alex versuchte, äußerlich kühl zu bleiben, wenngleich es in ihrem Inneren brodelte, »Justins Frage ist berechtigt. Ich würde auch gerne herausfinden, was sie mit dem Geld machen. Vitali hat doch schon alles, was man mit Geld nur kaufen kann. Es muss noch einen anderen Grund geben, weshalb er so etwas tut.«

»Was meinst du?« Oliver warf ihr einen prüfenden Blick zu, aber Alex antwortete nicht. Sie erinnerte sich an ein Gespräch, das sie zufällig während der Wohltätigkeitsveranstaltung im City Plaza Hotel mit angehört hatte. Die Frau des Bausenators von New York City hatte der Gattin von Vincent Levy erzählt, dass sie auf Sergios Kosten Urlaub auf den Caymans gemacht hatten. Hatte sich Sergio auf diese Art und Weise bei McIntyre für eine Gefälligkeit bedankt?

»Justin«, sagte Alex, »könntest du in den Rechner von Levy & Villiers in Georgetown auf Grand Cayman gelangen?«

»Ich kann's versuchen«, er nickte.

»Was versprichst du dir davon?«, fragte Oliver erstaunt.

»Vielleicht nichts«, Alex blickte ihn an, »aber vielleicht Material, das dir den Pulitzer-Preis sichert.«

Oliver grinste. Justins Gesicht verfinsterte sich jedoch nach ein paar Minuten.

»Ich brauche ein spezielles Passwort, um in den Rechner auf den Caymans zu gelangen«, sagte er.

»Wieso das? Benutzen sie ein anderes Betriebssystem?«, fragte Mark.

»Eine zusätzliche Sicherung«, Justin zuckte die Schultern, »der Rechner ist nicht mit dem in New York vernetzt.«

Er machte sich an einem anderen Computer zu schaffen.

»So«, sagte er schließlich, »jetzt können wir schnell was essen gehen. Wenn wir Glück haben, schafft es *CryptCrack* in der Zwischenzeit, das Passwort zu hacken.«

»Was ist denn das schon wieder?«, wollte Mark wissen.

»*CryptCrack*«, sagte Justin, als sie sein Büro verließen, »ist ein von mir ganz neu entwickeltes Password-Hacking-Programm. Passt mir ganz gut, dass ich es mal wirklich ausprobieren kann.«

Sie ließen den Rechner mit seiner Sisyphus-Aufgabe alleine und begaben sich in die Mensa des MIT, die in einem anderen Gebäude auf dem Campus untergebracht war. Nach sieben Stunden im Keller unter höchster Anspannung waren sie alle hungrig.

***

Mary Kostidis seufzte. Auch wenn er ihr nichts sagte, merkte sie ihrem Mann in der letzten Zeit immer deutlicher die ungeheure

Anspannung an, unter der er stand. Der Tod des jungen Vitali, die Anfeindungen in der Presse, diese seltsame Erpressung, das alles zerrte an seinen Nerven. Gestern Abend, beim Dinner für den kanadischen Botschafter, war Nick für eine Weile wieder ganz der Alte gewesen: unterhaltsam, charmant und gelöst. Doch als Mary später ins Arbeitszimmer gekommen war, in das er mit Ray Howard verschwunden war, hatte sie an seinem Gesichtsausdruck gesehen, dass wieder etwas vorgefallen war. Sie hatte ihn später danach gefragt, aber er hatte nur abgewinkt. »Mach dir keine Gedanken«, das waren seine Worte gewesen. Mary machte sich aber Gedanken, denn sie sah, dass er Sorgen hatte. Früher hatte Nick sie an seinem Leben teilhaben lassen. Er hatte Probleme mit ihr besprochen und sie nach ihrer Meinung gefragt, aber in den letzten Wochen und Monaten hatte sich etwas zwischen ihnen verändert. Er sprach nicht mehr mit ihr. Das erste Mal in ihrer langen Ehe wusste Mary Kostidis nicht, was ihren Mann beschäftigte. Aus welchem Grund verschwieg er ihr etwas Wichtiges? Gestern Abend, als sie auf die Terrasse hinausgegangen war, hatte sie für einen kurzen, verrückten Moment den Gedanken gehabt, es gäbe vielleicht eine andere Frau in seinem Leben, von der sie nichts ahnte. Mary hatte den Blick bemerkt, mit der ihr Mann Alex Sontheim, diese schöne, hochintelligente Frau, angesehen hatte. Der Ausdruck in seinem Gesicht hatte ihr einen schmerzhaften Stich versetzt. Niemals, solange sie ihn kannte, hatte er sie so hingerissen und fasziniert angesehen. Hatte Nick sich in die junge Frau verliebt? Ohne Zweifel war Alex eine ungewöhnliche Frau, erfolgreich, selbständig und ausgesprochen scharfsinnig, dazu war sie sehr schön, und außerdem war sie die Geliebte von Sergio Vitali. War das möglicherweise der wahre Grund, warum er sie eingeladen hatte? Glaubte Nick, er könne über Alex endlich an seinen Erzfeind herankommen, oder steckte mehr dahinter als das?

***

Die Luft war noch frisch um diese Uhrzeit, aber in wenigen Stunden würde die Hitze unerträglich sein. Die Monate Juli und August waren in der Stadt kaum zu ertragen, deshalb flüchteten die meisten New Yorker, die es sich leisten konnten, in dieser Zeit aufs Land oder ans Meer. Nick Kostidis saß mit seinen beiden Assistenten Frank Cohen und Ray Howard in seinem Arbeitszimmer, wie häufig an einem Sonntagmorgen. Nach einem kleinen Frühstück besprachen sie einige wichtige Angelegenheiten, für die sonst selten Zeit war. Frank las das Protokoll für den bevorstehenden Besuch einer koreanischen Delegation vor, und Nick beobachtete durch das Fenster, wie Christopher und Britney das Gepäck in den schwarzen BMW luden. Es war gut, dass die beiden Mary für eine Weile mitnahmen. So, wie sich die Dinge hier entwickelten, schien es besser, wenn sie für ein paar Tage nicht in der Stadt war. Frank bestand vehement auf Personenschutz für ihn, erst recht nach dem zweiten Drohbrief vom vergangenen Abend. Er hatte Mary nichts davon erzählt. In der letzten Zeit gab es oft Dinge, die er lieber für sich behielt, anstatt seine Frau unnötig aufzuregen. Mary war in den letzten Monaten oft nervös und depressiv. Immer wieder überraschte Nick sie, wie sie geistesabwesend aus dem Fenster starrte. Sie, die sonst immer vor Energie fast geplatzt war, schien wie eine verblühte Blume mehr und mehr in sich zusammenzusinken. Er hatte befürchtet, sie sei krank, aber keiner der Ärzte hatte irgendeine organische Ursache für ihren Zustand feststellen können. Man hatte ihm geraten, sie mit Sorgen und Problemen zu verschonen und Rücksicht auf sie zu nehmen. Das hatte er getan, wenngleich ihm der Gedankenaustausch mit Mary fehlte. So viele Jahre hatte sie klaglos akzeptiert, dass seine Arbeit vorging, deshalb hatte er beschlossen, sie in ihrem angegriffenen Zustand nicht noch mit dem, was ihn beschäftigte, zu belasten. Es fiel ihm in letzter Zeit oft schwer, unerschrocken und stark zu tun, denn immer häufiger fühlte er sich mutlos und deprimiert. Schlimmer noch als das war sein schlechtes Gewissen, weil er sich seit Monaten insgeheim nach einer anderen Frau als seiner eigenen sehnte. Nick konnte sich die Faszination, die Alex Sontheim auf ihn ausübte, nicht erklären, aber es verging kein Tag, an dem er nicht an sie dachte. Gestern Abend hatte er mit Herzklopfen registriert, dass ihre offene Abneigung gegen ihn vorsichtiger Sympathie gewichen zu sein schien. Vielleicht hätte er sie besser nicht einladen sollen.

»Ich glaube, sie haben Probleme mit dem Auto«, bemerkte Frank und riss Nick aus seinen Gedanken. »Es scheint nicht anspringen zu wollen.«

»Ich schaue mal nach«, Nick erhob sich. »Ich bin gleich wieder da.«

»Die Lichtmaschine ist im Eimer«, verkündete Christopher Kostidis gerade, als sein Vater auf den Parkplatz hinter dem Haus trat. Carey Lhota zuckte die Schultern und trat von der geöffneten Motorhaube zurück.

»Da kann ich leider auch nichts machen«, bedauerte der Chauffeur, den Christopher zu Hilfe geholt hatte.

»So ein Pech«, sagte Mary, »dann werden wir unsere Abreise um ein paar Stunden verschieben müssen.«

»Das geht nicht so schnell«, Christopher warf einen verärgerten Blick in den Motorraum seines Wagens, »schon gar nicht an einem Sonntag.«

»Tja«, Nick grinste, »wenn du ein gutes amerikanisches Auto fahren würdest …«

»Dann würde es auch dauern, eine neue Lichtmaschine zu bekommen«, verteidigte Christopher den BMW, auf den er sehr stolz war.

»Nehmt doch mein Auto«, schlug Nick vor. »Carey kann den BMW morgen in die Werkstatt bringen.«

»Aber du brauchst den Wagen doch«, widersprach Mary.

»Ich kann mit Frank oder Ray fahren«, Nick schüttelte den Kopf, »das ist kein Problem.«

»Du fährst doch hoffentlich nicht mit der U-Bahn durch die Stadt?« Mary sah ihren Mann besorgt an.

»Nein, das habe ich dir doch versprochen«, Nick lachte und legte seiner Frau den Arm um die Taille.

»Ich würde schon gerne fahren, bevor es halb New York einfällt, nach Long Island aufzubrechen.« Christopher schaute auf seine Uhr.

»Also!«, rief Nick. »Dann ladet eure Sachen um.«

Mary legte ihre Hand in seine.

»Kannst du nicht doch ein paar Tage mitkommen?«, fragte sie. Nick lächelte und nahm ihr Gesicht in beide Hände.

»Weißt du, dass ich gerade genau darüber nachgedacht habe?«, sagte er leise. »Ich habe mir überlegt, dass ich eigentlich am Freitag nach Montauk rauskommen könnte.«

»Wirklich?« Mary sah ihren Mann ungläubig an. »Und deine Arbeit?«

»Ich werde es schon einrichten können.« Er küsste sie.

»Versprichst du es mir?« Mary wirkte mit einem Mal glücklich.

»Ja, ich verspreche es. Ich freue mich sogar darauf.«

»Wir können los, Mom!«, rief Christopher. Britney saß schon auf dem Beifahrersitz der Limousine.

»Ich liebe dich, Nick«, flüsterte Mary, »pass auf dich auf!«

»Das werde ich«, erwiderte er, »ich liebe dich auch.«

Sie ließ ihn beinahe widerstrebend los und ging zum Auto.

* * *

»Was machen die denn da?« Raymond Howard hatte zufällig einen Blick aus dem Fenster geworfen und sah, dass Christopher Kostidis sich gerade hinter das Steuer der dunklen Limousine setzte. Er wurde plötzlich wachsbleich im Gesicht und sprang auf.

»Was ist denn?«, fragte Frank seinen Kollegen überrascht.

»O Gott, nein. Sie dürfen auf gar keinen Fall ...« Howard verstummte. Der kalte Schweiß trat ihm auf die Stirn, und seine Gedanken rasten. Er sah, wie Mary Kostidis ihren Mann zum

Abschied küsste. Christopher winkte ungeduldig und rief etwas, Britney Edwards saß auf dem Beifahrersitz und lächelte.

»Scheiße!«, fluchte Raymond Howard und stürmte wie von Furien gehetzt zur Tür hinaus. Frank blickte ihm verständnislos nach.

Raymond Howard empfand echte Panik. Er rannte so schnell er konnte den langen Korridor entlang. Als er die Treppe hinuntersprang, rollte die Limousine gerade vom Parkplatz. Mary und Britney winkten aus den geöffneten Fenstern. Howard sah Nick lächeln und winken, er sah den dunkelblauen Wagen und rannte los, ohne Rücksicht darauf, was sein Chef von ihm denken musste.

»Halt!«, schrie er und rannte mit wild rudernden Armen hinter dem Auto her. »Halt! Sofort anhalten! Raus aus dem Auto, sofort!«

***

Zurück an seinem Schreibtisch stellte Justin fest, dass *CryptCrack* in ihrer Abwesenheit tatsächlich funktioniert hatte, und er lachte wie ein kleiner Junge. Er rieb sich die Hände und richtete seinen Blick auf den Monitor. Für eine Weile schien er alles um sich herum zu vergessen. Oliver und Alex waren alleine mit Justin in den Keller des MIT zurückgekehrt. Während des Essens hatten sie entschieden, dass Mark zurück nach New York fliegen sollte. Obwohl sie seit dem Abend in Gracie Mansion nichts mehr gegessen hatte, hatte Alex nicht viel mehr als ein halbes Sandwich heruntergebracht. Ihr Magen war wie zugeschnürt, und das lag nicht nur an Olivers prüfenden Blicken, die sie hin und wieder streiften. Was sollte sie tun, wenn sich ihr Verdacht bestätigte? Wie konnte sie weiter für eine Firma arbeiten, die derart illegale Geschäfte machte? Und wie konnte sie Sergio jemals wieder loswerden? Sie fühlte sich gefangen und fremdbestimmt, und beides gefiel ihr überhaupt nicht.

»Es gibt im Rechner von Levy & Villiers einen besonders

gesicherten Bereich«, sagte Justin plötzlich und schreckte Alex aus ihren Gedanken auf. »Auf den ersten Blick gibt es nichts Ungewöhnliches in dem Laden, aber einige Dateien sind extrem gesichert.«

»Kommst du an sie heran?«, wollte Oliver wissen, und Justin nickte. Bis auf das Klacken der Tastatur war es still in dem Büro, Oliver und Alex beobachteten Justin schweigend. Marks Anwesenheit hatte die Spannung zwischen ihnen neutralisiert, aber nun war sie wieder da, und jede Lockerheit war verschwunden.

»Komisch«, sagte Justin nach einer Weile, »das sind nur anonyme Nummernkonten.«

»Lass mal sehen«, sagten Oliver und Alex wie aus einem Mund und standen auf, um Justin über die Schulter zu sehen. Alex erklärte seinem Freund, wie die Eröffnung eines Nummernkontos vor sich ging. Auch wenn das Konto rein äußerlich anonym war, musste der Kunde trotzdem der Bank seine Identität preisgeben. Ohne Vorlage eines gültigen Reisepasses oder eines anderen amtlichen Dokuments konnte man bei keiner Bank der Welt ein Konto eröffnen. Das Konto bekam dann eine Nummer oder einen Phantasienamen, wobei dieser nur dem Kunden selbst und dem Mitarbeiter der Bank bekannt war. Durch das Bankgeheimnis war der Kunde vor der Entdeckung durch die Behörden sicher, zumindest bei Banken in der Schweiz, in Liechtenstein, Luxemburg oder den Steuerparadiesen in der Karibik, die Besitzer großer Vermögen zweifelhafter Herkunft mit äußerster Diskretion und Verschwiegenheit lockten. Auf die Bahamas und die Caymans zog es viele, die nicht den weiten Weg bis nach Europa machen wollten, um dem Fiskus oder den Justizbehörden zu entgehen.

»Was hoffst du zu finden?«, fragte Oliver neugierig.

»Irgendeinen Beweis, was sie mit dem Geld anfangen«, erwiderte Alex. »MPM wurde nicht gegründet, weil sie sich das Geld privat einstecken wollen. Weder Levy noch Vitali haben es nötig, Insidergeschäfte zu machen, um Geld zu verdienen. Sie sind reich genug. Es gibt einen anderen Grund, weshalb sie das tun, und diesen Grund will ich erfahren.«

* * *

Nick Kostidis drehte sich erstaunt um, als sein Assistent schreiend und winkend die Treppe hinunterstürmte und ihn fast über den Haufen rannte. Er erfasste den Ausdruck des Entsetzens und der Panik in Howards Gesicht, aber er konnte sich nicht erklären, was in den Mann, der sich sonst nur lässig und zynisch benahm, gefahren war. Howard war vollkommen außer sich und rannte schreiend und wild gestikulierend hinter dem dunkelblauen Wagen her. Christopher schien ihn im Rückspiegel erblickt zu haben, denn er verlangsamte seine Fahrt. Urplötzlich überfiel Nick eine schreckliche Vorahnung, und er begann instinktiv ebenfalls zu laufen. Er sah Marys verwirrtes Gesicht, von dem das Lächeln verschwunden war. Howard hatte gerade den Türgriff in der Hand, als eine grelle Stichflamme aus dem Motorraum der Limousine aufzuckte und die schwere Motorhaube wie ein Spielzeug meterweit in die Luft schleuderte. Nur den Bruchteil einer Sekunde später erschütterte eine gewaltige Explosion den schweren Wagen und riss ihn in zwei Teile. Ohne wirklich zu begreifen, was sich vor seinen Augen abspielte, sah Nick die Stichflamme. Die Druckwelle der Explosion, die alle Fensterscheiben des Hauses platzen ließ, fegte ihn von den Beinen und schleuderte ihn gegen die Hauswand. Benommen und unter Schock kroch Nick auf allen vieren auf das brennende Inferno zu, das die Bombe an diesem friedlichen Sonntagmorgen hinterlassen hatte.

»Mary!«, brüllte er. »O Gott, nein, Mary! Mary!«

Frank Cohen erschien in der Haustür, starrte fassungslos auf das Bild des Grauens, das sich seinen Augen bot. Nick war bis auf wenige Meter an das brennende Fahrzeug herangekrochen, er rannte ihm nach, ohne an seine eigene Sicherheit zu denken. In dem Augenblick, als der Benzintank explodierte, warf Frank sich auf seinen Chef, der wie von Sinnen schrie. Nick spürte kaum, dass ihn jemand festhielt, er wehrte sich, trat um sich und schrie, schrie wie ein tödlich verwundetes Tier. Er war drauf und dran, sich in die Flammen zu stürzen, obwohl nichts mehr zu retten war. Die drei Menschen, die in dem Auto gesessen hatten, waren längst tot. Nick sah Raymond Howard, der wie eine lebendige Fackel auf dem brennenden Rasen herumstolperte, er sah die weißen Flammen, die vom rot glühenden Autowrack bis in die Äste der alten Kastanie geschleudert worden waren.

»Mary!«, schrie er wie von Sinnen. »Mary! Mary! *O Gott, NEIN!!*«

Er spürte nicht, wie die sengende Hitze seine Haut verbrannte, er bemerkte nicht, dass sich ein glühendes Metallteil in seinen Arm gebohrt hatte, er spürte keinen Schmerz, sondern nur Entsetzen, abgrundtiefes, grausames Entsetzen. Von dem Knall der beiden Explosionen waren die Sicherheitsbeamten aufgeschreckt worden. Entsetzt starrten sie den brennenden Haufen an, der einmal eine gepanzerte Limousine gewesen war. Geistesgegenwärtig richtete einer der Männer einen Feuerlöscher auf Raymond Howard, der zuckend und verkrümmt ein paar Meter von der Feuerhölle entfernt auf dem verkohlten Rasen zusammengebrochen war. Carey Lhota lag besinnungslos am Fuß der Treppe, die Druckwelle hatte ihn mit dem Kopf gegen die Stufen geschleudert. Die Luft war erfüllt von dichtem Qualm, vom Geruch nach Benzin und verbranntem Fleisch. Der glühende Feuersturm hatte alle Blumen verbrannt, die Äste der mächtigen Kastanie standen in hellen Flammen, überall lagen Wrackteile verstreut, und der Rasen hatte sich in graue Asche verwandelt. Die Hausangestellten von Gracie Mansion liefen zusammen, starrten erschüttert auf das Horrorszenario, das einem Flugzeugabsturz glich. Nick hatte seinen Widerstand aufgegeben. Er lag schluchzend da, seine verbrannten Finger krallten sich in den Boden, während er immer wieder die Namen seiner Frau und seines Sohnes stammelte. Blut lief über sein Gesicht und quoll aus einer tiefen Wunde an seinem linken Arm. Er konnte den

Blick nicht von dem brennenden Wrack lösen, in dem vor seinen Augen seine ganze Familie in Sekundenbruchteilen den Tod gefunden hatte.

»Bringen Sie ihn hier weg!«, schrie Frank die Sicherheitsbeamten an. »Machen Sie schon! Bringen Sie ihn ins Haus!«

Irgendjemand hatte die Feuerwehr alarmiert, die nun mit mehreren Einsatzwagen mit lautem Sirenengeheul durch den Park heranraste, gefolgt von Polizei und Notarztwagen. Frank Cohen zitterte am ganzen Körper, er war unfähig zu begreifen, was sich da abgespielt hatte. Die Drohbriefe waren ernst gemeint. Jemand hatte soeben versucht, Nick Kostidis zu töten, doch an seiner Stelle waren seine Frau, sein Sohn und dessen Verlobte gestorben. Und Ray ... Franks Blicke wanderten voller Grauen zu der verbrannten Gestalt. Ray hatte es gewusst! Er war der Maulwurf, nach dem Nick gesucht hatte. Frank spürte, wie seine Beine unter ihm nachgaben. Er sank auf den Boden und tastete nach seiner zerbrochenen Brille, die er verloren hatte, während um ihn herum das Chaos ausbrach. Feuerwehrleute, Polizisten, Notärzte und Sicherheitsbeamte schrien sich an, Wasserschläuche wurden ausgerollt, doch es war zu spät, viel zu spät, als Wasser und Schaum endlich die Flammen erstickten.

***

»*Nach neuesten Informationen befand sich der Bürgermeister von New York City, Nick Kostidis, nicht in dem Fahrzeug, als die Bombe um zehn nach elf heute Vormittag im Park von Gracie Mansion explodierte*«, sagte der Fernsehreporter mit sichtlich betroffenem Gesichtsausdruck. »*Obwohl es noch keine offiziellen Berichte gibt, gilt es als sicher, dass mindestens drei Menschen in der Feuerhölle den Tod gefunden haben. Unbestätigten Meldungen zufolge handelt es sich bei den Toten um die Ehefrau und den Sohn des Bürgermeisters sowie dessen Verlobte. Ein bisher noch nicht identifizierter Mann wurde mit schwersten Verbrennungen in eine Spezialklinik nach Boston geflogen ...*«

Sergio starrte mit unbewegter Miene auf den Bildschirm. Langsam wandte er sich zu den beiden Männern um, die schweigend hinter ihm standen.

»Ihr habt es versaut«, seine Stimme war kalt wie Gletschereis, zwischen seinen Augen stand eine steile Unmutsfalte. »Was nützt es uns, wenn seine Frau und sein Sohn tot sind?«

Luca und Silvio sahen betreten zu Boden.

»Verdammte Scheiße!«, schrie Sergio unvermittelt. »Bin ich denn nur von Dilettanten umgeben? Wer kam auf die idiotische Idee mit der Autobombe?«

»Howard hat uns angerufen«, sagte Luca schließlich. »Es war erst geplant, ihn auf dem Weg zur U-Bahn umzulegen, aber Howard sagte, dass er aus Sicherheitsgründen in Zukunft mit dem Wagen fahren würde. Eine Autobombe schien uns die sicherste Sache.«

»Die sicherste Sache wäre es gewesen, diesem Bastard eine Kugel in den Kopf zu schießen«, unterbrach Sergio ihn zornig, »so ein verdammter Mist!«

»Aber dann hätte es nicht mehr wie ein Unfall ausgesehen«, entgegnete Silvio. »Und Sie haben gesagt …«

Das Telefon klingelte.

»Ich weiß selber, was ich gesagt habe!«, fuhr Sergio ihn an. »Eine Bombe sieht auch nicht gerade wie ein Unfall aus!«

Er machte Luca ein Zeichen, ans Telefon zu gehen.

»Es ist Mr van Mieren«, sagte Luca, und Sergio ergriff den Hörer. Nelson war seit gestern in Las Vegas.

»Ich sehe gerade die Nachrichten«, sagte Nelson, ohne sich mit einem Gruß aufzuhalten. »Ich hoffe, du hast nichts mit dieser Sache zu tun.«

»Was für eine Sache?«

»Das Bombenattentat auf den Bürgermeister.«

»Wieso glaubst du, dass ich etwas damit zu tun hätte?« Sergio beherrschte seinen Zorn und tat überrascht.

»Weil du neulich erst davon gesprochen hast, dass du Kostidis aus dem Weg haben wolltest.«

»Er hat in dieser Stadt noch mehr Feinde als mich.«

»Ich wünschte, ich könnte dir glauben, Sergio«, Nelson seufzte. »Ich habe noch nie etwas in Frage gestellt, was du getan hast. Aber diesmal frage ich dich nur einmal, und ich bitte dich um unserer langen Freundschaft willen, mir die Wahrheit zu sagen.«

»Ist jemand bei dir?«, fragte Sergio argwöhnisch. Nelson verschlug diese unglaubliche Verdächtigung für einen Moment die Sprache.

»Natürlich nicht«, erwiderte er verärgert. »Ich rufe vom abhörsicheren Telefon an, und ich bin alleine. Also?«

Sergio nutzte, ohne zu zögern, das Vertrauen seines ältesten Freundes aus, als er nun antwortete.

»Ich habe mit dem Anschlag nichts zu tun«, sagte er mit ruhiger Stimme. »Als ich sagte, dass ich Kostidis aus dem Weg schaffen wollte, habe ich nicht an so etwas gedacht.«

Nelson war nicht richtig überzeugt, aber selbst er konnte sich nicht vorstellen, dass Sergio ihn belog. Als er das Gespräch beendet hatte, wandte Sergio sich an Luca und Silvio.

»Nelson darf auf gar keinen Fall erfahren, dass wir etwas mit dieser Sache zu tun haben«, sagte er. »Und es ist auch besser, wenn Massimo nichts davon weiß.«

Die beiden Männer nickten stumm und erleichtert, dass ihr Chef nicht weiter auf die misslungene Aktion einging.

»Gut«, sagte Sergio, »es ist schiefgelaufen. Das nächste Mal werden wir mehr Erfolg haben.«

Wieder summte das Telefon, und Luca hob ab.

»Es ist St. John«, sagte er, und Sergio übernahm das Gespräch. Sein Gesicht verfinsterte sich zusehends, während er einige Minuten schweigend lauschte. Dann hängte er ein. Raymond Howard war tot. Er war der Mann mit den schweren Verbrennungen, den man zuerst nicht hatte identifizieren können. Der Verlust dieses wichtigen Informanten war für Sergio schmerzlicher als das fehlgeschlagene Attentat. Durch Howard hatte er in den letzten Jahren unschätzbar wertvolle Informationen direkt aus dem Büro des Bürgermeisters erhalten. Aber Sergio Vitali neigte nicht dazu, sich über unabänderliche Tatsachen den Kopf zu zerbrechen. Die Tage von Kostidis waren ohnehin gezählt. Und wenn der Bürgermeister erst tot war, würde er auch keinen Maulwurf mehr in seiner Nähe brauchen.

* * *

Es war kurz vor zehn Uhr abends, als es Justin gelang, in die geheime Nummernkontendatei bei Levy & Villiers auf Grand Cayman einzudringen. Zuvor hatten Alex, Oliver und er sich unzählige Konten angesehen. Wenn darunter auch viele waren, für die sich die amerikanischen Finanzbehörden sicherlich sehr interessiert hätten, waren die, die Alex zu finden hoffte, nicht darunter gewesen. Irgendwann war Justin auf eine nochmals besonders gesicherte Datei gestoßen, die sofort seine Neugier geweckt hatte. Es hatte beinahe anderthalb Stunden gedauert, bis er sie erfolgreich gehackt hatte. In dem kleinen Raum war die Luft zum Schneiden dick, die Aschenbecher quollen über, und rund um Justins Drehstuhl sammelten sich leere Coladosen, Chipstüten und Papiere von Schokoriegeln.

»Zum Teufel noch mal«, sagte er mit gedämpfter Stimme, »ich hab's tatsächlich geschafft! Wir sind drin!«

Seine Augen glänzten, er grinste triumphierend. Es war eine knifflige Angelegenheit gewesen, aber er hatte einen Weg gefunden, in die zigfach gesicherten Dateien zu gelangen.

»Die Jungs von diesem Laden sind wirklich auf Draht, was die Datensicherung angeht«, sagte er mit ehrlicher Bewunderung für die Professionalität eines Kollegen. »Das sind Spezialisten.«

Alex und Oliver, die nach den langen Stunden im kalten Neonlicht des Kellerbüros kurz vor dem Einschlafen waren, zuckten hoch.

»Ich glaube, ich habe gefunden, wonach du gesucht hast«, sagte Justin, und Alex schob ihren Stuhl neben seinen. Sie starrte auf das, was sie dort auf dem Bildschirm sah, und es war einfach unglaublich! Fein säuberlich hatten die Banker auf Grand Cayman die Nummer oder den Codenamen des Kontos eingegeben, dazu den Tag der Kontoeröffnung und schließlich den Namen des Kontoinhabers samt Adresse.

»Was ist das?«, fragte Oliver. Alex antwortete nicht.

»Ist es üblich, Adressen und Namen anzugeben?«, fragte Justin.

»Das ist nicht ungewöhnlich«, Alex nickte, »durch das Bankgeheimnis ist die Bank zur Geheimhaltung solcher Daten verpflichtet, und wie du gesehen hast, ist es nicht möglich, zufällig auf diese Dateien zu stoßen. Es scheint mir ziemlich sicher.«

Sie überflog den Kontoauszug des Kontos mit dem Namen ›Amazed‹, das auf einen Mr Frederick P. Hofmann lautete. Zu ihrem Erstaunen gab es keine Aktienfonds oder Wertpapierportfolios, sondern nur Bareinzahlungen, die allerdings regelmäßig und in beeindruckender Höhe erfolgt waren.

»Was ist es?«, drängte Oliver neugierig.

»Das, was zu finden ich befürchtet habe«, Alex blickte ihn an, »Bestechungsgelder auf Nummernkonten.«

Oliver riss die Augen auf, und Alex wandte sich wieder dem Bildschirm zu.

»Senator Fred Hofmann«, sagte sie, »den kenne ich!«

Sein Konto hatte ein Guthaben von 1,8 Millionen Dollar. Unversteuert, illegal und bar eingezahlt.

»Weiter?«, fragte Justin, seine Finger schwebten über der Tastatur.

»Zachary St. John«, erwiderte Alex und rieb nervös ihre feuchten Handflächen aneinander. Justin tippte den Namen ein, und Sekunden später erschien sein Depotauszug.

»Deckname: Goldfinger«, Justin grinste.

»Typisch«, sagte Alex verächtlich und betrachtete staunend, was Zack im Laufe der Jahre angehäuft hatte. Auch bei ihm gab es nur Bareinzahlungen, deren Umfänge Alex den Atem stocken ließen. Zack hatte nicht gekleckert! Das Guthaben seines Kontos belief sich auf stattliche 22 Millionen Dollar.

»Nicht zu fassen«, sie schüttelte den Kopf. Während der nächsten zwei Stunden arbeiteten sie sich durch sämtliche 54 Geheimkonten des Bankhauses Levy & Villiers in Georgetown auf Grand Cayman. Und das, was sie fanden, schien auf einen der größten Korruptionsfälle aller Zeiten hinzuweisen. Sie stießen auf die Namen von Gouverneur Robert Landford Rhodes, von John de Lancie, dem Bundesstaatsanwalt von New York, von David Norman, einem Vorstandsmitglied der NYSE, und Jerome Harding, dem Chef der New Yorker Polizeibehörde. Greg Tarrance war ein hoher Beamter bei der Strafverfolgungsbehörde der SEC, sein Name war Alex bekannt, denn er tauchte immer wieder im Zusammenhang mit Untersuchungen auf. Senator Hofmann war nur einer von zahlreichen Politikern, die sich einen steuerfreien Nebenverdienst gönnten. Die Einzahlungen auf alle Konten waren immer an denselben Tagen erfolgt, und es hatte sich stets um Bargeld gehandelt. Allmählich verstand Alex, was hier vor sich ging, und sie konnte nicht umhin, denjenigen, der sich dieses eigentlich recht einfache, aber dennoch geniale System ersonnen hatte, widerwillig zu bewundern. Wenn Alex St. John von einem bevorstehenden Geschäft unterrichtete, wies dieser Jack Lang, den Broker der eigens für diesen Zweck gegründeten Firma MPM, an, Papiere des Unternehmens zu kaufen, das Ziel einer Fusion oder Übernahme werden sollte. Wenn der Kurs der Papiere in die Höhe schoss, weil die Bekanntmachung der bevorstehenden Übernahme erfolgt war, verkaufte Lang, und der Ertrag aus diesen Verkäufen wurde bar nach Grand Cayman transportiert, wahrscheinlich von St. John persönlich. Mit einer der Privatmaschinen Vitalis konnte er problemlos den Zoll umgehen und ging ein minimales Risiko ein, entdeckt zu werden. Selbstverständlich war diese Methode der Geldbeschaffung im höchsten Maße illegal, aber man hatte sich abgesichert, denn auf der Schmiergeldliste standen nicht nur hochrangige Richter und Staatsanwälte, sondern ebenso Mitglieder der Börsenaufsichtsbehörde und Vorstände der New Yorker Börse. Falls es tatsächlich einmal Probleme geben sollte, hatte niemand Interesse daran, dem nachzugehen. Alex erinnerte sich lebhaft an PBA Steel. Kein Wunder, dass Sergio sich keine Sorgen gemacht hatte und die Untersuchung bereits nach zwei Tagen ergebnislos im Sande verlaufen war! Sergio bestach die einflussreichsten Männer der Stadt und des Staates, ja seine Verbindungen reichten bis nach Washington. Ob Kongress, Senat, Justiz-, Finanz- oder Verteidigungsministerium, überall hatte er seine ›Freunde‹ sitzen, gegen die er mit diesen Kontoauszügen wunderbare Druckmittel in der Hand hatte. Allein der Tatbestand der Bestechlichkeit war für Politiker und Beamte ruinös, aber die Tatsache, dass sie das Geld nicht versteuerten, war als Steuerbetrug und -hinterziehung im höchsten Maße strafbar.

»Manche kassieren bis zu zehn Riesen im Monat«, staunte Justin. »Dieser hier scheint nicht ganz so wichtig zu sein. Er kriegt nur drei.«

Alex' Blick fiel auf den Namen, und sie erstarrte. *Raymond Howard*. Alex dachte an den Mann mit dem schütteren blonden Haar, den sie das erste Mal im City Plaza und dann gestern Abend in Gracie Mansion gesehen hatte. Das war der Mann, nach dem Nick Kostidis suchte! Er ahnte, dass sich ein Spitzel Vitalis in seinem Stab befand, aber er wusste nicht, dass es sich um einen seiner engsten Mitarbeiter handelte. Und dann fiel ihr ein, wo sie ihn zuletzt gesehen hatte. Er und Zack waren zusammen im *Luna Luna* gewesen, an dem Abend, an dem sie den Maxxam-Deal mit ihren Mitarbeitern gefeiert hatte. Raymond Howard kannte Zack. Jetzt, wo sie es wusste, musste sie es Nick mitteilen. Sie konnte ihn unmöglich weiter im Dunkeln tappen lassen.

***

»Was wirst du jetzt tun?«, fragte Justin, als sie müde und wie gerädert gut 16 Stunden nach ihrer Ankunft das Gebäude des Media Lab verließen. Draußen dämmerte der Morgen herauf, und die Vögel sangen in den Bäumen. Justin hatte sämtliche Unterlagen ausgedruckt, und Alex trug sie in ihrer Tasche bei sich. Sie fühlte sich, als hätte sie puren Sprengstoff unter dem Arm.

»Ich weiß es nicht«, erwiderte sie, »aber ich habe keine Lust, mich zur Zielscheibe zu machen. Wenn Vitali erfährt, dass ich von diesen geheimen Konten weiß, wird er mich umbringen.«

Justin starrte sie an.

»Das ist nicht dein Ernst.«

»Absolut«, Alex nickte, »hier geht es nicht um eine kleine Unterschlagung. Das ist ein groß angelegtes Bestechungssystem, und ich stecke mittendrin. Seit heute kann ich nicht mehr behaupten, dass ich nichts weiß.«

Sie hatten den leeren Parkplatz erreicht, auf dem nur noch Justins verstaubter Datsun stand. Sie quetschten sich in das kleine Auto, und Justin setzte sie eine halbe Stunde später vor dem Flughafengebäude ab, nachdem Oliver und Alex sich bei ihm für seine unglaublich wertvolle Hilfe bedankt und ihm versprochen hatten, ihn auf dem Laufenden zu halten. Schweigend betraten sie die Abflughalle für Inlandsflüge und erkundigten sich am Schalter von Delta, wann die nächste Maschine nach New York ging. Sie reservierten zwei Plätze für den Flug um zwanzig nach sechs und gingen dann in die Kaffeebar, in der sich nur ein paar frühe Reisende und die Crew einer fernöstlichen Fluggesellschaft die Wartezeit vertrieben. Alex merkte, dass Oliver gerne über etwas ganz anderes mit ihr gesprochen hätte, aber sie vermochte ihre Gedanken nicht von dem zu lösen, was sie in den vergangenen Stunden erfahren hatte. Sie hatte in New York keine Zukunft mehr. Stumm tranken sie ihren Kaffee und kauten Donuts, und Alex starrte auf den Fernseher über dem Tresen, auf dem CNN lief. Plötzlich ließ sie ihre Kaffeetasse sinken. Alles Blut wich aus ihrem Gesicht, als sie verstand, über was der Reporter sprach. Sie sprang auf und lief an den Tresen.

»Können Sie das bitte mal lauter machen?«, fragte sie die Bedienung, die mit einem Achselzucken die Fernbedienung ergriff und den Ton lauter drehte. Entsetzt und fassungslos lauschte sie dem Reporter.

»... die ersten Untersuchungen der Sprengstoffexperten des FBI haben ergeben, dass es sich bei der Explosion, die sich am Sonntagvormittag im Park von Gracie Mansion, der Residenz des New Yorker Bürgermeisters Nicholas Kostidis, ereignet hat, um ein Sprengstoffattentat gehandelt hat. Die Bombe befand sich im Motorraum der gepanzerten Limousine des Bürgermeisters.

Bei dem Anschlag wurden Kostidis' Frau Mary, sein Sohn Christopher und dessen Verlobte Britney Edwards getötet. Ihre Leichen verbrannten bis zur Unkenntlichkeit. Ein weiterer Mann, der die drei Menschen aus der Feuerhölle retten wollte, erlitt so schwere Verbrennungen, dass er eine Stunde später in einer Bostoner Spezialklinik seinen Verletzungen erlag. Bürgermeister Kostidis, dem dieses Attentat offenbar gegolten hat, wurde mit Verbrennungen und einem schweren Schock ebenfalls in ein Krankenhaus eingeliefert. Über seinen Zustand war bis jetzt noch nichts zu erfahren ...«

»Oh, mein Gott!«, flüsterte Alex. Das Herz hämmerte in ihrer Brust, ihr wurde übel. Das konnte doch nicht wahr sein! Noch vor 24 Stunden hatte sie mit Mary und Christopher Kostidis geplaudert. Und nun sollten sie tot sein? Oliver war ebenfalls aufgestanden und legte nun seinen Arm um ihre Schultern.

»Ich war am Samstagabend noch in Gracie Mansion«, Alex zitterte am ganzen Körper, »und jetzt sind sie tot! Ich kann es einfach nicht fassen!«

Oliver nahm sie fester in seine Arme und streichelte tröstend ihr Haar. Auf dem Fernsehbildschirm wurden Bilder aus dem Park von Gracie Mansion gezeigt. Alex sah die schwelenden Überreste des Autos, in dem drei Menschen, die sie persönlich gekannt hatte, den Tod gefunden hatten. Die Gewalt der Detonation hatte die schwere Limousine in zwei Teile gerissen und aus dem Park ein Schlachtfeld gemacht.

»Entschuldigung«, Alex befreite sich aus Olivers Armen, stürzte aus der Kaffeebar und erreichte gerade noch die Toilette, bevor sie sich übergeben musste. Die Tränen strömten über ihr Gesicht, als sie zitternd und schluchzend in der engen Kabine auf dem Boden hockte. Nick Kostidis hatte in den Tagen nach dem Anschlag auf Sergio und Cesares Tod in aller Öffentlichkeit gefährliche Vermutungen angestellt. Sie hatte ihn für seinen Mut bewundert, aber nun begriff sie, dass diese Worte der Grund für das Bombenattentat gewesen sein mussten. Der Bürgermeister war zu nahe an eine gefährliche Wahrheit herangekommen und zu einem Risiko geworden. Zu einem Risiko für Sergio Vitali. Alex presste ihr Gesicht in die Hände. Es konnte niemand anderes als er dahinterstecken, der Mann, der ihr vor wenigen Tagen einen Heiratsantrag gemacht hatte! Sie wischte sich die Tränen von den Wangen. Nick Kostidis hatte sie mehrfach um Hilfe gebeten, und sie hatte sie ihm verweigert, aus Angst vor den Konsequenzen. Sie war feige gewesen, und nun war Nicks Familie auf grausame Art und Weise ausgelöscht worden. Alex schloss die Augen. Hatte sie nicht auch Schuld daran? Seit dem vergangenen Sommer wusste sie, dass David Zuckerman in Sergios Auftrag erschossen worden war. Hätte sie das damals Nick mitgeteilt, wäre alles anders gekommen. Oder nicht? Sie fühlte sich so elend wie nie zuvor in ihrem Leben. Allmählich wurde ihr die unglaubliche Tragweite ihrer Entdeckung bewusst, und fast bereute sie ihre Neugier. Längst ging es nicht nur mehr um Lügen und verletzten Stolz. Wenn sie ihr Wissen benutzte, mit dem sie zweifellos einen Skandal von unvorhersehbaren Dimensionen auslösen würde, stand mehr als nur ihr Job auf dem Spiel. Sergio würde nicht tatenlos mit ansehen, wie sein Imperium ins Wanken geriet, und sie wusste genau, wozu er in der Lage war. Sie hatte Angst, entsetzliche Angst. Und es gab niemanden, der ihr helfen konnte.

***

Die Maschine aus Boston landete um halb acht. Oliver und Alex fuhren gemeinsam mit einem Taxi nach Manhattan.

»Was wirst du jetzt tun?«, fragte Oliver besorgt.

»Ich kann gar nichts tun«, erwiderte Alex, und die Angst überfiel sie wie Schüttelfrost. Sie vergewisserte sich, dass die Scheibe zum Fahrer geschlossen war, dennoch flüsterte sie.

»Ich weiß, dass Sergio im letzten Sommer David Zuckerman ermorden ließ. Und er hat das Attentat auf Kostidis verüben lassen. Wenn er erfährt, dass ich auch nur ansatzweise etwas ahne, bin ich tot.«

Oliver starrte sie fassungslos an.

»Ich muss das Spiel weiter mitspielen und versuchen, mich aus der Sache herauszumanövrieren, indem ich schlechte Geschäfte mache, an denen sie nichts mehr verdienen. Es gibt keine andere Möglichkeit.«

»Was machst du mit den Papieren?«

»Ich werde sie morgen in einen Banksafe bei irgendeiner Sparkasse tun.«

»Lass mich das machen«, Oliver ergriff ihre Hand.

»Nein«, sie schüttelte heftig den Kopf, »ich will nicht, dass dir noch einmal etwas zustößt. Diese Sache muss ich alleine ausfechten.«

Sie sahen sich stumm an.

»Danke«, flüsterte Alex, als das Taxi vor dem Haus hielt, in dem sie wohnte.

»Pass auf dich auf, Alex, bitte«, sagte Oliver ernst, »und ruf mich an, sobald du kannst. Zusammen finden wir eine Lösung.«

Sie nickte und küsste ihn rasch auf die Wange, bevor sie ausstieg. Schon der Gedanke daran, dass es Sergios Wohnung war, in der sie lebte, erfüllte sie mit Grauen.

Nachdem sie geduscht und sich umgezogen hatte, schob sie die Ausdrucke der Nummernkonten unter den Fernsehapparat. Auf dem Weg zur U-Bahn kaufte sie das *Wall Street Journal* und stieß während der Fahrt nach Downtown auf der fünften Seite auf einen kleinen Artikel, in dem sich einer der *Journal*-Journalisten darüber wunderte, weshalb Syncrotron gestern in Insolvenz gegangen waren, obwohl in den vergangenen Tagen ein bemerkenswert reger Handel mit Syncrotron-Papieren zu verzeichnen gewesen war. ›... *es stellt sich die Frage*‹, las Alex mit einem grimmigen Lächeln, ›*wer die Aktien eines zukunftslosen Unternehmens wie Syncrotron, das so offensichtlich in Liquiditätsschwierigkeiten steckt, überhaupt noch kauft. Zumindest wird der kleine Hersteller von Chip-Platinen, der sich durch ein unfähiges Management und Innovationsarmut vom Geheimtipp zur Doppelnull entwickelt hat, für einige wagemutige Anleger heute zum Alptraum werden ...*‹ Alex faltete die Zeitung zusammen. Mittlerweile musste Zack es wissen. MPM saß auf einem ganzen Haufen wertloser Aktien. Sie glaubte nicht, dass die Firma dadurch in ernsthafte Schwierigkeiten geraten würde, denn die Aktienkäufe waren sicherlich von LMI oder sogar von Sergio persönlich finanziert worden. Insofern würde kein ungeduldiger Kreditgeber die Rückzahlung des aufgenommenen Geldes fordern, wie es ab und zu passierte, wenn ein Anleger sich verkalkuliert hatte. Das würde nicht das Problem sein. Allerdings war es möglich, dass die SEC eine Untersuchung anberaumte, schließlich war es sehr ungewöhnlich, dass jemand ein so großes Aktienpaket eines bekanntermaßen bankrotten Unternehmens anhäufte. Das stank geradezu nach Insiderhandel. Alex wünschte, sie hätte sich irgendwo verkriechen können. Der fehlende Schlaf und die entsetzliche Nachricht von dem Bombenattentat hatten sie in einen Zustand resignierter Mutlosigkeit versetzt, und sie fühlte sich einer bevorstehenden Konfrontation mit Sergio oder Zack nicht gewachsen. Die neue Klarheit, mit der sie ihre Situation erkannte, war beängstigend und lähmend. Nur ein kleiner Fehler von ihr konnte verheerende Folgen haben.

***

Als sie um halb zehn im Laufschritt durch den blau gefliesten U-Bahnhof Wall Street West zu den Rolltreppen hastete, konnte sie es kaum fassen, dass das Leben so unberührt weiterging. Alles schien sich angesichts dessen, was geschehen war und was sie erfahren hatte, verändert haben zu müssen, doch im hellen

Sonnenlicht des Montagmorgens präsentierte sich die Stadt so geschäftig und unbeeindruckt wie immer.

An der Glastür vor dem Handelsraum erblickte Alex ihre Sekretärin, die händeringend nach ihr Ausschau hielt.

»Alex!«, rief sie erleichtert und lief ihr entgegen. »Endlich! Das Telefon steht gar nicht mehr still! Und Mr St. John wartet in Ihrem Büro auf Sie. Er ist furchtbar außer sich!«

»Hallo, Marcia«, erwiderte Alex nur. Die gewohnte Atmosphäre half ihr, ihrer Verwirrung Herr zu werden. Sie durchquerte den Handelsraum und nickte den Händlern zu, die wie gewöhnlich durcheinanderschrien und wild gestikulierend telefonierten. Mit Schwung stieß sie die Glastür ihres Büros auf. Zack, der nervös umhergewandert war, fuhr herum.

»Wo zum Teufel warst du das ganze Wochenende?«, schrie er anstelle einer Begrüßung aufgebracht. »Warum gehst du nicht an dein Handy?«

»Guten Morgen, Zack«, erwiderte Alex mit gespielter Gelassenheit, »ich war auf dem Land. Ist irgendetwas passiert?«

»Was ist mit Syncrotron los?«

»Syncrotron?« Alex tat erstaunt und sah ihn an. Zack war totenbleich im Gesicht, tiefe Ränder lagen unter seinen Augen. Von seiner Arroganz und Überheblichkeit war nichts mehr übrig.

»Ja, verdammt! Hörst du schlecht?«

»Weshalb regst du dich so auf?« Alex setzte sich hinter ihren Schreibtisch und begann, die Telefonnotizen, die Marcia ihr fein säuberlich hingelegt hatte, durchzusehen.

»Hier!« Zack knallte ihr die Zeitung auf den Tisch, die sie vorhin selbst gelesen hatte, und die Zettel flatterten durcheinander. Er tippte mit dem Finger auf den Artikel über den Konkurs von Syncrotron, als wolle er die Tischplatte durchbohren. Sie warf einen raschen Blick auf die Zeitung.

»Welcher Idiot hat sich denn da wohl noch mit Aktien eingedeckt?«, sagte sie ruhig. Zack verschlug es die Sprache, er lief blutrot an.

»Aber ... aber ... du ... du hast doch«, stotterte er und brach ab, als er ihren verständnislosen Blick bemerkte. Tatsächlich hatte Alex nie auch nur ein Wort von Syncrotron gesagt, er hatte lediglich auf ihrem Schreibtisch und in ihrem Computer Pläne für einen LBO gefunden, in dem es um die Übernahme von Syncrotron durch MicroGenetics ging.

»Was habe ich?« Alex sah ihn mit hochgezogenen Brauen an, doch innerlich triumphierte sie. Zack war in seiner Gier blind in ihre Falle getappt, ja er hatte sich nicht einmal über Syncrotron informiert, wie es jeder richtige Banker getan hätte. Er starrte sie an. In seinen Augen stand eine mörderische Wut.

»Warum bist du überhaupt so außer dir?« Alex zwang sich zu einem Lächeln. »Wir haben doch mit Syncrotron gar nichts zu tun.«

Das war zu viel für Zack. Er war so voller Zorn, dass er nicht mehr klar denken konnte.

»Du hast für Syncrotron einen LBO ausgearbeitet!«, platzte es aus ihm heraus. »Ich weiß es genau! Die Zahlen sahen gut aus, es schien eine sichere Sache zu sein!«

»Ich soll für ein Unternehmen, das bekanntermaßen kurz vor dem Bankrott steht, einen LBO erstellt haben? Das wäre doch reine Zeitverschwendung gewesen«, Alex schüttelte verständnislos den Kopf. »Wie kommst du auf so etwas?«

»Ich ... ich habe ... ich bin ...«, er wischte sich mit dem Handrücken den Schweiß von der Stirn, dann holte er tief Luft, »ich habe auf deinem Schreibtisch Unterlagen über dieses Geschäft gesehen.«

Alex konnte es nicht fassen, dass er das tatsächlich zugab.

»Wenn ich dich richtig verstehe, hast du auf meinem Schreibtisch herumgeschnüffelt«, stellte sie fest. »Abgesehen davon, dass das eine Frechheit ist, sage ich dir, dass ich ...«

Sie machte eine Pause und schlug sich mit der Hand gegen die Stirn, als ob ihr gerade etwas einfiele.

»Ach, jetzt weiß ich auch, was du meinst!«, sagte sie. »Ich hatte einen neuen Kunden in Aussicht. Es ist schon ein paar Monate her, ich glaube, ich hatte dir sogar davon erzählt. Für die habe ich tatsächlich Berechnungen angestellt. Ich hatte nur den richtigen Namen durch ein Pseudonym ersetzt. Kann sein, dass ich Syncrotron genommen habe.«

Zack sah aus, als ob er jeden Augenblick ohnmächtig werden würde.

»Das mache ich öfter so«, Alex lächelte. »Ich will ja nicht, dass jeder sofort weiß, woran ich arbeite.«

Zack sackte auf den Sessel vor ihrem Schreibtisch und fuhr sich mit allen zehn Fingern durchs Haar.

»Wie kommst du überhaupt dazu, auf meinem Schreibtisch …«, begann Alex, aber Zack fiel ihr ins Wort.

»Verdammt!«, fauchte er. »So eine blöde Scheiße! Du gibst Kunden andere Namen? Das ist ja wohl das Beschissenste, was ich je gehört habe!«

»Ich verstehe deine Aufregung nicht«, Alex tat konsterniert, »außerdem ist es meine Sache, wie ich meine Projekte verschlüssele, oder nicht?«

Zacks Blick irrte durch das Büro. So mussten die Verzweifelten nach dem Börsenkrach am Schwarzen Montag ausgesehen haben, als sie erfahren hatten, dass sie über Nacht arme Schlucker geworden waren.

»Ach«, Alex sah ihn scharf an, »sag bloß, du hast auf eigene Faust spekuliert? Und bist reingefallen.«

Sie lehnte sich zurück.

»Hast du etwa schon öfter in Geschäfte investiert, von denen du durch mich erfahren hast? Das nennt man Insiderhandel.«

»Ich könnte dir den Hals umdrehen«, zischte er mit zusammengebissenen Zähnen, dann sprang er auf und verließ ihr Büro. Das Lächeln erstarb auf Alex' Gesicht, als er verschwunden war. Sein erboster Auftritt räumte den letzten, winzigen Rest an Zweifeln aus, den sie gehabt haben mochte. Zack scheute nicht einmal davor zurück, in ihren Computer einzudringen und ihren Schreibtisch zu durchwühlen, um zu erfahren, woran sie gerade arbeitete. Sie war Teil eines gewaltigen Komplotts, das war die unwiderrufliche Wahrheit. Alex sammelte die Telefonnotizen ein und begann, sie zu sortieren. Sergio hatte versucht, sie zu erreichen. Aus taktischen Gründen musste sie ihn jetzt anrufen, auch wenn sich in ihrem Innern alles dagegen sträubte, denn ihre Abneigung gegen ihn hatte sich spätestens seit heute Morgen in nackte Angst verwandelt. Sie musste so tun, als sei sie furchtbar empört über Zacks Vertrauensbruch und die verbotenen Geschäfte, die er tätigte, und sie musste sich ganz normal verhalten. Sergio durfte auf gar keinen Fall irgendeinen Verdacht schöpfen.

* * *

Die ganze Stadt war seit dem Bombenattentat wie gelähmt. Eine Welle des Mitgefühls ging durch alle Schichten der Bevölkerung, und selbst diejenigen, die Nick Kostidis und seine Politik nicht unterstützten, trauerten ehrlich um die Familie des Bürgermeisters, die auf eine so grausame Weise ums Leben gekommen war. In den Tagen nach dem Attentat legten unzählige Menschen vor den Toren von Gracie Mansion und der City Hall Blumensträuße nieder, zündeten Kerzen an und warteten geduldig in der glühenden Sommerhitze, bis sie sich in eines der ausliegenden Kondolenzbücher eintragen konnten. In den Fernseh- und Radiosendern sowie den Zeitungen des ganzen Landes war der Anschlag seit zehn Tagen das Top-Thema, jede noch so kleine Neuigkeit darüber wurde ausführlich diskutiert. Es gab die wildesten Spekulationen über die Hintergründe, die zu diesem Attentat geführt haben mochten. Der Wahrheit indes war man nicht näher gekommen. Vor der City Hall und dem Mount-Sinai-Krankenhaus, in das man Nick Kostidis gebracht hatte, harrten die Menschen auf Nachrichten über den Gesundheitszustand des Bürgermeisters, in sämtlichen Kirchen und Synagogen der Stadt wurden Gottesdienste für die Opfer des Anschlages und den Mann, der dabei seine ganze Familie verloren hatte, gelesen. Frank Cohen hatte die entsetzlichsten zehn

Tage seines Lebens hinter sich. Seit jenem schrecklichen Sonntagmorgen war er ein Dutzend Mal von allen möglichen Leuten über die Vorfälle in Gracie Mansion befragt worden. Obwohl er kein Augenzeuge der Explosion gewesen war, hatten ihm das FBI, Beamte des NYPD und des Innenministeriums immer wieder dieselben Fragen gestellt. Hatte Nick Kostidis Feinde? Natürlich – was für eine dumme Frage! Jeder Mann in einer vergleichbaren Position hatte Feinde, und Nick hatte oft genug durch seine schonungslose Offenheit anderen empfindlich auf die Füße getreten. Das Schlimmste an den endlosen Befragungen war aber, dass Frank wusste, wer tatsächlich hinter dem Anschlag steckte, doch er konnte es nicht sagen, bevor er nicht mit Nick darüber gesprochen hatte. Voller Grauen erinnerte er sich an den Anblick Raymond Howards. Jedes Mal, wenn er die Augen schloss, sah er dessen entstelltes Gesicht vor sich. Die Explosion hatte ihm beide Hände abgerissen, und es wäre gnädiger gewesen, wäre er sofort tot gewesen. Als die Sicherheitsbeamten Nick ins Haus gebracht hatten, war Frank zu seinem Kollegen gegangen. Noch fünf Minuten zuvor war Ray Howard ein gutaussehender Mann mit einem durchtrainierten Körper gewesen, aber die Flammen hatten aus ihm einen Zombie gemacht. Die Haare, die Augenbrauen – alles war verbrannt. Die Haut schien geschrumpft. Ray hatte wie eine Mumie ausgesehen, aber er hatte noch gelebt. Trotz des Ekels hatte Frank sich über ihn gebeugt, als die Sanitäter den verbrannten Körper vorsichtig in eine Aluminiumfolie gewickelt hatten. Rays Armstümpfe hatten sich nach ihm ausgestreckt, die Augen in dem grauenhaft entstellten Gesicht hatten ihn verzweifelt angesehen. Wieder und wieder hatte er versucht, ihm etwas zu sagen, bis Frank endlich verstanden hatte. Ray hatte ihm gesagt, wer für den Anschlag verantwortlich war, und es war keine Überraschung gewesen. Wirklich niederschmetternd war die Erkenntnis, dass Ray Howard, der Mann, mit dem Frank seit sechs Jahren beinahe jeden Tag zusammengearbeitet hatte, der Maulwurf war, den Nick so verzweifelt gesucht hatte.

Frank Cohen hatte die schwere Aufgabe übernommen, die Angehörigen der Opfer zu verständigen. Er hatte Marys Schwester Maureen, ihre Eltern und die Eltern von Britney Edwards angerufen, er hatte mit den fassungslos weinenden Hausangestellten von Gracie Mansion gesprochen und war dann in die City Hall gefahren, um eine Verantwortung zu übernehmen, die zentnerschwer auf seinen Schultern lastete. Am liebsten hätte er sich irgendwo verkrochen, um zu weinen, denn er verehrte Nick Kostidis wie einen Vater. Nick hatte noch längst nicht wirklich begriffen, was geschehen war, und es bekümmerte Frank zutiefst, dass er ihm nicht helfen konnte. Aber er durfte nicht zusammenbrechen und weinen wie Allie Mitchell und viele andere Mitarbeiter aus dem Stab des Bürgermeisters, er musste stark bleiben, weil er wusste, dass Nick jemanden brauchte, auf den er sich rückhaltlos verlassen konnte. Jedermann in der City Hall war in den Tagen nach dem Anschlag wie betäubt. Niemand lachte, keiner sprach ein lautes Wort, und alle fragten sich, wie es nun weitergehen würde. Sämtliche offiziellen Termine waren abgesagt worden, die Fahnen in ganz New York City wehten auf halbmast. Täglich erreichten Hunderte von Beileidswünschen in Form von Briefen, Postkarten, Telefaxen, Telegrammen, E-Mails und Anrufen das Büro des Bürgermeisters. Es war Frank ein kleiner Trost, dass selbst in dieser kalten, monströsen Stadt Menschen lebten, die ein mitfühlendes Herz besaßen. Frank, der eigentlich die Begegnung mit der Öffentlichkeit scheute, wuchs in diesen Tagen über sich selbst hinaus. Er trat vor die Presse, berief einen Krisenstab ein und behielt den Überblick; er sorgte dafür, dass nach Abschluss der polizeilichen Untersuchungen die Spuren der Explosion im Park von Gracie Mansion und am Haus selbst beseitigt wurden. Schon bald erinnerte auf den ersten Blick nichts mehr an die Tragödie, die sich an jenem Sonntagmorgen dort abgespielt, vier Menschenleben ausgelöscht und eines vielleicht für immer zerstört hatte.

***

Vincent Levy und Sergio Vitali saßen sich an einem Tisch im *La Côte Basque,* einem kleinen Restaurant an der Madison Avenue mit hervorragender französischer Küche, gegenüber. Levy hatte Sergio ausführlich über das Debakel mit Syncrotron berichten müssen, nachdem dieser es von Alex erfahren hatte. Am liebsten wäre es Levy gewesen, wenn Sergio nichts davon erfahren hätte, aber nun schien es ihm doch wichtig, neue Sicherheitsmaßnahmen zu besprechen.

»Zack hat sich leider sehr dumm benommen«, beendete Levy seine Ausführungen.

»Der Mann hat schlechte Nerven«, erwiderte Sergio.

»Ja. Leider. Vor allen Dingen, wenn es um Alex Sontheim geht«, bestätigte Levy. »Manchmal macht es fast den Anschein, als sei er eifersüchtig auf ihre Erfolge.«

Sergio runzelte nachdenklich die Stirn. Alex hatte ihn voller Empörung angerufen, und er hatte sich zwingen müssen, ihr ruhig zuzuhören, denn am liebsten hätte er sie angeschrien. Sie war am Samstagabend in Gracie Mansion beim Bürgermeister zu Gast gewesen! Spielte sie ein doppeltes Spiel, oder weshalb hatte sie ihm nichts von dieser Einladung erzählt? Worüber hatte sie mit Kostidis geredet? Ahnte sie, dass er hinter dem Bombenanschlag steckte, der seit Tagen das Hauptgesprächsthema in der Stadt war? Er durfte Alex auf gar keinen Fall unterschätzen. Sie war zu clever, als dass er sich einen Fehler erlauben durfte, und im Moment kam es ihm beinahe so vor, als ob sie ihn genau dazu provozieren wollte. Und durch St. Johns Dummheit konnte sie hellhörig werden.

»Wir müssen irgendetwas gegen sie in der Hand haben«, überlegte Levy gerade, »aber was?«

Sergio räusperte sich. Er hatte seit Tagen darüber nachgedacht und wusste, dass Levy recht hatte. Seitdem er erfahren hatte, dass Alex in Gracie Mansion gewesen war, misstraute er ihr ganz und gar.

»Wir werden ein auf ihren Namen lautendes Konto eröffnen und dort Geld einzahlen, das aus Geschäften stammt, die sie für LMI macht. Wir schicken jemanden auf die Bahamas, eine Frau, die ihr ähnlich sieht, buchen einen Flug auf ihren Namen, und wenn sie dort ein Konto hat, haben wir sie in der Hand.«

»Hm«, Levy runzelte nachdenklich die Stirn, »das hört sich ganz gut an.«

Sergio griff in die Innentasche seines Jacketts.

»Hier ist ihr Pass«, sagte er, »ich habe im Moment viel um die Ohren. Kümmere du dich um St. John und sieh zu, dass Ruhe einkehrt. Das Letzte, was ich jetzt brauchen kann, sind unnötige Probleme.«

»Aber ... ich ...«, Levy zögerte.

»Ja?«

»Äh ... ich weiß, dass Alex und du ... nun ... äh ...«

»Ich vögele sie hin und wieder«, Sergio verzog keine Miene. »Na und? Das heißt noch lange nicht, dass ich deshalb irgendein geschäftliches Risiko eingehe. Tu, was du für richtig hältst. Meinen Segen hast du.«

***

Das Zimmer war groß und hell. Vom Fenster aus, das mit einem maschendrahtdünnen Gitter versehen war, hatte man einen herrlichen Blick über den Central Park, doch Nick sah weder die grünen Blätter und den silbrig schimmernden See, noch hörte er die fröhlichen Kinderstimmen und das Hundegebell, das aus dem Park durch das halbgeöffnete Fenster drang. Er saß zusammengesunken auf einem Stuhl und starrte blicklos auf die Wand. Die Hände, mit denen er sonst so lebhaft gestikulierte, waren verbunden und lagen schlaff in seinem Schoß. Die Brandwunden in seinem Gesicht wirkten gegen die tödliche Blässe seiner Haut blutrot. Frank Cohen kämpfte gegen die aufsteigenden Tränen, als er seinen Chef so sah. Derjenige, der Mary, Christopher und Britney Edwards in der Absicht, Nick zu erwischen, getötet hatte, hatte sein Ziel erreicht. Der Nick Kostidis, den Frank gekannt hatte, war in jener Sekunde, in der seine Familie zu Asche verbrannte, gestorben. Dies hier war nur noch der Schatten des Mannes, der er einmal gewesen war. Frank hätte so gerne etwas Tröstliches gesagt, etwas Mitfühlendes, Verständnisvolles, etwas, was Nick in einer solchen Situation gesagt hätte, aber ihm fiel nichts ein.

»Hallo«, sagte er befangen. Nick drehte sich langsam um, und Frank erschrak, als er den stumpfen, erloschenen Blick aus blutunterlaufenen Augen sah. Die Brand- und Fleischwunden an seinem Körper würden verheilen, aber wie es mit den seelischen Verletzungen sein würde, konnte wohl niemand sagen.

»Frank«, Nicks Stimme klang heiser und fremd. Die Medikamente hatten ihn in eine abgrundtiefe, stoische Ruhe versetzt, die an dem sonst so lebhaften und agilen Mann erschreckend wirkte.

»Christophers Auto sprang nicht an«, sagte er unvermittelt. »Ich habe vorgeschlagen, dass sie meinen Wagen nehmen. Wegen der Hitze wollten sie nicht zu spät losfahren.«

Frank biss sich auf die Lippen, um nicht zu weinen.

»Ich habe darauf bestanden. Ich konnte ja nicht ahnen ...« Nick brach ab und holte gequält Luft. »Jetzt sind sie tot. Und ich bin daran schuld.«

»Das sind Sie nicht«, widersprach Frank leise.

»Doch. Ich habe diese Briefe nicht ernst genommen. Ich habe nicht auf Mary gehört. Ich bin schuld, dass sie sterben mussten.«

Nicks Gesicht war ausdruckslos. Er schien weder verzweifelt noch einem Nervenzusammenbruch nahe zu sein. Er war vollkommen emotionslos, und das war beängstigend.

»Ray war der Maulwurf, den ich gesucht habe. Er wusste von der Bombe im Auto. Er hätte es zugelassen, dass ich sterbe, aber er wollte verhindern, dass meine Familie stirbt.«

Frank schluckte und kämpfte gegen die Tränen.

»Warum nur? Warum hat er das getan? Ich kannte ihn so lange, und ich habe ihm vertraut.«

Darauf wusste Frank nichts zu erwidern, denn diese Frage stellte er sich selbst immer wieder.

***

Als er wieder alleine war, stand Nick auf und ging mit schweren Schritten ans Fenster. Er presste seine Stirn gegen das kalte Glas und schloss die Augen. Hätte er mehr Kraft gehabt, so hätte er versucht, das Gitter vor dem Fenster herauszubrechen, um sich in die Tiefe zu stürzen. In den ersten Tagen hatte er dank der starken Beruhigungsmittel, die ihm die Ärzte verabreicht hatten, in einem gefühllosen, tranceartigen Zustand vor sich hin gedämmert. Aber nun schien der Aufschub, den man ihm gnädigerweise gewährt hatte, vorüber zu sein. Nun musste er sich der grausamen Realität stellen. Das Begreifen kam langsam und beängstigend wie eine alles verschlingende schwarze Flutwelle auf ihn zugerollt, und er konnte ihr nicht entkommen. Mary war tot. Christopher war tot. Seine ganze Familie war in ein paar Sekunden ausgelöscht und für immer verschwunden. Sie waren in diesem Feuerball vor seinen Augen zu Asche verbrannt. Es gab nicht einmal die Möglichkeit, von ihren Leichen Abschied zu nehmen, denn es war nichts mehr übrig von den beiden Menschen, die ihm am meisten auf dieser Welt bedeutet hatten. Er verspürte noch immer das fassungslose Entsetzen und die lähmende Hilflosigkeit, die er beim Anblick des brennenden Autowracks empfunden hatte, und nichts konnte die Bilder vertreiben, die sich unauslöschlich in sein Gehirn eingebrannt hatten. Wie in einer endlosen Zeitlupenwiederholung sah er Marys Lächeln, er sah sie winken, er sah Raymond Howard und die Panik in dessen Augen. Und dann sah er den grellen Flammenblitz, spürte die ungeheure Gewalt der Detonation, die den tonnenschweren gepanzerten Wagen wie ein Spielzeugauto in zwei Teile zerrissen hatte. Nick presste verzweifelt seine verbrannten Hände auf die Ohren und schloss die Augen, aber die Bilder und Geräusche waren in seinem Kopf und ließen sich nicht abschalten oder dämpfen. Und doch war keine Trauer in seinem Herzen, kein Schmerz und kein Zorn, nur Leere und Taubheit. Er hörte die Menschen, die mit ihm sprachen, er sah ihre Besorgnis und ihr Mitgefühl und wusste, dass sie ihm helfen wollten, aber wie sollten sie das tun? Zwischen ihnen lag ein reißender schwarzer Fluss, und dieser Fluss war seine Schuld. Es gab keinen Trost und keine Rettung für ihn und erst recht keine Aussicht darauf, jemals wieder der zu werden, der er gewesen war, denn er war schuld daran, dass Mary und Christopher tot waren. In seiner Besessenheit war er zu weit gegangen, jetzt musste er dafür büßen. Sein ganzes Leben würde er nun mit dieser Schuld leben müssen. Das Schicksal hatte ihn verschont, aber zu welchem Preis? Nick krümmte sich wie unter Schmerzen. Sein Herz lag schwer wie ein Stein in seiner Brust, und er fürchtete den Tag, an dem er die schützenden Mauern des Krankenhauses verlassen und dem Leben wieder ins Auge sehen musste.

***

Frank brach in Tränen aus, als er in der Tiefgarage des Krankenhauses in sein Auto gestiegen war. Er legte die Stirn auf das Lenkrad und schluchzte, erschüttert und verzweifelt. Wenn er doch nur irgendetwas für Nick tun könnte, etwas, das ihm seinen Schmerz und seinen Kummer erleichtern konnte! Aber es gab nichts, keine Möglichkeit, denn Nick ließ es nicht zu. Er hatte sich tief in seinem Innern eingeschlossen, und nichts und niemand gelangte an ihn heran. Plötzlich hielt Frank inne und hob den Kopf. Doch! Es gab jemanden, der möglicherweise helfen konnte! Er erinnerte sich daran, wie sehr Nick seinen alten Freund, den Jesuitenpater Kevin O'Shaughnessy vom Kloster St. Ignatius in Brooklyn schätzte. Obwohl Frank völlig erschöpft war und sich nach den zehn schrecklichen Tagen nur nach seinem Bett und Ruhe sehnte, ließ er den Motor an und fuhr aus der Tiefgarage heraus. Er fuhr auf direktem Weg nach Brooklyn. Es mochte ein Strohhalm sein, an den er sich klammerte, aber manchmal hatte schon ein Strohhalm Leben gerettet.

***

»Sie wissen so gut wie ich, dass wir Alex brauchen, Zack!«, rief Vincent Levy ärgerlich. »Also hören Sie schon auf, den Beleidigten zu spielen, und begrenzen Sie den Schaden, den Sie angerichtet haben!«

»Wie kommt sie dazu, ihren Kunden falsche Namen zu geben?« St. John ballte zornig die Faust.

»Wie kommen *Sie* dazu, auf ihrem Schreibtisch und in ihrem Computer herumzuschnüffeln und ihr das auch noch auf die Nase zu binden?«, entgegnete Levy ärgerlich. Durch einen Fehler, wie Zack ihn begangen hatte, konnte das ganze lukrative System auffliegen. Alex war zu clever, und wenn sie einmal misstrauisch wurde, konnte das gefährliche Folgen haben.

»So eine blöde Zicke«, sagte Zack, »ich könnte sie …«

»Sie führen sich wie eine eifersüchtige Primadonna auf«, unterbrach Levy ihn scharf.

»Ich bin nicht eifersüchtig!«, stritt der Managing Director von LMI ab.

»Wie auch immer«, Levy warf einen Blick auf seine Uhr, »ich halte es angesichts der Umstände für angebracht, dass wir uns ein Druckmittel gegen Alex beschaffen.«

»Ein Druckmittel?« Zack blickte erstaunt auf.

»Ja«, der Präsident von LMI klang spöttisch, »dank Ihrer hysterischen Reaktion ist es möglich, dass sie Verdacht schöpft. Und sie ist intelligent genug, um alles zu durchschauen.«

Er öffnete seine Schreibtischschublade, nahm einen deutschen Reisepass heraus und warf ihn vor Zack auf die Schreibtischplatte.

»Das ist ihr Pass. Sie werden noch heute Nachmittag mit einer jungen Dame, die auf Alex' Namen reisen wird, nach Nassau fliegen. Dort werden Sie ihr behilflich sein, ein Konto bei der Filiale der Schweizer Bank Teignier & Fils zu eröffnen. Sie zahlen 200000 Dollar in bar ein und reisen wieder ab.«

Zack riss die Augen auf, dann grinste er.

»Das ist ja wirklich teuflisch gut! Diese Idee könnte glatt von mir sein!«

Levy zuckte die Schultern und reichte ihm zwei Flugtickets.

»Perfekt. Das haben Sie sich gut ausgedacht, Vince«, Zack rieb sich die Hände. Seine Verärgerung war wie weggefegt, er war wieder ganz obenauf.

»Diese Idee stammt nicht von mir«, antwortete Levy steif.

»Das hätte ich mir denken können«, Zack bedachte seinen Chef mit einem verächtlichen Blick, ergriff die Tickets und den Pass, »so viel Phantasie besitzen Sie nicht.«

»Ich verbitte mir Ihre unangemessenen Kommentare«, sagte Levy. »Vergessen Sie nicht, weshalb Sie im Vorstand von LMI sind. Ein weiterer Fauxpas wie dieser und Sie können die Post sortieren.«

Zacks Gesicht verdunkelte sich, und in seinen Augen erschien ein hasserfüllter Ausdruck.

»Übrigens, Zack«, Levy lächelte leicht, »am Montag fliegen Sie nach L.A. Sie werden dort bleiben, bis sich hier die Wogen etwas geglättet haben. Wir können es uns nicht leisten, Alex zu verärgern.«

»Wie Sie befehlen, *Sir*«, Zack deutete eine übertrieben devote Verbeugung an. »Ich habe übrigens erfahren, dass unsere hochgeschätzte M & A-Leiterin am nächsten Donnerstag einen Termin mit Michael Whithers von Whithers Computers in Dallas hat. Könnte eine große Sache werden, wenn sie sich nicht blöd anstellt.«

»Blöd angestellt hat sich bisher nur einer«, Levy lächelte kühl, »und das waren Sie, mein Bester.«

Zack zog eine Grimasse. Alex würde ihr blaues Wunder erleben, und dieser arrogante Idiot von Levy auch, wenn er ihn weiterhin so abfällig behandelte. Er wusste genug, um den ganzen Laden hochgehen zu lassen.

* * *

Pater Kevin O'Shaughnessy zögerte keine Sekunde, als Frank Cohen ihn um Hilfe bat. Er war erst tags zuvor aus Europa zurückgekehrt und hatte ohnehin mit dem Gedanken gespielt, seinen alten Freund zu besuchen. Im Mount-Sinai-Krankenhaus erfuhr er, dass die Ärzte seinen Besuch als einen letzten Versuch ansahen, bevor sie ihren prominentesten Patienten auf die psychiatrische Station verlegten. Er saß auf dem Stuhl am Fenster und starrte auf seine Hände.

»Guten Abend, Nicholas«, sagte Pater Kevin. Nick hob den Kopf, in seinen Augen glomm ein Funke des Interesses auf, der aber sofort wieder erlosch.

»Guten Abend, Pater«, erwiderte er gleichgültig. Das Herz des Jesuitenpaters wurde schwer vor Mitleid, als er erkannte, was das Schicksal diesem einst so energiegeladenen und furchtlosen Menschen angetan hatte. Vor ihm saß ein gebrochener Mann. Nick Kostidis lebte, aber er war nicht mehr der, der er gewesen war. In seinen dunklen Augen standen das Grauen und Entsetzen, das er erlebt hatte und das ihn noch immer verfolgte. Kevin O'Shaughnessy kannte diesen Ausdruck nur zu gut. So hatten viele der Soldaten ausgesehen, die aus Vietnam heimgekehrt waren. Manche von ihnen hatten das Trauma des Krieges niemals überwinden können, sie konnten die Toten und die Gräuel, die sie mit angesehen hatten, nicht verarbeiten und nie vergessen. Wie viel furchtbarer musste es erst sein, die eigene Familie sterben zu sehen? Was konnte man einem Menschen sagen, der einen solchen Verlust erlitten hatte?

»Nicholas«, Pater Kevin legte dem Bürgermeister von New York City die Hand auf die Schulter, »ich kann mit Worten nicht ausdrücken, welch tiefes Mitgefühl ich für dich empfinde, und wie groß meine Trauer um Mary und Christopher ist.«

»Danke«, Nick seufzte.

»Ich möchte dir helfen. Sag mir, was ich tun kann.«

»Sie können mir nicht helfen, Pater«, Nick schüttelte den Kopf, »niemand kann das.«

»Die Wege des Herrn sind unergründlich, und wir Menschen können sie oft nicht verstehen. Aber nichts geschieht auf Gottes Erde ohne Grund.«

»Welchen Grund kann es geben, drei unschuldige Menschen sterben zu lassen?«, entgegnete Nick bitter.

»Niemand von uns kennt die Stunde seines Todes«, entgegnete der Pater sanft. »Der Herr hat Mary und Christopher zu sich geholt, weil es ihm gefallen hat. Sie sind nun bei ihm. Aber du, du musst weiterleben.«

»Muss ich das?« Nick wandte sein Gesicht wieder ab. »Es ist mir kein Trost, dass sie vielleicht im Himmel sind. Ich frage mich, ob es überhaupt einen Gott gibt, wenn er so etwas zulässt. Mary hat niemals jemandem etwas Böses angetan, und doch hat Gott zugelassen, dass sie … dass sie …«

Er brach ab und fuhr sich mit seiner verbundenen Hand über das Gesicht.

»Selbst Jesus Christus hat in den Stunden der Angst und Hoffnungslosigkeit gezweifelt«, erwiderte der Pater. »Es liegt in der Natur des Menschen zu zweifeln, jeder tut das. Wer nicht zweifelt, kann auch nicht glauben.«

»Ich weiß nicht, ob das alles wahr ist. Ich weiß gar nichts mehr. Es hat doch alles keinen Sinn mehr.« Nick blickte den alten Freund an. »Ich wünschte, ich hätte den Mut, mich umzubringen.«

Der Pater schaute ihn ernst an, dann legte er seine Hände auf seine Schultern.

»Ich erinnere mich an einen kleinen Jungen«, sagte er mit leiser Stimme, »einen Jungen, vor dem ich Respekt hatte, denn er hatte Mut. Er hatte Mut und eine große Vision, die wie ein heller Stern über seinem Weg geleuchtet hat. Der Junge hatte es nicht leicht. Er musste mit ansehen, wie sein Vater starb, seine

Brüder und seine Mutter. Aber er hat nie aufgegeben, und er hat nie verstehen können, dass sein Vater sich aufgegeben hatte. Der Junge hat gekämpft, sein Leben lang.«

Nick verzog das Gesicht.

»Es ist nicht mehr dasselbe«, flüsterte er, »ich habe keine Kraft mehr.«

»Gott wird dir die Kraft geben, das zu ertragen, was er dir auferlegt hat. Auch wenn du im Augenblick nicht verstehen kannst, warum er zulassen konnte, dass Mary und Christopher sterben mussten.«

»Nein! Es gibt keinen Trost!«, erwiderte Nick heftig. »Nicht für mich! Ich bin schuld.«

»Du solltest zulassen, dass man dir hilft«, der Pater ließ ihn los und setzte sich auf den Rand des Bettes.

»Sie wollen, dass ich darüber spreche«, Nicks Stimme klang gequält, »und das kann ich nicht. Ich will nicht reden.«

»Die Ärzte machen sich große Sorgen. Und nicht nur sie. Die ganze Stadt trauert mit dir. Die Menschen warten vor dem Krankenhaus darauf, dass es dir bessergeht, denn sie lieben dich und sie vertrauen dir. Du hast dich zu ihrem Vorbild gemacht, zu ihrem Stern, der sie leitet und ihnen Mut gibt.«

»Nein, nein, nein. Ich will das nicht hören. Ich will nicht, dass andere etwas von mir wollen. Ich will ... ich ...«

»Sie wollen dir helfen.«

»Verdammt! Was erwarten sie denn? Soll ich weinen und schreien und mir die Haare raufen?«

»Ja«, der Pater nickte langsam, »ich glaube, so etwas Ähnliches erwarten sie. Sie warten auf eine Reaktion von dir, an der sie erkennen können, dass du deinen Schock überwunden hast.«

»Ich habe keinen Schock. Ich kann einfach nicht weinen. In mir drin ist alles kalt und tot.«

»Weil du es nicht zulässt. Du hast Angst, die Kontrolle zu verlieren.«

Nick stand auf und trat ans Fenster.

»Das mag sein«, er zuckte die Schultern, »vielleicht habe ich Angst, durchzudrehen.«

Die beiden Männer schwiegen, während die Sonne hinter den Apartmenthäusern der Westside auf der anderen Seite des Parks blutrot versank. Nick atmete schwer. Was konnte es nützen, wenn er über das Grauen sprach, das er immer wieder und wieder erlebte? Es würde nichts ändern. Ihm konnte niemand helfen, auch Gott nicht. Wie sollte er mit dem Gedanken weiterleben können, dass er allein schuld am Tod dieser drei Menschen war? Seine Arroganz, sein Ehrgeiz und seine Besessenheit hatten ihnen den Tod gebracht, den eigentlich er verdient hatte. Weshalb hatte er auch nicht auf Marys Bitten gehört und Vitali einfach vergessen? Er hatte so viel erreicht und so großartige Erfolge gehabt, aber das war ihm nicht genug gewesen. Nein, er war besessen gewesen von dem Gedanken, Vitali zu überführen. Voller Überheblichkeit hatte er geglaubt, er sei unverletzlich. Nun hatte ihn das Schicksal eines Besseren belehrt. Es hatte ihm das Liebste genommen, das er in seinem Leben gehabt hatte. Und die Strafe für seine Schuld würde die Qual sein und die Einsamkeit. Nein, es gab keinen Trost. Nicht für ihn. Aber das würde niemand verstehen.

»Ich liebe den Herrn«, sagte Pater Kevin in diesem Moment mit leiser Stimme, »er hört auf den Ruf meines Flehens. Er hat mir sein Ohr geneigt, am Tage, da ich zu ihm gerufen! Stricke des Todes umwanden mich, Schlingen der Hölle warfen sich über mich, versunken war ich in Angst und Qual. Da rief ich den Namen des Herrn: ›Rette, o Herr, mein Leben!‹ Gut ist der Herr und gerecht, voll Erbarmen ist unser Gott. Die schlichten Herzen behütet der Herr; ich war in Not, und er brachte mir Heil. So kehre denn, meine Seele, zu deiner Ruh', der Herr hat Gutes an dir getan. Er hat mir die Seele vom Tode befreit, die Augen vom Weinen, die Füße vom Sturz. Ich darf noch wandeln vor Gott in der Lebendigen Land ...«

Nick hörte, wie die Bettfedern quietschten, als sich der alte Mann vom Rand des Bettes erhob. Der Jesuitenpater betrachtete ihn voller Mitgefühl und legte ihm wieder die Hand auf die Schulter.

»Wann immer dir danach zumute ist, mein Sohn, kannst du zu mir kommen«, sagte er, »aber lass nicht zu, dass sich dein Herz im Zorn gegen Gott verhärtet.«

Nick schwieg.

»Geh nicht strenger mit dir ins Gericht, als es selbst Gott tun würde«, der Pater richtete sich auf, »auch für dich wird die Sonne wieder scheinen. Der Herr in seiner Gnade wird dir helfen, wenn du ihn darum bittest.«

***

Der Chefarzt und die Oberärzte erwarteten den Jesuitenpater gespannt, als er das Krankenzimmer des prominentesten Patienten der Klinik verließ.

»Hat er mit Ihnen gesprochen?«, fragte Dr. Simmons.

»Ja«, erwiderte Pater Kevin O'Shaughnessy, »aber erwarten Sie nicht von ihm, dass er über das sprechen wird, was ihn quält. Das hat er noch nie getan, seitdem ich ihn kenne, und ich kenne ihn seit beinahe 40 Jahren. Es wird nichts nützen, wenn Sie ihn weiterhin hierbehalten.«

»Sie meinen, wir sollten ihn einfach entlassen, obwohl er noch unter Schock steht?«

»Ja«, der Pater nickte, »im Übrigen bin ich nicht der Meinung, dass er unter Schock steht. Ich bin selbst Arzt und habe langjährige Erfahrung in der Behandlung psychisch gestörter und traumatisierter Menschen, besonders mit Soldaten, die aus Vietnam kamen. Nicholas Kostidis erinnert mich an diese Männer. Sein Verhalten weist alle Symptome einer verspäteten Trauerreaktion auf: gestörte Affektivität und scheinbar fehlende Betroffenheit. Aber in seinem Innern sieht es ganz anders aus.«

Die Ärzte sahen den Pater erstaunt an.

»Aber die Suizidgefahr!«, gab ein anderer Oberarzt zu bedenken. »Er hat mehrfach geäußert, dass er sich wünschte, er habe den Mut, sich umzubringen.«

»Das hat er zu mir auch gesagt«, bestätigte der Pater, »aber das nehme ich nicht ernst. Nick Kostidis neigt nicht zu Selbstmord. Er ist zwar momentan noch nicht in der Lage zu trauern, aber dazu kann man ihn nicht zwingen. Ja, er selbst kann sich nicht einmal dazu zwingen, obwohl er es versucht. Er gibt sich die Schuld am Tod seiner Familie, und das werden Sie ihm nicht ausreden können.«

»Vielleicht wäre es doch das Beste, ihn in ein Sanatorium ...«

»Um Himmels willen!«, unterbrach Pater Kevin den Oberarzt entgeistert. »Er ist doch nicht geisteskrank! Lassen Sie ihm Zeit, den Tod seiner Familie zu akzeptieren. Das Einzige, was ihm helfen kann, ist die Zeit. Er wird eines Tages damit zurechtkommen, das weiß ich.«

Die drei Oberärzte sahen sich ratlos an.

»Ich schließe mich Ihrer Meinung an, Pater«, entschied Chefarzt Professor Weiss schließlich. »Wir werden Mr Kostidis am Dienstag entlassen. Wir sollten respektieren, dass er nicht über etwas sprechen will, was noch so frisch und schmerzhaft ist. Vielleicht haben Sie recht und die Zeit wird ihm helfen.«

***

Auf dem alten, baumbestandenen Friedhof des Klosters St. Ignatius in Brooklyn warteten die Menschen, von denen Frank und Michael Page angenommen hatten, dass Nick sie selbst auch eingeladen hätte, wenn er dazu in der Lage gewesen wäre. Francis Dulong und seine Gattin waren unter den rund 80 Trauergästen, Trevor und Madeleine Downey, Michael Campione und seine Frau Sally und die besten Freunde von Christopher Kostidis. Das ganze Gelände des Klosters war weiträumig von mehreren Hundertschaften der Polizei abgeriegelt worden. Niemand, der keinen Passierschein hatte, wurde auch nur in die Nähe des Friedhofs gelassen. Hinter den Absperrungen drängten sich unzählige Reporter, Kamerateams, aber auch Bürger der Stadt, die ihrem Bürgermeister in der schwersten Stunde seines Lebens nahe sein wollten. Nick Kostidis hatte für all das keinen Blick. Sein Gesicht war wie aus Stein gemeißelt, als er zwischen seinen Schwiegereltern, seiner Schwägerin und deren Mann die gewundenen Wege des Friedhofs entlangging, er blickte starr geradeaus und setzte sich an dem offenen Grab, in dem die beiden Urnen standen, in die vorderste Reihe der aufgestellten Stühle. Die gewaltige Menge an Kränzen und Blumengebinden, die abgegeben und von Sprengstoffexperten des FBI und der Polizei sorgfältig untersucht worden waren, türmte sich rings um das offene Grab. Die Trauergäste nahmen ebenfalls Platz. Niemand von ihnen sprach ein Wort. Hatte sie schon der grausame Tod Marys und Christophers tief schockiert, so löste der Anblick von Nick Kostidis fassungslose Betroffenheit aus. Sie waren gekommen, weil sie ihm beistehen, ihm ihr Mitgefühl und ihre tiefe Trauer ausdrücken wollten, aber er gab ihnen dazu keine Gelegenheit. Sehr blass und ohne die geringste Gefühlsregung saß er stocksteif auf seinem Stuhl, ohne seinen Blick auch nur ein einziges Mal von dem Grab abzuwenden. Als Pater Kevin wenig später mit vier Ministranten an das Grab trat, erhoben sich alle Anwesenden bis auf Nick, als habe er das Erscheinen des Priesters nicht wahrgenommen.

»Aus der Tiefe rufe ich zu dir, o Herr«, begann der Pater mit leiser Stimme, die dennoch bis in die letzte Reihe trug, »höre, Herr, auf meine Stimme! Mögen deine Ohren lauschen auf mein lautes Flehen! Wolltest du auf meine Sünden achten, Herr, wer könnte dann bestehen? Ja, Vergebung ist bei dir, auf dass man dir in Ehrfurcht diene. Ich hoffe auf den Herrn, es hofft meine Seele; ich harre auf sein Wort. Meine Seele harrt auf den Herrn, mehr als die Wächter auf den Morgen.«

Der Jesuitenpater besprengte die Urnen mit Weihwasser. Die Worte, die er nun sprach, waren schlicht, aber voller Mitgefühl, und nur wenige der Anwesenden konnten die Tränen unterdrücken.

»Herr, gib ihnen die ewige Ruhe …«

»… und das ewige Licht leuchte ihnen.«

Marys Mutter schluchzte und schnäuzte sich lautstark. Pater Kevin sprach die ersten Worte des *Vaterunser* laut, dann betete er stumm weiter, besprengte wieder die Urnen mit Weihwasser und schwenkte anschließend das Weihrauchfässchen über ihnen. »… und führe uns nicht in Versuchung«, sagte er, »sondern erlöse uns von dem Bösen. Vor den Pforten der Hölle, rette, o Herr, ihre Seelen! Lass sie ruhen in Frieden …«

»Amen«, erwiderte die Trauergemeinde. Die Totenglocke der nahen Klosterkirche läutete. Manche der Anwesenden schluchzten leise, aber Nick saß noch immer bewegungslos mit erstarrter Miene da. Fast schien es, als sei er gar nicht richtig anwesend.

»Ich bin die Auferstehung und das Leben«, sagte Pater Kevin, »wer an mich glaubt, wird den Tod nicht schauen in Ewigkeit.«

Schließlich nahm der Jesuitenpater Erde aus der Schale, die neben dem Grab stand, und warf dreimal eine Handvoll Erde in das Grab.

»Staub bist du und zum Staub kehrst du zurück. Der Herr aber wird euch auferwecken am Jüngsten Tag.«

Weil sie darum gebeten worden waren, verzichteten die Trauergäste darauf, Nick zu kondolieren, nachdem sie den Verstorbenen die letzte Ehre erwiesen hatten. Schweigend entfernten sie sich, bis er alleine in der ersten Stuhlreihe zurückblieb. Trotz der drückenden Hitze schien er in seinem schwarzen Anzug nicht zu schwitzen, und er hatte sich nicht ein einziges Mal bewegt, seitdem er sich eine Stunde zuvor hingesetzt hatte. Frank betrachtete seinen Chef mit einem zweifelnden Blick. Hatte er überhaupt bemerkt, dass die Beerdigung vorüber war? Die Totengräber kamen und begannen, Erde auf das Grab zu schaufeln und die Blumen und Kränze darüber zu häufen. Sie waren an die Trauer der Angehörigen gewöhnt und taten rasch und schweigend ihre Pflicht, dennoch dauerte es beinahe eine Stunde, bis sie den letzten Kranz auf das Grab gelegt hatten.

Frank und die Leibwächter warteten geduldig in der Hitze des Julinachmittags ein paar Meter entfernt. Erst jetzt stand Nick auf und trat an das Grab, in dem schon seine Eltern und Brüder beigesetzt waren. Er schwankte leicht, doch dann straffte er die Schultern und holte tief Luft. Er spürte nicht die Hitze, die sich zwischen den efeuüberwucherten Mauern des alten Friedhofs staute. Er sah nicht den wolkenlosen blauen Himmel, der sich ungeachtet seines Kummers heiter über die Stadt spannte. Er hörte nicht das Gezwitscher der Vögel in den Kronen der dichten alten Bäume. Die Sonne stand schon tief im Westen, als Nick Kostidis seine stumme Zwiesprache mit all jenen beendet hatte, die er in den letzten Jahren hierher hatte begleiten müssen. Mit gesenktem Kopf verließ er den Friedhof, ein Bild des Kummers und der Verzweiflung.

Teil Drei

Anfang Oktober 2000

Nach dem Debakel mit Syncrotron war Zack für ein paar Wochen nach Kalifornien verschwunden. Die offizielle Version war, dass er die geplante Umstrukturierung des Westküsten-Büros von LMI organisieren sollte, Alex allerdings ahnte die Wahrheit. Levy hatte Zack nach L.A. geschickt, bis Gras über die Sache gewachsen war und sie sich beruhigt hatte. Auch Sergio hatte im August die Stadt für eine Weile verlassen, und sie war froh, dass er seinen Heiratsantrag, auf den sie ihm eine Antwort schuldig geblieben war, nicht mehr wiederholt hatte. Zu ihrer Erleichterung hatte er sie nie mehr um ein Treffen gebeten, denn allein die Vorstellung, ihn zu sehen, verursachte ihr körperliches Unbehagen. Oliver hatte für sie zum 15. Oktober eine andere Wohnung gefunden, weil sie es nicht länger ertragen konnte, in einer Wohnung zu wohnen, die Sergio gehörte. Das umgebaute Loft lag in einem bewachten und durch Kameras gesicherten Gebäudekomplex in TriBeCa, in dem sich verschiedene Wohneinheiten, Büroräume und eine Filmgesellschaft befanden. Am besten gefiel Alex allerdings die Tiefgarage, die Ausgänge auf zwei Straßen hatte, denn so konnte sie möglichen Verfolgern ohne weiteres entkommen, falls Sergio sie noch immer beschatten ließ. Sie hatte in den letzten Monaten mehrfach mit dem Gedanken gespielt, Nick Kostidis anzurufen, aber sie traute sich nicht. Sie hatte ihm eine Beileidskarte geschickt und später eine vorgedruckte Danksagung erhalten, die er allerdings persönlich unterschrieben hatte.

Im August schien die gesamte Finanzwelt Ferien zu machen.

Die Börse verzeichnete wie in jedem Sommer kaum nennenswerte Aktivität, aber die Ruhe hatte Alex Zeit gelassen, neue Deals vorzubereiten, und im September war dann auch schlagartig eine Flut neuer Transaktionen über Wall Street hereingebrochen, an deren größten und gewinnbringendsten LMI dank Alex beteiligt war. Am 1. Oktober begegnete sie Zack in der Eingangshalle des LMI-Building. Er war schlanker geworden und wirkte entspannt.

»Begraben wir das Kriegsbeil, Alex«, sagte er freundschaftlich. »Ich habe eine Dummheit gemacht und dafür gehörig eins auf den Deckel gekriegt.«

Alex traute ihm so wenig wie zuvor, aber aus taktischen Gründen ergriff sie seine ausgestreckte Hand.

»Frieden?«, fragte Zack. »Frieden«, erwiderte sie.

Es erstaunte sie nicht besonders, dass Sergio noch am selben Nachmittag bei ihr anrief, nur kurz nach Levy, der sie für den Samstagmorgen in sein Büro bestellt hatte. Sicherlich befürchteten sie, sie könne kündigen, weil Zack wieder in der Stadt war. Ihr Spiel war so durchschaubar, dass Alex sich darüber ärgerte. Wie gerne hätte sie Sergio einfach gesagt, er solle sich zum Teufel scheren und sie in Ruhe lassen, aber das konnte sie nicht so einfach tun. Widerstrebend nahm sie seine Einladung zum Abendessen in seinem Apartment in der Park Avenue am kommenden Freitag auf sein beharrliches Drängen hin an.

***

Sergio war braungebrannt, seine blauen Augen leuchteten. Die Schussverletzung, der Tod seines Sohnes – all das war scheinbar spurlos an ihm vorübergegangen. Aber zum ersten Mal, seitdem sie ihn kannte, war Alex nicht von seinem blendenden Aussehen überwältigt, und sie bemerkte, dass seine Schönheit so kalt und inhaltslos war wie die einer antiken Statue. Das Lächeln reichte nicht bis in seine Augen, und das kultivierte und charmante Äußere war nur eine dünne Lackschicht über einem rücksichtslosen und brutalen Kern. Hinter der attraktiven Fassade verbarg sich ein herzloser, grausamer Mensch ohne moralische Prinzipien, der keine andere Realität akzeptierte außer seiner eigenen, und sie erkannte in dem Augenblick, als sie ihn sah, dass nie viel mehr als eine rein physische Anziehungskraft zwischen ihnen gewesen war. Sie betraten einen der riesigen Salons, in dessen Mitte ein Tisch für zwei Personen gedeckt war. Während des mehrgängigen Dinners musste Alex alle Kraft aufbieten, um so zu tun, als freue sie sich, ihn endlich einmal wiederzusehen. In Wirklichkeit hätte sie ihm am liebsten ins Gesicht gespuckt und ihn einen Mörder genannt. Sehnsüchtig wartete sie auf das Ende dieses endlosen Abends, doch die Zeit verging quälend langsam. Endlich waren sie beim Digestif angelangt, und Sergio führte sie in einen anderen Salon.

»Ich habe auch noch ein kleines Geschenk für dich, Cara«, verkündete er lächelnd und reichte ihr ein kleines Päckchen. »Mach es auf. Ich bin sicher, es wird dir gefallen.«

Alex gehorchte und erstarrte, als sie die Schmuckschatulle öffnete. Auf schwarzem Samt lag ein Weißgoldcollier, über und über mit Brillanten verziert. Nie und nimmer würde sie dieses Geschenk annehmen. Es gäbe ihr das Gefühl, von ihm gekauft zu werden. 30 Silberlinge für ihr Schweigen.

Sergio nahm das Collier und legte es ihr um den Hals. Sie schauderte, als das kühle Metall ihre Haut berührte. »Wundervoll«, sagte er zufrieden, »ich wusste, wie herrlich es an dir aussehen würde.«

»Das kann ich nicht annehmen«, wehrte Alex ab, »es ist viel zu wertvoll.«

»Doch«, Sergio beugte sich zu ihr und küsste sie, »du kannst. Der schönste Schmuck für die schönste Frau, die ich kenne.«

»Sergio, ich …«, begann Alex, die sich immer unbehaglicher fühlte, doch er legte seinen Zeigefinger auf ihre Lippen und lächelte.

»Das letzte Jahr war für mich in geschäftlicher Hinsicht nicht einfach«, sagte er, »aber jetzt habe ich alle Probleme gelöst, und ich bin zu dem Schluss gekommen, dass es an der Zeit ist, mein Leben zu ändern.«

Alex fröstelte. Sie dachte an Nick Kostidis, an David Zuckerman und den Anschlag durch die kolumbianische Drogenmafia. O ja, Sergio hatte seine Probleme gelöst, auf seine ganz eigene Art.

»Ich finde«, fuhr er fort, »du solltest hier wohnen. Bei mir. Ich werde die Scheidung von Constanzia einreichen, und dann können wir bald heiraten.«

Alex hatte gehofft, dass er dieses Thema niemals wieder anschneiden würde, und wusste nicht, wie sie reagieren sollte. Seine Hand, die auf ihrem Knie lag, wanderte ihren Oberschenkel hoch, er bog ihren Kopf zurück und küsste sie.

»Ich liebe dich, Cara«, murmelte er, »ich habe mich so sehr nach dir gesehnt in den letzten Wochen.«

Alex verfluchte sich dafür, dass sie Sergios Einladung angenommen hatte. Sie wollte seine Geschenke nicht, sie konnte seine Berührung nicht ertragen, und allein die Vorstellung, mit einem eiskalten Mörder wie ihm verheiratet zu sein, jagte ihr pures Entsetzen ein.

»Wir werden eine Hochzeitsfeier haben, von der die Leute noch in 50 Jahren sprechen«, seine Hände glitten unter ihre Bluse, und sein Atem ging schwer, »und dann fahren wir mit der *Stella Maris* in Flitterwochen, nur du und ich. So lange du willst. Wäre das nicht wundervoll?«

Sergio zog sie auf sich, voller Abscheu spürte sie seine Erregung. Was blieb ihr in dieser Situation anderes übrig, als auf sein Spiel einzugehen?

»Ich wünschte, wir könnten schon morgen heiraten«, log sie also und erwiderte seinen Kuss, obwohl sie lieber in Tränen ausgebrochen wäre. »In der Park Avenue wohnen, das war immer mein Traum! Ich bin gespannt, was Trevor und Madeleine dazu sagen werden! Vielleicht könntest du ein Haus auf Long Island kaufen und ich könnte auf der Stelle bei LMI kündigen.«

Für den Bruchteil einer Sekunde hielt Sergio inne.

»Wenn du das willst, Cara«, flüsterte er heiser, »du kannst tun, was du tun möchtest.«

***

Alex erschien pünktlich um elf Uhr im Büro von Vincent Levy. Sie hatte die ganze Nacht bei Sergio verbringen und die Glückliche spielen müssen, obwohl sie mehrmals daran gedacht hatte, ihn zu ermorden, während er schlief. Heute Morgen hatten sie gemeinsam gefrühstückt und Pläne für Ereignisse geschmiedet, die nie stattfinden würden. Alex wusste nicht, ob Sergio das, was er sagte, wirklich ernst meinte oder ob dahinter nur irgendein dunkler Plan steckte, aber sie hatte beschlossen, so zu tun, als ob sie vollkommen arglos sei. Levy führte sie zu der Sitzgruppe in seinem Büro und bot ihr einen Kaffee an, den sie dankend ablehnte.

»Alex«, begann der Präsident von LMI, »ich möchte mit Ihnen über St. John sprechen.«

Er schlug die Beine übereinander und wartete auf eine Reaktion, aber Alex dachte nicht daran, ihm entgegenzukommen. Dieses Gespräch war längst überfällig und hätte bereits vor drei Monaten geführt werden müssen, doch damals war er wohl zu feige gewesen.

»Nun«, fuhr er fort, als sie stumm blieb, »St. John ist während der vergangenen Monate zur Besinnung gekommen. Es ist schlimm, dass er sich auf Ihrem Schreibtisch umgesehen hat. Das hat mich sehr verärgert, und das habe ich ihm auch deutlich gesagt. Allerdings bin ich mir sicher, dass er eine Lehre daraus gezogen hat, schließlich hat er eine Menge Geld verloren, weil er die Informationen, die er gefunden hatte, dazu benutzt hat, auf eigene Rechnung zu spekulieren.«

›Lügner‹, dachte Alex. Zack hatte keinen Cent verloren, denn es war nicht sein Geld gewesen. Aber sie wusste, dass sie auch dieses Spiel vorerst mitspielen musste.

»St. John hat eine fremde Investmentfirma für seine ... hm ...

Privatgeschäfte benutzt, so dass LMI kein Schaden entstanden ist.«

Auch das war gelogen.

»Vincent«, Alex beugte sich vor, »ich gehe davon aus, dass Zack das nicht zum ersten Mal getan hat. Ich habe ihm jedes Mal vor Zustandekommen eines Deals Bericht erstattet, wie Sie das von mir verlangt haben, obwohl das gegen alle Regeln verstößt. LMI hat – noch – einen tadellosen Ruf, doch ich fürchte ernsthaft, dass St. John diesen mit seinen Insidergeschäften gefährdet.«

»Hm, ja«, Levy schien verlegen, »gewiss ist es eine sehr ernste Angelegenheit, und ich habe St. John nachdrücklich ermahnt, nicht noch einmal auf eine solch eklatante Weise gegen die Gesetze zu verstoßen.«

Beinahe hätte Alex gelacht, wenn die Schmierenkomödie, die Levy hier aufführte, nicht einen so ernsthaften Hintergrund gehabt hätte. Für wie dumm hielt er sie?

»Ich möchte in Zukunft nicht mehr mit ihm zusammenarbeiten«, sagte sie entschieden. »Er hat mein Vertrauen missbraucht, und ich habe keine Lust, eines Tages durch sein Verhalten Gegenstand einer Untersuchung durch die SEC zu werden. Ich werde auf gar keinen Fall mehr irgendwelche Informationen an ihn weitergeben, und ich verlange, dass Sie ihm den Zutritt zu meinem Büro untersagen.«

Alex bemerkte den dünnen Schweißfilm auf Levys Stirn, trotz der Kühle in seinem Büro. Sie hatte ihn in die Enge getrieben. Für ihr betrügerisches Komplott brauchten Levy und Vitali sie und Zack gleichermaßen.

»Ich weiß, dass Sie sich hintergangen fühlen.« Levy räusperte sich und lächelte gezwungen. »Ich verstehe auch, dass Sie wütend und verletzt sind, aber wir werden eine Lösung finden, wie es weitergehen kann.«

»Nicht mit St. John!« Sie schüttelte nachdrücklich den Kopf. »Ich bekomme immer wieder interessante Angebote von anderen Firmen, die ich bisher ausgeschlagen habe, weil ich mich bei

LMI wohl fühle und gerne hier arbeite, aber wenn sich ein solcher Vorfall noch einmal wiederholt, sehe ich mich gezwungen, auf der Stelle zu kündigen.«

»Beruhigen Sie sich, Alex! Es wird nicht wieder vorkommen. Das verspreche ich Ihnen.«

»Wird St. John die Firma verlassen?«

»Er ist im Vorstand«, Levy rutschte auf seinem Sessel hin und her, »seine Entlassung würde jede Menge Unruhe und Gerede verursachen.«

»Wollten Sie an meiner Stelle mit jemandem zusammenarbeiten, der hinter Ihrem Rücken auf Ihrem Schreibtisch herumwühlt?«

Alex konnte Levy ansehen, wie unwohl er sich fühlte.

»Ab sofort sind Sie nur mir persönlich unterstellt, Alex. Sie werden mit St. John nichts mehr zu tun haben.«

»Er wird meine Geschäfte boykottieren«, sie sah ihren obersten Chef kühl an, »das hat er mir schon angedroht. Keine besonders gute Grundlage für eine erfolgreiche Zukunft, oder?«

Levy versuchte verzweifelt, St. Johns Verbleiben in der Firma zu rechtfertigen. Normalerweise hätte er alleine dafür, dass er Geschäfte mit den Aktien von Kunden seiner Firma gemacht hatte, fristlos entlassen und angezeigt werden müssen, Vorstandsmitglied hin oder her, aber Alex wusste, dass Levy genau das nicht tun konnte.

»Da ich dem Informationsfluss in dieser Firma nicht mehr traue«, sagte sie, »werde ich mich in Zukunft strikt an die ›Chinesische Mauer‹ halten und meine Informationen für mich behalten, bis sie öffentlich bekanntgegeben werden.«

»Sie haben recht«, Levy beugte sich vor, in seinen Augen stand fast so etwas wie Panik, »genau so sollten Sie es halten. Es war vielleicht ein Fehler von mir, St. John zu viel von der Arbeit der M & A-Abteilung erfahren zu lassen. Sie teilen niemandem mehr etwas mit, außer mir persönlich.«

Alex sah ihn scharf an, dann erhob sie sich.

»Ich habe kein gutes Gefühl bei der Sache, Vincent. Ich werde noch so lange bleiben, bis Sie einen geeigneten Nachfolger für mich gefunden haben.«

Sie wusste, dass Levy sofort mit Sergio über dieses Gespräch sprechen würde, und ihm hatte sie gestern gesagt, dass sie gerne bei LMI kündigen würde. Es passte also perfekt. Im Übrigen hatte sie tatsächlich kein Problem, einen neuen Job zu finden. Erst vor kurzem hatte sie ein interessantes Gespräch mit Carter Ringwood von First Boston geführt, in dessen Verlauf er ihr einen Job angeboten hatte. Levy stand auch auf.

»Ich verstehe Ihren Zorn«, sagte er, »aber bitte treffen Sie keine vorschnelle Entscheidung. Wir sind äußerst zufrieden mit Ihnen und bereit, Ihnen einen neuen Vertrag mit einem höheren Fixum anzubieten. Überdenken Sie das.«

»Es geht mir nicht ums Geld«, erwiderte Alex, »ich verdiene genug. Mein Job gefällt mir. Allerdings nur so lange, wie er mich nicht hinter Gitter bringt.«

»Ich werde das alles zu Ihrer Zufriedenheit regeln«, versprach Levy, »okay?«

»Okay«, sie reichte ihrem Chef die Hand und verließ sein Büro. Kaum war die Tür hinter ihr zugefallen, sank Levy in den Stuhl hinter seinem Schreibtisch. Er hätte St. John den Hals umdrehen können! Alles war wunderbar gelaufen, aber nein, der Mann hatte sich wie ein verdammter Anfänger benommen und dann auch noch die Nerven verloren. Hätte er Alex nicht verraten, dass er in ihren Papieren herumgeschnüffelt hatte, wäre nichts passiert. Zum Teufel mit seiner Gier und seiner krankhaften Profilneurose! Jemand in seiner Position musste sich einfach besser unter Kontrolle haben und durfte sich auf keinen Fall von so profanen Gefühlen wie Neid und Eitelkeit leiten lassen. Aber er konnte es nicht verkraften, dass Alex' Stern immer heller leuchtete. Levy seufzte, als er den Telefonhörer ergriff und die Nummer von Sergio Vitali wählte. Er hatte gehofft, dass Alex nach drei Monaten besänftigt sein würde, aber das schien nicht der Fall zu sein. Wenn sie ihre Drohung wahr machen und LMI verlassen würde, dann würde es so bald keine lukrativen Nebenverdienste mehr geben. Jemanden zu finden, der so gut war wie sie, war sehr schwierig, wenn nicht unmöglich. Sergio meldete sich am anderen Ende der Leitung persönlich.

»Ich fürchte, sie ahnt etwas«, sagte Levy. »Sie verlangt, dass Zack geht, ansonsten hat sie damit gedroht, dass sie LMI verlassen wird.«

»Ich weiß«, erwiderte Sergio gelassen, »bleib ganz ruhig. Wir haben das Konto für sie eingerichtet und werden ihr das bei passender Gelegenheit mitteilen. Du kannst dich darauf verlassen, dass sie dann ganz zahm wird.«

»Ich weiß nicht. Sie ist nicht leicht einzuschüchtern. Und sie ist wirklich clever.«

Das wusste Sergio auch. Er lächelte leicht. Obwohl er aus ihr noch immer nicht schlau wurde, hatte er doch das Gefühl, dass sie gestern Nacht aufrichtig zu ihm gewesen war. Sie hatte sich über das Collier und die Aussicht, in der Park Avenue leben zu können, wirklich gefreut, sie hatte voller Leidenschaft mit ihm geschlafen und Pläne für eine gemeinsame Zukunft gemacht, ja, und sie hatte ihm von St. John erzählt, dass sie ihm misstraute und deshalb gerne von LMI weggehen würde. Sie hatte ihm auch erzählt, dass sie in Gracie Mansion gewesen war und wie entsetzt sie über den Anschlag auf den Bürgermeister war. So offen hatte Alex noch nie mit ihm gesprochen.

»Sie wird vernünftig sein, Vince«, versicherte er seinem Geschäftspartner jetzt. »Mach dir wegen ihr keine Sorgen.«

»Ich hoffe sehr, dass du recht behältst.« Levy war nicht recht von Sergios Optimismus überzeugt.

»Das werde ich, wie immer«, entgegnete Sergio. »Ich habe Alex absolut im Griff.«

* * *

Alex verließ ihr Büro, nachdem sie ein paar Stunden an ihrem Schreibtisch gesessen hatte, ohne etwas zustande zu bringen. Viel zu sehr beschäftigten sie Sergios Verhalten und die Dinge, die sie herausgefunden hatte. Es war klar, dass Levy nicht daran dachte, Zack zu feuern, schließlich war er der Mann fürs Grobe. Außerdem wusste er zu viel. Aber trotz allem war auch sie ein immens wichtiger und unverzichtbarer Bestandteil der ausgeklügelten Schwarzgeld-Beschaffungs-Methode, deshalb würden Sergio und Levy nicht zulassen, dass sie LMI verließ. Sergios erneuter Heiratsantrag am gestrigen Abend war möglicherweise zu einem Teil ernst gemeint, aber Alex war sicher, dass er sie damit in erster Linie an sich und LMI binden wollte. Es wäre gelogen, wenn sie behauptet hätte, sie würde sich nicht vor Sergio fürchten. Sie hatte Angst vor ihm. Alex seufzte und schloss die Augen. Gestern Nacht hatte sie sich dazu entschlossen, Nick Kostidis anzurufen. Sie musste mit ihm sprechen. Er war der Einzige, der ihr sagen konnte, was sie mit dem, was sie erfahren hatte, anfangen sollte. Von einer Telefonzelle aus wählte sie die Nummer, die Nick ihr einmal gegeben hatte. Ein Mann namens Frank Cohen meldete sich.

»Hier spricht Alex Sontheim«, sagte sie. »Ich muss Mr Kostidis sprechen. Es ist wichtig.«

»Mr Kostidis ist im Augenblick nicht zu erreichen«, erwiderte der Mann.

»Ich war im Juli in Gracie Mansion zu Gast. Mr Kostidis kennt mich.«

Frank Cohen zögerte.

»Hören Sie«, sagte Alex eindringlich, »ich weiß, dass ich keinen guten Zeitpunkt gewählt habe, aber ich kann helfen, die Hintergründe dieses Attentats aufzuklären.«

»Mr Kostidis ist im Moment noch nicht in der Lage, darüber zu sprechen. Das werden Sie doch sicherlich verstehen.«

»Natürlich«, erwiderte Alex, »trotzdem. Wann kann ich mit ihm sprechen?«

»Ich kann Ihnen nicht weiterhelfen. Tut mir leid. Versuchen Sie es in ein paar Wochen noch einmal in seinem Büro.«

In ein paar Wochen! Der Kerl machte wohl Witze! Alex bedankte sich und hängte ein. Sie erinnerte sich, gelesen zu haben, dass Nicks Familie auf dem Friedhof des Klosters St. Ignatius in Brooklyn beigesetzt worden war. Für heute war es zu spät, aber sie nahm sich vor, am nächsten Vormittag dorthin zu fahren. Vielleicht hatte sie Glück und würde Nick dort antreffen.

* * *

Der Friedhof des Klosters St. Ignatius war alt, für New Yorker Verhältnisse beinahe mittelalterlich. Mit den hohen, alten Bäumen und der efeuüberwucherten Mauer, die ihn umgab, wirkte er wie eine Filmkulisse aus einem Historienfilm. Alex war mit einem Taxi von Manhattan nach Brooklyn gefahren, wobei sie immer wieder aus dem Rückfenster geblickt hatte, aber ihr Verfolgungswahn schien unbegründet zu sein. Die Luft war Anfang Oktober kühl, der dichte Nebel, der vom Meer herüberzog, machte den Friedhof noch düsterer und unheimlicher, als er ohnehin schon war. Alex ging langsam die Reihen der Gräber entlang. Unkraut wuchs in den Rissen der geäderten Steinplatten, die nach einem Jahrhundert Hitze und Frost an vielen Stellen aufgewölbt und gebrochen waren. Sie kam an Grabsteinen vorbei, deren Schriftzüge von Wind und Wetter verblasst waren, an Marmorengeln, überzogen von Grünspan, die aus blicklosen Augen stoisch in die Ferne starrten. Die Aura der Vergänglichkeit war beklemmend, und doch war dieser Friedhof, diese stille und unwirkliche Oase inmitten der rastlosen Stadt, faszinierend. Alex hatte keine Ahnung, wo sich das Grab von Mary und Christopher Kostidis befand, und außer ihr schien auch niemand auf dem Friedhof zu sein. Ziellos schlenderte sie die Gräberreihen entlang, bis sie Nick Kostidis schließlich erblickte. Er saß auf einer Bank, mit gekrümmtem Rücken und gesenktem Kopf, und sah so einsam und unglücklich aus, dass sich ihr Herz vor Mitleid zusammenzog. Wie konnte sie auch nur daran denken, diesen Mann mit ihren Problemen zu belästigen? Hatte sie überhaupt das Recht, ihn in seiner Trauer zu stören? Sie kam viel zu spät, um ihm wirklich helfen zu können. Alex zögerte und wollte gerade umkehren, als die Glocken der Kirche zu läuten begannen. Kostidis blickte auf, und ihre Blicke trafen sich. Da ging sie auf ihn zu. Ihr Blick fiel auf das Grab, und als sie die Namen las, die auf dem granitenen Grabstein eingraviert waren, begriff sie, dass hier, in diesem Grab, Nick Kostidis' ganze Familie lag. Seine Eltern, seine Brüder und nun auch noch seine Frau und sein Sohn. Sie glaubte fast, seinen Schmerz spüren zu können, und musste die Tränen unterdrücken, während sie die Hände faltete und das einzige Gebet sprach, an das sie sich aus ihrer Kindheit noch erinnern konnte, das *Vaterunser*. Wie furchtbar und sinnlos war der Tod dieser beiden Menschen, die Alex noch zwölf Stunden vor dem schrecklichen Attentat gesehen hatte! Sie hatten sterben müssen, weil Sergio es so befohlen hatte. Sie drehte sich langsam um und blickte in die schwarzen Augen des Mannes, den sie zum ersten Mal an dem Abend im City Plaza Hotel vor beinahe zwei Jahren gesehen hatte. Er hatte sie damals gewarnt, aber sie hatte nicht auf ihn gehört. Alex erinnerte sich an die lebhafte Intensität seiner Augen, sie erinnerte sich an Nicks Lachen, als sie nun erschüttert sein erstarrtes, erloschenes Gesicht ansah. Er war in den letzten Monaten um Jahre gealtert. Mit einem Mal hatte sie vergessen, weshalb sie eigentlich hierhergekommen war. Stumm setzte sie sich neben ihn auf die Bank, deren Holz von der Feuchtigkeit des Nebels glänzte. Die Glocken hatten aufgehört zu läuten, durch die dicken Mauern der Kirche, die nur schemenhaft im dichten Nebel zu sehen war, drang leise der Klang der Orgel bis auf den Friedhof hinaus.

»Ich sitze hier seit fast drei Monaten jeden Tag«, sagte Nick nach einer ganzen Weile mit leiser Stimme, »stundenlang. Ich warte darauf, dass ich endlich weinen kann. Es tut so weh, aber ich kann nichts empfinden außer meiner Schuld. Ich kann nachts nicht schlafen, weil mich diese entsetzlichen Bilder bis in meine Träume verfolgen.«

Er fuhr sich mit einer Hand durch sein Haar, das grauer geworden war.

»Ich habe vorgeschlagen, sie sollten mein Auto nehmen, weil

Christophers Auto nicht anspringen wollte. Sie haben es getan, und nun sind sie tot.«

Alex war tief berührt von dem Vertrauen, das dieser Mann, den sie eigentlich kaum kannte, ihr entgegenbrachte, und sie spürte, dass Nick reden wollte, reden musste, um nicht zu ersticken. Er blickte für einen Moment ins Leere.

»Ich würde so gerne um sie weinen können. Aber ich kann es nicht. Alles in mir ist tot. Ich frage mich nur immer wieder: warum? Warum Mary? Warum mein Sohn? Warum das Mädchen? Sie konnten doch nichts dafür, dass ich ... ich ... O Gott, ich bin schuld, weil ich nicht auf die Warnungen hören wollte. Ich bin schuld, weil ich nichts anderes im Kopf hatte, als Vitali hinterherzujagen, dabei hat Mary mich immer und immer wieder gebeten – nein *angefleht* –, es nicht zu tun.«

Er verstummte, und Alex hörte, wie er schluchzend Luft holte.

»Wie kann ich damit leben? Wie kann ich jemals wiedergutmachen, was ich getan habe?«

»Aber Sie haben doch nichts getan. *Er* war es, der etwas getan hat.«

»Nein«, Nick schüttelte den Kopf, »ich war besessen von dem Wunsch, ihm das Handwerk zu legen. Ich hätte ihn nicht provozieren dürfen.«

Er verzog das Gesicht.

»Was würde es schon ändern, wenn er heute im Gefängnis säße? Mit seinen Beziehungen wäre er schnell wieder draußen, und nichts hätte sich geändert. Aber wenn ich ihn nicht so verfolgt, ihn nicht öffentlich angegriffen hätte, dann würden sie heute noch leben.«

Nick verbarg das Gesicht in den Händen, und Alex verstand kaum, was er sagte.

»Ich war arrogant und fanatisch. Ich habe geglaubt, mir würde niemals etwas passieren. Aber ich habe mich geirrt. Es kommt mir fast so vor, als ob Gott mich für meinen Stolz und meine Überheblichkeit strafen wollte.«

»Nein«, widersprach Alex ihm leise, »Sie haben nur gewagt, die Wahrheit über Vitali zu sagen. Und damit wurden Sie ihm gefährlich. Das war sehr mutig von Ihnen.«

»Mutig?« Seine Stimme klang bitter. »Das war nicht mutig, sondern dumm.«

»Sie haben mich einmal vor Vitali gewarnt«, sagte Alex. »Ich habe Ihnen damals nicht glauben wollen, aber nun musste ich erfahren, dass Sie recht hatten.«

Er sah sie aus blutunterlaufenen Augen an.

»Niemand kommt an ihn heran. Er ist stärker, weil er gewissenlos und brutal ist.«

»Doch«, antwortete Alex, »man kann an ihn herankommen. Ich habe Dinge über ihn erfahren, die ihn ruinieren würden.«

»Vor ein paar Monaten hätte ich mich gefreut, das zu hören«, Nick seufzte, »jetzt ist es mir gleichgültig. Es würde meine Familie nicht mehr lebendig machen.«

Alex schwieg. Sie konnte ihn verstehen.

»Warum sind Sie hierhergekommen, Alex?«, fragte Nick, und sie sah ihn an. Sie erkannte die Qual und die Selbstvorwürfe in seinen Augen, den Kummer und den Schmerz. Am liebsten hätte sie ihn in die Arme genommen und getröstet.

»Ich habe Ihre Frau nicht gut gekannt«, flüsterte Alex und kämpfte mit den Tränen, »aber ich habe sie sehr geschätzt. Und ich mag auch Sie, Nick. Es tut mir in der Seele weh, dass Sie so leiden müssen.«

Eine Träne rann über ihre Wange, und sie bemerkte, wie Nicks Lippen zitterten.

»Seltsam«, sagte er mit heiserer Stimme und warf ihr einen so abgrundtief hoffnungslosen Blick zu, dass sie erschrak, »von allen Menschen, die ich für meine Freunde gehalten habe, hat mir das niemand gesagt. Von ihnen habe ich nur leere Worte gehört. ›Das Leben geht weiter‹ und ›Zeit heilt alle Wunden‹. Sie halten sich von mir fern, als sei ich aussätzig. Das merke ich genau. Dabei hätte ich so dringend jemanden gebraucht, mit dem ich reden kann.«

»Die meisten Menschen fürchten sich davor, mit dem Tod konfrontiert zu werden«, entgegnete Alex. »Es ist schwer, mit Tod und Trauer umzugehen.«

»Aber Sie, Alex, Sie kennen mich doch kaum, und trotzdem hatten Sie keine Angst, hierherzukommen und mit mir zu sprechen.«

»Ich bin auf dem Land aufgewachsen«, antwortete sie. »Da ist der Kreislauf von Leben und Tod etwas Selbstverständliches. Hier schweigt man und tut so, als gäbe es den Tod nicht. Aber man muss lernen, ihn zu akzeptieren und zu trauern, um weiterleben zu können.«

»Den Tod könnte ich akzeptieren, wenn es mir auch schwerfallen würde«, sagte Nick, »aber der Gedanke, dass ich schuld bin ...«

Ihm versagte die Stimme.

»Solange Sie sich einreden, schuld am Tod Ihrer Familie zu sein, werden Sie mit dem, was geschehen ist, niemals fertig werden.«

»Wie meinen Sie das?« Nick sah Alex beinahe erstaunt an.

»Entschuldigen Sie bitte, wenn ich so direkt bin«, erwiderte sie, »aber ich glaube, Sie versuchen gar nicht, das Geschehene zu verarbeiten. Sie laufen nur vor sich selbst davon, wenn Sie sich weiterhin mit Selbstvorwürfen zerfleischen.«

Nick schwieg einen Moment, und Alex befürchtete schon, sie sei ihm zu nahe getreten.

»Vitali wollte Sie umbringen, weil Sie ihm auf die Füße getreten sind. Sie haben das nicht aus Eitelkeit getan, sondern aus Überzeugung«, sagte sie eindringlich. »Sie waren überzeugt davon, das Richtige zu tun. Wie kann das ein Fehler sein? Es war eine tragische Verkettung unglücklicher Umstände, dass es nicht Sie, sondern Ihre Familie getroffen hat. Wären Sie und Ihr Chauffeur und vielleicht noch andere in den Wagen gestiegen, wären die heute tot.«

Nick starrte sie an, und sie erwiderte seinen Blick.

»Als ich zehn war«, sagte sie mit leiser Stimme, »schenkte

mein Opa mir ein Fohlen. Ich zog es auf, ritt es selbst zu und liebte es mehr als alles andere auf der Welt. Es war ein großartiges Pferd, mein Ein und Alles. Ein paar Jahre später zog an einem Tag ein Gewitter herauf. Mein Opa rief mich und sagte, ich solle das Pferd in den Stall bringen. Ich tat es nicht, weil ich gerade ein spannendes Buch las. Gewitter sind schließlich nichts Außergewöhnliches. Also ließ ich das Pferd draußen.«

Nick sah Alex unverwandt an.

»Am nächsten Morgen«, fuhr sie fort, »als ich reiten wollte, war mein Pferd nicht da. Ich suchte die ganze Koppel ab und fand es. Es war tot. Ein Blitz hatte es auf der Wiese erschlagen. Ich war außer mir vor Trauer und machte mir die schlimmsten Vorwürfe. Ich wusste, dass ich schuld gewesen war, weil ich nicht auf meinen Opa gehört und das Pferd in den Stall gebracht hatte. Ausgerechnet mein Pferd war tot, nicht eines der anderen Pferde. Ich dachte damals, ich müsste sterben, so schlimm waren mein Kummer und meine Schuldgefühle. Ich wünschte mir sehnlich, ich könnte die Zeit zurückdrehen und den Fehler ungeschehen machen, aber das ging nicht.«

Sie seufzte bei der Erinnerung an diese schrecklichen Tage. »Ich machte mir bittere Vorwürfe. Das Pferd konnte doch nichts dafür. Aber damals habe ich zum ersten Mal in meinem Leben begriffen, dass vieles im Leben passiert, ohne dass man etwas daran ändern kann. Es mag fatalistisch klingen, aber so ist es nun einmal. Der Vater meiner Freundin wurde von einem umstürzenden Baum erschlagen, mein jüngerer Bruder starb auf dem Schulweg, weil ein LKW-Fahrer die Kontrolle über seinen Lastwagen verlor, und eine Freundin auf dem Gymnasium starb mit 15 Jahren an Leukämie. Ist das nicht ebenso sinnlos wie der Tod Ihrer Familie? Und wer ist daran schuld? Ist überhaupt jemand schuld, wenn der Tod auf einmal an die Tür klopft?«

In Nicks Gesicht zuckte es, und Alex erkannte in seinen Augen unter der Qual einen kleinen Hoffnungsschimmer. Mit einer impulsiven Bewegung ergriff sie seine Hand, auf der die Narben der Brandwunden noch zu sehen waren.

»Es ist nicht Ihre Schuld, Nick«, eine Träne rollte ihr über die Wange, »und Ihre Frau würde ganz sicher nicht wollen, dass Sie hier sitzen und sich mit Selbstvorwürfen quälen.«

»Nein«, seine Stimme klang belegt, »das würde sie nicht wollen. Sie ... sie glaubte sehr stark an Gott und fand immer Trost in der Bibel.«

Alex spürte, wie er erschauerte.

»Der Herr ist mein Hirte«, flüsterte er, »mir wird nichts mangeln. Er weidet mich auf einer grünen Aue und führet mich zu frischem Wasser. Er erquicket meine Seele. Er führet mich auf rechter Straße, um seines Namens willen. Und ob ich schon wanderte in finsterem Tal, fürchte ich kein Unheil, denn du bist bei mir. Dein Stecken und Stab trösten mich. Du deckst einen Tisch im Angesicht meiner Feinde. Du salbst mein Haupt mit Öl und schenkst mir voll ein. Gutes und Barmherzigkeit werden mir folgen ein Leben lang, und ich werde weilen im Hause des Herrn immerdar.«

Bei diesen Worten rannen Alex plötzlich die Tränen über die Wangen.

»Psalm 23. Es war ihre Lieblingsstelle in der Bibel. Ich sage die Worte immer wieder und warte darauf zu verstehen, was Mary daran Tröstliches fand.«

Seine Stimme versagte, seine Hand krampfte sich um Alex'.

»O Gott«, stieß er hervor, »ich vermisse sie so sehr! Ich dachte immer, wir hätten noch unendlich viel Zeit, aber jetzt sind sie tot, und wir hatten überhaupt keine Zeit mehr!«

Nick sah Alex' Tränen, er spürte ihre echte Anteilnahme an seinem Schmerz. Vielleicht war es das Wissen darum, dass er nicht mehr alleine war, sondern dass ein anderer Mensch seinen Schmerz verstand, das mit einem Mal den Staudamm in seinem Innern bersten ließ. Plötzlich strömten die lang unterdrückten Tränen über sein Gesicht, und er schämte sich ihrer nicht. Der mächtige, furchtlose Nicholas Kostidis gestattete es sich, schwach und mutlos zu sein, er weinte, wie Alex noch nie einen Menschen hatte weinen sehen. Es war das schreckliche

Schluchzen eines Verzweifelten, und sie konnte nicht verhindern, dass sie mitweinte. Sie nahm den Mann, der ihr so unerwartet sein Vertrauen geschenkt hatte, in den Arm.

»O Gott«, schluchzte er voller Qual, »warum hast du mir das nur angetan? Warum hast du mir das Liebste genommen, was ich hatte?«

Er rutschte von der Bank, fiel auf die Knie und weinte verzweifelt, das Gesicht in Alex' Schoß gepresst. Sie hielt ihn einfach nur fest, streichelte sein Haar und ließ ihn die erlösenden und befreienden Tränen weinen. Sein abgrundtiefer Kummer erschütterte sie tief, gleichzeitig empfand sie Hochachtung vor diesem Mann, der dazu fähig war, seine echten und ehrlichen Gefühle zu zeigen. Kein Mann, der ihr bisher begegnet war, wäre jemals zu einer solch entwaffnenden Gefühlsäußerung fähig gewesen. Sorgsam darauf bedacht, sich keine Blöße zu geben, verbargen sie ihre Gefühle hinter beherrschten Gesichtern. Dabei waren es gerade die Schwächen, die einen Menschen liebenswert, weil menschlich machten. Es dauerte fast eine halbe Stunde, bis Nicks Weinkrämpfe langsam abebbten und in ein trockenes Schluchzen übergingen, das seinen ganzen Körper erschütterte. Wie ein Kind, das Trost und Geborgenheit sucht, klammerte er sich an Alex, und sie ließ ihn weinen und streichelte mitfühlend und verstehend seine Hände und sein Haar.

»Es wird ja alles wieder gut«, murmelte sie, »es wird alles wieder gut.«

»Wird es das wirklich?« Nick hob sein tränennasses Gesicht, um sie anzusehen. Seine Augen waren vom Weinen gerötet.

»Ja«, sie nickte, »das wird es ganz bestimmt. Alle Wunden heilen, und zurück bleibt die Erinnerung an alles Schöne, was man miteinander erlebt hat. Es wird kein Vergessen geben, aber ein Verstehen.«

»Wie können Sie so sicher sein, Alex?«

Nick kniete noch immer vor ihr, und sie hielt seine beiden Hände.

»Weil es so ist. Weil ich es selbst schon erlebt habe.«

Nick lehnte sein Gesicht wieder an ihr Knie und holte zitternd Luft.

»Es tut mir leid, dass ich so die Fassung verloren habe«, murmelte er.

»Sie brauchen sich nicht zu entschuldigen«, antwortete Alex weich. »Es würde mich sehr froh machen, wenn ich wüsste, dass ich Ihnen auch nur ein kleines bisschen helfen konnte. Es gibt Zeiten, da braucht man jemanden, der einem zuhört und versucht, zu verstehen.«

»Tun Sie das?« Nick sah sie wieder an. »Verstehen Sie mich?«

»Ich glaube schon«, Alex betrachtete sein zerquältes und hoffnungsloses Gesicht nachdenklich. Sie streckte eine Hand aus und strich über seine tränenfeuchte unrasierte Wange. Die letzte Stunde hatte ein Band des Vertrauens zwischen ihnen geschmiedet, das spürten sie beide.

»Wenn Sie Trost brauchen, wenn Sie einmal reden wollen, dann bin ich für Sie da, Nick«, sagte Alex mit rauer Stimme, »und Sie müssen nicht befürchten, dass ich irgendwem davon erzähle.«

»Danke«, er brachte ein schwaches Lächeln zustande und erhob sich mühsam, »ich bin Ihnen wirklich sehr dankbar.«

»Schon gut«, murmelte sie. Eine ganze Weile saßen sie schweigend nebeneinander, bis Alex auffiel, dass sie noch immer Nicks Hand in ihrer hielt. Verlegen ließ sie ihn los.

»Ich … ich muss jetzt gehen. Sind Sie okay?«

»Ja«, erwiderte er, und es schien Alex, als ob eine winzige Spur seiner alten Energie wieder zurückgekehrt sei, »mir geht es viel besser.«

Bevor sie gehen konnte, ergriff er wieder ihre Hand. »Weshalb sind Sie wirklich gekommen, Alex?«

Sie blickte ihn an, dann erhob sie sich. Nick war kein Verbündeter gegen Sergio mehr. Und sie konnte das verstehen.

»Das spielt keine Rolle mehr«, erwiderte sie.

***

Gedankenverloren ging sie die verschlungenen Wege des Friedhofs entlang. Die Sonne hatte an einigen Stellen die dichten Wolken durchbrochen, und die warmen Strahlen schmolzen den Nebel. Die Messe in der Kirche war zu Ende, einige Leute besuchten die Gräber ihrer Angehörigen. Alex war noch ganz benommen von dem unerwarteten Vertrauen, das Nick Kostidis ihr entgegengebracht hatte, und sie empfand eine tiefe Zuneigung zu ihm. Er war nicht hart und rücksichtslos, nein, er war ganz anders, als sie jemals geglaubt hätte. Als sie um eine Ecke bog, wäre sie fast mit einem Mann zusammengestoßen. Sie murmelte eine Entschuldigung, doch als sie dem Mann kurz ins Gesicht blickte, fuhr ihr ein eisiger Schrecken bis ins Mark. Niemals würde sie diese kalten, gelblichen Augen vergessen. Das war der Mann, den sie am Abend von Sergios Geburtstagsfeier in dessen Haus gesehen hatte, der Mann, der David Zuckerman umgebracht hatte. Und es konnte nur einen einzigen Grund geben, weshalb er jetzt hier, auf diesem Friedhof, war: Er war gekommen, um das zu tun, was vor ein paar Wochen misslungen war. Sergio hatte ihn hergeschickt, um Nick Kostidis zu töten. Alex dachte keine Sekunde daran, dass auch sie in Gefahr war, sie dachte nicht daran, dass der Mann sie erkannt haben und Sergio davon erzählen könnte, dass sie hier gewesen war. Sie verspürte nur noch Angst um Nick, der ahnungslos auf einer Bank am Grab seiner Familie saß, während ein Killer auch nach seinem Leben trachtete. Ihr Vorteil war, dass der Mann mit den gelben Augen nicht genau wusste, wo Nick sich befand. Er ging mit suchenden Blicken die Friedhofswege entlang, langsam, um nicht aufzufallen. Alex lief mit pochendem Herzen los und erreichte wenig später die Bank, auf der sie eben noch mit Nick gesessen hatte. Doch die Bank war leer. Panik explodierte in ihrem Innern, sie begann zu rennen. Endlich sah sie ihn! Er ging mit gesenktem Kopf, die Hände in den Manteltaschen vergraben, auf die Kirche zu. Just in diesem Moment hatte ihn auch der Mann mit den gelben Augen entdeckt. Im Schutze einer mächtigen Eibe hob er sein Gewehr und legte es an. Alex stolperte quer über die Gräber. Es war ihr egal, dass die Leute sie ärgerlich ansahen.

»Nick!« Ihre Stimme überschlug sich. »Passen Sie auf!«

Nick Kostidis drehte sich erstaunt um, aber da hatte sie ihn schon erreicht und warf sich gegen ihn, worauf sie beide das Gleichgewicht verloren und zu Boden stürzten. Die Kugel, die für Nick bestimmt war, schlug in den Grabstein direkt hinter ihnen ein, die Steinplatte zersplitterte und zerbrach in zwei Teile.

»Was ... was ... war das?«, fragte er benommen. Alex wandte vorsichtig den Kopf, um nach dem Mann zu sehen, der auf sie geschossen hatte. Er war verschwunden. Da platzte der Knoten der Anspannung in ihrem Innern, und sie begann zu weinen. Ein paar Leute kamen neugierig näher und starrten sie an.

»Jemand hat auf mich geschossen, stimmt's?«, flüsterte Nick.

»Ja«, Alex richtete sich auf und wischte sich schluchzend die Tränen ab. Nick erhob sich ebenfalls. Er war sehr blass, aber erstaunlich ruhig.

»Sie haben mir das Leben gerettet«, er ergriff ihre Hand. Alex schlang die Arme um seinen Hals und verbarg das Gesicht an seiner Schulter.

»Ich habe den Mann zufällig erkannt, als er mir entgegenkam«, ihre Stimme zitterte hysterisch, »ich habe ihn bei Vitali gesehen. Ich war auf seiner Geburtstagsfeier und hatte mich im Haus verirrt, als mir plötzlich dieser Mann gegenüberstand.«

Ihre Knie waren so weich wie Gummi, und sie musste sich hinsetzen. Nick kniete neben ihr nieder und blickte sie besorgt an.

»... ich folgte ihm, die Tür von der Bibliothek war nicht richtig geschlossen, und da hörte ich ... ich ... ich hörte, wie dieser Mann zu Sergio sagte: ›*Alles erledigt. David Zuckerman wird nichts mehr aussagen.*‹ Verstehen Sie, Nick, dieser Mann hat David Zuckerman erschossen, und nun wollte er Sie töten!«

»Sind Sie sicher, dass es derselbe Mann war?« Nick sah sie prüfend an.

»Ja, ja natürlich«, sie nickte heftig, »ich werde sein Gesicht niemals vergessen. Er ist einer von Vitalis Killern. O Gott, es ist entsetzlich!«

Sie konnte es nicht verhindern, dass ihr die Tränen über das Gesicht strömten, und diesmal war es Nick, der sie tröstete.

»Kommen Sie, Alex«, er ergriff ihre Hand und zog sie sanft hoch, »lassen Sie uns von hier verschwinden.«

»Und wenn er es noch mal versucht?«

»Das wird er nicht«, Nick war über seine eigene Kaltblütigkeit erstaunt. Alex' Panik hatte ihn ernüchtert, und plötzlich konnte er wieder so klar denken wie seit Monaten nicht mehr. Noch heute Morgen wäre er am liebsten tot gewesen, nur um diesen Schmerz und die entsetzlichen Schuldgefühle nicht mehr ertragen zu müssen. Er hatte geglaubt, er würde niemals mehr irgendetwas anderes als dies empfinden können, doch da hatte er sich geirrt. Eben hatte er deutlich ein Gefühl der Angst verspürt, und nun sorgte er sich um Alex, die ihm gerade das Leben gerettet und ihres dabei riskiert hatte. Sie betraten die Kirche des Klosters durch eine versteckte Seitentür, aber Alex fühlte sich selbst hinter den dicken Mauern nicht mehr sicher. Immer wieder blickte sie zurück und erwartete fast, den Mann mit dem Gewehr auftauchen zu sehen. Nick hielt ihre Hand fest, während Alex wie in Trance neben ihm herging. Sie verließen die Kirche und bogen in einen Kreuzgang ein, in dessen Mitte sich ein grünes Rasenviereck befand. Nick kannte sich im Gewirr der Gänge und Flure erstaunlich gut aus. Nach einem beinahe zehnminütigen Marsch befanden sie sich im 2. Stock des festungsähnlichen Klostergebäudes. Er hielt vor einer Tür an und klopfte.

»Herein!«, rief jemand, und Nick öffnete die Tür. Der hohe, weiß gekalkte Raum mit den dunklen Eichenbalken an der Decke war schlicht eingerichtet. Außer einem wuchtigen Schreibtisch aus dunklem Holz gab es nur Bücherregale, die bis unter die Decke reichten, und der einzige Wandschmuck waren ein Holzkreuz und ein gerahmtes Foto von Papst Johannes Paul II. Am Schreibtisch saß ein schlanker, weißhaariger Jesuitenpater, der erstaunt aufblickte, als Alex und Nick sein Büro betraten.

»Nick!«, rief der Pater, und ein herzliches Lächeln flog über sein Gesicht. »Wie schön, dich zu sehen!«

»Hallo, Pater«, erwiderte Nick.

»Wie geht es dir?« Der Pater nahm Nicks Hände in seine und sah ihn voller Zuneigung an. Alex stellte fest, dass er älter sein musste, als es auf den ersten Blick den Anschein machte, aber noch nie hatte sie so gütige und weise Augen, wie die des Jesuitenpaters, gesehen.

»Es geht mir besser«, erwiderte Nick, »danke.«

»Die Wege des Herrn sind unergründlich.«

»Ja. Es ist schwer, aber ich werde es schaffen.«

»Du bist immer in unseren Gebeten.«

»Ich weiß. Danke.«

Dann erst schien er sich daran zu erinnern, dass er nicht alleine war.

»Pater, ich möchte Ihnen Mrs Sontheim vorstellen«, sagte er nun. »Sie ist eine Freundin von … Mary und mir. Alex, das ist Pater Kevin O'Shaughnessy.«

»Guten Tag«, Pater Kevin reichte Alex die Hand, sein kräftiger Händedruck überraschte sie.

»Pater Kevin ist ein alter Freund von mir«, erklärte Nick. »Als Junge war ich Messdiener in dieser Kirche.«

»Nehmt doch Platz«, bot der Jesuit an. Alex, deren Knie noch immer weich wie Butter waren, lächelte dankbar und setzte sich auf einen der schlichten Holzstühle, der so unbequem war, wie er aussah.

»Man hat eben auf dem Friedhof auf mich geschossen«, sagte Nick nun, und der Pater erbleichte.

»*Geschossen?* Auf unserem Friedhof?« Er machte ein Kreuzzeichen. Nick erzählte ihm erst mit knappen Worten, was vorgefallen war, bevor er zum Telefon griff und eine Nummer wählte. Alex, die noch immer am ganzen Körper zitterte, stellte fest, dass seine Stimme fest und energisch klang, fast so, wie sie es von ihm kannte. Er sprach mit seinem Assistenten, diesem Frank Cohen, der sie gestern so höflich, aber bestimmt abgewimmelt hatte, und wiederholte die ganze Geschichte. Als er das Gespräch beendet hatte, wandte er sich Alex zu.

»Wie geht es Ihnen?«, fragte er mit ehrlicher Besorgnis und ergriff ihre Hand.

»Das sollte ich besser Sie fragen«, sie versuchte ein Lächeln, das ihr nicht recht gelingen wollte. »Immerhin hat man auf Sie geschossen.«

Nick betrachtete sie freundlich. Die Verzweiflung war aus seinen dunklen Augen verschwunden.

»Ich verdanke Ihnen sehr viel, Alex«, sagte er leise. »Sie haben mich heute ins Leben zurückgeholt und mir dieses gleich darauf gerettet. Heute Morgen wäre ich noch am liebsten tot gewesen, aber jetzt merke ich, dass ich doch an diesem bisschen Leben hänge.«

Pater Kevin, der schweigend zugehört hatte, räusperte sich.

»Kann ich dir irgendwie helfen, Nick?«

Nick, der Alex angesehen hatte, wandte sich um.

»Nein. Nein, danke«, erwiderte er. »Es tut mir leid, dass ausgerechnet hier so etwas geschehen musste. Die Polizei wird gleich hier sein.«

Der Pater machte eine ungeduldige Handbewegung.

»Hauptsache, es ist niemandem etwas passiert. Weißt du, wer das gewesen sein könnte?«

Nicks Gesicht verdunkelte sich, er schluckte mühsam. Alex drückte leicht seine Hand, die noch immer ihre festhielt.

»Ich fürchte«, sagte er mit gepresster Stimme, »es waren dieselben Leute, die mich mit der Autobombe töten wollten.«

***

Eine halbe Stunde später war der sonst so stille Friedhof voller Menschen. Polizisten durchkämmten jeden Winkel nach Spuren, die auf den Schützen hinweisen konnten. Männer von der Spurensicherung in weißen Papieranzügen untersuchten den Grabstein, in dem die Kugel steckte, die aus einem Präzisionsgewehr mit Schalldämpfer abgefeuert worden war. Sie krochen unter der großen Eibe herum, suchten nach Schuhabdrücken und sprachen mit Friedhofsbesuchern. Nick stellte Alex seinen Assistenten vor, der aus der City Hall gekommen war. Nach ihrem Telefonat gestern hatte sie ihn sich ganz anders vorgestellt, älter und unsympathischer. In Wirklichkeit war Frank Cohen kaum älter als sie, er hatte ein ernstes, schmales Gesicht, kurzes, dunkles Haar. In seinen Augen hinter dicken Brillengläsern erkannte sie einen ihr mittlerweile sehr vertrauten Ausdruck: Er hatte Angst.

»Nick«, sagte sie nun leise, »ich kann der Polizei nicht sagen, woher ich den Mann kenne.«

Er blickte sie an.

»Das hat einen Grund. Aber bevor ich mit der Polizei spreche, möchte ich Ihnen alles erzählen. Bitte.«

»Natürlich«, er nickte, »wir sagen der Polizei, dass Sie eine zufällige Friedhofsbesucherin sind. Einverstanden?«

Alex nickte erleichtert.

»Kommen Sie«, er legte ihr den Arm um die Schultern, »fahren wir in mein Büro. Hier werden wir sowieso nicht mehr gebraucht.«

Alex war das erste Mal in der City Hall. Beeindruckt sah sie sich in dem großen Büro des Bürgermeisters von New York City um. Während der letzten Stunden hatte sie völlig vergessen, wer Nick eigentlich war. Sie kannte viele mächtige und einflussreiche Männer, aber Nick Kostidis war der erste, der ihr gezeigt hatte, dass auch ein mächtiger Mann ein Herz und Gefühle haben konnte. Frank Cohen kochte Kaffee und ließ Pizza holen. Obwohl Alex geglaubt hatte, keinen Bissen herunterbringen zu können, verspürte sie plötzlich einen Bärenhunger. Nachdem sie zwei Tassen Kaffee getrunken und eine halbe Pizza Prosciutto gegessen hatte, fühlte sie sich besser. Schließlich begann sie zu erzählen. Sie erklärte den beiden Männern kurz ihre Tätigkeit bei LMI, dann sprach sie von Sergio. Sie war erstaunt, wie leicht es ihr fiel, vor dem Bürgermeister und seinem Assistenten über all das zu sprechen, was sie bisher niemandem gegenüber auch nur erwähnt hatte. Es kam ihr fast wie eine Beichte vor, und wie eine solche erleichterte es sie auch. Sie erzählte von dem Gespräch, das sie letztes Jahr auf Sergios Geburtstagsfeier belauscht hatte, sie erzählte von dem Attentat, das sie miterlebt hatte, von dem Lagerhaus in Brooklyn und von ihrem Verdacht, dass Sergio und Levy mit ihren Informationen geheime Geschäfte tätigten. Dann berichtete sie von dem, was sie über die geheimen Schmiergeldkonten auf Grand Cayman erfahren hatte. Die beiden Männer lauschten ihr mit wachsender Fassungslosigkeit. Nick saß vorgebeugt da, die Ellbogen auf die Knie gestützt, und starrte sie an.

»Was sagen Sie dazu, Nick?«, sagte Frank. »De Lancie, McIntyre, Whitewater, Rhodes, Senator Hoffman und sogar Jerome Harding.«

»Ich kann es nicht fassen«, Nick lehnte sich zurück und fuhr sich mit der Hand durch sein Haar, »wenn das tatsächlich wahr sein sollte …«

Frank Cohen sprang aufgeregt auf.

»Der Sumpf ist viel tiefer, als wir je vermutet haben!«

Nick sah plötzlich müde und sehr niedergeschlagen aus.

»Jetzt verstehe ich auch, warum ich niemals eine Chance gegen diesen Mann hatte«, sagte er mit leiser Stimme. »Durch Howard wusste er über jeden meiner Schritte Bescheid. Und durch all die anderen hatte er immer Rückendeckung, egal, was er getan hat.«

»Wir könnten sie unter Umständen alle drankriegen«, Franks Augen glänzten, »wir könnten den Sumpf endlich trockenlegen! Nick! Dafür haben Sie immer gekämpft!«

Nick erhob sich und trat ans Fenster. Er blickte nachdenklich hinaus.

»Nein«, sagte er nach einer Weile.

»Aber weshalb nicht?«, fragte Alex erstaunt. Er drehte sich um und erwiderte ihren Blick.

»Das kann ich nicht tun«, er schüttelte den Kopf, »Vitali wird erfahren, woher unsere Informationen stammen.«

»Wie sollte er es erfahren?«, begehrte Frank auf.

»Sie müssen es tun, Nick«, ließ Alex sich vernehmen, »Frank hat recht. Sie könnten die Stadt mit einem Schlag von der schlimmsten Korruption befreien.«

»Nein«, wiederholte Nick, »das kann ich nicht verantworten.«

»Aber …«, begann Alex.

»Ich will nicht, dass Ihnen etwas zustößt, Alex«, unterbrach Nick sie. »So viele Menschen mussten schon sterben, weil Vitali es befohlen hat. Heute hat er wieder versucht, mich töten zu lassen. Wenn er erfährt, dass Sie mir diese Informationen gegeben haben, Alex, dann wird er auch Sie töten. Und das … nein … das kann ich nicht wollen.«

Er holte tief Luft und straffte die Schultern.

»Im Übrigen denke ich darüber nach, vom Amt des Bürgermeisters zurückzutreten.«

***

Nelson van Mieren machte es sich im weichen Sessel der First Class des TWA-Fluges von Chicago O'Hare nach New York, La Guardia bequem. Er war das Wochenende über geschäftlich in Chicago gewesen, aber die Gespräche waren unbefriedigend verlaufen. Verärgert dachte er, dass die drei Tage nichts als vergeudete Zeit gewesen waren. Dazu hatte er die Geburtstagsfeier seines ältesten Enkelsohnes verpasst. Während sich das Flugzeug füllte, schlug Nelson die Zeitung auf, die er sich im Warteraum mitgenommen hatte. Die Schlagzeile sprang ihm sofort ins Auge, und er erstarrte, als sein Blick auf dem Phantombild hängen blieb, das direkt unter die fett gedruckte Überschrift gesetzt worden war.

Schüsse auf Bürgermeister Kostidis

Am frühen Vormittag des gestrigen Sonntags, knapp drei Monate nach dem grausamen Tod seiner Frau und seines Sohnes durch ein Bombenattentat, wurde auf dem Friedhof des Klosters St. Ignatius in Brooklyn erneut ein Anschlag auf den Bürgermeister von New York City, Nick Kostidis, verübt. Mehrere Augenzeugen beobachteten einen Mann, der aus etwa 100 Metern Entfernung mit einem Präzisionsgewehr auf Kostidis zielte. Nur die Geistesgegenwart einer Friedhofsbesucherin rettete dem Bürgermeister das Leben. Der Schütze konnte entkommen, aber die Polizei fertigte aufgrund von Zeugenaussagen das nebenstehende Phantombild an.

Nelson van Mieren wurde blass. Sein Herz raste, und er spürte, wie ihm der kalte Schweiß ausbrach. Das Phantombild des angeblichen Schützen war dem Mann, den Nelson nur zu gut kannte, erschreckend ähnlich. Ohne Zweifel handelte es sich um Natale Torrinio, der nur ›der Neapolitaner‹ genannt wurde. Nelson schloss die Augen. Der Puls hämmerte in seinem Schädel. Er begriff, dass Sergio ihn am Freitag nur unter einem Vorwand nach Chicago geschickt hatte, damit er in aller Ruhe den Neapolitaner auf den Bürgermeister hetzen konnte. Sergio hatte ihn belogen, als er ihm im Sommer beteuert hatte, nichts mit dem Bombenanschlag auf den Bürgermeister zu tun zu haben. Er hatte es geahnt, und doch hatte er Sergio geglaubt. Die Erkenntnis, von seinem ältesten Freund belogen und hintergangen worden zu sein, war so schmerzhaft und enttäuschend wie kaum etwas anderes, was Nelson in seinem Leben erlebt hatte.

***

Sergio hielt es für einen schlechten Scherz, als der Butler von Mount Kisco im Büro anrief, um ihm mitzuteilen, dass Constanzia mit vier großen Koffern und ein paar Taschen in aller Frühe von einem Taxi abgeholt worden war, ohne zu sagen, wohin sie fuhr. Obwohl es ihm heute überhaupt nicht in den Terminplan passte, beorderte er seine Söhne nach Mount Kisco und flog mit dem Hubschrauber ins Westchester County, um festzustellen, was vorgefallen war. Sergio war mörderisch schlechter Laune, nachdem Natale, sein bester Mann, gestern seinen Job verpatzt hatte. Wochenlang hatte es keine Möglichkeit gegeben, an Kostidis heranzukommen, weil er ständig von einem Kordon von Leibwächtern umringt war. Selbst bei der großen Parade auf der 5th Avenue war es unmöglich gewesen, ihn zu erledigen. Natale selbst hatte die Idee gehabt, ihn auf dem Friedhof umzulegen, denn er hatte herausgefunden, dass Kostidis seine Leibwächter nicht mit an das Grab seiner Familie nahm. Es schien eine völlig problemlose Sache zu sein, und trotzdem hatte Natale, auf den sonst immer tausendprozentig Verlass war, nicht nur seinen Auftrag vermasselt, sondern war auch noch gesehen worden! Auch das hätte Sergio verschmerzen können, aber Natale hatte behauptet, er habe Alex auf dem Friedhof zusammen mit Kostidis gesehen. Sergio hatte ein Dutzend Mal vergeblich bei ihr zu Hause und auf dem Handy angerufen, um schließlich seine Leute zu ihrer Wohnung zu schicken. Und die hatten ihm bestätigt, dass sie nicht da war. Erst um sechs Uhr abends war sie aufgetaucht. Ein Mann mit einem blauen Honda hatte sie nach Hause gebracht. Sergio war einem Tobsuchtsanfall nahe gewesen, als er das erfahren hatte.

Auf seinem Schreibtisch in seinem Haus im Westchester County fand er einen an ihn adressierten Briefumschlag. Er riss ihn ungeduldig auf und las die wenigen Zeilen, die Constanzia mit ihrer schwungvollen Handschrift an ihn gerichtet hatte. *Sergio*, hatte sie geschrieben, *ich verlasse dich heute. Ich habe mir diese Entscheidung nicht leichtgemacht, aber nach dem Tod von Cesare sehe ich keine Möglichkeit mehr, mein Leben so weiterzuführen, wie ich es bisher getan habe. Meine Söhne brauchen mich nicht mehr, und du, wenn du mich je gebraucht haben solltest, tust es auch nicht mehr. Ich kann das Haus und die Einsamkeit nicht mehr ertragen, deshalb gehe ich. Constanzia.*

Stumm starrte er auf den Brief in seinen Händen. Ein wilder Zorn wallte in ihm auf. Was fiel Constanzia ein? Sie hatte bei Nacht und Nebel die Koffer gepackt, ein Taxi gerufen und war verschwunden, ohne ein Wort darüber zu verlieren. Wütend zerknüllte er das Papier und warf es in den Papierkorb. Seine Söhne und Silvio standen mit betretenen Gesichtern vor dem Schreibtisch. Sergio begann mit grimmigem Gesicht in dem großen Raum auf und ab zu gehen.

»Wie kann sie das nur tun?«, brüllte er und drehte sich um. »Was fällt ihr ein? Hat sie von mir nicht alles bekommen, was eine Frau sich nur wünschen kann? Habe ich ihr nicht alles gekauft, was sie haben wollte? Sie hat zig Bedienstete und allein drei Autos!«

»Mama war in den letzten Jahren sehr unglücklich«, bemerkte Domenico vorsichtig. »Und nach Cesares Tod …«

»Unglücklich, ha!«, fiel Sergio ihm ins Wort. »Sie hat ihn doch zu dem gemacht, was er war! Ein nichtsnutziger, verwöhnter, undankbarer Balg! Und feige und dumm obendrein!«

Er war in der Stimmung, jemanden mit eigenen Händen umzubringen, deshalb schwiegen die drei Männer, die ihn gut kannten, wohlweislich.

»Domenico«, befahl Sergio nun, »hol alle Hausangestellten hierher, sofort. Ich will wissen, wo sie hingefahren ist. Das Letzte, was ich mir jetzt noch leisten kann, ist die Schlagzeile, dass meine Frau …«

Er verstummte. … *mich verlassen hat.* Er brachte es nicht über sich, diesen Satz auszusprechen. Wie konnte Constanzia ihn derart kränken? Wenn er sich von ihr scheiden lassen wollte, dann war das seine Sache, aber dass sie ihm davonlief, war mehr, als seine Eitelkeit ertragen konnte.

»Du sollst die Leute holen!«, brüllte er seinen jüngeren Sohn an. »Und zwar *subito*!«

Dieser warf ihm einen gekränkten Blick zu und verschwand. »Wie konnte sie mir das antun?«, wiederholte Sergio und setzte seinen ruhelosen Gang fort, wie ein Raubtier im Käfig. »Wie kann sie mich so bloßstellen!«

»Aber Papa«, versuchte Massimo einzuwenden, »sie hat dich doch nicht bloßgestellt. Es weiß doch niemand, außer uns.«

»Es wird bald aber jeder wissen!«, schrie Sergio. »Jeder wird sich über mich lustig machen!«

»Ach, das glaube ich nicht.«

»Halt den Mund!«, fuhr Sergio seinen Sohn unbeherrscht an, sein Gesicht war blass vor Zorn. »Sie macht mich vor meinen Leuten zum Idioten, und das werde ich ihr niemals verzeihen! Sergio Vitali wird von seiner Frau verlassen! Das ist ungeheuerlich!«

In Wirklichkeit war es nicht seine Frau, über die er sich ärgerte. Was ihn wirklich rasend machte, war die Tatsache, dass Alex, dieses hinterhältige Biest, ihn belogen hatte! Sie hatte ihm erzählt, sie sei mit den Downeys auf Long Island, dabei schlich sie sich hinter seinem Rücken zu Kostidis!

»Silvio«, sagte Sergio nach einer Weile mit ruhigerer Stimme, »du sorgst dafür, dass Constanzia hierher zurückkommt. Es ist mir gleichgültig, wie du das anstellst. Aber wenn ich auch nur eine einzige Zeile darüber in der Zeitung lesen muss, bist du gefeuert! *Capito?*«

Silvio nickte gleichmütig. Er war an die Wutausbrüche seines Chefs seit langen Jahren gewöhnt.

»Moment!« Auf Sergios Gesicht lag ein grausames Lächeln. »Ruf Luca an. Für ihn habe ich noch einen Spezialauftrag.«

Silvio nickte und ging hinaus.

»Was hast du vor, Papa?«, fragte Massimo besorgt. »Was willst du mit Mama machen?«

»Nichts«, Sergio machte eine verächtliche Handbewegung und ging zur Bar, um sich einen Whisky einzuschenken, »ich will nur, dass sie in dieses Haus zurückkehrt.«

»Und dieser Spezialauftrag?«

»Das hat mit deiner Mutter nichts zu tun.« Er trank den Whisky in einem Zug aus. Diese verfluchte Alex sollte ihn kennenlernen! Erst tat sie so, als könne sie es kaum noch erwarten, ihn zu heiraten und mit ihm zu leben, und dann traf sie sich heimlich mit seinem Todfeind!

***

Sie war um kurz vor drei fertig mit Packen. Ihre gesamte Habe befand sich in 22 Umzugskartons. Nicht gerade viel für eine Frau, die an der Upper West Side wohnt, dachte Alex spöttisch. Sämtliche Möbel, Bilder und Teppiche hatten sich bereits in der Wohnung befunden, als sie eingezogen war. Sie blickte sich ohne einen Anflug von Wehmut um. Es gab keine schönen Erinnerungen, die sie mit dieser Wohnung verband, ganz im Gegenteil. Vielleicht war es naiv anzunehmen, sie könne Sergio entrinnen, indem sie die Wohnung wechselte, doch zumindest war sie ihm dann nicht länger verpflichtet. Alex blickte auf die Uhr. Um halb vier wollten die Männer vom Umzugsunternehmen kommen. Ein letztes Mal trat sie hinaus auf die Terrasse, zündete sich eine Zigarette an und blickte zum Central Park hinüber. Ihre Gedanken schweiften zum vergangenen Sonntag zurück. Es hatte sie tief berührt, dass Nick aus Rücksicht auf ihre Sicherheit ihre Informationen nicht benutzen wollte. Sie hatte angenommen, er werde alles tun, um sich am Mörder seiner Frau und seines Sohnes zu rächen, aber der Bombenanschlag und der Schuss auf dem Friedhof hatten ihn zum Nachdenken über die Folgen eines Rachefeldzuges gebracht. Das hatte er ihr gesagt, als er sie am späten Montagnachmittag angerufen hatte. Er hatte sich nach ihrem Befinden erkundigt, und sie hatten beinahe eine Viertelstunde miteinander telefoniert, aber er hatte mit keinem Wort erwähnt, was Alex ihm am Sonntag erzählt hatte. In dem Augenblick klingelte es an der Tür. Es konnte ihr nur recht sein, wenn die Umzugsleute früher kamen. Alex ging quer durch die Wohnung und öffnete die Tür. Sie erstarrte. Vor ihr stand Constanzia Vitali.

»Entschuldigen Sie, dass ich hier einfach so auftauche«, sagte Sergios Ehefrau. »Darf ich kurz hereinkommen?«

»A… aber natürlich«, Alex war erstaunt und gleichzeitig verlegen. Hatte Sergio etwa tatsächlich die Scheidung eingereicht? War seine Frau gekommen, um ihr eine Szene zu machen? Constanzia Vitali blieb in der Eingangshalle stehen und blickte auf die Kisten.

»Das sieht ja so aus, als wollten Sie ausziehen.«

»Ja«, Alex lächelte nervös, »das habe ich auch vor.«

»Aber warum? Die Wohnung ist doch wunderschön!«

Alex hatte Sergios Frau nur einmal gesehen, und das lag anderthalb Jahre zurück. Sie war in dieser Zeit sichtlich gealtert. Tiefe Falten hatten sich um ihren Mund in ihr Gesicht gegraben, sie hatte Tränensäcke unter den braunen Augen und konnte nicht verbergen, dass sie sehr unglücklich war. Sie hatte ihren Sohn verloren, und Alex glaubte nicht, dass Sergio seiner Frau in dieser schweren Zeit ein Trost gewesen war.

»Es wird Sie nicht erstaunen, wenn ich Ihnen sage, dass die Wohnung Ihrem Mann gehört«, sagte Alex nun, »und da ich ihn nicht mehr sehen möchte, ziehe ich um.«

»Sie verlassen ihn?« Constanzia hob überrascht die Augenbrauen.

»Das habe ich vor«, entgegnete Alex.

»Nun«, Constanzia lächelte mit boshafter Belustigung, »dann wurde Sergio am gleichen Tag von seiner Ehefrau und seiner Geliebten verlassen. Das wird seiner Eitelkeit und seinem Stolz einen schweren Schlag versetzen.«

»Sie haben ihn ... *verlassen*?«, fragte Alex ungläubig.

»Ja«, Constanzia nickte und blickte sie prüfend an.

»Kommen Sie mit«, Alex dachte an versteckte Wanzen. »Gehen wir auf die Terrasse.« Constanzia nahm auf einem der Rattansessel Platz und musterte Alex, die ihr äußerlich nicht unähnlicher sein konnte. Sie schwieg eine Weile, schien zu überlegen, wie sie ihr Anliegen in Worte fassen konnte.

»Ich kenne Sergio, seitdem wir Kinder waren«, begann sie schließlich. »Wir wuchsen in Little Italy auf, und dort kannte jeder jeden. Ignazio Vitali schickte Sergio auf ein Internat, als er sieben war, kurz nachdem sein Bruder Aldo von einer rivalisierenden Bande ermordet worden war.«

Alex war erstaunt, hatte Sergio ihr doch erzählt, sein Bruder sei an den Folgen einer Krankheit gestorben. Aber eigentlich wunderte es sie nicht, dass er ihr die Wahrheit verschwiegen hatte.

»Sergio kam erst nach dem Tod seines Vaters zurück in die Stadt«, fuhr Constanzia fort. »Man hatte Ignazio, der als der erste Mann der Genovese-Familie anderen im Weg stand, regelrecht hingerichtet. Mein Vater trat nach seinem Tod dessen Nachfolge an. Ich begriff damals die Feinheiten des Machtgefüges innerhalb der großen Familien in der Stadt nicht. Ich verliebte mich Hals über Kopf in Sergio, als ich ihn auf der Hochzeit einer Freundin wiedersah, und ich konnte es kaum fassen, dass er mich kurze Zeit später heiratete. Ich war taub und blind vor Liebe und hörte nicht auf die Warnungen meines Vaters. Allerdings wurde mir schon nach kurzer Zeit klar, dass er mich nicht liebte.«

Constanzias Miene verhärtete sich bei der Erinnerung an die Demütigungen, die Sergio ihr zugefügt hatte.

»Ich war schwanger, und mein Mann betrog mich mit jedem billigen Flittchen in der Mulberry Street. Wie es gute italienische Ehefrauen damals taten, sagte ich nichts. Sergio war auch viel zu sehr damit beschäftigt, reich und mächtig zu werden, als dass es ihn interessiert hätte, was ich tat. Er hatte mich einzig aus dem Grund geheiratet, weil ich die Tochter von Carlo Gambino war.«

Constanzia warf Alex einen forschenden Blick zu.

»Es wird Sie nicht erstaunen, dass Sergio aus einer der mächtigsten Mafia-Familien der Stadt stammt, oder?«

»Er hat mir davon erzählt, dass sein Vater ein bekannter Killer war«, erwiderte Alex zurückhaltend.

»Pah!«, machte Constanzia. »Ignazio Vitali war nicht nur ein einfacher Killer. Er war der gefürchtetste Vollstrecker von Lucky Luciano und Dutch Schultz, den er später übrigens selber erschoss. Aber das sind alte Kamellen. Sie sind heute alle lange tot. Sergio kaufte das Haus in Mount Kisco, als er seine ersten Millionen verdient hatte. Es war schrecklich für mich, so weit entfernt von meiner Familie und meinen Freundinnen zu leben, aber Sergio fand, es sei unter seiner Würde, noch länger in der Mulberry Street zu wohnen. Er kaufte die Wohnung in der Park Avenue und kam nur ab und zu hinaus zu mir. Er war schon immer ein rücksichtsloser Egoist, und unsere Ehe war nie viel mehr wert als das Papier, auf dem sie besiegelt worden war. Sergio tat immer, was er wollte, und ich wusste vom ersten Tag meiner Ehe an, dass er keiner schönen jungen Frau widerstehen konnte.«

Alex errötete, aber das schien Constanzia nicht zu bemerken. »Die Jahre vergingen, unsere Söhne wurden groß und gingen aus dem Haus. Alle, bis auf Cesare.« Constanzia seufzte schwer. »Sergio hat Cesare immer verachtet. Er war anders als seine Brüder, schwächer und nicht so intelligent. Er war oft in Schwierigkeiten, und ich lebte in dauernder Angst vor Sergios Wutanfällen, wenn Cesare wieder einmal etwas angestellt hatte.«

Sie lächelte traurig, und in ihren großen Augen glänzten die Tränen.

»Es war an dem Tag von Sergios Geburtstagsfeier, im vergangenen Jahr, Sie erinnern sich sicherlich. Sergio warf Cesare aus dem Haus, und Cesare kam nie wieder. Ab und zu rief er mich an, aber ich wusste nicht, wo er lebte und was er tat, und machte mir schreckliche Sorgen. Wenn ich versuchte, mit Sergio über den Jungen zu reden, wurde er wütend. Ein paar Tage nach der Feier erfuhr ich, dass man David Zuckerman erschossen hatte. Er und seine Frau waren gute Freunde meines ältesten Sohnes und oft bei uns zu Besuch. Es war mir sofort klar, dass Sergio für den Tod des Mannes verantwortlich war.«

Alex hielt den Atem an.

»Dann kam der Tag, an dem Sergio niedergeschossen wurde. Als Massimo mich anrief, um mir mitzuteilen, dass sein Vater verletzt worden sei, war ich nicht schockiert. Ich wurde nicht hysterisch, nein. Ich habe gelacht. Der Herrgott möge mir verzeihen, aber ich hatte für eine Sekunde gehofft, er sei tot.«

Sie lächelte verlegen, aber dann verdüsterte sich ihr Gesicht.

»In derselben Nacht wurde Cesare verhaftet. Als ich erfuhr, dass er ... tot ... war, drehte ich fast durch. Ich war mir sicher, dass Sergio mit seinem Tod zu tun hatte, und das warf ich ihm auch vor, als er ein paar Tage später nach Hause kam. Ich schrie ihn an, sagte lauter hässliche Sachen. All das, was sich in den

Jahren in mir aufgestaut hatte, platzte aus mir heraus, und ich begriff, dass es die Wahrheit war, die ich nie hatte sehen wollen.«

Alex sah die Tränen in Constanzias Augen, und sie wusste, was die Frau empfand. Ging es ihr selbst nicht ähnlich?

»An diesem Tag wurde mir bewusst, dass ich Sergio hasste. Ich wünschte ihm den Tod. Ja, damals habe ich schon den Entschluss gefasst, ihn zu verlassen, aber mir fehlte der Mut. Dann hörte ich vom Attentat auf den Bürgermeister, bei dem seine arme Frau und sein Junge getötet wurden. Ich weiß, wie sehr Sergio Mr Kostidis hasst, und auch wenn er mir niemals etwas von seinen Geschäften erzählt hat, habe ich doch in 30 Jahren genug mitbekommen, um eins und eins zusammenzählen zu können.« Constanzia zuckte die Schultern. »Sergio lässt Leute töten, die ihm im Weg stehen. Ich bin von klein auf daran gewöhnt, dass Menschen sterben, und zwar meistens nicht mit 85 im Bett. Mein Vater war ein Mafioso, meine Brüder und Onkel waren es, aber mein Mann ist der größte von allen, brutaler und rücksichtsloser, als es selbst Lucky Luciano oder Al Capone waren. Er ist ein Verbrecher, und ich weiß es. All die Jahre habe ich meiner Jungs wegen alles ertragen, aber seitdem Cesare tot ist, kann ich das nicht mehr. Das ganze Blut, die Gewalt und der Tod – das ist zu viel für mein Gewissen.«

Alex spürte, wie ihr die Angst wie eine eisige Faust in den Nacken griff. Alle Farbe war aus ihrem Gesicht gewichen, und sie war totenblass.

»Sergio hat seinen eigenen Sohn umgebracht?«, flüsterte sie entsetzt.

»Ja«, Constanzia nickte, »natürlich nicht mit eigenen Händen. So etwas tut er nicht, dafür hat er seine Leute, aber ich weiß, dass er es getan hat. Er hat befürchtet, Cesare könnte im Gefängnis unter Druck reden. Mein Junge musste aus demselben Grund sterben wie David Zuckerman oder der Mann von LMI, der angeblich überfahren wurde.«

Alex schluckte krampfhaft.

»Gilbert Shanahan?«

»Ja, so hieß er, glaube ich. Seine Frau hat laut die Wahrheit gesagt. Hätte sie besser den Mund gehalten, die Arme. Sie haben sie in eine psychiatrische Anstalt geschafft, und jetzt sitzt sie in der Gummizelle.«

Alex' Lippen waren trocken wie Papier, das Entsetzen, das dem Begreifen folgte, war unermesslich. Oliver hatte recht. Gilbert Shanahan war ermordet worden, weil er das Spiel nicht länger hatte mitspielen und aussteigen wollen. Alex fror plötzlich. »Wieso erzählen Sie mir das alles, Mrs Vitali?«, flüsterte sie. Constanzia sah sie an.

»Ich bin gekommen, weil ich Sie warnen und um etwas bitten möchte«, sagte sie. »Ich habe am vergangenen Sonntagabend ein Gespräch mit angehört. Natale Torrinio, einer der Killer, die für Sergio arbeiten, hat ihm erzählt, dass er Sie morgens zusammen mit Mr Kostidis auf dem Friedhof gesehen hat.«

Alex' Finger krampften sich um die Armlehnen des Sessels. Angestrengt versuchte sie, die aufsteigende Panik zu beherrschen. Natale Torrinio. Der Mann mit den gelben Augen.

»Alex«, sagte Constanzia eindringlich, »Sergio hat genug Leid und Kummer verursacht. Ich wünschte, ich hätte genug Mut gehabt, ihm ein Küchenmesser in sein kaltes Herz zu stoßen, aber dazu war ich zu feige. Ich will, dass ihm jemand sein Handwerk legt. Ich will Rache für meinen toten Sohn und für all das, was dieser Unmensch mir und meiner Familie angetan hat.«

Sie beugte sich vor und ergriff Alex' Hand.

»Ich habe einen Verbündeten«, sie senkte ihre Stimme, »aber er und ich werden es alleine nicht schaffen, wenngleich wir mit unserem Wissen Sergio vernichten könnten. Ich brauche Kontakt zu jemandem, der mächtig und furchtlos genug ist, mich bei dem zu unterstützen, was ich tun muss. Ich kann nicht einfach zur Polizei oder zur Staatsanwaltschaft gehen. Sergio würde es sofort erfahren und auf der Stelle dafür sorgen, dass ich den Mund halte.«

Sie hielt für einen Moment inne.

»Alex, Sie kennen die wichtigen Leute. Sie kennen den Bürgermeister. Sie können mir helfen!«

Alex sprang auf und schlang in hilfloser Verzweiflung die Arme um ihren Körper. Constanzia Vitali war gekommen, um sie um Hilfe zu bitten, ausgerechnet sie! Ihr war entsetzlich zumute, und sie hatte panische Angst. Sergio würde keine Sekunde zögern, sie zu töten, wenn er schon nicht davor zurückgeschreckt war, seinen eigenen Sohn umbringen zu lassen! Auf was für ein mörderisches Spiel hatte sie sich da nur eingelassen? Und alles nur wegen ihres verfluchten Ehrgeizes, wegen ihrer hochmütigen Eitelkeit, ihrem unstillbaren Drang, zur besseren Gesellschaft gehören zu wollen! Berühmt hatte sie sein wollen und erfolgreich, aber wo war sie gelandet? Die Geliebte eines Verbrechers war sie geworden, so, wie es Oliver ihr einmal an den Kopf geworfen hatte. Das Studium, die harte Arbeit – alles war umsonst gewesen! Mit 37 Jahren, wenn andere Leute ihre Karriere erst begannen, war ihre Zukunft schon vorbei, denn sie würde niemals wieder vor Sergio sicher sein. Die Tränen der Angst sprangen in ihre Augen, und sie drehte sich zu Constanzia Vitali, die sie hoffnungsvoll anblickte, um.

»Ich fürchte, ich kann Ihnen nicht helfen, Mrs Vitali«, sagte sie mit mühsamer Beherrschung. Sie dachte an das, was Nick gesagt hatte. *Vor ein paar Monaten hätte ich mich gefreut, das zu hören. Aber jetzt ist es mir gleichgültig. Es würde Mary und Christopher nicht mehr lebendig machen …* Nein, er würde auch nicht helfen können. Constanzia stand auf.

»Ich will Sie nicht drängen«, sie kramte in ihrer Handtasche, bis sie gefunden hatte, was sie suchte. »Hier ist eine Telefonnummer, unter der Sie mich jederzeit erreichen können.«

Als Sergios Ehefrau gegangen war, sank Alex schluchzend auf den Boden und verbarg das Gesicht in den Händen. Die bittere Wahrheit war die, dass sie ihre Zukunft und ihr ganzes Leben unwiderruflich verpfuscht hatte.

***

Sergio stand stumm in der Penthousewohnung und sah mit eigenen Augen, was Luca ihm eine Stunde zuvor am Telefon gesagt hatte. Alex war ausgezogen. Die Schränke waren leer, der Kühlschrank abgestellt, alle Bücher und CD's verschwunden, das Badezimmer so leer wie das in einem Hotel. Sergio spürte, wie sich sein Inneres zusammenzog, eine Welle der Enttäuschung rollte durch seinen Körper und vibrierte in seinen Fingerspitzen, als er begreifen musste, wie geschickt sie ihn getäuscht hatte. Sie hatte ihm in den letzten Tagen nichts als Theater vorgespielt, und er, der seine Heiratspläne mit ihr insgeheim durchaus ernst gemeint hatte, hatte sich von ihr an der Nase herumführen lassen wie ein dummer Junge! Ironie des Schicksals, dass Alex ihn am gleichen Tag wie Constanzia verlassen hatte. Und er hatte keine Ahnung, wo sie war, denn er hatte sie nicht mehr überwachen lassen. Ja, er war wirklich geneigt gewesen, ihr zu vertrauen, und dann das! Diese Zurückweisung war eine Kränkung, die er kaum ertragen konnte, und gleichzeitig überfiel ihn ein Gefühl der Leere, das ihm fremd und bedrohlich erschien. Aus einem ersten Impuls heraus wollte er sie anrufen, aber dann gewann seine Vernunft die Oberhand. Sein Atem ging schwer, und er schloss kurz die Augen. Alex war am letzten Sonntag nicht bei den Downeys auf Long Island gewesen, wie sie es ihm erzählt hatte. Natale hatte recht gehabt: Sie hatte sich mit diesem Bastard Kostidis auf dem Friedhof in Brooklyn getroffen! Und sie war es, die ihn gewarnt hatte. Er hatte es ausgerechnet Alex zu verdanken, dass dieser elende Mistkerl noch immer am Leben war.

»Was sollen wir jetzt machen, Boss?«, ließ Luca sich vernehmen.

»Nichts«, sagte Sergio äußerlich ungerührt, »baut die Mikrophone und Kameras aus und lasst die Wohnung renovieren. Und gib mir ihren Reisepass. Ich werde ihn ihr selber geben.«

Er ballte die Hände zu Fäusten. Seine Enttäuschung verwandelte sich in kalten Zorn. Alex konnte sich nicht vor ihm verstecken. Schon bald würde er wissen, wo sie sich verkrochen hatte, und dann würde er sie zur Rede stellen.

***

Es war Viertel nach acht, als Frank Cohen das Büro seines Chefs betrat. Nick Kostidis saß an seinem Schreibtisch und starrte wie so oft in letzter Zeit auf ein gerahmtes Foto seiner verstorbenen Frau.

»Ich dachte, Sie wären schon gegangen«, sagte er.

»Ich habe noch einmal die Presseerklärung zur geplanten Sozialhilfereform überarbeitet«, erwiderte Frank, »und ich habe Ihnen ein paar Argumente aufgeschrieben, die Sie morgen bei dem Gespräch mit Paul Inishan vom Obdachlosenbündnis gebrauchen könnten.«

»Ach ja«, Nick setzte seine Lesebrille ab und rieb sich die müden Augen, »ich lese es mir morgen früh durch, okay?«

»Ja, klar.«

»Was habe ich morgen für Termine?«

»Um neun Paul Inishan. Das Obdachlosenbündnis hat sich wegen des geplanten Arbeitsdienstes beschwert. Danach die Delegation aus dem Oman. Von zehn bis ungefähr eins. Dann haben Sie einen Termin mit Lucie McMillan von WNBC. Da geht es um die Mülldeponie auf Staten Island. WNBC will einen Bericht darüber senden. Um drei haben Sie einen Termin in Queens, Besichtigung eines neuen Waisenhauses, und um fünf steht die Ehrung der Feuerwehrleute an, die im August in Morningside Heights die Kinder aus dem brennenden Haus gerettet haben.«

Frank blickte seinen Chef an. Nick sah erschöpft aus, aber das war kein Wunder. Seit der Beerdigung seiner Familie hatte er sich in die Arbeit gestürzt, als wolle er sich umbringen. Von morgens bis nachts jagte ein Termin den anderen. Von Polizisten und Sicherheitsbeamten eskortiert, eilte Nick durch die Stadt, und einige Mitarbeiter begannen schon zu murren, denn der Bürgermeister schien zu vergessen, dass andere Menschen noch etwas anderes vorhatten, als zu arbeiten. Frank fragte sich, wie lange er dieses Tempo noch durchhalten konnte. Er stopfte seinen Terminkalender so voll, dass es schon unmenschlich war, aber es gab niemanden mehr, der ihn bremste. Frank ahnte, dass Nick das tat, um dem Alleinsein und seinen Gedanken zu entkommen. In der Öffentlichkeit ließ er sich seine Gefühle nicht anmerken, er war äußerlich fast so wie früher, doch sobald er sich unbeobachtet wähnte, fiel er regelrecht in sich zusammen. Frank hatte ihn schon mehrmals dabei überrascht, wie er blicklos ins Leere oder auf das Foto seiner Frau starrte.

»Haben Sie noch einmal darüber nachgedacht, was Alex Sontheim uns erzählt hat?«, fragte Frank nun vorsichtig.

»Ich denke über nichts anderes nach«, gab Nick nach einer Weile zu, »jeden Tag, wenn ich mit diesen Leuten spreche, denke ich daran und stelle fest, wie falsch und hinterhältig sie sind. Es mag sein, dass Korruption in New York schon immer an der Tagesordnung war, aber ich kann nicht glauben, dass sich selbst der Polizeichef und der Bezirksstaatsanwalt von einem Verbrecher wie Vitali haben kaufen lassen.«

»Vielleicht kann man tatsächlich etwas tun«, sagte Frank, »für wie realistisch halten Sie die Story?«

»Für ziemlich realistisch. Weshalb sollte sie sich so etwas ausdenken?«

»Dann sollten wir nicht länger zögern. Man könnte die Informationen an die Staatsanwaltschaft weitergeben.« Frank setzte sich Nick gegenüber an den Schreibtisch. »Sie hätten endlich die Möglichkeit, Vitali für alles, was er angerichtet hat, zur Rechenschaft zu ziehen!«

»Frank, ich habe es Ihnen doch schon einmal gesagt«, antwortete Nick ungewöhnlich geduldig. »Meine Familie musste sterben, weil ich wie ein Wahnsinniger hinter Vitali hergejagt bin. Mit dem Schuss auf mich hat er deutlich gemacht, dass er noch immer die Absicht hat, mich zu töten. Es ist ihm bitterernst. Ich werde nicht das Leben dieser Frau, die mir geholfen hat, aufs Spiel setzen.«

»Mrs Sontheim weiß genau, was sie tut. Sie hat Ihnen die Informationen gegeben, damit Sie etwas unternehmen.«

»Verdammt!« Nicks Stimme wurde scharf. »Ich nehme jeden Abend Schlaftabletten, damit ich wenigstens ein paar Stunden schlafen kann! Ich stürze mich in die Arbeit, um mich von diesen grässlichen Bildern abzulenken. Mein Herz ist voller Zorn und Rachegelüste, aber wie kann ich noch mehr Schuld auf mein Gewissen laden? Glauben Sie, dass Vitali zögern würde, Alex umzubringen, wenn er erfährt, was sie weiß?«

»Sie war oder ist immer noch seine Geliebte«, erwiderte Frank. »Wissen Sie überhaupt, ob sie ehrlich zu uns war?«

Nick holte tief Luft.

»Darüber habe ich schon nachgedacht. Aber irgendwie glaube ich, dass sie ehrlich ist. Weshalb hätte sie sonst zu mir auf den Friedhof kommen sollen? Warum hätte sie ihr Leben riskieren sollen, um meines zu retten? Der Schuss hätte sie ohne weiteres treffen können!«

»Vielleicht war es ein abgekartetes Spiel, damit Sie genau das glauben.«

»Sie sind ganz schön misstrauisch, Frank.«

»Das habe ich von Ihnen gelernt, Chef.« Frank lächelte schwach. »Sie waren es, der immer alles hundert Mal in Frage gestellt hat, bevor Sie es geglaubt haben. Und oft genug haben Sie mit Ihrem Misstrauen recht behalten.«

»Ja«, Nick seufzte niedergeschlagen, »ich habe mir immer viel auf meine Menschenkenntnis eingebildet, aber offensichtlich ist es nicht sehr weit damit her. Ich hätte Ray niemals zugetraut, dass er zu einem solchen Verrat fähig war.«

»Wir sollten uns noch einmal mit Alex unterhalten«, schlug Frank vor, »und schriftliche Beweise verlangen.«

»Ja, vielleicht«, Nick lehnte sich zurück. Frank Cohen erhob sich. Er kannte seinen Chef gut genug, um zu bemerken, dass dieser das Thema nicht weiter vertiefen wollte. Als er fast die Tür erreicht hatte, wandte er sich noch einmal um.

»Ach, Nick?«

»Was gibt es noch?«

»Haben Sie heute daran gedacht, etwas zu essen?«

Nick lächelte kurz, dann nickte er.

»Ich glaube, ich hatte einen Donut zum Frühstück. Jetzt gehen Sie schon. Gute Nacht.«

»Gute Nacht, Chef. Bis morgen.«

Nick wartete, bis sein Assistent die Tür hinter sich geschlossen hatte, dann öffnete er eine Schublade seines Schreibtisches und nahm ein älteres Exemplar des *People Magazine* heraus. Er schlug den Bericht über Alex Sontheim auf und starrte das große Foto von ihr an. Mit einem nachdenklichen Lächeln dachte er an den Morgen am Strand von Montauk, als er sie auf diesem wilden Pferd gesehen hatte, und plötzlich war er sich ganz sicher, dass sie ehrlich zu ihm gewesen war.

***

Am Dienstagnachmittag hatte Alex eine Besprechung mit Vincent Levy, Michael Friedman und Hugh Weinberg. Die drei Männer waren begeistert von ihrem aktuellen Deal, in dem LMI den texanischen Computerhersteller Whithers bei seinen Übernahmeverhandlungen mit Database Inc. vertreten sollte und dafür einen satten Verdienst einstreichen würde. Die Sache war so gut wie unter Dach und Fach. In den nächsten Wochen würden die Einzelheiten abgeklärt werden und noch mehrere Treffen mit den Leuten von Whithers und Database stattfinden. Alex starrte blicklos auf den Bildschirm ihres Notebooks, als sie wieder an ihrem Schreibtisch saß. Bevor sie zu der Besprechung gegangen war, hatte sie mit Carter Ringwood von First Boston telefoniert, und das, was sie ihm gesagt hatte, war ein grober Verstoß gegen jegliche Vorschrift gewesen. Wenn Levy davon erfahren sollte, was sie getan hatte, würde er sie nicht nur rausschmeißen, sondern sie überdies verklagen, und das mit Recht. Alex hatte erfahren, dass First Boston mit der Softland Corporation einen Konkurrenten von Whithers vertrat, der ein ebenso großes Interesse an Database hatte wie Michael Whithers. Sie hatte Ringwood in einem Nebensatz die Höhe ihres Angebotes verraten. Alex seufzte und stützte ihr Kinn in die Hand. Das Geschäft würde platzen, denn Ringwood würde ihre Information ohne Zweifel zum Vorteil seines Kunden nutzen. Es war Alex gleichgültig. Sie würde ohnehin noch in diesem Monat bei LMI kündigen und die Stadt verlassen. Sie konnte nach Chicago oder San Francisco gehen, nach Europa oder nach Fernost. M & A-Spezialisten waren überall gefragte Leute. Alex grinste bitter, als sie daran dachte, was sich im Augenblick ein paar Stockwerke höher abspielte. Zweifellos hatte Levy unverzüglich seinen Managing Director über den geplanten Whithers-Deal unterrichtet, und ganz sicher würde Zack genauso unverzüglich beginnen, eine große Position von Whithers aufzubauen. Sie rechneten damit, dass die baldige Bekanntmachung der Übernahme von Database durch Whithers den Aktienkurs von Whithers enorm in die Höhe treiben würde. So ein Pech für Zack, wenn auf dem Übernahmeschlachtfeld unverhofft ein weißer Ritter namens Softland Corporation auftauchte! Alex war in Gedanken ganz woanders, als die externe Leitung ihres Telefons summte.

»Alex Sontheim«, sagte sie.

»Hallo, Alex. Hier ist Nick.«

»Nick!«, rief sie überrascht, ihr Herz machte ein paar rasche Schläge. »Wie geht es Ihnen? Ich dachte schon, irgendetwas wäre passiert, weil Sie sich nicht mehr gemeldet haben.«

»O nein! Es tut mir leid. Ich hatte in den letzten Tagen sehr viel zu tun. Außerdem habe ich nachgedacht.«

»Aha.«

Er zögerte einen Moment.

»Hätten Sie Zeit, heute Abend mit mir essen zu gehen?«

Alex schluckte. Sie hatte nichts vor. Wieso also nicht?

»Gerne«, sagte sie, »wann und wo?«

»In der Chambers Street Ecke Hudson in TriBeCa gibt es ein kleines griechisches Lokal. Es heißt *Alexis Sorbas*. Es liegt ziemlich versteckt in einer kleinen Gasse.«

»Ich werde es finden«, erwiderte Alex.

»Um neun?«

»Ja. Gerne.«

»Also, bis heute Abend.«

Sie legte auf und biss sich nachdenklich auf die Unterlippe. Hatte Nick es sich anders überlegt? Seine Stimme hatte fast so wie früher geklungen, aber Alex empfand nicht mehr den Wunsch, ihm widersprechen zu müssen. Durch Sergio war sie gegen Nick voreingenommen gewesen, doch spätestens seit ihrem Gespräch mit ihm in Gracie Mansion hatte sie ihre Meinung geändert. Seine Verletzlichkeit und Menschlichkeit, die er ihr an jenem Sonntag auf dem Friedhof offenbart hatte, hatte ihre anfängliche Abneigung gegen ihn in tiefen Respekt und Zuneigung verwandelt. Sergio hätte keine Sekunde gezögert, wären ihm solche Informationen angeboten worden. Es hätte ihn herzlich wenig interessiert, ob jemand in Gefahr geriet, wenn er selbst nur einen Vorteil dadurch bekäme. Nick dagegen verzichtete auf seine Rache, weil er sich um ihre Sicherheit sorgte. Das war einfach unglaublich. Es klopfte an der Tür, und Mark trat ein.

»Ich habe gerade die Quartalszahlen von Database reinbekommen«, verkündete er, »willst du sie dir anschauen?«

»Später. Danke.«

Mark legte die Mappe auf ihren Schreibtisch und wollte wieder hinausgehen, aber Alex hielt ihn zurück.

»Setz dich bitte einen Moment«, sagte sie. Mark tat wie ihm geheißen und blickte sie abwartend an. Sie zögerte noch. Mark war in den letzten Monaten ein wirklicher Freund geworden.

»Ich treffe mich heute Abend mit Bürgermeister Kostidis«, sagte sie schließlich.

»Aha.«

»Ich denke darüber nach, seitdem wir in Boston waren«, fuhr Alex fort, »und ich bin zu dem Entschluss gekommen, ihn über das zu informieren, was wir herausgefunden haben.«

»Bist du sicher, dass das eine gute Idee ist?«

»Ich weiß es nicht«, Alex seufzte, »aber ich kann so nicht weitermachen. Ich weiß genug über Vitali, um vor ihm panische Angst zu haben. Dieser Mann ist zu allem fähig.«

Plötzlich kämpfte sie mit den aufsteigenden Tränen.

»Verdammt, Mark, ich stecke viel tiefer drin, als du ahnst! Es geht nicht mehr um Recht oder Unrecht, um gekränkte Eitelkeit oder gebrochenes Vertrauen – es geht um mein Leben!« Sie biss sich auf die Lippen. »Wenn Vitali erfahren sollte, was ich weiß, dann bin ich so gut wie tot! Ich weiß, dass er Gilbert Shanahan hat umbringen lassen, und zwar aus dem Grund, weil der aussteigen wollte.«

»O mein Gott«, flüsterte Mark entsetzt, »hast du Oliver das erzählt?«

»Er vermutet es doch schon die ganze Zeit«, erwiderte Alex resigniert. »Bei unserer ersten Begegnung im Battery Park hat er doch schon darauf angespielt. Ich hätte ihm glauben und LMI verlassen sollen.«

Es war ganz still in ihrem Büro, der Lärm aus dem Handelsraum drang nur gedämpft durch die dicken Glasscheiben.

»Ich werde hier kündigen«, sagte Alex, »das wollte ich dir eigentlich sagen. Und ich wollte mich für alles, was du getan hast, bei dir bedanken. Vor allen Dingen für deine Loyalität und dafür, dass ich dir immer vertrauen konnte.«

»Ich habe es gern getan«, ein trauriges Lächeln flog über Marks Gesicht, »ganz sicher bist du die beste Chefin, die ich je gehabt habe. Wenn du in deinem neuen Job einen Assistenten brauchst, dann lass es mich wissen.«

»Klar«, Alex versuchte ein Grinsen. Sie sahen sich an, und Alex überlegte, ob sie Mark von ihrem Gespräch mit Carter Ringwood erzählen sollte. Er hatte verdient, die Wahrheit zu erfahren, denn er hatte mindestens so hart wie sie an dem Whithers-Geschäft gearbeitet. Schließlich gab sie sich einen Ruck und sagte ihm, was sie getan hatte.

»Oh«, Mark schien nicht wirklich schockiert, »ich hoffe, du weißt, was du tust. Wenn das rauskommt, bist du erledigt«

»Zweifellos«, Alex nickte, »ich bin mir auch nicht sicher, ob es richtig war, aber ich habe es getan.«

»Du lässt den Deal platzen, um Vitali, Levy und St. John eins auszuwischen, stimmt's?«

Alex nickte wieder. Da beugte Mark sich über den Schreibtisch und ergriff ihre Hand.

»Egal, was passiert, Alex, ich halte zu dir. Ich glaube, ich war auch lange genug bei diesem Laden. Vielleicht kündige ich auch.«

»Danke, Mark. Aber triff keine übereilten Entscheidungen. Ich sitze ziemlich tief in der Tinte, aber du nicht. Du hast noch eine Zukunft.«

»Eine M & A-Abteilung wird's hier dann wohl nicht mehr geben«, er lächelte und erhob sich, »und ich habe mich irgendwie daran gewöhnt. Rufst du mich heute Abend noch mal an und erzählst mir, wie es gelaufen ist?«

»Klar«, sie lächelte. Als er ihr Büro verlassen hatte, schloss sie mit einem Seufzer die Augen. Von ihrem Ehrgeiz war nichts mehr übrig, und plötzlich sehnte sie sich nach einem ereignislosen, durchschnittlichen Leben, einer kleinen Familie, einem netten Häuschen mit Garten und einem Mann, der sie liebte.

* * *

Sie verließ das Haus, in dem sich ihr Loft befand, durch einen der Hinterausgänge. Das blonde Haar hatte sie unter einer Baseballkappe versteckt, sie trug eine abgetragene Lederjacke, Bluejeans und schwere Doc Martens. Niemand, der sie normalerweise kannte, hätte sie so auf den ersten Blick erkannt. Alex ging an den Müllcontainern im Hof vorbei und betrat das Nachbarhaus. Oliver und sie hatten alle möglichen Fluchtwege für sie ausfindig gemacht, und seitdem sie hier wohnte, benutzte sie diese Umwege, um nicht von Sergios Leuten gesehen zu werden. Sie hatte die Verfolger, die regelmäßig vor dem LMI-Gebäude auf sie lauerten, schon früher bemerkt, die meisten kannte sie mittlerweile vom Sehen. Bisher schien Sergio noch nicht herausgefunden zu haben, wo sie wohnte. Alex betrat die belebte Murray Street. Hier reihte sich ein Restaurant an das andere. Seitdem die wohlhabenden Leute diesen Teil der Stadt für sich entdeckt hatten, wurden fast täglich neue Geschäfte, Restaurants und Boutiquen eröffnet. Es war kurz vor neun, aber auf den Bürgersteigen drängten sich noch die Menschen. Der Indianersommer war in diesem Jahr ungewöhnlich warm, fast noch sommerlich, und die Bars hatten ihre Tische und Stühle auf die Straßen gestellt. Alex ging ein Stück den Broadway entlang und bog dann in die Chambers Street ein. In einer kleinen Seitenstraße entdeckte sie schließlich das unscheinbare Restaurant, das Nick ihr genannt hatte. Gedämpfte griechische Folkloremusik klang ihr entgegen, als sie den großen Raum betrat, an dessen Decke und Wänden täuschend echt wirkendes Plastikweinlaub zu einer Pergola dekoriert war. In allen Ecken standen billige Reproduktionen von antiken Statuen, und Bilder von der Akropolis und vom blauen Mittelmeer mit blendend weißen Häusern verrieten das Heimweh des Besitzers. Die meisten Tische waren noch leer, und der Kellner führte sie zu einem Tisch in der Ecke. Schwungvoll fegte er ein paar Krümel von der fleckigen weißen Tischdecke. Alex bestellte ein Glas Weißwein. Es war kurz nach neun, als zwei Männer das Lokal betraten und sich argwöhnisch und prüfend umblickten. Wenig später kam Nick herein. Er lächelte Alex zu, wechselte aber noch ein paar Worte mit dem Koch, bevor er zu ihr an den Tisch kam.

»Guten Abend, Alex.«

»Hallo, Nick«, sie lächelte unsicher, das Herz klopfte ihr bis in den Hals.

»Ich hoffe, Sie haben Hunger«, sagte er. »Ich habe uns zwei Saganaki als Vorspeise bestellt und danach Souflaki.«

Er blinzelte ihr zu und grinste leicht.

»Es ist zwar nicht unbedingt das *Le Cirque*, aber Konstantinos macht die besten Souflaki in der Stadt.«

»Was immer das ist, ich glaube Ihnen.«

Sie sahen sich einen Augenblick schweigend an. Alex stellte fest, dass Nick sehr erschöpft aussah, außerdem war sein Gesicht hager geworden. Sein Haar war länger als sonst, ein bläulicher Bartschatten bedeckte seine Wangen, als habe er vergessen, sich zu rasieren.

»Sie sprechen Griechisch?«, fragte sie, nur, um überhaupt etwas zu sagen.

»So einigermaßen. Meine Mutter hatte nie richtig Englisch gelernt. In Griechenland würde man mich sofort als Ausländer erkennen, aber Konstantinos freut sich, wenn ich mit ihm griechisch spreche.«

»Aber Sie sind katholisch, nicht wahr? In Griechenland ist man doch normalerweise ...«

»Griechisch-orthodox«, er nickte, »meine Eltern waren nicht gläubig, ihnen war es egal, was ich tat. In unserem Viertel gab es einen jungen Pater, der sich um die Straßenkinder kümmerte, Pater Kevin, Sie haben ihn ja kennengelernt. Er gab mir Bücher zum Lesen und nahm mich mit in die Kirche, wo ich Messdiener werden durfte. Ich glaube, mir gefiel als Kind der einfache Dogmatismus von Gut und Böse des katholischen Glaubens, und so ist es mein Leben lang geblieben.«

Nick hatte die Hände gefaltet und stützte sein Kinn darauf. Als sie ihn das erste Mal so genau betrachtete, bemerkte Alex, dass seine Augen nicht schwarz, sondern von einem sehr dunklen Braun waren. Er hatte schöne, ausdrucksvolle Augen, voller Wärme und einem Hauch von Melancholie.

»Ich glaube, dass es im Leben eines jeden Menschen eine bestimmte Zeitspanne gibt, in der sein Charakter für immer festgelegt wird«, sagte er nachdenklich. »Bei mir war es die Zeit, als sich mir durch die Jesuitenpatres die Welt des Glaubens und der Bildung erschloss. Gut und Böse, Schwarz und Weiß – das war 40 Jahre lang der Blickwinkel, aus dem ich das Leben gesehen habe. Aber jetzt muss ich feststellen, dass das nicht ganz richtig ist. Es gibt noch andere Farben.«

Der Kellner servierte überbackenen Schafskäse mit Tomaten,

Gurken und höllisch scharfen Peperoni. Sie stießen mit einem Glas Wein an und aßen schweigend die Vorspeise.

»Geht es Ihnen gut, Nick?«, fragte Alex, als sie aufgegessen hatte. Ein Schatten flog über sein Gesicht, und er wartete, bis der Kellner die Teller abgeräumt hatte.

»Nein«, erwiderte er und seufzte, »mir geht es schlecht. Tagsüber stürze ich mich in die Arbeit, und manchmal gelingt es mir für kurze Zeit, nicht an Mary und Chris zu denken. Aber wenn ich abends in dieses Haus komme, dann ist es, als ob sich ein Abgrund vor mir auftut. Mary war immer da, 30 Jahre lang.«

Sein Blick war leer und hohläugig, und Alex ahnte, dass irgendwo, tief in seinem Innern, etwas arbeitete, ein wilder Schrei, der aus ihm herauswollte, so, wie neulich auf dem Friedhof, als er seinem Schmerz und seiner Verzweiflung endlich hatte Luft machen können.

»Oft denke ich, dass ich sie nach ihrer Meinung zu diesem oder jenem fragen will, und dann fällt mir ein, dass sie ja nicht mehr da ist. Das ist furchtbar.«

Alex sah ihn voller Mitgefühl an. Am liebsten hätte sie seine Hand ergriffen, ihm etwas Tröstliches gesagt, aber sie konnte es nicht tun, nicht hier, nicht in aller Öffentlichkeit, vor den Augen der Leibwächter am Nachbartisch.

»Die Leute benehmen sich so, als hätten sie Angst vor mir.« Er schüttelte in hilfloser Verzweiflung den Kopf. »Die meisten Menschen, die ich für meine Freunde gehalten habe, haben sich distanziert. Niemand traut sich, mit mir über Mary zu sprechen, und deshalb laden sie mich nicht mehr ein. Vielleicht befürchten sie, ich könnte am Tisch in Tränen ausbrechen, und das wäre ihnen peinlich.«

»Das sind dann keine wirklichen Freunde«, erwiderte Alex. »Mir wäre es nicht peinlich, wenn Sie hier und jetzt weinen würden.«

Nick sah sie an, und für einen Moment glaubte sie, er würde tatsächlich weinen.

»Ich weiß«, seine Stimme klang belegt, »und ob Sie es glauben oder nicht, das ist mir ein großer Trost. Es ist eigenartig, wo wir uns doch eigentlich kaum kennen, aber irgendwie habe ich das Gefühl, dass ich bei Ihnen nicht schauspielern muss.«

Er trank einen Schluck Wein. Sie schwiegen einen Moment, aber es war kein unbehagliches Schweigen.

»Haben Sie wirklich vor, von Ihrem Amt zurückzutreten?«, fragte Alex.

»Ich weiß es nicht«, antwortete er, »alles, was ich tue, scheint mir keinen Sinn mehr zu haben, aber auf der anderen Seite habe ich einen Auftrag von meinen Wählern bekommen, einen großen, wichtigen Auftrag. Ich habe ihnen etwas versprochen, und sie vertrauen mir. Wie kann ich da alles hinschmeißen?«

Er lächelte schwach.

»Ich habe Ihnen die Kontoauszüge mitgebracht«, sagte Alex unvermittelt. »Ich dachte, das wäre der eigentliche Grund, weshalb Sie sich mit mir treffen wollten.«

Das Lächeln erlosch auf Nicks Gesicht.

»Sie misstrauen mir noch immer«, stellte er fest, »und ich kann es Ihnen nicht verdenken. Ich gebe zu, dass ich tatsächlich versucht habe, durch Sie etwas über Vitali zu erfahren, damals, an Weihnachten bei den Downeys. Aber dann ...«

Er brach ab, und Alex' Herz begann wieder heftig zu klopfen, als sie seinen Blick spürte, so forschend und intensiv wie damals im Lands End House.

»... dann habe ich erfahren, dass Sie mit den Downeys befreundet sind, und ich dachte, diese Frau kann nicht ernsthaft auf Vitalis Seite sein, wenn sie gleichzeitig ihre Wochenenden mit Trevor und Maddy verbringt. Als ich Sie in dem Salon fand, bemerkte ich Ihre Abwehr und Ihr Unbehagen.«

»Sie haben mich verunsichert.«

»Wahrscheinlich waren Sie deshalb so zornig auf mich«, er lächelte, »denn das waren Sie, stimmt's?«

»Ich wollte die Wahrheit lange nicht sehen, und Sie haben mich dazu gezwungen«, gab Alex zu. »Deswegen war ich wütend.«

Sie drehte sich um, zog die zusammengerollten Computerausdrucke, die sie am Nachmittag aus dem Bankschließfach geholt hatte, aus der Innentasche ihrer Lederjacke und reichte sie ihm. Nick starrte auf die Blätter und zögerte, aber dann setzte er seine Lesebrille auf, faltete die Papiere auseinander und begann mit ausdrucksloser Miene zu lesen.

»Nicht zu fassen«, murmelte er nach einer Weile, »McIntyre ... und hier, Alan Milkwood vom Tiefbauamt und Jerome Harding, diese bestechlichen Mistkerle.«

»Hat schon einmal jemand versucht, Sie zu bestechen?«

»Mehr als einmal«, Nick blickte auf, »immer wieder. Und nicht einfach nur mit Geld. Sie haben mir Handel angeboten: einen Kindergarten im Gegenzug für eine Baugenehmigung, eine Spende an die Witwen- und Waisenkasse der Polizei gegen eine fallengelassene Strafanzeige. So läuft das hier in New York City.«

Er seufzte.

»Ich habe immer widerstanden. Aber es ist sehr schwer, denn manchmal ist die Versuchung groß. Die Stadt hat kein Geld, um neue Schulen und Kindergärten zu bauen, und wen stört es schon, wenn ein Wolkenkratzer drei Stockwerke höher ist als ursprünglich genehmigt, wenn dafür Hunderte von Kindern in Harlem oder in der Bronx einen topmodernen Kindergarten bekämen? Ich habe mir oft selbst im Weg gestanden.«

»Kann man mit diesen Kontoauszügen etwas anfangen?«, wollte Alex wissen.

»Wenn sie echt sind auf jeden Fall«, Nick lächelte grimmig und blätterte weiter. »Ich hätte gejubelt, hätte ich so etwas während meiner Zeit als Staatsanwalt in die Finger bekommen. Das ist weit mehr als nur die Spitze des Eisbergs – das hier ist der ganze Sumpf auf einen Schlag.«

»Warum geben Sie es nicht an die Staatsanwaltschaft weiter?«

»Alex!« Er ließ die Papiere sinken und sah sie eindringlich an. »Dies hier ist pures Dynamit! Das sind nicht nur ein paar Schlagzeilen in der Zeitung. Diese Namen und Zahlen bringen das Machtgefüge der ganzen Stadt ins Wanken, und diese Leute werden es nicht einfach hinnehmen, dass man sie der Bestechlichkeit beschuldigt. Es wird lange Prozesse geben, Verleumdungsklagen und Beschuldigungen, vielleicht sogar Tote. Ich habe das alles schon öfter durchexerziert: in den siebziger und achtziger Jahren mit der Mafia, später mit den Wall-Street-Leuten.«

Er starrte auf seinen Teller, schob das Essen mit der Gabel hin und her und blickte wieder auf.

»Glauben Sie mir, ich weiß, wie es funktioniert, wie viel Arbeit dahintersteckt und wie oft sie sich doch noch mit Hilfe ihrer cleveren Anwälte hinauswinden können.«

»Aber ein Staatsanwalt, ein Richter oder auch ein Gouverneur sind doch erledigt, wenn bekannt wird, dass sie korrupt sind und Steuern hinterzogen haben, oder?«

»Ja, das stimmt«, gab Nick zu, »aber wissen Sie, wozu machtbesessene Menschen fähig sind, wenn sie merken, dass sie in die Enge getrieben werden?«

Der Kellner kam mit den Hauptgerichten, und Nick verstummte. Sie warteten, bis das Essen vor ihnen auf dem Tisch stand.

»Mir geht es auch gar nicht um all diese Leute«, Alex senkte ihre Stimme, »mir geht es um Vitali.«

»Persönliche Rache aus verletzter Eitelkeit?«

»Nein! Dieser Mann lässt Leute umbringen, die ihm im Weg sind! Ich weiß es! Ich habe mit eigenen Ohren gehört, wie ihm jemand mitgeteilt hat, dass David Zuckerman nicht mehr aussagen wird!«

Nick sah sie nachdenklich an, dann legte er sein Besteck hin.

»Okay«, sagte er mit sachlicher Stimme, »lassen Sie mich erklären, wie es ablaufen würde. Ich übergebe der Staatsanwaltschaft oder dem FBI das Material. Man wird Nachforschungen anstellen und womöglich feststellen, dass es stimmen könnte. Vitali wird verhaftet, aber durch seine Beziehungen wird er höchstwahrscheinlich auf Kaution freigelassen. Falls es zu einer Anklage kommen sollte, werden Sie Hauptbelastungszeugin sein, Alex.«

Alex schluckte nervös.

»Wir haben schon oft geglaubt, genug gegen Vitali in der Hand zu haben, aber immer ließen uns unsere Zeugen im Stich. Einige verloren nur über Nacht ihr Gedächtnis, andere verschwanden spurlos. Manchmal wurden sie gefunden, auf der Müllkippe oder im Fluss. Vitali ist gnadenlos. Möchten Sie für den Rest Ihres Lebens mit einer falschen Identität in einem kleinen Kaff im Mittelwesten leben, ständig mit der Angst, man könnte Sie doch eines Tages entdecken?«

Er schüttelte den Kopf.

»Früher hätte ich alles darangesetzt, um Vitali dranzukriegen. Aber heute zweifele ich, ob etwas richtig ist, was einen Menschen das Leben kosten kann.«

Alex fuhr sich mit der Zunge über die trockenen Lippen.

»Was würden Sie an meiner Stelle tun, Nick?«, flüsterte sie. »Ich kann nicht einfach so weitermachen. Ich habe Angst vor ihm, und doch will ich, dass man ihn für all das, was er angerichtet hat, zur Rechenschaft zieht.«

Nick starrte sie an.

»Sie haben Courage. Das bewundere ich an Ihnen.«

»Habe ich das?«

»Ja. Sie sind mutig. Und Sie sind intelligent.«

»Nein, das bin ich nicht. Sonst wäre ich nicht auf Vitali hereingefallen.«

»Auf ihn wären andere Frauen genauso hereingefallen«, sagte Nick. »Er sieht gut aus, er ist charmant und sagenhaft reich. Er weiß, wie man Menschen beeindruckt.«

»O ja«, sie lachte bitter, »das weiß er zweifellos. Einmal hat er das ganze *Windows on the world* für einen Abend gemietet. Samt Personal und Band.«

»Haben Sie ihn geliebt?«

Alex zögerte, erstaunt über diese sehr persönliche Frage.

»Nein«, sagte sie langsam, »das war keine Liebe. Ich war beeindruckt und fühlte mich geschmeichelt, dass ein so mächtiger, bekannter Mann ausgerechnet mir den Hof machte. Ich hatte den Ehrgeiz, zu den Mächtigen und Berühmten dieser Stadt zu gehören, und dachte, ich könnte durch ihn an mein Ziel gelangen. Wie konnte ich ahnen, dass ich nur ein Teil seiner schmutzigen Geschäfte war?«

»Haben Sie noch Kontakt mit ihm?«

»Sie meinen, ob ich noch mit ihm schlafe?«

»Nein«, Nick errötete leicht, »das ... das wollte ich nicht wissen.«

»Er hat mich gebeten, ihn zu heiraten, als ich ihn das letzte Mal gesehen habe«, Alex' Gesicht wurde hart, »wahrscheinlich, weil er befürchtet, dass er sonst keine lukrativen Geschäfte mehr machen kann. Ich bin aus der Wohnung ausgezogen, die er mir damals vermietet hat. Ein Freund hat auf seinen Namen eine Wohnung für mich gemietet, und seitdem lebe ich in der Angst, dass Vitali herausfindet, wo ich jetzt wohne. Ich steige in der U-Bahn dreimal um und schleiche über den Hinterhof hinein und hinaus. Er weiß, dass ich bei Ihnen auf dem Friedhof war. Der Mann, der auf Sie geschossen hat, hat mich erkannt.«

»Um Gottes willen, Alex!« Nick blickte sie erschrocken an. »Hat er Ihnen das gesagt?«

»Seine Frau war bei mir, um mich zu warnen«, erwiderte sie. »Sie hat ihn verlassen, weil sie davon überzeugt ist, dass Vitali den Auftrag gegeben hat, seinen eigenen Sohn zu töten.«

»Vitalis Frau war bei Ihnen?«, fragte Nick ungläubig.

»Ja. Sie hasst ihn, und sie will sich an ihm rächen. Und sie möchte gerne mit Ihnen sprechen, Nick.«

»Sie sind in großer Gefahr, Alex.«

»Ich weiß. Aber solange er mich für seine Geschäfte braucht, wird er mir nichts tun. Wenn er mich allerdings nicht mehr braucht ...«, sie verstummte.

»Ich kann Ihnen Personenschutz besorgen«, bot Nick an. »Wo wohnen Sie jetzt?«

»In der Reade Street. Gleich um die Ecke.« Alex aß ein Stück von dem inzwischen fast kalten Fleischspieß, obwohl ihr Magen wie zugeschnürt war. »Personenschutz nützt mir nicht viel, immerhin arbeite ich in einer Firma, die offenbar zu einem großen Teil ihm gehört.«

Als der Kellner kam, um die Teller abzuräumen, hatte Nick kaum etwas gegessen. Er spielte gedankenverloren mit einem Stück Brot.

»Wissen Sie, warum ich diese Informationen nicht weitergeben will?«, fragte er mit rauer Stimme. Alex sah ihn überrascht an und schüttelte den Kopf.

»Ich habe Angst, dass Vitali Ihnen etwas antun wird.«

Das Restaurant hatte sich gefüllt, als sie es um halb elf verließen. Die vier Sicherheitsbeamten warteten vorne an der Straßenecke.

»Soll ich Sie nicht lieber nach Hause fahren lassen?«, fragte Nick, und Alex erkannte echte Besorgnis in seinen Augen.

»Nein, es ist schon okay. Es sind nur zehn Minuten zu Fuß den Broadway hinunter.«

»Sind Sie sicher?«

»Ja. Es ist besser, wenn ich meine Geheimwege benutze.«

»Ich mache mir Sorgen um Sie, Alex.«

»Ich schätze, ich sitze ganz schön tief in der Patsche, oder?«

Nick sah sie ernst an.

»Das befürchte ich auch.«

Sie bohrte die Hände in ihre Jackentaschen. Es war nicht kalt, dennoch fröstelte sie.

»Würden Sie die Informationen gegen Vitali an die Staatsanwaltschaft weiterleiten, wenn ich meinen Job kündige und die Stadt verlasse?«

»Haben Sie das vor?«

»Es bleibt mir ja kaum noch etwas anderes übrig«, Alex spürte, wie sich die Tränen in ihrer Kehle zu einem schmerzhaften Kloß zusammenballten. Selten war ihr die Aussichtslosigkeit ihrer Lage so deutlich bewusst geworden wie in diesem Augenblick.

»Vielleicht haben Sie recht«, Nick seufzte, »ich habe ja auch mit dem Gedanken gespielt, einfach alles hinzuschmeißen. Niemand würde es mir verübeln. Nach mir die Sintflut.«

»Halten Sie mich für feige, wenn ich das täte?«, fragte Alex.

»O nein, das wäre nicht feige. Nach allem, was geschehen ist, wäre es nur vernünftig.«

Sie sahen sich im trüben Lichtschein der Laterne an der Straßenecke stumm an, dann senkte Alex den Blick.

»Ich muss los«, sagte sie, »danke für den schönen Abend.«

»Ich habe zu danken«, Nick streckte ihr die Hand hin, und sie ergriff sie. Sein Händedruck war warm und fest. Alex erinnerte sich daran, wie sie ihn im Arm gehalten hatte, als er geweint hatte, und sie wünschte sich in dieser Sekunde sehnlich, noch eine Weile bei ihm bleiben zu können. Es war ihr gleichgültig, wer er war, aber es wäre sehr viel einfacher, wenn er nicht ausgerechnet der Bürgermeister von New York City gewesen wäre.

»Rufen Sie mich noch einmal an?«, fragte Nick leise. »Es würde mich sehr beruhigen, wenn ich wüsste, dass Sie gut nach Hause gekommen sind.«

»Ja, das mache ich.«

Sie ließ seine Hand los, aber er machte keine Anstalten zu gehen. Da schlang sie ihm impulsiv die Arme um den Hals und schmiegte ihr Gesicht an seine raue Wange. Er legte seine Arme um sie, und für einen kurzen Augenblick verharrten sie in einer tröstlichen Umarmung, bevor ein paar Gäste aus dem Lokal kamen und sie sich losließen.

»Passen Sie auf sich auf, Alex«, flüsterte Nick mit belegter Stimme. Sie nickte stumm, dann drehte sie sich um und verschwand mit schnellen Schritten und gesenktem Kopf.

Mittwoch, 1. Dezember 2000

Das Gesicht von Vincent Levy war finster, als er das Telefongespräch beendete. Gespannt warteten die Vorstandsmitglieder von Levy Manhattan Investment darauf, ob der Präsident ihnen den Inhalt des Telefongesprächs, das die außerordentliche Vorstandssitzung an diesem verregneten Dezembernachmittag unterbrochen hatte, mitteilen würde. Levy blickte in die Runde, dann stand er auf und trat an die große Fensterfront. Die Regenschleier schienen die Dimensionen zu verändern. In weiter Ferne konnte man die Verrazano Narrow Bridge erahnen; auch die Freiheitsstatue schien weiter entfernt als sonst. In dem großen Konferenzraum herrschte völlige Stille, als sich Vincent Levy nun umdrehte.

»Meine Herren«, er räusperte sich, »ich habe soeben erfahren, dass die Übernahme von Database Inc. durch Whithers Computers nicht zustande kommen wird. Database hat sich mit der Softland Corporation auf eine freundliche Übernahme geeinigt. First Boston hat das Rennen gemacht. Wir sind raus.«

Einen Moment starrten die Anwesenden ihren Präsidenten sprachlos an. Das Geschäft, das einen der größten Übernahmedeals auf dem Computermarkt bedeutet hätte und ein Volumen von fast zwei Milliarden Dollar hatte, schien längst unter Dach und Fach gewesen zu sein. Seit Wochen war die M & A-Abteilung mit kaum etwas anderem beschäftigt. Es war St. John, der seine Vorstandskollegen aus ihrem benommenen Schweigen riss.

»Diese verdammte Ziege hat es verpatzt!«, schrie er und

schlug mit der Faust so heftig auf den Tisch, dass die Gläser und Flaschen klirrten. »Ich könnte ihr den Hals umdrehen!«

»Wie meinen Sie das, Zack?«, fragte Hugh Weinberg erstaunt.

»So, wie ich es sage!« Zack war rot angelaufen, der Schweiß stand ihm auf der Stirn. »Dieser Deal war todsicher, aber sie war zu dämlich, einen Abschluss zu machen!«

»Zack, ich bitte Sie!«, mischte sich nun Levy ein. »Sie können doch Alex nicht die Schuld daran geben, dass die Aktionäre von Database das Angebot der Softland Corporation dem von Whithers vorgezogen haben!«

»Zum Teufel!« Zack sprang auf und lachte höhnisch. »Ihr seid alle verblendet, weil sie ein paar gute Geschäfte an Land gezogen hat! Aber sie hat soeben den wichtigsten Deal, den es in diesem Jahr auf dem Computermarkt gibt, vermasselt!«

»Das ist nicht wahr!«, widersprach Michael Friedman. »Sie hat das Beste herausgeholt. Das Angebot, das sie ausgearbeitet hat, war gut. Die Aktien von Database sollten für 40 Dollar übernommen werden und ...«

»Es ist mir scheißegal, wie gut das beschissene Angebot war!«, unterbrach Zack ihn grob. »Es war nicht gut genug. Wofür bezahlen wir ihr so viel Geld, wenn sie den Markt nicht richtig im Auge behält?«

»Sie sind ziemlich ungerecht, Zack«, sagte John Kwai, konsterniert über Zacks gewöhnliche Ausdrucksweise. »Alex hat eine Menge sehr guter Geschäfte für uns abgeschlossen. Wenn eines schiefgeht, können wir sie nicht gleich verdammen!«

»Kommen Sie mit, Zack«, Levy warf seinem Managing Director einen beschwörenden Blick zu. Er als Einziger ahnte, weshalb Zack so heftig reagierte. In den letzten Wochen, seitdem Alex ihnen von der geplanten Übernahme berichtet hatte, hatte MPM eine große Position in Whithers-Papieren aufgebaut, deren Kurs erwartungsgemäß in die Höhe geschossen war. Levy lotste den aufgebrachten Mann aus dem Konferenzraum in ein Nebenzimmer und schloss die Tür.

»Wir sind ruiniert, Vince!«, rief Zack erregt. »Jack und ich haben einen Riesenhaufen Whithers für 38 das Stück gekauft, verdammte Scheiße! Wenn der Deal jetzt geplatzt ist, kriegen wir sie nie mehr für den Preis los!«

»Beruhigen Sie sich, Zack«, sagte Levy beschwichtigend, »ein paar Dollar Verlust pro Aktie werden wir verkraften.«

»Das werden wir nicht!« Zack lief der Schweiß über das Gesicht. »Ich habe gottverdammte *100 Millionen Dollar* investiert!«

»Wie bitte?« Levy sah ihn fassungslos an und wurde blass. »Sind Sie wahnsinnig?«

»Es war eine todsichere Sache! Das Papier wäre nach Bekanntgabe der Übernahme um mindestens 30 Punkte hochgegangen, das war Weinbergs Prognose!« Zack zitterte am ganzen Körper. Er wurde abwechselnd rot und blass im Gesicht.

»Ich habe die 100 Millionen über LMI finanziert.«

»Das ist nicht Ihr Ernst.« Nun brach auch Levy der Schweiß aus, als er begriff, was Zack gerade gesagt hatte. »Wie konnten Sie so etwas tun? Wir hatten besprochen, dass Sie für zehn Millionen kaufen oder auch für 15 – aber 100 Millionen ... Das ist nicht wahr!«

»Doch, zum Teufel, das ist es!«, brüllte Zack ihn an. »Verdammte Scheiße, ich kann es nicht fassen!«

»Wir müssen die Aktien sofort loswerden«, sagte Levy und bemühte sich, einen klaren Kopf zu bewahren. »Rufen Sie unseren Mann an der Westküste an. Dort ist die Börse noch geöffnet. Er soll verkaufen, zu jedem Preis!«

Zack zögerte nicht lange und setzte sich ans Telefon. Während er telefonierte, ging Levy mit gefurchter Stirn auf und ab.

»An der PSE wird Whithers nur noch mit 31 gehandelt und auf dem OTC-Markt mit 30,9«, sagte Zack nach einer Weile mit Grabesstimme, »Koons wird versuchen, so viel zu verkaufen wie möglich, aber es sieht schlecht aus.«

Levy schüttelte hilflos den Kopf. Durch Zacks Maßlosigkeit saßen sie nun auf einem gewaltigen, unverkäuflichen Aktienberg, dessen Wert auf dem besten Weg war, ins Bodenlose abzustürzen.

»Ich muss Vitali erreichen«, murmelte Levy, »das ist eine Katastrophe.«

»Das ist keine Katastrophe«, sagte Zack düster und wählte eine andere Nummer, »das ist ein Super-GAU. MPM ist ruiniert.«

»Wie konnten Sie das auch tun, ohne vorher mit mir zu sprechen?«

Vor Levys innerem Auge spielten sich wahre Horrorszenarien ab. Er sah sich schon als Mittelpunkt einer Untersuchung der Börsenaufsicht, seinen Namen als Schlagzeile in der Zeitung und seine Firma am Rande des Bankrotts.

»Drehen Sie nicht gleich durch!«, fuhr Zack ihn an. »Vielleicht gibt es noch eine Möglichkeit, wie wir einigermaßen unbeschadet aus dieser Sache herauskommen.«

»Was meinen Sie?«

»Bis jetzt weiß noch niemand von der Entscheidung der Database-Aktionäre. Ich kenne ein paar Leute, die für einen Tipp dankbar sind. An die könnte ich Whithers-Papiere verkaufen.«

»Nein!«, sagte Levy scharf. »Das werden Sie auf keinen Fall tun! Kein Mitarbeiter von LMI wird Insiderinformationen geben, an denen 100 Millionen Dollar verloren gehen! Wenn das herauskommt, sind wir wirklich ruiniert, denn dann wird niemand mehr mit uns Geschäfte machen.«

Levy verließ den Raum und eilte in sein Büro, um Vitali anzurufen.

* * *

Es war halb acht, als Sergio Vitali Levys Büro betrat.

»Was ist hier los?«, fragte er schlecht gelaunt, als er Zack und Levy mit starren Gesichtern am Konferenztisch sitzen sah. Zack hatte vier Telefone vor sich stehen, daneben stand ein überquellender Aschenbecher.

»Der Whithers-Deal ist geplatzt«, sagte Levy düster.

»Na und?« Sergio blickte zwischen den beiden Männern hin und her.

»Wir waren sicher, dass es unter Dach und Fach ist, und Zack hat über MPM 100 Millionen Dollar in Whithers investiert. Der Kurs ist bis jetzt um 13 Dollar gefallen, nachdem bekannt wurde, dass Database mit der Softland Corporation fusioniert und das Übernahmeangebot von Whithers ausgeschlagen hat. Die 100 Millionen waren über LMI finanziert. Wir sind erledigt.«

Zack wandte sich um. Sein Gesicht war blass, und seine Stimme klang gezwungen.

»Ich konnte eben noch 150000 Aktien für 31 Dollar verkaufen, aber das war alles.«

»Wenn Whithers morgen früh mit weniger als 30 Dollar eröffnet, sind wir ruiniert«, sagte Levy dumpf, »und das wird passieren. Ich nehme sogar an, dass man Whithers morgen ganz aus dem Handel nehmen wird. Kein Mensch wird noch Whithers kaufen wollen.«

»Wie konnte das passieren?«, fragte Sergio, dem nun die ganze Tragweite des Geschehens dämmerte.

»Die blöde Kuh hat's vermasselt«, sagte Zack.

»Von wem spricht er?« Sergio blickte Levy an.

»Von Alex Sontheim«, erwiderte Levy, »aber sie ist nicht schuld. Sie hatte ein gutes Angebot, alles lief gut, die Anwälte waren sich schon einig, aber da tauchte ein weißer Ritter auf und machte ein besseres Angebot. So ist das Geschäft, das kommt vor. Es war eben dumm, dass Zack so viel gekauft hat.«

»Das ist doch schon das zweite Mal innerhalb kurzer Zeit«, Sergio wandte sich Zack zu, »wie hieß das andere Ding neulich?«

Zack warf ihm einen zornigen Blick zu.

»Syncrotron«, knirschte er verärgert.

»Was kann man tun?«, wollte Sergio wissen. »Es nützt nichts, wenn wir hier herumsitzen und warten, bis die Börse morgen eröffnet.«

»Man kann gar nichts mehr tun«, Levy schenkte sich ein Wasserglas randvoll mit Whisky ein. »Wir sitzen auf einem Riesenberg Aktien, die uns niemand mehr abkauft. MPM muss morgen früh seine Positionen glattmachen und dafür 100 Millionen Dollar auftreiben. LMI steht zwar finanziell gut da, aber eine solche Summe können wir nicht einfach in den Wind schreiben.«

»Lang soll andere Aktien verkaufen, irgendetwas, was weiß ich!«, schlug Sergio vor.

»Wir haben alles schon durchgerechnet«, Levy schüttelte den Kopf, »selbst wenn MPM alles abstößt, was es besitzt, kommen wir auf maximal 50 Millionen. Morgen früh wird MPM in Verletzung der Kapitalbedarfsvorschriften insolvent sein.«

»Und was bedeutet das?«, fragte Sergio gereizt. »Kannst du mir das bitte in verständlicher Sprache erklären?«

»Es bedeutet«, sagte Levy verdrossen, »MPM ist pleite.«

»Es ist noch nie vorgekommen, dass eine Firma, an der ich beteiligt bin, pleitegegangen ist!«, sagte Sergio mit nur mühsam beherrschter Stimme. »Ich will, dass Alex auf der Stelle hierherkommt, außerdem Friedman, Weinberg und Fitzgerald.«

»Das geht nicht«, erinnerte Levy ihn, »sie wissen doch nicht, dass MPM uns gehört. Sie konnten sowieso nicht verstehen, weshalb Zack vorhin so explodiert ist. Für sie war das nur ein lukratives Geschäft, das uns ein anderer weggeschnappt hat.«

Sergio setzte sich auf einen Stuhl und überlegte fieberhaft. Wenn das geschah, würde unweigerlich öffentlich bekanntwerden, wer sich hinter MPM und SeaStarFriends verbarg. In sämtlichen Zeitungen würde sein Name in Verbindung mit einer Pleite-Firma stehen. Und nicht nur das! Wenn die Presse erst davon Wind bekam, dass er und Levy, als Präsident und Aufsichtsratsmitglied von LMI, über eine eigene Brokerfirma mit vertraulichen Informationen Geschäfte machten, waren sie erledigt. Das würde unabsehbare Folgen für seine sämtlichen Geschäfte haben. Sergio wusste, wie sensibel seine Geschäftspartner auf jede negative Schlagzeile in puncto Liquidität reagierten. Noch schlimmer waren die Konsequenzen, wenn er wegen solch schwerwiegender Verstöße gegen die Wertpapiergesetze vor Gericht musste. So weit durfte es unter gar keinen Umständen kommen! Plötzlich kam ihm eine Idee. Wenn die Partnership SeaStarFriends, die Inhaberin von MPM war, nicht ihm und Levy gehörte, sondern jemand anderem, war es möglich, dass ihre Namen überhaupt nicht ins Spiel kamen.

»Ich bin in meinem Büro«, sagte Zack in diesem Moment mit missmutigem Gesicht und ging zur Tür. »Ich versuche, noch etwas in Europa oder Fernost zu machen.«

»Gut«, erwiderte Levy, »aber bleiben Sie im Haus. Es kann sein, dass ich Sie noch brauche.«

»Klar, Boss«, Zack drückte seine Zigarette aus und schlurfte hinaus. Sergio wartete, bis er verschwunden war.

»Vince«, sagte er langsam, »ist es möglich, die Inhaber einer Partnership zu ändern?«

»Offiziell nicht«, erwiderte Levy, »aber vielleicht …«

Er verstand, und ein hoffnungsvolles Lächeln flog über das Gesicht des Präsidenten von LMI. Schlagartig erwachte er aus seiner Lethargie und wählte rasch eine Telefonnummer.

»Monaghan?«, sagte er nach einer Weile, und seine Stimme klang geschäftsmäßig wie immer. »Hier spricht Vincent Levy. Könnten Sie bitte sofort in mein Büro kommen? Ja … danke.«

»Was soll Monaghan tun?«, fragte Sergio.

»Er wird uns sagen können, ob seine Leute die Daten von MPM ändern können«, erwiderte Levy und lächelte, »denn wenn das möglich ist, können wir MPM morgen unbesorgt bankrottgehen lassen.«

Das Lächeln erlosch auf seinem Gesicht, er rieb sich nachdenklich den Nacken.

»Nur, hm …«, er biss sich auf die Unterlippe, »irgendwer muss der Inhaber sein.«

»Ja, sicherlich«, Sergio grinste kalt, »das wird auch jemand sein. Und zwar Zack.«

Vincent Levy starrte ihn an, dann nickte er langsam.

»Der Mann muss weg«, sagte Sergio, »er ist unhaltbar geworden.«

»Aber er weiß zu viel!«, gab Levy zu bedenken. »Er kennt die Namen und Konten, er ...«

»Mach dir darüber keine Gedanken«, unterbrach Sergio ihn, »kümmere du dich darum, dass die Inhaber von MPM geändert werden und SeaStarFriends aus dem Handelsregister verschwindet. Ich erledige den Rest.«

Vincent Levy nickte. Das war ohne Zweifel die beste Lösung. Sie würden alle Schuld auf Zack schieben und wären damit aus der Sache raus. Sergio wandte sich ab, ging an die andere Seite des Raumes und rief Silvio Bacchiocchi an.

»Nimm deine beiden besten Leute und komm zu LMI«, befahl er, »ich habe einen Auftrag für euch. Such eine Waffe heraus, die nicht registriert ist.«

»Okay, Boss.«

Inzwischen war Henry Monaghan eingetroffen. Levy erklärte ihm rasch, was geschehen sollte. Der Sicherheitschef von LMI lauschte mit ausdrucksloser Miene, dann warf er einen Blick auf seine Uhr.

»Ich werde sehen, was sich tun lässt«, sagte er schließlich. »Wir können in den Zentralrechner des Gewerbeamtes gelangen und eine Änderung vornehmen, aber falls es Handelsregisterauszüge gibt, ist das Pech.«

»Dann ist das eben Pech«, mischte Sergio sich ein, »sollte es Untersuchungen geben, dann werden sie einen aktuellen Ausdruck machen und nicht nach alten Auszügen sehen.«

»Gut«, Monaghan nickte, »ich mache mich an die Arbeit. Bis später.«

»Puh«, sagte Vincent Levy und lockerte seine Krawatte, »das hätte ins Auge gehen können. Ich kann nicht verstehen, wie Zack so etwas tun konnte.«

»Ich kann es verstehen«, entgegnete Sergio. »Er wollte seinen Fehler von neulich gutmachen. Er ist eifersüchtig auf Alex' Erfolge.«

»Den Eindruck habe ich auch«, sagte Levy, »die Eifersucht eines enttäuschten Liebhabers.«

Sergio fuhr herum. »Was hast du gerade gesagt?«

»Wenn ich St. John richtig verstanden habe, dann hatten sie mal was miteinander.« Levy goss sich einen weiteren Whisky ein. »Sie waren ja Arbeitskollegen bei Franklin & Myers.«

Sergio schoss das Blut ins Gesicht. Plötzlich und mit einer Wut, die Levy zusammenzucken ließ, schlug er mit der Faust auf den Tisch. Wie hatte er nur so dämlich sein können? Alex und St. John!

»Hast du das nicht gewusst?«, fragte Levy überrascht.

»Nein«, knurrte Sergio, »es ist mir auch scheißegal.«

Sein Handy summte wieder, er hätte es am liebsten in die Fensterscheibe geschleudert, um seinem Zorn Luft zu machen. Es war Luca.

»Boss«, sagte er, »wir sind gerade dabei, das Penthouse zu säubern.«

»Was geht mich das an? Soll ich dir sagen, wo der Staubsauger steht?«

»Wir haben etwas gefunden«, fuhr Luca unbeeindruckt fort, »hinter dem Schrank, in dem der Fernseher steht, lag ein Computerausdruck von einem Kontoauszug.«

»Ein Kontoauszug?«

»Es ist ein Kontoauszug von Levy & Villiers mit Datum vom Juli dieses Jahres«, sagte Luca, »und er lautet auf den Namen Bruce Wellington.«

Sergio erstarrte. Seine Nerven vibrierten. Bruce Wellington war der Vorsitzende des Stadtrates von New York City und einer der wichtigeren Männer auf seiner Schmiergeldliste. Wie gelangte ein Kontoauszug von ihm in Alex' Wohnung? Niemand hatte Kontoauszüge der Geheimkonten, nicht einmal Levy oder er selbst. Er hatte sie bisher nie gebraucht, um einen seiner ›Freunde‹ daran zu erinnern, dass er ihm eine Gefälligkeit schuldete. Niemals hatte einer dieser hochbrisanten Kontoauszüge das Bankhaus verlassen.

»Ich will das Ding sehen«, sagte Sergio heiser, »komm sofort her.«

Er beendete das Gespräch und starrte stumm vor sich hin. St. John war der Einzige, der an diese Auszüge gelangen konnte. Hatten er und Alex heimlich gemeinsame Sache gemacht und ihre gegenseitige Abneigung nur gespielt?

»Was ist denn los?«, erkundigte sich Levy, der dank der bevorstehenden Lösung mit MPM und einiger Gläser Whisky wieder guter Dinge war.

»Alex Sontheim«, sagte Sergio, ohne ihn anzusehen, »hat in ihrer Wohnung Kontoauszüge von Levy & Villiers.«

»Das kann doch nicht sein!« Levy erbleichte. »Nicht noch eine Hiobsbotschaft!«

»Vielleicht haben die beiden zusammengearbeitet«, murmelte Sergio. Er versuchte krampfhaft, die Zusammenhänge und zeitlichen Abfolgen zu begreifen, aber es wollte ihm nicht gelingen. Alex hatte Kontakt zu Kostidis. Der Auszug, den Luca gefunden hatte, stammte vom Juli. Hatte Alex in der Zwischenzeit dem Mistkerl von Bürgermeister davon erzählt? Nein, unmöglich! Kostidis hätte so etwas niemals für sich behalten, sondern sofort an die große Glocke gehängt.

»Gib mir einen Whisky!«, sagte Sergio, und Levy reichte ihm ein Glas. Sergio bemerkte verärgert, dass seine Hände zitterten und ihm der kalte Schweiß auf der Stirn stand.

***

Es war kurz nach elf, als Zachary St. John das Büro von Vincent Levy betrat. Auf seinem blassen Gesicht lag ein Ausdruck von Frustration.

»Ich habe noch ein paar Aktien abstoßen können«, verkündete er und ließ sich in einen der Sessel fallen, »aber das war's.«

»MPM wird morgen bankrottgehen«, sagte Levy.

»Ja, sieht ganz so aus«, erwiderte Zack düster, dann blickte er auf, »es wird doch nichts passieren, oder?«

»Nein.« Sergio erhob sich. Nach drei doppelten Whiskys hatte er sich unter Kontrolle, wenn auch der wilde Zorn in seinem Inneren wie ein Vulkan brodelte.

»Es wird überhaupt nichts passieren. Eine kleine Untersuchung, ein paar Verhaftungen ... zwei, drei Jahre Gefängnis, mehr werden Sie nicht kriegen.«

»Was?« Zack starrte ihn ungläubig an. »Was habe ich denn damit zu tun?«

»Oh«, Sergio lächelte sardonisch, »wir haben eben im Computer nachgesehen und dabei festgestellt, dass Sie und Miss Sontheim gemeinsam Inhaber einer kleinen, aber feinen Brokerfirma namens MPM sind.«

Zack richtete sich auf.

»Das ist ein schlechter Witz«, flüsterte er heiser.

»Ganz und gar nicht«, sagte Sergio, »aber wir werden Sie nicht hängenlassen, Zack, wenn Sie sich vernünftig benehmen und die Klappe halten. Wenn die ganze Aufregung vorbei ist, bekommen Sie eine stattliche Summe. Mit 40 schon im Ruhestand – das ist doch eine tolle Sache.«

»Nein«, flüsterte Zack wie betäubt, als ihm langsam dämmerte, was hier lief. Vitali und Levy wollten ihn eiskalt abservieren, ihm alles in die Schuhe schieben. Was mit Alex war, interessierte ihn herzlich wenig.

»Bewahren Sie die Nerven, Zack. Was sind schon zwei Jahre?«

»Nein!« Zachary St. John sprang auf und starrte die beiden Männer aus blutunterlaufenen Augen hilflos und wild an. »Wenn ich das tue, bin ich an der Wall Street erledigt.«

Mit dem zerzausten Haar und dem wirren Blick sah er wie ein Wahnsinniger aus.

»Und das alles nur wegen dieser Scheiße, zu der ich mich von euch habe überreden lassen!«

»Sie haben doch auch ganz gut daran verdient«, bemerkte Levy kühl.

»Ihr habt mich benutzt!«, stieß Zack hervor. »Für euch ist das nur ein Spiel, ein verdammtes Schachspiel! Und jetzt wollt ihr den Bauern opfern, um den König zu retten!«

Er lachte plötzlich schrill.

»Das habt ihr euch fein ausgedacht! Aber nicht mit mir!«

»Haben Sie das hier schon einmal gesehen, Zack?« Sergio hielt ihm das Blatt hin, das Luca in Alex' Wohnung gefunden hatte. Zack warf einen kurzen Blick darauf, dann zuckte er mit den Schultern.

»Nein, habe ich nicht«, antwortete er.

»Das war bei Alex Sontheim in der Wohnung.«

Ein hasserfülltes Funkeln erschien in Zacks Augen.

»Alex«, knirschte er wütend, »diese elende kleine Schlampe.«

»Können Sie mir erklären, wie sie an einen Kontoauszug von Levy & Villiers gelangt ist?«

»Das kann ich nicht«, schnappte Zack, »ich habe mit dieser Zicke nichts zu tun. Diese hinterhältige Schlange hat mich verarscht! Seitdem sie hier aufgetaucht ist, bin ich nur noch ein Idiot!«

»Sie haben nicht zufällig hinter unserem Rücken mit ihr gemeinsame Sache gemacht?«

Diese Frage machte Zack noch fassungsloser, als er ohnehin schon war.

»Nie im Leben!«, stieß er hervor. »Ich hasse die Frau!«

»Okay«, Sergio faltete das Blatt und steckte es ein. Zack sank auf den Stuhl und verbarg sein Gesicht in den Händen. Sein teurer Maßanzug war vollkommen durchgeschwitzt, er zitterte wie ein Alkoholiker auf Entzug.

»Kein Mensch wird mehr mit mir reden«, sagte er dumpf. »Mit dem Finger werden sie auf mich zeigen und miteinander flüstern, wenn sie mich sehen. Ich werde ein Paria sein.«

»Hören Sie schon auf, sich selbst zu bemitleiden!«, fuhr Levy ihn an. »Durch Ihre Idiotie sind wir doch nur in diese Situation geraten!«

»Nein!«, brüllte Zack. »Sie hat mich dazu provoziert! Und ihr habt mich auflaufen lassen! Jetzt soll ich meinen Kopf hinhalten, damit ihr eure Namen aus der Sache raushalten könnt! Aber das lasse ich nicht mit mir machen!«

Ein gehetzter Ausdruck lag auf seinem Gesicht, seine Augen zuckten hin und her, immer wieder schüttelte er den Kopf.

»Überdenken Sie alles«, sagte Sergio mit einem fast mitleidigen Lächeln, aber sein Blick war hart und kalt wie Stahl, »davon geht die Welt nicht unter. Sie werden das ganz schnell vergessen, wenn Sie mit einem hübschen Mädchen im Arm irgendwo in der Karibik unter Palmen liegen und überlegen, wie alt Sie werden müssen, damit Sie Ihr ganzes Geld ausgeben können.«

Zack starrte ihn stumm an und öffnete den Mund zu einer Erwiderung. Aber dann besann er sich anders und zuckte die Schultern. Sein Gesicht war albinobleich, die Augen blutunterlaufen.

»Okay«, murmelte er leise, »okay. Okay.«

Er drehte sich um und verließ mit gesenktem Kopf das Büro. Sergio trat an die Fensterfront und starrte hinaus in die Nacht. Was für ein Spiel spielte Alex? Er glaubte St. John, dass er nicht mit ihr zusammengearbeitet hatte. Sein Hass war echt. Alex musste auf eine andere Weise an die geheimen Kontoauszüge gelangt sein, sie musste Nachforschungen angestellt haben und damit auf die Wahrheit gestoßen sein. Wie konnte er sie derart unterschätzt haben? In Sergios Kopf herrschte ein wildes Durcheinander. Hatte er selbst ihr gegenüber einmal etwas erwähnt? Gedankenfetzen verbanden sich flüchtig und rissen wieder auseinander, ohne dass er sie greifen konnte.

»Kann man überprüfen, ob in Georgetown jemals Kontoauszüge ausgedruckt wurden?«, wandte er sich an Levy.

»Ich weiß nicht«, erwiderte der, »ich müsste Monaghan fragen.«

»Dann tu das. Ruf ihn an«, Sergio setzte sich wieder hin. Es dauerte eine Weile, bis Levy den Sicherheitschef erreichte. Er stellte den Lautsprecher an, damit Sergio das Gespräch mit anhören konnte.

»Das Handelsregister ist geändert«, sagte Monaghan, »Inhaber sind Mr Zachary George St. John und Miss ...«

»Gut, gut, gut«, unterbrach Levy ihn und schilderte ihm die neue Katastrophe, die drohte, »ist es möglich, von außen in einen Computer zu gelangen, um Kontoauszüge auszudrucken, Henry?«

»Theoretisch ja«, der Sicherheitschef von LMI überlegte. »Ein cleverer Hacker könnte sich Zugriff auf den Server verschaffen, aber so etwas würden wir bemerken. Wir haben sehr strenge Sicherheitsvorkehrungen getroffen.«

»Können Sie herauskriegen, ob jemand am 6. Juli in den Rechner von Levy & Villiers eingedrungen ist?«

»Ich kann es versuchen«, antwortete Monaghan, »ich melde mich.«

Als das Gespräch beendet war, verfiel Sergio in brütendes Schweigen. Für die Sache, die St. John verbockt hatte, hatte er eine saubere Lösung gefunden, darum machte er sich keine Gedanken mehr. Viel wichtiger war es, herauszufinden, was Alex tatsächlich wusste. Er musste auf der Stelle mit ihr sprechen. Aber er wusste noch immer nicht, wo sie jetzt wohnte. Was er allerdings erfahren hatte, war, dass sie sich erst vor zwei Wochen wieder mit diesem Zeitungsschmierer getroffen hatte. Ein grausames Lächeln umspielte Sergios Lippen. Skerritts Adresse war ihm bekannt. Es schien ihm an der Zeit, dem Mann einen Besuch abzustatten.

***

Das Klingeln von Olivers Handy ließ sie zusammenzucken. Oliver nahm sofort den Anruf entgegen.

»He, Kumpel«, sagte Justin, »ich habe einiges herausgefunden. Sieht so aus, als ob an der Wall Street die Kacke am Dampfen ist.«

Alex beugte sich vor. Oliver, Mark und sie hatten Justin angerufen und ihn gebeten, etwas über MPM's Engagement in Sachen Whithers herauszufinden. Seit gut zwei Stunden warteten sie nun schon voller Anspannung in der italienischen Trattoria schräg gegenüber von dem Haus, in dem sich Olivers Wohnung befand, auf seinen Rückruf. Zu dritt hatten sie den ganzen Abend lang beratschlagt, wie es weitergehen würde und wie Alex sich verhalten sollte. Oliver reichte Alex sein Handy.

»MPM hat in den letzten sechs Wochen 2,6 Millionen Aktien der Firma Whithers Computers gekauft«, sagte Justin, »zu einem Durchschnittspreis von 38 das Stück.«

Alex überschlug rasch im Kopf die Summe. Sie hatte Zack zugetraut, dass er für zehn Millionen gekauft hatte, aber er musste das Zehnfache investiert haben.

»Wie du mir erzählt hast«, fuhr Justin fort, »ist dieses Geschäft nicht zustande gekommen, und wahrhaftig ist der Kurs von Whithers in den letzten Stunden gewaltig abgestürzt. Er stand bei Börsenschluss auf 29,3, das heißt bis jetzt hat MPM 30 Millionen verloren, Tendenz stark fallend.«

Oliver und Mark sahen sie gespannt an.

»Morgen kauft niemand mehr Whithers«, sagte Alex langsam, »der Kurs fällt ins Bodenlose, aber spätestens morgen früh muss MPM seine Positionen glattmachen. Das werden sie nicht hinkriegen. 100 Millionen kriegen sie nie und nimmer zusammen.«

»Was bedeutet das?«

»MPM ist pleite. Es wird eine Untersuchung durch die Börsenaufsicht geben. Und sie werden herausfinden, wer hinter MPM steckt.«

»Levy und Vitali ...«

»Genau«, Alex nickte, »ich kann mir nicht vorstellen, dass sie das riskieren. Levy, als Präsident einer Investmentfirma, geht zehn Jahre in den Knast für so etwas.«

»Was können sie tun, um das zu verhindern?«

»Nicht viel«, Alex dachte nach, »den Inhaber ändern.«

Plötzlich hatte sie das sichere Gefühl, dass sich hinter ihrem Rücken etwas für sie Verhängnisvolles zusammenbraute. Zack würde ihr allein die Schuld daran geben, dass der Whithers-Deal geplatzt war, und Sergio war auch nicht auf ihrer Seite. Es stand also mindestens zwei zu eins gegen sie. Da niemand wusste, wie viel sie von den illegalen Geschäften mitbekommen hatte, könnte es ihnen als die beste Lösung erscheinen, ihr das ganze Ding in die Schuhe zu schieben. Dann war sie wegen Insiderhandel dran. Und zwar richtig.

»Ich mach mich mal schlau«, sagte Justin und legte auf. Alex berichtete Mark und Oliver in knappen Worten, was Justin ihr gesagt hatte. Während die beiden Männer diskutierten, dachte Alex angestrengt nach. Dann richtete sie sich auf.

»Ich muss mit Zack sprechen«, sagte sie, »sofort.«

»Aber warum denn?«, fragte Mark. »Spätestens seit der Syncrotron-Sache hasst er dich wie die Pest!«

»Egal, was er für ein Arschloch ist«, Alex stand auf, »sie werden ihn genauso wie mich fertigmachen wollen. Ich habe nicht geahnt, dass er eine derartige Menge Aktien kaufen würde.«

»Okay«, Oliver nickte, »aber du fährst nicht alleine. Wir kommen mit.«

Er winkte dem Kellner, bezahlte, und sie verließen das Lokal.

»Ich hole meine Autoschlüssel aus der Wohnung«, sagte Oliver. Sie überquerten die Straße, und während Oliver ins Haus ging, warteten Alex und Mark vor der Haustür.

»Zack wird außer sich vor Wut sein«, sagte Mark, »ich weiß nicht, ob es wirklich eine gute Idee ist, mit ihm reden zu wollen. Was kannst du dabei erreichen?«

»Verdammt, Mark, ich dachte, er würde fünf oder zehn Millionen in den Sand setzen, aber 100 Millionen sind …«, der Satz blieb Alex im Hals stecken, als sie eine schwarze Limousine die Straße heraufkommen sah.

»Was ist?«, fragte Mark.

»Komm mit ins Haus, schnell!« Alex zerrte ihn in den Hausflur. Die Limousine stoppte direkt vor dem Haus.

»Was hast du denn?« Mark begriff nicht, was los war, aber er folgte ihr die Treppe hinauf. Vor der Tür seiner Wohnung stießen sie auf Oliver.

»Sergio ist gerade hergekommen!«, stieß Alex hervor. Sofort schloss Oliver wieder auf, und sie flüchteten in die Wohnung. Sekunden später klingelte es an der Tür Sturm. Hilflos blickten die drei sich an.

»Öffnen Sie die Tür!«, hörten sie eine Stimme, dann schlug jemand mit der Faust gegen die Tür. »Hier ist die Polizei! Öffnen Sie, oder wir schlagen die Tür ein!«

»Scheiße«, flüsterte Mark ängstlich, »was machen wir jetzt?« Die Angst der beiden Männer ernüchterte Alex.

»Er ist hinter mir her«, flüsterte sie, »kann ich hier irgendwie raus?«

»Vom Balkon aus kann man auf das Dach des Lagerhauses nebenan«, sagte Oliver nervös, »aber es geht mindestens zwei Meter runter.«

»Das ist egal. Wenn er mich hier findet, bringt er mich um. Und dich auch.«

Mark wurde totenblass. Das Hämmern an der Tür wurde heftiger. Alex rannte ins Wohnzimmer und riss die Balkontür auf. »Alex«, zischte Oliver und ergriff ihren Arm, als sie ihr Bein über die eiserne Balkonbrüstung hob, »du kannst doch nicht … Alex!«

»Ich muss«, erwiderte sie, »ich will euch nicht in Gefahr bringen. Passt auf euch auf. Ich melde mich!«

Und bevor Oliver etwas sagen konnte, war sie schon von der Balkonbrüstung auf das zwei Meter tiefer liegende Dach des Lagerhauses gesprungen und verschwand in der Dunkelheit wie ein Schatten.

* * *

Sergio stand im Flur vor der Tür des Lofts, das Oliver Skerritt gehörte, die Hände tief in den Taschen seines Kaschmirmantels vergraben. Er war todsicher, dass Alex hinter dieser Tür mit diesem Kerl zusammenhockte. Es kam ihm so vor, als könne er sie durch die geschlossene Tür riechen. Armando und Freddy blickten ihren Chef abwartend an. Auf das Klingeln und Klopfen hatte sich nichts in der Wohnung gerührt.

»Brecht die Tür auf!«, befahl Sergio. »Ich will in diese verdammte Wohnung.«

Da ging die Tür auf, und ein Mann mit dunklem Haar und Brille sah sie ungehalten an. Sergio erkannte sein Gesicht von den unzähligen Fotos, die seine Leute von ihm und Alex gemacht hatten, ja er wusste von den Videobändern sogar, wie er beim Sex aussah. Er musste seinen rasenden Zorn mit aller Macht unterdrücken, und bevor der Mann auch nur ein Wort sagen konnte, drängte er sich an ihm vorbei in das Loft, das, obwohl ziemlich groß, kaum die Größe eines einzigen Salons seines Apartments in der Park Avenue hatte.

»He!« Der Zeitungsschmierer lief ihm nach. »Was soll das? Warum dringen Sie in meine Wohnung ein? Wer sind Sie?«

»Wo ist sie?« Sergio blickte in die Küche, in jedes Zimmer und öffnete die Tür des Badezimmers. Er stieß einen zweiten Mann, einen kleinen Dicken mit verschrecktem Gesichtsausdruck, grob zur Seite. Sergio riss die Tür des Schlafzimmers in der Erwartung, Alex mit schreckgeweiteten Augen im Bett vorzufinden, auf. Das Blut rauschte in seinen Ohren. Er würde sie so zusammenschlagen, dass sie sich für drei Wochen nicht mehr in der Öffentlichkeit sehen lassen konnte. Aber das Bett war leer. Stumm marschierte Sergio ins Zimmer, riss alle Schränke auf, ja er erniedrigte sich sogar, auf die Knie zu gehen, um unter das Bett zu schauen. Nirgendwo eine Spur von ihr. Sollte er sich etwa geirrt haben?

»Wo bist du, du Miststück?«, knirschte er wütend und ging zurück ins Wohnzimmer, wo seine Leute die beiden Männer in Schach hielten. Sergio packte das Haar des Zeitungsschmierers und zerrte dessen Kopf brutal hoch.

»Wo zum Teufel ist sie?«

»Wen suchen Sie überhaupt?«, keuchte der Mann.

»Alex Sontheim«, Sergio stand die Mordlust in den Augen.

»Warum sollte sie hier sein?«

»Hat dir eine Lektion nicht gereicht?« Der Zorn explodierte in seinem Innern, er rammte ihm seine Faust ins Gesicht und verspürte eine grausame Genugtuung, als er das Blut aus der Nase des Mannes spritzen und seine Brille splittern sah.

»Alex war seit Monaten nicht mehr hier«, nuschelte Oliver, »ich weiß nicht, wo sie ist.«

Sergio starrte den Mann ein paar Sekunden lang an.

»Wenn du gelogen hast«, zischte er, »bist du tot!«

Nur Minuten später war der Spuk vorbei und die beiden Männer fanden sich eingesperrt im fensterlosen Badezimmer wieder. Oliver setzte sich schwer atmend auf den Rand der Badewanne, Mark ließ sich auf den Boden gleiten. Er zitterte am ganzen Körper vor Angst. Schon sein Leben lang hatte ihm vor körperlicher Gewalt gegraut.

»Was ist das nur für ein Vieh«, murmelte er. Olivers Handy klingelte wieder. Mühsam kramte er in seinen Jackentaschen, bis er es gefunden hatte.

»Ich habe im Handelsregisterverzeichnis nachgesehen«, rief Justin aufgeregt, »du kannst dich doch daran erinnern, dass eine Gesellschaft Inhaber von MPM war, diese Seestern-Geschichte, stimmt's?«

»Ja, klar«, Oliver nickte und verzog das Gesicht, weil seine Nase höllisch weh tat, »wir haben ja Ausdrucke gemacht.«

»Aber jetzt gehört MPM Alex und Zachary St. John.«

»Ach du Scheiße«, Oliver rieb sich das schmerzende Handgelenk und versuchte zu begreifen, was das zu bedeuten hatte. Auf jeden Fall war Alex in großer Gefahr – und sie hatte keine Ahnung.

***

Das Herz schlug Alex wie rasend gegen die Rippen, als sie im Schutz der Häusermauern Richtung Avenue of the Americas huschte. Irgendwo in den Straßenschluchten der Stadt heulte eine

Polizeisirene, aber die Straße war menschenleer. Erst in der Höhe der West Houston Street gelang es ihr, ein Taxi anzuhalten.

»Nach Battery Park City«, sagte sie zu dem Taxifahrer und lehnte sich erleichtert zurück, als der junge Puerto Ricaner Gas gab. Hoffentlich hatte Sergio Oliver und Mark nichts angetan! Ihre Gedanken rasten, während das Taxi in südlicher Richtung durch das nächtliche Manhattan fuhr. Sie konnte es immer noch nicht fassen, dass Zack so dumm gewesen war und einen derart riesigen Haufen Aktien gekauft hatte. Selbst wenn der Deal zustande gekommen wäre, hätte das unweigerlich die Neugier der Börsenaufsicht geweckt. Doch da fiel ihr ein, dass Sergio auch Beamte der SEC und Vorstandsmitglieder der NYSE auf seiner Schmiergeldliste hatte. Wahrscheinlich wäre also überhaupt nichts passiert. Eine Viertelstunde später hatte sie das Haus erreicht, in dem sich Zacks Penthouse befand. Sie bat den Taxifahrer zu warten, ging zum Haus und klingelte, aber nichts regte sich. Nach fünf weiteren Versuchen setzte sie sich wieder ins Taxi und ließ sich in den Finanzdistrikt fahren. Vielleicht war Zack noch im Büro. Alex verzog das Gesicht. Sie wusste nicht recht, was sie ihm sagen sollte, aber sie konnte auf gar keinen Fall darauf warten, dass man sie und Zack morgen früh den Wölfen zum Fraß vorwarf, denn genau das würde geschehen. Vielleicht ließ Zack sich davon überzeugen, dass es an der Zeit war, gemeinsam etwas gegen Levy und Sergio zu unternehmen. Alex war klar, dass die beiden Männer nicht davor zurückscheuen würden, sie und Zack zu opfern, und das wollte sie verhindern. Sie verließ das Taxi am Broadway Ecke Wall Street und ging die Straße entlang, bis sie vor dem LMI-Building stand. Der Haupteingang war um diese Uhrzeit nicht geöffnet, und sie zögerte, ihre Plastikkarte zu benutzen, denn sie wusste, dass jede Benutzung der Karte im Zentralcomputer registriert wurde. Sie warf einen Blick auf ihre Uhr. Es war mittlerweile kurz nach halb drei, sie konnte nicht länger warten. Mit ihrer Plastikkarte öffnete sie die Tür des Lieferanteneingangs und blieb hinter der Tür stehen, denn der Nachtportier ging gerade im Schlenderschritt zu den Toiletten. Ungesehen schlüpfte Alex in die Halle und erreichte das Treppenhaus, dessen Tür offen stand. Den Aufzug konnte sie nicht benutzen, denn dann wäre der Sicherheitsdienst sofort auf sie aufmerksam geworden. Sie beglückwünschte sich zu ihrer guten Kondition, allerdings musste sie im 10. und im 14. Stock Pause machen, weil ihr die Puste ausging. Sie zitterte vor Aufregung, als sie die Feuerschutztür öffnete, die vom Treppenhaus in die Vorstandsetage führte. Zacks Büro war das vierte auf der linken Seite, ein schmaler Streifen Licht fiel durch den Türspalt auf den Flur. Er war also tatsächlich noch da. Alex holte tief Luft, aber dann klopfte sie an und betrat das Büro. Das, was sie im dämmerigen Schein der Schreibtischlampe erblickte, ließ ihr das Blut in den Adern gefrieren. Am liebsten wäre sie weggelaufen und hätte laut geschrien, aber sie stand wie versteinert da, unfähig, die Augen abzuwenden.

***

»Verdammt«, fluchte Oliver, »sie geht nicht dran!«

Bereits zum zehnten Mal hatte sich nur Alex' Mailbox gemeldet.

»Wir müssen irgendetwas unternehmen«, er rieb sich seinen schmerzenden Arm und dachte verzweifelt nach, wie und wo er Alex finden konnte, um sie von der Ungeheuerlichkeit dessen, was Justin herausgefunden hatte, in Kenntnis zu setzen. Morgen früh war MPM pleite, die Presse würde sich sofort daraufstürzen, wenn bekannt wurde, dass der Managing Director und die M & A-Chefin von LMI gemeinsam eine Firma betrieben und mit Insiderinformationen gewaltige Gewinne gemacht hatten. Alex war erledigt, denn selbst wenn irgendwann vor Gericht herauskommen würde, dass sie mit MPM nichts zu tun hatte, wäre ihr Ruf an der Wall Street ein für alle Mal ruiniert. Olivers erste und hoffentlich letzte persönliche Begegnung mit Sergio Vitali hatte ihn in allem bestätigt, was er je über diesen Mann in Erfahrung gebracht hatte. Noch jetzt schauderte ihn bei der Erinnerung an die eisige Kälte in dessen blauen Augen.

»Du kriegst die Tür nie und nimmer auf«, sagte Mark mutlos. »Sie geht nach innen auf.«

Oliver durchwühlte schon die Schubladen des Badezimmerschrankes auf der Suche nach irgendeinem Gegenstand, mit dem er die Scharniere der Tür aufschrauben konnte. Es war ihm egal, ob etwas kaputtging. Er musste Alex warnen. Auf der Stelle.

***

Zack hing tot im Sessel hinter seinem Schreibtisch. Sein Anblick war zweifellos das Grauenhafteste, das Alex jemals gesehen hatte. Ihm fehlte das halbe Gesicht, sein verbliebenes Auge war weit aufgerissen und schien sie vorwurfsvoll anzustarren. Aus dem geöffneten Mund war Blut gelaufen, das bereits geronnen war, und in seiner linken Hand, die schlaff nach unten hing, befand sich eine Pistole. Die Wand hinter ihm war voller Blutspritzer, ebenso der helle Teppichboden. Alex' Knie waren butterweich, ihr Magen rebellierte. Mit dem Tipp, den sie Ringwood gegeben hatte, hatte sie eine Katastrophe ausgelöst. Sie hatte lediglich Zack, Levy und Sergio eins auswischen wollen, aber nun hatte sie Zack in den Tod getrieben! Er hatte die Whithers-Aktien in dem sicheren Glauben gekauft, das Geschäft sei unter Dach und Fach, und als er gestern Abend erfahren musste, dass der Deal geplatzt war, schien er keinen anderen Ausweg mehr gesehen zu haben als den Tod. Alex kämpfte die aufsteigende Panik nieder, überwand Ekel und Entsetzen, und sah sich auf dem Schreibtisch um, der zu ihrem Erstaunen wie leergefegt war. Die Glasplatte, auf der sich sonst Unmengen von gelben, selbstklebenden Zettelchen und Notizen befanden, war spiegelblank. Zack hatte keinen Abschiedsbrief hinterlassen, und Alex fiel auf, dass der Aktenkoffer, den er stets wie ein Heiligtum mit sich herumtrug, nicht da war. Ihr Blick fiel auf den Computer. Das gelbe Standby-Lämpchen blinkte. Sie zwang sich, den Toten nicht anzusehen, und beugte sich über ihn, um die Maus zu bewegen. Der Rechner begann zu rumoren, Sekunden später erschienen der wolkige Hintergrund und das Desktop. Alex hielt den Atem an. Ein sich drehendes ›E‹ am oberen rechten Bildschirmrand zeigte, dass sich ungelesene E-Mails auf dem Server befanden. Sie klickte das Icon an und öffnete so das E-Mail-Programm.

Es befinden sich vier neue Nachrichten auf dem Server.

Alex gab den Befehl ›Abholen‹, und der Computer lud die Nachrichten herunter. Rasch öffnete sie die E-Mails und begann zu lesen. Sie stammten von einem Broker aus San Francisco, einem Rechtsanwaltsbüro aus Riverside/Los Angeles und von zwei Reisebüros in New York. Alex ließ die Nachrichten ausdrucken, um sie später in Ruhe lesen zu können. Dann ging sie in den ›Postausgang‹ und anschließend in ›Gesendete Nachrichten‹.

»Bingo«, murmelte sie. Zack hatte in der Nacht noch drei E-Mails geschrieben, von denen er lediglich eine abgeschickt hatte. Sie öffnete die erste E-Mail, die an einen Ken Matsumo bei der California Savings & Loan in Los Angeles adressiert war. Ihre Augen wurden immer größer, während sie las, was Zack geschrieben hatte.

Hallo Ken. Ich habe soeben die Summe von $ 50 Mio. auf mein Konto in eurem Haus überwiesen. Bitte überweise gleich morgen früh diese Summe auf das Konto Nr. A/CH/334677810 beim Bankhaus Ruetli & Hartmann in Zürich in der Schweiz. Ich muss heute Nacht noch die Stadt verlassen. Danke für deine Hilfe.
Ich melde mich. Zack.

»Das gibt's doch nicht«, flüsterte Alex fassungslos. Das klang nicht gerade so, als ob Zack vorgehabt hatte, sich eine Kugel in den Kopf zu schießen. Hatte er geahnt, dass Levy und Sergio ein falsches Spiel mit ihm spielten, und deshalb irgendwie die gewaltige Summe von 50 Millionen Dollar unterschlagen, um sie auf sein Konto bei der California Savings & Loan zu transferieren? Zweifellos hatte er vorgehabt, sich mit diesem Geld aus dem Staub zu machen. Cleverer Junge! Sergio und Levy hatten Zacks Loyalität eindeutig überschätzt. Die zweite Nachricht ging an eine Cécile d'Aubray in Genf.

Cécile, aujourd'hui c'est la dernière nuit de notre vie passée. Je vais arriver demain vers midi à Genève et nous serons immensément riches! Je t'embrasse. ZStJ.

Zack hatte sich nach Genf absetzen wollen. Mit 50 Millionen Dollar im Gepäck. Nicht schlecht. Die dritte E-Mail war an einen Rechtsanwalt namens John Sturgess in L. A. gerichtet, in der Zack darum bat, das aufgesetzte Dokument wie verabredet umgehend an die Staatsanwaltschaft von New York City zu übergeben. Alex druckte alle E-Mails aus. Die Swiss-Air hatte zwei Flüge für Mr John Fallino und Mrs Cécile d'Aubray nach Genf bestätigt, dann hatte die Air Canada dasselbe für einen Flug nach Vancouver für Mr Zachary St. John getan. Die dritte E-Mail, die Zack erhalten hatte, war die weitaus interessanteste. Rechtsanwalt John Sturgess hatte ein dreiseitiges Dokument geschickt, in dem Zack alles zugab, was er an krummen Geschäften für Levy und Vitali gemacht hatte, samt Daten und Summen. Mit diesem Schreiben hätte er denen, die ihn opfern wollten, das Genick gebrochen. Allmählich begriff Alex die Zusammenhänge, und sie erkannte glasklar, was geschehen war. Ihr wurde eiskalt, als sie begriff, was das bedeutete. Zack hatte sich mitnichten vor Verzweiflung erschossen, auch wenn es so aussehen sollte. Ein Mann, der derart ausgeklügelte Pläne für seine Zukunft machte, hielt sich nicht eine .38er an den Kopf und erschoss sich. In ein paar Stunden wäre Zack verschwunden gewesen, mit 50 Millionen Dollar. Er hätte 100 Millionen Dollar Schulden und eine ruinierte Investmentfirma zurückgelassen und gleichzeitig mit seinem schriftlichen Geständnis bei der Staatsanwaltschaft von New York einen gewaltigen Wirbel ausgelöst. Aber jemand hatte die Umsetzung dieses Planes verhindert, jemand, dem ein Menschenleben nicht viel bedeutete. Alex zweifelte keine Sekunde daran, dass es Sergio war, der sich ein weiteres Mal eines unangenehmen und gefährlichen Mitwissers entledigt und das als Selbstmord getarnt hatte. Das war schlau, denn es war durchaus glaubhaft, dass ein Mann in Zacks Situation den Tod sympathischer fand als das Gefängnis. Plötzlich wurde Alex bewusst, dass sie noch immer neben einer Leiche stand. Mit zitternden Fingern raffte sie die Blätter zusammen, die der Drucker ausgespuckt hatte. Einer Eingebung folgend markierte sie alle E-Mails und verschob sie in den Papierkorb, dann klickte sie den Papierkorb an und leerte ihn. Ihr Herz klopfte wie rasend. Wenn Sergio erfuhr, dass sie die Wahrheit kannte, war sie genauso tot wie Zack. Als sie sich umdrehte, berührte sie den Drehstuhl, auf dem Zacks Leiche hing. Vor Schreck glitten ihr die Blätter aus der Hand. Sie bückte sich, um sie aufzuheben. Unter dem Rollcontainer berührte sie einen Gegenstand. Sie kniete sich auf den mit Blutspritzern übersäten Boden und ergriff ein Handy. Rasch schob sie es in die Innentasche ihrer Jacke und verließ das Büro so schnell sie konnte. Sie eilte den Flur entlang und hatte schon fast die Feuerschutztür zum Treppenhaus erreicht, als sie das Rauschen des Aufzugs im Aufzugschacht hörte. Das rote Lämpchen neben der Aufzugtür flammte auf. Jemand kam nach oben! Alex brach der Angstschweiß aus. Voller Panik blickte sie sich um, dann öffnete sie die Tür der Damentoilette und schlüpfte mit klopfendem Herzen hinein. Durch einen kleinen Spalt beobachtete sie, wer aus dem Aufzug trat, und sie glaubte, ihr müsse das Herz stehen bleiben, als sie Sergio und Henry Monaghan, den Sicherheitschef von LMI, erkannte.

***

»Der Computer ist an«, stellte Henry Monaghan fest.

»Dann haben meine Leute vergessen, ihn auszuschalten«, erwiderte Sergio.

»Ja, das haben sie offensichtlich. Aber ...«, Monaghan schüttelte den Kopf, »der Bildschirm ist an, und der Drucker ist noch warm. Es kann nicht länger als eine Viertelstunde her sein, dass jemand mit dem Ding gearbeitet hat, sonst hätte sich der Bildschirmschoner eingeschaltet oder der Rechner wäre in den Sleep-Modus gegangen.«

Sergio sah dem untersetzten Mann mit dem buschigen Seehundschnauzbart mit versteinerter Miene zu, wie er die Maus hin und her schob und grimmig auf den Bildschirm starrte.

»Dieser Jemand hat alle E-Mails gelöscht«, verkündete er nach einer Weile. »Es ist nichts mehr da.«

Der Grund, weshalb die beiden Männer um vier Uhr morgens riskierten, bei der bisher unentdeckten Leiche von St. John überrascht zu werden, war eine Nachricht auf St. Johns privatem Anrufbeantworter. Ein Rechtsanwalt namens John Sturgess hatte die Mitteilung hinterlassen, dass er die Aussage wie vereinbart protokolliert und per E-Mail zu Zack ins Büro geschickt hatte. Vielleicht war es unwichtig, vielleicht aber auch nicht. Der Anruf aus Kalifornien war um halb elf gekommen, nachdem Zack von Sergio erfahren hatte, dass er und Alex Inhaber von MPM geworden waren. Gegen Viertel nach elf war Zack gestorben, und niemand wusste, was er in dieser Dreiviertelstunde in seinem Büro getan hatte. Das Wort ›Aussage‹ hatte sich für Monaghan bedrohlich angehört, und Sergio war ganz seiner Meinung. Hatte Zack den Anwalt angerufen und ihm etwas über seine unerfreuliche Situation erzählt? Und nun schien es ganz so, als ob die E-Mail von John Sturgess in die Hände eines Unbekannten geraten sei. Monaghan schaltete den Computer ab.

»Wir wissen gleich, wer hier drin war«, sagte er, »wir müssen uns nur die Bänder der Überwachungskameras ansehen.

Vielleicht ist derjenige noch im Gebäude und wir können ihn schnappen, bevor ein größerer Schaden entsteht.«

***

Alex hockte auf dem Fußboden der Damentoilette, den Rücken gegen die Fliesen gelehnt, und wagte kaum zu atmen. Die fehlende Reaktion von Sergio und Monaghan im Büro von St. John war der eindeutige Beweis dafür, dass sie der Anblick von Zacks Leiche nicht überrascht hatte. Ihr wurde übel, als ihr bewusst wurde, in welcher Gefahr sie schwebte. Die beiden Männer waren seit fünf Minuten in Zacks Büro und kamen nun wieder in den Gang. Alex hörte den Aufzug kommen.

»Luca«, hörte sie die vertraute Stimme von Sergio, »ihr bleibt hier oben, bis ich dich wieder anrufe. Durchsucht jeden Raum. Es kann sein, dass jemand hier oben ist, der hier nichts zu suchen hat.«

Alex erstarrte. Wie sollte sie nur aus dem Gebäude herauskommen, ohne entdeckt zu werden? Sie kroch auf allen vieren bis in eine der Toiletten, schloss ab und kauerte sich auf dem Toilettendeckel zusammen. Es gab kein Entrinnen. Sergios Leute würden sie finden, und dann war sie mausetot. Sie spürte eine hohle Angst in der Magengrube. Wellen der Panik rollten über sie hinweg, und sie wünschte sich wohl zum tausendsten Mal, dass sie Sergio Vitali niemals gesehen hätte.

***

Zuerst war auf dem Monitor nur Schneegestöber zu erkennen, aber dann war klar und deutlich der Flur von den Aufzügen bis zum Empfangstresen im 30. Stock zu sehen. Die Uhrzeit war links unten eingeblendet. Sergio starrte mit ausdrucksloser Miene auf die Bildschirme, die sich an der Wand im Kellergeschoss des LMI-Building, der Sicherheitszentrale, befanden. Es machte ihn rasend, dass er seit vier Tagen nichts mehr von Nelson gehört hatte. Seitdem er vor ein paar Wochen aus Chicago zurückgekommen war, schien er verändert, und nun hatte Sergio den Eindruck, dass er sich am Telefon von seiner Frau verleugnen ließ. Natürlich wusste er, dass Nelson wirklich krank war, aber er merkte, dass er selbst seinem treuesten und ältesten Mitstreiter nicht mehr vertraute. Aus diesem Grund hatte er Silvio beauftragt, zwei Männer zur Überwachung nach Long Island zu schicken. Außerdem war Sergio zornig, dass es ihm bis heute nicht gelungen war, Constanzia zu finden. Und nun kam noch dieses unnötige Ärgernis mit St. John dazu und der Verdacht, dass Alex von den geheimen Konten wusste! Es tat ihm nicht weh, MPM zu opfern. Bereits morgen konnte man eine neue Strohfirma gründen, über die die Geschäfte problemlos weiterlaufen würden. Für St. John würde man geeigneten Ersatz finden. Das Problem war Alex. Er ärgerte sich, dass er sich dazu erniedrigt hatte, wie ein eifersüchtiger Liebhaber nachts in die Wohnung des Zeitungsschmierers einzudringen. Er hasste sie dafür, dass er sich wegen ihr vor seinen Leuten zum Idioten gemacht hatte. Sergio nagte nachdenklich an seiner Unterlippe. Warum musste das auch ausgerechnet jetzt passieren? Morgen hatte er wichtige Termine, und eigentlich sollte er am Freitag nach Costa Rica fliegen, um sich dort mit Ortega zu treffen. In drei Wochen, am Samstagabend vor Weihnachten, würde seine Wohltätigkeitsgala im *St. Régis* stattfinden, und vorher hatte er noch jede Menge von Talkshow-Auftritten und Interviews zu absolvieren. Am liebsten hätte er alles abgesagt, aber es würde nur negative Publicity und viele Fragen geben, wenn er das Fest platzen ließ.

* * *

Alex spähte durch den schmalen Spalt auf den Flur. Einer der Kerle, die Sergio in den 30. Stock beordert hatte, war durch alle Büros gelaufen, aber Luca di Varese stand direkt vor der Tür und rauchte gelangweilt eine Zigarette. Hin und wieder rief der eine ihm etwas zu, was Alex nicht verstehen konnte. Bisher waren sie noch nicht auf die Idee gekommen, in der Toilette nachzusehen, aber das würden sie ohne Zweifel bald tun. Obwohl sie vor Angst zitterte, zwang Alex sich zum Nachdenken. Sergio und Monaghan ahnten, dass jemand im Gebäude war, aber sie schienen nicht zu wissen wo, und das war ihr Glück. Sie hatte die E-Mails zusammengefaltet und in den Bund ihrer Jeans gesteckt. Irgendwie musste sie aus der Toilette herauskommen, ohne dass man sie bemerkte. Ihr Blick wanderte durch den großen Raum, und sie stellte verzweifelt fest, dass es keine Fluchtmöglichkeit gab. Was Sergio mit ihr tun würde, wenn er sie hier erwischte, war nicht schwer zu erraten.

***

»Elf Uhr drei«, murmelte Henry Monaghan. Drei Männer gingen den Flur entlang und verschwanden in St. Johns Büro. 20 Minuten später kamen sie wieder heraus, jeder von ihnen trug mehrere Taschen. Sie hatten wie befohlen alles mitgenommen, was sich auf dem Schreibtisch befand, aber offenbar hatten sie vergessen, den Computer zu überprüfen. Um kurz vor Mitternacht sah man Sergio und Levy zum Aufzug gehen. Der Zeitpunkt der nächsten Aufnahme war drei Uhr sechzehn. Sergio und Monaghan starrten wie gebannt auf den Bildschirm, als eine Person mit Basecap und dunkler Kapuzenjacke aus dem Treppenhaus in den Flur trat und sich umblickte.

»Alex«, sagte Sergio mit tonloser Stimme und ballte unwillkürlich seine Hände zu Fäusten. Ihm war, als habe ihm jemand hinterrücks ein Messer in den Rücken gestoßen. Seine eigenen Worte klangen ihm wie Hohngelächter in den Ohren! *Mach dir keine Sorgen. Ich habe Alex im Griff* … Einen Scheißdreck hatte er! Alex wusste von den geheimen Konten, und sie hatte diese verdammten E-Mails aus St. Johns Computer. Sie war ihm einen Schritt voraus, und wenn er sie nicht vorher erwischte, würde sie alles womöglich zu Kostidis schleppen.

»Sie war 17 Minuten in seinem Büro«, Monaghan zündete sich eine Zigarre an und blies den blauen Qualm in die Luft, »sie muss uns um ein Haar in die Arme gelaufen sein.«

Er starrte auf den Monitor. Alex blieb stehen, blickte sich um und wandte sich nach links.

»He«, Monaghan grinste, »sie ist noch da!«

Auf dem Bildschirm erschienen er selbst und Sergio, nur Sekunden nachdem Alex aus dem Bild verschwunden war. Sergio griff nach seinem Handy.

»Ich bringe sie um«, sagte er mit flacher Stimme, während er Lucas Nummer tippte, »ich bringe sie mit meinen eigenen Händen um, dieses kleine Miststück.«

***

Henry Monaghan stieß die Tür der Damentoilette auf und drückte auf den Lichtschalter. Sofort war der ganze Raum in helles Neonlicht getaucht. Die beiden Männer gingen an ihm vorbei und durchsuchten jede der acht Toilettenkabinen, während Sergio mit grimmiger Miene auf dem Flur wartete. Eine der Türen war verschlossen, und Monaghan bückte sich, um unter der Tür hindurchzuschauen. Die Toilette war leer. Sein Blick wanderte nach oben, und Wut stieg in ihm auf. Alex Sontheim hatte sie schön an der Nase herumgeführt! Sie war auf die Toilette geklettert und hatte die Platte der Deckenverkleidung hochgehoben. Für einen einigermaßen sportlichen Menschen war es ein Leichtes, auf den Heizungs- und Entlüftungsrohren bis zu einem anderen Raum zu kriechen. Es hatte wenig Sinn, jemanden hinter ihr herzuschicken, denn sie konnte durch die Schächte der Klimaanlage längst in einem anderen Stockwerk sein. Monaghan drehte sich um und ging hinaus.

»Nichts?«, fragte Sergio.

»O doch«, erwiderte der Sicherheitschef von LMI, »sie ist durch die Decke abgehauen. Aber wir kriegen sie.«

»Wie denn?« Sergios Augen waren zu Eis gefroren. »Es ist

gleich halb fünf! Ich habe keine Lust, mich in der Nähe einer Leiche überraschen zu lassen.«

Monaghan kaute zornig auf seiner Zigarre herum, aber dann grinste er plötzlich.

»Es wäre das Beste, wenn Sie jetzt nach Hause fahren«, sagte er. »Ich habe eine wunderbare Lösung für unser Problem gefunden.«

»Und wie sieht die aus?«

»Ich werde jetzt die Polizei anrufen«, entgegnete Monaghan guter Dinge, »vorher werde ich das Band der Kamera schneiden, und schon haben wir den Beweis, dass die Sontheim zwischen drei Uhr sechzehn und drei Uhr dreiunddreißig St. John erschossen hat.«

Sergio starrte den untersetzten Mann an, dann nickte er langsam.

»Großartig«, murmelte er, »so machen wir's. Sie wird nicht nur meine Leute, sondern auch die Cops auf dem Hals haben. Bei dem Trubel wird sich niemand mehr um den Bankrott von MPM kümmern.«

***

Um sechs Uhr vierzehn ging beim New Yorker Police Department die Meldung ein, dass in der Investmentfirma LMI eine Leiche gefunden worden war. Nur wenige Minuten später fuhren die ersten Streifenwagen vor, und um Viertel vor sieben wimmelte das ganze Gebäude von Polizisten und Kriminalbeamten. Sie betrachteten die entstellte Leiche von Zachary St. John, dem Managing Director von LMI, und sahen sich den Film der Überwachungskamera an, der eine Person zeigte, die um drei Uhr sechzehn das Büro von St. John betreten und eine gute Viertelstunde später wieder verlassen hatte.

»Haben Sie eine Ahnung, wer die Frau sein könnte?«, fragte Detective John Munroe den Sicherheitschef der Firma.

»Ich bin mir nicht sicher«, erwiderte Monaghan und kratzte

sich am Kopf, »aber sie erinnert mich an Mrs Sontheim, die Leiterin unserer M & A-Abteilung.«

John Munroe machte sich eine Notiz. Er war groß, hatte ein rotes Gesicht und einen dichten rotblonden Haarschopf. Seit 14 Jahren war er bei der Mordkommission des NYPD und hatte schon viele Tote gesehen. Der Mann im obersten Stockwerk hatte auf den ersten Blick Selbstmord begangen, die Waffe hielt er noch in der Hand. War es möglich, dass die Frau ihn erschossen und ihm danach die Waffe in die Hand gedrückt hatte, um einen Suizid vorzutäuschen? Mittlerweile war Vincent Levy, der Präsident von LMI, eingetroffen. Er war erschüttert, aber beherrscht und identifizierte die Person auf dem Film eindeutig.

»Ja«, seine Fassungslosigkeit und sein Entsetzen waren nicht gespielt, denn er hatte keine Ahnung, was in Wirklichkeit geschehen war, »das ist sie. Alex Sontheim.«

»War Mr St. John häufiger nachts in seinem Büro?«, fragte der Kriminalbeamte.

»Ja, das ist nicht ungewöhnlich«, bestätigte Levy, »gestern gab es Probleme mit einem wichtigen Geschäft. Es ist durchaus möglich, dass er aus diesem Grund noch länger im Büro war.«

»Okay«, der Polizist griff nach dem Telefon, »ich darf doch, oder?«

Er gab die Fahndung nach Alex Sontheim durch, dann wandte er sich an Monaghan.

»Haben Sie ein Foto von der Frau?«, fragte er.

»Ich besorge Ihnen eins«, erwiderte Monaghan, »und Detective, Sie sollten das Gebäude durchsuchen lassen. Es könnte sein, dass sie noch hier ist.«

Munroe warf ihm einen unfreundlichen Blick zu und beendete das Gespräch.

»Das hätten Sie gleich sagen können«, schnauzte er und ging eilig hinaus zu seinen Leuten.

»Hätte ich nicht«, murmelte Henry Monaghan. Vitali hatte

keinen Zweifel daran gelassen, dass er Wert darauf legte, Alex vor der Polizei in die Finger zu bekommen.

***

Alex war vom Auftauchen der Polizei überrascht worden. Alle Gänge und Flure waren voller Polizisten und Sicherheitspersonal von LMI, so dass eine Flucht unmöglich schien. Sie kauerte auf einem Heizungsrohr über einem Büro im 30. Stock und wartete auf eine Möglichkeit, ihrer misslichen Lage zu entrinnen. Der Akku ihres Handys war leer, und sie hatte keine Möglichkeit, mit Oliver oder Mark Kontakt aufzunehmen. Sie war entsetzlich müde und erschöpft, sie hatte Angst und Hunger, aber sie durfte sich keinen Fehler erlauben. Es war mittlerweile halb acht, und das bedeutete, dass sie seit beinahe zwei Stunden auf den staubigen Rohren herumkroch. Alex tastete sich weiter, bis sie plötzlich unter sich Stimmen hörte. Vorsichtig schob sie eine der Platten ein paar Millimeter zur Seite und lugte durch den Spalt in das Büro. Ihr Herz machte einen Satz, als sie Vincent Levy erblickte.

»... verstehe gar nichts mehr! Was geht hier überhaupt vor?«

»... wir haben die Sontheim auf dem Film der Überwachungskamera entdeckt«, sagte ein anderer Mann, den Alex nicht sehen konnte. Der Stimme nach musste es Henry Monaghan sein.

»Sie war in St. Johns Büro und hat E-Mails aus dem Computer entfernt, die unter Umständen einen brisanten Inhalt haben.«

›Allerdings‹, dachte Alex, ›das haben sie.‹

»Sind Sie sicher, dass Alex St. John umgebracht hat?«, fragte Levy.

»Keine Ahnung«, erwiderte Monaghan, »aber wenn es die Polizei glaubt, dann werden sie alles daransetzen, sie zu schnappen. Vitali will sie vorher haben. Wir müssen also nur abwarten, was die Cops machen, und dann kriegen wir sie.«

Alex spürte, wie ihr die Angst die Kehle zudrückte. Sie saß

in der Falle. Irgendwann musste sie hier raus, und dann lief sie Sergios Schergen direkt in die Arme.

»O Gott, das ist alles fürchterlich«, jammerte Levy unter ihr, »der Schaden für die Firma ist nicht abzusehen! Eine Leiche in meiner Firma und eine leitende Mitarbeiterin als Mörderin.«

»Jetzt drehen Sie nicht durch«, sagte Monaghan grob, »ich habe alles unter Kontrolle. Sie berufen für neun Uhr eine Versammlung aller Mitarbeiter im Handelsraum ein und erzählen denen, dass St. John an seinem Schreibtisch erschossen wurde, wahrscheinlich von der Sontheim. Tun Sie schockiert und betroffen.«

»Ach, wie schrecklich, wie schrecklich.«

»Jetzt reißen Sie sich zusammen, Mann«, knurrte Monaghan, »Ihnen kann doch gar nichts passieren! Die Story ist wunderbar, und die Presse wird sich daraufstürzen. St. John und die Sontheim haben gemeinsam mit ihrer netten, kleinen Firma MPM illegale Geschäfte gemacht, dann kriegten sie Krach, weil sie sich mit dem letzten Ding übernommen hatten, und die Sontheim erschießt ihren Kompagnon.«

Alex traute ihren Ohren kaum. Sie und Zack sollten gemeinsame Geschäfte gemacht haben?

»Die Polizei wird mich fragen …«, begann Levy mit weinerlicher Stimme, und Alex fragte sich, wie sie jemals Respekt für diesen Mann hatte empfinden können. Seine Rückgratlosigkeit und Feigheit waren erschütternd.

»Natürlich«, unterbrach Monaghan ungeduldig ein paar Meter tiefer den Präsidenten von LMI, »und Sie werden nach angemessenem Überlegen antworten, dass Sie ohnehin seit einer Weile den Verdacht hatten, dass die beiden zusammen irgendwelche heimlichen Geschäftchen gemacht haben. Nachdem gestern dieser Deal geplatzt ist, drohte ihnen die Entdeckung. Es gab Streit, sie hat ihn umgelegt. Hört sich doch prima an.«

Darin musste Alex ihm recht geben. Das klang wirklich alles sehr einleuchtend. Sie und St. John als Komplizen, Insidergeschäfte, Millionenverluste, Streit, Mord. Man würde sie dann nicht nur wegen Mordverdachts, sondern auch wegen Insiderhandels, Betruges, Unterschlagung und allen möglichen anderen Straftatbeständen suchen. Levy und Vitali waren auf jeden Fall fein raus.

»Wir müssen wieder raus«, sagte Monaghan.

»Was ist mit den Kontoauszügen?«, fragte Levy. »Haben Sie etwas herausgefunden?«

»Meine Leute in Georgetown arbeiten daran«, erwiderte Monaghan.

Alex wartete, bis die beiden Männer Levys Büro verlassen hatten, dann schob sie die Deckenplatten zur Seite und ließ sich hinuntergleiten. Sollte es ihr nicht gelingen, das Gebäude ungesehen zu verlassen, war sie erledigt. Sie würde keinen Tag im Gefängnis überleben, so wenig wie Cesare Vitali. Es war kurz vor halb neun. Entschlossen ergriff sie den Telefonhörer und wählte Marks Durchwahl. Mit zitternden Fingern wartete sie und hätte fast aufgelegt, als er sich meldete.

»Mark!«, flüsterte sie.

»Alex«, antwortete er mit gedämpfter Stimme, der man die Erleichterung anhörte, »wo bist du? Wir haben die ganze Nacht versucht, dich zu erreichen, wir waren sogar bei LMI, aber mit meiner Karte konnte ich die Tür nicht öffnen. Hier wird erzählt, du hättest Zack erschossen!«

»Davon ist kein Wort wahr«, sagte sie, »hör mir zu, Mark!«

Rasch erzählte sie, was in der Nacht vorgefallen war und was sie soeben belauscht hatte.

»Sie wollen mir den Mord in die Schuhe schieben, um alles zu vertuschen«, sie flüsterte fast, »und sie wissen, dass ich Beweise habe, die sie erledigen würden.«

»Sie haben dich und Zack zum Inhaber von MPM gemacht«, berichtete Mark, »Justin hat das herausgefunden. Wo bist du?«

»Immer noch hier im 30. Stock. Ich muss hier raus und zu Kostidis«, Alex hoffte, dass der Bürgermeister ihr glauben würde, aber sie war sich nicht sicher.

»Was kann ich tun?«

»Gar nichts«, entgegnete Alex nach kurzem Überlegen, »du stehst jetzt auf, lässt alles an deinem Schreibtisch stehen und liegen und verschwindest auf der Stelle aus dem Gebäude.«

»Aber …«

»Tu, was ich dir sage, bitte, Mark«, flüsterte Alex, »ich komme hier schon irgendwie raus.«

»Okay«, Mark zögerte, »sollen Oliver und ich dich irgendwo abholen? Ich kann ihn anrufen.«

Alex biss sich auf die Lippen. So verlockend es auch sein mochte, Hilfe zu bekommen, so unverantwortlich war es, Oliver oder Mark noch tiefer mit in diese Sache hineinzuziehen. Die Situation hatte Dimensionen angenommen, die selbst ihr kaum wirklich klar waren.

»Nein, auf keinen Fall«, sagte sie schnell, »ich kriege das alleine hin.«

»Alex, bitte, lass dir helfen!«, beschwor Mark sie.

»Nein«, sie blieb fest, »steh jetzt auf und verschwinde aus dem Büro. Sofort. Ich melde mich bei dir, sobald ich kann.«

Sie hängte ein und hoffte, dass es nicht schon zu spät für Mark war. Für einen Augenblick schloss sie die Augen und dachte über alles nach. Zack und sie waren Inhaber von MPM. Zack hatte letzte Nacht sämtliche Depots von MPM aufgelöst und diese 50 Millionen Dollar auf sein Privatkonto überwiesen. Alex öffnete die Augen, und ihr Blick fiel auf den Computerbildschirm auf Levys Schreibtisch. Plötzlich kam ihr eine Idee. Mit einem grimmigen Lächeln setzte sie sich an den Schreibtisch, zog Tastatur und Maus heran und sorgte dafür, dass Sergio und Levy sich noch viel mehr ärgern würden.

***

»Mr Ashton?«

Mark hatte noch den Telefonhörer in der Hand, als zwei Männer an seinen Schreibtisch traten. Sein Herz setzte für einen Moment aus, und sein Mund war papiertrocken, als er nun langsam nickte.

»Detective John Munroe, NYPD«, sagte der Größere und hielt ihm eine Polizeimarke unter die Nase, »mein Kollege Detective Connolly. Wir haben ein paar Fragen an Sie.«

Marks Herzschlag setzte wieder ein, als er erleichtert begriff, dass die Männer Polizisten und nicht Vitalis Bluthunde waren. Er spürte die neugierigen Blicke seiner Kollegen im Rücken. Jedes Gespräch im Großraumbüro, das sich ohnehin nur um die nächtlichen Vorfälle bei LMI drehte, war verstummt.

»Sie sind ein enger Mitarbeiter von Mrs Sontheim«, fuhr der rothaarige Detective fort, »wann haben Sie das letzte Mal mit ihr gesprochen?«

»Ich ... äh ... ich ...«, Marks Gedanken rasten, seine Handflächen waren schweißfeucht, »ich glaube, das war gestern Nachmittag.«

Unvorbereitet, wie er war, gab er die erstbeste Antwort, die ihm in den Sinn kam, und er wusste nicht, weshalb er die Polizei belog. Er war kein guter Lügner, und das merkten die beiden Detectives auch.

»Sind Sie sicher?«, fragte der Rothaarige misstrauisch.

»Ich ... ich weiß es nicht mehr genau«, stotterte Mark, »ich bin ganz durcheinander.«

»Vielleicht ist es besser, wenn wir unser Gespräch auf dem Polizeipräsidium weiterführen«, sagte Detective Munroe.

»Warum wollen Sie ...«, begann Mark, verstummte aber, als er aus den Augenwinkeln zwei weitere Männer auf seinen Schreibtisch zusteuern sah. Henry Monaghan, den dicken Sicherheitschef von LMI, kannte er, den anderen hatte er noch nie zuvor gesehen. Irgendetwas sagte ihm, dass Gefahr von den beiden Männern ausging und dass er auf dem Polizeipräsidium eindeutig besser aufgehoben sein würde.

»Hallo, Mr Ashton«, sagte nun Monaghan zu ihm, und der Blick aus seinen Schweinsäuglein war alles andere als freundlich, »Mr Levy möchte Sie kurz sprechen.«

»Ich … äh … der Detective hat …«, begann Mark. Er zitterte innerlich vor Angst und betete insgeheim, dass die Polizisten ihn auf der Stelle in Handschellen abführen würden. Aber nichts dergleichen geschah.

»Ich bringe ihn gleich zurück«, versicherte Monaghan den beiden Kriminalbeamten mit einem kollegialen Lächeln, das so falsch war wie seine Zähne. »Es dauert nicht lange. Befragen Sie doch währenddessen die anderen Mitarbeiter von Mrs Sontheim.«

Munroe überlegte einen Moment, dann zuckte er die Schultern.

»Okay«, sagte er, »aber beeilen Sie sich. Ich habe nicht viel Zeit.«

Mark spürte, wie sich auf seiner Stirn ein Schweißfilm bildete. Sein erster Impuls war, einfach loszurennen und um Hilfe zu schreien.

»Kommen Sie, Mr Ashton«, sagte Monaghan, und Mark erhob sich steif. Mit weichen Knien verließ er flankiert von Monaghan und dem anderen Mann das Büro, gefolgt von zahlreichen Blicken. Kaum hatte sich die Tür des Aufzugs hinter ihnen geschlossen, fiel alle Liebenswürdigkeit von Monaghan ab und seine Miene wurde bedrohlich.

»Wir fahren nach unten«, stellte Mark fest.

»Stell dir vor, Dickerchen«, knurrte Monaghan, »Mr Levy will dich gar nicht sehen. Aber ich will ein paar Dinge von dir wissen.«

Der Aufzug sauste in rasender Geschwindigkeit in das zweite Untergeschoss des Gebäudes, und im gleichen Tempo schossen Mark Tausende von Gedanken durch den Kopf. Wo war Alex? Hatten sie sie erwischt? Er empfand mittlerweile nichts mehr anderes als kalte, nackte Angst. Die Männer führten ihn in einen kleinen, vollkommen leeren Raum, dessen Wände und Decken mit Ölfarbe gestrichen waren. Die Neonröhren an der Decke verbreiteten ein unangenehm grelles Licht, es war unerträglich warm. Monaghan schloss die dicke Stahltür hinter sich ab, dann fuhr er herum und packte Mark am Aufschlag seines Anzugs.

»Wo ist die Sontheim?«, zischte er.

»Ich … ich weiß es nicht«, flüsterte Mark.

»Wann haben Sie das letzte Mal mit ihr gesprochen?«, wollte der Dunkelhaarige mit den Aknenarben im Gesicht wissen.

»Gestern. Heute habe ich sie nicht gesehen.«

»Schluss mit der Lügerei«, unterbrach Monaghan ihn grob, »du hast heute Morgen um drei Uhr siebenundfünfzig versucht, mit deiner Karte die Eingangstür zu öffnen. Die Sontheim ist kurz zuvor auf demselben Weg in das Gebäude gelangt. Mit ihrer Karte konnte sie das, du aber nicht. Was wolltest du heute Morgen hier? Du hast doch gewusst, dass die Sontheim hier war, oder nicht?«

Mark schwieg. Der kalte Schweiß trat auf seine Stirn, und ihm wurde übel.

»Komm schon, Dickerchen«, knirschte Monaghan ungeduldig, »oder soll ich deinem Gedächtnis etwas nachhelfen?«

Er kochte innerlich vor Zorn, weil wertvolle Zeit verstrich, die er besser dazu benutzen konnte, diese verdammte Frau zu finden.

»Ich kriege in engen Räumen Platzangst«, flüsterte Mark mit trockenem Mund, »ich kann nicht klar denken.«

»Dann mach schnell«, Monaghans Stimme war kalt wie Eis, »wenn du uns sagst, was wir wissen wollen, darfst du sofort zurück an deinen Schreibtisch.«

»Ich weiß wirklich nicht, wo Alex ist«, murmelte Mark. Ein Fausthieb traf ihn im Magen, er taumelte, und seine Brille fiel auf den Boden. Verzweifelt und mit aufsteigender Angst tastete Mark die kalten Fliesen ab. Monaghan packte ihn wieder am Kragen und schlug seinen Kopf mehrfach gegen die Wand. Mark spürte sein Nasenbein brechen und schmeckte Blut.

»Mach dein Maul auf!«, zischte er. Marks Furcht verwandelte sich in Todesangst. Alex hatte ihm gesagt, dass diese Leute nicht zögern würden, Ernst zu machen. Er hatte Sergio Vitali gestern erlebt. Seine Leute hatten St. John getötet. Es war ihnen gleichgültig, ob er krepierte oder nicht. Ein paar weitere schmerzhafte Schläge gaben ihm den Rest.

»Sie hat mich eben angerufen«, flüsterte er, »sie ist noch im Gebäude. Aber sie will zu Kostidis ...«

»Na bitte«, Monaghan ließ ihn los, »warum nicht gleich so?«

Mark fühlte sich so elend wie nie zuvor in seinem Leben. Er hatte Alex an den Feind verraten, weil er Angst um sich selbst hatte. Er war ein jämmerlicher, rückgratloser Feigling.

»Lassen Sie mich jetzt gehen?«, fragte er bittend.

»Bin ich bescheuert?« Monaghans Stimme troff vor Sarkasmus. »Du bleibst hier, bis wir die Dame gefunden haben. Bete, dass wir sie schnell finden, sonst wird das ein ziemlich langer Aufenthalt für dich.«

Die schwere Stahltür fiel hinter den beiden Männern ins Schloss, und Mark hörte, wie sich der Schlüssel drehte. Er sank auf den Boden und brach in Tränen aus. Wenn sie Alex erwischten, dann war er ganz alleine daran schuld. Was war er nur für ein Jammerlappen, dass er sich so schnell einschüchtern ließ?

***

Der Flur war menschenleer, als Alex aus Levys Büro trat. Sie konnte nicht länger warten. Das Sicherheitspersonal von LMI und die Polizei durchkämmten das ganze Gebäude, es war nur eine Frage der Zeit, wann man sie finden würde. Mit raschen Schritten legte sie die wenigen Meter zum Treppenhaus zurück und stellte mit Erleichterung fest, dass die Tür auf war. So schnell sie konnte, rannte sie die Treppen hinunter und betete, dass ihr niemand begegnete. Völlig außer Atem erreichte sie das Erdgeschoss, aber hier war die Glastür versperrt. Alex hielt einen winzigen Moment inne und warf einen Blick in die große Eingangshalle, in der reges Treiben herrschte, als ihr plötzlich ein Sicherheitsmann gegenüberstand, nur durch die Glasscheibe von ihr getrennt. Er hob sein Funkgerät, und Alex machte auf dem

Absatz kehrt. Sie jagte die Treppe hinunter ins Untergeschoss, warf sich gegen die Eisentür, die in die Tiefgarage führte, und rannte geduckt zwischen den parkenden Autos entlang. Ihr Herz raste, und der Schweiß lief ihr über das Gesicht, als sie sich dem Rolltor näherte, das sich just in dieser Sekunde rasselnd öffnete. Alex presste sich an die Wand. Eine silberne Limousine rollte dicht an ihr vorbei. Ohne zu zögern rannte sie los, huschte unter dem sich senkenden Rolltor hindurch und spurtete die abschüssige Auffahrt hinauf auf die Straße. Der Regen durchnässte sie sofort, aber wenigstens hatte sie es geschafft, das Gebäude zu verlassen. Nur wenige Meter entfernt vor dem Haupteingang des Gebäudes standen mehrere Streifenwagen mit blinkenden Alarmlichtern, umgeben von einer Menschenmenge. Sie erblickte einen Leichenwagen. Niemand bemerkte sie, als sie sich nun umdrehte und eilig die Wall Street in Richtung Broadway entlangging.

* * *

»Du trinkst ja schon wieder Whisky«, stellte Sergio missbilligend fest, als er Levys Büro betrat. »Hör auf damit!«

Er hatte kurz entschlossen den Interviewtermin im Studio von WNBC mit David Baxter abgesagt. Zwar hatte Monaghan recht, wenn er sagte, er solle sich aus der Sache heraushalten, aber sein brillanter Plan hatte einen großen Fehler: Alex war noch immer auf freiem Fuß, und sie war ein Risiko. Sergio war keine Sekunde zu früh aufgetaucht, denn Levy war der Situation ganz offensichtlich nicht gewachsen.

»Du hast leicht reden!«, fuhr Levy auf. »Hier herrscht das völlige Chaos! Das Gebäude wimmelt von Polizisten, außerdem haben die Leute von der SEC und der Staatsanwaltschaft Jack Lang verhaftet.«

»Ich weiß«, Sergio zuckte die Schultern. »Ich habe Tarrance selbst angerufen.«

»Du hast – was? Bist du nicht mehr bei Verstand?« Levy, der ohnehin kalkweiß im Gesicht war, wurde noch eine Spur blasser.

»Besser, sie kriegen einen gezielten Tipp, als dass sie überall herumwühlen«, entgegnete Sergio. »Viel wichtiger ist es, dass wir Alex erwischen.«

Vincent Levy drohten die Augen aus dem Kopf zu quellen. Er trank sein Glas aus, doch seine Hände zitterten noch immer. Gerade hatte er im Handelsraum der versammelten Mitarbeiterschaft von LMI die Nachricht von Zacks Ermordung mitgeteilt, und die heftigen Reaktionen hatten ihn verunsichert. Er wusste ja selbst nicht, was wirklich los war. Sergio hingegen sah aus wie immer. Sein Gesichtsausdruck verriet keine Gefühlsregung. Es klopfte an der Tür, und Levy fuhr zusammen.

Luca di Varese trat ein.

»Wir haben gerade einen von Alex' Mitarbeitern etwas in die Mangel genommen«, sagte er. »Er hat behauptet, sie sei noch im Gebäude und hätte vor, zum Bürgermeister zu gehen.«

»Dann schick sofort Leute an die City Hall«, entschied Sergio rasch. »Stell an jedem Eingang zwei Mann auf und lass ein paar Leute in der Umgebung mit Autos herumfahren.«

»Okay, Boss«, Luca nickte und ging wieder hinaus.

»Wir müssen sie finden, bevor sie irgendein Unheil anrichtet«, sagte Sergio finster.

»Das Unheil ist doch längst angerichtet«, entgegnete Levy dumpf. »Wie konnte Zack auch nur so dumm sein?«

»Er wurde sowieso zu unverschämt«, Sergio winkte ab. »In Zukunft müssen wir die ganze Sache anders organisieren.«

»Es gibt kein ›in Zukunft‹!«, sagte Levy scharf. »Zack ist tot, und Alex ...«

›... wird es auch bald sein‹, dachte Sergio grimmig. Früher oder später würde er sie erwischen. Seine Leute waren an der City Hall, sie hörten den Polizeifunk ab und wussten, ob die Cops sie geschnappt hatten oder nicht. Es gab für Alex kein Entrinnen, nur steigerte sich Sergios Zorn mit jeder Stunde, und das würde sie zu spüren bekommen. Da summte das Telefon. Es war Monaghan.

»Mein Mann aus Georgetown hat sich gerade gemeldet«, sagte er. »Er hat die Computersysteme von LMI und allen Niederlassungen überprüft. Am 6. Juli wurden tatsächlich geheime Dateien geöffnet und gelesen. Allerdings scheint es kein Hacker gewesen zu sein, denn derjenige hatte eine Berechtigung.«

Er machte eine Pause.

»Was bedeutet das?«, fragte Levy ungeduldig.

»Derjenige, der die Dateien benutzt hat, muss jemand sein, der zugriffsberechtigt ist oder sich die Zugriffsberechtigung verschafft hat. Allerdings verzeichnete das System bei Levy & Villiers an diesem Tag eine außergewöhnliche Systembelastung, die darauf hindeutet, dass ein Programm benutzt wurde, um das Passwort zu hacken.«

»Zack«, murmelte Sergio, »dieser kleine Mistkerl.«

»Diese Dateien wurden insgesamt vierzehn Mal von einem externen Rechner aus geöffnet.«

»Vierzehn Mal?« Levy schluckte.

»Das letzte Mal gestern Nacht um halb zehn.«

»Na großartig«, Sergio wechselte einen Blick mit Levy.

»Wer kann das bloß gewesen sein?« Dieser schüttelte ratlos den Kopf. »Nur drei Leute haben unbeschränkte Zugriffsberechtigung: Monaghan, Fox und ich. Mich kannst du ausschließen, ich habe keine Ahnung von diesem Kram.«

»Ich habe zwar auch keine Ahnung«, bemerkte Sergio sarkastisch, »aber sagte Monaghan nicht etwas von einem ›externen‹ Rechner? Das bedeutet für meinen Laienverstand, dass es weder Fox noch Monaghan waren, sondern irgendwer von außerhalb. Ich kann mich daran erinnern, dass du mir erzählt hast, wie absolut sicher das Computersystem ist.«

»Und ich kann mich daran erinnern, dass du gesagt hast, du hättest die Sontheim im Griff«, konterte der Präsident von LMI. Sergio starrte ihn verärgert an. Eins zu null für Levy.

***

Nick Kostidis saß in einer Besprechung mit Vertretern der Gesundheitsbehörde, als Frank Cohen an der Tür klopfte und hereinkam. Sein sonst so beherrschtes Gesicht wirkte aufgeregt, er bedeutete seinem Chef, zu ihm hinauszukommen. Nick entschuldigte sich und stand auf.

»Was ist denn los?«, fragte er vor der Tür.

»Sie sollten sich das ansehen«, erwiderte Frank. »Im Fernsehen berichten sie vom Mord an einem Investmentbanker. Und es heißt, Alex Sontheim habe den Mann letzte Nacht in seinem Büro erschossen.«

»Wie bitte?«, fragte Nick ungläubig.

»Ja«, Frank nickte, »sie ist verschwunden. Polizei und FBI suchen sie.«

Stumm drehte Nick sich um und ging in sein Büro. Frank folgte ihm und schaltete den Fernsehapparat an.

»... fanden Sicherheitsbeamte Zachary St. John, den Managing Director der Investmentfirma Levy Manhattan Investment, erschossen hinter seinem Schreibtisch«, verkündete eine Reporterin, die vor einem Bürohochhaus in der Wall Street stand. Hinter ihr flatterte das gelbe Absperrband der Polizei, und mehrere Streifenwagen parkten vor dem Eingang.

»Ein Sprecher der Polizei teilte mit, dass die Leiterin der Abteilung Mergers & Acquisitions, Alexandra Sontheim, die des Mordes an St. John verdächtigt wird, verschwunden ist. Wie bekannt wurde, scheinen St. John und Sontheim gemeinsam über eine Strohfirma durch Insidergeschäfte illegale Millionenverdienste gemacht zu haben. Nachdem gestern die von Sontheim betreute Übernahme von Database durch Whithers Computers platzte, droht nun der Strohfirma der Bankrott. Ich bin Moyra Roberts, WNBC-News, zurück ins Studio ...«

»Das kann nicht sein«, murmelte Nick fassungslos. Frank hob nur die Augenbrauen und zuckte die Schultern.

»Nein«, Nick schüttelte den Kopf, »sie hat niemanden erschossen, das glaube ich nicht. Und ich glaube auch nicht, dass sie irgendwelche illegalen Geschäfte gemacht hat. Sonst hätte sie mir doch nicht ...«

Er hielt inne, dann ging er zu dem kleinen Safe hinter seinem

Schreibtisch, öffnete ihn und nahm die Blätter heraus, die Alex ihm an jenem Abend im *Alexis Sorbas* gegeben hatte. Eilig blätterte er die Kontoauszüge durch, bis er den gefunden hatte, nach dem er gesucht hatte.

»Was ist das?«, fragte Frank neugierig.

»Die Kontoauszüge von dieser Bank auf den Cayman Islands«, erwiderte Nick, »Alex hat sie mir vor ein paar Wochen gegeben.«

»Das haben Sie mir gar nicht erzählt«, Frank warf seinem Chef einen gekränkten Blick zu. Nick achtete nicht darauf.

»Hier«, er reichte Frank eines der Blätter, »Zachary St. John, Codename Goldfinger. Er hat ganz sicher krumme Geschäfte gemacht.«

»Und wenn Alex Sontheim das auch getan hat?«

»Wieso sollte sie mich dann mit der Nase darauf stoßen?« Er drückte Frank den ganzen Blätterstapel in die Hand. »Hier, lesen Sie sich die Namen durch. Da – John de Lancie, und hier, Paul McIntyre …«

Frank las kopfschüttelnd.

»Ich verstehe das alles nicht. Wenn sie doch nichts mit dem Mord zu tun hat, warum ist sie dann verschwunden?«

Nick holte tief Luft, aber dann zuckte er die Schultern.

***

Alex ging mit raschen Schritten den Broadway entlang. Bei dem windigen, regnerischen Wetter war jedermann damit beschäftigt, schnell an sein Ziel zu gelangen, und niemand beachtete eine Frau mit Basecap und Jeans. Nach dem, was heute Nacht geschehen war, hatte sie keine andere Chance, als so schnell wie möglich aus der Stadt zu verschwinden. Sie hatte keine Zeit mehr, in ihrer Wohnung frische Kleider oder ihr Auto zu holen. Wenn es ihr gelang, Nick die E-Mails aus Zacks Computer zu übergeben, würde er ihr glauben. Zu Fuß brauchte sie für die acht Blocks bis zur City Hall 20 Minuten, aber sie traute sich nicht, ein Taxi anzuhalten. Sie war vollkommen durchnässt, als sie wenig später die Park Row überquerte und den Park der City Hall betrat. Das Gefühl der Erleichterung ließ ihre Knie weich werden. Nur noch ein paar hundert Meter, dann würde sie in Sicherheit sein. Sie bog in den Weg ein, der zum Haupteingang der City Hall führte, und war schon fast an der Treppe, als ihr ein Mann in den Weg trat.

»Entschuldigen Sie bitte«, sagte er, und Alex starrte ihn an.

»Äh«, der junge Mann hatte einen Stadtplan in der Hand, »können Sie mir sagen, wie ich von hier aus zum ...«

Alex blickte an ihm vorbei und sah an der Tür einen dunkelhaarigen Mann stehen, dessen Gesicht ihr bekannt vorkam. Er tippte eine Nummer in sein Handy und blickte dabei so unauffällig zu ihr hinüber, dass es auffällig war.

›Scheiße‹, dachte Alex.

»... Empire State Building komme?«

»Ich kann Ihnen nicht helfen«, sagte sie, »ich bin nicht von hier.«

Sie sah sich um und erblickte einen zweiten Mann, der direkt auf sie zukam. Er ging schnell und hielt ebenfalls ein Handy an sein Ohr. Vor den verblüfften Augen des jungen Touristen machte Alex auf dem Absatz kehrt und sprang über die Rosenbüsche. Die beiden Männer mit ihren Handys setzten ihr nach. So schnell sie konnte, rannte Alex über den Rasen, der unter ihren Füßen vor Nässe quatschte. Auf dem Weg würde sie schneller rennen können. Sie warf keinen Blick mehr zurück, sondern konzentrierte sich darauf, nicht auszurutschen oder hinzufallen, denn dann war sie geliefert. Alex hetzte am Gebäude des Criminal Court vorbei, Richtung Foley Square. Sie achtete nicht auf die erstaunten Blicke der wenigen Passanten, als sie am *Jacob K. Javits Federal Building* und dem Gebäude des *US Court of International Trade* vorbeistürmte. Ein rascher Blick über die Schulter zeigte ihr, dass ihr die beiden Verfolger dichter auf den Fersen waren, als sie geglaubt hatte. Vor dem *Municipal and City Court Building* stand eine Gruppe japanischer Touristen mit Regenmänteln und Fotoapparaten unerschrocken im strömenden Regen. Ohne ihr Tempo zu verlangsamen, rannte sie durch die Gruppe hindurch, rempelte einen Mann an, der das Gleichgewicht verlor und hinfiel. Aufgebracht fuchtelten die Japaner mit Schirmen und Fäusten und zwangen so Alex' Verfolger zum Ausweichen. Das kostete sie ein paar wertvolle Sekunden, in denen Alex die Centre Street überquerte. Autos bremsten mit quietschenden Reifen, als sie, ohne nach rechts oder links zu schauen, über die Fahrbahn lief und am *New York State Office Building* in die White Street einbog. Allmählich ließen ihre Kräfte nach, sie war völlig außer Atem, aber direkt vor ihr lag der Columbus Park an der Ecke Baxter und Bayard Street. Plötzlich stoppte ein dunkler Wagen direkt neben ihr, und drei Männer sprangen heraus. Gehetzt blickte Alex sich um. Vor ihr befanden sich drei Männer, die ihr mit grimmig entschlossenen Gesichtern den Weg versperrten, hinter ihr kamen ihre beiden Verfolger keuchend die White Street entlanggerannt.

»Bleiben Sie stehen!«, rief einer der Männer aus dem dunklen Auto und breitete die Arme aus, als könne er sie so aufhalten. In dem Augenblick, als ein silberner Dodge aus der White auf die Baxter Street abbog, kam ein Fahrradkurier die Straße hinunter. Er wollte dem Dodge ausweichen, doch das Fahrrad kam auf der nassen Straße ins Rutschen. Der Junge stürzte auf den Asphalt, und sein Fahrrad schleuderte Alex vor die Füße. Sie zögerte keine Sekunde, ergriff das Rad und schwang sich in den Sattel. Einer der Männer versuchte noch, sie am Arm zu packen. Mit einer Kraft, die ihr die Angst verlieh, versetzte sie ihm mit aller Wucht einen Tritt in seine empfindlichste Stelle, worauf er ihren Arm mit einem Schmerzensschrei losließ. Alex fuhr in den Columbus Park, sie trat in die Pedale, wie sie es noch nie getan hatte, und sie meinte, ihre Lunge müsse jeden Moment platzen. Nach wenigen Minuten befand sie sich mitten in Chinatown, in dessen Straßen ungeachtet des Regens ein reges Treiben herrschte. An einer Straßenecke ließ sie das Fahrrad stehen und verschwand im Gewirr der Gassen zwischen den Verkaufsständen und fernöstlichen Garküchen.

***

»Sie hat uns abgeschüttelt«, meldete Silvio Bacchiocchi seinem Boss und lehnte sich mit schmerzverzerrtem Gesicht an den Kotflügel des Dodge. Die anderen Männer standen verdrossen und bis auf die Knochen durchnässt um ihn herum. Niemand lachte über das Missgeschick, das Silvio widerfahren war. Diese Frau war ein wirklich rabiates Ding. Es hatte keinen Sinn, die Verfolgung fortzusetzen, denn es war unmöglich, jemanden, der nicht gefunden werden wollte, in Chinatown zu finden. Die Chinesen mochten es überhaupt nicht, wenn man in ihrem Viertel Leute verfolgte. Die Schlitzaugen waren mit jedem solidarisch, der auf der Flucht war, und einer Frau würden sie sicherlich Schutz und Unterschlupf gewähren.

»Seid ihr zu blöd, eine Frau zu fangen?«, schrie Sergio wütend. »Das gibt's doch nicht!«

»Meine Leute haben sie vor der City Hall gesehen. Aber sie ist gerannt wie der Teufel, dann hat sie sich ein Fahrrad von einem Kurierboten geschnappt und ist in Chinatown untergetaucht«, Silvio verschwieg die Tatsache, dass Alex ihm in die Eier getreten hatte.

»Wenn sie nicht bis spätestens heute Nachmittag vor mir steht«, erwiderte Sergio, »dann mache ich dich persönlich dafür verantwortlich, *capito*?«

»Klar«, Silvio nickte und beendete das Gespräch mit einem resignierten Schulterzucken.

Sergio schloss für einen Moment die Augen. Alex war wirklich ein schlaues Aas. Unter anderen Umständen hätte er sie für ihren Mut und ihre Cleverness bewundert, aber diesmal stand einfach zu viel auf dem Spiel. Sergio hasste sie, aber gleichzeitig sehnte sich irgendetwas in seinem Inneren schmerzlich nach ihr. Ohne Zweifel war sie die erste Frau, für die er mehr empfunden hatte als bloße körperliche Begierde. Allerdings war sie auch die erste Frau, die ihn derart hintergangen und belogen hatte. Wenn er sie in seine Finger bekam, würde er sie verprügeln, bis sie um Gnade winselte. Sie sollte die Demütigungen, die sie ihm zugefügt hatte, bitter bereuen!

»Und?«, fragte Levy, und Sergio fuhr herum.

»Was?«

»Haben sie sie?«

»Nein«, antwortete Sergio finster. Das Telefon auf Levys Schreibtisch summte, er nahm ab.

»Was ist denn?«, sagte der Präsident von LMI ungehalten in den Hörer. »Ich bin in einer wichtigen Bespre… Wie bitte?«

Sergio lauschte auf die aufgeregte Stimme, die aus der Sprechmuschel des Telefons drang. Levy hörte schweigend zu und bedankte sich schließlich.

»Wer war das?«, erkundigte Sergio sich. Levy, der seit mehr als 24 Stunden unter höchster Nervenanspannung stand und viel mehr getrunken hatte, als er vertrug, warf Sergio einen verschwommenen Blick zu.

»Das war Lester Roman, unser Fondsmanager für den Bereich Partnerships. Er hatte heute Morgen eine große Kontobewegung auf einem der Konten bemerkt. Jemand hat per Computer den Auftrag gegeben, das gesamte Depot von MPM in Höhe von 50 Millionen Dollar aufzulösen.«

Sergio starrte ihn verständnislos an. »Wie kann das sein? Müssen da nicht die Kontoinhaber zustimmen?«

»Doch«, Levy nickte, »es ist auch nicht ohne Zustimmung geschehen. Alles ist ganz ordnungsgemäß durchgeführt worden. Niemand fand es auffällig, denn unsere Mitarbeiter sind daran gewöhnt, große und sehr große Transaktionen durchzuführen. Erst als Roman eben bei der routinemäßigen Kontrolle den Namen des Depotinhabers gesehen hat, wurde er stutzig.«

Er machte eine Pause und wischte sich mit einem Taschentuch den Schweiß von der Stirn.

»St. John hat den Auftrag gegeben, und die Sontheim hat ihn bestätigt. Laut Depotliste waren die beiden die alleinigen Inhaber des MPM-Kontos und damit befugt, so etwas zu tun.«

»Wohin ist das Geld gegangen?«, fragte Sergio, als er sich von seinem ersten Schrecken erholt hatte.

»Auf ein Konto bei der California S & L in Beverley Hills, Los Angeles.«

»Wer hat die Transaktion befohlen? Zack ist seit letzter Nacht tot!«

»Heute Morgen kam die Anweisung über den Computer. Die Legitimation erfolgte um acht Uhr einunddreißig. Von meinem Computer aus. Alles war einwandfrei, das Kennwort stimmte. Die zuständige Depotmanagerin hat den Namen des Auftraggebers mit dem des Depotinhabers verglichen und ihr O.K. gegeben.«

»Von *deinem* Computer aus?« Fassungslos ließ Sergio sich auf einen Stuhl sinken. »Das heißt, Alex muss vor einer Stunde in diesem Büro gewesen sein und sich seelenruhig an deinen Schreibtisch gesetzt haben, während hundert Leute nach ihr suchten!«

»50 Millionen Dollar«, flüsterte Levy, »und wir können es noch nicht einmal publik machen!«

Sergio starrte stumm vor sich hin. Alex war noch viel dreister, als er es für möglich gehalten hatte! Obwohl überall im Gebäude nach ihr gesucht wurde, hatte sie sich kaltblütig darangemacht, ihm 50 Millionen Dollar zu stehlen. »Ich bringe sie um«, knurrte er. Der Gedanke, dass sie ihn ein weiteres Mal übertölpelt hatte, fraß ihn innerlich auf. Er, Sergio Vitali, der so schlau und gerissen war, dass er seine lukrativen Geschäfte seit Jahrzehnten unbehelligt betrieb, war von einem Weibsstück aufs Kreuz gelegt worden! Sie hatte immer harmlos getan, aber nun entpuppte sie sich als Wolf im Schafspelz. Sergio dachte kurz daran, Nelson anzurufen, verwarf den Gedanken aber wieder. Er griff nach Levys Telefon.

»Was hast du vor?« Levy war nur noch ein verängstigtes Nervenbündel.

»Ich mache sie fertig«, ein grausames Lächeln umspielte Sergios Lippen, »sie und ihre Komplizen. Jeder Dorfpolizist in ganz Amerika wird sie jagen, und dann wird sie für das bezahlen, was sie mir angetan hat.«

Er wählte eine Nummer, die er auswendig kannte.

»Hier spricht Sergio Vitali«, sagte er, als sich am anderen Ende der Leitung jemand meldete, »verbinden Sie mich mit Mr Harding.«

* * *

Alex sah die Nachrichten, während sie in einem kleinen Laden in China Town schnell etwas aß. Man suchte sie bereits wegen Mordes an Zack. Es hatte keinen Sinn mehr, zu einem der Flughäfen zu fahren, denn dort war das Risiko zu groß, einem Polizisten in die Arme zu laufen. Sie bezahlte ihr Essen und ging durch den Regen bis zur Canal Street, wo sie ein Taxi anhalten konnte.

»Wohin?«, fragte der Taxifahrer.

»Port Authority Bus Terminal«, sagte Alex. Weder Sergio noch die Polizei konnten alle Busse kontrollieren lassen, die die Stadt verließen. Während der Fahrt zur 42. Straße gelang es ihr, sich etwas zu entspannen und nachzudenken. Sie war Sergios Leuten nur haarscharf entkommen, ein zweites Mal würde sie sicher nicht mehr so viel Glück haben. Diese Männer meinten es bitterernst. Die Ereignisse hatten sich in den letzten 48 Stunden wahrhaftig überschlagen, und sie war es gewesen, die das alles ausgelöst hatte. Alex lehnte ihre glühendheiße Stirn gegen das Fenster des Taxis. Hätte sie den Whithers-Deal auch platzen lassen, wenn sie vorher gewusst hätte, was alles passieren würde? Zack war tot, ermordet von den Männern, die nun hinter ihr her waren. Mit einem Schaudern wurde ihr bewusst, dass sie nie wieder so leben konnte, wie sie es bisher getan hatte. Der Gedanke, dass sie sich in diesem Moment auf eine Flucht begab, von der sie nicht wusste, wie und wann sie enden würde, war so beängstigend, dass sie am liebsten geweint hätte.

* * *

Oliver wartete seit drei Stunden auf einen Anruf von Alex oder Mark. Er konnte es kaum länger ertragen, zur Untätigkeit verdammt in seiner Wohnung zu sitzen und im Fernsehen zu sehen, welche unglaublichen Lügengeschichten über Alex und St. John verbreitet wurden. Wo war Alex? Warum meldete sie sich nicht bei ihm? Ein Klingeln an der Tür schreckte ihn aus seinen Gedanken. Doch statt Alex standen zwei Polizeibeamte mit gezogenen Waffen vor ihm und zwei Männer in Zivil. Im ersten Reflex wollte er die Tür wieder zuschlagen, aber die Männer waren schon in seiner Wohnung, drängten ihn unsanft mit dem Gesicht gegen die Wand und bogen ihm die Arme auf den Rücken.

»Sind Sie Oliver Skerritt?«, fragte einer der Männer.

»Ja«, keuchte Oliver, »was wollen Sie von mir?«

»New York Police Department«, der Mann zeigte ihm seinen Ausweis, während ein anderer ihn nach Waffen abtastete, »wir haben ein paar Fragen an Sie. Kommen Sie bitte mit.«

»Haben Sie einen Haftbefehl?« Olivers Herz klopfte.

»Wir wollen Ihnen nur ein paar Fragen stellen.«

»Worüber?«

»Über Alexandra Sontheim.«

Handschellen schnappten um seine Handgelenke.

»Und was wollen Sie von mir wissen?«

»Das werden Sie schon erfahren. Kommen Sie, los.«

Sie zerrten ihn aus der Wohnung, und Oliver sah die entgeisterten Blicke des Ehepaares, das unter ihm wohnte, während er von den Polizisten eskortiert die Treppe hinunterging. In ihm wuchs die Befürchtung, dass hinter seiner Verhaftung niemand anderes steckte als Sergio Vitali.

* * *

Während Alex am Port Authority auf die Abfahrt des Greyhound nach Boston wartete, fiel ihr wieder das Handy ein, das sie unter Zacks Schreibtisch gefunden hatte. Sie fand es in der Tasche ihrer Daunenjacke. Es war stumm geschaltet, aber noch an. Sie wählte Marks Durchwahlnummer, aber er meldete sich nicht. Dann versuchte sie es bei Oliver, doch auch er nahm nicht ab. Entschlossen wählte sie die Auskunft und ließ sich mit der City Hall verbinden. Es dauerte eine Weile, bis man sie zum Bürgermeister durchstellte, aber endlich hatte sie Nick in der Leitung.

»Alex!« Nicks Stimme klang angespannt. »Wo sind Sie?«

Alex schloss erleichtert die Augen. In zehn Minuten fuhr der Bus los.

»Ich kann nicht lange sprechen«, sagte sie schnell. »Bitte hören Sie mir zu! Nichts von dem, was sie im Fernsehen behaupten, ist wahr!«

»Alex ...«

»Nein, bitte, hören Sie mir zu«, unterbrach sie ihn, »gestern ging ein wichtiges Geschäft schief. St. John hatte über MPM für 100 Millionen Dollar Aktien gekauft, die sich plötzlich als wertlos herausstellten. Erinnern Sie sich an die Partnership mit Namen SeaStarFriends, von der ich Ihnen erzählt habe?«

»Ja.«

»Diese Partnership wurde ursprünglich von Levy und Vitali gegründet, um in deren Namen eine Investmentfirma namens MPM betreiben zu können. Aber seit gestern Nacht sind auf einmal nur noch St. John und ich die alleinigen Inhaber. Sie wollten uns das ganze Debakel in die Schuhe schieben, um uns beide loszuwerden.«

»Moment! Ich verstehe nicht ganz ...«

»MPM sitzt durch St. John auf einem Riesenberg unverkäuflicher Aktien. Die Firma wird heute Konkurs anmelden, wegen Verletzung der Nettokapitalvorschriften. Vitali und Levy wollten natürlich nicht riskieren, dass ihre Beteiligung an diesen dunklen Geschäften ans Tageslicht kommt, deshalb machten sie St. John und mich zu den Inhabern. Er hat das herausgefunden, und wahrscheinlich hat er sich das nicht so ohne weiteres gefallen lassen wollen. Deshalb wurde er erschossen.«

»Alex«, sagte Nick mit beschwörender Stimme, »es heißt, dass Sie den Mann ermordet haben. Die Polizei und das FBI sind hinter Ihnen her. Können Sie nicht hierherkommen?«

»Ich habe es versucht«, Alex blickte sich um, aber niemand schien sich für eine Frau mit Basecap in der Halle des Port Authority Bus Terminal zu interessieren. »Ich bin vor der City Hall Sergios Männern in die Arme gelaufen und konnte sie nur mit Mühe abschütteln. Nick, diese Kerle wollen mich umbringen, weil ich Dinge herausbekommen habe, die Sergio todsicher ins Gefängnis bringen werden. Er weiß das, und deshalb versucht er mit allen Mitteln, mich in seine Finger zu bekommen. Ich habe niemanden umgebracht. Ich war heute Nacht in St. Johns Büro, weil ich mit ihm über das alles reden wollte, und da habe ich seine Leiche gefunden.«

»Um Gottes willen, Alex. Sagen Sie mir, wo Sie sind. Ich schicke sofort jemanden zu Ihnen.«

»Nein«, sie schüttelte den Kopf, »das geht nicht. Ich traue niemandem mehr. Es sind zu viele, die mit Sergio unter einer Decke stecken.«

»Dann komme ich selbst.«

»Vitali lässt im Moment die ganze Stadt nach mir absuchen. Nick, Sie müssen die Informationen, die ich Ihnen gegeben habe, benutzen, bevor es Levy und Vitali gelingt, Spuren zu verwischen! Bitte!«

»Alex, lassen Sie mich zu Ihnen kommen!«

»Nein. Ich werde für eine Weile aus der Stadt verschwinden, aber ich werde mich wieder bei Ihnen melden, sobald ich kann.«

***

Es klickte in der Leitung, und das Gespräch war unterbrochen. Nick starrte den Hörer in seiner Hand an und legte langsam auf. Ihre Stimme hatte verzweifelt geklungen, aber das, was sie gesagt hatte, hörte sich durchaus glaubhaft an. Nicht zum ersten Mal hätte sich Vitali eines unbequemen Mitwissers entledigt. Und nun versuchte er, den Mord Alex in die Schuhe zu schieben, um sie unglaubwürdig zu machen. Auf dem Fernsehbildschirm erschien Bundesstaatsanwalt John de Lancie. Der Reporter wollte von ihm wissen, welche Beweise die Staatsanwaltschaft dafür hatte, dass Alexandra Sontheim den Mord an ihrem Kollegen Zachary St. John begangen hatte.

»*Mrs Sontheim war im Büro von Mr St. John*«, sagte de Lancie ernst. Mit dem akkurat gescheitelten Haar und seiner stahlgefassten Brille wirkte er sehr autoritär und bestimmt.

»*Wir haben die Bänder der Überwachungskamera mehrfach überprüft, und es besteht kein Zweifel, dass nach St. John nur Mrs Sontheim das Büro betreten hat. St. John wurde durch einen Kopfschuss aus nächster Nähe getötet. Er hatte die Waffe noch in der Hand, was darauf schließen lässt, dass die Tat als Selbstmord getarnt werden sollte. Ein weiterer Beweis sind Mrs Sontheims Fingerabdrücke auf dem Schreibtisch, der Tastatur des Computers und auf der Maus. Wie wir mittlerweile erfahren haben, hat sie vom Computer ihres Opfers aus eine große Geldsumme vom Konto der gemeinsamen Firma auf ihr eigenes Konto überwiesen. Wir nehmen an, dass sie, nachdem sie vom drohenden Bankrott der Strohfirma, mit der sie illegale Insidergeschäfte in großem Stil getätigt hat, erfahren hat, plante, sich mit dem Geld abzusetzen. Wahrscheinlich hat es einen Streit gegeben, in dessen Verlauf sie ihren Komplizen erschoss, um alleine in den Besitz des Geldes zu kommen.*«

»*Wo hält sich Mrs Sontheim jetzt auf?*«

»*Das wissen wir nicht. Sie ist bisher noch flüchtig. Aber nachdem wir einen bundesweiten Haftbefehl wegen Mordes an Zachary St. John gegen sie erlassen haben, wird sie nicht nur von der Polizei, sondern auch vom FBI und den US-Marshals gesucht. Ich bin optimistisch, dass wir sie noch heute fassen werden.*«

Nick starrte in das Gesicht seines Amtsnachfolgers. Die angeblichen Beweise für Alex' Schuld waren erdrückend. Fingerabdrücke, Kameraaufnahmen und jetzt noch eine Unterschlagung! Und dazu kam, dass sie flüchtig war. Wäre sie unschuldig, konnte sie sich der Polizei stellen, so zumindest musste es der unbeteiligte Zuschauer empfinden. Nick wünschte, Alex Glauben schenken zu können, aber allmählich zweifelte auch er an ihrer Unschuld. Er kannte sie in Wirklichkeit kaum, und die Tatsache, dass er mehr als bloße Sympathie für sie empfand, mochte seine Objektivität beeinflussen. Vielleicht war Alex überhaupt nicht zufällig in den Besitz dieser Kontoauszüge gelangt. Es konnte durchaus möglich sein, dass sie nicht nur mit diesem St. John, sondern sogar mit Vitali selbst gemeinsame Sache gemacht hatte, bis sie Streit mit ihnen bekommen hatte. Ein Verdacht stieg in Nick auf, und dieser Verdacht war so ungeheuerlich, dass ihm übel wurde. Hatte Alex ihn womöglich nur angerufen, damit er mit der Aufdeckung eines angeblichen Bestechungsskandals von ihrer Tat ablenkte? Wer sagte ihm, dass diese Kontoauszüge echt waren? Für eine Bänkerin war es nicht schwer, solche Auszüge herzustellen. Nick fühlte sich abgrundtief elend. Was war, wenn Alex das alles von langer Hand geplant hatte? Es war denkbar, dass sie an jenem Sonntag nur zu ihm auf den Friedhof gekommen war, um sein Vertrauen zu erschleichen. Vielleicht hatte sie Streit mit ihrem Liebhaber Vitali bekommen und sich einen perfiden Plan ersonnen, Vitali eins auszuwischen. Wer war da als Verbündeter besser geeignet als er, Nick Kostidis? Aber Alex' Mitgefühl und ihre Angst vor Vitali hatten so echt gewirkt. Er hatte ihr vorbehaltlos geglaubt, ja er hatte ihr vertraut.

»Scheint mir fast so, als hätte uns die Dame ganz ordentlich an der Nase herumgeführt«, sprach Frank in diesem Augenblick Nicks Befürchtungen aus.

»Ich kann das nicht glauben«, sagte er leise. Es wäre entsetzlich, wenn Alex ihre Anteilnahme und ihre Angst nur gespielt hätte, um ihn zu benutzen. Er dachte daran, wie sie sich in seine Arme geschmiegt hatte, an dem Abend, an dem sie sich in TriBeCa getroffen hatten. Er gab viel auf seine Menschenkenntnis. Aber plötzlich fiel ihm Raymond Howard ein. In ihm hatte er sich auch getäuscht. Sollte er sich tatsächlich ein zweites Mal so gravierend geirrt haben?

»Sie hat mich gebeten, die Informationen, die sie uns gegeben hat, sofort zu benutzen«, überlegte Nick laut.

»Das würde zumindest eine Weile den Mord an diesem Typen aus den Schlagzeilen verdrängen«, Frank nickte. »Unterdessen kann sie sich in Ruhe aus dem Staub machen.«

Nick starrte stumm vor sich hin.

»Sie hat das ganz raffiniert eingefädelt«, sagte Frank, »ich habe ihr alles geglaubt. Sie ist eine tolle Schauspielerin.«

»Ich habe das Gefühl, jemand versucht wieder einmal etwas zu vertuschen«, entgegnete Nick. »So, wie mit der Milzbrandsache.«

»Möglich«, erwiderte Frank skeptisch, »fragt sich nur, wer was vertuschen will. Für mich sieht es so aus, als ob die Sontheim versucht, mit dieser Bestechungsskandal-Masche von ihren krummen Geschäften abzulenken.«

»Lassen Sie mich bitte alleine«, bat Nick. »Ich muss über alles in Ruhe nachdenken. Sagen Sie Allie, dass sie keine Gespräche durchstellen soll, außer …«

»Ja?«

»Außer, wenn es Alex Sontheim ist.«

»Chef! Sie machen einen Riesenfehler! Die Frau wird wegen Mordes gesucht!«

»Frank, bitte!«

Frank Cohen warf seinem Chef einen schiefen Blick zu und verließ nach kurzem Zögern das Büro. Nick schloss die Augen. Ein bitteres Gefühl der Enttäuschung erfüllte ihn. Niemals wieder in seinem Leben würde er einem anderen Menschen vertrauen, wenn er sich derart in Alex getäuscht haben sollte. Er verdankte ihr sein Leben, denn wenn sie ihn auf dem Friedhof nicht gewarnt hätte, wäre er heute tot. Nun hatte sie ihn um

Hilfe gebeten, und er war zu feige, etwas zu unternehmen, weil er Angst davor hatte, einen Fehler zu machen. Früher war er nie zögerlich oder zaghaft gewesen, früher, in seinem alten Leben, bevor es Vitali gelungen war, ihn zu zerstören. Nick Kostidis seufzte gequält und wünschte, er könnte jemanden um Rat fragen, was er tun sollte. Als Politiker war er darauf angewiesen, alle fünf Jahre neu gewählt zu werden. Er gefährdete seinen Ruf und seine Glaubwürdigkeit, wenn sich herausstellte, dass die Kontoauszüge, die Alex ihm gegeben hatte, nicht echt waren. Sein Gefühl sagte ihm, dass sie echt waren, aber was, wenn nicht? Nachdenklich drückte er die Fernbedienung des Fernsehers, dessen Ton abgeschaltet war. Früher hatte er sich nie davon beeinflussen lassen, was andere Menschen dachten, wenn er von einer Entscheidung überzeugt war, und war diese Entscheidung zudem auch noch unpopulär, dann hatte er sie schnell getroffen, um es hinter sich zu bringen. Warum nur tat er nicht endlich das, worum Alex ihn gebeten hatte? Es war ihm doch eigentlich gleichgültig, ob man ihn wieder wählte oder nicht. Sergio Vitali, der ihn jahrelang gedemütigt und verspottet hatte, hatte ihm alles genommen, was ihm lieb und teuer war. Er hatte nichts mehr zu verlieren.

In diesem Moment erschien Polizeipräsident Harding auf dem Bildschirm, und Nick stellte den Ton wieder lauter. Es ging um den Mordfall an der Wall Street und um Alex. Harding sprach mit dem ihm eigenen übertriebenen Pathos, es machte beinahe den Eindruck, als ob Alex den Präsidenten persönlich erschossen hätte. Und genau das ließ Nick plötzlich wachsam werden. Dieser St. John war einer von vielen tausend Investmentbankern an der Wall Street gewesen. Sein Tod war tragisch, aber handelte es sich wirklich um eine Bedrohung der nationalen Sicherheit, so dass man das FBI hatte einschalten müssen? Ein Mordfall war nicht Sache des Polizeipräsidenten von New York City, sondern vom Morddezernat. Nick ahnte, dass ihn sein Gefühl nicht getrogen hatte. Irgendetwas war an dieser ganzen Sache faul. Es war geradezu auffällig, dass hier aus einer Mücke ein Elefant gemacht werden sollte. Konnten das Erscheinen von Harding und de Lancie und der riesige Presserummel um den Mord an einem relativ unbedeutenden Investmentbanker bedeuten, dass tatsächlich Vitali mit der Sache zu tun hatte? Wenn es so war, dann hatte Alex recht, und wenn Nick genau darüber nachdachte, war ihre Geschichte, die auf den ersten Blick etwas wild klang, im Grunde genommen durchaus realistisch. Die Unterlagen, die sie ihm gegeben hatte, waren, wenn sie echt waren, Sprengstoff. Und das wusste Vitali zweifellos auch.

»*... wurden in einem Mülleimer blutige Handschuhe gefunden*«, sagte Harding gerade, »*und die Spurensicherung geht davon aus, dass die Täterin diese Handschuhe getragen hatte, als sie den Mord an ihrem ehemaligen Komplizen beging ...*«

Handschuhe? Nick stutzte. De Lancie hatte vorhin etwas von Fingerabdrücken gesagt, die angeblich die Täterschaft von Alex einwandfrei bewiesen. In dieser Sekunde fiel seine Entscheidung. Er würde sich nie wieder im Spiegel ansehen können, wenn Alex wegen seiner Feigheit etwas zustoßen würde. Die Zeit der Untätigkeit war vorbei. Ob diese Entscheidung richtig war oder falsch, das würde sich herausstellen. Doch Nichtstun war in diesem Fall so schlimm, als ob er Vitali helfen würde.

***

»Die Bestätigung ist da«, Justin Savier wandte sich zu Alex um, »50 Millionen Dollar sind deinem Konto bei der Bank of America gutgeschrieben worden.«

Alex stieß einen Seufzer aus und ballte die Faust. Es war halb vier, und sie war todmüde und gleichzeitig hellwach. Ihr Blick fiel auf den Fernseher, der ohne Ton lief. Die Suche nach ihr im Zusammenhang mit der Ermordung Zacks war die Hauptnachricht auf allen Sendern. Manchmal konnte sie kaum glauben, dass das alles wirklich ihr widerfuhr.

»Danke, Justin«, sagte sie, »ich weiß nicht, wie ich das alles je wiedergutmachen kann.«

»Schon gut«, Justin lächelte nur. Für ihn schien das alles nur ein aufregendes Spiel zu sein. »Wie geht es jetzt weiter?«

»Das Geld wird auf ein Nummernkonto bei der Bank *Gérard Frères* in Zürich überwiesen«, erwiderte Alex, »und dann wird es sich in Luft auflösen.«

Justin nickte.

»Die Haarfarbe steht dir übrigens echt gut«, er grinste.

Alex lächelte müde. Sie hatte sich die Haare dunkel getönt und blaue Kontaktlinsen eingesetzt. Justin hatte vor zwei Stunden Fotos von ihr gemacht, sie per Computer zu einem Bekannten geschickt, und in einer Stunde würde ihr neuer amerikanischer Pass, der auf den Namen Emily Chambers lautete, fertig sein. Justins zwielichtiger Bekannter hatte 1000 Dollar verlangt, eine nahezu lächerliche Summe, wenn die falschen Papiere ihr dazu verhelfen konnten, unbehelligt das Land zu verlassen. Um zehn ging die Maschine der Swissair nach Zürich, auf die Justin sie unter ihrem neuen Namen gebucht hatte. Wenn alles glattging, war sie sieben Stunden später in der Schweiz, wo Gerhard Etzbach, ein ehemaliger Kommilitone aus Stanford, der bei *Gérard Frères* arbeitete, auf sie wartete. Er hatte zu ihrer Erleichterung keine Sekunde gezögert, als sie ihn angerufen und um Hilfe gebeten hatte. Schon zehn Minuten später hatte er zurückgerufen und ihr die Nummer des Kontos mitgeteilt, das er auf ihren Namen eröffnet hatte.

»Ich mache mir Sorgen um Mark und Oliver«, trotz ihrer Erschöpfung konnte sie es nicht ertragen, still zu sitzen, und ging in Justins Wohnung unruhig auf und ab. »Ich kann nur hoffen, dass Kostidis etwas unternimmt.«

»Wenn wir bis um neun nichts von den beiden gehört haben, fliege ich vom Flughafen aus gleich nach New York und gehe zu Kostidis«, bot Justin an. »Ich werde ihn davon überzeugen, dass alles, was du ihm gesagt hast, der Wahrheit entspricht. Dann muss er handeln.«

»Hoffentlich ist es bis dahin nicht zu spät«, Alex konnte sich gegen die düsteren Vorahnungen nicht wehren. Sie hatte das Gefühl, dass das Schlimmste noch längst nicht vorbei war.

***

Es war halb elf, als Lloyd Connors, der stellvertretende Bundesstaatsanwalt von Manhattan und des südlichen Distrikts des Staates New York, das Büro des Bürgermeisters betrat.

»Was ist das für eine abenteuerliche Geschichte, Nick?«, fragte er. »Ich hoffe, es ist wirklich so wichtig, wie du sagst, denn meine Frau war ziemlich sauer, als ich ihr sagte, dass ich noch mal weg muss.«

»Danke, dass du gleich gekommen bist«, Nick reichte dem jüngeren Mann die Hand und setzte sich ihm gegenüber an den Konferenztisch in seinem Büro. Connors hatte als frischgebackener Jurist damals im Büro des Bundesstaatsanwalts angefangen, als Nick diese Behörde geleitet hatte. Er besaß Durchsetzungsvermögen, war clever und ehrgeizig. Es wunderte Nick nicht im Geringsten, dass er so schnell die Erfolgsleiter erklommen hatte. Lloyd Connors war zweifellos einer der fähigsten Männer, die es in der New Yorker Staatsanwaltschaft gab.

»Du sagtest am Telefon, dass de Lancie nichts von unserem Treffen erfahren soll. Das hat mich neugierig gemacht. Um was geht es also?« Connors schlug die Beine übereinander und betrachtete Nick aufmerksam. Er hatte volles blondes Haar und ein angenehmes Lächeln. Früher hatten ihn seine Gegner im Gerichtssaal oft unterschätzt, weil er so harmlos aussah, aber hinter seinem jungenhaften Gesicht steckten ein scharfer Verstand und eine wache Intelligenz.

»Es ist eine äußerst brisante und komplizierte Angelegenheit«, begann Nick, »ich habe endlich etwas gegen Vitali in die Hand bekommen.«

»Schon wieder Vitali?«, sagte Connors mild. »Hast du das immer noch nicht aufgegeben?«

»Ich hatte immer recht, und das weißt du. Ich konnte nur nie etwas beweisen.«

»Und jetzt kannst du es?« Connors hob die Augenbrauen.

»Ja«, Nick nickte langsam, »ich denke schon. Allerdings ist es eine wirklich große Sache, die weite Kreise ziehen und viele mächtige Männer in dieser Stadt betreffen wird.«

»Du machst mich neugierig.«

»Was würdest du dazu sagen, wenn ich eine Namensliste von Personen hätte, die seit Jahren von Vitali bestochen werden?«

»Interessant. Wie glaubhaft ist diese ... Liste?«

»Es handelt sich um Kontoauszüge von Nummernkonten bei einer Bank auf Grand Cayman«, sagte Nick. »Wie es aussieht, handelt es sich um ein sehr ausgeklügeltes Bestechungssystem.«

»Schriftliche Beweise für gezahlte Bestechungsgelder?«

»Ich halte sie für eine Repressalie gegen die Bestochenen, von der diese aber nichts wissen.«

»Jetzt bin ich wirklich neugierig«, Connors lehnte sich zurück und betrachtete Nick scharf.

»Vor ein paar Wochen kam jemand zu mir. Diese Person arbeitet bei einer großen Investmentfirma an der Wall Street und teilte mir mit, dass sie auf ein groß angelegtes Betrugssystem in ihrer Firma gestoßen wäre, in das sie ohne ihr Wissen verwickelt worden sei. Ich wurde aufmerksam, als der Name Vitali fiel. So wie es aussieht, hat Vitali eine Strohfirma gegründet, über die er mit Informationen, die er von Insidern erhält, große Aktienkäufe tätigt. Die Gewinne dieser Geschäfte wurden bar auf diese geheimen Konten eingezahlt. Diese Firma diente offenbar nur einem einzigen Zweck, nämlich zur Geldbeschaffung für die Bestechung von hochrangigen Politikern und Beamten. Anhand der Einzahlungen auf die Konten kann man klar verfolgen, aus welchem Geschäft die Gelder stammten. Außerdem vermute ich, dass Vitali über diese Strohfirma Drogengeld gewaschen hat.«

»Um welche Summen handelt es sich?«

»Bis zu 50000 Dollar monatlich, und das über einen Zeitraum von mindestens drei Jahren.«

»Wie verlässlich sind die Informationen?«

»Ich habe die Kontoauszüge.«

»Ist die Person, die sie dir besorgt hat, bereit, vor Gericht auszusagen?«

»Tja«, Nick zuckte die Schultern, »ehrlich gesagt, weiß ich das nicht.«

»Sagst du mir, welche Namen auf der Liste stehen?«

»Lloyd«, Nick erhob sich und sah den Staatsanwalt an, »es ist eine lebensgefährliche Sache für alle Beteiligten. Heute wurde der Mann, der diese Transaktionen für Vitali ausgeführt hat, tot aufgefunden.«

»Du sprichst von diesem St. John bei LMI.«

»Genau. St. John hatte eine große Menge Aktien eines Unternehmens gekauft, das von seiner Firma bei einem Übernahmegeschäft vertreten wurde. Das Geschäft platzte, und die Firma, über die St. John die Aktienkäufe abgewickelt hatte, ging heute bankrott.«

»Manhattan Portfolio Management?« Connors sah Nick erstaunt an.

»Richtig. MPM gehört einer sogenannten Partnership. Und dahinter steckten Vitali und Levy, der Präsident von LMI.«

»Nein, nein, da irrst du dich«, Connors schüttelte den Kopf, »ich habe die Berichte gelesen. Dieser St. John und seine Komplizin, die Leiterin der M & A-Abteilung, waren Inhaber der Firma. Die beiden gerieten in Streit oder in Panik, die Frau brachte ihn um und flüchtete.«

»Das ist die offizielle Version«, widersprach Nick, »aber sie stimmt nicht.«

»Was soll daran nicht stimmen? Es gibt Beweise. Und einen Haftbefehl.«

»Moment«, Nick ging zu seinem Schreibtisch und holte die Papiere heraus, die Alex ihm gegeben hatte.

»Das«, er reichte Connors ein Blatt, »ist ein Computerausdruck vom 6. Juli diesen Jahres vom Handelsministerium der British Virgin Islands, auf dem eindeutig steht, wer die Inhaber der Partnership SeaStarFriends sind. Und hier ist ein Handelsregisterauszug, aus dem hervorgeht, dass SeaStarFriends wiederum alleiniger Inhaber von MPM ist.«

Connors studierte die beiden Blätter und schüttelte wieder den Kopf.

»Tatsächlich«, gab er zu, »das gibt's doch nicht.«

»Doch. So wie es aussieht, wurden die Namen der Inhaber im Computer geändert, nachdem Vitali und Levy befürchten mussten, dass bei einem Bankrott der Firma die Wahrheit ans Licht kommt.«

»Das wäre allerdings ein Ding!«

»Allerdings«, bestätigte Nick, »es ist strafbar, als Präsident oder Aufsichtsratsmitglied einer Investmentfirma eine Brokerfirma zu besitzen, die mit Aktien von Kunden der Investmentfirma handelt.«

»Stimmt. Das ist ein grober Verstoß gegen die Wertpapiergesetze und das Bankgesetz.«

Connors zog die Stirn in Falten und starrte auf die Blätter.

»Woher hast du das?«

Nick holte tief Luft.

»Die Frau, die ihr für die Mörderin von St. John haltet, hat es mir gegeben.«

»Alex Sontheim?«, fragte Connors ungläubig.

»Ja«, erwiderte Nick, »sie befürchtete, dass Vitali gemerkt hat, dass sie hinter die Sache mit MPM gekommen ist, und wollte sich mit St. John über ihr weiteres Vorgehen unterhalten. Aber sie kam zu spät und fand St. Johns Leiche.«

»Und diese Geschichte nimmst du ihr ab?« Connors zog die Augenbrauen hoch. »Aber Nick! Wo ist dein Blick für die Realität geblieben? Diese Frau hat 50 Millionen Dollar unterschlagen und ist auf der Flucht! Wäre sie unschuldig, könnte sie sich den Behörden stellen.«

»Das könnte sie nicht«, entgegnete Nick, »Vitali würde sie umbringen.«

Lloyd Connors schien nicht überzeugt.

»Sie hat mich heute angerufen«, sagte Nick ruhig, »ich habe schon viele Menschen lügen hören. Sie lügt nicht. Ich glaube ihr. Ohne Wenn und Aber.«

»Sie hat dich angerufen?« Connors riss die Augen auf. »Fünfzig US-Marshals, die Polizei und das FBI suchen nach ihr, und du erzählst mir in aller Seelenruhe, dass du mit einer Person, die wegen Mordes gesucht wird, telefonierst?«

»Herrgott, Lloyd, sie war es nicht!«, erwiderte Nick heftig. »Ich habe das Gefühl, dass an dieser Sache etwas mächtig faul ist, und mein Gefühl hat mich nur selten getrogen! De Lancie und Harding widersprechen sich, was die Beweise für die Schuld dieser Frau betrifft. Und warum schaltet sich der Polizeipräsident persönlich in Ermittlungen in einem Mordfall ein? Das hat er noch nicht einmal getan, als Roddy Burillo, der Quarterback der Giants, ermordet wurde, und das war ein wirklich spektakulärer Fall!«

»Was willst du damit andeuten?«

»Harding ist Vitalis Mann. Genauso wie de Lancie und Gouverneur Rhodes.«

»Nick, ich bitte dich! Das ist doch lächerlich!«

»Absolut nicht«, Nick reichte dem Staatsanwalt die Kontoauszüge, »schau dir das an und sag mir dann, ob das etwas hergibt oder nicht.«

Er verschränkte die Arme und beobachtete, wie sich auf Lloyd Connors' Gesicht erst Unglauben und dann Entsetzen breitmachte.

»Um Gottes willen«, Connors ließ die Blätter sinken, »wenn das alles wahr ist, dann … dann …«

»Es ist wahr. Raymond Howard, sein Name steht auch auf der Liste, war acht Jahre lang mein engster Mitarbeiter. Ich hatte mich häufig darüber gewundert, warum viele meiner geheimen Pläne schon bekannt waren, bevor eine Silbe offiziell bekanntgegeben wurde. Howard war Vitalis Maulwurf in meinem Büro.«

Er machte eine kurze Pause und dachte an Raymond Howards Entsetzen, als Mary und Christopher in die Limousine gestiegen waren. Er hatte gewusst, dass in dem Auto eine Bombe war, eine Bombe, die ihm, Nick Kostidis, gegolten hatte.

»Howard war es, der Vitali das Versteck von Zuckerman verraten hat. Er war es auch, der ihm die Sanierungspläne für bestimmte Viertel in der South Bronx mitgeteilt hat, worauf Vitali ganze Häuserblocks aufkaufte und seine Leute hinschickte, um die Bewohner zu vertreiben. Bei einer dieser Entmietungsaktionen wurde Vitalis Sohn verhaftet.«

Lloyd Connors starrte Nick mit offenem Mund an.

»Mrs Sontheim hat mit eigenen Ohren gehört, wie derselbe Mann, der auf dem Friedhof in Brooklyn auf mich geschossen hat, Vitali von dem erledigten Mordauftrag an Zuckerman berichtet hat. Vitali hat Zuckerman töten lassen, weil er befürchten musste, dass bei der Anhörung vor der Grand Jury herauskommen würde, mit welchen Mitteln er die Aufträge für den Bau des World Financial Center bekommen hat. Dazu könnt ihr übrigens auch Paul McIntyre verhören. Er steht auch auf der Liste.«

»Aber de Lancie ...«

»Erinnerst du dich an die Vorfälle auf dem 41. Polizeirevier in der Bronx, in der Nacht als Cesare Vitali verhaftet wurde? Hast du dich nie gewundert, weshalb de Lancie selbst dorthin gefahren ist?«

»Doch.«

»Na bitte. Er musste hinfahren, weil er Vitali verpflichtet ist. Ich war auch da, und das passte ihm gar nicht. Er hat sich damals äußerst seltsam für einen Staatsanwalt benommen, und ich sagte ihm auf den Kopf zu, dass ich an seiner Loyalität zweifele.«

Lloyd Connors nickte langsam.

»Es war auch sehr eigenartig, dass man innerhalb weniger Stunden den Mann gefunden hat, der auf Vitali geschossen haben soll. Dazu kam diese obskure Erpressung, mit der Vitali meiner Meinung nach nur von sich und dem Tod seines Sohnes ablenken wollte.«

»Und wer soll wirklich auf ihn geschossen haben?«

»Ich vermute, es waren die Leute vom kolumbianischen Drogenkartell, mit denen Vitali zu dieser Zeit im Clinch lag. Er hatte der Zollfahndung einen Tipp gegeben, worauf eine Ladung Kokain gefunden wurde. Die Schüsse auf Vitali waren die Rache der Kolumbianer. Ich habe es durchschaut, aber ich machte den Fehler, es in aller Öffentlichkeit zu verkünden. Der Beweis, wie gefährlich nahe ich der Wahrheit gekommen war, war das Attentat auf mich.«

»Großer Gott. Nick, weißt du, was das alles bedeutet?«

»Ja«, Nick verzog das Gesicht, »das weiß ich sehr gut. Und ich kenne die Folgen.«

»Aber welche Rolle spielt die Sontheim? Weshalb ist sie verschwunden?«

»Sie hat verständlicherweise Angst nach allem, was geschehen ist.«

Lloyd Connors stand auf und begann, nachdenklich hin- und herzugehen. Er zog die Stirn in Falten und kaute auf seiner Unterlippe.

»Verstehst du, Lloyd«, sagte Nick, »ich bin mir sicher, Vitali hat das Gerücht in die Welt gesetzt, Alex habe diesen St. John erschossen, um von sich abzulenken. Eine Person, die wegen Mordes gesucht wird, ist vor Gericht als Zeugin ziemlich unglaubwürdig.«

Der Staatsanwalt blieb stehen.

»So betrachtet, klingt es wirklich gar nicht mehr so absurd«, er atmete tief ein und wieder aus, »aber ich kann nichts übers Knie brechen. So etwas muss sorgfältig vorbereitet werden.«

»Viel Zeit haben wir aber nicht mehr. Mit jeder Stunde kann Vitali Beweise vernichten.«

Und er kann Alex finden. Und töten … Nein, daran durfte er jetzt nicht denken. Er durfte vor allen Dingen niemanden merken lassen, wie groß seine Sympathie für die Frau war, die die wichtigste Zeugin in einer der gigantischsten Korruptionsaffären, die es in New York City jemals gegeben hatte, zu sein schien. Connors stand am Tisch, die Hände auf die Tischplatte gestemmt, und starrte auf die vor ihm ausgebreiteten Papiere. Die Minuten verstrichen, bis er sich aufrichtete und Nick ansah.

»Ich weiß nicht, was für eine Lawine wir da lostreten«, sagte er zu Nicks Erleichterung, »aber wir werden dieser Sache auf den Grund gehen.«

***

»Wir haben eine Spur«, verkündete Luca, »sie hat heute Mittag in einem Kaufhaus in Boston eingekauft und mit ihrer Kreditkarte bezahlt.«

Sergio, der mit geschlossenen Augen auf der Couch gelegen hatte, fuhr hoch. Alex hatte es geschafft, die Stadt zu verlassen. War es Absicht oder Gedankenlosigkeit, dass sie mit ihrer Kreditkarte eingekauft hatte? Sie musste doch wissen, dass man das nachprüfen konnte.

»Das FBI überwacht sämtliche internationale Flughäfen«, sagte Massimo, »sie wird das Land nicht verlassen können.«

»Natürlich kann sie das«, erwiderte Sergio verdrossen. »Wahrscheinlich hat sie längst neue Papiere und ein anderes Aussehen. Alex ist verdammt clever. Ich habe sie unterschätzt.«

Massimo, Luca und Silvio sahen sich an. Sie hatten es noch nie erlebt, dass Sergio Vitali einen Fehler zugab.

»Wir müssen sie kriegen, bevor sie den Cops in die Arme läuft«, sagte Sergio, mehr zu sich selbst als zu den drei anwesenden Männern. »Luca, schick zwei Männer nach Boston an den Flughafen. Und Silvio, was ist mit diesem Anwalt aus L. A.?«

»Wir haben alle Unterlagen«, entgegnete Silvio, »unser Mann sitzt schon im Flugzeug nach New York. Die Spuren sind alle gründlich verwischt worden.«

»Und der Anwalt? Wird der den Mund halten?«

»Ja«, bestätigte Silvio, »der hat ein bisschen zu viel Wasser geschluckt.«

Sergio nickte zufrieden. Morgen früh würde Levy höchstpersönlich nach Georgetown fliegen, um sämtliche Geheimkonten zu löschen. Zwar hatte er noch nichts gehört, aber nach wie vor bestand die Möglichkeit, dass Alex irgendjemandem von diesen Konten erzählt hatte. Es war besser, sie vorläufig aufzulösen, bevor es zu spät war. Die Staatsanwaltschaft schien die Geschichte, die sie ihnen aufgetischt hatten, geschluckt zu haben, und im Fernsehen war von nichts anderem die Rede als von der flüchtigen Alex Sontheim, die ihren Komplizen erschossen und sich mit unterschlagenem Geld aus dem Staub gemacht hatte. Die Beweise für ihre Schuld waren erdrückend, und die Beteiligung des FBI an der Suche nach Alex hatte den Mord an St. John derart dramatisiert, dass die Hintergründe des Bankrotts von MPM wie geplant zur Nebensache geworden waren. Sergios Freunde bei der Börsenaufsichtsbehörde und der Staatsanwaltschaft würden die Untersuchungen in gewohnt oberflächlicher Manier durchführen, und in zwei Wochen krähte kein Hahn mehr danach, zumal jeder Alex für die Schuldige hielt. Oliver Skerritt saß in einer Einzelzelle auf dem Polizeipräsidium, Alex' engster Mitarbeiter Mark Ashton in einem Kellerraum bei LMI. Jetzt mussten sie abwarten. Es war kurz vor Mitternacht, als das Telefon klingelte.

»Das Geld ist heute Morgen um elf von der California S & L auf ein Konto bei der Bank of Amerika überwiesen worden«, verkündete Vincent Levy, »ein paar Stunden später wurde es ins Ausland transferiert. Alles per Computer.«

»Weißt du, wohin es gegangen ist?«

»Natürlich«, erwiderte Levy, und es war eine winzige Spur Sarkasmus in seiner Stimme, »ein Vorteil der modernen Datenübertragung. Es ist in die Schweiz gegangen.«

»In der Schweiz gibt es Hunderte von Banken.«

»Genau. Und hier verliert sich der Weg. Es wurde auf ein anonymes Nummernkonto transferiert, und da ist es wahrscheinlich längst nicht mehr. Alex versteht ihren Job. Wir müssen uns wohl mit dem Gedanken anfreunden, dass das Geld futsch ist.«

* * *

Kurz nach Mitternacht waren Tracy Taylor und Jason Bennett, die beiden engsten Mitarbeiter von Lloyd Connors, in der City Hall eingetroffen. Frank hatte Pizza besorgt und Kaffee gekocht, und nun saßen sie vor den ausgebreiteten Papieren am Konferenztisch und überlegten eine Strategie für ihr Vorgehen. Es war fast so wie früher, als Nick noch Bundesstaatsanwalt gewesen war und die Verhaftungen der Mafiabosse geplant hatte. Doch im Unterschied zu damals mussten sie äußerst vorsichtig agieren, denn sie wussten nicht, wer Feind und wer Freund war. Sie konnten niemandem vertrauen. Jeder in der Stadt konnte Vitalis Mann sein.

»Wir können de Lancie nicht aus der Sache heraushalten«, sagte Nick gerade, »er ist im Augenblick eine von Vitalis wichtigsten Beziehungen, und wir müssen überlegen, wie wir Vitali am wirkungsvollsten schwächen können.«

»Wir wissen noch nicht, wie stichfest die Beweise sind«, gab Connors zu bedenken. »Woher stammen diese Kontoauszüge? Wer hat sie besorgt?«

»Das spielt doch keine Rolle.«

»Doch«, widersprach der Staatsanwalt, »das tut es. Wir müssen zweifelsfrei beweisen können, dass diese Leute das Geld wirklich benutzt haben. Wir müssen beweisen, wie sie an das Geld auf diesen Konten gelangt sind. Vielleicht haben sie es nie gesehen. Dann handelt es sich lediglich um versuchte Bestechung, aber nicht um eine vollendete Straftat.«

»Vor allen Dingen brauchen wir die Frau«, meldete sich Jason Bennett zu Wort. »Sie scheint als Einzige die Zusammenhänge zu kennen.«

Nick lehnte sich erschöpft zurück. Wenn sie die Männer auf der Liste mit den Auszügen konfrontierten, dann würden sie bereitwillig aussagen, schon um ihre eigene Haut zu retten, daran zweifelte er nicht. Es war ihm egal, ob Alex die Hauptbelastungszeugin in dieser ganzen Sache war oder nicht, er machte sich ernsthafte Sorgen um sie. Sicherlich hatte Vitali mehr Leute in Bewegung gesetzt, die nach ihr suchten, als das FBI und die

Polizei zusammen. Und wenn er sie finden würde, würde er nicht lange fackeln.

»Wir werden das FBI einschalten müssen«, sagte Lloyd Connors nun, »diese Sache ist für uns alleine zu groß. Wenn ich mir vorstelle, was passiert, wenn ich Gouverneur Rhodes verhaften muss …«

»Na und?« Nick stand auf und ging unruhig hin und her. »Er hat Geld von einem Verbrecher genommen.«

»Hat er das tatsächlich?«

Es klopfte an der Tür, und Allie Mitchell schaute herein. Sie war ins Büro zurückgekommen, nachdem Frank sie zu Hause angerufen hatte.

»Hier ist ein Mann namens Justin Savier«, sagte sie. »Er behauptet, er sei ein Freund von Alex Sontheim.«

»Schicken Sie ihn herein!«, rief Nick aufgeregt.

»Entschuldigen Sie bitte, dass ich hier so einfach auftauche«, ein magerer Mann Mitte dreißig mit schulterlangen Dreadlocks betrat das Büro des Bürgermeisters von New York City, »aber Alex hat mir gesagt, dass ich zu Ihnen fahren soll.«

Nick betrachtete den Mann misstrauisch. Vielleicht gab er sich nur als Alex' Freund aus und war in Wirklichkeit ein Spion Vitalis.

»Woher weiß ich, dass Sie der sind, für den Sie sich ausgeben?«, fragte er deshalb.

»Wollen Sie meine Sozialversicherungsnummer oder meinen Führerschein sehen?«, entgegnete der Mann. »Ich kann Ihnen beweisen, dass alle Unterlagen, die Alex Ihnen gegeben hat, echt sind.«

»Okay«, mischte sich Lloyd Connors ein, »dann zeigen Sie uns Ihre Beweise.«

»Wer sind Sie denn, wenn ich fragen darf?« Justin Savier musterte ihn mit hochgezogenen Augenbrauen. Nick stellte ihm rasch die anwesenden Staatsanwälte vor und bot ihm einen Platz und einen Kaffee an. Justin akzeptierte beides, dann erzählte er, dass er ein Studienfreund von Oliver Skerritt und Alex' engstem Mitarbeiter Mark Ashton sei und am MIT in Boston arbeite. Er berichtete, dass Mark, Alex und Oliver Skerritt im Sommer an ihn herangetreten seien, weil sie mehr über dubiose Machenschaften erfahren wollten, denen sie bei LMI auf die Spur gekommen waren. Nick und Lloyd Connors wechselten einen Blick.

»Wo ist Mrs Sontheim jetzt?«, erkundigte sich der Staatsanwalt.

»In einem Flugzeug nach Europa«, erwiderte Justin.

»Unmöglich. Alle Flughäfen werden überwacht.«

»Ich habe ihr einen falschen Pass besorgt«, gab Justin vor den versammelten Staatsanwälten zu und blickte den Bürgermeister an. »Sie müssen ihr glauben. Ich habe hier E-Mails, die Alex letzte Nacht aus dem Computer von St. John ausgedruckt hat. Mark Ashton und Oliver Skerritt sind wie vom Erdboden verschwunden, wahrscheinlich hat dieses Monster sie schon erwischt.«

»Jetzt mal der Reihe nach«, unterbrach Connors ihn, »was haben Sie überhaupt mit dieser ganzen Sache zu tun?«

Justin berichtete, was er getan hatte, um an die geheimen Informationen zu gelangen, die Alex Nick Kostidis bereits übergeben hatte. Dann erzählte er, was er letzte Nacht über die Inhaber der Partnership SeaStarFriends herausgefunden hatte. Für einen Moment herrschte Totenstille in dem großen Büro.

»Puh«, meinte Connors und fuhr sich durch das Haar.

»Glauben Sie mir nicht?«, fragte Justin.

»Wir haben bis jetzt an der Authentizität der Auszüge gezweifelt«, antwortete Nick an Connors' Stelle, »aber sie scheinen tatsächlich echt zu sein.«

»Ja, das sind sie auf jeden Fall«, Justin nickte, »wir waren total geschockt, als wir das Ausmaß dieses Komplotts erkannt haben«

»Warum sind Sie so sicher, dass es nicht Alex Sontheim war, die St. John getötet hat?«, fragte Lloyd Connors.

»Sie hatte absolut keinen Grund, ihn zu töten«, erwiderte Justin. »Er hätte doch bezeugen können, was tatsächlich bei

LMI abgelaufen ist. Und wenn Sie die E-Mails lesen, die St. John geschrieben und erhalten hat, dann werden Sie sehen, dass er ganz sicher nicht vorhatte, sich eine Kugel in den Kopf zu jagen. Alex meint, dass Vitalis Leute Zack erschossen hätten und ihr den Mord in die Schuhe schieben wollten, um von sich abzulenken.«

Nick und Connors wechselten erneut einen kurzen Blick.

»Alex hat St. John nicht getötet«, sagte Justin eindringlich. »Sie haben doch auch im Fernsehen verfolgt, wie sich die Polizei widerspricht, oder? Einmal haben sie überall Fingerabdrücke gefunden, dann wiederum Handschuhe. Das ist doch vollkommen widersprüchlich!«

»Zeigen Sie uns diese E-Mails«, forderte Connors ihn auf. Justin ergriff seinen Rucksack und entnahm ihm ein paar Blätter. Er legte sie auf den Tisch. Der Staatsanwalt nahm die Blätter und las sie durch.

»Wow«, machte er und reichte sie an Nick weiter, »das ist ja der Hammer!«

»Glauben Sie jetzt, dass Alex die Wahrheit sagt?«, fragte Justin, und Lloyd Connors sah auf.

»Ja«, sagte er grimmig, »ja, jetzt glaube ich ihr. Oh, das wird ein Heidenspaß.«

* * *

Sergio hatte einen halben Tag damit verbracht, seine Beziehungen zu überprüfen, und war beruhigt von dem, was er erfahren hatte. Weder bei der Staatsanwaltschaft noch bei der Polizeibehörde zweifelte man daran, dass Alex St. John aus Habgier und zur Vertuschung ihrer illegalen Geschäfte erschossen hatte. Niemand schien nervös zu sein, und das konnte nur bedeuten, dass Alex in Wahrheit nichts gegen ihn in der Hand hatte. Sergio hatte zwar immer noch keine plausible Erklärung dafür gefunden, wie sie an den Kontoauszug von Levy & Villiers gelangt war, aber selbst wenn sie zu Kostidis gerannt war, gab es keine direkte Spur, die zu ihm hinführte. Die Leute, die er bestochen hatte, würden den Teufel tun und irgendetwas zugeben, denn dann waren sie erledigt. Es gab keine Beweise. Zack, der als Einziger außer ihm und Levy Bescheid gewusst hatte, war tot. Die Unterlagen, die er bei diesem kalifornischen Anwalt gehabt hatte, waren vernichtet, der Anwalt war mausetot. Sergio lächelte böse. Zack hatte geglaubt, schlau zu sein, indem er versucht hatte, sich abzusichern, aber er war noch schlauer gewesen. Sein Lächeln erlosch. Ja, er war schlauer gewesen als der gierige Zack, doch dafür hatte Alex ihn ausgetrickst. Doch auch sie konnte sich nicht ewig vor ihm verstecken. Irgendwann würde sie einen Fehler machen, und dann würde er unbarmherzig zuschlagen. Silvio bremste vor der Villa van Mierens am Rande von Hempstead auf Long Island. Nelson hatte sein Haus seit drei Wochen nicht mehr verlassen. Sergio wusste, dass sein engster Vertrauter wirklich schwer krank war, aber es störte ihn, dass seine Frau ihn am Telefon zu verleugnen schien. Heute wollte er den wahren Grund für Nelsons Verhalten von ihm persönlich erfahren. Die Situation war furchtbar kompliziert geworden, und Sergio brauchte den klugen Rat seines Freundes und Anwalts dringend. Carmen van Mieren öffnete die Tür.

»Sergio! Komm herein«, sie begrüßte ihn freundlich und ließ sich von ihm auf die Wangen küssen. »Ich sage Nelson, dass du hier bist. Er liegt im Bett.«

»Danke. Ich werde ihn auch nicht lange stören«, Sergio ging in den behaglich eingerichteten Salon, dessen große Fensterfront einen herrlichen Blick auf einen See erlaubte, über dem der dichte Nebel wie eine Wolke hing. Er starrte blicklos hinaus in den winterkahlen Garten zu dem Bootssteg, und ohne dass er sich dagegen wehren konnte, stiegen Erinnerungen an glücklichere Tage in ihm auf. Hier, in diesem Garten und auf dem Steg, hatten sie oft gesessen und Pläne geschmiedet. Die Kinder hatten im Garten gespielt, während Carmen und Constanzia das Essen zubereiteten. Sergio erinnerte sich an die Hochzeit von William, Nelsons Sohn, die sie hier gefeiert hatten, nur eine Woche nach der großartigen Einweihungsfeier des VITAL-Building, dem stahl- und betongewordenen Symbol seines Erfolges. Sergio sah seine Söhne als kleine Kinder vor sich und dachte an die langen Jahre, die ihn und Nelson verbanden. Ja, sie hatten sehr erfolgreich zusammengearbeitet, Nelson und er. Gemeinsam hatten sie ein Imperium geschaffen, das Milliarden verdiente. Sergio seufzte. Nelson war der Fels, auf den er immer gebaut hatte. Seine Loyalität war unerschütterlich gewesen, 40 Jahre lang. Jetzt waren sie alt, älter, als ihre Väter jemals geworden waren. Eigentlich wäre es an der Zeit, sich zurückzulehnen, um die Früchte der harten Arbeit zu genießen. Stattdessen war alles anders geworden. Constanzia hatte ihn verlassen, Cesare war tot, und durch Alex erzitterte sein Imperium gefährlich in den Grundfesten. Sergio vergrub die Hände in den Hosentaschen und richtete sich auf, als er an sie dachte. Alex hatte ihn gedemütigt, seinen Stolz verletzt und nun auch noch belogen und bestohlen. Durch sie hatte er eine Niederlage einstecken müssen, die schmerzte. Aber eine verlorene Schlacht war noch kein verlorener Krieg. »Hallo, Sergio.«

Er zuckte zusammen und fuhr herum. Beim Anblick seines alten Freundes erschrak Sergio. Nelson hatte in den letzten Wochen sicherlich 25 Kilo an Gewicht verloren, er hatte eine ungesunde graue Gesichtsfarbe und dunkle Schatten unter den Augen.

»Nelson, alter Freund«, er ging auf ihn zu und ergriff herzlich seine Hand, »wie geht es dir?«

»Es wird wohl nicht mehr besser«, entgegnete Nelson mit heiserer Stimme. »Die Ärzte wollen, dass ich noch eine Chemotherapie mache, aber ich will nicht. Ich werde dadurch nicht mehr gesund.«

Er ging zu einem Sessel und setzte sich schwerfällig.

»Warum versteckst du dich vor mir?«, fragte Sergio unvermittelt.

»Macht das den Eindruck?«

»Ja.«

»Vielleicht hast du recht«, Nelson seufzte, »ich bin dir wohl eine Erklärung schuldig.«

Sergio setzte sich in einen anderen Sessel ihm gegenüber.

»Ich habe dir einmal gesagt, dass ich nicht mehr mitmache, wenn du den Bürgermeister umbringen lässt. Erinnerst du dich daran?«

»Ja, du hast irgend so etwas gesagt«, Sergio nickte ungeduldig, »Kostidis ist gesund und munter. Was willst du also?«

»Du hast eine Bombe in seinem Auto installieren lassen, die vier Menschen getötet hat«, sagte Nelson, »und du hast mich angelogen, als du mir versichert hast, dass du damit nichts zu tun hast. Ich habe dir geglaubt.«

Sergio sah ihn an, ohne mit der Wimper zu zucken.

»Als Kostidis noch immer lebte, hast du Natale auf den Friedhof geschickt«, fuhr Nelson fort, »und ich bin mir auch sicher, dass du den Auftrag gegeben hast, deinen eigenen Sohn zu töten, auch wenn du es mir gegenüber abgestritten hast.«

Er verstummte und sah den Mann an, der ihm gegenübersaß. In all den langen Jahren, in denen sie zusammengearbeitet hatten, hatte Nelson van Mieren Sergios Intelligenz, seine Energie und seine unglaubliche Willenskraft bewundert. Er hatte Sergios Entscheidungen nie in Frage gestellt, auch wenn Menschen sterben mussten, doch nun konnte er das nicht mehr. Vielleicht war es die Tatsache, dass sein eigener Tod in greifbare Nähe gerückt war, die ihn hatte erkennen lassen, dass er einen falschen Weg in seinem Leben eingeschlagen hatte. Das gigantische Imperium, das sie gemeinsam aufgebaut hatten, war auf Blut und Angst gegründet, seine Entstehung hatte viele Menschen das Leben gekostet. Geblendet von Ruhm, Erfolg und Macht hatte Nelson sich daran gewöhnt, und der Tod eines Menschen war für ihn nie etwas Persönliches gewesen, sondern lediglich Mittel zum Zweck, genau wie Bestechung und Bedrohung. Das alles gehörte einfach zum Geschäft, und er hatte sich niemals wirklich Gedanken darum gemacht. Bis zu der Nacht, als auf Sergio geschossen wurde. In dieser Nacht hatte er die Zukunft Sergios und auch seine eigene mit erschreckender Klarheit gesehen. Sie waren, genau wie die großen Mafiafamilien ein paar Jahrzehnte zuvor, zum Untergang verurteilt, wenn es ihnen nicht gelang, die gefährlichen und illegalen Geschäftsbereiche abzustoßen. Nelson hatte versucht, Sergio dazu zu überreden, aber dieser war gegen jedes Argument taub gewesen, besessen vom berauschenden Gefühl der Macht und der verführerischen Illusion der Unantastbarkeit. Mit einem Mal waren die Zweifel gekommen und mit ihnen die Angst. Den Ausschlag aber hatte schließlich die Sache mit Kostidis gegeben. Sergio unterschätzte diesen Mann noch immer. Und das würde eines Tages fatale Folgen haben.

»Ich weiß nicht, ob meine Nerven schlechter oder mein Gewissen lauter geworden ist«, sprach Nelson schließlich weiter, »ich weiß nur, dass ich dir nicht mehr vertraue. Du hast mich belogen und lässt mich sogar von Lucas Leuten überwachen. Das ist keine Basis mehr für eine Zusammenarbeit, und deshalb habe ich mich dazu entschlossen, nicht länger für dich zu arbeiten. Die letzten Monate, die mir bleiben, möchte ich in Ruhe verbringen.«

Sergio blieb äußerlich gelassen, aber seine Augen waren kalt wie Eis.

»Wir sind einen langen Weg zusammen gegangen und haben ein erfolgreiches Unternehmen aufgebaut«, sagte Nelson. »Ich hatte angenommen, die Zeit des Mordens sei vorüber und wir hätten es geschafft, auf die legale Seite zu gelangen. Das war immer mein Ziel. Aber ich muss feststellen, dass sich die Schatten der Vergangenheit nicht einfach abschütteln lassen.«

Er lächelte traurig.

»Es tut mir leid, dass ich dir das sagen muss, Sergio. Unsere Wege werden sich trennen.«

»Das geht nicht!«, erwiderte Sergio und sprang auf. »Du kannst nicht einfach kündigen wie ein Angestellter in einem Supermarkt! Ich brauche dich, Nelson! Ich kann nicht auf dich verzichten!«

»Das wirst du in Zukunft aber müssen«, Nelson zuckte die

Schultern. »Du hast eine Menge cleverer junger Anwälte in der Rechtsabteilung, die rücksichtsloser und ehrgeiziger sind, als ich es noch bin. Du wirst einen Nachfolger für mich finden.«

Sergio starrte seinen ältesten Freund ungläubig an. Bisher hatte er geglaubt, er könne Nelson irgendwie besänftigen, aber nun begriff er, dass sein Weggefährte einen unumstößlichen Entschluss gefasst hatte. Er war nicht länger auf seiner Seite. Sergios Zorn mischte sich mit ernster Besorgnis. Nelson war wichtig für ihn. Er wusste alles, kannte alle Zusammenhänge und Verbindungen so gut wie er selbst. All die Jahre hatte Sergio sich bedenkenlos auf ihn und seinen loyalen Ratschlag verlassen können, Nelson war seine stärkste Stütze und Hilfe. Menschen wie St. John oder Alex waren ersetzbar, nicht aber Nelson.

»Was wirst du jetzt tun? Wirst du zur Polizei gehen?« Sergio zwang sich zu einem spöttischen Tonfall. »Wirst du deine große Lebensbeichte ablegen und ein Buch schreiben? Woher kommen deine plötzlichen Gewissensbisse? Was ist auf einmal anders als früher? Du bist durch mich reich und mächtig geworden, Nelson, deine Familie ist versorgt. Du verstehst doch auch, weshalb ich das alles tun musste! Es ist wie im Dschungel: fressen oder gefressen werden. Ich eigne mich nicht als Beute! Ich habe immer gekämpft und hart gearbeitet. Wie kann ich mir da alles, was ich aufgebaut habe, von irgendeinem dahergelaufenen Idioten ruinieren lassen?«

Er starrte Nelson aus brennenden Augen an.

»Ich muss mich wehren, wenn ich angegriffen werde! Das verstehst du doch, oder?«

»Natürlich«, erwiderte Nelson mit müder Stimme, »aber die Art und Weise, wie du dich wehrst, kann ich nicht mehr akzeptieren. Ich sehne mich nach Ruhe und Frieden. Dieser ewige Krieg, das Taktieren, die Drohungen, die Brutalität und diese ganze Anspannung sind nichts mehr für mich. Ich fühle mich alt und ausgebrannt, und ich fürchte mich davor, eines Tages einen Fehler zu machen.«

»Du machst keinen Fehler.«

»Doch! Ich habe ihn schon gemacht! Ich hätte dich zwingen sollen, die Finger von Kostidis zu lassen. Du hast dich zu sicher gefühlt, Sergio, und das war falsch. Du wolltest nie auf meine Warnungen hören, und jetzt ist Kostidis nicht mehr nur dein Gegner, sondern dein Feind. Und glaube mir, er ist ein mächtiger und sehr gefährlicher Feind.«

»Ich habe keine Angst vor Kostidis«, Sergio machte eine wegwerfende Handbewegung.

»Die solltest du aber haben«, erwiderte Nelson. »Man darf seine Gegner nie unterschätzen, und du weißt genau, dass deine Verbündeten zum großen Teil nur sehr widerwillig zu dir halten. In dem Moment, wenn du angegriffen wirst, werden sie ihre Loyalität ganz schnell vergessen und dich im Stich lassen. Glaubst du, dass Levy zu dir hält, wenn du in Schwierigkeiten gerätst?«

»Du redest immer von Schwierigkeiten und Problemen. Ich habe keine! Alles läuft wunderbar«, sagte Sergio gereizt.

»Du bist sehr hochmütig«, Nelson schüttelte langsam den Kopf, »mach doch die Augen auf! Du hast Probleme am Hafen, und wie es aussieht, jetzt auch bei LMI. Warum verzichtest du nicht auf den illegalen Teil deiner Unternehmungen? Wie reich willst du noch werden? Oder hast du Angst, dass jemand mächtiger werden könnte als du? Weshalb setzt du alles aufs Spiel?«

»Ich setze nichts aufs Spiel«, entgegnete Sergio kalt, »und ich bin auch nicht hochmütig.«

»O doch, das bist du. Du glaubst, du kannst die Menschen wie Schachfiguren hin- und herschieben, sie bedrohen und ausbeuten. Aber eines Tages wird jemand kommen, der genauso clever und rücksichtslos ist wie du. Du denkst, du bist unantastbar, aber das bist du nicht. Du stehst nicht über dem Gesetz, du hast bisher nur sehr viel Glück gehabt.«

»Wer sollte an mich herankommen? Sag mir das! Wer?«

»Was ist mit MPM wirklich los?« Nelson seufzte. »Wer hat St. John erschossen? Alex war es nicht.«

»Und wenn schon. Die Polizei glaubt es.«

»Du hast ihn umbringen lassen, weil er dir gefährlich wurde«, in Nelsons Augen glaubte Sergio einen Anflug von Spott zu erkennen, »und dann hast du es deiner kleinen Freundin in die Schuhe geschoben, weil sie dich verlassen hat, so wie Constanzia, und das konnte deine Eitelkeit nicht vertragen.«

»Das ist doch alles Quatsch!«, fuhr Sergio wütend auf, aber die Wahrheit in Nelsons Worten schmerzte wie ein Stachel in seinem Fleisch.

»Hat sie etwas über dich herausbekommen?«

»Nein«, Sergio vermied es, den Freund anzusehen, »ja ... vielleicht ... ich weiß es nicht ...«

»Du bist dabei, die Kontrolle zu verlieren«, sagte Nelson leise, »und das ist sehr gefährlich.«

Sergio atmete schwer und versuchte, seinen auflodernden Zorn zu beherrschen. Er hatte es schon immer gehasst, jemanden um etwas zu bitten, aber nun musste er sich dazu erniedrigen.

»Ich werde alles tun, was du vorschlägst, Nelson«, er senkte demütig den Kopf. »Ich habe mich zu Fehlern hinreißen lassen, aber das wird nicht mehr passieren. Du hast recht, wenn du sagst, dass mit dem Blutvergießen Schluss sein muss. Ich bitte dich, um unserer alten Freundschaft willen, lass mich jetzt nicht im Stich.«

Nelson blickte Sergio ernst und nachdenklich an. Er wusste nur zu gut, wie schwer es Sergio Vitali fiel, eine solche Bitte auszusprechen, und für einen kurzen Augenblick war Nelson versucht, die Entscheidung, die er getroffen hatte, zu revidieren. Die beiden Männer sahen sich eine Weile an, bis Nelson mit einem Seufzer aufstand. In den Augen von Sergio hatte er keine Bitte gesehen, sondern nur Zorn und Kälte. Sergio würde überhaupt nichts ändern, seine scheinbare Demut war nichts anderes als Taktik.

»Gut«, sagte Nelson.

»Kommst du morgen wieder ins Büro?«, fragte Sergio. »Wenigstens für ein paar Stunden, damit wir einige Dinge durchsprechen können.«

»Ja. Ich werde kommen.«

Ein Ausdruck der Erleichterung huschte über Sergios Gesicht, bevor er Nelson kurz umarmte.

»Dann bis morgen, mein Freund«, sagte er.

***

Nelson van Mieren beobachtete vom Fenster aus, wie Sergio zu seiner Limousine ging und einstieg.

»Ist er weg?«

Nelson drehte sich um. Constanzia Vitali und Carmen, seine Frau, erschienen im Türrahmen.

»Ja«, Nelson nahm das kleine Aufnahmegerät aus der Tasche seines Hausmantels, drückte auf die STOP-Taste und reichte es Constanzia.

»Was wirst du tun?«, fragte sie. »Wirst du wirklich wieder zu ihm gehen?«

»Nein«, Nelson seufzte und schüttelte den Kopf, »mein Entschluss steht fest. Allerdings tut es mir leid, dass du …«

»Das muss dir nicht leidtun«, unterbrach Constanzia ihn rasch und umarmte ihn, »und wenn es das Letzte ist, was ich tue. Ich habe seit Jahren auf eine Möglichkeit gewartet, mich an ihm für all das, was er mir und anderen angetan hat, zu rächen. Ich habe keine Angst vor ihm.«

Nelson van Mieren lächelte traurig.

»Du bist sehr mutig, Connie.«

»Einer muss es tun«, in ihren Augen schimmerten die Tränen, »Sergio hat so viele Menschen auf dem Gewissen. Und es geht immer weiter.«

Für einen Moment war es bis auf das Geräusch des Regens, der gegen die Fensterscheiben prasselte, ganz still.

»Ich sollte das tun, was du jetzt tun willst«, Nelsons Stimme klang brüchig, »aber ich bin zu feige. Ich war mein Leben lang zu feige.«

Er wandte sich zu seiner Frau um.

»Verzeih mir, Liebling«, murmelte er, »es tut mir leid.«

Dann drehte er sich um und ging mit unsicheren Schritten in sein Arbeitszimmer. Er schloss die Tür hinter sich und setzte sich an seinen Schreibtisch. Wo sich früher Akten und Notizen gestapelt hatten, herrschte nun völlige Leere. Es gab keine Hoffnung mehr, dass er jemals wieder gesund werden würde. Der Krebs hatte seinen Körper zerfressen, heimtückisch und leise, bis es zu spät gewesen war. In den letzten Wochen hatte Nelson sich auf den Tod vorbereitet, und nun war er bereit, zu gehen. Der Raum war erfüllt vom süßlichen Duft verwelkender Blumen, die in einer Vase auf dem breiten Sims des Kamins standen. Er nahm aus der obersten Schreibtischschublade die Pistole und betrachtete sie andächtig. Vor vielen Jahren hatte er die Waffe von Sergio bekommen, aber er hatte sie noch nie benutzt. Bis heute. Nelsons Blick wanderte zum Fenster. Es war ein matschiger, düsterer Tag. Der Regen vor den Fensterscheiben verwandelte sich in Schnee, der bereits in einer dünnen Schicht auf dem nassen Rasen liegen blieb. Seine Gedanken eilten zurück zu den Tagen seiner Jugend. Wäre sein Leben genauso verlaufen, wenn er damals gewusst hätte, was er heute wusste? Er zuckte die Schultern. Seine Entscheidung stand fest. Langsam lud er die Pistole durch, dann schloss er die Augen, presste die Mündung der Waffe an seine Schläfe und drückte ab.

***

Es war der Tag, an dem der große Christbaum vor dem Rockefeller Center aufgestellt und feierlich eingeweiht werden sollte. Die ganze Stadt war erfüllt von vorweihnachtlicher Hektik und erstrahlte im Glanz Tausender Lämpchen. Es war kälter geworden, der Regen der vergangenen Tage wurde zu dicken, nassen Schneeflocken. Nick Kostidis stand mit einer Tasse Kaffee in der Hand am Fenster seines Büros und starrte ins Leere. Die ganze Nacht über hatten sie gearbeitet, denn Lloyd Connors hatte Nicks Büro vorübergehend als improvisierte Kommandozentrale für die geplante Operation ausgewählt. Die Vorbereitungen für den ersten Schlag im Vernichtungsfeldzug gegen Sergio Vitali waren in vollem Gange. Noch in der Nacht hatte Connors vertrauenswürdige Mitarbeiter in die City Hall beordert, sie hatten damit begonnen, die Unterlagen, die Alex ihnen beschafft hatte, auszuwerten. Einige Namen auf den Kontoauszügen waren ihnen unbekannt, aber es war klar, dass auch diese Leute wichtige Ämter bekleiden mussten. Nick und Connors waren sich einig, dass sie so schnell wie möglich handeln mussten, um Vitali keinen weiteren Vorsprung zu geben. Noch in der Nacht hatten sie mit Gordon Engels, dem stellvertretenden Generalstaatsanwalt der Vereinigten Staaten in Washington, der die Leitung der US-Marshals innehatte, telefoniert und ihm den brisanten Fall in kurzen Worten dargelegt. Nick kannte Engels, dessen Job er vor einigen Jahren selbst einmal gemacht hatte, persönlich gut und zweifelte nicht an seiner Integrität. Engels wollte am nächsten Morgen sofort mit seinen besten Leuten persönlich nach New York kommen. Da Nick und Connors klar war, dass sie durch die Verstrickung Jerome Hardings in die Affäre das New Yorker Police Department vorerst nicht in die geheimen Ermittlungen miteinbeziehen konnten, hatten sie sich an das FBI mit der Bitte um Hilfe gewandt. Der stellvertretende Direktor des FBI persönlich, Tate Jenkins, würde am frühen Vormittag in der Stadt eintreffen, gemeinsam mit zwei Agenten von ABSCAM, der Einrichtung des FBI, die verdeckte Operationen gegen Staatsbeamte durchführte. Nick trank den letzten Schluck Kaffee und verzog das Gesicht. Früher hatte er Tage wie den heutigen geliebt. Die feierliche Illumination der 50 Meter hohen Tanne vor dem Rockefeller Center war eine angenehme Verpflichtung, die ihm Spaß gemacht hatte, aber heute war es ihm gleichgültig. Zu den diversen Veranstaltungen in den verschiedenen Stadtteilen hatte er seine Vertreter geschickt und würde selbst nur am späten Vormittag zum Rockefeller Center fahren. Einmal hatte er sich in der vergangenen Nacht bei dem Gedanken ertappt, dass er Mary anrufen wollte, um ihr mitzuteilen, dass er wahrscheinlich nicht nach Hause kommen würde. Das hatte er früher, während seiner Zeit als Staatsanwalt, öfter tun müssen, aber diesmal war ihm schmerzlich bewusst geworden, dass Mary nicht mehr auf ihn wartete. Niemand wartete mehr auf ihn, und es gab auch kein Zuhause mehr. Nick stieß einen gequälten Seufzer aus. Zu seinem Schmerz und der Einsamkeit gesellte sich ein durchdringendes Gefühl der Unzulänglichkeit. Er wusste selbst, wie albern es war, wenn er sich einbildete, dass Alex mehr für ihn empfand als bloße Sympathie. Sie war mit 38 Jahren 16 Jahre jünger als er. Er hatte in ihr Mitgefühl, das sie ihm entgegengebracht hatte, mehr hineininterpretiert, als tatsächlich vorhanden war. Wahrscheinlich empfand er mehr für die junge Frau als sie für ihn, und das beunruhigte ihn, denn er befürchtete, dass seine Zuneigung seinen Sinn für die Realität trüben könnte.

»Ich kann es immer noch nicht fassen«, sagte Lloyd Connors in diesem Augenblick. Er hatte seine Füße auf die Tischplatte gelegt und die Ärmel seines Hemdes hochgekrempelt. Wie alle Anwesenden hatte er rotgeränderte Augen und nippte an einer der unzähligen Tassen Kaffee, die er im Verlauf der Nacht getrunken hatte.

»Das kann das größte Ding seit Watergate werden.«

»Es sieht fast so aus«, Nick wandte sich vom Fenster ab, »ich hoffe nur, es reicht aus, um Vitali ein für alle Mal das Handwerk zu legen.«

»Das wird es, glaube mir! Der kommt nie mehr aus dem Gefängnis raus!« Connors lachte grimmig, aber Nick seufzte nur. Das hatte er schon so oft gedacht, aber jedes Mal hatte Vitali sich wie ein Fisch aus dem Netz herausgewunden. Er hatte eine ganze Armee von hochbezahlten und supercleveren Anwälten, die jede Gesetzeslücke kannten. Sie würden es wahrscheinlich auch diesmal schaffen, ihn aus allem herauszuhalten. Aber es würde auf jeden Fall sein Imperium empfindlich schwächen, wenn er keine Richter, Senatoren, Polizeichefs und Staatsanwälte mehr als Rückendeckung hatte. Die Aufdeckung des Korruptionsnetzes war schon Erfolg genug. Nick bemerkte erstaunt, dass es ihm überhaupt nicht mehr so viel bedeutete, Vitali vor Gericht zu bringen. Ihm war es viel wichtiger, dass Alex in Sicherheit war. Connors stand auf und ging zu der großen Tafel, auf die eine Mitarbeiterin von ihm die Namen aller Personen geschrieben hatte, die in die Affäre verwickelt zu sein schienen. Seine anfängliche Skepsis hatte sich in Euphorie und Begeisterung verwandelt. Er war mit vollem Einsatz bei der Sache. Als Nick den jüngeren Mann anblickte, fühlte er sich für einen Moment an sich selbst erinnert. Genau so war er früher gewesen! Wochenlang hatte er die Nächte durchgemacht, um an sein Ziel zu gelangen. Ähnlich wie Connors war er in der Lage gewesen, seine Mitarbeiter zu motivieren und zu Höchstleistungen anzutreiben. Nick erkannte das ihm so vertraute Jagdfieber, das Connors gepackt hatte. Ja, Lloyd Connors war zweifellos der richtige Mann für diese Aufgabe. Er war nicht von persönlichen Gefühlen beeinflusst, sondern handelte mit dem logischen und klaren Kalkül des Staatsanwalts, das notwendig war, um eine so gigantische Sache erfolgreich durchzuführen.

»Wir werden die halbe Stadt lahmlegen«, fuhr Connors jetzt fort, »es trifft beinahe jede Behörde. Vitali hat sie alle auf seine Seite gezogen, unglaublich! Engels und Jenkins wird der Mund offen stehen, wenn sie das sehen!«

»Hoffentlich«, sagte Nick.

»Wie meinst du das?« Connors sah ihn überrascht an.

»Ich meine damit, dass Vitali hoffentlich nicht auch jemanden wie Engels gekauft hat.«

»Das kann nicht dein Ernst sein!«

»Ich wundere mich über gar nichts mehr«, Nick fuhr sich mit der Hand durchs Haar, »ich hätte für Harding oder Richter Whitewater die Hand ins Feuer gelegt.«

»Hm«, Connors kratzte sich nachdenklich am Kinn, »ich werde auf jeden Fall heute noch mit zwei US-Marshals zu de Lancie fahren und ihm mitteilen, dass wir ihn der Bestechlichkeit verdächtigen. Wenn ich ihn richtig einschätze, wird er alles tun, um seinen Arsch zu retten. Er ist dann zumindest schon mal aus den Ermittlungen gegen die Sontheim raus.«

Er setzte sich wieder und biss in einen Bagel.

»Wir werden ihm damit drohen, den Justizminister zu unterrichten. Und genauso werden wir mit Richter Whitewater, Gouverneur Rhodes und den Senatoren verfahren.«

»Was ist mit Harding?«, fragte Nick. »Er ist nicht ungefährlich. Er wird sich seiner Haut wehren.«

»Harding ist eine treibende Kraft hinter den Untersuchungen im Mordfall St. John«, sagte Connors nach kurzem Überlegen, »er kann eine Menge Schaden anrichten, wenn wir ihn unbehelligt lassen.«

»Aber Vitali könnte misstrauisch werden, wenn de Lancie und Harding plötzlich krank werden«, gab Nick zu bedenken, »ihr solltet ihn noch ein paar Tage in Ruhe lassen. Wichtiger erscheint es mir, mit der Strafverfolgungsabteilung der Börsenaufsicht in Verbindung zu treten. Ich könnte Rob Dreyfus anrufen. Mit ihm haben wir damals zusammengearbeitet, als es um die Banken auf den Bahamas ging. Er ist heute Regierungsbeauftragter für die SEC.«

Connors' Mitarbeiterin Tracy Taylor betrat das Büro.

»Was gibt's, Tracy?«, fragte Connors. »Haben Sie etwas über diesen Anwalt aus Kalifornien erfahren?«

»Ja«, die junge Frau verzog bedauernd das Gesicht, »aber ich fürchte, da war schon jemand schneller als wir. Vorgestern Nacht wurde sein Haus angezündet, und die Polizei hat eine verkohlte Leiche gefunden, bei der es sich wohl um den Lebensgefährten von Sturgess gehandelt hat. Sie haben eine Fahndung nach John Sturgess herausgegeben, nachdem er gestern nicht in seinem Büro erschienen war. Vor zwei Stunden hat ein Surfer seine Leiche am Newport Beach in der Nähe des Piers gefunden.«

»Oh, Scheiße«, sagte Connors. Nick hob nur die Augenbrauen. Er erlebte es nicht zum ersten Mal, dass ein Zeuge mundtot gemacht wurde.

»Nick«, Frank Cohen kam herein, »Mr Engels und Mr Jenkins sind eingetroffen.«

»Gut«, frohlockte Connors und rieb sich erwartungsvoll die Hände, »jetzt geht's los.«

***

Justin hatte per Computer für Alex ein Doppelzimmer auf die Namen Frank und Emily Chambers in einem Luxushotel mit Blick auf den Zürichsee reserviert. Die deutsche Staatsbürgerin Alexandra Sontheim wurde wegen Mordes mit internationalem Haftbefehl gesucht, aber es würde niemanden interessieren, wenn eine Amerikanerin ein Zimmer gemeinsam mit ihrem Ehemann mietete, auch wenn dieser Ehemann nicht erscheinen würde. Alex schlief schon fast im Taxi ein, das sie vom Züricher Flughafen Kloten in die Innenstadt brachte. Während des ganzen Fluges hatte sie befürchtet, jemand könnte ahnen, dass sie mit einem gefälschten Pass und unter falschem Namen reiste, doch es war nichts geschehen. Darüber hinaus war ihre Verwandlung perfekt. Wenn sie sich zufällig im Spiegel erblickte, konnte Alex kaum glauben, dass die Frau mit den kurzen dunklen Locken und den blauen Augen sie selbst war. Nach beinahe 72 Stunden ohne Schlaf sehnte sie sich nur noch nach einem heißen Schaumbad und einem weichen Bett.

***

In dem großen Büro herrschte völlige Stille, als Lloyd Connors mit seinem Bericht endete. Gordon Engels und Tate Jenkins waren mit einem ganzen Gefolge an Mitarbeitern aus Washington gekommen. Um den Konferenztisch im Büro des Bürgermeisters saßen außer Nick, Connors, Jenkins und Engels die beiden US-Marshals Deputy Thomas J. Spooner, Deputy Randy Khazaeli und Deputy Joe Stewart, die FBI-Agenten Samuel Ramirez, Jeffrey Quinn und Steve O'Brien sowie Frank Cohen und Connors' Mitarbeiter.

»Das sind also die Fakten, die wir bisher in der Hand haben«,

Lloyd Connors blickte in die Runde. »Es sieht so aus, als ob Vitali jahrelang fast alle wichtigen Männer in New York City und Albany bestochen hat. Wir haben alles dabei: Gouverneur, Senatoren, den Polizeichef von New York City, den Bundesstaatsanwalt, Bundesrichter, Stadträte, Mitglieder der Börsenaufsichtsbehörde, ja sogar Beamte aus dem Innen-, Justiz- und Wirtschaftsministerium in Washington.«

»Unglaublich«, sagte Gordon Engels, ein hagerer grauhaariger Mann mit wachsamen Augen hinter dicken Brillengläsern, nach einer Weile. Tate Jenkins blieb skeptisch.

»Wie glaubwürdig sind diese Informationen?«, wollte er wissen.

»Sehr glaubwürdig«, erwiderte Connors.

»Ich fürchte«, Gordon Engels runzelte die Stirn und klopfte mit dem Fingerknöchel auf die Kopien der Kontoauszüge, die Connors hatte anfertigen lassen, »es wird einen gewaltigen Skandal geben. Der Schaden, den wir damit in der Öffentlichkeit anrichten, wenn bekannt wird, dass fast jeder hochrangige Politiker oder Beamte in New York Bestechungsgeld angenommen hat, ist nicht abzuschätzen.«

»Bevor ich irgendeinen Schritt unternehme«, fügte Tate Jenkins hinzu, »muss ich das ohnehin mit Mr Horner absprechen. Ich werde in einer Angelegenheit von dieser Tragweite nicht ohne Rückendeckung handeln.«

Nick und Lloyd Connors wechselten einen Blick. Engels und Jenkins schienen über die Aussicht, eine Korruptionsaffäre dieser Größenordnung aufzuklären, alles andere als erfreut zu sein.

»Meiner Ansicht nach ist höchste Eile geboten.« Connors setzte sich wieder auf seinen Platz. »Vitali hat nicht nur diese Leute bestochen. Wir haben die schriftliche und notariell beglaubigte Aussage eines Mannes, der für ihn die Drecksarbeit erledigt hat. Dieser Mann wurde in der Nacht zum Donnerstag erschossen. Der Anwalt, der seine Aussage protokolliert hat, wurde ebenfalls vorgestern getötet. Wenn Vitali Wind davon bekommt, dass wir ihm auf den Fersen sind, wird er alle Spuren verwischen und womöglich werden dann noch mehr Menschen sterben.«

»Wer war dieser Mann, der erschossen wurde?«, erkundigte sich Gordon Engels.

»Sein Name war Zachary St. John.«

»Ach«, Jenkins hob die Augenbrauen, »der Investmentbanker, der von seiner Komplizin getötet wurde?«

»Er wurde nicht von Alex Sontheim erschossen, sondern von Vitalis Leuten«, erwiderte Connors mit mühsam beherrschter Ungeduld. »Mrs Sontheim ist eine Gefahr für Vitali, deshalb versucht er, ihr diesen Mord in die Schuhe zu schieben.«

»Welche Beweise gibt es denn für Ihre Theorie, Connors?« Tate Jenkins lehnte sich zurück. Der Staatsanwalt warf ihm einen kurzen Blick zu.

»Nick«, sagte er dann, »würdest du das bitte erklären?«

Nick räusperte sich und richtete sich auf. Er hatte bisher noch kein Wort gesagt, aber er hatte die Reaktionen von Engels und Jenkins beobachtet. Tate Jenkins war schwer einzuschätzen, wie die meisten FBI-Leute. Sein Gesicht war unbeweglich geblieben, und Nick wusste, dass es ihm gelingen musste, Jenkins von der Dringlichkeit der Angelegenheit zu überzeugen. Vor allen Dingen musste der stellvertretende Direktor des FBI begreifen, wie gefährlich Vitali war. Mit kurzen Worten berichtete er, weshalb er starke Zweifel daran hatte, dass Alex Sontheim den Mord an St. John begangen hatte. Er wiederholte in komprimierter Form das, was Justin Savier ihnen in der vergangenen Nacht erzählt hatte, und schließlich erwähnte er seinen Verdacht, dass Vitali im Juli des Jahres in Wahrheit von kolumbianischen Drogendealern niedergeschossen worden war.

»Woher wissen Sie das alles, Nick?«, fragte Engels erstaunt.

»Ich beschäftige mich seit vielen Jahren mit Vitali«, entgegnete Nick, »und ich selbst habe ihn schon ein Dutzend Mal wegen verschiedener Straftaten angeklagt. Jedes Mal ist es ihm gelungen, sich herauszuwinden, obwohl er mit Sicherheit schuldig war. Ich kenne ihn, ich kenne seine Methoden und seine Geschäfte.

Im Juli war ich mir dann sicher, Vitali endlich in die Finger zu bekommen. In der gleichen Nacht, als auf ihn geschossen wurde, hat man seinen Sohn bei einer illegalen Entmietungsaktion in der Bronx verhaftet. Als ich davon hörte, fuhr ich sofort hin, und zu meiner Überraschung war auch schon Mr de Lancie da, der sonst eher für seine Vorliebe für Schreibtischarbeit bekannt ist. Er benahm sich äußerst merkwürdig für einen Staatsanwalt, und ich fragte ihn, auf welcher Seite des Gesetzes er denn eigentlich stehe. Cesare Vitali wurde erhängt in seiner Zelle aufgefunden. Am nächsten Tag tauchte ein mysteriöser Erpresser auf, der Lebensmittel mit Milzbranderregern verseuchen wollte, außerdem stellte sich der Mann, der angeblich auf Vitali geschossen haben sollte, der Polizei und war sofort geständig. Diese beiden Meldungen verdrängten die Schüsse auf Vitali aus den Schlagzeilen. Es war ein klassisches Ablenkungsmanöver, und es hätte fast geklappt, hätte ich meine Vermutungen nicht der Öffentlichkeit mitgeteilt. Ich war mir so sicher und habe in meiner Begeisterung außer Acht gelassen, wie rücksichtslos und gefährlich dieser Mann ist.«

Nick machte eine Pause und fuhr dann mit leiser Stimme fort.

»Wie nah ich der Wahrheit gekommen war, musste ich dann auf eine sehr schmerzliche Weise erfahren.«

»Wieso?«, fragte Jenkins. Nick sah den stellvertretenden Direktor des FBI kurz an, bevor er antwortete.

»Vitali ließ ein Bombenattentat auf mich verüben, bei dem meine Familie ums Leben kam.«

»Oh, ja, entschuldigen Sie bitte«, Jenkins schien für einen Augenblick tatsächlich etwas betreten zu sein, »ich habe natürlich davon gehört.«

»Es wurde niemals Anklage erhoben«, mischte sich Gordon Engels ein, »weshalb sind Sie so sicher, dass es Vitali war, der das Attentat verüben ließ?«

»Einer meiner engsten Mitarbeiter stand auch auf Vitalis Gehaltsliste«, Nick zuckte die Schultern, »Raymond Howard informierte ihn über alles, was hier besprochen wurde. Er kam bei dem Bombenanschlag ebenfalls ums Leben.«

»Aber …«, begann Tate Jenkins.

»Howard hat mir selbst gesagt, wer hinter dem Anschlag steckte«, mischte sich nun Frank Cohen ein, der den gequälten Gesichtsausdruck seines Chefs kaum mehr ertragen konnte, »kurz bevor er starb, sagte er mir, dass Vitali den Anschlag befohlen hatte.«

»Was genau hat er gesagt?«, forschte Jenkins nach.

»Er sagte«, Frank holte tief Luft, und ihn schauderte bei der Erinnerung, »dass Vitali Mr Kostidis töten wollte.«

Die Männer, die um den Konferenztisch herumsaßen, schwiegen betroffen.

»Wieso hast du das nie gesagt, Nick?«, fragte Lloyd Connors.

»Weil es meine Familie nicht mehr lebendig gemacht hätte«, erwiderte Nick, »als Frank es mir erzählte, war Ray längst tot. Es gab keinen Zeugen, Vitali wäre wieder einmal ungeschoren davongekommen. Ich hatte keine Kraft, um so etwas durchzustehen.«

»Hat Mrs Sontheim etwas davon gewusst?«

»Nein«, Nick schüttelte den Kopf, »das glaube ich nicht.«

»Weshalb kam sie ausgerechnet mit diesen Informationen zu Ihnen?«

Nick antwortete nicht sofort. Er erinnerte sich an den Morgen am Strand in Montauk, an den Anblick der jungen Frau, deren blondes Haar mit der Mähne und dem Schweif des Pferdes um die Wette geflattert war.

»Nick?«, fragte Gordon Engels, und Nick wurde bewusst, dass ihn alle anstarrten.

»Ich lernte Mrs Sontheim bei gemeinsamen Freunden kennen«, sagte er, »offensichtlich hatte sie zu mir Vertrauen, weil sie wusste, dass ich ein erklärter Gegner Vitalis bin.«

»Wann erfuhren Sie von den geheimen Konten?«, fragte Jenkins.

»An dem Tag, als Mrs Sontheim zu mir auf den Friedhof kam«, erwiderte Nick. »Sie hatte den Mann erkannt, der auf mich geschossen hatte, und das überzeugte sie wohl endgültig davon, dass Vitali ein Verbrecher ist.«

»Weshalb haben Sie die Staatsanwaltschaft oder das FBI nicht früher davon unterrichtet?«

»Mr Jenkins«, sagte Nick und beugte sich vor, »ich sagte es schon einmal. 15 Jahre lang konnte ich beobachten, wer Sergio Vitali wirklich ist und zu was er fähig ist. Ich habe während meiner Zeit als Bundesstaatsanwalt von Manhattan häufig erlebt, dass wasserdichte Anklagen platzten, weil wichtige Zeugen plötzlich ihr Gedächtnis verloren oder verschwanden. Vitali ist der Pate von New York City, er ist der letzte *capo di tutti capi*, und er ist mächtiger, als es jemals ein Mafiaboss vor ihm war. Ich gab die Informationen nicht weiter, weil ich das Leben von Mrs Sontheim nicht auch noch aufs Spiel setzen wollte.«

»Und warum haben Sie jetzt Ihre Meinung geändert?«

Nick seufzte. Was sollte das alles? Weshalb benahm Jenkins sich, als sei er der Angeklagte im Kreuzverhör?

»Mrs Sontheim steht meiner Meinung nach ungerechtfertigterweise unter Mordverdacht«, sagte er mit fester Stimme, »und dies ist genauso ein Ablenkungsmanöver, wie es die Erpressung damals war.«

»Weshalb glauben Sie das?« Jenkins erwies sich als außerordentlich misstrauisch.

»Vitali und Levy besaßen eine Strohfirma namens MPM, über die sie mit Hilfe von Mr St. John Insiderhandel in großem Stil betrieben. Die Gewinne aus diesen illegalen Geschäften flossen zu einem großen Teil auf die geheimen Konten auf den Caymans und den Bahamas. Die nötigen Informationen bekamen sie von Mrs Sontheim.«

»Also hat sie doch ...«, unterbrach Jenkins ihn.

»Wenn Sie mich bitte ausreden lassen würden«, erwiderte Nick scharf. Sie maßen sich kurz mit kalten Blicken, dann verzog Tate Jenkins das Gesicht und signalisierte ihm mit einer Handbewegung, fortzufahren. Nick berichtete von der Anweisung, die Alex erhalten hatte, den Vorstand über ihre Arbeit genau zu informieren. Ein zweites Mal erwähnte er die Entdeckung von SeaStarFriends als Inhaber von MPM und die geplatzte Übernahme von Database durch Whithers Computers.

»Mrs Sontheim fand heraus, dass in der Nacht, als St. John ermordet wurde, die Inhaber von MPM geändert wurden. Vitali und Levy beschlossen, ihren Mitwisser St. John zu opfern, um selbst ungeschoren aus der Sache herauszukommen.«

»Aber das sind doch bloße Spekulationen!«

»Ich bin im Besitz eines Handelsregisterauszuges vom 14. April 2000. Damals war die Venture Capital SeaStarFriends Limited Partnership alleinige Inhaberin von MPM. Ein weiterer Auszug aus dem Handelsregister der British Virgin Islands besagt, dass Mr Vincent Levy und Mr Sergio Vitali Inhaber dieser Offshore-Firma sind. Seit vier Tagen aber sind laut Computer Mr Zachary St. John und Mrs Alexandra Sontheim die Inhaber.«

Er machte eine Pause und trank einen Schluck Mineralwasser.

»St. John wurde erschossen, weil er sich garantiert nicht bereitwillig damit einverstanden erklärt hat, geopfert zu werden. Vielleicht hat er damit gedroht, alles auffliegen zu lassen. Dass er sich der Loyalität seiner Auftraggeber nicht sicher war, beweist allein die Tatsache, dass er ein komplettes Geständnis schriftlich niedergelegt hat. Indem der Mord Mrs Sontheim angehängt wird, schlägt Vitali zwei Fliegen mit einer Klappe. Als gesuchte Mörderin ist sie kaum eine glaubwürdige Zeugin, und während sich die Presse auf diesen Mord stürzt, bemerkt niemand, wie schnell die Untersuchung um den Bankrott von MPM dank Vitalis Beziehungen zur Börsenaufsichtsbehörde im Sande verlaufen wird. Das ist doch clever, oder etwa nicht?«

»Das ist eine Straftat, wenn dem so wäre«, bemerkte Jenkins kühl, »eine bewusste und vorsätzliche Täuschung der Bundespolizei und der Staatsanwaltschaft.«

»Ja. Genau das ist es, meiner Meinung nach«, bestätigte Nick.

»Aber das FBI wurde vom Polizeipräsidenten persönlich in die Ermittlungen miteinbezogen.«

»Harding steht auch auf Vitalis Schmiergeldliste«, erinnerte Connors. »Er hat also auch höchstes Interesse daran, dass nichts von gezahlten Bestechungsgeldern publik wird.«

»Nick, wissen Sie, wo sich Mrs Sontheim im Moment aufhält?«, fragte Gordon Engels.

»Leider nein«, Nick schüttelte den Kopf, »ich weiß nur, dass Vitali ganz sicher mehr Leute nach ihr suchen lässt als die Polizei und das FBI zusammen. Sie wird nicht mehr lange leben, wenn es ihm gelingen sollte, sie in seine Gewalt zu bringen.«

Die Anwesenden schwiegen. Sie brauchten eine Weile, um die Fakten zu verarbeiten.

»Wenn wir die Korruption in dieser Stadt weiterhin ignorieren, wird Vitali weitermachen«, sagte Nick eindringlich. »Wir müssen den Skandal auffliegen lassen, um ihm die Rückendeckung für seine kriminellen Aktivitäten zu nehmen. Das Ansehen in der Öffentlichkeit ist vollkommen zweitrangig.«

»Ein Polizeipräsident, ein Bundesrichter oder ein Bundesstaatsanwalt, die mit einem Verbrecher wie Vitali gemeinsame Sache machen, sind nicht länger tragbar«, fügte Lloyd Connors hinzu. »Der Schaden, den ihr Tun anrichtet, ist wesentlich größer als ein angekratztes Image.«

»Ich würde mich trotzdem gerne von der Glaubwürdigkeit Ihrer Zeugin überzeugen, bevor ich weitere Schritte einleite«, beharrte Tate Jenkins.

»Ich weiß nicht, wo sie ist«, erwiderte Nick mit scharfer Stimme, »ich weiß nicht, ob sie überhaupt noch einmal auftaucht. Ich weiß nur, dass Vitali mit jeder Stunde, die wir untätig verstreichen lassen, Zeit hat, wichtige Spuren zu vernichten und zu verwischen.«

»Die Beweise, die wir in der Hand haben, reichen doch aus«, sagte Connors, »wenn wir die Personen mit dem Vorwurf der Bestechlichkeit konfrontieren, werden sie uns sicherlich genug Beweise liefern, um Vitali festzunageln.«

Alle Augen ruhten abwartend auf dem stellvertretenden Direktor des FBI. Dieser erhob sich schließlich abrupt.

»Ich muss Mr Horner anrufen«, sagte er und ging zu Nicks Schreibtisch. Nick und Connors sahen sich an. Wenn das FBI nicht mitspielte oder ihre Arbeit sogar behinderte, hatten sie nur wenig Aussicht auf Erfolg, selbst wenn das Justizministerium in Person von Generalstaatsanwalt Engels auf ihrer Seite war. Vitali würde erfahren, dass sie hinter ihm her waren, und dann würde er seinen Kopf wieder einmal aus der Schlinge ziehen. Ihr Vorteil war, dass er bisher nichts von dem Unwetter ahnte, das sich über seinem Kopf zusammenbraute. Sie mussten schnell handeln, denn es war schon zu viel Zeit vergeudet worden.

»Mr Kostidis«, sagte Jenkins, nachdem er schon eine Weile telefoniert hatte, »Mr Horner möchte Sie sprechen.«

Nick erhob sich und ging ans Telefon. Er wiederholte dem Direktor des FBI die ganze Geschichte in Kurzfassung, worauf sich dieser bedankte und darum bat, Tate Jenkins sprechen zu dürfen. Nick spürte, wie sein Herz klopfte. So hatte er sich früher im Gerichtssaal gefühlt, wenn er sein Schlussplädoyer gehalten hatte und auf die Entscheidung der Geschworenen wartete. Wie bei den vielen Strafprozessen, in denen er der Ankläger gewesen war, wusste er in diesem Augenblick, dass er alles getan hatte, was er hatte tun können. Es lag nicht mehr in seinen Händen, wie die endgültige Entscheidung ausfallen würde. Nick ging zu seinem Stuhl, setzte sich und schloss die Augen. Außer der gedämpften Stimme von Jenkins war es totenstill in dem großen Raum. Als der stellvertretende Direktor des FBI das Telefongespräch beendete und den Hörer auflegte, warf Nick ihm einen Blick zu, und da wusste er, welche Entscheidung Horner getroffen hatte. Ein Gefühl der Erleichterung ließ ihn innerlich erzittern. Mr Horner hatte sein O.K. gegeben. Das FBI würde sie bei der Aufgabe, Sergio Vitali zu vernichten, unterstützen. Langjährige Erfahrung hatte Nick gelehrt, im Gesicht eines Menschen seinen Entschluss zu erkennen. Jedes Mal, wenn die Geschworenen in den Gerichtssaal zurückgekehrt waren, hatte er an ihren Gesichtern gesehen, wie sie entschieden hatten. Und er hatte sich in den vielen Jahren seiner Tätigkeit als Staatsanwalt niemals geirrt. Tate Jenkins kehrte zum Tisch zurück und setzte sich.

»Mr Horner wird mit dem Präsidenten sprechen«, verkündete er, »aber er hat die Anweisung gegeben, sofort alles Notwendige in die Wege zu leiten, um diese Sache aufzuklären. Allerdings hat er betont, dass die Angelegenheit so diskret wie möglich und ohne großen Presserummel abgewickelt werden soll.«

Lloyd Connors konnte ein erleichtertes und beinahe triumphierendes Grinsen nicht länger unterdrücken.

»Mr Connors«, fuhr Jenkins fort, »Sie werden noch heute mit Mr de Lancie sprechen und ihm erklären, dass er bis auf weiteres vom Dienst suspendiert ist.«

Connors nickte.

»Wie sieht die Zusammenarbeit aus?«, erkundigte sich Gordon Engels.

»Mr Connors wird die Untersuchungen leiten«, sagte Jenkins. »Gordon, Sie stellen ihm Ihre besten Leute zur Verfügung. Die Suche nach Mrs Sontheim wird verstärkt fortgesetzt.«

»Und der Haftbefehl?«, fragte Nick. Er hatte gehofft, dass man diesen sofort aufheben würde.

»Ich bin von ihrer Unschuld noch nicht überzeugt«, erwiderte Jenkins knapp, »bevor wir nicht wissen, dass sie zweifelsfrei nichts mit der Ermordung dieses Mannes zu tun hat, wird der Haftbefehl nicht aufgehoben. Falls sie sich wieder bei Ihnen melden sollte, Mr Kostidis, dann sollten Sie sie davon überzeugen, dass ihr Erscheinen äußerst wichtig ist und wir für ihren Schutz sorgen werden.«

»Sie wird nicht kommen, solange sie noch wegen Mordes gesucht wird«, erwiderte Nick.

»Sie sollte es besser tun«, Tate Jenkins sah Nick kühl an, »ich will mit ihr sprechen.«

»Okay«, Nick zuckte die Schultern. Dann warf er einen Blick auf seine Uhr und stand auf.

»Ich muss mich jetzt leider entschuldigen«, sagte er, »ich habe heute noch einige offizielle Termine.«

»Ich halte dich auf dem Laufenden«, versprach Connors, als Nick an ihm vorbei zur Tür ging, um in die Stadt zu fahren.

* * *

Während Nick zum Rockefeller Center nach Midtown Manhattan fuhr und versuchte, sich nichts von seiner inneren Anspannung anmerken zu lassen, machte sich Lloyd Connors mit den beiden US-Marshals Spooner und Khazaeli auf den Weg nach Greenwich, einem der exklusivsten Vororte von Connecticut. Die drei Männer gingen durch den stärker werdenden Schneefall auf das große, weiße Haus mit der umlaufenden Veranda zu, das zwischen mächtigen alten Bäumen auf einer weitläufigen Rasenfläche am Rande der kleinen Stadt stand, und Lloyd Connors überlegte kurz, weshalb nicht längst jemand misstrauisch geworden war. Ein solches Haus hatte de Lancie sich nicht allein von seinem Salär als Staatsdiener leisten können. John de Lancie selbst öffnete die Haustür, und als er Connors in Begleitung von zwei Männern erblickte, wurde er blass.

»Hallo, John«, sagte Connors mit ruhiger Stimme, »das sind die Deputies Spooner und Khazaeli, US-Marshals. Es tut mir leid, dass wir Sie an einem Sonntagnachmittag stören, aber wir haben einige Fragen.«

»Um was geht es?«, fragte de Lancie barsch. »Sie kommen wahrhaftig ungelegen. Können wir das nicht morgen im Büro besprechen?«

»Ich fürchte nicht«, sagte Deputy Spooner, »es sei denn, Sie möchten, dass es jeder erfährt.«

»Was gibt es zu erfahren?«

Spooner und Connors wechselten einen Blick.

»Dürfen wir hereinkommen, John?«, fragte Connors höflich.

»Ich will erst wissen, um was es überhaupt geht.«

»Wenn Sie's so wollen«, Spooner zuckte die Schultern, »wir haben den begründeten Verdacht, dass Sie Bestechungsgelder annehmen und in der Vergangenheit mehrfach angenommen haben.«

Alle Farbe wich aus dem Gesicht des Bundesstaatsanwaltes. De Lancie war wie gelähmt und starrte die drei Männer stumm an.

»Dürfen wir hereinkommen?«, wiederholte Connors.

»Ja ... ja, natürlich«, flüsterte de Lancie und trat einen Schritt zurück, »gehen wir in mein Arbeitszimmer.«

John de Lancie versuchte nur ein paar Minuten lang zu leugnen. Als Connors ihm eine Kopie des Kontoauszuges von der Bank Levy & Villiers vorlegte, brach er zusammen. Mit Tränen in den Augen gab er zu, sich darauf eingelassen zu haben, Schmiergelder von Sergio Vitali anzunehmen. Als Gegenleistung hatte er Vitali zugesagt, ihm hin und wieder gefällig zu sein. Lloyd Connors verspürte ein schwindelerregendes Triumphgefühl. Bis zu diesem Augenblick hatte er befürchtet, dass die bloße Existenz der Kontoauszüge, die Kostidis ihm gegeben hatte, nicht ausreichen würde, um Vitali Bestechung nachzuweisen, aber de Lancies Geständnis hatte die Verbindung hergestellt. Nun war alles klar. Schon die Aussage eines einzigen Mannes vor Gericht würde Vitali schwer zu schaffen machen, und Connors wusste, dass auch die anderen Männer, deren Namen auf der langen Liste standen, von Vitali gekauft worden waren. Es war einfach unfassbar, aber diesmal schien die Staatsanwaltschaft zum ersten Mal tatsächlich etwas Hieb- und Stichfestes gegen Sergio Vitali in der Hand zu haben. Connors dachte an die unzähligen Verdachtsmomente gegen diesen Mann, an die Zeugen, die plötzlich verschwanden oder sich nicht mehr erinnerten. Und er erinnerte sich mit einem leisen Schuldgefühl daran, dass viele Mitarbeiter der Staatsanwaltschaft, ihn eingeschlossen, Nick Kostidis' vergebliche Bemühungen, Vitali ein Verbrechen nachzuweisen, immer belächelt hatten. Dabei hatte Nick immer recht gehabt. Mit weinerlicher Stimme gab de Lancie alles zu. Es machte fast den Eindruck, als sei er erleichtert, endlich von dieser Last befreit zu sein, die ihn seit Monaten bedrückte.

»Was passiert jetzt?«, fragte er mit zittriger Stimme.

»Das kommt ganz auf Sie an, John«, Lloyd Connors wiegte den Kopf, »Sie haben die Wahl. Wenn Sie Ihr Amt niederlegen und sich der Staatsanwaltschaft als Zeuge für einen eventuellen Prozess gegen Vitali zur Verfügung stellen, werden wir unter Umständen auf eine Anklage wegen Bestechlichkeit verzichten. Oder aber ...«

»Nein, nein«, unterbrach de Lancie ihn rasch, »ich werde das tun. Ich habe einen Fehler gemacht, einen großen Fehler. Ich wusste nicht, auf was ich mich da einließ, aber ich will nicht, dass meine Familie mehr darunter leidet, als es unbedingt notwendig ist.«

»Ihr Name wird auf jeden Fall in die Schlagzeilen geraten«, sagte Connors, »damit werden Sie leben müssen. Aber Sie werden nicht angezeigt und verurteilt. Wenn Sie mit uns kooperieren, wird es uns womöglich sogar gelingen, Sie vor einem Ausschluss aus der Anwaltskammer zu bewahren.«

John de Lancie war totenblass im Gesicht. Dachte er an seine ehrgeizigen Zukunftspläne, die mit einem Schlag zerstört waren? Connors wusste, dass der Job als Bundesstaatsanwalt von Manhattan nur ein Sprungbrett in die große Politik hatte sein sollen, doch dieser Traum schien nun ausgeträumt.

»Gibt es keine Möglichkeit, mich aus der Sache herauszuhalten?«, fragte John de Lancie und sah die Verachtung in den Augen von Deputy Spooner.

»Ich fürchte, nein«, Connors schüttelte den Kopf und öffnete seine Aktentasche. »Hier habe ich einen Schriftsatz für Sie vorbereitet. Lesen Sie ihn sich durch, und unterschreiben Sie, wenn Sie mit dem Inhalt einverstanden sind.«

De Lancie schluckte und beugte sich über das Papier. Während er las, verschwand der letzte Rest Farbe aus seinem Gesicht. »Wenn ich das unterschreibe, bin ich erledigt«, flüsterte er. Seine

Finger zitterten, und ihm brach am ganzen Körper der kalte Schweiß aus.

»Ich kann Sie auch verhaften, John«, sagte Connors, »wenn Ihnen das lieber ist. Sie hätten dann das Recht, die Aussage zu verweigern. Mit einem cleveren Anwalt kommen Sie vielleicht irgendwie aus der Sache heraus, aber es wird sehr langwierig werden, und der Schmutz, mit dem man Sie bewerfen wird, wird an Ihnen hängen bleiben. Sie wissen doch selbst, was geschieht: Abgesehen von der strafrechtlichen Seite wird sich das Finanzamt einschalten. Und ich denke, es wird sehr schwierig, der Steuerfahndung eine plausible Erklärung dafür zu geben, woher das Geld für diese Villa und die teuren Schulen Ihrer Kinder stammt.«

Da brach de Lancie in Tränen aus und verbarg sein Gesicht in den Händen. Mitleidlos betrachteten die drei Männer den Bundesstaatsanwalt von Manhattan, der wie ein kleines Kind schluchzte.

»Werden Sie unterschreiben?«

»Ja ... ja ...«, er stand langsam auf und ging mit unsicheren Schritten zu seinem Schreibtisch. Ohne aufzublicken, unterschrieb er das Papier und gab damit seine Schuld zu.

»Danke«, Connors wartete, bis die Tinte getrocknet war, dann steckte er das Papier in seine Aktentasche. »Sie werden sich morgen früh krankmelden. Bitte verlassen Sie Ihr Haus bis auf weiteres nicht.«

»Ich stehe unter Hausarrest?«

»Ja«, Connors erhob sich, »falls sich Vitali bei Ihnen meldet, rate ich Ihnen, ihm nichts von unserer Unterhaltung zu erzählen. Wir sind nicht hinter Ihnen her, John, sondern hinter einer viel größeren Sache. Wir werden Ihr Telefon überwachen, damit Sie nicht in Versuchung kommen, uns in den Rücken zu fallen.«

»Das werde ich nicht tun«, de Lancie blieb sitzen.

»Hoffentlich. Ich muss Ihnen nicht sagen, was das für Folgen hätte.«

De Lancie starrte den drei Männern stumm nach, während

ihm die Tränen über die Wangen liefen. Selbst als seine Frau mit verängstigter Miene das Arbeitszimmer betrat, machte er sich nicht die Mühe, die Tränen zu verbergen.

* * *

John de Lancie war nur der Erste der Männer auf der langen Liste gewesen, die an diesem Sonntagnachmittag unerwarteten Besuch bekamen. Tracy Taylor und Royce Shepard waren, genau wie ihr Chef, in Begleitung von US-Marshals im ganzen Staate New York unterwegs. Wie es Nick Kostidis vorausgesehen hatte, zeigten sich alle Beschuldigten äußerst kooperativ. Das Imperium von Sergio Vitali begann zu wanken, aber dieser bemerkte die ersten Erdstöße des Bebens, das auf ihn zukam, nicht.

Teil Vier

Montag, 6. Dezember 2000 – Zürich, Schweiz

Alex erwachte nach zehn Stunden Schlaf und fühlte sich frisch und ausgeruht. Sie rief Justin an, der ihr bestätigte, dass es ihm gelungen war, die geheimen Dateien bei Levy & Villiers zu sperren. Niemand konnte vorerst die Konten löschen, es sei denn, er war bereit, das gesamte Computersystem zu zerstören. Alex legte auf und gönnte sich einen Schluck Champagner zum Frühstück, das sie sich vom Zimmerservice hatte servieren lassen. Die geglückte Flucht und die Aufregungen der letzten Tage hatten sie in einen Zustand hysterischer Euphorie versetzt, und sie fühlte sich so sicher, dass sie am liebsten Sergio angerufen hätte, um ihm eine lange Nase zu zeigen. Doch stattdessen wählte sie Nick Kostidis' Privatnummer. In New York musste es jetzt mitten in der Nacht sein, aber es dauerte nur ein paar Sekunden, bis abgehoben wurde.

»Ja, hallo?«, hörte Alex eine verschlafene Stimme. Sie spürte, wie ihr Herz zu klopfen begann, und sie zögerte.

»Hallo? Wer ist denn da?«

»Nick, ich bin's. Alex«, sagte sie schließlich. »Es tut mir leid, wenn ich Sie geweckt habe.«

»Alex!« Nick klang mit einem Schlag hellwach. »Das macht nichts! Wie geht es Ihnen?«

»Gut, danke. Hat Justin Ihnen die E-Mails gegeben?«

»Ja, das hat er.«

Nick berichtete ihr von dem Gespräch mit Engels und Jenkins und davon, dass sich alle Männer, die von der Staatsanwaltschaft zu den Bestechlichkeitsvorwürfen befragt worden waren, geständig gezeigt hatten.

»Der Mordvorwurf gegen Sie ist inoffiziell aus der Welt«, sagte er, »und die Sache läuft. Die Staatsanwaltschaft arbeitet auf Hochtouren.«

»Das ist doch schon mal was.«

»Tate Jenkins bittet Sie, dringend zurück nach New York zu kommen. Sie werden Schutz vom FBI bekommen.«

»Das ist keine große Beruhigung für mich«, entgegnete Alex, »denken Sie nur an David Zuckerman.«

Sie lag auf dem Bett und starrte an die Decke des Hotelzimmers. Wie musste es sein, wenn man sich sein ganzes Leben lang fürchten und verstecken musste? Die Vorstellung, ein Leben auf der Flucht zu führen, ernüchterte sie. Dies hier war kein aufregendes Spiel, kein Film mit Happy End, den man sich gespannt im Kino ansah, dies hier war tödlicher Ernst. Ihre Euphorie war schlagartig verschwunden, der Champagner schmeckte plötzlich schal.

»Mr Savier macht sich große Sorgen um Sie«, sagte Nick nun, obwohl er lieber gesagt hätte, dass er selbst sich noch viel größere Sorgen machte.

»Sie können ihm ausrichten, dass es mir gutgeht«, erwiderte Alex. »Haben sich Mark Ashton oder Oliver Skerritt bei Justin oder bei Ihnen gemeldet?«

»Nein«, erwiderte Nick, »leider nicht.«

Alex fröstelte. Während sie sicher in der Schweiz saß und Champagner trank, war Mark und Oliver womöglich etwas Schlimmes zugestoßen. Und obwohl der Gedanke, irgendwo unterzutauchen und nie mehr nach New York zurückzukehren, zu verlockend war, so wusste sie doch, dass sie ihre Freunde nicht im Stich lassen durfte.

»Alex«, sagte Nick eindringlich, »Sie sind in großer Gefahr. Vitali wird alles daransetzen, Sie in seine Gewalt zu bekommen.«

»Machen Sie sich Sorgen um mich?«

»Ja, das tue ich«, erwiderte Nick mit rauer Stimme, »ich mache mir große Sorgen. Schon die Tatsache, dass Sie ihm Geld gestohlen haben, wird Vitali rasend machen. Ich weiß, wozu er fähig ist, und ich möchte nicht erleben, dass Ihnen etwas zustößt.« Diese Worte machten Alex betroffen, denn sie spürte, dass sie von Herzen kamen und nicht einfach dahingesagt waren. Der Bürgermeister von New York, dieser mächtige Mann, machte sich Sorgen um sie! Und das zu Recht. Sie war in großer Gefahr, jede Leichtfertigkeit konnte sie das Leben kosten.

»Ich habe das Geld nicht gestohlen«, sagte sie nun. »Ich werde es ihm zurückgeben, wenn er mich dafür in Ruhe lässt. Ich will nicht mein ganzes Leben auf der Flucht sein müssen. Aber er kann mir nicht verzeihen, dass ich ihn verlassen habe und …«

»Und was?«

»… und ausgerechnet zu Ihnen gegangen bin.«

Wieder herrschte einen Moment Stille. Seine Stimme an ihrem Ohr war so nah, als ob er direkt neben ihr stünde und nicht der ganze Atlantische Ozean zwischen ihnen läge.

»Sie haben mir einmal das Leben gerettet«, sagte Nick weich, »in einer Zeit, in der es mir sehr schlecht ging, haben Sie mir Mut gemacht und mir geholfen, weiterzuleben. Das werde ich Ihnen nie vergessen. Wann immer Sie meine Hilfe brauchen, werde ich sie Ihnen geben.«

»Danke, Nick«, erwiderte Alex leise. Plötzlich hatte sie einen Kloß im Hals, Tränen drängten sich in ihre Augen. »Ich … ich muss jetzt Schluss machen. Ich melde mich wieder bei Ihnen, okay?«

»In Ordnung. Passen Sie auf sich auf.«

»Das werde ich.«

***

Henry Monaghan wurmte die Niederlage, die ihm die Sontheim mit ihrer Flucht beigebracht hatte. Außerdem machte es ihn wütend, dass jemand in den Zentralrechner von LMI eingedrungen war, ohne dass er es bemerkt hatte. Es untergrub seine Autorität als Chef des Sicherheitsdienstes, und dies war seine eigene Schuld. Natürlich würde ihm das niemals jemand ins Gesicht sagen, aber es genügte, dass er es wusste. Monaghan brauchte dringend einen Erfolg, um sein angekratztes Selbstbewusstsein wieder herzustellen. Gemeinsam mit seinem engsten Mitarbeiter Phil Fox saß er in der Sicherheitszentrale im Untergeschoss des LMI-Building und versuchte herauszubekommen, wer im Firmenrechner herumgeschnüffelt hatte. Dieser Jemand war ohne Zweifel clever, denn es war nichts zerstört worden. Hätte Fox nicht gezielt gesucht, so wäre er niemals darauf gekommen, dass überhaupt jemand unautorisiert in den Rechner eingedrungen war. Es handelte sich also um einen Profi, der sich bestens mit dem System auskannte, und das schränkte den potentiellen Täterkreis stark ein. Der fensterlose Raum, der mit der modernsten Überwachungstechnik vollgestopft war, war vom Zigarrenqualm vernebelt, den Monaghan unablässig produzierte. In einem Aschenbecher lagen 15 Zigarrenstummel, und er zündete sich bereits wieder eine neue an.

»Und?«, fragte Fox, als Monaghan den Telefonhörer auflegte. Er hatte bei der Firma angerufen, die die Computeranlage vor fünf Jahren installiert hatte, aber dort hatte niemand Ahnung von der Software.

»Die meinen, es könnte höchstens jemand in das System eindringen, der es programmiert hat. Er sagte, die Softwarehersteller lassen sich oft ein sogenanntes Hintertürchen offen, durch das sie jederzeit unbemerkt in das System gelangen können.«

»Klar«, Fox nickte, »ist mir bekannt. Wo sollen wir anfangen zu suchen?«

»Mit was für einem Betriebssystem arbeiten wir?«

»BankManager 5.3 von IBM.«

»Na klasse«, Monaghan furchte die Stirn und kaute nachdenklich auf seiner Zigarre, »IBM ist ein ziemlich großer Laden.«

»Das schon«, erwiderte Fox, »aber so viele Leute wird es nicht geben, die BM 5.3 entwickelt haben. Es gibt nur eine Handvoll Programmierer, die so etwas können.«

Monaghan sah den Computerspezialisten nachdenklich an, dann griff er zum Telefon. Er führte vier Telefonate, bis er mit dem Leiter der Entwicklungsabteilung von IBM verbunden war. Rasch erklärte Monaghan sein Problem, wobei er allerdings die Wahrheit sorgfältig verschwieg.

»BankManager 5.3 ist zwar in unserem Haus entwickelt worden«, erklärte der Leiter der Technologieabteilung des Weltkonzerns, »aber die Sicherheitsüberprüfung des Programms wurde von Spezialisten vorgenommen.«

»Und wer hat das gemacht?«

»Das machen üblicherweise Leute vom MIT.«

»Was ist das?«

»Das Massachusetts Institute for Technology in Cambridge bei Boston. Aber das ist mittlerweile sechs Jahre her. Es ist durchaus möglich, dass es diese Leute dort schon gar nicht mehr gibt.«

»Ja, das scheint mir auch eine ziemlich aussichtslose Sache«, erwiderte Monaghan und beendete das Gespräch mit ein paar Höflichkeitsfloskeln.

»Massachusetts Institute for Technology«, sagte er finster zu Fox, »ich wette, dort sitzt irgendwo das kleine Arschloch, das wir suchen. Morgen fliege ich nach Boston. Ich kriege heraus, wer das war.«

Montag, 6. Dezember 2000 – Bankhaus Levy & Villiers, Georgetown, Grand Cayman

»Tut mir leid, Sir«, der junge Mann, der für die Computeranlage von Levy & Villiers zuständig war, wandte sich zu Vincent Levy und Lance Godfrey, dem Direktor der Bank in Georgetown auf Grand Cayman, um, »ich habe im Moment keinen Zugriff auf die Dateien.«

»Was heißt das?«, fragte Levy ungehalten. Er hatte seit Nächten nicht mehr richtig geschlafen. Tagsüber musste er sich ständig mit den Leuten von der Börsenaufsicht und der Kriminalpolizei herumschlagen, und abends machte ihm seine Frau die Hölle heiß. Sie fand es äußerst verletzend, dass LMI zum Mittelpunkt negativer Schlagzeilen in der Presse geworden war, und machte ihrem Mann zusätzlich das Leben schwer. Levy konnte ihre weinerlichen Vorwürfe nicht mehr ertragen. Zu allem Überfluss hatte er selbst auf die Caymans fliegen müssen, um sämtliche Unterlagen über die Geheimkonten zu löschen, als hätte er nicht genug Arbeit und Ärger am Hals.

»Irgendetwas stimmt nicht«, sagte der junge Mann. »Er verweigert mir den Zugriff auf bestimmte Dateien und sagt mir, es sei ein schwerer Ausnahmefehler aufgetreten. Ich riskiere einen Absturz des ganzen Systems, wenn ich den Fehler nicht beheben kann.«

Er drückte auf ein paar Tasten, schob die Maus hin und her und wies dann mit bekümmerter Miene auf den Bildschirm. »Sehen Sie, Sir, ich kann die Daten problemlos öffnen und ausdrucken, aber wenn ich sie löschen will, sagt er mir jedes Mal: ›*Ungültiger Vorgang. Die Datei wird geschlossen.*‹«

Es machte Levy nervös, dass der Mann von dem Computer wie von einem Menschen sprach, und es ärgerte ihn, wie sorglos Godfrey war.

›Ich verstehe Ihre Aufregung nicht, Vince‹, hatte er gesagt, die Füße lässig auf der gläsernen Platte seines Schreibtisches, ›es gibt keinen Weg hierher. Die Daten sind so sicher wie in Fort Knox.‹

Levy hatte darauf nichts erwidert, denn es schien ihm besser, dass Godfrey nicht so genau Bescheid wusste. Mit seinen durchtrainierten eins neunzig, der tiefen Sonnenbräune und dem hellen Anzug wirkte der Mann eher wie ein Nachtclubbesitzer als wie der Direktor einer renommierten Privatbank, und das gefiel Levy nicht besonders gut. Zweifellos war Godfrey ein fähiger Mann, aber etwas mehr Seriosität schien in seiner Position angebracht. Aber es war nicht der passende Zeitpunkt, um Godfrey seine Missbilligung mitzuteilen.

»Sehen Sie zu, dass Sie das Ding zum Laufen kriegen«, schnauzte Levy den jungen Mann an, »dafür bezahlen wir Sie schließlich.«

Lance Godfrey grinste nur und zuckte die Schultern.

»Ich will, dass der Schaden in einer Stunde behoben ist«, damit drehte er sich um und marschierte hinaus. Der junge Mann wandte sich mit einem Seufzer wieder dem Rechner zu und machte sich auf die Suche nach der Lösung des Problems, die er nicht finden würde.

* * *

Es war für Henry Monaghan überhaupt kein Problem gewesen, die Namen der Leute zu erfahren, die vor sechs Jahren an der Sicherheit des Betriebssystems BankManager 5.3 von IBM gearbeitet hatten. Drei junge Männer waren es gewesen, von denen einer nun im Silicon Valley in Kalifornien war. Der zweite lebte irgendwo in Südostasien, aber den dritten gab es noch. Sein Name war Justin Savier, und er arbeitete nach seinem mit Auszeichnung abgeschlossenen Informatikstudium als Programmierer im weltbekannten MediaLab des MIT. Monaghans Instinkt sagte ihm, dass er den Richtigen gefunden hatte. Allerdings war Savier am Dienstagmorgen nicht zur Arbeit erschienen, nachdem er zwei Tage und Nächte lang fast ununterbrochen in seinem kleinen Glasbüro gehockt hatte. Leider genehmigte Saviers Chef nicht, dass Monaghan sich im Büro des Mannes umsah, und so verließ dieser die Gebäude des MIT. Im Telefonbuch fand er die Adresse von Savier und fuhr mit seinen beiden Männern zu der Wohnung. Als nach dreimaligem Klingeln niemand öffnete, verschaffte sich Monaghan ohne Probleme Zutritt.

»Wie sieht's denn hier aus?« Der Sicherheitschef von LMI schüttelte angewidert den Kopf, als er das Chaos erblickte, das sich seinen Augen bot. Die drei Zimmer waren vollgestopft mit Computern, Büchern und Computerzeitschriften, dazwischen standen Fitnessgeräte, ein Fahrrad, ein Staubsauger, Möbelstücke, die nicht zueinanderpassten. Kleider lagen herum, Schuhe, Jacken, Motorradhelme. Diese Computerfreaks waren doch alle gleich! So genial sie in ihrem Job sein mochten, im wahren Leben waren sie wirre, unordentliche Menschen. Monaghan setzte sich an den Schreibtisch, öffnete sämtliche Schubladen und wühlte ziellos in den Papierkörben. Er versuchte nicht, einen der Rechner zu starten, denn dieser Savier hatte ohne Zweifel zig Zugangssperren eingebaut. Die Arbeit konnte man sich getrost sparen, wenn man nicht ebenso clever war wie er. Dann nahm er das Badezimmer und das Schlafzimmer in Augenschein. Überall dasselbe Bild: überquellende Aschenbecher auf jeder freien Abstellfläche leere Bier- und Coladosen, CDs, eine Pappbox mit den Überresten einer Pizza Quattro Stagioni.

»He, Henry«, sagte einer seiner Begleiter, »schauen Sie sich das mal an.«

Er deutete auf einen vergilbten Zeitungsausschnitt, der zwischen anderen Zetteln an einem Pinnbrett an der Wand der Küche hing.

»Jugendlicher Computerfreak narrt die Generäle«, lautete die Schlagzeile, die fast 20 Jahre alt war. Der Zeitungsartikel handelte von Justin Savier, der im Alter von 16 Jahren in den

Zentralrechner des North American Aerospace Defend Command eingedrungen war und dabei fast den Dritten Weltkrieg ausgelöst hätte. Die Militärs hatten sich lächerlich gemacht, weil sie nicht bemerkt hatten, dass ein Jugendlicher sie genarrt hatte. Sie hatten allen Ernstes geglaubt, dass die Sowjets zu einem nuklearen Erstschlag rüsteten.

»Davon habe ich gehört«, Monaghan nickte, »ich erinnere mich an die Sache. Und das passt ja genau ins Bild.«

Offenbar war es eine Spezialität von Justin Savier, in fremde Computersysteme einzudringen. Monaghans Blick wanderte über die Bücher in einem wackeligen Regal. Im Gegensatz zu dem, was Savier sonst zu lesen pflegte, handelte es sich hier nicht um Computerliteratur, sondern vorwiegend um Science-Fiction-Romane der anspruchslosen Sorte. Unter anderem befanden sich Fotoalben und Jahrbücher dazwischen. Monaghan zog eines nach dem anderen heraus, blätterte sie durch und ließ sie dann achtlos auf den Boden fallen.

»Na, schau mal an«, sagte er nach einer Weile zu sich selbst, »wenn das nicht der dicke Mistkerl ist, der in meinem Keller sitzt.«

Drei junge Männer grinsten in die Kamera, auf weiteren Seiten erschienen sie häufiger. Studenten in Harvard. Arrogantes Pack. Der mit dem Schweinchengesicht war Mark Ashton, todsicher. Monaghan grinste zufrieden.

»He, Boss«, der andere Mann tauchte im Türrahmen auf, »die Frau war hier, kein Zweifel. Im Mülleimer im Bad sind die leeren Verpackungen von dunkelbraunem Haarfärbemittel und Einmal-Kontaktlinsen.«

Monaghan nickte grimmig. Alex Sontheim war hier gewesen. Er war ihr auf den Fersen! Er ging zurück ins Wohnzimmer und nahm das Telefon und den Anrufbeantworter in Augenschein. Die Kassette des Anrufbeantworters enthielt nur unwichtige Nachrichten, aber dann kam Monaghan die Idee, die Wiederwahltaste des Telefons zu drücken. Er wartete gespannt darauf, wer sich am anderen Ende der Leitung meldete.

»Bankhaus Gérard Frères, guten Morgen«, meldete sich eine freundliche Frauenstimme auf Deutsch.

»Oh, entschuldigen Sie bitte«, erwiderte Monaghan auf Englisch, »ist dort nicht der Anschluss von Colin Myers in Miami?«

»Nein«, die Frau sprach nun auch englisch, »Sie sind mit dem Bankhaus Gérard Frères in Zürich verbunden.«

Ein triumphierendes Lächeln flog über Henry Monaghans gerötetes Gesicht. Er entschuldigte sich höflich und hängte ein. Alex Sontheim war also in Europa. In der Schweiz. Und sie hatte keine blasse Ahnung, dass er sie schon beinahe erwischt hatte. Er ergriff sein Handy und rief Sergio Vitali an. In spätestens einer Stunde würde sich eine kleine Armee in Richtung Zürich bewegen.

***

Die Gegensprechanlage auf dem gläsernen Schreibtisch in dem luftigen Büro von Lance Godfrey summte. Der Direktor des Bankhauses Levy & Villiers verzog das Gesicht. Er war in der vergangenen Nacht erst spät ins Bett gekommen, denn nach dem grässlichen Tag mit Vincent Levy hatte er sich ein paar Drinks genehmigt. Levy war mit der letzten Maschine nach New York geflogen, ohne dass die Computeranlage wieder funktioniert hatte. Godfrey verstand die Aufregung nicht. Manchmal streikten die Dinger eben, das war nicht weiter schlimm. Der Präsident von LMI hatte stapelweise Akten im Archiv des Bankhauses herausgesucht, sie eigenhändig in den Reißwolf geschoben und war mörderisch schlechter Laune gewesen, als Godfrey ihn abends zum Flughafen gefahren hatte.

»Was gibt's denn, Sheila?«, fragte Godfrey.

»Hier sind fünf Herren, die Sie sprechen möchten, Sir.«

»Hatten sie einen Termin vereinbart?« Godfrey warf einen Blick auf den Terminplaner auf seinem Schreibtisch.

»Nein. Aber ...«

»Ich habe jetzt keine Zeit. Sie sollen einen Termin ausmachen.«

Er lehnte sich wieder zurück, als die Tür aufging und fünf Männer eintraten. Godfrey erkannte sofort, dass es sich nicht um Bankkunden handelte.

»Es tut mir leid, Mr Godfrey«, die Sekretärin rang verzweifelt die Hände.

»Schon gut«, erwiderte Lance Godfrey, worauf die Sekretärin unsicher das Büro verließ.

»Mr Godfrey?« Der schwarzhaarige Mann mit dem dünnen Oberlippenbart zückte seinen Ausweis. »Ich bin Agent Samuel Ramirez vom FBI. Das sind Agent Quinn, Mr Dennis Rosenthal von der Strafverfolgungsabteilung der Börsenaufsichtsbehörde der Vereinigten Staaten, Mr Green vom amerikanischen Konsulat und Mr Savier, ein weiterer Mitarbeiter.«

»Schönen guten Tag«, sagte Lance Godfrey glatt und erhob sich, »wie kann ich Ihnen helfen?«

»Wir haben einen Durchsuchungsbefehl für Ihre Geschäftsräume«, sagte Agent Ramirez und reichte Lance Godfrey ein amtlich aussehendes Dokument.

»Aha«, obwohl Godfrey innerlich zitterte, blieb er äußerlich gelassen und höflich, »und aus welchem Grund wollen Sie unser Haus durchsuchen?«

»Es besteht begründeter Verdacht, dass sich auf verschiedenen geheimen Konten Geld befindet, das aus illegalen Insidergeschäften stammt«, ließ sich nun Dennis Rosenthal vernehmen.

»Wir vermuten, dass es Teil einer groß angelegten Bestechungsaffäre ist«, fuhr Agent Ramirez fort. »Wenn Sie uns Zugang zu Ihrem Rechner verschaffen, sind wir in einer knappen Stunde wieder verschwunden.«

»Unser Computer ist kaputt«, murmelte Godfrey.

»Ja, das wissen wir«, Ramirez nickte, »deshalb haben wir einen Spezialisten dabei.«

Godfrey starrte die Männer einen Augenblick stumm an. »Und wenn Sie so klug sind, diesen Vorfall nicht nach New York zu melden«, fügte Agent Quinn mit einem freundlichen

Lächeln hinzu, »dann wird die Tatsache, dass Sie an einem verbrecherischen Komplott beteiligt sind, keine strafrechtlichen Konsequenzen für Sie haben.«

Nun wurde Lance Godfrey unter seiner Sonnenbräune doch blass.

»Ich bin an keinem ... Komplott beteiligt«, stotterte er.

»Oh, das werden wir Ihnen sicherlich nachweisen«, sagte Agent Ramirez. »Fahren Sie ein paar Tage weg und vergessen Sie unseren Besuch. Dann werden Sie nichts mehr von uns hören, andernfalls ...«

Er machte eine vielsagende Pause, bevor er fortfuhr.

»... andernfalls werden wir Sie verhaften.«

Lance Godfrey schluckte. Jetzt dämmerte ihm allmählich, weshalb sich Levy so eigenartig aufgeführt hatte und warum dieser Seehundschnauzbart Monaghan in der letzten Woche mit einem Computerfuzzi hier aufgetaucht war. Er hatte St. John nie getraut und geahnt, dass es sich bei den regelmäßigen Bareinzahlungen der letzten Jahre um nicht ganz einwandfreie Geschäfte gehandelt hatte. Aber es musste ein wirklich großes Ding sein, wenn das FBI, die Börsenaufsicht und ein Kerl vom Konsulat mit Durchsuchungsbefehl hier auftauchten.

»Ich glaube, ich muss ganz dringend meine Eltern in Idaho besuchen«, sagte Lance Godfrey nun. »Meiner Mutter geht es sehr schlecht.«

»Sie können selbstverständlich sofort abreisen«, Agent Ramirez lächelte liebenswürdig. »Vielleicht hätten Sie vorher noch die Zeit, uns Zugang zu Ihrem Zentralrechner zu verschaffen und uns einige Fragen zu beantworten.«

Lance Godfrey war die Hilfsbereitschaft in Person. Er hatte überhaupt keine Lust, für etwas, was er nicht getan hatte, in den Knast zu wandern. Vielleicht war es an der Zeit, sich einen anderen Job zu suchen. Aber ganz sicher war es an der Zeit, für eine Weile von der Bildfläche zu verschwinden.

***

Als Paul McIntyre, der Leiter der New Yorker Baubehörde, vom Lunch zurück in sein Büro kam, fand er auf seinem Schreibtisch die Nachricht, dass der Bürgermeister um Rückruf bat. Nichts ahnend griff er zum Telefon und war nur kurz darüber erstaunt, dass er sofort zu Kostidis durchgestellt wurde. Normalerweise bedurfte es mehrerer Versuche, bis man den schwerbeschäftigten Bürgermeister erreichte.

»Hallo, Paul«, sagte Kostidis, »ich höre, Sie waren im Urlaub. Haben Sie sich gut erholt?«

»Hallo, Nick«, erwiderte McIntyre, »danke, ja. Leider war es viel zu kurz, wie immer.«

»Wo waren Sie diesmal?«

»Oh, wir waren etwas in der Sonne«, McIntyre lachte, »bei diesem Wetter wird man ja schwermütig. Wir waren auf den Caymans. Schwimmen, tauchen, sonnenbaden.«

Auf den Caymans! Das war kein Zufall.

»Hören Sie, Paul. Ich habe wenig Zeit, aber ich muss Sie dringend sprechen. Könnten Sie in mein Büro kommen?«

»Ja, natürlich«, sagte McIntyre überrascht, »sofort?«

»Wenn es Ihnen jetzt passt ...«

»Selbstverständlich. Ich bin in einer Viertelstunde da.«

McIntyre verließ das Gebäude, in dem das Bauamt untergebracht war, und überquerte den Foley Square. Er war bester Laune. Nachdem sie vorgestern aus der Karibik zurückgekehrt waren, hatten sie das Haus besichtigt, das Vitali ihm vermittelt hatte, und Jenny war begeistert gewesen. Es lag in den Dünen mit Blick auf Fire Island und war ein Traum! Noch vier Jahre, dann konnte er sich diesen Traum erfüllen, denn dann würde er endlich in Rente gehen können. Vielleicht auch früher, wenn er einen Arzt fand, der ihn aufgrund seines hohen Blutdrucks eher in den Ruhestand schickte. Jenny würde in den Country Club gehen, er könnte den lieben langen Tag Golf spielen oder segeln. Am Wochenende würden die Kinder und Enkelkinder kommen, man konnte am Strand spazieren gehen, im Pool schwimmen, Tennis spielen oder sonst irgendeiner Freizeitaktivität nachgehen, für die es in der Stadt keinen Platz gab. Ja, es war eine verlockende Aussicht, nach 60 Jahren in Mietwohnungen in dieser verdammten, lauten, dreckigen Stadt direkt am Meer zu leben, in einem eigenen Haus! Pfeifend lief McIntyre die Stufen der City Hall hoch und betrat das Gebäude.

»Hallo, Allie«, sagte er wenig später zu Kostidis' Sekretärin, »Sie werden von Tag zu Tag hübscher!«

»Danke, Paul«, Allie verzog spöttisch das Gesicht, »Sie lügen wie gedruckt. Der Bürgermeister erwartet Sie. Gehen Sie durch.«

McIntyre grinste und öffnete die Tür, die in das Büro des Bürgermeisters führte.

»Hallo, Nick!«, rief er gut gelaunt, aber dann erblickte er die beiden Männer, die am großen Konferenztisch saßen, und hörte auf zu lächeln. Plötzlich hatte er das Gefühl, dass irgendetwas nicht in Ordnung war.

»Paul«, Nick Kostidis kam auf ihn zu und reichte ihm die Hand, »danke, dass Sie so schnell kommen konnten. Sie kennen Lloyd Connors und Royce Shepard von der Staatsanwaltschaft Manhattan …«

»Ja, wir kennen uns«, sagte McIntyre vorsichtig, »was gibt es so Dringendes?«

»Nehmen Sie doch Platz«, forderte Connors ihn auf, und McIntyre gehorchte. Das ungute Gefühl verstärkte sich, als er das Tonbandgerät auf dem Tisch sah und Shepard fragte, ob er etwas dagegen habe, wenn er das Gespräch aufnehmen würde.

»Ich möchte nicht lange um den heißen Brei herumreden«, begann Connors, der ziemlich übernächtigt aussah. »Wir haben Beweise dafür, dass Sie ein Konto bei einer Bank namens Levy & Villiers auf den Caymans besitzen.«

McIntyre wurde leichenblass und begann innerlich zu zittern.

»Wir vermuten, dass das Geld auf diesem Konto von Mr Vitali stammt und Sie ihm als Gegenleistung dafür gewisse Gefälligkeiten zugesagt haben.«

McIntyre begegnete Nicks forschendem Blick, und eine dunkle Röte kroch ihm vom Hals aufwärts ins Gesicht. Er schluckte nervös.

»Haben Sie etwas zu diesen Vorwürfen zu sagen?«

»Das … das muss ein Irrtum sein … ich …«, stotterte McIntyre und fuhr sich mit der Zunge über die Lippen. Sein Herz raste, und der Puls klopfte ihm in den Ohren. Dicke Schweißperlen standen plötzlich auf seiner Stirn, obwohl es in dem großen Raum nicht gerade warm war. Dieser verdammte Bluthochdruck würde ihn eines Tages umbringen.

»Paul«, sagte Nick, »die Leute von der Staatsanwaltschaft sind nicht hinter Ihnen her, sondern hinter Vitali.«

»Wir haben Unterlagen von diesem Konto, die uns beweisen, dass Sie das Geld, das Ihnen gezahlt wurde, regelmäßig abgehoben und benutzt haben«, fuhr Connors fort, »also?«

McIntyre starrte auf die glänzende Tischplatte, und es war ihm, als ob sich ein dunkler Abgrund vor ihm öffnete. Es war der Augenblick, vor dem er sich all die Jahre gefürchtet hatte. Aus der Traum von einem Haus auf Long Island, vorbei die Aussicht auf ein sorgenfreies Leben. Alles war vorbei! Er hatte Glück, wenn er überhaupt noch eine Rente bekommen würde. Bestechlichkeit im Amt war ein ernstes Vergehen, das hart bestraft wurde, ganz abgesehen davon, dass sein Ruf für immer und ewig ruiniert sein würde.

»Es … es ist wahr«, murmelte er nach einer Weile, und sein Selbstbewusstsein fiel wie Asche in sich zusammen. Nick seufzte. In einem Winkel seines Herzens hatte er gehofft, dass es nicht stimmte. Er mochte Paul McIntyre, er hatte ihm vertraut und gut mit ihm zusammengearbeitet. Die Enttäuschung war niederschmetternd.

»Wann fing es an?«, fragte Connors.

»Es ist ein paar Jahre her.« McIntyre senkte den Kopf. Er konnte den enttäuschten und verletzten Blick von Kostidis nicht mehr ertragen. »Es ging damals um die Ausschreibungen beim Bau des World Financial Center. David Zuckerman trat damals an mich heran. Das war nicht ungewöhnlich, aber als ich dann Vitali das erste Mal persönlich traf, bot er mir Geld an.«

»Und Sie sind darauf eingegangen?«, fragte Connors.

»Ich habe zuerst gezögert«, McIntyre blickte auf, und in seinen Augen standen tatsächlich Tränen. »Ich war immer stolz darauf, dass ich mich nie habe bestechen lassen. Aber ich war erst seit ein paar Monaten in meinem Amt. Ich war zu dieser Zeit ziemlich verschuldet. Meine Frau geht leider sehr gerne einkaufen, und die Banken drängten auf Rückzahlung eines Darlehens, aber das konnte ich nicht mit meinem Gehalt. Ich wusste, dass es nicht gut aussehen würde, wenn bekanntwerden sollte, dass ich quasi pleite war, und Vitalis Angebot schien einfach und ungefährlich.«

Nick fuhr sich mit der Hand über das Gesicht. Er wollte gar nicht mehr hören, aber McIntyre sprach nun wie ein Wasserfall, als sei er froh darüber, endlich vom Druck der Schuldgefühle erlöst zu werden. Connors und Shepard lauschten interessiert und stellten nur ab und zu Fragen, wenn McIntyre sich wieder einmal in langatmigen Rechtfertigungen für sein Tun erging.

»Jeder macht sich doch die Taschen voll«, schloss der Leiter der New Yorker Baubehörde schließlich, »das ist so üblich. Kleine Geschenke, große Geschenke, eine Urlaubsreise, ein neues Auto und ... Geld. Ohne das läuft in dieser Stadt nichts. Ich wäre nicht lange auf meinem Posten geblieben, hätte ich nicht mitgespielt.«

»Was meinen Sie damit?« Connors betrachtete McIntyre eindringlich.

»Wie ich es sage«, der breitschultrige Mann mit dem sorgfältig frisierten schlohweißen Haarschopf zuckte die Schultern, »Vitali und seine Leute ließen keinen Zweifel daran, dass sie mich fertigmachen würden, wenn ich nicht auf ihr Angebot einginge.«

Sein Blick fiel auf den Bürgermeister.

»Sie verstehen das nicht, Nick«, McIntyre lächelte mit einem Anflug von Bitterkeit, »ich habe Sie immer für Ihren Idealismus bewundert, aber wenn Sie glauben, Sie könnten die Korruption in New York City besiegen, dann sind Sie unrealistisch. Jeder kleine Beamte macht mit, jeder.«

Nick sah ihn lange an, dann nickte er langsam und senkte den Kopf. Er wusste, dass McIntyre recht hatte, aber es schmerzte trotzdem. Seine Aussage war der Beweis dafür, dass er in den letzten Jahren auf dem Gebiet der Korruption absolut nichts erreicht hatte. Es war die Bankrotterklärung seiner Politik.

»Was wird jetzt mit mir passieren?«, fragte McIntyre. Connors wiederholte das, was er schon vielen Männern in den letzten Tagen gesagt hatte. Er reichte auch McIntyre das vorgefertigte Schuldeingeständnis, und wie alle Männer vor ihm unterschrieb auch Paul McIntyre.

»Sie werden sich Vitali und Ihren Mitarbeitern gegenüber völlig normal verhalten«, sagte Connors. »Natürlich gehen Sie auch auf Vitalis Ball. Ganz so, als sei nichts geschehen. Wir wollen verhindern, dass er zu früh misstrauisch wird. Sollten Sie ihn warnen, dann sieht es sehr schlecht für Sie aus. Bestechlichkeit im Amt, Vorteilsnahme, Fälschung von Bauanträgen und Plänen, Preisabsprachen, und das alles über einen langen Zeitraum hinweg – das bedeutet den Rest Ihres Lebens gefilterte Luft, abgesehen davon, dass das Finanzamt Sie wegen Steuerhinterziehung und -betrug drankriegen wird.«

»Ich werde genau das tun, was Sie mir sagen«, versicherte McIntyre eilig, »das verspreche ich Ihnen.«

»Es wäre auf jeden Fall das Klügste, was Sie tun könnten.«

McIntyre warf einen Blick auf Nick, der mit ausdruckslosem Gesicht aus dem Fenster starrte.

»Nick«, sagte McIntyre leise zu seinem Chef, »es tut mir sehr leid.«

Dann drehte er sich um und ging mit hängenden Schultern und unbeholfenen Schritten zur Tür. Die drei Männer saßen schweigend am Konferenztisch, als es an der Tür klopfte und Frank eintrat.

»Was gibt's?«, fragte Nick müde.

»Hier ist eine Frau, die Sie sprechen möchte«, sagte Frank. »Sie wartet schon seit einer Stunde.«

»Hat sie gesagt, wie sie heißt oder was sie will?«

»Nein.«

Connors und Shepard suchten ihre Unterlagen zusammen. »Sagen Sie ihr, dass ich nur zehn Minuten Zeit habe«, sagte Nick nach kurzem Nachdenken und ging zu seinem Schreibtisch. Wenig später kam Frank in Begleitung einer kleinen, rundlichen Frau von etwa 50 Jahren zurück. Sie trug ein schlichtes schwarzes Kleid mit einer Perlenkette und ein schwarzes Cape. Das graue Haar hatte sie modisch kurz geschnitten. Ihrem Gesicht sah man Kummer und Anspannung an, aber in ihren großen braunen Augen blitzten Zorn und Rachsucht. Sie hielt mit beiden Händen eine krokodillederne Handtasche fest umklammert. Unsicher musterte sie die beiden Staatsanwälte.

»Guten Tag, Mr Kostidis«, sagte sie, »danke, dass Sie Zeit für mich haben.«

»Guten Tag«, Nick lächelte etwas gezwungen und reichte ihr die Hand. Immer wieder gelang es jemandem, bis zu seinem Büro vorzudringen, und dann musste er sich irgendwelche Probleme anhören, angefangen vom verlorenen Job, über Eheprobleme bis hin zu Nachbarschaftsstreitigkeiten.

»Womit kann ich Ihnen helfen?«, fragte er. Die Frau bedachte Connors und Shepard mit einem kurzen Blick.

»Die Herren sind von der Staatsanwaltschaft Manhattan«, erklärte Nick höflich, »aber sie sind gerade im Begriff zu gehen.«

»Nein, nein«, erwiderte die Frau, »sie sollen bleiben. Das, was ich zu sagen habe, wird sie auch interessieren.«

Erstaunt blickten die drei Männer die Frau an, die nun ihre Handtasche öffnete, zehn Videokassetten hervorholte und auf Nicks Schreibtisch legte. Lloyd Connors kam neugierig näher.

»Was ist das?«, fragte er. Die Frau blickte ihn kurz an, dann straffte sie entschlossen die Schultern.

»Mein Name ist Constanzia Vitali. Und ich möchte eine Aussage gegen meinen Mann machen.«

***

Monaghan und seine Männer warteten geduldig im Apartment von Justin Savier auf dessen Rückkehr. Die ganze Nacht hatte er sich nicht blicken lassen, dafür hatte das Telefon mehrmals geklingelt, doch jedes Mal, wenn sich der Anrufbeantworter einschaltete, war aufgelegt worden. Es war halb drei nachmittags, als jemand die Haustür aufschloss. Justin Savier warf die Tür mit dem Absatz hinter sich zu und ließ seine Jacke einfach fallen. Er sehnte sich nur noch nach seinem Bett. Vor zwei Stunden war die Maschine aus Georgetown in Newark gelandet, und er war mit einem Hubschrauber nach Boston gebracht worden. Alex hatte wahrhaftig recht gehabt, und glücklicherweise glaubten auch die Staatsanwälte die auf den ersten Blick recht abenteuerliche Geschichte. Das, was er im Computer von Levy & Villiers gefunden hatte, waren schlagkräftige Beweise. Justin gähnte und zog den Pullover über den Kopf, als er plötzlich etwas Hartes in seinem Rücken spürte. Er erstarrte.

»Hallo, Mr Savier«, sagte jemand hinter ihm.

»Ha...hallo«, stotterte Justin, »w...wer sind Sie, und w...was machen Sie in meiner Wohnung?«

»Wir haben auf Sie gewartet«, erwiderte Henry Monaghan, und Justin flog herum. Er starrte den dicken Mann mit dem Seehundschnauzbart an.

»Wer sind Sie?«, wiederholte er seine Frage.

»Das tut nichts zur Sache.« Monaghan erhob sich mit einer Behändigkeit, die man ihm bei seiner Körperfülle nicht zutraute.

»Was fällt Ihnen ein, in meine Wohnung einzudringen?« Justin brach der Angstschweiß aus. Das waren die Leute, vor denen Alex auf der Flucht war, kein Zweifel.

»Schön, dass Sie das Wort erwähnen«, sagte Monaghan mit dem letzten Rest Freundlichkeit, der ihm nach 19 Stunden Warterei noch geblieben war. »Wir haben nämlich den Verdacht, dass Sie unerlaubt in den Zentralrechner einer New Yorker Investmentfirma eingedrungen sind.«

Justin schluckte nervös.

»Wie kommen Sie denn darauf?«

»Sie haben die Sicherheitsvorkehrungen für BankManager 5.3 ausgearbeitet«, sagte Monaghan im Plauderton, »und als Ihr alter Kumpel Mark Ashton Sie gebeten hat, ihm bei einem kleinen Computerproblem zu helfen, da haben Sie es getan.«

»Ich kenne keinen Mark Sowieso.«

»Nicht? Seltsam, dabei waren Sie beide gemeinsam in Harvard. Ich habe Fotos von Ihnen beiden in Ihren Fotoalben gesehen.«

Nur mühsam wahrte er noch die Fassade der Höflichkeit. Am liebsten hätte Monaghan den Kerl, der ihn zum Idioten gemacht hatte, gepackt und zusammengeschlagen.

»Hören Sie, Savier, ich habe keine Zeit für alberne Frage-Antwort-Spielchen, ich will wissen, was Sie …«

Das Telefon schellte, und Monaghan verstummte. Er erkannte das Aufflackern von Panik in Saviers Augen.

»Gehen Sie dran!«, befahl er, und als der Mann keine Anstalten machte, nahm er Joey den Revolver aus der Hand und presste ihn Justin Savier an die Schläfe. Der Mann wurde noch eine Spur blasser. Mit zitternden Fingern nahm er den Hörer ab. Monaghan drückte mit seiner linken Hand die Lautsprechertaste, und ihn durchflutete eine heiße Welle des Triumphes, als er Alex Sontheims Stimme hörte.

»Justin, Gott sei Dank! Wo warst du so lange? Ich habe zigmal versucht, dich zu erreichen!«

Monaghan grinste. Vitali würde sich freuen, wenn er ihn gleich anrief. Sicherlich waren seine Leute der Sontheim schon in Zürich auf den Fersen.

»Ich habe in Zürich alles erledigt«, sagte Alex, »ich werde jetzt nach …«

»Alex!«, unterbrach Justin sie, aber Monaghan drückte den

Lauf des Revolvers fester an seine Schläfe und sah ihn drohend an.

»Ja?«

»Ich …«

»Hast du etwas von Mark oder Oliver gehört?«

»Nein«, Justin schloss die Augen, »ich hatte zu viel Arbeit.«

»Frag sie, wo genau sie sich aufhält!«, zischte Monaghan.

»Justin?«, fragte Alex mit plötzlichem Misstrauen. »Ist jemand bei dir? Du klingst so komisch.«

»Nein, nein. Ich glaube, ich kriege eine Grippe. Ein gefährlicher Virus sitzt mir im Genick.«

»Oh. Gut. Dann gute Besserung …«

Aus dem Lautsprecher drang das Besetztzeichen, und Monaghan kapierte, was Justin getan hatte.

»Ein Virus sitzt dir im Genick, was?«, schnaubte er wütend und versetzte Justin einen heftigen Schlag mit dem Knauf des Revolvers. »Du glaubst wohl, du bist clever, wenn du sie warnst, was?«

»Hören Sie!« Justin hob beschwörend die Hände. »Ich hab zwar mitgemacht, aber ich weiß bis heute nicht, um was es überhaupt geht. Ich habe keine Ahnung.«

»Ich glaube dir kein Wort«, Monaghan machte seinen Leuten ein Zeichen, und sie nahmen Justin in die Mitte.

»Wir machen jetzt eine nette, kleine Ausflugsfahrt«, sagte Monaghan, »du solltest ganz brav mitgehen, sonst schieße ich dir ein sauberes kleines Loch in deinen Hinterkopf und du wirst weder die liebe Alex noch deinen Freund Mark jemals wiedersehen.«

***

Nick, Connors und Shepard starrten die Frau überrascht an.

»Wundern Sie sich darüber, dass ich zu Ihnen gekommen bin?«, fragte Constanzia Vitali und schien für einen Moment beinahe amüsiert. Nick fiel ein, dass Alex ihm davon erzählt hatte, dass Mrs Vitali sich von ihrem Mann getrennt hatte und mit ihm reden wollte. Das hatte er völlig vergessen.

»Allerdings«, sagte Connors, »was sind das für Videokassetten?«

Constanzia Vitali legte ihre sorgfältig manikürte Hand auf die vor ihr liegenden Kassetten und lächelte traurig. Die drei Männer warteten ungeduldig.

»Das«, sagte sie nach einer Weile, »ist die Aussage von Nelson van Mieren, dem langjährigen Anwalt und Vertrauten meines Mannes.«

Connors riss die Augen auf.

»Aussage? Was für eine Aussage?«

»Alles, was Sie brauchen werden, um Sergio Vitali für immer hinter Schloss und Riegel zu bringen.«

Die drei Männer sahen sich fassungslos an. Connors fand als Erster die Sprache wieder.

»Ist ... ist das wahr?«, fragte er.

»Ja. Sehen Sie es sich an. Ich denke, es wird sehr aufschlussreich sein.«

»Entschuldigen Sie bitte, dass wir etwas erstaunt sind«, sagte Nick langsam, »aber gestatten Sie mir die Frage, was Mr van Mieren und vor allen Dingen Sie dazu bewogen hat, diesen Schritt zu tun?«

Constanzia Vitali sah ihn lange an, dann bat sie, sich setzen zu dürfen.

»Nelson hat Krebs im Endstadium«, sagte sie. »Er hat erkannt, dass das, was er getan hat, falsch war. Womöglich hätte er trotzdem den Mund gehalten, wenn Sergio ihn nicht belogen hätte.«

»Belogen?«

»Es ist alles auf den Bändern«, sie machte eine vage Handbewegung.

»Und Sie?«, fragte Connors. »Warum wollen Sie gegen Ihren Mann aussagen?«

»Weil ich ihn hasse«, stieß die Frau mit einer unvermuteten Heftigkeit hervor. »30 Jahre lang hat er mich gedemütigt und betrogen. Er hat mich nur geheiratet, weil Carlo Gambino mein Vater war. Sergio wollte durch mich an die Beziehungen meines Vaters gelangen, und das ist ihm ja auch gelungen.«

Sie seufzte.

»Ich habe viel Kummer ertragen müssen. Die vielen Toten, die mein Ehemann auf seinem Weg nach oben hinterlassen hat, habe ich versucht zu ignorieren. Aber sie tauchten immer wieder in meinen Alpträumen auf. Und doch versuchte ich, damit zu leben. Bis zu dem Tag, als Sergio Vitali meinen Sohn hat umbringen lassen.«

»Also doch«, murmelte Connors, »ich habe immer an einem Selbstmord gezweifelt.«

»Mein Mann gab einem seiner Leute den Auftrag, Cesare töten zu lassen und es dann so hinzustellen, als ob er sich das Leben genommen hätte«, ihre Lippen zitterten, aber sie schüttelte ungeduldig den Kopf, »mein Junge wurde von seinem eigenen Vater getötet.«

In ihren großen braunen Augen schimmerten Tränen, doch sie straffte entschlossen die Schultern, und es gelang ihr, den Schmerz, den sie noch immer verspürte, zu unterdrücken.

»Ich habe meinen Mann verlassen, weil ich es nicht länger ertragen konnte, mit jemandem verheiratet zu sein, der seinen eigenen Sohn töten lässt wie einen räudigen Hund.«

»Haben Sie Beweise dafür, dass Ihr Mann dahintersteckt?«, fragte Connors atemlos vor Aufregung.

»Ja«, Constanzia Vitali nickte, »es ist alles auf diesen Kassetten.«

Sie schwieg einen Moment, dann sah sie Nick an.

»Mr Kostidis«, sagte sie leise, »ich weiß, dass Sergio Vitali schuld am Tod Ihrer Frau und Ihres Jungen ist, und das tut mir entsetzlich leid. Glauben Sie mir, ich weiß, wie furchtbar es ist, sein Kind zu Grabe tragen zu müssen.«

Nick starrte sie an, dann nickte er langsam. In seinem Gesicht zuckte es, und es fiel ihm schwer, ruhig und gelassen zu bleiben.

»Vitali ist ein Monster«, fuhr sie fort, »eine eiskalte Bestie ohne menschliche Gefühle. Er tötet jeden, der ihm im Weg steht oder ihn bedrohen könnte. Aber ich habe keine Angst mehr vor ihm. Er hat mir das Liebste genommen, was ich hatte. Ich habe nichts mehr zu verlieren, doch bevor ich sterbe, will ich Rache und Vergeltung für das, was er mir und vielen anderen Menschen angetan hat.«

Lloyd Connors konnte es kaum fassen. Nie zuvor, seitdem er sich erinnern konnte, hatte es in der Geschichte der Mafiaprozesse einen derart hoch in der Familienhierarchie stehenden Kronzeugen gegeben. Nelson van Mieren war ein Insider, nein, er war *der* Insider des Vitali-Clans. Er allein konnte Sergio Vitali das Genick brechen und ihnen dazu verhelfen, die Aktendeckel vieler ungeklärter Mordfälle zu schließen. Ohne Zweifel war dies heute ein Glückstag für die Strafverfolgungsbehörden des Staates New York.

»Mrs Vitali«, fragte Connors, der innerlich vor Aufregung und Triumph zitterte, »wird Mr van Mieren bereit sein, bei einem Prozess gegen Ihren Mann auszusagen?«

»Ich fürchte, das wird er nicht können«, sagte Constanzia Vitali und vernichtete damit Connors' Hoffnungen.

»Aber wieso nicht? Wenn er doch schon die Aussagen per Video zu Protokoll gegeben hat!«, rief er.

»Nelson hat sich am Sonntagnachmittag eine Kugel in den Kopf geschossen«, erwiderte Constanzia Vitali. »Er ist zwar noch nicht tot, aber er liegt in einem Koma, aus dem er nicht mehr aufwachen wird. Selbst wenn er überleben sollte, wird er nie mehr in der Lage sein, eine Aussage zu machen.«

* * *

Alex hatte Justins Warnung genau verstanden, und sie konnte nur bedeuten, dass Sergios Leute ihn bereits ausfindig gemacht und ihn nun in ihrer Gewalt hatten. In fliegender Eile packte sie ihre Tasche und verließ das Hotel durch einen Hinterausgang. Mit dem Mietwagen brach sie unverzüglich in Richtung

Deutschland auf. Es beunruhigte sie sehr, dass weder Justin noch Nick etwas von Mark oder Oliver gehört hatten. Etliche Male hatte sie bei den beiden angerufen, und mit aller Gewalt musste sie das Zittern unterdrücken, das sie allein beim Gedanken an Sergio unwillkürlich überfiel. Was würde Sergio mit den drei Männern machen, die völlig unschuldig waren? Der Gedanke, dass jemand Schaden erleiden würde, nur weil er ihr geholfen hatte, verursachte ihr entsetzliche Schuldgefühle. Was würde geschehen, wenn sie nach New York zurückkehrte und zum FBI ging? Würde man ihr glauben, dass sie unschuldig war? Noch immer war ihr Untertauchen sämtlichen amerikanischen Zeitungen Schlagzeilen wert. Man suchte sie nach wie vor mit Foto wegen Mordes, Unterschlagung und zahlreicher anderer Delikte. Alex biss sich auf die Lippen. Sie hatte in ein Hornissennest gestochen, und die Hornissen waren ausgeschwärmt, um sich dafür zu rächen. Aber indem sie Nick die Kontoauszüge gegeben und er sie an die Staatsanwaltschaft weitergereicht hatte, war die ganze Sache längst außerhalb ihres Einflusses. Sergio würde nicht eher ruhen, bis er sich an ihr für die Kränkung gerächt hatte, die sie ihm zugefügt hatte. Sie konnte unmöglich ihr Leben lang vor ihm flüchten. In Basel ließ man sie ungehindert die deutsche Grenze passieren. Kurz hinter Freiburg fuhr sie auf einen Rastplatz. Sie tankte den Wagen voll, kaufte sich Zigaretten und ein paar Telefonkarten und ging in eine Telefonzelle. In New York war es jetzt etwa zwölf Uhr mittags. Alex wählte mit zitternden Fingern Marks Durchwahlnummer bei LMI. Es war nicht Mark, der sich meldete, sondern eine andere Stimme.

»Hallo«, sagte sie mit französischem Akzent, »hier spricht Hélène Lelièvre von Prudential Securities. Mr Ashton?«

»Nein, Mr Ashton ist nicht im Hause.«

»Oh, wann wird er wieder an seinem Platz sein?« Alex erkannte, dass sie mit ihrem Mitarbeiter Tom Burns sprach. »Er hat mich dringend um Rückruf gebeten.«

»Ich weiß auch nicht, wann er wieder da sein wird. Er ist seit vier Tagen nicht mehr im Büro gewesen.«

Alex hängte ein. Ihr Herz klopfte, sie musste sich an die Wand des Telefonhäuschens lehnen. Mark war seit vier Tagen verschwunden. Das war kein gutes Zeichen! Sie beschloss, es erneut bei Oliver zu versuchen. Aber auch er meldete sich nicht. Den Tränen nahe, wählte sie Nicks Nummer. Sie musste nach New York zurück! Nick war sofort am Apparat und klang sehr besorgt.

»Alex«, sagte er mit gedämpfter Stimme, »wo sind Sie? Geht es Ihnen gut?«

»Ja, mir geht es gut. Haben Sie etwas von Mark Ashton gehört?«, fragte sie.

»Nein, aber ich habe erfahren, wo Mr Skerritt ist«, erwiderte Nick. »Man hatte ihn verhaftet und vier Tage lang in einer Zelle im Polizeipräsidium sitzen lassen.«

»Wieso denn das?« Alex ließ beinahe den Telefonhörer fallen, weil sie so stark zitterte. »Wo ist er jetzt?«

»Es ist mir gelungen, ihn herauszuholen. Ich habe ihn an einen sicheren Ort bringen lassen«, antwortete Nick. »Es geht ihm einigermaßen gut.«

Alex fühlte sich entsetzlich elend. Die Tränen liefen ihr über das Gesicht, und sie presste ihre Stirn gegen das kalte Glas der Telefonzelle.

»Ich werde es mir nie in meinem Leben verzeihen, dass alle Menschen, die mir nur helfen wollten, durch mich in Gefahr geraten sind«, schluchzte sie. »Gestern haben sie auch noch Justin geschnappt. Nick, was soll ich nur tun? Ich kann doch nicht einfach mit ansehen, was dieser Mensch mit meinen Freunden macht!«

»Kommen Sie zurück in die Stadt«, erwiderte Nick bittend. »Ich hole Sie am Flughafen ab und sorge dafür, dass Ihnen nichts geschieht.«

»Ich werde nicht auch Sie mit in die Sache hineinziehen.« Alex wischte sich die Tränen ab. »Auf keinen Fall. Vitali bringt uns beide um!«

Das Guthaben der Telefonkarte war beinahe aufgebraucht,

aber sie hatte einen Entschluss gefasst. Wenn sie sich beeilte, konnte sie in drei Stunden in Frankfurt sein und mit etwas Glück acht Stunden später in New York City. Und dann würde sie Sergio anrufen und ihm einen Handel anbieten.

»Ich melde mich wieder bei Ihnen«, sagte sie zu Nick.

»Passen Sie nur auf sich auf, Alex, bitte«, Nicks Stimme war rau vor Besorgnis und Anspannung.

Und dann fügte er noch etwas hinzu, etwas, das Alex trotz ihrer Angst und Sorgen tief berührte.

»Ich denke Tag und Nacht an dich, Alex«, sagte er weich. »Ich könnte es nicht ertragen, wenn dir etwas zustößt ...«

Da war das Guthaben der Telefonkarte aufgebraucht, das Gespräch unterbrochen. Alex starrte blicklos durch die beschlagene Fensterscheibe. Ihr Herz klopfte wild. *Ich denke Tag und Nacht an dich*. Großer Gott, ja, das tat sie auch!

***

Sergio Vitali saß am Schreibtisch seines Büros im VITAL-Building und starrte auf die kleine Notiz mit der Nachricht, dass der bekannte Strafverteidiger Nelson van Mieren am Vorabend seinen schweren Verletzungen erlegen war. Es hatte Sergio wie ein Faustschlag in den Magen getroffen, dass ihn ausgerechnet sein engster Vertrauter und langjähriger Kampfgefährte so schnöde im Stich gelassen hatte. Bereits am späten Sonntagnachmittag hatte Nelson sich im Arbeitszimmer seines Hauses auf Long Island eine Kugel in den Kopf geschossen, kurz nachdem er mit ihm gesprochen hatte. Er hatte in Wahrheit niemals vorgehabt, wieder mit ihm zusammenzuarbeiten. Sein Versprechen, wieder ins Büro zu kommen, war nur eine Ausrede gewesen. Und nun war er tot! Sergio verspürte einen wilden, heißen Zorn über diese Enttäuschung. Er empfand Nelsons Verhalten als persönliche Beleidigung, und es erzürnte ihn so sehr, dass er nicht in der Lage war, über den Verlust des wichtigsten Menschen an seiner Seite zu trauern. Sergio zerknüllte mit einer impulsiven Bewegung die

Zeitung und feuerte sie in den Papierkorb. Nelson war ohnehin krank gewesen, deshalb hatte er sich bereits nach einem geeigneten Nachfolger umgesehen, und er hatte ihn gefunden. Zwar würde niemand mehr einen solchen Einblick in seine Geschäfte haben, wie Nelson ihn gehabt hatte, aber Dennis Bruyner war ein Spitzenmann in seinem Fach. Er war einer der besten und cleversten Strafverteidiger der Vereinigten Staaten, er war ehrgeizig, scharfsinnig und vollkommen skrupellos. Bruyner hatte schon Dutzende von Fällen gewonnen, die völlig aussichtslos gewesen waren, und es störte ihn nicht im Geringsten, wenn er Mördern und Vergewaltigern zu Freisprüchen verhalf. Nein, dachte Sergio, er brauchte Nelson nicht mehr, und wenn dieser es vorzog, zu sterben, dann sollte er es tun. Aus und vorbei. Niemand lebte ewig. Außerdem war Nelson in der letzten Zeit sowieso viel zu zaghaft und ängstlich gewesen. Mit grimmiger Miene wandte Sergio sich dem Fenster zu und blickte auf die Wolkenkratzer. Er hatte schon schlimmere Stürme erlebt als diesen, und immer war er unbeschadet oder sogar gestärkt aus ihnen hervorgegangen. Auch diesmal würde sich der Sturm wieder legen. MPM war zwar verloren und auch zu Vincent Levy hatte er kein großes Vertrauen mehr, aber es würde neue Wege geben, mit denen Sergio seinen Einfluss in der Stadt sichern konnte. Die Männer, die in seiner Schuld standen, würden nichts zugeben, dessen war sich Sergio ganz sicher. Kostidis konnte die Kontoauszüge ruhig haben, falls tatsächlich mehrere vorhanden gewesen waren. John de Lancie, zum Beispiel, würde sich nie und nimmer seine eigene Zukunft verbauen. Er war ehrgeizig und betrachtete den Job als Bundesstaatsanwalt von Manhattan lediglich als Sprungbrett nach Washington. Jerome Harding liebäugelte mit dem Posten des stellvertretenden Innenministers, auf den er keine geringen Chancen hatte, und Gouverneur Rhodes wollte ebenfalls weiter nach oben. Nein, diese Männer würden schweigen, und wenn nicht, war es auch nicht schlimm, denn es gab keine Verbindungen zwischen den Konten auf Grand Cayman und seiner, Sergios, Person. Da verfinsterte sich sein Gesicht. Das einzige

Problem war noch immer Alex, obwohl sie durch die Mordvorwürfe recht unglaubwürdig geworden war. Aber sie war schlau und hatte nichts mehr zu verlieren. Solange sie auf freiem Fuß war, war sie gefährlich. In der Schweiz war sie seinen Leuten nur knapp durch die Lappen gegangen, und jetzt behauptete Monaghan, dass sie zurück in die Stadt kommen würde. Sergio hatte befohlen, alle drei Flughäfen zu kontrollieren sowie die Pennsylvania, die Grand Central Station und den Port Authority Bus Terminal. Alex hatte sich die Haare dunkel gefärbt und trug Kontaktlinsen, das wusste er dank Monaghan. Wenn sie an einem der öffentlichen Orte auftauchte, würden seine Männer sie schnappen.

***

»Es ist der absolute Wahnsinn.« Lloyd Connors grinste aufgeregt, als Nick das Büro im Gebäude der Staatsanwaltschaft betrat, in das man nun die Schaltzentrale verlegt hatte, seitdem de Lancie sich krankgemeldet hatte. »Van Mieren hat über zwölf Stunden lang ausgesagt. Komm, Nick, schau dir das an!«

Der Staatsanwalt ging zu dem Videorecorder, der in der Mitte eines großen Tisches neben einem Fernseher aufgebaut worden war, und drückte auf die Wiedergabetaste.

»Setz dich«, sagte er zu Nick, »und guck dir das an!«

Auf dem Bildschirm des Fernsehers erschien das Gesicht Nelson van Mierens. Nick stellte fest, dass der Mann, der so viele Jahre sein Gegner im Gerichtssaal gewesen war, wirklich sehr krank aussah. Sein Gesundheitszustand hatte sich seit ihrem letzten Zusammentreffen auf dem 41. Polizeirevier im Sommer dieses Jahres rapide verschlechtert. In der nächsten Viertelstunde lauschten Nick und Connors gebannt den präzisen und knappen Aussagen, die Nelson van Mieren über die Auftragsvergabe beim Bau des World Financial Center machte. Er nannte die Namen der Leute, die an dem unglaublichen Bestechungsskandal, der durch den Tod Zuckermans niemals hatte aufgeklärt werden können, beteiligt gewesen waren. Er nannte Geldsummen, die geflossen waren, und beschrieb die perfiden Erpressungsmethoden, die Vitali angewendet hatte.

»Nicht zu fassen«, sagte Nick und schüttelte den Kopf.

»Du hattest immer recht«, erwiderte Connors, »und wir dachten, es sei eine fixe Idee von dir. Es tut mir wirklich leid.«

»Schon okay«, Nick winkte ab. Es war längst zu spät. Zuckerman war tot, und die verworrenen Geschäfte, Betrügereien und Erpressungen waren Schnee von gestern. Natürlich konnte man Vitali damit konfrontieren, aber selbst ein mittelguter Anwalt würde ihn aus dieser Sache herausholen können. Zum Teil waren Straftatbestände lange verjährt, und eine Video-Aussage würde vor Gericht für eine Verurteilung womöglich nicht ausreichen. Das sagte Nick auch, worauf Connors nur die Schultern zuckte.

»Wir können Vitali jetzt aber ganz andere Fragen stellen.« Seine Augen glänzten vor Begeisterung wie die eines Jagdhundes, der die Beute in greifbarer Nähe sieht.

»Ja«, seufzte Nick, »vielleicht. All das habe ich schon früher gewusst. Nur wollte das niemand wissen.«

»Du hast es *geahnt*«, verbesserte Connors, »jetzt haben wir Beweise!«

»Großartig. Du hast die Videoaussage eines Toten. Natürlich kannst du dadurch einiges belegen, was bisher als ungelöst galt. Vielleicht findest du jemanden, der sich bereit erklärt, als Zeuge vor Gericht gegen Vitali auszusagen, aber …« Nick verstummte.

»Aber? Aber was?« Lloyd starrte ihn an. »Ich hatte gedacht, du wärst begeistert!«

»Lloyd«, Nicks Stimme klang gequält, »ich habe Monate, wenn nicht sogar Jahre meines Lebens damit verbracht, diesem Scheißkerl hinterherzujagen. Ich weiß, dass ich insgeheim dafür verspottet wurde, und die Leute, die über mich gelacht haben, kriegen das nun alles auf dem Silbertablett serviert. Nimm es mir nicht übel, dass ich deine Begeisterung nicht recht teilen kann.

Dieser Mann hat mein Leben zerstört. Nicht nur, dass er meine Frau und meinen Sohn getötet hat, er hat mir Zeit gestohlen. Zeit, die ich mit Mary und Chris hätte verbringen können.«

Lloyd Connors sah Nick betroffen an.

»Wir werden Vitali diesmal ein für alle Mal das Handwerk legen. Wir werden ihn für all das, was er getan hat, zur Rechenschaft ziehen.«

Nick verspürte für einen Moment fast so etwas wie Neid auf den ungetrübten Optimismus des jüngeren Mannes, auf dessen Enthusiasmus und die Begeisterung, die feste Überzeugung, das Ziel zu erreichen. So wie Lloyd Connors war er selbst auch einmal gewesen, aber das schien eine Ewigkeit her zu sein. Nick seufzte wieder. Er war so müde, so schrecklich müde. Es war nichts mehr übrig von seiner Kraft und seinem Elan, und es war Vitali, der ihm alle Illusionen, alle Überzeugungen und den Glauben an Recht und Ordnung geraubt hatte.

»Ich wünsche es euch«, sagte er und erhob sich, »ich wünsche wirklich, dass es euch gelingt.«

»Es ist dein Erfolg, Nick«, sagte Lloyd Connors und legte ihm die Hand auf die Schulter, »du hast uns dazu verholfen.«

»Nein«, Nick schüttelte den Kopf, »das ist nicht mehr meine Angelegenheit. Es ist nicht mein Erfolg, wenn es einer werden sollte, sondern allein deiner.«

»Du musst doch Genugtuung empfinden, wenn …«

»Genugtuung?« Nick blickte den jüngeren Mann nachdenklich an. »Nein. Ich empfinde überhaupt nichts. Da ist nur noch Leere. Was nützt es mir, wenn Vitali vor Gericht kommt und vielleicht sogar verurteilt wird? Dadurch wird niemand mehr lebendig.«

Montag, 6. Dezember 2000 – Büro der Staatsanwaltschaft Manhattan

»Bevor ich Mrs Sontheim Straffreiheit zusichern kann, will ich mit ihr sprechen!« Die Stimme von Tate Jenkins drang aus dem Lautsprecher des Telefons. Nick und Connors wechselten einen kurzen Blick.

»Mr Jenkins«, sagte Nick mit wachsender Ungeduld, »sie rief mich gestern Morgen an. Sie wird nicht zurückkommen, wenn sie befürchten muss, dass man sie verhaften und unter Mordanklage stellen wird.«

»Niemand wird sie verhaften, das habe ich Ihnen zugesagt. Aber ich werde keine Amnestie gewähren, bevor ich nicht persönlich von der Unschuld dieser Frau überzeugt bin«, Jenkins' Stimme klang ungeduldig, »das verstehen Sie doch, Mr Kostidis! Es besteht ja nicht nur der Vorwurf des Mordes! Vergessen Sie nicht, dass sie Geld unterschlagen hat. Richten Sie ihr aus, dass sie sich mit mir in Verbindung setzen soll. Je eher, desto besser.«

»Gut«, Nick zuckte die Schultern.

»Und noch eins, Mr Kostidis«, sagte der stellvertretende Direktor des FBI, »wir haben auf Grand Cayman eine Menge belastendes Material beschlagnahmen können. Zusammen mit den Schuldanerkenntnissen der bestochenen Männer könnte das ausreichen.«

»Wofür ausreichen? Was meinen Sie damit?«

»Ich meine damit, dass Mrs Sontheim nicht zu hoch pokern sollte. Wenn sie noch länger wartet, könnte es sein, dass ihre

Aussage für uns nicht mehr wichtig sein wird. In diesem Fall bestünde für mich auch überhaupt keine Veranlassung mehr, den Haftbefehl aufzuheben, denn dann ist die Angelegenheit Sache des NYPD.«

Lloyd Connors schnappte empört nach Luft, und auch Nick gelang es nur mit Mühe, seinen Zorn zu zügeln. Diesem arroganten Kerl war es vollkommen gleichgültig, dass es allein Alex gewesen war, die den Stein ins Rollen und sich damit selbst in Lebensgefahr gebracht hatte. Ohne sie wäre das FBI niemals auf diesen Korruptionsskandal gestoßen!

»Aber Mrs Sontheim kann als Einzige dazu beitragen, Vitali vor Gericht zu bringen. Sie hat genaue Kenntnisse von den Vorgängen und zeitlichen Abläufen und ...«

»Vitali ist nicht mein Problem«, unterbrach Jenkins Nick. »Ich werde diese unerfreuliche Korruptionsaffäre aus der Welt schaffen und dafür sorgen, dass nicht zu viel Porzellan zerschlagen wird. Wenn Ihre Zeugin nicht kooperationswillig ist, muss sie selbst die Konsequenzen für ihr Verhalten tragen.«

»Wenn ich Sie richtig verstehe, Mr Jenkins«, sagte Nick mit mühsam beherrschter Stimme, »haben Sie kein Interesse daran, Vitali zu verhaften.«

»Ich habe den Auftrag herauszufinden, wie weit die Korruption innerhalb der Behörden des Staates und der Stadt New York geht«, erwiderte Jenkins kühl.

»Aha«, sagte Nick, »dann tun Sie das. Aber Sie können sicher sein, dass Vitali nicht lange zögern wird, die Nachfolger der Personen, die Sie aus ihren Ämtern entfernen, sofort wieder zu bestechen. Wenn Sie das Übel nicht an seiner Wurzel packen, sind Ihre Bemühungen vergeblich.«

»Das lassen Sie getrost mein Problem sein, Mr Kostidis.«

Lloyd Connors machte Nick ein Zeichen, aber Nick war nun wirklich wütend und enttäuscht.

»Hören Sie, Jenkins«, sagte er scharf, »ich bin kein kleiner Beamter, mit dem Sie sprechen. Ich bin der Bürgermeister von New York City, und ich war – falls Sie das vergessen haben sollten –

Bundesstaatsanwalt und stellvertretender Generalstaatsanwalt der Vereinigten Staaten. Ich werde es nicht zulassen, dass Sie und Ihre Behörde wieder einmal alles unter den Teppich kehren, wie so häufig, wenn euch etwas nicht in den Kram passt! Es ist mir vollkommen gleichgültig, aus welchen Gründen Sie Vitali schonen, denn ich werde dafür sorgen, dass ihm diesmal das Handwerk gelegt wird. Und ich spiele mit dem Gedanken, mich noch heute direkt an den Justizminister und den Präsidenten, die ich beide persönlich kenne, zu wenden.«

Connors verzog das Gesicht, als habe er Zahnschmerzen, aber er konnte nicht umhin, Nick Kostidis für seinen Mut und seine Gradlinigkeit zu bewundern.

»Sie haben mit diesem Fall überhaupt nichts zu tun!«, bellte Tate Jenkins verärgert.

»Das habe ich sehr wohl!«, entgegnete Nick. »Meine Stadt, für die ich verantwortlich bin, wird von Männern wie Vitali unregierbar gemacht! Und ich werde nicht länger zulassen, dass der Mob diese Stadt regiert und mit Mord und Drohungen ehrliche Bürger einschüchtert! Ich habe meine Familie verloren, weil ich es gewagt habe, mich Vitali entgegenzustellen. Ich werde diesen Mann bekämpfen, und das mit allen Mitteln. Wenn das FBI nicht mit mir zusammenarbeitet, dann werde ich es ohne Sie tun, Jenkins.«

»Mr Kostidis, hören Sie mir zu …«

»Nein, *Sie* hören jetzt *mir* zu! Ich bin noch für ein Jahr zum Bürgermeister dieser Stadt gewählt, und in diesem einen Jahr werde ich hier aufräumen. Jetzt ist die Gelegenheit da, und ich werde sie ergreifen. Es ist mir *scheißegal*, was Ihre Aufgabe ist, Jenkins, denn meine ist es, diese Stadt sicher und lebenswert zu machen, nicht nur für die Bürger, sondern auch für die Wirtschaftsunternehmen, durch die New York City existieren kann. Es kann nicht sein, dass ein Mann mit seinem Geld so viel Macht bekommt, dass sogar das FBI vor ihm kuscht!«

»Passen Sie auf, was Sie sagen, Kostidis!«, zischte Jenkins.

»Es ist mir egal. Und wissen Sie warum?« Nick senkte seine

Stimme. »Ich sage es Ihnen: Ich habe nichts mehr zu verlieren. Absolut nichts mehr. Meine Frau und mein Sohn sind vor meinen Augen gestorben, weil es jemandem nicht passte, dass ich die Wahrheit sagte. Ich lasse mich nicht einschüchtern, von nichts und niemandem. Wenn Sie mich davon abhalten wollen, diese ganze schmutzige Angelegenheit rückhaltlos aufzuklären, dann müssen Sie mich wohl oder übel ebenfalls umbringen lassen.«

»Wir sind hier nicht im Wilden Westen!«

»Genau. Das sind wir nicht mehr. Und gerade deshalb kann es nicht sein, dass ein Mann wie Vitali tun und lassen kann, was er will, nur weil er rücksichtsloser und brutaler ist als alle anderen. Wer so eklatant wie er gegen alle Gesetze dieses Landes verstößt, gehört hinter Schloss und Riegel.«

Für einen Moment herrschte auf der anderen Seite der Leitung Stille, und Connors hielt gespannt die Luft an. Hatte Nick den Bogen überspannt?

»Was wollen Sie also, Kostidis?«

»Ich will, dass Sie Mrs Sontheim Straffreiheit garantieren, wenn sie in die Stadt zurückkehrt. Sie ist die wichtigste Zeugin gegen Vitali. Im Gegenzug dazu werde ich dafür sorgen, dass sie mit Ihnen spricht und ebenso mit der SEC. Ich verspreche Ihnen außerdem, dass so wenig wie möglich an die Öffentlichkeit dringt, wenn Ihre Behörde uns dabei unterstützt, Vitali für all das, was er getan hat, zur Rechenschaft zu ziehen.«

»Das ist eigentlich nicht Sache des FBI.«

»Doch. Es geht um die nationale Sicherheit. Denken Sie nur daran, dass Vitali mit dem kolumbianischen Drogenkartell gemeinsame Sache macht.«

Tate Jenkins seufzte und gab sich geschlagen.

»Ich werde mit Mr Horner sprechen.«

»Wann?«

»Sofort. Ich rufe Sie wieder an.«

Das Gespräch war beendet, es klickte in der Leitung. Nick lehnte sich in seinem Stuhl zurück und fuhr sich mit der Hand über das Gesicht.

»Mein lieber Mann«, Lloyd Connors lachte leise, »ich würde es nicht glauben, wenn ich es nicht mit eigenen Ohren gehört hätte. So hat wohl noch niemand mit Jenkins gesprochen.«

»Sie haben kein Interesse an Vitali«, sagte Nick, »sie wollen die Kleinen hängen und die Großen laufen lassen.«

»Ja, ich befürchte es fast auch«, Connors hörte auf zu lachen, »aber was willst du tun? Du kannst das FBI zu nichts zwingen.«

»O doch, das kann ich«, Nick blickte auf, »ich habe sehr gute Beziehungen zur Presse. Innerhalb weniger Stunden wäre der Skandal perfekt. Ich werde ihnen alles erzählen, was ich weiß. Es wird ein gewaltiges Aufsehen erregen, vor allen Dingen, wenn ich Namen nenne und vielleicht sogar Teile von van Mierens Aussage an die Fernsehsender weitergebe. Dann müssen sie handeln.«

»Das kannst du nicht ernsthaft vorhaben«, sagte Lloyd Connors besorgt, »damit würdest du dich selbst ruinieren.«

»Das ist mir egal. Ich habe mehr erreicht, als ich jemals zu träumen gewagt habe, aber ich habe auch alles verloren, was mir lieb und wichtig war. Es ist mir egal, ob ich mich unbeliebt mache oder nicht. Ich werde nicht lockerlassen.«

»Denkst du auch daran, was das für Konsequenzen für mich haben würde?«

»Natürlich«, Nick nickte, »in diesem Fall musst du dich sofort von mir distanzieren. Ich wäre dir deshalb nicht böse.«

Der Regen rauschte gegen die Fensterscheiben von Connors' Büro, ein eisiger Wind heulte um das Gebäude der Staatsanwaltschaft. Nick erhob sich.

»Ich habe die Nase voll vom Taktieren und Abwarten. Mit jeder Stunde, die verstreicht, steigt das Risiko, dass Vitali erfährt, was läuft. Und wenn er es erst weiß, dann entkommt er uns wieder.«

Das Telefon schrillte, und Connors nahm ab. Er lauschte ein paar Sekunden betroffen, dann wurde seine Miene finster.

»Ich komme sofort hin«, sagte er und legte auf.

»Ist etwas passiert?«, fragte Nick.

»Allerdings«, erwiderte Connors grimmig, »Clarence Whitewater. Seine Frau hat ihn tot gefunden. Er hat sich in seiner Garage mit Autoabgasen das Leben genommen.«

Nick war erschüttert. Er kannte Richter Clarence Whitewater seit vielen Jahren und hatte häufig mit ihm gearbeitet. Der alte Mann war ein Leben lang ein Muster an Integrität gewesen und hatte in den achtziger Jahren voller Überzeugung mitgeholfen, die New Yorker Mafiafamilien zu bekämpfen. Aber schon lange davor hatte sich Whitewater den Ruf eines unbestechlichen und gerechten Richters erworben. Was hatte ihn wohl dazu bewogen, sich zum Ende seiner glanzvollen Karriere von Vitali bestechen zu lassen?

»Ich muss hinfahren«, Connors nahm seinen Mantel, den er über einen der Stühle geworfen hatte, »ich rufe dich an.«

»Okay«, Nick folgte ihm hinaus, »du kannst mich im Büro erreichen.«

* * *

Sergios anfänglicher Zorn auf Alex war einer kalten Rachsucht gewichen. Immer wieder malte er sich aus, was er mit ihr machen würde, wenn er sie erst in seiner Gewalt hatte. Dennis Bruyner hatte zwar gesagt, dass es das Beste wäre, wenn die Polizei oder das FBI Alex erwischten, aber Sergio war da ganz anderer Meinung. Sie sollte bitter bereuen, was sie getan hatte! Vor keinem Gericht der Welt würde Alex Sontheim mehr aussagen, denn wenn er mit ihr fertig war, war sie tot. Das Telefon summte, und Sergio fuhr zusammen.

»Ja?«

»Sergio!«, schrie Levy mit hysterischer Stimme, und Sergio verzog das Gesicht. »Godfrey ist verschwunden! Schon vor ein paar Tagen ist das FBI bei Levy & Villiers aufgetaucht! Sie hatten einen Durchsuchungsbefehl, und es waren Leute von der SEC und der US-Botschaft dabei!«

»Na und?«, erwiderte Sergio gelangweilt. »Du warst doch

unten und hast dafür gesorgt, dass die Konten gelöscht wurden. Lass sie doch suchen, was sie wollen.«

»Eben nicht!« Levy senkte seine Stimme zu einem Zischen, das ebenso unangenehm war wie sein Kreischen zuvor. »Der Computer war blockiert, und wir konnten *gar nichts* machen!«

Sergio erstarrte.

»So eine gottverdammte Scheiße!« Levy vergaß seine gute Erziehung und fluchte wie ein Droschkenkutscher. »Ich dachte, Godfrey hätte alles erledigt und die Dateien gelöscht, aber er ist seit Dienstag angeblich bei seiner kranken Mutter in Idaho! Dabei hat er überhaupt keine Eltern mehr, dieser miese Dreckskerl, dieses ... dieses Sauschwein!«

Sergio hörte sich schweigend die Schimpftiraden Levys an, während sein Gehirn auf Hochtouren arbeitete. Es war etwas anderes, ob die Gegenseite irgendwelche Kopien in Händen hatte oder Informationen, die direkt aus einem Bankcomputer stammten. Und womöglich würden Männer wie de Lancie, Harding, Gouverneur Rhodes oder Senator Hoffman anders reagieren, wenn statt der Staatsanwaltschaft das FBI an der Haustür klingelte.

»Was können sie herausbekommen?«, fragte Sergio.

»Ich weiß nicht«, erwiderte Levy, »ich habe keine Ahnung. Ich habe mich nie darum gekümmert, das war St. Johns Sache. Herrgott, wie konnte ich mich nur auf so etwas einlassen? Mein Ruf ist ruiniert, wenn das herauskommt!«

»Halt den Mund«, unterbrach Sergio ihn, »es nützt gar nichts, wenn du jammerst wie ein Waschweib.«

Er überlegte fieberhaft. Wenn das FBI oder die Börsenaufsicht gezielten Hinweisen nachgegangen wären, dann wären sie zuerst bei LMI aufgetaucht und hätten Levy Fragen gestellt. Ihr Erscheinen in der Bank auf den Caymans erschien ihm eher wie ein Schuss ins Blaue. Wenn sein Name im Zusammenhang mit diesen Ermittlungen erwähnt worden wäre, hätten ihn seine Freunde bei der SEC längst davon unterrichtet. So schlimm konnte es nicht sein.

»Hör zu, Vince«, sagte Sergio, »falls sie etwas gefunden haben, ja falls sie auf diese Konten gestoßen sind und dich danach fragen, dann wirst du behaupten, dass du nichts weißt. Sag ihnen, dass St. John für die Tochtergesellschaften von LMI zuständig war. Sie werden niemals beweisen können, dass wir etwas damit zu tun haben.«

»*Ich* habe ja tatsächlich nichts damit zu tun«, erwiderte Levy, und Sergio stockte der Atem. *Mieses Schwein*, dachte er. Nelson hatte ihn nicht umsonst immer vor Levy gewarnt. Einen Opportunisten hatte er ihn genannt, und er hatte recht behalten!

»Vincent«, sagte Sergio mit mühsam gezügelter Wut, »durch mich und mein Geld ist es dir überhaupt nur gelungen, LMI von einer kleinen Klitsche zu dem zu machen, was es heute ist. Du hast jahrelang alles getan, um deinen großen Lebenstraum zu verwirklichen, und das mit einer beträchtlichen kriminellen Energie. Du steckst genauso tief in der Sache drin wie ich, sogar noch tiefer, denn als Präsident und Vorstandsvorsitzender bist du für das, was in der Firma vorgeht, verantwortlich. Wenn du mir in den Rücken fällst, wirst du das bereuen.«

»Du drohst mir?«

»Ich sage nur: mitgefangen, mitgehangen. Du wirst das bis zum bitteren Ende mitmachen, und wenn du clever bist und die Nerven behältst, dann wird dir nichts geschehen. Das verspreche ich dir. Wenn du das aber nicht tust, dann gehst du unter, wie MPM.«

Sergio legte auf und schlug zornig mit der Faust auf den Tisch. *Du bist dabei, die Kontrolle zu verlieren* ... Die Worte Nelson van Mierens hallten in seinem Kopf wie ein Echo, und plötzlich verspürte Sergio ein ungewohntes und daher umso erschreckenderes Gefühl der Panik in sich aufsteigen. Hatte er etwas übersehen? Hatte er irgendwo einen Fehler gemacht? Es gab niemanden mehr, den er um Rat fragen konnte. Nelson und Zack waren tot, und Alex, die er nie für besonders wichtig gehalten hatte, schien nun zu einer Schlüsselfigur in dieser Angelegenheit geworden zu sein. Hatte er damals schon den Fehler gemacht, als er sie nicht in seine Geschäfte eingeweiht und sie zu seiner Vertrauten gemacht hatte? Er stieß einen Seufzer aus und stand auf. Es nützte nichts, sich mit Wenns und Abers herumzuschlagen. Nun galt es, einen kühlen Kopf zu bewahren und die Fakten zu akzeptieren. Er musste sich schleunigst absichern. Auch, wenn er jeden anderen dafür opfern musste.

***

Die Maschine der Delta Airlines aus Miami landete um halb zehn abends auf dem Flughafen Newark in New Jersey. Alex holte ihren Koffer am Gepäckband ab. Bevor sie hinaus in die Ankunftshalle ging, verschwand sie auf der Toilette. Sie hatte nicht vor, Sergios Leuten in die Arme zu laufen, deshalb entledigte sie sich rasch ihrer Kleidung, schlüpfte in ein Hemd und einen grauen Anzug, band sich eine Krawatte um den Hals und zog die Herrenschuhe an, die sie, wie alles andere, am Flughafen in Miami gekauft hatte. Dann band sie ihr Haar straff zusammen und stopfte es unter die blonde Kurzhaarperücke. Ein Schnauzbart zum Ankleben vervollständigte ihr Kostüm. Alex betrachtete sich im Spiegel. Sie sah aus wie ein Mann, zumindest auf den ersten Blick. Als sie die Damentoilette verließ, erntete sie von einer Frau am Waschbecken einen erstaunten und missbilligenden Blick. Die Verkleidung war also in Ordnung. Alex erblickte Sergios Leute sofort. Zwei Männer standen an verschiedenen Ecken der Ankunftshalle und beobachteten scharf alle Leute, die durch die automatischen Türen hineinkamen. Sie bemerkte, wie sie ein kurzer Blick streifte, und ihr Herz klopfte erleichtert. Es hatte geklappt! Vor dem Terminal nahm sie sich ein Taxi. Vom Atlantik wehte ein eisiger Sturmwind und peitschte den Schneeregen fast waagerecht über das Land.

»Ganz schön ungemütlich, was?«, fragte der Taxifahrer. »Wo kommen Sie her, Sir?«

»Aus Florida«, erwiderte Alex, »da war's auch nicht viel wärmer.«

»Wo wollen Sie hin?«

»Nach Manhattan. Kennen Sie ein preiswertes Hotel im Theater-Distrikt?«

»Ja. In der 47. Straße, zwischen der 6th und 7th Avenue. Portland Square Hotel. Billig, aber sauber.«

»Hört sich gut an. Fahren Sie mich dorthin.«

Das Taxi setzte sich in Bewegung. Alex hatte sich lange überlegt, wo sie hingehen sollte, wenn sie wieder in der Stadt war. Zuerst hatte sie eines der großen, anonymen Luxushotels in Erwägung gezogen, aber da würde man sich wundern, wenn sie ihre Rechnung bar bezahlte. Da sie ihre Kreditkarten nicht benutzen konnte, schien es ihr unauffälliger und sicherer, in ein kleineres Hotel zu gehen. Alex sehnte sich nach einer heißen Dusche und einem Bett. In den letzten 48 Stunden war sie in so vielen Flugzeugen und Flughäfen gewesen, dass sie das Zeitgefühl völlig verloren hatte. Schweiz, Deutschland, Frankreich und dann Miami. Sie war todmüde und gleichzeitig hellwach. Im Radio liefen Nachrichten, und plötzlich zuckte Alex hoch.

»Könnten Sie das Radio lauter drehen?«, bat sie den Fahrer, der ihrer Bitte sofort nachkam.

»*... Whitewater, der seit 1982 oberster Bundesrichter des Staates New York war, wurde heute am späten Vormittag in der Garage seines Hauses in Patchogue auf Long Island tot aufgefunden. Spekulationen, nach denen er sich das Leben genommen haben soll, wurden bisher von der Staatsanwaltschaft weder bestätigt noch dementiert ...*«

Das Blut rauschte in Alex' Ohren. Clarence Whitewater gehörte auch zu den Männern, die Sergio bestochen hatte. Sie hatte den stattlichen, weißhaarigen Mann, der einen tadellosen Ruf besaß, in Sergios Haus getroffen. Hatte der Richter sich umgebracht, weil er fürchten musste, seine Beziehung zu Vitali würde ans Licht kommen? Nick hatte die Kontoauszüge der Staatsanwaltschaft übergeben, und offensichtlich war die nicht untätig gewesen. Das Taxi passierte den Holland Tunnel und erreichte wenig später Manhattan. Jetzt war es zu spät, um umzukehren.

Alex atmete tief durch. Hoffentlich würde die Lawine, die sie selbst losgetreten hatte, sie nicht mit in den Abgrund reißen.

***

Es war kurz nach zehn, als Nick nach Gracie Mansion zurückkehrte. Er hatte den Abend auf einer Wohltätigkeitsgala im Waldorf-Astoria verbracht, die er nach dem offiziellen Teil schnell verlassen hatte. Ihm war nicht nach lachenden Menschen und getuschelten Gerüchten zumute. Hauptgesprächsthema hinter vorgehaltener Hand war der Tod von Clarence Whitewater, über den niemand etwas Genaues, aber jeder etwas wusste. Nick wünschte den Sicherheitsbeamten eine gute Nacht und ging in den Seitenflügel des Hauses, in dem sich seine Privaträume befanden. Wie an jedem Abend, an dem er in das Haus zurückkehrte, das ohne die Anwesenheit von Mary so fremd und seelenlos wie ein Hotel war, dachte er daran, sich eine andere Wohnung irgendwo in der Stadt zu suchen. Er zog sich aus und stellte sich unter die heiße Dusche, die seine verspannten Nackenmuskeln lockerte. Seit zwei Tagen wartete er darauf, dass Alex sich wieder bei ihm meldete. Tate Jenkins hatte tatsächlich einer Amnestie zugestimmt, allerdings nur unter der Prämisse, dass Alex umgehend mit ihm sprach. Die Zeit drängte allmählich, aber Nick hatte keine Möglichkeit, sie zu erreichen. Für einen kurzen Moment dachte er daran, dass sie vielleicht überhaupt nicht mehr nach New York zurückkehren würde. Sie hatte genug Geld und eine neue Identität, es wäre das Einfachste, wenn sie nie mehr einen Fuß in diese Stadt setzen würde, in der man ihr nach dem Leben trachtete. Nick hätte das verstanden, und doch verursachte ihm allein die Vorstellung, sie womöglich nie wiederzusehen, einen scharfen Schmerz. Es war ihm gleichgültig, dass er vor Jenkins und Connors ziemlich dumm dastehen würde, wenn Alex verschwunden bliebe. Viel schlimmer würde es sein, sie nicht mehr zu sehen und nicht einmal zu wissen, wo sie war und wie es ihr ging. Nick zog sich einen Bademantel über, ging in die Küche und starrte in den Kühlschrank.

Obwohl er die Möglichkeit gehabt hatte, sich an dem opulenten Buffet im Waldorf-Astoria satt zu essen, hatte er die Hummerkrabben und Kalbsmedaillons, die gefüllten Wachtelbrüstchen und den Beluga-Kaviar verschmäht. Gerade als er die angebrochene Flasche Milch aus dem Kühlschrank nahm, schellte das Telefon. Vor Schreck ließ er fast die Flasche fallen. Wie jedes Mal in den letzten Tagen, wenn das Telefon geklingelt hatte, hoffte er, dass es Alex sein möge. Diesmal war sie es tatsächlich.

»Hallo Nick«, sagte sie, »ich bin's.«

»Alex!«, rief er erleichtert. »Wie geht es Ihnen? Ich dachte schon, Ihnen sei etwas zugestoßen!«

»Aus dem Flugzeug konnte ich schlecht anrufen.«

Aus dem Flugzeug? Nicks Herz begann zu klopfen.

»Wo sind Sie jetzt?«, fragte er.

»Wieder in der Stadt.«

»Ich muss mit Ihnen sprechen, Alex, es ist sehr dringend. Ich hatte eine harte Auseinandersetzung mit den Leuten vom FBI, aber es ist mir gelungen, sie dazu zu überreden, den Haftbefehl gegen Sie aufzuheben.«

»Das ist gut.«

»Wann können wir uns treffen?«

Alex zögerte einen Moment, und Nick fürchtete, sie würde auflegen.

»Es ist schon spät«, sagte sie, aber dann schien sie sich anders zu besinnen. »Kennen Sie das Portland Square Hotel im Theater-Distrikt? 47. Straße West, zwischen der 6. und 7. Avenue. Ich habe Zimmer 211.«

»Okay«, erwiderte Nick, »das finde ich.«

»Gut. Bis später.«

Nick hängte ein und holte tief Luft. Eigentlich müsste er auf der Stelle Lloyd Connors anrufen, aber dann entschied er sich, alleine zu Alex zu fahren. In den nächsten Tagen würde noch genug Zeit sein für Verhöre.

***

»Sollen wir wieder die ganze Nacht hier hocken?«, nörgelte Gino Tardelli. »Es ist gleich elf. Der Typ wird sich bei dem Sauwetter wohl kaum noch irgendwohin auf die Socken machen.«

»Halt die Klappe«, sagte Luca, der die Überwachung des Bürgermeisters persönlich übernommen hatte. Über Handy war er mit 20 Zweiergruppen seiner Männer in ständigem Kontakt. Sie lösten sich mit der Verfolgung ab, damit den Leibwächtern des Bürgermeisters nichts auffiel. In den letzten vier Tagen waren sie kreuz und quer durch die Stadt hinter ihm her gewesen, hatten ihn bei seinen unzähligen öffentlichen Terminen beobachtet und nichts Auffälliges feststellen können. Leider konnten sie seine Telefonate nicht abhören, aber wenn er sich mit Alex traf, dann würden sie es bemerken.

»Wir bleiben bis ein Uhr hier, dann werden wir abgelöst.« Luca zündete sich eine Zigarette an.

»So eine blöde Scheiße«, murrte der andere Mann, »der Kerl liegt im Bett, und wir sitzen hier in dieser Affenkälte.«

Fast hätten die beiden Männer nicht bemerkt, wie sich das kleine Seitentor des Parks öffnete. Ein Mann trat heraus. Er trug eine Lederjacke und eine Basecap und ging eilig die East End Avenue hoch.

»Schau mal einer an.« Luca richtete sich auf und ließ den Motor des Wagens an.

»Was ist'n los?«

Luca antwortete nicht und tippte eine Nummer ein, während er das Auto auf die Straße rollen ließ.

»Ich bin's«, sagte er wenig später, »da kommt ein Typ mit Lederjacke und Basecap die Straße hoch. Ihr müsstet ihn schon sehen.«

»Ja, ich sehe ihn. Er guckt wohl nach einem Taxi.«

»Bleibt an ihm dran und ruft mich an, wenn ihr wisst, wohin er geht.«

»Wer ist das denn?«, fragte Tardelli.

»Schätze, das ist unser Herr Bürgermeister.« Luca steckte das

Handy weg. »Ich wette, nicht mal seine Leibwächter wissen, dass er sich aus dem Haus geschlichen hat.«

***

Alex duschte ausgiebig und wusch sich die Haare, wobei die dunkle Farbe zu einem großen Teil verschwand. Die Müdigkeit war verflogen, sie befand sich in einem Zustand nervöser Anspannung, der ihre Hände zittern und ihr Herz klopfen ließ. Nick war auf dem Weg zu ihr! War es richtig, dass sie sich alleine mit ihm in einem Hotelzimmer traf? Sie wurde in ganz Amerika wegen Mordes gesucht, und es konnte ihm sehr schaden, wenn jemand davon erfuhr, dass er sich mit ihr getroffen hatte. Trotz ihrer Bedenken freute sie sich darauf, ihn zu sehen, denn ihr erging es nicht anders als ihm: Seit Tagen dachte sie immer wieder an ihn. Alex betrachtete ihr ungeschminktes Gesicht im schummerigen Licht des Badezimmerspiegels. Noch hatte sie die Möglichkeit, auszusteigen. Niemand außer Nick wusste, dass sie wieder in der Stadt war. Sie konnte auf Nimmerwiedersehen aus New York verschwinden. Aber was würde das für ein Leben sein? Niemals hätte sie gedacht, wie furchtbar es sein konnte, mit einem gefälschten Pass auf der Flucht zu sein. Bei jeder Passkontrolle hatte sie innerlich vor Angst gebebt. Hielten Zollbeamte und Polizisten ihren Pass länger in der Hand als den anderer Leute? Starrten sie sie genauer an als andere? Jedes Mal war ihr speiübel gewesen und sie hatte weiche Knie gehabt, wenn sie schließlich unbehelligt weitergehen durfte. Nein, sie war für ein solches Leben nicht geeignet und konnte nur hoffen, dass dieser Alptraum eines Tages vorbei sein würde. Sicherlich zum tausendsten Mal, seitdem sie Zacks Leiche erblickt hatte, wünschte sie sich, sie hätte die Finger von all dem gelassen. Sie ging in das Zimmer zurück und stellte den Fernseher an. Das Hotel war einfach, aber sauber. Niemand hatte einen Pass sehen wollen, und sie hatte sich als Mr and Mrs Bernard Chambers aus Tallahassee, Florida, eingetragen. In einem Liquor Store nebenan hatte sie eine Flasche Champagner und vier Dosen Cola eingekauft, dazu zwei Tüten Chips und zwei lappige Sandwichs in Klarsichtfolie. Den Alkohol brauchte sie, um einschlafen zu können. Ein, zwei Gläser Champagner auf leeren Magen beruhigten ihre zitternden Nerven. Im Portland Square Hotel, das vor allen Dingen von theaterbegeisterten Touristen belegt war, würde sie zumindest für eine Nacht vor Sergio sicher sein.

***

Nick ahnte, dass Vitali ihn überwachen ließ, und zwar nicht, weil er wissen wollte, was er so den ganzen Tag tat, sondern weil er hoffte, dass er ihn zu Alex führen würde, falls sie wieder auftauchte. Aus diesem Grund hatte er sich am belebten Times Square absetzen lassen und nahm es in Kauf, bei einem Fußmarsch nass zu werden. Er durfte Vitali nicht auf Alex' Fährte locken. Für diese Nacht mochte sie im Portland Square sicher sein, aber morgen musste sie unbedingt woanders hin. Vitali würde es fertigbringen, seine Spürhunde ganz Midtown Manhattan absuchen zu lassen, wenn er den Verdacht hätte, dass Alex sich hier irgendwo aufhielt. Nick betrat die wenig spektakuläre Lobby des Portland Square Hotel, die voller Menschen war. Die Theatervorstellungen waren zu Ende, und die Leute gingen zurück in ihre Hotels, weil bei diesem Wetter ein Stadtbummel wenig reizvoll war. Da der Aufzug besetzt war, nahm er die Treppe in den 2. Stock. Sein Herz hämmerte in seiner Brust, als er sich dem Zimmer mit der Nummer 211 näherte. Er holte tief Luft und klopfte an.

»Wer ist da?«, hörte er Alex' Stimme durch die billige furnierte Tür.

»Ich bin's. Nick.«

Sekunden später wurde die Tür aufgerissen, und sie stand vor ihm. Nicks Herz machte einen glücklichen, wilden Satz, als er sie erblickte, blass, aber immer noch wunderschön. Die Aufregungen der letzten Tage hatten Spuren in ihrem Gesicht hinterlassen. Sie war nicht die eiskalte, abgebrühte Person, als die die Presse sie bezeichnete, und ganz bestimmt war sie keine berechnende Mörderin. Die Frau, die ihm gegenüberstand, war verängstigt und durcheinander und genauso einsam wie er selbst. Sie wäre nicht zurück in die Stadt gekommen, wenn sie all das getan hätte, wessen man sie beschuldigte. Alex war unschuldig Opfer einer Intrige geworden. Er trat ein, und sie schloss die Tür hinter ihm. Bis zu diesem Augenblick hatte er nicht gewusst, wie sehr er sich nach ihr gesehnt hatte. Ein paar Sekunden sahen sie sich schweigend an, suchten nach passenden Worten. Beiden fiel nichts mehr von dem ein, was sie den anderen eigentlich hatten fragen wollen.

»Du bist ja völlig durchnässt«, murmelte Alex.

»Es schneit draußen«, erwiderte Nick benommen.

»Du … du musst die nassen Sachen ausziehen, du erkältest dich sonst.« Sie zog ihm die nasse Lederjacke aus, und er ließ es geschehen. Ihre Blicke trafen sich, und plötzlich verlor Alex ihre eiserne Selbstbeherrschung. Die Tränen strömten aus ihren Augen, und sie überließ sich ihrer Angst und Verzweiflung. Nick legte die Arme um sie und hielt sie fest an sich gedrückt. Er murmelte tröstende Worte, ihr Gesicht lag an seiner Wange, er spürte die Wärme ihres Körpers. Danach hatte er sich gesehnt, in den vielen Nächten, die er wach in seinem Bett gelegen hatte. Es hatte ihm ein schlechtes Gewissen bereitet, dass seine Sehnsucht nach Alex die Trauer um Mary verdrängt hatte, aber gleichzeitig hatte er sich so lebendig gefühlt wie lange nicht mehr. Irgendwann versiegten Alex' Tränen, aber sie hielten einander fest umschlungen und sahen sich stumm und befangen an.

»Ich bin froh, dass du hier bist«, flüsterte Nick rau.

»Ich bin auch froh«, erwiderte Alex. »Es ist alles so schrecklich, aber jetzt, wo du bei mir bist, habe ich keine Angst mehr.«

Sie schlang ihm die Arme um den Hals, zögerte noch einen Moment, aber dann küsste sie ihn beinahe schüchtern.

Sein Herz schlug schneller, als er ihren Kuss erwiderte. Sie schmiegte sich in seine Arme, drängte sich an ihn, ihre Hände glitten unter sein Hemd und streichelten sanft seinen nackten Rücken. Die Berührung durchzuckte ihn scharf und süß. Er nahm ihr Gesicht in seine Hände und betrachtete sie einen Moment, bevor er sie zärtlich küsste. Es war ihm egal, ob das, was er tat, richtig oder falsch war. Es interessierte ihn nicht, was die Medien mit ihm machen würden, sollte bekanntwerden, dass er, der Bürgermeister von New York City, mit einer Frau geschlafen hatte, die wegen Mordes gesucht wurde. Er sehnte sich mehr nach Alex, als er sich je zuvor nach einer Frau gesehnt hatte. Ohne ihren Kuss zu unterbrechen, entledigten sie sich ihrer Kleider, sanken auf das durchgelegene Bett, während der Schneefall vor dem Fenster dichter wurde und der Wind an den Fensterscheiben rüttelte. Sie wollten nicht reden, nicht nachdenken, nicht vernünftig sein. Dazu war später Zeit genug. Ihre Herzen klopften aufgeregt, als sie sich wieder und wieder küssten und liebkosten, sich miteinander vertraut machten und erforschten. Da war keine Raserei, keine irrsinnige Ekstase, keine wütende Lust, sondern etwas anderes, unendlich Zärtliches, das ihnen beiden die Tränen in die Augen trieb. Sie liebten sich leidenschaftlich und hingebungsvoll, wie es nur zwei Menschen können, die einander vertrauen und sich ehrlich mögen, sie wandten keinen Blick voneinander, während ihre Körper aufeinander reagierten wie zwei Magneten, die zueinandergehören und durch irgendwelche unerklärlichen Umstände viel zu lange voneinander getrennt gewesen waren. Zwischen ihnen war keine Scheu wie bei Fremden, nein es war seltsam vertraut und doch aufregend neu. Tief in Alex' Bauch begann ein Pulsieren, das in Wellen durch ihren Körper floss, ein überwältigendes, lustvolles Gefühl, ein sehnsüchtiger Trieb, sich zu vereinigen und etwas zu erzeugen. Sie bewegte sich mit ihm, fand denselben Rhythmus wie er, spürte, wie eine Woge der Lust sie gemeinsam zum Höhepunkt katapultierte. Auf dem Gipfel der Leidenschaft hielten sie inne und sahen sich an, beinahe erstaunt darüber, wie ihre Körper und ihre Seelen für einen großartigen, atemlosen Augenblick zu einem einzigen Ganzen verschmolzen. Ein heißes wundervolles Gefühl des Glücks und des Entzückens stieg in ihnen auf, und sie schämten sich ihrer Tränen nicht. Eng umschlungen lagen sie da, lächelten sich atemlos an und warteten, bis sich ihr Herzschlag wieder beruhigt hatte. Alex erkannte in Nicks Augen, dass er dasselbe empfand wie sie selbst. In dem Moment, als er eben vor ihr in der Tür gestanden hatte, war ihr bewusst geworden, dass sie ihn liebte. Sie hatte sich nach seiner Berührung gesehnt und davon geträumt, ihn zu küssen und mit ihm zu schlafen.

»Halt mich ganz fest«, flüsterte sie, und Nick schloss sie noch fester in seine Arme. Sie schmiegte sich eng an ihn und seufzte. Das Gefühl, nicht mehr länger allein zu sein, ließ die enorme Spannung, die in den letzten Tagen auf ihr gelastet hatte, von ihr abfallen, und eine angenehme Müdigkeit breitete sich in ihrem Körper aus.

* * *

Nick lauschte darauf, wie ihre Atemzüge ruhiger wurden. Er betrachtete ihr schlafendes Gesicht und war ganz benommen von der Heftigkeit seiner Gefühle für die Frau in seinen Armen. Mit einem Anflug schlechten Gewissens dachte er daran, dass es mit Mary nie so gewesen war, so *vollkommen* und so großartig. Er hatte Mary geliebt, aber trotz der Vertrautheit, die zwischen ihnen geherrscht hatte, war es ihm nie gelungen, sich ihr so ganz und gar zu öffnen, wie er es bei Alex konnte. Nie wäre er vor Mary in Tränen ausgebrochen oder hätte ihr seine Zweifel und Ängste gestanden. Nick seufzte und berührte mit seinen Lippen vorsichtig die zarte Haut in Alex' Nacken. Das überschäumende Glücksgefühl des Wiedersehens hatte einer ruhigen und tiefen Freude Platz gemacht, die nur von dem Gedanken getrübt wurde, ob seine Liebe zu Alex eine Zukunft hatte. Heute, jetzt, in dieser Nacht, waren sie zwei Menschen, die einander brauchten, weil sie allein und in Bedrängnis waren. Aber wie konnte es weitergehen? Würden sie jemals die Chance haben, ihre Liebe zu vertiefen und womöglich öffentlich zu machen, oder waren sie dazu verurteilt, sich heimlich zu treffen, immer in der Angst, jemand könne sie entdecken? Irgendwann besiegte die Müdigkeit alle Zweifel, und Nick schlief, eng an Alex' schlafwarmen Körper geschmiegt, ein.

***

Es war vier Uhr morgens, als Luca seinen Boss im *Painted Cat* anrief.

»Und?«, fragte Sergio. »Ich will keine schlechten Nachrichten hören!«

Er war in einer aggressiven Stimmung, weil es ihm nicht gelungen war, bei den Mädchen in seinem Nachtclub sexuelle Erleichterung zu finden. Sein erneutes Versagen erbitterte und frustrierte ihn, und er hatte, entgegen seinen sonstigen Gepflogenheiten, beinahe eine ganze Flasche Scotch getrunken. Immer wieder hatte er an Alex denken müssen, und sein Zorn und seine Rachsucht waren ins Unermessliche gewachsen. Sie hatte ihn an der Nase herumgeführt, sie hatte ihn bestohlen und eine seiner Firmen in den Bankrott gestürzt. Und jetzt hatte sie ihn auch noch impotent gemacht! Das war mehr, als sein ohnehin angegriffenes Selbstwertgefühl verkraften konnte. Er starrte in den Spiegel hinter der Bar und erschrak über sein Aussehen. Sein Gesicht wirkte aufgedunsen, er hatte Tränensäcke unter den blutunterlaufenen Augen, die er zuvor noch nie bemerkt hatte. Fast kam es ihm so vor, als habe ihn mit Alex auch die Illusion verlassen, er könne dem Älterwerden trotzen. Aus dem Spiegel starrte ihn ein Mann Ende 50 an, der unaufhaltsam auf die 60 zuging. Sergio hasste diesen Anblick, und doch konnte er nicht die Augen von seinem Spiegelbild abwenden.

»Meine Jungs haben Kostidis zwar am Times Square aus den Augen verloren«, berichtete Luca, »aber sie haben alle Hotels zwischen der 49. und der 45. Straße abgecheckt. Es sieht ganz so aus, als sei Alex unter einem falschen Namen im Portland Square abgestiegen.«

Sergio richtete sich ruckartig auf, seine Hand schloss sich fester um das Whiskyglas. War sie tatsächlich so dumm gewesen, in die Stadt zurückzukehren? Sein Herz begann unwillkürlich schneller zu schlagen, und sein Adrenalinspiegel schoss in die Höhe, wie bei einem Jäger, der unverhofft einem kapitalen Hirsch gegenübersteht.

»Hat sie jemand gesehen?«

»Das nicht, aber ich bin auf den Namen ›Chambers‹ gestoßen«, erwiderte Luca, »unter diesem Namen ist sie schon im Marriott in Zürich abgestiegen.«

Ein grimmiges Lächeln flog über Sergios Gesicht. Wenn sich hinter diesem Namen tatsächlich Alex verbarg, dann hatte sie trotz ihrer Cleverness einen Fehler gemacht.

»... und dazu«, fuhr Luca fort, »meint ein Typ vom Portland Square, Kostidis gesehen zu haben. Mit Lederjacke und Baseballkappe getarnt.«

»Wir fahren hin!«, sagte Sergio entschlossen.

»Nein, Boss«, widersprach Luca, »wir sollten warten, bis Kostidis verschwunden und sie alleine ist. Meine Leute sind auf allen Fluren des Hotels. Wenn er ihr Zimmer verlässt, weiß ich das zehn Sekunden später.«

Sergio überlegte einen Moment. Am liebsten wäre er sofort hingefahren. Wenn er Alex mit diesem Bastard in einem Zimmer überraschen sollte, würde er sie auf der Stelle umbringen. Ja, wenn er erfahren sollte, dass sie – alleine der Gedanke war unfassbar! – mit Kostidis im Bett gewesen war, dann ...

»Boss?«, unterbrach Luca Sergios rachsüchtige Gedanken.

»Ja, ja ... du hast recht. Schick mir einen Wagen zum *Painted Cat*. Ich will dabei sein, wenn ihr reingeht.«

Er beendete das Gespräch und trank das Glas leer. Seine Rache war ganz nah, er konnte es fühlen.

* * *

Der Morgen graute über New York und tauchte die Stadt in ein stumpfgraues Zwielicht. Ein scharfer Wind aus Nordwesten trieb den Nieselregen, in den sich nur noch wenige Schneeflocken mischten, wie Nebel vor sich her. Alex blinzelte verschlafen. Es dauerte ein paar Sekunden, bis ihr die Ereignisse der letzten Nacht wieder einfielen und ihr die Situation bewusst wurde, in der sie sich befand. Die wenigen Stunden, in denen sie die Bedrohung verdrängt hatte, waren vorüber, und mit dem anbrechenden Tag kehrte auch die Angst zurück. Sie wandte sich zu Nick um und stellte fest, dass er wach war und sie betrachtete.

»Hallo«, flüsterte sie.

»Hallo«, erwiderte er leise. In seinen tiefdunklen Augen lag ein trauriger Ausdruck. Wie lange hatte er sie wohl schon angesehen?

»Musst du gehen?«, fragte Alex leise.

»Ja«, Nick lächelte bedauernd, »es ist gleich halb sechs. Man wird mich sonst vermissen.«

»Nimm mich noch einmal in die Arme«, bat Alex, »bitte.«

Er nickte stumm und zog sie fest an sich. Alex seufzte und schmiegte ihr Gesicht an seine Wange. Sie hätte ihm gerne gesagt, wie viel er ihr bedeutete und wie sehr sie ihn mochte. Aber im Licht der Morgendämmerung war der Mann, der mit ihr im Bett lag, wieder Nicholas Kostidis, der Bürgermeister von New York City, auf den seine Amtsgeschäfte und die Öffentlichkeit warteten. In der letzten Nacht waren sie nur ein Mann und eine Frau gewesen, die in den Armen des anderen für ein paar Stunden Trost und Zuflucht gesucht hatten. Sie hatten die Realität vergessen, aber nun hatte sie sie wieder eingeholt, und die Magie der Nacht verflog im heller werdenden Tageslicht. Alex wusste, dass es für Nicks Ansehen fatal sein würde, sollte jemand von ihrer gemeinsamen Nacht erfahren. Es interessierte niemanden, dass nichts von dem, was man ihr vorwarf, der Wahrheit entsprach, aber Nicks Feinde würden es als willkommenen Anlass sehen, ihn mit Schmutz zu bewerfen. Nein, so schmerzlich es war, sie durfte es nicht sagen. Sie sahen sich eine Weile schweigend an und wünschten beide, die Zeit anhalten zu können.

»Wie wird es jetzt weitergehen?«, fragte Alex.

»Ich werde Jenkins sagen, dass du mit ihm sprechen wirst«, erwiderte Nick, »dann ist der Haftbefehl endgültig aus der Welt.«

Durch das gekippte Fenster drangen die Geräusche der erwachenden Stadt.

»Wo ist Oliver?«

»Im Kloster St. Ignatius. Es geht ihm gut.«

Nick betrachtete ihr Gesicht und strich ihr zärtlich über die Wange.

»Komm gleich mit mir, Alex«, drängte er, und seine Augen waren dunkel vor Sorge. »Ich habe kein gutes Gefühl, wenn ich dich jetzt hier alleine zurücklasse.«

Alex zögerte. Am liebsten hätte sie sofort ihre Sachen gepackt und wäre mit ihm gegangen, aber dann fiel ihr wieder ein, wer sie war und für was man sie hielt.

»Nein, das ist keine gute Idee«, antwortete sie deshalb, »es ist nicht gut für dich, wenn die Leute dich mit mir sehen.«

Das ist mir völlig egal, dachte Nick.

»Ich bin hier im Hotel vorerst sicher.«

Nick ließ sie nur widerstrebend los und erhob sich. Er ging ins Badezimmer, duschte und zog sich an.

»Sobald ich mit Connors gesprochen habe, rufe ich dich an«, sagte er mit belegter Stimme, als er seine Lederjacke angezogen hatte, »dann schicke ich zwei US-Marshals hierher, die dich abholen.«

»Okay«, Alex spürte, wie die Tränen in ihrer Kehle brannten. Ihre Trauer über den bevorstehenden Abschied mischte sich mit hilflosem Zorn auf die aussichtslose Lage, in der sie sich befand. Nie wieder würde etwas so sein, wie es einmal gewesen war. Der Mann, in den sie sich verliebt hatte, musste heimlich von ihr wegschleichen, weil sie als Verbrecherin gebrandmarkt worden war.

»Danke, Alex«, sagte Nick nun.

»Ich muss dir danken«, erwiderte sie, »weil du zu mir gekommen bist und weil du mir glaubst.«

»Du bist eine großartige Frau«, Nicks Stimme war rau, »und es war eine ganz wunderbare Nacht.«

... *und ich liebe dich*, fügte er in Gedanken hinzu. Alex sah ihm nach, als er langsam zur Tür ging, beinahe wäre sie aufgesprungen, um ihn zurückzuhalten. Aber er musste gehen, das wusste sie. Als die Tür hinter ihm ins Schloss fiel, presste Alex ihr Gesicht ins Kopfkissen und begann zu weinen.

***

»Da ist er«, sagte Luca, als der Mann mit Lederjacke und Baseballkappe aus der Eingangstür des Hotels trat. Er war erleichtert, dass er Kostidis gefunden hatte, und hoffte, dass der Bürgermeister tatsächlich bei Alex gewesen war. Möglicherweise war es ein Irrtum und er hatte die Nacht bei einer anderen Frau verbracht. Sergio Vitali saß schweigend auf dem Rücksitz des Wagens. Er hatte in den zwei Stunden, in denen sie bereits im Auto schräg gegenüber dem Hotel saßen, kein einziges Wort gesagt. Seine Miene war ausdruckslos, doch in seinem Inneren brodelte der Zorn so heiß wie ein Vulkan. Wenn es sich herausstellen sollte, dass es Alex war, bei der Kostidis gewesen war, dann würde er sie umbringen.

»Okay«, sagte Luca, »gehen wir rein.«

Sergio nickte und stieg aus. In ein paar Minuten würde er es wissen.

***

Alex zuckte zusammen, als es an der Tür klopfte. Sie hatte sich geduscht und angezogen und wollte gerade ihren Koffer packen.

»Wer ist da?«, rief sie.

»Ich bin's. Nick.«

Alex spürte, wie ihr Herz vor Freude klopfte. Nick war noch einmal zurückgekommen! Sie wischte sich die Tränen vom Gesicht. Lächelnd öffnete sie die Tür und wollte Nick schon um den Hals fallen. Aber es war nicht Nick, der vor ihr auf dem Flur stand. Alex durchfuhr ein eisiger Schreck, und das Lächeln erstarb auf ihrem Gesicht. Vor ihr stand Sergio Vitali, und in seinen Augen glomm eine mörderische Wut.

***

In Gracie Mansion herrschte helle Aufregung, als Nick um zehn vor sieben eintraf. Sicherheitsbeamte und Personal standen in der Eingangshalle, und in Nicks Arbeitszimmer diskutierten Lloyd Connors, Frank Cohen und Michael Page erregt miteinander. Nick betrat das Haus durch den Dienstboteneingang und war erstaunt, als er die Menschen an einem Sonntagmorgen um die frühe Uhrzeit erblickte.

»Hallo«, sagte er, worauf die drei Männer herumflogen und ihn anstarrten, als sei er ein Geist.

»Nick! Um Gottes willen!« Frank war blass und sichtlich besorgt.

»Was ist denn los?«, fragte Nick arglos. »Ist etwas passiert?«

»Du bist gut!« Connors stand die Erleichterung deutlich ins Gesicht geschrieben. »Wir sind aus Sorge um dich halb verrückt, und du spazierst hier kühl wie eine Hundeschnauze herein und fragst, was los ist!«

Nick blickte von Connors zu Frank und seinem Stabschef Michael Page.

»Wo sind Sie gewesen, Nick?«, fragte Frank vorwurfsvoll. »Um ein Uhr rief mich der Sicherheitsdienst an und sagte, Sie seien nicht zu Hause. Niemand wusste, wo Sie waren.«

»Wir wollten die Polizei informieren«, sagte Michael Page.

»Ich hatte gestern Nacht das Bedürfnis, etwas durch die Stadt zu fahren«, erwiderte Nick. »Ich wollte allein sein. Ich bin schließlich kein kleines Kind.«

»Das hat auch niemand gesagt«, sagte Lloyd Connors versöhnlich, »aber seit den Attentaten auf dich gelten für dich ähnlich strenge Sicherheitsvorkehrungen wie für den Präsidenten. Wir haben uns Sorgen gemacht.«

»Ich dachte schon, man hätte Sie entführt.« Frank ließ sich auf einen Stuhl sinken und nahm seine Brille ab.

»Die Sicherheitsleute waren ganz außer sich«, Michael Page schüttelte den Kopf, »und ich auch! Was glauben Sie, wie man mir die Hölle heißgemacht hätte, wenn Ihnen etwas zugestoßen wäre!«

»Ich war mein Leben lang alleine in der Stadt unterwegs«, entgegnete Nick, »ich hatte keine Lust, mit fünf Bodyguards durch die Gegend zu laufen.«

»Wenn du das nächste Mal nachts das Bedürfnis hast, durch die Stadt zu schlendern, dann sei doch bitte so freundlich und sage wenigstens jemandem Bescheid«, Lloyd Connors ergriff seinen Mantel und gähnte, »ich werde nach Hause fahren und ein paar Stunden schlafen.«

Nick seufzte. Er verspürte ein schlechtes Gewissen, weil die Männer sich wegen ihm die Nacht um die Ohren geschlagen hatten, aber nach Alex' Anruf gestern Nacht hatte er einfach nicht daran gedacht, dass überhaupt jemandem seine Abwesenheit auffallen würde.

»Es tut mir sehr leid, dass ihr diese Aufregungen hattet«, sagte er. »Das passiert nicht wieder.«

»Hoffen wir's«, Lloyd Connors grinste müde.

»Alex Sontheim ist wieder in der Stadt«, sagte Nick, und der Staatsanwalt fuhr herum.

»Seit wann?«

»Seit gestern Abend. Sie ist bereit, heute mit Jenkins und dir zu sprechen.«

»Na, das ist doch wenigstens mal eine gute Nachricht«, Connors' Müdigkeit war wie weggefegt, »dann muss mein Bett noch etwas warten. Wo ist sie?«

Nick zögerte. Er durfte nicht sagen, dass er es wusste.

»Sie hat mir ihre Handynummer gegeben.«

»Okay«, der Staatsanwalt nickte, »lass uns in mein Büro fahren. Wir werden sie von dort aus anrufen und dann jemanden hinschicken, der sie abholt.«

* * *

Alex starrte Sergio aus weit aufgerissenen Augen an. Im ersten Reflex hatte sie versucht, die Tür vor ihm wieder zuzuschlagen, aber einer der Männer, die ihn begleiteten, hatte sie daran gehindert. Und nun standen sie in dem kleinen Zimmer, Sergio Vitali, Luca und drei andere Männer mit kalten Augen, denen es nichts ausmachen würde, sie zu töten. Alex zitterte am ganzen Leib, die Angst kroch wie Eis durch ihre Adern.

»So trifft man sich also wieder«, sagte Sergio mit kalter Stimme. Sein Blick flog durch den kleinen Raum und blieb für ein paar Sekunden auf dem zerwühlten Bett hängen. Seine Hände ballten sich zu Fäusten, aber es gelang ihm, die Beherrschung zu bewahren.

»Nettes kleines Zimmer«, er ließ Alex nicht aus den Augen, »ist dir das Geld ausgegangen? Mit den 50 Millionen, die du mir geklaut hast, könntest du dir eine Suite im Plaza mieten.«

Alex brachte keinen Ton heraus. Sie war vor Angst wie gelähmt.

»Du bist ein hinterhältiges, kleines Flittchen«, fuhr Sergio fort. »Ich habe mich wahrhaftig in dir getäuscht. Ich habe dich für intelligent gehalten, aber das bist du nicht. Du bist sogar ziemlich dumm.«

Ohne Vorwarnung schlug er ihr ins Gesicht. Alex taumelte und prallte gegen das Bett. Sergio war mit einem Schritt bei ihr und zerrte sie wieder hoch.

»Wer war heute Nacht bei dir?«, wollte er wissen. Alex schüttelte nur stumm den Kopf. Da verzerrte sich sein Gesicht. Er rammte ihr seine Faust in den Magen, riss ihren Kopf an den Haaren hoch und schlug sie so hart, dass ihre Lippe aufplatzte und das Blut über ihr Kinn tropfte. Der Schmerz raubte Alex den Atem. Ihr verzweifelter Blick fiel auf die vier Männer, die sie jedoch nur gleichgültig ansahen. Von ihnen war keine Hilfe zu erwarten.

»Du sollst mir sagen, mit wem du es hier heute Nacht getrieben hast, du Hure!« Sergio packte sie an den Schultern und schüttelte sie. »War es Kostidis? Sag es mir! Hast du dich von diesem elenden, kleinen Bastard ficken lassen?«

Alex' Körper schmerzte vor Angst. Sergio würde sie töten, und es gab niemanden, der ihr helfen würde. Diese Erkenntnis brachte ihre rasenden Gedanken mit einem Schlag zum Stillstand. Sie wollte nicht sterben. Nicht heute und nicht, bevor sie Nick wiedergesehen und ihm gesagt hatte, dass sie ihn liebte.

»Ich könnte dir verzeihen, dass du mir Geld gestohlen hast«, Sergios Stimme war heiser vor Zorn, »auch, dass du MPM ruiniert und mir diesen ganzen Ärger beschert hast. Ja selbst die Sache mit den Konten auf Grand Cayman könnte ich dir verzeihen, aber eines, das werde ich dir niemals verzeihen ...«

Er trat nahe an sie heran, aber sie wich nicht vor ihm zurück.

»Dass du ausgerechnet zu Kostidis gegangen bist«, seine Stimme wurde zu einem Zischen, »und ihm alles brühwarm erzählt hast, das werde ich dir nicht verzeihen, und dafür wirst du sterben.«

Sie sah den wahnsinnigen Zorn in seinen Augen.

»Aber vorher wirst du mir alles erzählen, was ich wissen will. Meine Leute kennen ein paar schöne Methoden, Menschen gefügig zu machen. So wie deinen Freund aus Boston. Er wollte uns zuerst weismachen, nichts zu wissen, aber plötzlich erinnerte er sich.«

Justin! Was hatten sie mit ihm gemacht?

»Und mit dem kleinen Dicken aus deinem Büro«, Sergio lachte verächtlich, »er hat dich übrigens verraten, der Feigling.«

»Was hast du mit ihnen gemacht?«, flüsterte Alex tonlos.

»Nichts verglichen mit dem, was ich mit dir machen werde«, entgegnete Sergio. »Mit dem Dicken hast du's ja sicher auch getrieben, was?«

Sein Gesicht verzerrte sich wieder, und Alex konnte kaum fassen, dass ein so mächtiger Mann wie er von einem so kindischen Gefühl wie Eifersucht gequält wurde.

»Von all diesen Kerlen hast du dich ficken lassen! Von diesem zotteligen Computerfritzen und diesem Zeitungsschmierer – und jetzt auch noch ... *Kostidis*!« Sergio spuckte den Namen angeekelt aus. »Ich habe geglaubt, du hättest Geschmack, was Männer anbelangt, aber du bist ja völlig wahllos! Es ist geradezu eine Beleidigung für mich, dass mein Name in einer Reihe mit einem Kretin wie Kostidis steht!«

Alex verfolgte jede seiner Bewegungen und wich langsam vor ihm zurück. Sergio war nicht nur ein gewissenloser Verbrecher. Hinter seiner charmanten Fassade verbarg sich ein Abgrund von Minderwertigkeitskomplexen und Menschenverachtung. Dieser Mann, den sie einmal zu lieben geglaubt hatte, war ein Psychopath. Er blieb vor ihr stehen, sie spürte seinen Atem auf ihrem Gesicht und sah das Glitzern in seinen Augen.

»Du wirst für das bezahlen, was du getan hast, du Hure!«

Aus dem Augenwinkel sah Alex auf dem Tisch die Champagnerflasche, die sie gestern gekauft hatte. Nach der wahnsinnigen Angst und der entsetzlichen Anspannung der vergangenen Tage war sie an einem Punkt angelangt, an dem sie alles auf eine Karte setzen würde. Sie wollte sich Sergio nicht kampflos ergeben.

»Boss«, drängte Luca, »wir sollten hier verschwinden.«

»Ja, das tun wir auch«, erwiderte Sergio. Er wandte sich ab und gab seinen Männern einen kurzen Befehl. Einer holte eine Rolle Klebeband hervor, und da machte Alex sich bereit zum Kampf. Im Bruchteil einer Sekunde ergriff sie die Flasche und schmetterte sie dem Mann, der ihr am nächsten stand, auf den Kopf. Sie sah seinen erstaunten Blick, bevor er in die Knie ging und zusammenbrach, und sie sah den Revolver, den er im Hosenbund trug. Den Überraschungsmoment ausnutzend, bückte sie sich und ergriff die Waffe. Alex spürte, wie sich in ihrem Körper Energien mobilisierten, von denen sie vorher nichts geahnt hatte. Sie richtete die Waffe auf Sergio.

»Du kommst hier nicht raus«, flüsterte der, und seine Stimme bebte vor Zorn.

»Doch. Und zwar mit dir«, erwiderte sie, »du fährst mit mir zu Mark und Justin. Und wenn du keine Tricks versuchst und die beiden in Sicherheit sind, dann erzähle ich dir alles, was du wissen willst.«

»Du bist nicht in der Position, Forderungen zu stellen«, knirschte Sergio.

»Doch, das bin ich«, entgegnete Alex, »ich habe eine Waffe.«

»Du schießt nicht auf mich.«

»Vielleicht das nicht«, ohne den Blick von seinen Augen zu lassen, schlug sie die Champagnerflasche auf die Tischkante, worauf sie mit einem Zischen zerplatzte, »aber dann schneide ich dir die Kehle durch.«

Der abgebrochene Flaschenhals war eine mindestens so tödliche Waffe wie die geladene .38er in ihrer anderen Hand, und Alex war fest entschlossen, sich bis zum letzten Blutstropfen zu verteidigen.

»Boss«, sagte Luca eindringlich, »Sie sollten tun, was sie verlangt.«

»Niemals.«

Mit einer Schnelligkeit, die Alex ihm nicht zugetraut hätte, stürzte Sergio sich auf sie und packte ihr rechtes Handgelenk. Durch den Anprall verlor sie das Gleichgewicht und stürzte zu Boden. Sie hatte seinen Hass und seine Rachegefühle ihr gegenüber unterschätzt. Nun war ihr klar, dass sie tatsächlich nicht die geringste Chance hatte, ihm lebend zu entkommen. Seine Faust traf sie im Gesicht, Sternchen explodierten vor ihren Augen, sie hörte sein wütendes Keuchen.

»Niemand verlässt mich«, flüsterte er heiser, »niemand betrügt mich. Und niemand verkauft mich für dumm. Hast du das verstanden?«

Es gab einen heftigen Kampf, den Alex trotz aller Gegenwehr verlor. Luca beugte sich über sie und presste ihr einen Lappen mit einer scharf riechenden Flüssigkeit auf Mund und Nase. Sie spürte, wie man ihr Arme und Beine fesselte. Wie aus weiter Ferne hörte sie Sergios Stimme.

»Ich habe jetzt noch einen Termin in der Stadt«, hörte sie ihn sagen. »Macht mit ihr, was ihr wollt, aber passt auf, dass sie nicht abkratzt, bevor sie mir alles erzählt hat.«

Alex hörte ihr Handy piepsen. Verzweifelt dachte sie an Nick, dann verlor sie das Bewusstsein.

***

Nick ließ das Telefon dreißigmal klingeln.

»Seltsam«, er legte auf, »sie geht nicht dran.«

»Vielleicht ist sie gerade unter der Dusche«, entgegnete Lloyd Connors.

»Ja, vielleicht. Ich versuche es gleich noch einmal.«

Die Männer saßen in Connors' Büro im Gebäude der Staatsanwaltschaft. Tate Jenkins und Alan Harper, der Chef der SEC-Strafverfolgungsabteilung, würden in drei Stunden aus Washington kommen, um Alex zu verhören. Nick sehnte sich danach, Alex wiederzusehen. Er hätte ihr heute Morgen sagen sollen, was sie ihm bedeutete und was er für sie empfand. Er hätte ihr erklären sollen, dass er sie ehrlich gern hatte. Nein, es war mehr als das. Schon vor langer Zeit hatte er sich in sie verliebt, aber spätestens nach dieser Nacht war ihm klar, dass er sie liebte.

»Versuch's noch mal«, schreckte Connors ihn aus seinen Gedanken auf, und Nick wählte ein zweites Mal die Nummer von Alex' Handy. Wieder klingelte es, und niemand nahm ab. Nick beschlich ein ungutes Gefühl. Alex wusste doch, dass er sie anrufen wollte!

»Vielleicht hat sie es sich doch anders überlegt und hat sich aus dem Staub gemacht«, vermutete Connors. »Das wäre allerdings eine schöne Blamage für uns.«

»Nein, niemals«, Nick schüttelte den Kopf, »sie hat mir versprochen, mit Jenkins und den SEC-Leuten zu sprechen. Deshalb ist sie schließlich wieder in die Stadt gekommen.«

»Versuch's noch einmal«, schlug der Staatsanwalt vor.

»Ich glaube, es ist besser, wenn wir hinfahren«, Nicks ungutes Gefühl verwandelte sich in Angst.

»Du weißt also doch, wo sie ist«, Connors warf ihm einen scharfen Blick zu, und Nick zuckte die Schultern.

»Ich musste ihr versprechen, dass ich es niemandem sage.«

»Also?«

»Im Portland Square Hotel in der 47. Straße.«

»Okay«, Connors ergriff den Telefonhörer und rief Deputy Spooner an.

»Sie fahren sofort los«, verkündete er wenig später.

»Ich fahre mit«, Nick sprang auf. Connors seufzte, aber dann folgte er ihm. Gemeinsam mit zwei US-Marshals machten sie sich auf den Weg zur 47. Straße. Nicks düstere Vorahnung verstärkte sich mit jedem Meter, den sie sich dem Hotel näherten. Irgendetwas war geschehen. Es war ein Fehler gewesen, Alex allein im Hotel zurückzulassen. Er hätte darauf bestehen sollen, gerade weil er wusste, wie sehr Vitali hinter ihr her war. Plötzlich fragte er sich, ob er vielleicht Vitali auf Alex' Fährte gebracht hatte. Er wusste, dass man ihn beobachtete, aber gestern Abend war ihm nichts aufgefallen. Nick wurde kalt vor Angst, und die Tatsache, dass er Angst hatte, beängstigte ihn noch mehr. Egal, was er früher getan oder erlebt hatte, er hatte sich nie gefürchtet. Angst war ein Fremdwort für ihn gewesen, gleichgültig, wie stark oder bedrohlich der Sturm war, durch den er sich hatte kämpfen müssen. Vielleicht war es gerade seine Furchtlosigkeit gewesen, seine beinahe zwanghafte Gradlinigkeit und seine Eigenheit, die Schattenseite der Welt nicht akzeptieren zu können, die ihn zu seinem Erfolg geführt hatten. Mary hatte das nie verstehen können. Sie hatte immer Angst gehabt, wenn er gegen die Mafiafamilien oder gegen Drogendealer ermittelt hatte. Mary hatte nicht verstanden, dass ihn Bedrohungen stets angespornt und seinen Ehrgeiz angestachelt hatten. Aber seit ihrem Tod hatte sich etwas in Nick verändert. In den vielen Stunden der Einsamkeit hatte er darüber nachgedacht, was er falsch gemacht hatte, und ihm waren Zweifel an seiner Kompromisslosigkeit und Sturheit gekommen, durch die er sich in den vergangenen Jahren viele Feinde gemacht hatte. Und diese Feinde waren gefährlich. Nick verspürte eine hohle Angst in der Magengegend, während der Wagen durch die sonntäglich leeren Straßen Richtung Theater-Distrikt brauste. Wenn Alex etwas zugestoßen war, dann war es allein seine Schuld! Connors warf Nick einen seltsamen Blick zu.

»Was ist mit dir?«, fragte er.

»Ich habe das Gefühl, dass etwas passiert ist«, erwiderte Nick mit dumpfer Stimme, »und wenn es so wäre, dann bin ich daran schuld.«

»Unsinn«, Connors schüttelte den Kopf, »was hast du damit zu tun?«

»Ich war gestern Nacht bei ihr«, sagte Nick leise. Der Staatsanwalt starrte ihn ungläubig an.

»Du warst bei der Sontheim?«, flüsterte er, damit die beiden Deputies ihn nicht verstehen konnten. »Warum, um Gottes willen, hast du mir das nicht gesagt?«

»Ich wollte erst einmal mit ihr reden«, Nick zuckte die Schultern, »sie rief mich um halb elf an, und ich bin sofort zu ihr gefahren.«

»Wie konntest du das tun, Nick?« Connors' Flüstern klang erregt. »Diese Frau wird im ganzen Land gesucht! Sie steht immerhin noch unter Mordverdacht! Du hättest mich sofort anrufen müssen!«

Nick bemühte sich um äußerliche Gelassenheit. Wenn Connors erfuhr, dass er nicht mit Alex geredet, sondern mit ihr geschlafen hatte, würde er ihn sofort von allen weiteren Ermittlungen ausschließen.

»Ich wollte dich nicht mitten in der Nacht stören.«

»Na wunderbar!« Lloyd Connors verdrehte die Augen. »Ich werde wegen jeder Lappalie aus dem Bett geholt, aber wenn etwas wirklich Wichtiges geschieht, erfahre ich es nicht!«

»Es tut mir leid.«

»Schon gut. Was hat sie gesagt? Was ist mit dem Geld passiert?«

»Sie hat es nicht angerührt«, erwiderte Nick. »Sie will es als Faustpfand gegen Vitali benutzen.«

»Hm«, Connors starrte nachdenklich aus dem Fenster, während Nick vor Nervosität fast verrückt wurde. Endlich hatten sie das Hotel erreicht, das Nick nur wenige Stunden zuvor verlassen hatte. Bevor Deputy Khazaeli den Wagen richtig zum Stehen gebracht hatte, sprang Nick schon heraus und stürmte in die Lobby des Hotels. Die wenigen Gäste, die sich dort aufhielten, betrachteten neugierig die vier Männer, die, ohne nach links und rechts zu schauen, zum Aufzug gingen. Nick führte sie zum Zimmer Nummer 211.

»Auf die Seite!«, kommandierte Spooner, und Deputy Khazaeli versetzte der Sperrholztür einen gezielten Tritt, so dass sie krachend gegen die Wand flog. Er und sein Kollege stürmten in den Raum, die Waffen im Anschlag. Sie durchsuchten das Badezimmer und die Wandschränke.

»Nichts«, Spooner sicherte seinen Revolver und steckte ihn zurück ins Schulterhalfter, »der Vogel ist ausgeflogen.«

Nick schüttelte fassungslos den Kopf. Alex war tatsächlich verschwunden. Das Bett, in dem sie sich in der vergangenen Nacht geliebt hatten, war noch zerwühlt.

»Sie scheint wohl ihre Meinung geändert zu haben«, bemerkte Connors. In seinem Tonfall lag ein Hauch von Sarkasmus. »So eine Riesenscheiße! Was sage ich jetzt den FBI-Leuten? Ich stehe da wie ein kompletter Idiot!«

Er ließ sich auf einen Stuhl sinken und rieb sich die geröteten Augen. Nick stand wie betäubt in der Mitte des Raumes. Alex hatte versprochen, mit Jenkins und Harper zu sprechen. Wie konnte sie ihn so im Stich lassen? Sie wusste doch, was auf dem Spiel stand! Da fiel sein Blick auf das Bett. Er beugte sich darüber und berührte die Flecken mit dem Zeigefinger.

»O Gott«, murmelte er, und ihn verließ alle Kraft. Das war Blut. Eindeutig.

»Was ist denn?«, fragte Connors.

»Hier ist Blut«, flüsterte Nick, »überall. Und es ist noch ganz frisch.«

Connors sprang wie von der Tarantel gestochen auf, und die beiden US-Marshals kamen sofort näher. Sie hatten die Flecken auf dem geblümten Bettzeug und dem dunklen Teppichboden und die Splitter der Glasflasche nicht sofort bemerkt.

»Sie ist nicht einfach weggelaufen«, Nick versagte die Stimme. Alle Farbe wich aus seinem Gesicht, Panik überfiel ihn wie heftiger Schüttelfrost. Er konnte das Zittern nicht unterdrücken.

»Stimmt«, Khazaeli nickte, »dann hätte sie den Koffer mitgenommen.«

Er bückte sich und zog den Koffer unter dem Bett hervor. Jemand hatte achtlos Alex' Sachen hineingeworfen, damit es auf den ersten Blick den Eindruck machte, sie sei ausgezogen. Während Connors anfing zu telefonieren, die Spurensicherung ins Portland Square Hotel beorderte und die US-Marshals überall herumkrochen, um nach weiteren verräterischen Spuren zu suchen, stand Nick wie gelähmt da. Alex war in der Gewalt von Vitali. Er musste herausgefunden haben, wo sie war, und hatte abgewartet, bis er das Zimmer verlassen hatte, um zuzuschlagen. Nun gab es keine Hoffnung mehr. Niemals würde Vitali Alex lebend gehen lassen. Nick ballte die Hände in hilflosem Zorn. Er hätte am liebsten geschrien und getobt, sich auf das Bett geworfen und geweint wie ein kleiner Junge, aber das nützte alles nichts mehr. Es war zu spät.

***

Bereits eine Stunde nachdem man festgestellt hatte, dass Alex Sontheim verschwunden war, lief eine der größten Fahndungsaktionen an, die New York City jemals erlebt hatte. Gordon Engels schickte seine besten Leute los, die alle Gäste und das Personal des Portland Square Hotels befragten. Hundertschaften der Polizei durchkämmten die Lagerhäuser an den Docks von Brooklyn, Jersey City und Staten Island. Auf allen Brücken und vor allen Tunnels, die aus Manhattan herausführten, wurden Straßensperren errichtet, und jedes verdächtig aussehende Fahrzeug wurde kontrolliert. Immer wieder wurde der Fahndungsaufruf nach Alex Sontheim im Rundfunk und auf allen lokalen Fernsehsendern durchgegeben. Im Büro des Staatsanwalts war die Zentrale des Krisenstabes untergebracht; hier liefen alle Informationen zusammen, obwohl Polizeipräsident Jerome Harding heftig dagegen protestierte. Aufgebracht marschierte er gegen Mittag in Connors' Büro, nachdem er von einem Mitarbeiter nach einem gemütlichen Sonntagsbrunch, den er mit Sergio Vitali eingenommen hatte, davon unterrichtet worden war.

»Das ist allein Sache des NYPD!«, fuhr er den Staatsanwalt an. »Warum mischt ihr euch in unsere Arbeit ein?«

Sein Gesicht war gerötet, und er war so zornig, dass er die anderen Männer zuerst überhaupt nicht bemerkte.

»Hallo, Jerome«, Tate Jenkins lächelte schmal, »weshalb regen Sie sich denn so auf? Die Kooperation zwischen den Behörden funktioniert doch tadellos.«

Der Polizeichef flog herum und starrte den stellvertretenden Leiter des FBI überrascht an.

»Jenkins«, sagte er, »das scheint ja eine größere Sache zu sein. Was tun Sie hier?«

»Es ist allerdings eine größere Sache«, Jenkins deutete auf einen freien Stuhl ihm gegenüber, »setzen Sie sich doch, Jerome.«

Plötzlich wirkte der sonst so selbstbewusste Polizeipräsident von New York verunsichert.

»Gibt es da etwas, was ich noch nicht weiß?«, fragte er. »Weshalb ist das FBI hinter dieser Frau her? Wird sie verdächtigt, den Präsidenten ermordet zu haben?«

»Setzen Sie sich, Jerome«, wiederholte Tate Jenkins. Lloyd Connors warf Nick einen raschen Blick zu, doch der Bürgermeister von New York City starrte nur mit leerem Blick vor sich hin. Seitdem sie das Zimmer in dem Hotel betreten hatten, schien er unter Schock zu stehen.

»Connors«, sagte Jenkins, »klären Sie Mr Harding bitte über die Situation auf.«

»Was geht hier vor?« Ein feiner Schweißfilm hatte sich auf Hardings Stirn gebildet, seine Augen flogen nervös zwischen den anwesenden Männern hin und her. Lloyd Connors räusperte sich und wappnete sich gegen einen der heftigen und beinahe legendären Wutanfälle des Polizeichefs.

»Wir suchen Alex Sontheim in erster Linie nicht wegen des Mordes an Mr St. John«, begann er mit ruhiger Stimme, »sondern weil wir uns von ihr eine sehr wichtige Aussage in einem groß angelegten Korruptionsskandal versprechen.«

»Ein Korruptionsskandal?« Harding mochte auf jeden anderen ehrlich erstaunt wirken, aber Connors erkannte ein erschrockenes Flackern in den Augen des Polizeichefs.

»Wir haben Beweise«, fuhr er fort, »dass hochrangige Politiker und Beamte dieser Stadt in den vergangenen Jahren für gewisse Gefälligkeiten regelmäßig Geld erhalten haben. Uns wurde umfangreiches Material übergeben, aus dem wir Namen, Zahlen und Kontonummern auf den Cayman Islands, den Bahamas und in der Schweiz erfahren haben. Wenn auch nur ein Bruchteil dessen wahr ist – wovon wir mittlerweile ausgehen –, dann handelt es sich zweifellos um einen der größten Bestechungsfälle in der Geschichte von New York City, wenn nicht sogar der Vereinigten Staaten.«

Jerome Harding wurde abwechselnd rot und blass, aber er brach nicht zusammen wie jeder der anderen Männer, dem Connors in den letzten Tagen diese Rede gehalten hatte. Nick hatte recht gehabt, als er gesagt hatte, dass Harding ein harter Brocken sein würde. Der Polizeichef ließ sich nicht so leicht einschüchtern, und die Tatsache, dass er niemals etwas von dem Konto, das auf seinen Namen bei Levy & Villiers existierte, abgehoben hatte, ließ es fraglich erscheinen, ob bei ihm überhaupt der Straftatbestand der Bestechlichkeit im Amt gegeben war.

»Unglaublich!« Harding gelang es, entrüstet zu wirken. »Wieso erfahre ich erst jetzt davon?«

Jenkins beugte sich vor. Seine hellen Augen waren fischkalt.

»Weil Ihr Name auch in unseren Unterlagen auftaucht, Jerome.«

»Wie bitte?« Der Polizeipräsident fuhr herum, und der ungläubige Ausdruck auf seinem Gesicht hätte echt gewirkt, wenn nicht die blanke Angst in seinen Augen gestanden hätte.

»Ja. Allerdings.«

»Das ist eine infame Unterstellung!«, empörte Harding sich. »Und von wem, wenn ich fragen darf, soll ich Geld angenommen haben?«

»Das wüssten wir auch gerne«, erwiderte Jenkins mit einem freundlichen Lächeln. Er schlug die Beine übereinander und verschränkte die Arme vor der Brust. Für einen Moment herrschte völlige Stille. Gedämpft drang das Klingeln der Telefone und Stimmengewirr von draußen herein. Dann schob Harding seinen Stuhl mit einem Ruck zurück und erhob sich.

»Das ...«, sagte er mit gefährlich leiser Stimme, »ist eine wahrhaftig *unglaubliche* Unterstellung, die ich schärfstens zurückweise! Ich habe niemals und zu keiner Zeit von irgendjemandem Geld angenommen! Ich bin seit fast elf Jahren Polizeipräsident dieser Stadt, und ich kann behaupten, dass es mir in dieser Zeit gelungen ist, New York sauberer und sicherer zu machen. Kriminelle Subjekte jeder Art sind mir ein Gräuel, ob sie einen weißen Kragen tragen oder mit Crack in der U-Bahn dealen! Ich habe einen tadellosen Ruf, weit über die Grenzen dieser Stadt hinaus, und ich lasse es mir nicht bieten, von euch als jemand hingestellt zu werden, der sich *bestechen* lässt!«

Die letzten Worte hatte er herausgeschrien, sein aggressives Gesicht war gerötet. Jenkins hatte der emotionsgeladenen Rede mit unbewegter Miene gelauscht.

»Also?« Harding stemmte die Arme in die Seiten und blickte die Männer herausfordernd an. »Von wem soll ich Geld angenommen haben?«

Connors konnte nicht umhin, Hardings Mumm zu bewundern, und für eine Sekunde kamen ihm Zweifel an dessen Verstrickung in diese Affäre. Er zögerte.

»Von Sergio Vitali«, nahm ihm jemand die Worte aus dem Mund.

Harding drehte sich ruckartig um.

»Ach, wieder einmal Vitali«, sagte er spöttisch und warf Nick einen feindseligen Blick zu, »das Gespenst, das seit 20 Jahren in Ihrem kranken Gehirn herumspukt, Kostidis.«

»Nein«, Nick schüttelte den Kopf, »kein Gespenst. Absolut nicht. Und Sie wissen das so gut wie ich, Jerome.«

»Ich weiß gar nichts.«

»Tatsächlich?« Nick stand auf und ging um den Tisch herum. Sein Gesicht war sehr blass.

»Dann haben Sie aber ein sehr kurzes Gedächtnis. Ich erinnere mich noch lebhaft an unser Gespräch in meinem Büro, an dem Morgen, nachdem Cesare Vitali verhaftet und ermordet wurde.«

»Er hat sich aufgehängt«, unterbrach Harding ihn grob.

»Das hat er nicht«, erwiderte Nick, »sein eigener Vater hat einen Mann zum 41. Revier geschickt, der einem Polizeibeamten 3000 Dollar gab, damit dieser dafür sorgte, dass Cesare Vitali umgebracht wurde. Es sollte wie ein Selbstmord aussehen.«

»Das ist doch wohl ...«, begann Harding, aber Nick redete unbeirrt weiter.

»Sie waren sehr wütend, weil ich vor laufender Kamera einen Zusammenhang zwischen den Schüssen auf Vitali und dem kolumbianischen Drogenkartell hergestellt habe. Ich konnte mir damals Ihren Zorn nicht erklären, aber dann dämmerte es mir: Vitali hatte nicht nur de Lancie, sondern auch Sie, den unerschrockenen, gradlinigen Kämpfer gegen das Verbrechen, auf seine Seite gezogen. Ich habe es Ihnen auf den Kopf zugesagt, erinnern Sie sich jetzt, Jerome, und Sie reagierten darauf äußerst ungehalten.«

Der Polizeipräsident starrte ihn wütend an, aber er schwieg.

»Sie haben jahrelang beide Augen zugedrückt, wenn es um Vitali und seine Handlanger ging. Als Gegenleistung dafür hat Vitali Ihr Konto auf den Caymans aufgefüllt. Sie waren viel zu schlau, um das Geld anzurühren, aber Sie haben genau gewusst, wie viel darauf ist. Ein nettes Zubrot zur Rente, nicht wahr?«

»Ich konnte Sie noch nie leiden, Kostidis«, flüsterte Harding, blass vor Zorn und Angst, »Sie sind ein selbstgerechter Fanatiker, ein ... ein ... verdammt, starren Sie mich nicht so an!«

Nick sah ihn ungerührt und beinahe traurig an.

»Sie waren die größte Enttäuschung von allen«, sagte er leise. »Ich konnte es nicht fassen, denn ich hätte für Sie beide Hände ins Feuer gelegt, Jerome.«

Harding biss sich auf die Lippen und senkte den Kopf.

»Was sagen Sie zu diesen Vorwürfen?«, ließ sich Jenkins vernehmen.

»Ich sage überhaupt nichts mehr ohne meinen Anwalt!«, schnappte der Polizeichef. »Und jetzt entschuldigen Sie mich. Ich habe zu tun.«

»Sie werden nicht gehen«, sagte Lloyd Connors.

»So?« Harding funkelte den jüngeren Mann wütend an. »Und wer will mich daran hindern?«

»Ich«, entgegnete Connors und nahm ein Blatt aus seiner Aktentasche, die offen auf dem Tisch stand, »ich habe einen Haftbefehl, Mr Harding. Ich verhafte Sie wegen des Verdachts der Bestechlichkeit im Amt, der Vorteilsnahme, der Strafvereitelung im Amt, der Nichtanzeige geplanter Straftaten, der Begünstigung und der Nötigung in mehreren Fällen.«

»Sie können mich mal am Arsch lecken, Sie Grünschnabel«, Harding lachte abfällig, »mit Ihrem Haftbefehl wische ich mir den Hintern ab!«

»Wenn Sie meinen«, Connors blieb gelassen, »dann kommen noch der Straftatbestand der Beleidigung und Widerstand gegen die Staatsgewalt dazu.«

Er durchquerte den Raum und öffnete die Tür, um den davor wartenden US-Marshals ein Zeichen zu geben.

»Mr Harding?«, sagte einer der Deputies und zog die Handschellen. »Kommen Sie bitte mit. Sie haben das Recht zu schweigen …«

»Ich kenne meine Rechte!«, blaffte Harding den Mann an und wandte sich an Jenkins, Connors und Engels. »Das wird euch noch bitter leidtun! Mein Anwalt wird euch in der Luft zerreißen, euch und euren lächerlichen Haftbefehl! Das gibt eine saftige Schadensersatzklage!«

»Hoffentlich können Sie sich einen guten Anwalt leisten, nachdem Ihr Vermögen im Ausland vom Finanzamt beschlagnahmt worden ist«, Connors lächelte kühl, »ich befürchte nämlich, dass Sie noch ein nettes Strafverfahren wegen Steuerhinterziehung bekommen.«

Hardings Augen verengten sich, als die Handschellen zuschnappten.

»Das werden wir ja sehen«, sagte er.

»Ja, das werden wir allerdings«, Connors nickte, »bringt ihn durch den Keller raus. Ich will nicht, dass seine Verhaftung bekannt wird. Er darf vorerst auch nicht telefonieren.«

Während sich die anderen Männer über die weitere Vorgehensweise besprachen, verfiel Nick wieder in den Zustand dumpfen Brütens. Die Hilflosigkeit, zu der er verdammt war, machte ihn krank. Am liebsten wäre er mit den Polizisten durch die Stadt gefahren, hätte eigenhändig die Lagerhäuser an den Docks durchsucht, die bekannten Unterwelttreffpunkte an der Lower East Side und in Little Italy. Doch stattdessen saß er in diesem Büro und wartete voller Anspannung auf die spärlichen Neuigkeiten, die ihnen in nervenaufreibend unregelmäßigen Abständen mitgeteilt wurden. Leider waren alle Spuren, die hoffnungsvoll ausgesehen hatten, bisher im Sande verlaufen. Zwei Angestellte des Portland Square Hotels hatten sich an Männer erinnert, die auf den Fluren des Hotels herumgelungert waren, aber die Beschreibungen waren so schlecht und gegensätzlich, dass der herbeigerufene Polizeizeichner nach einer Weile entnervt aufgegeben hatte. Zu der grässlichen Ungewissheit kamen die

Schuldgefühle. Nick machte sich bittere Vorwürfe, dass er nicht besser auf etwaige Verfolger geachtet hatte, als er in der Nacht zu Alex gefahren war. Er wurde den bohrenden Gedanken nicht los, dass er es gewesen war, der Vitali auf Alex' Fährte gebracht hatte! Warum hatte er heute Morgen nicht auf seine innere Stimme gehört und sie dazu überredet, mit ihm zu kommen? Hätte er darauf bestanden, so wäre sie jetzt in Sicherheit. Nick vergrub sein Gesicht in den Händen. Beim Anblick der Blutflecke in dem leeren Zimmer hatte ihn dasselbe entsetzliche Gefühl überfallen, das er in dem Augenblick, als das Auto mit Mary und Christopher explodiert war, verspürt hatte. Lähmende Hilflosigkeit, Fassungslosigkeit und Schuld. Er hatte eine einzige, an und für sich unbedeutende, falsche Entscheidung getroffen, die furchtbar schwerwiegende Ereignisse nach sich zog.

»Was meinst du dazu, Nick?«, fragte Connors, und Nick fuhr hoch.

»W… was? Wozu?«

Lloyd Connors betrachtete den Bürgermeister besorgt. Er ahnte längst, dass zwischen Nick und dieser Alex Sontheim mehr war als bloßes Interesse an der Aufklärung einer Bestechungsaffäre. Connors sah die dunklen Schatten um Nicks Augen, die angespannte Nervosität und die Angst in seinem Blick. Zu gerne hätte er irgendetwas Aufmunterndes oder Beruhigendes zu ihm gesagt, aber es gab leider nichts, was er hätte sagen können. Wenn die Frau tatsächlich in Vitalis Gewalt war, dann stand es schlecht um sie.

***

Als Alex aus ihrer Bewusstlosigkeit aufwachte, hatte sie jedes Gefühl für Zeit und Ort verloren. Die harte Matratze, auf der sie lag, roch muffig und alt. Sie versuchte die Augen zu öffnen, aber man hatte sie ihr verbunden. Ihr Kopf dröhnte von den Schlägen, die Sergio ihr verpasst hatte, ihr Mund war staubtrocken von dem Äther, mit dem man sie betäubt hatte. Außerdem waren ihre gefesselten Hände und Füße taub und gefühllos. Die Erinnerung an das, was geschehen war, kehrte schlagartig zurück.

»Ganz zahm, die kleine Wildkatze«, sagte ein Mann hinter ihr auf Italienisch, und Alex wagte kaum noch zu atmen.

»Ich hab's noch nie mit so 'ner feinen Lady gemacht«, ließ sich ein zweiter Mann vernehmen. »Der Boss hat gesagt, wir könnten mit ihr machen, was wir wollen, oder nicht?«

Alex schluckte krampfhaft, ihr Körper versteifte sich vor Angst. Sie hatte keine Gnade und kein Mitgefühl zu erwarten, schon gar nicht, nachdem sie einen der Männer mit der Flasche niedergeschlagen hatte. Aber solange man sie für bewusstlos hielt, würde ihr vielleicht nichts geschehen.

»Stimmt. Hat er gesagt.«

»Dann könnten wir doch ein bisschen Spaß mit ihr haben, oder?«

»Warum eigentlich nicht? Der Boss kommt frühestens in ein paar Stunden.«

Während die Männer halblaut miteinander diskutierten, wurde Alex die ganze verzweifelte Auswegslosigkeit ihrer Lage bewusst. Niemand wusste, wo sie war, sie war an Händen und Füßen gefesselt und in der Gewalt von Sergios Leuten. Warum hatte sie heute Morgen nur nicht auf Nick gehört und war mit ihm gegangen? Ihre Gedanken rasten, aber es gab keine Möglichkeit zur Flucht. Sie war Sergio auf Gedeih und Verderb ausgeliefert, und sie wusste, dass er sie töten würde.

»Komm«, sagte nun wieder einer der Männer, »ich muss mal pinkeln. Und dann holen wir die anderen. Die wollen sicher auch ihren Spaß haben.«

Schritte entfernten sich, eine Tür ging mit leisem Quietschen auf und wieder zu. Der Raum musste ziemlich groß sein, es roch klamm und unbenutzt, wie ein alter Keller.

»Hallo?«, flüsterte Alex nach einer Weile heiser, aber sie erhielt keine Antwort. Offenbar waren beide Bewacher gegangen. Sie bewegte ihre Hände und Füße, und das Gefühl kehrte mit schmerzhaftem Prickeln in ihre Gliedmaßen zurück. Es gelang ihr, ihren Oberkörper aufzurichten, und sie lehnte sich gegen eine geflieste Wand. Sie rieb ihren Kopf so lange an ihrer Schulter, bis sich das Packband langsam lockerte. Mit den Fingernägeln bearbeitete sie das Klebeband an ihren Knöcheln. Vor Anstrengung brach ihr der Schweiß aus allen Poren, und ihr Herz klopfte zum Zerspringen. Jeden Moment konnten die Männer zurückkehren, und dann wären alle Bemühungen umsonst gewesen. Endlich konnte sie mit dem linken Auge etwas sehen! Der Raum war tatsächlich riesengroß und völlig leer, Boden und Wände waren gefliest, und an der Decke verliefen Rohrbahnen. Es sah aus wie in einem Schlachthaus. Und Schlachthäuser gab es in Manhattan vorwiegend im Meatpacker's District in Chelsea, zwischen der 9th und 11th Avenue! Keuchend riss sie das Klebeband von ihren Füßen ab, dann erhob sie sich. Ihr wurde vor Kopfschmerzen schwindelig, aber sie zwang sich, quer durch den Raum zu einem Metallregal zu gehen. An einer scharfen Kante rieb sie ihre Handfesseln durch und kümmerte sich nicht darum, dass sie sich dabei verletzte, dann riss sie das Klebeband von ihren Augen ab und sah sich hektisch nach einem Fluchtweg um. Sie konnte die Oberlichter aus Milchglas erreichen, wenn das altersschwache Metallregal ihr Gewicht trug. Zumindest musste sie es versuchen. So schnell sie konnte kletterte sie auf das klapprige Regal und erreichte mit den Fingerspitzen den Rand des Fensters. Verzweifelt rüttelte sie an dem verrosteten Fensterhebel, der sich Millimeter für Millimeter bewegte. Plötzlich sprang das Fenster auf. Alex hätte jubeln können. In diesem Moment öffnete sich die Tür auf der anderen Seite des großen Raumes. Die Männer bemerkten sofort, was geschehen war. Sie schrien durcheinander und rannten auf sie zu. Alex mobilisierte alle Energien und zog sich nach oben. Sie verpasste dem Regal einen Fußtritt, und es brach mit einem dröhnenden Scheppern zusammen. Keuchend hing sie in dem geöffneten Oberlicht. Auf der anderen Seite ging es gut vier Meter nach unten, aber das war ihr egal. Sie rutschte weiter, ließ ihre Beine die Mauer hinabrutschen, schloss die Augen und ließ los.

***

»Die Cops durchsuchen die ganze Stadt«, sagte Luca zu seinem Boss, »sie verhaften jeden, der ihnen nicht gefällt. Bis heute Abend ist jede Gefängniszelle im Umkreis von 100 Meilen dreifach belegt.«

»Hm«, Sergio warf einen Blick auf seine Uhr, »vielleicht sollten wir es jetzt hinter uns bringen.«

Er war durch die hektischen Aktionen der Polizei nicht besonders beunruhigt, denn Jerome Harding hatte ihm noch vor ein paar Stunden bei einem gemeinsamen Brunch versichert, dass die ganze Sache nichts mit ihm zu tun hätte, sondern lediglich der Aufklärung des Mordes an St. John diente. Harding hatte ihm versprochen, ihn umgehend anzurufen, sobald er etwas anderes erfahren sollte. Auf Harding war Verlass, das wusste Sergio. Außerdem konnten die Cops suchen, wie sie wollten. In spätestens drei Stunden war Alex tot.

»Wie geht es Maurizio?«, erkundigte sich Sergio, als sie Richtung Chelsea fuhren.

»Ich habe ihn zu Sutton bringen lassen«, antwortete Luca. »Dieses rabiate Weib hat ihm fast den Schädel eingeschlagen.«

Sergio nickte grimmig. Trotz seines Zorns auf Alex verspürte er in seinem tiefsten Innern ein Gefühl der Hochachtung. Diese Frau war wirklich mutig. Eine fast ebenbürtige Gegnerin. Aber nach sieben Stunden gefesselt und geknebelt im Kühlhaus der alten Fleischfabrik würde sie kapiert haben, dass er trotzdem immer gewann und sie keine Chance gegen ihn hatte. An der 23. Straße gerieten sie in eine Polizeikontrolle, und während sie im Stau standen, spielte Sergio mit dem Gedanken, der Presse einen Wink zu geben, dass der ehrenwerte Bürgermeister die halbe Nacht mit einer gesuchten Mörderin herumgevögelt hatte. So gut ihm diese Idee auch gefiel, er musste warten, bis Alex' Leiche im East River trieb. Dann konnte er sich daranmachen, den Bürgermeister fertigzumachen. Sergio grinste bitter. Bisher war es offenbar niemandem gelungen, eine Verbindung von MPM und LMI zu ihm zu ziehen. Und wenn Alex nicht mehr da war, würde es auch niemanden mehr geben, der das tun konnte. Der Sturm würde abflauen, und solange würde er sich still verhalten. Die Vorbereitungen für seinen alljährlichen Wohltätigkeitsball, der in ein paar Tagen stattfinden sollte, liefen auf vollen Touren. Niemand hatte bisher abgesagt, und das war ein gutes Zeichen. Wenn die Cops jemanden von seinen Freunden ernsthaft unter Druck gesetzt hätten, hätte es längst Absagen gehagelt, denn nirgendwo merkte man so schnell wie in New York City, wenn einem die Ächtung durch die feine Gesellschaft drohte.

»Ein Sturm im Wasserglas«, murmelte Sergio und zuckte die Schultern. Mehr war es nicht.

***

Alex kam es so vor, als habe sie sich bei dem Sprung jeden einzelnen Knochen in ihrem Körper gebrochen. Sie lag auf dem Rücken, unfähig, sich zu bewegen, und schnappte nach Luft. Die Tränen des Zorns und der Angst rannen über ihr Gesicht, als sie eilige Schritte hörte, und dann war sie umringt von einem halben Dutzend Männern mit wütenden Mienen, die sie unsanft hochzerrten und zurück in das Gebäude schleiften. Trotz ihrer Schmerzen trat sie um sich, biss einen der Männer in die Hand und wand sich wie ein Fisch. Ihr Fluchtversuch und ihre wilde Gegenwehr hatten Sergios Leute wirklich wütend gemacht. Verglichen mit vorhin verschlechterte sich ihre Situation nun beträchtlich.

Alex kämpfte mit aller Macht gegen Tränen und Angst. Egal, was sie ihr noch antun würden, schlimmer konnte es nicht werden, und vor Sergio würde sie nicht zusammenbrechen und um Gnade betteln. Sie schloss die Augen, als sie seine Stimme hörte.

»… ist uns abgehauen, dieses Luder«, sagte ein Mann. »Wir mussten sie ein bisschen härter anfassen. Tut mir leid, Boss.«

»Stellt sie auf die Füße«, sagte Sergio kalt, »ich will ihr in die Augen sehen. Und dann lasst mich mit ihr allein.«

Alex wurde unsanft hochgezerrt. Sie schwankte und lehnte sich gegen die Wand. Nur mühsam unterdrückte sie ein Stöhnen.

»Guck mich an«, befahl Sergio, und Alex hob langsam ihr von Schlägen entstelltes Gesicht. Überrascht stellte sie fest, dass die Todesangst von ihr abgefallen war und einer fatalistischen Gelassenheit Platz gemacht hatte. Sie hatte keine Angst mehr, ja sie empfand überhaupt nichts mehr.

»Ich werde dir jetzt ein paar Fragen stellen, die du besser beantwortest«, Sergio musterte sie von Kopf bis Fuß. »Wenn du das nicht tust, wirst du das bereuen.«

Alex nickte.

»Nelson hat mich von Anfang an vor dir gewarnt.« Er stand direkt vor ihr, betrachtete sie mit einem kalten Lächeln, die Hände in den Taschen seines Mantels vergraben. »Er hatte sofort durchschaut, was du für ein hinterhältiges Flittchen bist.«

»Du hast den größten Fehler deines Lebens gemacht, als du auf ihn gehört hast.« Alex' Mund war papiertrocken, ihre Stimme war heiser. »Er hatte doch nur Angst, dass ich mehr Einfluss auf dich haben könnte, als er jemals hatte. Ich hätte alles für dich getan, wenn du mich nicht von Anfang an belogen hättest.«

Das Lächeln verschwand von Sergios Gesicht.

»Er hat dich verraten, dein Nelson«, sagte Alex. »Er hat sich lieber eine Kugel in den Kopf geschossen, als weiter für dich zu arbeiten.«

»Halt den Mund!«, fuhr Sergio sie an.

»Sie werden dich alle im Stich lassen«, fuhr Alex unbeeindruckt fort, »aber ich hätte zu dir gehalten …«

»Du sollst dein Maul halten!«, brüllte er unvermittelt.

»Du weißt es selbst, nicht wahr?« Alex zuckte nicht mit der Wimper. »Du weißt, dass du den falschen Leuten vertraut hast.

Sogar deine Frau ist dir weggelaufen. Weißt du, dass sie bei mir gewesen ist, an dem Tag, an dem sie dich verlassen hat?«

Sergio lief rot an. Ihre Worte trafen einen wunden Punkt in seinem Innern, und er kämpfte darum, die Fassung zu bewahren.

»Woher stammt der Kontoauszug, den ich in deiner Wohnung gefunden habe?«, fragte er heiser. Alex sah ihm in die Augen und schwieg.

»Glaub nicht, dass ich mich von dir beeindrucken lasse«, zischte er, »ich weiß, dass du vor Angst zitterst.«

»Ich habe keine Angst mehr«, erwiderte Alex. »Du hast sowieso beschlossen, mich zu töten. Es macht keinen Unterschied, ob ich rede oder schweige.«

»Große Worte«, spottete Sergio, »aber ich werde dir zeigen, wie klein du bist. Wie winzig klein!«

Alex erkannte den Funken des Wahnsinns in seinen blauen Augen. Sergio ging zur Tür und rief seine Männer. Sie wartete, bis alle um sie herumstanden.

»*Comu si dici in sicilianu?*«, sagte sie dann. »*Omertà*. Nicht wahr? Ich sage kein Wort.«

Sergio presste die Lippen zusammen.

»Ich denke, du verstehst kein Italienisch«, sagte er, und Alex zuckte die Schultern. Sergio zog seinen Mantel aus und reichte ihn Luca.

»Ich werde kein Wort mehr sagen«, sagte sie. Im selben Augenblick explodierte Sergios Faust in ihrem Gesicht, und sie spürte, wie ihre Lippe aufplatzte und das Nasenbein brach. Er packte brutal ihr Haar, zerrte ihren Kopf nach hinten und beugte sich über sie. Sein Gesicht war ihrem so nah, dass sie jede Pore seiner Haut und den Speichel in seinen Mundwinkeln erkennen konnte.

»Du wirst mich anbetteln, dich zu töten«, zischte er, »verlass dich darauf! Du verdammte, kleine Hure!«

Alex spürte, wie ihr das Blut warm übers Kinn rann, aber sie zuckte nicht mit der Wimper.

»Und jetzt rede«, Sergio ließ sie los, »ich habe nicht ewig Zeit.«

Alex schloss die Augen. Ihr Kopf drohte zu platzen.

»Wo ist das Geld, das du mir gestohlen hast?«

Alex zuckte wieder die Schultern, obwohl jede Bewegung höllisch weh tat.

»Sag mir, wo es ist!«

»Nein.«

Sergio starrte sie zornbebend an.

»Okay«, er holte tief Luft, »okay. Ich kann den Verlust von 50 Millionen Dollar verkraften. Davon gehe ich nicht bankrott. Ich werde mich nicht von dir damit erpressen lassen. Was ist mit dem Kontoauszug? Was ist mit diesen E-Mails aus St. Johns Computer? Wer weiß davon? Bist du zu Kostidis gerannt?«

Schon der Gedanke daran, dass sie mit dem verhassten Bürgermeister die Nacht verbracht hatte, brachte ihn an den Rand des Wahnsinns.

»Was hast du ihm erzählt, als er dich gefickt hat?«

Alex grinste, obwohl es weh tat. Sergio hatte verloren. Die Eifersucht und seine gekränkte Eitelkeit fraßen ihn auf.

»Ich habe ihm gesagt«, sie sah ihn an, »dass er besser vögelt als du.«

Da verlor Sergio die Beherrschung. Er prügelte mit beiden Fäusten auf sie ein, bis Luca und ein anderer Mann ihm in den Arm fielen. Schwer atmend hielt Sergio inne. Alex krümmte sich auf dem Boden zusammen, aber kein Schluchzen und kein Stöhnen kam über ihre Lippen. Was Sergio auch immer über die Schwachheit der Frauen gedacht hatte, Alex widerlegte es. Und dafür hasste er sie noch mehr.

»Los«, sagte er und massierte seine schmerzenden Fingerknöchel, »verpasst ihr die Spezialbehandlung!«

Man ergriff sie, zerrte ihr die Kleider vom Leib und fesselte sie, nur mit Unterwäsche bekleidet, auf einen Metalltisch.

Die Schläge mit dem Lederriemen ließen die Haut auf ihren Oberschenkeln und Brüsten aufplatzen. Der Schmerz raubte ihr den Atem, aber sie unterdrückte jeden Schmerzenslaut. Ihr wurde schwindelig und schwarz vor Augen, aber brutal hinderte man sie daran, ohnmächtig zu werden.

»Rede jetzt endlich!«, zischte Sergio und ballte die Hände in den Hosentaschen zu Fäusten. Er war sich sehr sicher gewesen, dass es nicht lange dauern würde, um sie zum Reden zu bringen, und nun stellte es sich doch als Problem heraus. Vor allen Dingen fürchtete er, vor seinen Männern das Gesicht zu verlieren.

»Was machst du, wenn ich vorher sterbe?«, murmelte Alex mit verschwollenen Lippen. Jede Überheblichkeit war aus Sergios Gesicht verschwunden. Im grellen Neonlicht erkannte sie die Tränensäcke unter seinen Augen, die schlaffer werdende Haut an seinem Hals. Sie erkannte, dass selbst Sergio Vitali vor ihrem Mut und ihrer Sturheit kapitulieren musste. Die Schmerzen in ihrem Körper waren wie ein dumpfes Dröhnen. Alex konnte nicht mehr feststellen, wo es ihr am meisten weh tat, aber der Triumph über Sergios Hilflosigkeit, sein rasender Zorn, linderten den Schmerz.

»Ich lasse dich von jedem meiner Männer vergewaltigen!«, drohte Sergio. »Bis du dein verdammtes Maul aufmachst! Willst du das?«

Alex schwieg, schloss die Augen und wehrte sich nicht, als man die Fesseln von ihren Knöcheln löste und der erste Kerl über sie herfiel, ein dicker, schmieriger Kerl, der nach Schweiß und Knoblauch stank. Die Kante des Metalltisches bohrte sich bei jedem Stoß schmerzhaft in ihr Kreuz. Stumm ertrug Alex Schmerzen und Erniedrigung. Nach dem dritten Mann hörte sie auf zu zählen. Sie hörte Sergios wütende Stimme nur noch aus weiter Ferne. Es war belanglos geworden. Das, was ihr widerfuhr, geschah nur einer empfindungslosen Hülle. Ihre Gefühle hatten sich an einen weit entfernten Ort zurückgezogen. Während dieser endlosen Minuten, die sich zu Stunden dehnten, war es Alex, als würde sie sich selbst von oben sehen. Ein zerschundener Körper, ein von Schlägen entstelltes und verquollenes Gesicht, das nichts mit der Alex Sontheim zu tun hatte, die sie einmal gewesen war. Ihre Gedanken flogen zu Nick. Alle Brutalität konnte die Erinnerung an die schönste Nacht ihres Lebens nicht besudeln.

»Und?«, hörte Alex Sergios höhnische Stimme. »Gefällt dir das? Oder willst du endlich mit mir reden?«

Wenn es auch nur etwas an ihrer Lage geändert hätte, hätte sie Sergio alles gesagt. Ja, sie hätte ihn angebettelt, ihn angefleht, sie hätte alles getan, nur um zu leben. Aber er würde sie sowieso töten. Deshalb musste sie stark bleiben. Ihr Stolz sollte ihn um den Verstand bringen.

***

Stumm vor Zorn über die Niederlage, die er durch ihr beharrliches Schweigen erleiden musste, sah Sergio zu, wie sich ein Mann nach dem anderen voller Gier über Alex hermachte. Der Anblick der Männer, die wie keuchende Tiere von dem Körper der Frau Besitz ergriffen, die er einmal wirklich geliebt hatte, erfüllte ihn mit Ekel statt mit Genugtuung. Es gab noch ganz andere Methoden, einen Menschen zum Reden zu bringen, aber irgendetwas tief in seinem Inneren machte es Sergio unmöglich, Alex Gliedmaßen abtrennen oder sie irgendwie verstümmeln zu lassen.

»Sie atmet nicht mehr«, sagte einer der Männer. Er beugte sich über Alex und tastete nach ihrer Halsschlagader. Sergio sprang von seinem Stuhl auf und starrte auf den leblosen Körper der Frau, für die er einmal sehr viel mehr als Sympathie empfunden hatte. Das Gefühl, vor seinen Leuten ein letztes Mal von diesem Weibsstück gedemütigt worden zu sein, bohrte sich wie ein glühender Widerhaken in sein Fleisch, trotzdem empfand er einen widerwilligen Respekt vor dieser Frau, die es gewagt hatte, ihm zu trotzen. Sie hatte keine Angst vor ihm gehabt. Er fuhr sich mit beiden Händen durch das kurz geschnittene Haar. Alex hatte recht gehabt. Nelson hatte ihm einen schlechten Ratschlag gegeben. Was wäre sie für eine großartige Gefährtin für ihn gewesen! Sie wäre loyal geblieben, wenn er ihr nur gestattet hätte, auf seiner Seite zu stehen. Plötzlich war Sergios Zorn verraucht und machte einer bleiernen Müdigkeit Platz. Schöne, leidenschaftliche, mutige Alex! Niemals mehr würde er eine Frau wie sie treffen! Mit ihrem Tod hatte sie ihm eine schwere Niederlage zugefügt. Aber vor allen Dingen war mit ihr das Gefühl gestorben, unbesiegbar zu sein. Alex hatte ihn besiegt. In jeder Hinsicht.

»Was sollen wir mit ihr machen?«, fragte Luca. Sergio zuckte zusammen und starrte ihn an. Ungeduldig verscheuchte er die sentimentalen Gedanken, die ihn für einen Moment benebelt hatten. Die kleine Schlampe hatte den Tod verdient. Sie hatte ihn belogen und betrogen und bestohlen. Fertig. Das Leben ging weiter, und er brauchte einen klaren Kopf.

»Schmeißt sie in den Fluss«, sagte er kalt. Dann drehte er sich auf dem Absatz um und ging hinaus.

* * *

Nick hatte die ganze Nacht kein Auge zugetan. Kurz vor halb zwei morgens hatte er das Büro der Staatsanwaltschaft verlassen und war durch den einsetzenden Schneefall die zwei Blocks bis zur City Hall hinübergelaufen. Er hatte es nicht mehr ausgehalten, einfach dazusitzen und zu warten. Und es war kaum zu ertragen, wie Jenkins und Engels von Alex sprachen. Für sie war sie nur eine wichtige Zeugin, mehr nicht. Es interessierte sie nicht, wie sie als Mensch war, ja es war ihnen sogar gleichgültig, ob sie wirklich schuldig oder unschuldig war. Ganz sicher würden sie die Korruptionsaffäre auch ohne Alex aufklären, zumindest so weit, wie sie es für nötig hielten. Nick ahnte, dass es Vitali wieder einmal gelingen würde, sich aus der ganzen Angelegenheit herauszuwinden. Seine Super-Anwälte würden jede Beschuldigung abschmettern, und wahrscheinlich würde er alle Leute so einschüchtern, dass sie nichts gegen ihn Verwertbares mehr aussagen würden. Aber Vitali war Nick eigentlich auch gleichgültig. Es war Alex, um die sich seine Gedanken drehten. Wo war sie? Was hatten sie mit ihr gemacht? Lebte sie überhaupt noch? Nick wusste, dass er es nicht ertragen könnte, wenn ihr etwas zugestoßen sein sollte. Seine heftigen Gefühle für Alex hatten ihn selbst erschreckt. Das war etwas ganz anderes als die Liebe zu Mary. Er konnte es sich selber auch nicht recht erklären, aber seine Gefühle für Alex waren weit mehr als nur das Bedürfnis eines Mannes, der die 50 überschritten hatte, ein Stück seiner Jugend an der Seite einer jungen Frau zurückzuholen. Er betrat die City Hall durch den Hintereingang und ging in sein Büro. Die Sicherheitsbeamten grüßten ihn respektvoll. Niemand fragte ihn, was er um diese Zeit hier tat. Er ging in sein Büro und machte nur die kleine Lampe an, die einen warmen, buttergelben Kreis auf den Schreibtisch zeichnete. Nick setzte sich in seinem nassen Mantel hinter den Schreibtisch. Sein Blick wanderte durch das große Büro und blieb an den gerahmten Fotografien seiner Amtsvorgänger hängen. Hierher, in dieses Büro, hatte er gewollt, seitdem er ein Junge gewesen war. Es war sein Traum gewesen, sein ehrgeizigstes Ziel, und er hatte es erreicht. Für dieses Ziel hatte er sich geschunden, Nächte durchgearbeitet und seine Familie vernachlässigt. Nick war es gewohnt zu kämpfen, aber nun war er des Kämpfens müde. Es gab noch ein anderes Leben, ein Leben ohne Politik und Öffentlichkeit, und nach diesem Leben sehnte er sich so stark wie nie. Er seufzte abgrundtief. So viel hatte er erreicht, aber noch viel mehr verpasst. Er hatte seinen Sohn nicht groß werden sehen, weil er keine Zeit dazu gehabt hatte. Die Fernsehstudios der Ostküste hatte er besser gekannt als seine Wohnung, und mancher Reporter war ihm vertrauter gewesen als sein eigener Sohn. Seine Tage wurden vom Terminkalender regiert, von morgens früh bis spät in die Nacht. Er hatte voller Ehrgeiz um Erfolg und Anerkennung gekämpft, für die Verwirklichung seiner Ziele, um die Sympathien der Bevölkerung. Ein großer Teil seines Erfolges beruhte darauf, dass er die Arbeit, die er tat, gerne machte. Und dann war Alex in seinem Leben aufgetaucht, und ihr war das gelungen, was Mary so viele Jahre vergeblich versucht hatte: Nick hatte angefangen, über sich selbst nachzudenken. Plötzlich hatte er nicht mehr gewusst, was in all den Jahren die Antriebskraft für seinen wahnsinnigen Ehrgeiz gewesen war, den seine Feinde als ›Besessenheit‹ bezeichnet hatten. Ja er hatte sogar begonnen, sich zu fragen, woher seine Kompromisslosigkeit stammte, die ihm so oft im Weg gestanden hatte. Alex war es gewesen, die ihn dazu gebracht hatte, sich selbst kritisch zu betrachten, und dabei war ihm aufgefallen, dass er in den ganzen langen Jahren des Kampfes vollkommen vergessen hatte, zu leben. Nein, Alex durfte nicht tot sein! Es durfte einfach nicht sein. Nick legte die Arme um seinen Oberkörper und krümmte sich zusammen.

»Lieber Gott«, flüsterte er verzweifelt. »Bitte lass sie nicht sterben …«

Und dann begann er zu weinen.

* * *

Travis Stewart fluchte. Der nasse Schnee hatte seine Jacke auf dem kurzen Weg vom Auto zu den Docks durchnässt, und der Wind war eisig kalt. Außerdem hatte er verschlafen. In einer halben Stunde würde es dämmern, und dann würde es wahrscheinlich wieder überall von Cops wimmeln. Er musste sich beeilen. Fluchend kletterte er die rostige Leiter an der Kaimauer hinunter und sprang auf das kleine Motorboot. Er holte den Metallkoffer unter der geölten Plane hervor und wollte gerade wieder die Leiter hochklettern, als er Motorengeräusche direkt über sich hörte.

»Scheiße«, flüsterte er. Wenn das die Cops waren und ihn mit einem Koffer randvoll mit Crack erwischten, dann ging er zurück in den Bau. Travis stopfte den Koffer hastig unter die Plane und kauerte sich im Boot zusammen. Autotüren schlugen zu, er hörte Männerstimmen. Plötzlich tauchten sie weiter hinten auf der Kaimauer auf. Travis sah ihre Umrisse, die sich messerscharf gegen den heller werdenden Nachthimmel abzeichneten. Sie trugen ein schweres Paket, das sie bis an den Rand des alten Piers schleiften. An dieser Stelle wurde oft Müll in den Fluss geworfen, denn hier war die Strömung stark. Aber das war kein Müll! Travis erkannte für den Bruchteil einer Sekunde den hellen Körper eines Menschen, als die beiden Männer das, was sie getragen hatten, ins Wasser warfen. Unwillkürlich duckte er sich. Wenn die Kerle ihn sahen, würden sie nicht lange fackeln und ihn auch umlegen. Aber sie hatten ihn nicht gesehen. Sie verschwanden sofort, nachdem sie ihre Last losgeworden waren. Travis starrte auf das dunkelgraue Wasser und erblickte wild rudernde Arme, die die Strömung direkt auf ihn zutrieb. Kein Zweifel, in dem kaum zehn Grad kalten Wasser lag keine Leiche, sondern ein lebendiger Mensch! Eigentlich sollte es ihm scheißegal sein. Wenn man jemandem half, zog das nur Ärger nach sich. Angestrengt starrte er auf das Wasser. Plötzlich tauchte keine zwei Meter neben dem Bug seines Bootes ein Kopf auf. Travis warf sich so heftig nach vorne, dass das Boot beinahe kenterte. Er wurde völlig nass, aber seine Finger schlossen sich um nasses Haar. Dann fasste eine Hand nach seiner. Das Gesicht einer Frau tauchte auf, sie hustete und spuckte Wasser. Ihre Augen waren angstvoll aufgerissen. Die Frau war mehr tot als lebendig und verlor das Bewusstsein, als Travis sie in sein Boot zog, aber sie lebte! Erstaunt starrte er sie an, denn sie war splitternackt. Mit einer Hand zog er seine Armeejacke aus und legte sie über den Körper der Frau, der mit Blutergüssen und Prellungen übersät war. Es war nicht leicht, mit der Last im Arm die rutschigen Sprossen der rostigen Leiter hinaufzuklettern, und Travis war schweißgebadet, als er oben auf der Kaimauer angelangt war. Er stolperte durch den stärker werdenden Schneefall zu seinem Auto, das ein paar hundert Meter entfernt bei den verlassenen Lagerschuppen stand, dann öffnete er die Tür und setzte die leblose Frau auf den Beifahrersitz. Aus dem Kofferraum holte er eine alte Wolldecke, in die er die Frau einhüllte. Das fehlte ihm noch, dass sie in seinem

Auto abkratzte. Er legte den Rückwärtsgang ein und wendete den Wagen.

***

»Nick?«

Nick fuhr benommen und verwirrt hoch und brauchte einen Moment, um zu begreifen, wo er war. Er erinnerte sich, dass er gestern Nacht in sein Büro gegangen war. So erschöpft und müde, wie er gewesen war, war er offenbar an seinem Schreibtisch eingeschlafen. Dann fiel ihm Alex ein.

»Hallo, Frank«, sagte er und fuhr sich mit der Hand über das Gesicht, »wie viel Uhr ist es?«

»Gleich sechs«, Frank blieb vor dem Schreibtisch stehen.

»Oh«, sagte Nick nur, dann richtete er sich auf, »wissen Sie, ob man Alex gefunden hat?«

»Ich glaube nicht«, Frank schüttelte den Kopf, »als ich hergefahren bin, habe ich eine Suchmeldung im Radio gehört.«

Er bemerkte die geröteten Augen und die zerquälte Miene seines Chefs und fragte sich, warum es Nick so naheging, was mit dieser Frau passierte.

»Ich muss Connors anrufen«, murmelte Nick.

»Sie sollten mal etwas schlafen«, sagte Frank. »Sie sehen ja fürchterlich aus. Haben Sie die ganze Nacht hier am Schreibtisch gesessen?«

»Ich bin um drei hierhergekommen. Bis dahin war ich bei Connors.«

»Glauben Sie, dass die Sontheim noch lebt?«, fragte Frank.

»Ich weiß es nicht«, flüsterte Nick.

»Das wäre schlecht. Ohne ihre Aussage wäre ...«

»Verdammt!«, unterbrach Nick ihn heftig. »Es ist mir scheißegal, ob sie eine Aussage macht oder nicht! Ich bete zu Gott, dass sie überhaupt noch am Leben ist!«

Frank starrte seinen Chef betroffen an, und langsam begann er zu begreifen, dass es Nick längst nicht mehr um Vitali oder die Aufklärung der ganzen Affäre ging. Ihm ging es nur noch um das Leben dieser Frau und um nichts anderes! Nick saß zusammengesackt auf seinem Stuhl, und sein Gesicht spiegelte seine Verzweiflung wider. Er wandte sich vom Lichtschein der Lampe ab und fuhr sich mit dem Handrücken über die Augen.

»Frank … ich …«, seine Stimme war kaum mehr als ein Flüstern, und seine dunklen Augen waren schwarz vor Hoffnungslosigkeit, »ich … ich habe mich in sie verliebt, damals, als sie zu mir auf den Friedhof kam, und mir zugehört hat. Sie … sie hatte Verständnis und Mitgefühl, und plötzlich konnte ich all das irgendwie ertragen, was passiert ist. Sie hat mir den Mut zum Weiterleben gegeben, und dann hat sie mir sogar das Leben gerettet.«

Er holte schluchzend Luft, und Frank verstand mit einem Mal, dass Nick nicht nur unglücklich über das Verschwinden von Alex war, sondern auch von Schuldgefühlen gegenüber Mary gequält wurde.

»Ich könnte es nicht ertragen, nun auch noch Alex zu verlieren.«

Im Schein der Tischlampe sah Frank, wie seinem Chef eine Träne über die Wange lief. Und plötzlich begann er zu weinen. Frank hatte Nick Kostidis noch nie zuvor weinen sehen, und der Schmerz des Mannes, den er bewunderte und ehrlich mochte, tat ihm in der Seele weh.

***

Sergio saß in seinem Büro im VITAL-Building und sah sich die Nachrichten an. Er verzog keine Miene, als ein Foto von Alex eingeblendet wurde. Sollten sie nur nach ihr suchen wie die Verrückten. Sie würden sie nicht mehr finden. Das Telefon summte. Sergio blickte auf, denn es war die abhörsichere Geheimleitung, die er nur für besondere Gespräche benutzte. Er nahm ab.

»Ich bin's«, sagte eine Männerstimme am anderen Ende der Leitung. »Was ist mit der Frau?«

»Sie wird nicht mehr reden«, erwiderte Sergio.

»Gut. Ich habe nämlich alle Mühe, den wild gewordenen Staatsanwalt und den Bürgermeister zu bremsen. Es ist unvermeidlich, einige der Leute zu opfern.«

»Kein Problem«, entgegnete Sergio gelassen, »de Lancie war sowieso nicht viel wert und Whitewater kurz vor der Pensionierung.«

»Connors hat Harding verhaftet. Ich konnte nichts dagegen tun.«

»Harding wurde verhaftet?« Sergio richtete sich auf und erstarrte.

»Ja. Aber das wird auch kein Problem. Er sagt kein Sterbenswörtchen, dafür ist er zu schlau.«

»Und zu geldgierig«, Sergio entspannte sich ein wenig.

»Kann schon sein«, der Mann lachte.

»Hauptsache, Sie halten mich aus der Sache raus.«

»Lassen Sie mich nur machen. Wenn genug Köpfe gerollt sind, werden der Präsident und die Öffentlichkeit zufrieden sein. Es gibt eine hitzige Diskussion, ein paar Leute nehmen den Hut, und dann geht alles wieder seinen gewohnten Gang.«

»Was ist mit Kostidis?«, fragte Sergio.

»Was soll mit ihm sein?«

»Unterschätzen Sie ihn nicht.«

»Kostidis hat mit den Ermittlungen nichts zu tun, und der Staatsanwalt tut, was ich sage.«

»Okay«, Sergio nickte, »wie soll ich mich verhalten?«

»Ganz normal. Wenn die Frau nicht mehr auftaucht, hat die Staatsanwaltschaft nicht mehr als diese Kontoauszüge in der Hand. Und solange niemand auspackt, gibt es keinen Weg zu Ihnen.«

»Wie kann ich sicher sein, dass das niemand tun wird?« Sergio legte die Stirn in Falten. »Man wird die Leute unter Druck setzen.«

»Nein. Ich sorge dafür, dass das nicht geschieht«, der Mann lachte leise, »wir haben schon ganz andere Sachen hinbekommen. Denken Sie nur an die Iran-Contra-Affäre oder an Kennedy oder Watergate.«

Sergio lachte auch.

»In Ordnung«, sagte er, »die andere Sache läuft wie besprochen. Sobald Gras über diese unerfreuliche Angelegenheit gewachsen ist, werden wir die Einzelheiten klären, und dann habt ihr Ortega und euren Erfolg.«

»Sehr schön. Ich rufe Sie an, wenn ich etwas Neues erfahre.«

»Danke«, sagte Sergio, »bis bald.«

Er legte auf und grinste zufrieden. Sollten sie nur versuchen, ihm ans Bein zu pinkeln, dieser kleine Idiot von der Staatsanwaltschaft und dieser Bastard von Bürgermeister! So hoch kriegte keiner von denen sein Bein!

***

Tate Jenkins betrat das Büro von Lloyd Connors. In einer Hand balancierte er einen Becher mit Kaffee. Der Staatsanwalt saß mit übernächtigtem Gesicht am Konferenztisch, vor ihm ein Berg von Akten.

»Wie weit sind Ihre Leute mit den Anklagen, Connors?«, erkundigte Jenkins sich und setzte sich.

»Sie arbeiten daran«, erwiderte Lloyd Connors und lehnte sich zurück, »aber ohne Alex Sontheims Aussage haben wir nichts als Spekulationen in der Hand.«

»Die Frau spielt doch gar keine Rolle mehr«, sagte Jenkins. »Das Material, das wir haben, reicht aus, um die halbe politische Führung der ganzen Stadt aus ihren Sesseln zu heben. Außerdem haben wir schon ein Dutzend Geständnisse. Was wollen Sie mehr?«

Connors sah den stellvertretenden Leiter des FBI erstaunt an.

»Ich will die Drahtzieher«, sagte er, »ich will die Hintermänner und nicht nur die kleinen Fische.«

»Ich weiß nicht, ob man den Polizeipräsidenten von New York oder den Bundesstaatsanwalt des Südlichen Distrikts als

›kleine Fische‹ bezeichnen kann«, Jenkins hob die Augenbrauen, »machen Sie Ihren Leuten Dampf, Connors. Ich habe keine Lust, bis Weihnachten zu warten. Morgen will ich die Anklagen haben.«

»Aber ich kann doch unmöglich morgen mit der ganzen Sache an die Öffentlichkeit gehen!«

»Wieso nicht?« Jenkins schlürfte einen Schluck Kaffee aus dem Plastikbecher. »Wir haben hieb- und stichfeste Beweise, und bevor noch ein paar Leute verschwinden oder sich eine Kugel in den Kopf jagen, sollte man zuschlagen.«

»Ich will die Hintermänner«, wiederholte Connors hartnäckig, »und das ist meiner Meinung nach Vitali. Wenn morgen in der Zeitung steht, dass seine Bestechungsmasche aufgeflogen ist, wird er seine Spuren verwischen. Wir brauchen die Sontheim als Hauptbelastungszeugin gegen ihn.«

»Und wenn sie sich abgesetzt hat und nicht mehr auftaucht?«, fragte Jenkins. »Wie lange wollen Sie warten, Connors? Bis sich der ganze Fall in Luft aufgelöst hat?«

Für einen Moment herrschte betretenes Schweigen.

»Aber ich …«, begann Connors.

»Ich will Ihnen etwas sagen«, unterbrach Tate Jenkins ihn, »wir warten noch 24 Stunden. Wenn die Frau dann nicht wieder da ist, werden wir an die Öffentlichkeit gehen. Ich bekomme Druck von oben. Der Präsident erwartet, dass etwas geschieht, verstehen Sie?«

»Ja, natürlich«, der Staatsanwalt hob hilflos die Schultern, »aber wenn wir nicht an die Wurzel des Übels gelangen, wird es nach einiger Zeit wieder genauso weitergehen.«

»Sie haben noch genau 24 Stunden, um die Frau zu finden«, schnitt Jenkins ihm das Wort ab, »einen ganzen Tag, und keine Minute länger. Dann gehen wir vor die Presse.«

Jenkins trank seinen Kaffee aus und stand auf. Lloyd Connors seufzte und wandte sich wieder seinen Akten zu. Er war todmüde und nicht mehr besonders optimistisch, was die Aufklärung der Affäre anbetraf. Wenn Alex nicht bald auftauchte, würde

Vitali wieder einmal ungeschoren davonkommen. Er dachte an Nick, und allmählich verstand er dessen Frustration. Vitali war einfach nicht zu fassen.

***

Alex' Blick wanderte durch das kleine Zimmer, in dem sie sich befand. Hinter den schmutzigen Vorhängen war es hell. Vorsichtig bewegte sie sich, und ein scharfer Schmerz durchzuckte ihren Körper. Sie blickte auf ihre Handgelenke und sah die blutverkrusteten Schürfstellen, an denen die Fesseln tief in ihr Fleisch eingeschnitten hatten. Und plötzlich war die Erinnerung wieder da, und der Schrecken kehrte in einer üblen, gallebitteren Welle zurück. Sie erinnerte sich an all die grauenvollen Dinge, die sie erlebt hatte. Alex verspürte wieder das Gefühl der Todesangst und die entsetzliche Panik, als sie begriffen hatte, dass man sie nackt in den Fluss werfen würde. Eine Träne rann über ihr entstelltes Gesicht. Ihr war das Schlimmste widerfahren, das einem Menschen zustoßen konnte, und in den fürchterlichen Stunden, in denen sie geglaubt hatte, vor Angst den Verstand zu verlieren, war etwas in ihrem Inneren für immer zerbrochen. Schlimmer als die Schmerzen, ja selbst schlimmer als die Tatsache, dass man versucht hatte, sie zu töten, war das Gefühl des Ausgeliefertseins, der Hilflosigkeit und das Bewusstsein, sich nicht wehren zu können. Die Wunden und Blutergüsse würden eines Tages verheilen, wie aber würde es mit den Verletzungen sein, die ihre Seele davongetragen hatte? Noch vor ein paar Tagen war sie eine der bestbezahlten Investmentbankerinnen der Wall Street gewesen, die mit Millionen und Milliarden jonglierte und die wichtigsten Menschen der Stadt und des ganzen Landes kannte. Vor ein paar Tagen hatte sie noch eine glänzende Zukunft gehabt. Aber jetzt besaß sie nicht viel mehr als ihr nacktes Leben, und das war nicht mehr viel wert, wenn Sergio erfahren sollte, dass sie noch am Leben war. Er würde alles daransetzen, sie endgültig zu töten. Alex krümmte sich unter der Bettdecke zusammen und schluchzte. Nie mehr würde das Leben so sein, wie es einmal gewesen war. Nie mehr würde sie ohne Angst leben können. Die Geister, die sie selber gerufen hatte, würden sie verfolgen, bis sie sie eines Tages zur Strecke gebracht hatten. Es gab kein Zurück mehr, aber auch keine Zukunft, und es gab niemanden mehr, dem sie vertrauen konnte. Plötzlich hielt Alex inne und hörte auf zu schluchzen. Doch! Es gab einen Menschen, dem sie etwas bedeutete, einen Menschen, der ihr vielleicht helfen konnte. Sie lag regungslos in dem durchgelegenen Bett, dessen gebrochene Sprungfedern sich durch die dünne Matratze in ihren Rücken bohrten, und starrte an die schmutzige Decke, die vom Nikotin von Tausenden Zigaretten gelb verfärbt war. Sie musste Nick anrufen. Sofort.

***

»Nick, ich kann nicht länger warten«, sagte Lloyd Connors mit beschwörender Stimme. »Ich weiß auch, was es bedeutet, wenn wir heute die Verstrickung dieser Männer in eine Korruptionsaffäre publik machen, aber was zum Teufel soll ich denn tun?«

Der Staatsanwalt sah nur noch wie ein Schatten seiner selbst aus.

»Jenkins setzt mir das Messer auf die Brust. Verdammt! Die Zeit läuft mir weg!« Er fuhr sich mit der Hand über das erschöpfte Gesicht. Er war zu Nick ins Büro in die City Hall gekommen, um wenigstens für eine Weile der Spannung in seinem eigenen Büro zu entgehen.

»Vitali wird uns wieder durch die Lappen gehen«, murmelte Nick mit dumpfer Stimme, »wie so oft. Ich habe es geahnt.«

Lloyd Connors seufzte. In den letzten Stunden hatte er über nichts anderes nachgedacht als darüber, wie man Vitali die Bestechung doch noch nachweisen konnte. Aber ohne Alex Sontheim gab es kaum eine Möglichkeit. Selbst die Videoaussage von van Mieren würde vor Gericht kaum als Beweismittel zugelassen werden, wenn es keine weiteren Zeugen gab, die diese

Aussagen bestätigen konnten. Und Jenkins hatte verboten, nach eben solchen Zeugen zu suchen. ›Konzentrieren Sie sich auf die Aufklärung der Bestechung und die Anklage‹, hatte er gesagt. Connors wusste, dass Vitalis clevere Anwälte ihn in der Luft zerreißen würden, wenn er ihn ohne stichfeste Beweise anklagte. Wahrscheinlich würde es das vorzeitige Ende seiner Karriere bedeuten, denn man würde ihn mit Verleumdungs- und Schadensersatzklagen überziehen, bis er aufgab. Nein, wenn Alex verschwunden blieb, war es Vitali wieder gelungen, den Kopf aus der Schlinge zu ziehen.

»Ich habe nur eine Chance, ihn vor Gericht zu bringen«, sagte Connors müde. »Da gibt es diesen Mordfall aus dem Jahre 1963, dieser Stefano Barelli, von dem van Mieren behauptet, Vitali habe ihn erschossen. Mord verjährt nicht, und vielleicht gelingt es uns noch, den Zeugen aufzutreiben, den van Mieren erwähnt hat.«

Nick machte eine resignierte Handbewegung.

»Ich habe nur noch acht Stunden Zeit, Nick«, Connors beugte sich vor, »morgen früh soll ich vor die Presse gehen und die Sache publik machen.«

»Ja«, der Bürgermeister nickte, »ich verstehe.«

»Wenn wir wenigstens eine Spur von Alex hätten«, Connors ließ seine Faust auf die Tischplatte sausen, »wenigstens einen winzig kleinen Anhaltspunkt, aber wir haben – nichts. Sie ist einfach wie vom Erdboden verschluckt.«

Nick schwieg. Er hatte keine Hoffnung mehr, Alex lebend wiederzusehen. Es war drei Tage her, seitdem sie Vitali in die Hände gefallen war, und sicherlich hatte er sie getötet, weil er wusste, wie wichtig sie für die Staatsanwaltschaft war. Sie war eine Bedrohung und musste als solche beseitigt werden. Wahrscheinlich war sie längst tot.

»Wir haben einen großen Fehler gemacht, als wir die Feds eingeschaltet haben«, sagte Connors düster. »Sie haben kein Interesse an einer restlosen Aufklärung.«

»Klar«, erwiderte Nick bitter, »vertuschen, Schaden begrenzen, bloß keine Skandale. So war es schon immer, und so wird es immer sein. Niemand hat ein Interesse daran, eine Bestechungsaffäre dieses Ausmaßes aufzudecken, denn jeder hat Angst, mit in den Strudel gerissen zu werden. Gerade jetzt, wo der Präsident außenpolitische Probleme hat, kann er sich keinen innenpolitischen Ärger leisten. Wenn herauskommt, dass sich die Korruption bis in die Ministerien und den Senat zieht, dann kracht es richtig.«

»Aber man kann doch nicht einfach so tun, als wäre nichts geschehen!«, empörte sich Lloyd Connors.

»Doch«, Nick nickte müde, »sie können es. Und sie tun es. Was glaubst du, wie oft ich das Gefühl hatte, gegen Mauern anzurennen? Es ist nicht einfach, unpopuläre Dinge zu tun, und es gibt wohl nichts Unpopuläreres als eine Bestechungsaffäre. Ich habe schon oft im Trüben gefischt, und immer wieder musste ich einsehen, dass das, was im Allgemeinen als gut und ehrlich gilt, in Wirklichkeit von den großen Bossen nicht so gesehen wird. Politik ist ein schmutziges Geschäft. Jeder gibt und nimmt, davon leben Politiker und ihre Seilschaften.«

»Das kann ich nicht akzeptieren!«, begehrte der Staatsanwalt auf.

»Ich war auch einmal so idealistisch und euphorisch wie du, Lloyd«, Nick zuckte die Schultern, »aber wenn du Karriere machen willst, musst du leider lernen, gegen deine Überzeugungen zu handeln.«

»Dass ausgerechnet du so etwas sagst, kann ich nicht glauben!«

»Warum nicht? Ich habe jahrelang für meine Überzeugungen gekämpft und mir damit sehr viele Feinde gemacht. Ich hatte nur Glück, dass ich oft mit Angelegenheiten zu tun hatte, die auch die Politiker in Washington und Albany störten. Das organisierte Verbrechen, die Insider-Skandale an der Wall Street, die Bekämpfung der Kriminalität in New York City – das alles waren Sachen, die die volle Unterstützung der Regierung hatten. Es ging gegen Minderheiten ohne große Lobby: Mafiabosse, abtrünnige Börsenmakler und Investmentbanker, Mörder, Vergewaltiger, Drogendealer, Obdachlose. Aber diesmal treten wir auch angesehenen Politikern auf die Füße«, Nick seufzte, »und eine Krähe hackt der anderen kein Auge aus. Das war schon immer so.«

Vor den Fensterscheiben rieselten die Schneeflocken vom schiefergrauen Dezemberhimmel. Früher hatte Nick die Wochen vor Weihnachten geliebt, die feierlich geschmückte Stadt, die prächtig dekorierten Schaufenster, den Schnee im Central Park, die erwartungsvoll glänzenden Kinderaugen bei der großen Christmas-Parade und die Schlittschuhläufer vor dem Rockefeller Center und im Park. Angesichts des kurz bevorstehenden Weihnachtsfestes verschwand jedes Jahr die kalte, rücksichtslose Hektik der Stadt für ein paar Tage, und jedermann schien ein wenig freundlicher zu sein als üblich. Doch heute bemerkte Nick das alles nicht. Zu Hause gab es keinen Weihnachtsbaum, und das Schreiben der Grußkarten erledigten in diesem Jahr statt Mary die Mitarbeiter seines Stabes. Zum ersten Mal seit 25 Jahren würde Nick an Weihnachten nicht zu Marys Familie nach Montauk fahren. Das Telefon mit der Direktleitung auf Nicks Schreibtisch summte. Er nahm ab.

»Mr Kostidis?«, sagte eine Frauenstimme, die Nick nicht kannte.

»Ja, am Apparat«

»Sind Sie es wirklich?«

»Ja, natürlich. Mit wem spreche ich?«

»Moment mal«, sagte die Frau, »bleiben Sie dran. Hier ist jemand, der mit Ihnen sprechen möchte.«

Connors beobachtete, wie sich Nicks Gesichtsausdruck veränderte. Die hoffnungslose Müdigkeit verschwand schlagartig, und der Bürgermeister richtete sich wie elektrisiert auf.

»Nick?«, hörte er eine Stimme und glaubte, sein Herz müsse vor Erleichterung stehen bleiben. Sie war es!

»Alex!«, rief er, und Connors fuhr hoch. »Wo bist du? Wie geht es dir?«

»Nick«, sagte Alex mit dünner Stimme, »kannst du mich holen?«

»Ja, natürlich!«, rief Nick aufgeregt. »Wo bist du? Sag es mir! Ich komme sofort!«

»Ich bin in Brooklyn«, erwiderte Alex, und ihre Stimme klang undeutlich. »Es ist eine Bar. Sie heißt *Blue Balou* und liegt an den Docks, unterhalb des Brooklyn-Queens-Expressway.«

»Das finde ich. Ich fahre sofort los«, Nick spürte, dass er am ganzen Körper zitterte.

»Okay«, flüsterte Alex, »bitte komm schnell.«

Nick legte den Hörer auf und sprang auf. Ihm war vor Erleichterung und Glück ganz schwindelig. Sie war nicht tot!

»Wir müssen auf der Stelle nach Brooklyn fahren«, rief er aufgeregt. Der Staatsanwalt blickte ihn mit einer Mischung aus Hoffnung und Misstrauen an.

»Das hört sich für mich verdammt nach einer Falle an«, sagte er nachdenklich. »Du fährst nicht alleine dorthin. Ich rufe Spooner an. Er soll dich begleiten.«

Nick starrte ihn an. In seiner Erleichterung hatte er überhaupt nicht an die Möglichkeit gedacht, dass man Alex gezwungen haben könnte, bei ihm anzurufen, um ihn in einen Hinterhalt zu locken. Wenn das der Fall war, schwebte Alex noch immer in Lebensgefahr! Und er auch, wenn er jetzt dorthin fuhr.

»Nick, bitte!« Connors hatte den Telefonhörer schon in der Hand.

»Gut«, stimmte Nick, wenn auch widerwillig, zu.

***

Das *Blue Balou* entpuppte sich als eine heruntergekommene Spelunke an den Docks. Die Leuchtschrift und die bunten Lämpchen täuschten in der Dunkelheit etwas über die Schäbigkeit des Ladens hinweg, aber zweifellos war es der Ort, den Alex genannt hatte.

»Hier soll sie sein?« Spooner zog die Augenbrauen hoch.

»Gibt es noch eine andere Kneipe mit diesem Namen in Brooklyn an den Docks?«, fuhr Nick den Beamten ungehalten an.

»Wir überprüfen das Etablissement«, sagte Spooner. »Sie bleiben solange im Wagen.«

»Nein«, Nick öffnete die Tür und stieg aus, »*Sie* bleiben hier, Spooner.«

»Wir haben die Anweisung, auf Sie aufzupassen, Mr Kostidis«, mischte sich Spooners Kollege Khazaeli ein, »wenn es eine Falle sein sollte …«

»… dann habe ich eben Pech gehabt!« Nick knallte die Autotür zu. Hatte Alex nicht auch einmal ihr Leben für ihn riskiert? Er war es ihr schuldig, dass er zu ihr ging, und das ohne die beiden Polizisten. Aber Deputy Spooner trat ihm in den Weg.

»Bürgermeister oder nicht«, sagte er. »Ich habe meine Anweisungen, und ich denke nicht daran, mir wegen Ihrer Sturheit eine Suspendierung einzuhandeln.«

»Das ist mir ziemlich egal«, erwiderte Nick, »lassen Sie mich durch!«

Er drängte den US-Marshal zur Seite und ging um das Gebäude herum, bis er die Küchentür gefunden hatte. Auf keinen Fall wollte er in der Kneipe von einem Dutzend Leuten gesehen werden. Als Nick an die Tür klopfte, standen Spooner und Khazaeli hinter ihm.

»Lassen Sie wenigstens Ihre Waffen stecken«, bat Nick.

»Damit die Typen uns vielleicht über den Haufen knallen?« Spooner entsicherte seine Glock. »Ich denke nicht daran!«

In dem Moment öffnete sich die Tür einen Spaltbreit, und ein unrasierter, pockennarbiger Mann schaute misstrauisch heraus.

»Sind Sie …?«

»Ja«, erwiderte Nick ungeduldig, »ich bin Nick Kostidis.«

»Und die Typen da?«

»US-Marshals«, sagte Spooner, »öffnen Sie die Tür, Mann!«

Nick verdrehte die Augen. Deputy Spooner hatte die Diplomatie eines Dampfhammers.

»Kommen Se rein«, der Mann öffnete die Tür. Nick betrat

eine unglaublich schmutzige Küche, die allen Gesetzen des Gesundheitswesens von New York City spottete.

»Hi, Herr Bürgermeister«, eine fette Frau, der eine Zigarettenkippe im Mundwinkel klebte, tauchte im Türrahmen auf, »ich kann's kaum glauben! Wir ham Se alle gewählt, ich und alle meine Stammgäste.«

»Das freut mich«, Nick zwang sich zu einem Lächeln, »ich möchte zu Mrs Sontheim.«

»Nicht zu fassen, was, Travis?« Die dicke Frau stieß dem Pockennarbigen ihren Ellbogen in die Seite. »Der Bürgermeister höchstpersönlich in meinem Laden.«

Nick zitterte vor Ungeduld.

»Travis hier hat das Mädchen aus dem Fluss gezogen«, die Dicke klopfte dem Mann auf die Schulter, »war splitternackt und halb tot, das arme Ding.«

Nick wurde blass. Hatte Vitali tatsächlich versucht, Alex auf die altbewährte Mafiaart im Fluss loszuwerden?

»Kommen Sie, Mr Kostidis«, die dicke Frau winkte ihm. Sie blieb im Türrahmen stehen und baute sich vor den beiden US-Marshals auf.

»Ihr bleibt hier unten, Jungs«, sagte sie mit einer Autorität, die keinen Widerspruch duldete. »Die Kleine ist nicht besonders gut drauf, wie ihr euch denken könnt. Und sie hat sicher keinen Bock auf Bullen.«

»Aber …«, wollte Spooner protestieren.

»Nix. Ihr bleibt hier«, sie wuchtete sich die schmale Treppe hinauf, und Nick folgte ihr einen schlecht beleuchteten Flur entlang, bis sie vor einer Tür stehen blieb.

»Seien Se bloß nett zu ihr«, sagte die Dicke leise, »ist schlimm dran, das arme Ding. Hatte das Gedächtnis verloren und hohes Fieber. Aber seit heute Mittag geht es ihr etwas besser. Erinnert sich wieder, was passiert is.«

Nick schluckte und nickte. Sein Herz raste, und am liebsten wäre er an der Dicken vorbeigestürmt. Sie klopfte nun und öffnete die Tür.

»He, Süße«, sagte sie überraschend sanft, »du hast Besuch.«

Dann machte sie die Tür frei, und Nick trat ein. Er bemerkte weder die schmuddeligen Tapeten noch den abgewetzten Plüschteppich, die nikotingelben Gardinen oder die altersschwachen Möbel, genauso wenig wie die rote Lampe, die das Zimmer abends in das verwandelte, was es war: ein Stundenhotel. Nick hatte nur Augen für die schmale Gestalt, die am Kopfende des Bettes kauerte, die Arme um die Knie geschlungen.

»Alex!« Nick schossen die Tränen des Mitgefühls in die Augen. »O Gott, Alex.«

Ihr Gesicht war furchtbar zugerichtet, ein einziger angeschwollener Bluterguss. Auf der Wange, am Kinn, an der Nase und den aufgeplatzten Lippen klebte getrocknetes Blut. Um ihre Augen hatten sich dunkle Hämatome gebildet.

»Nick«, flüsterte sie. Ihr Blick war angstvoll und erloschen. Von der schönen jungen Frau, die Nick kannte, war nur noch ein Häufchen Elend übrig. Er ging vor dem Bett in die Knie und sah die verkrusteten Wunden an Alex' Handgelenken, die aus dem viel zu großen Jogginganzug ragten. Nick ahnte, dass viel mehr zerstört worden war als ihr einst so hübsches Gesicht. Vor ihm kauerte ein gebrochener Mensch, verängstigt, schockiert, misshandelt und zutiefst verstört.

»Er kam ins Hotel«, flüsterte Alex, »ich dachte, du wärst noch einmal zurückgekommen, deshalb habe ich die Tür aufgemacht.«

Nick verzog das Gesicht, als wolle er in Tränen ausbrechen. Es war entsetzlich, einfach grauenhaft. Die Tränen des Zorns schmerzten wie ein Kloß in seiner Kehle. Was mussten das für gefühllose, eiskalte Tiere sein, die einer Frau so etwas antun konnten?

»Ich habe ihm nichts gesagt. Kein Wort«, fuhr Alex fort. Sie sprach wie unter Zwang, und ihre Miene war leer und tranceartig.

»Sie haben mich geschlagen und vergewaltigt. Er hat gesagt,

er würde mich töten. Ich konnte mich nicht wehren. Er hat auf einem Stuhl gesessen und zugesehen, und er hat ... *gelacht* ...«

Ihre Stimme versagte. Sie wiegte sich hin und her, während die Tränen über ihr Gesicht strömten. Sie wischte sie nicht ab. Nick verspürte einen wilden, ohnmächtigen Zorn. Sergio Vitali, dieses brutale, gnadenlose Monster, dem ein Menschenleben nicht mehr bedeutete als das einer Kakerlake, hatte Alex zerstört. Nicks Herz krampfte sich zusammen, als er sich an den Ausdruck des Glücks auf ihrem Gesicht erinnerte, damals, am Strand von Montauk. Es schien Lichtjahre her zu sein. Und nun saß sie hier, so schrecklich misshandelt und mutlos.

»Komm mit mir, Alex«, Nick streckte seine Hand aus.

»Wenn er erfährt, dass ich noch lebe«, ihr Blick irrte durch den Raum, »dann wird er wieder versuchen, mich zu töten.«

»Ich werde auf dich aufpassen, das verspreche ich dir«, Nicks Stimme klang belegt von den Tränen, die in seiner Kehle steckten. Geduldig hielt er ihr seine Hand hin, bis Alex endlich zögernd ihre Hand von ihrem Knie löste und seine ergriff.

»Oh, Nick«, schluchzte sie plötzlich, »warum musste das alles passieren? Warum?«

Sie warf ihm die Arme um den Hals, drängte sich schluchzend an ihn und verbarg ihr Gesicht an seiner Brust.

»Ich passe auf dich auf, Alex«, Nick presste sein Gesicht in ihr Haar, »ich verspreche es dir, mein Herz. Ich werde dich beschützen.«

Er hielt sie ganz fest, wiegte sie in seinen Armen wie ein Baby und ließ sie weinen. Als sie sich ein wenig beruhigt hatte, hob er sie hoch und trug sie hinaus auf den Flur, wo die Dicke noch immer Wache hielt. Nick begegnete dem forschenden Blick der Frau.

»Danke«, sagte er schlicht, »danke für Ihre Hilfe.«

»Schon gut«, erwiderte die Dicke und streichelte Alex über das strähnige Haar, »passen Sie nur gut auf sie auf.«

Er wandte sich ab und trug Alex die Treppe hinunter, an den Marshals vorbei hinaus zum Auto. Alex schmiegte sich in seine Arme. Obwohl es im Auto warm und sie in eine Wolldecke gehüllt war, zitterte sie am ganzen Körper. Nick murmelte unsinnige beruhigende Worte, wie man sie zu einem kleinen Kind oder einem jungen Hund sagt, aber am liebsten hätte er geweint, so abgrundtief war sein Mitleid mit ihr und so erleichtert war er, dass sie am Leben war.

»Wohin?«, fragte Deputy Spooner knapp.

»Ins Goldwater Memorial auf Roosevelt Island«, erwiderte Nick, »ohne großes Aufsehen, bitte.«

»Selbstverständlich, *Sir*«, entgegnete Spooner spitz. Der Wagen setzte sich in Bewegung. Nick streichelte Alex' geschundenes Gesicht und hielt sie in seinen Armen fest. Er suchte nach Worten, die sie trösten konnten, aber nach allem, was ihr angetan worden war, gab es keinen Trost. Zu gut erinnerte Nick sich an seine eigenen Empfindungen. In den Tagen nach Marys und Christophers Tod hatte er es nicht ertragen können, auch nur angesprochen zu werden. Die Lichter der Brooklyn Bridge erhellten unbarmherzig die Verletzungen in Alex' Gesicht. Nick wünschte, er hätte ihr all das, was nun auf sie zukommen würde, ersparen können. Sie würde endlose Fragen über sich ergehen lassen müssen, von der Staatsanwaltschaft, der Strafverfolgungsabteilung der Börsenaufsichtsbehörde, der Kriminalpolizei, den Ärzten und vor allen Dingen von diesem bleichgesichtigen, gefühllosen Kerl vom FBI. Immer wieder würde man sie zwingen, sich an das zu erinnern, was sie wahrscheinlich am liebsten vergessen würde. Oft genug hatte Nick als Staatsanwalt selbst solche Fragen gestellt, die ein Vergessen unmöglich machten. Er hatte nie gewusst, wie schmerzvoll und brutal diese Fragen sein konnten, bis er es am eigenen Leib erfahren hatte.

***

Die Nachricht, dass Alex wieder aufgetaucht war, versetzte Lloyd Connors in eine wahre Euphorie. Vergessen waren Müdigkeit und Erschöpfung. Er und seine Mitarbeiter arbeiteten mit Feuereifer die Nacht hindurch bis zum Morgen an der Anklage gegen Sergio Vitali. Zwar lastete auf Alex immer noch der Verdacht des Mordes, den man erst entkräften musste, um sie zu einer glaubwürdigen Belastungszeugin zu machen, aber die Aussagen von Oliver Skerritt würden Vitalis Schuld bezeugen, dazu die Unterlagen von St. John und nicht zuletzt das Geständnis von Nelson van Mieren, das durch die Tatsache, dass Alex lebte, ein unerwartetes Gewicht bekam. Alex war Zeugin eines Gespräches geworden, in dem ein gedungener Mörder Vitali Bericht vom erfüllten Mordauftrag an David Zuckerman erstattet hatte. Es würde für Vitali keine Möglichkeit mehr geben, sich diesem Vorwurf zu entwinden. Es war Viertel vor sieben, als Tate Jenkins in Begleitung von zwei Männern Connors' Büro betrat.

»Die zwölf Stunden sind um, Connors«, sagte der stellvertretende Leiter des FBI mit einem gönnerhaften Lächeln, »wie weit sind Ihre Leute mit den Anklageschriften?«

»Fertig«, erwiderte der Staatsanwalt, »wenn Sie das Zeichen geben, können wir loslegen.«

»Gut«, Jenkins nickte zufrieden, »wie sieht Ihr Konzept aus?«

»Wir haben unterschriebene Schuldanerkenntnisse von 53 Bestochenen«, erklärte Connors. »Mit elf Leuten von der Liste haben wir bisher nicht gesprochen, Whitewater ist tot, und Harding verweigert nach wie vor die Zusammenarbeit. Ich habe vor, überhaupt nichts zu tun.«

Das Lächeln erstarb auf Tate Jenkins' Gesicht.

»Wie meinen Sie das?«

»Nach Rücksprache mit Mr Engels habe ich mich dazu entschlossen, die ganze Angelegenheit unter Ausschluss der Öffentlichkeit aufzuklären«, entgegnete Connors mit ruhiger Stimme. »Das Justizministerium ist mit mir einer Meinung, dass es besser ist, nicht zu viel Staub aufzuwirbeln. Gegen diejenigen, die zu einer Kooperation bereit sind, wird ein Strafverfahren wegen Steuerhinterziehung eingeleitet, dem sie entgehen können, wenn sie die hinterzogenen Steuern nachzahlen. Den strafrechtlich relevanten Teil der Tat, die Bestechlichkeit im Amt, werden wir außer Acht lassen, wenn die Männer freiwillig von ihrem Posten zurücktreten und in Zukunft auch kein öffentliches oder politisches Amt mehr bekleiden.«

»Aber ...« Jenkins klappte verblüfft der Mund auf, er suchte nach Worten.

»Engels hat mit Jordy Rosenbaum, dem Berater des Präsidenten, gesprochen«, fuhr der Staatsanwalt fort, »und der Präsident zieht diese stille Lösung einer emotionsgeladenen Diskussion in der Öffentlichkeit vor.«

Jenkins schwieg einen Moment. Die Erleichterung war ihm deutlich ins Gesicht geschrieben, und in diesem Augenblick wusste Lloyd Connors mit Bestimmtheit, dass ihn sein Instinkt nicht getrogen und Nick ebenfalls recht hatte. Es war unfassbar, aber Jenkins steckte mit Vitali unter einer Decke.

»Was ist mit Vitali?«, fragte Jenkins dann auch tatsächlich.

»Nichts«, Connors zuckte die Schultern, »was soll mit ihm sein? Kein einziger Verdachtsmoment lässt sich mit den derzeitigen Mitteln erhärten, und solange diese Frau nicht wieder auftaucht, werde ich den Teufel tun und eine Anklage vorbereiten, die schon im Ansatz aus Mangel an Beweisen abgeschmettert werden würde.«

Es war still in dem großen Büro.

»Nun ja«, Jenkins räusperte sich und lächelte dann, »mir scheint, dass mein Aufenthalt in New York nicht länger notwendig ist. Ich will aber über den Fortgang der Sache regelmäßig unterrichtet werden.«

»Selbstverständlich«, Connors nickte, »ich halte Sie auf dem Laufenden.«

* * *

Nick Kostidis stand auf dem Flur des 3. Stockwerks des Goldwater Memorial Hospital vor der Milchglastür der internistischen Privatstation und starrte aus dem Fenster. Seitdem er Alex in dieser heruntergekommenen Spelunke gefunden hatte, war eine Veränderung in ihm vorgegangen. Der Anblick ihres misshandelten Gesichts, die Angst und das Entsetzen in ihren Augen hatten ihn seinen eigenen Kummer vergessen lassen. Seit gestern Nacht verspürte er den unbändigen Wunsch, Sergio Vitali zu vernichten. Anders als früher war es ihm nicht mehr genug, den Mann ins Gefängnis zu bringen, nein er empfand einen heißen, wütenden Zorn, eine wilde Rachsucht und das brennende Verlangen nach Vergeltung. Die Zeit der lähmenden Taubheit war vorbei, und Nick wusste mit Bestimmtheit, dass er diesmal nicht zulassen würde, Vitali ungeschoren davonkommen zu lassen. Dieser Mann hatte seines und Alex' Leben zerstört, dazu die Leben unzähliger anderer Menschen, und dafür musste er büßen. Die Sonne drang durch die dichte Wolkendecke und strahlte die Wolkenkratzer auf der anderen Seite des Flusses hinter dem United Nations Headquarter an. Irgendwo da drüben schlief Vitali in aller Seelenruhe und glaubte, Alex sei tot. So tot wie Mary und Christopher, wie Britney Edwards, David Zuckerman, Clarence Whitewater und Zachary St. John. Aber da hatte er sich geirrt. Alex lebte und würde ihren Schock überwinden. Und er, Nick Kostidis, würde alles tun, um sie bei ihrer Aussage gegen diesen gewissenlosen Verbrecher zu unterstützen. Nick fuhr sich mit der Hand über das Gesicht. Seine Augen brannten vor Müdigkeit, er war furchtbar erschöpft, aber jetzt war keine Zeit zum Schlafen. Noch in der Nacht waren Lloyd Connors und Gordon Engels ins Krankenhaus gekommen, und man hatte sich darauf geeinigt, vorerst nichts von Alex' Auftauchen bekanntzugeben. Es war Nick und Connors gelungen, Engels davon zu überzeugen, dass Tate Jenkins nicht auf ihrer Seite stand, und Gordon Engels hatte mit dem Stabschef des Präsidenten und dem Justizminister telefoniert. Sie beide hatten grünes Licht für eine neue Strategie gegeben, und die bestand darin, die Aufklärung der Bestechungsaffäre fortan ohne Beteiligung des FBI weiterzuführen. Connors hatte vor ein paar Tagen einen Privatdetektiv damit beauftragt, den Mann ausfindig zu machen, der im Jahre 1963 Augenzeuge des Mordes gewesen war, den Sergio Vitali laut Aussage van Mierens begangen hatte. ›Ich will Vitali nicht nur ins Gefängnis bringen‹, hatte Connors gesagt, ›ich will ihn auf dem elektrischen Stuhl sitzen sehen.‹ Der Staatsanwalt war tief schockiert von der Brutalität, mit der Vitali Alex behandelt hatte. Die Milchglastür öffnete sich, und Dr. Virginia Summer, die Chefärztin der inneren Abteilung, trat heraus. In der Hand balancierte sie zwei Pappbecher mit heißem Kaffee. Nick kannte Ginnie Summer schon sehr lange. Ihr Mann war Seniorpartner einer sehr angesehenen Anwaltskanzlei, Nick hatte seinerzeit mit ihm zusammen an der New York University Law School in Manhattan Jura studiert. Fast genauso lange wie Bernard kannte er Ginnie, die eine Freundin von Mary gewesen war.

»Hallo, Ginnie«, sagte Nick, »wie geht es Alex?«

»Den Umständen entsprechend«, sie reichte ihm einen Becher mit Kaffee, den er dankbar entgegennahm, »sie hat Rippenbrüche, schlimme Prellungen und Blutergüsse, aber glücklicherweise keine lebensbedrohlichen inneren Verletzungen. Ein paar Tage Ruhe und eine gute medizinische Behandlung, dann wird sie die Sache körperlich bald überwunden haben.«

Die Ärztin warf ihm einen prüfenden Blick zu.

»Und du?«, fragte sie. »Wie geht es dir?«

Nick blickte sie an, dann zuckte er die Schultern und starrte wieder zum Fenster hinaus. Die Stadt, die er immer geliebt, für die er gelebt und gekämpft hatte, erschien ihm auf einmal feindlich. Er nahm einen Schluck von der heißen, starken Flüssigkeit, die seine Lebensgeister wieder weckte.

»Es geht mir ganz gut«, erwiderte er, »ich gewöhne mich allmählich daran, dass Mary nicht mehr da ist, wenn ich nach Hause komme.«

Er schluckte hart. War es Mary gegenüber unfair, dass er sich in Alex verliebt hatte? Wäre es auch geschehen, wenn sie nicht gestorben wäre?

»Du siehst sehr erschöpft aus«, stellte Ginnie Summer fest.

»Fahr nach Hause und schlafe etwas. Mrs Sontheim ist bei uns in guten Händen.«

»Ich weiß«, Nick lächelte müde, »deshalb habe ich sie ja zu dir gebracht.«

Die Ärztin nickte.

»Du nimmst sehr stark Anteil an ihrem Schicksal«, sagte sie, »ist es wahr, was sie im Fernsehen von ihr sagen?«

»Nein«, Nick schüttelte den Kopf, »nein, davon ist nichts wahr.«

Er setzte sich schwerfällig auf einen der orangefarbenen Plastikstühle, und die Ärztin nahm neben ihm Platz.

»Es ist für mich eine ganz neue Erfahrung, dass du so besorgt bist«, sagte Ginnie Summer, »und so mitfühlend.«

Nick wandte den Kopf und sah sie erstaunt an.

»Du hast dich verändert«, die Ärztin musterte ihn nachdenklich.

»Habe ich das?«

»Ja«, sie nickte, »seitdem ich dich kenne – und das sind nun beinahe 35 Jahre –, warst du ein Egoist. Viele Männer, die Karriere machen wollen und ehrgeizig sind, sind Egoisten, aber bei dir war es mehr. Ich habe Mary nie darum beneidet, mit dir verheiratet zu sein.«

Nick seufzte.

»Trotzdem habe ich dich bewundert«, fuhr Ginnie Summer fort. »Du hattest Visionen, für die du mit aller Kraft gekämpft hast, und es ist dir immer gelungen, die Menschen für deine Ideen zu begeistern. Aber du warst manchmal geradezu ekelhaft selbstgerecht und rücksichtslos.«

»Das habe ich mittlerweile auch begriffen«, gab Nick zu. »Es ist nicht gut, wenn man nur schwarz und weiß sieht. Ich war zu kompromisslos und habe viele Fehler gemacht. Aber ich war immer so überzeugt davon, das Richtige zu tun, dass ich es nicht bemerkt habe.«

Er drehte den Kaffeebecher in seinen Händen.

»Und jetzt? Hat sich das geändert?«, fragte die Ärztin.

»O ja«, er nickte, »ich bin für meinen Hochmut schwer bestraft worden, und ich werde bis an das Ende meines Lebens mit der Schuld leben müssen, dass Mary und Chris wegen der Fehler, die ich gemacht habe, sterben mussten.«

Er schwieg für einen Moment.

»Alex kam damals zu mir, in einer Zeit, in der ich vor Verzweiflung an Selbstmord gedacht habe. Sie kam und hörte mir zu, als es niemand tat. Sie hatte keine Angst, mit mir zu reden. Alles, was ich von unseren angeblichen Freunden zu hören bekam, waren leere Floskeln. Alle schienen plötzlich Angst vor mir zu haben. Nur diese Frau, die ich eigentlich gar nicht richtig kannte, sie kam zu mir und hat mir geholfen, zu überleben. Ich stehe tief in Alex' Schuld, denn sie hat mir zweimal das Leben gerettet.«

»Das Leben gerettet?« Dr. Summer sah ihn überrascht an.

»Ja. Alex war auf dem Friedhof, als jemand auf mich schoss. Sie warnte mich rechtzeitig, sonst wäre die Kugel nicht in einem Grabstein, sondern in meinem Kopf steckengeblieben«, Nick blickte für einen Augenblick ins Leere, »sie ist sehr mutig.«

»Ich verstehe«, sagte die Ärztin leise.

»Tust du das?« Nick blickte auf, und Dr. Summer erkannte die Qual in seinen Augen. Die Ärztin ergriff seine Hand. Sie verstand tatsächlich, was Nick quälte, aber nun verstand sie auch sein erstaunlich verändertes Verhalten. Nie zuvor hatte sie ihn so menschlich erlebt. Er sorgte sich wirklich und ehrlich um diese Frau, ohne eine große Schau abzuziehen, wie er es sonst immer getan hatte. Und diese Offenbarung, dass Nicholas Kostidis echte Gefühle besaß und auch ohne Kalkül und Berechnung handeln konnte, machte ihn in den Augen der Ärztin plötzlich liebenswert.

»Mary war eine Freundin von mir«, sagte sie leise, »ich habe sie sehr gemocht. Aber sie ist tot, und du musst weiterleben. Niemand verlangt von dir, ewig zu trauern und einsam zu sein.«

Nick starrte sie an, dann verzog er das Gesicht, als wolle er in Tränen ausbrechen.

»Danke, Ginnie«, sagte er mit belegter Stimme und drückte

noch einmal ihre Hand, bevor er sich erhob, »danke für deine Hilfe.«

»Schon okay«, erwiderte sie mit einem Lächeln und stand ebenfalls auf, »und jetzt ruh dich etwas aus. Es nützt niemandem, wenn du zusammenbrichst.«

»Okay«, Nick versuchte ein Lächeln. Er wartete, bis sie hinter der Milchglastür verschwunden war, dann wandte er sich zum Fenster und lehnte seine Stirn an die kalte Scheibe. Selbstgerecht und rücksichtslos. Ein Egoist. Ja, das war er gewesen. Er hatte geglaubt, nichts und niemand könne ihm etwas anhaben. Voller Überzeugung von der Richtigkeit seines Tuns, hatte er nie an das gedacht, was er den Menschen antat, die er anklagte und verfolgte. Er war zu sehr in seinen Erfolg und sein Ansehen verliebt gewesen, um Selbstkritik zu üben. Wie arrogant von ihm zu glauben, allein seine Überzeugung sei die einzig richtige! Aber er hatte die Demut, an der es ihm immer gemangelt hatte, schmerzlich gelernt. Das Schicksal hatte ihn für seine Fehler hart bestraft, aber es hatte ihm auch eine neue Chance gegeben.

***

Das noble *St. Regis* war zehn Tage vor Weihnachten zu einer Großbaustelle geworden. Eine ganze Armee von Innendekorateuren und Handwerkern arbeitete auf Hochtouren daran, das Foyer, den Ballsaal und die angrenzenden Konferenzräume in ein märchenhaftes Winterwunderland zu verwandeln. Mehrere LKW-Ladungen Kunstschnee, echte Tannenbäume, unzählige Lämpchen ließen schon jetzt erahnen, wie die Räume am Samstagabend aussehen würden. Die Leiterin der Arbeiten, eine junge Innenarchitektin mit strengem Gesicht, die ständig rauchte und das dunkle Haar zu einem Pferdeschwanz frisiert trug, lief mit einem Klemmbrett unter dem Arm durch das Hotel und hatte das Chaos im Griff. Sie dirigierte die Handwerker, die Elektriker, die für die raffinierte Beleuchtung zuständig waren, die Maler, die Zimmerleute und die Dekorateure.

»Hallo, Sharon«, Sergio lächelte erfreut, als er sah, welches Kunstwerk eigens für seinen Wohltätigkeitsball entstand, »Sie vollbringen tatsächlich Wunder.«

»Oh, Mr Vitali«, Sharon Capriati blickte ihn mit einer Mischung aus Ungeduld und Ehrfurcht an, »gefällt es Ihnen bisher? Sie sollten abwarten, bis es fertig ist.«

»Ich kann nicht abwarten«, Sergio schenkte ihr einen der Blicke, denen Frauen nur selten widerstehen konnten, wie er wusste. Die junge Frau warf ihm einen scharfen Blick zu, dann lachte sie, was ihr herbes Gesicht hübsch machte, und Sergio überlegte sich, wie sie wohl im Bett war. Er taxierte ihre festen, kleinen Brüste unter dem grauen T-Shirt und ihr wohlgeformtes Hinterteil in der hautengen Jeans.

»Halt!« Sharon Capriati drehte sich unvermittelt um und winkte zwei Männern, die große Mauerteile mit einem Hubwagen transportierten. »Der Pavillon kommt da drüben hin! Neben den Tannenwald!«

Sie wandte sich wieder Sergio zu, lächelte entschuldigend und machte eine Notiz auf ihrem Klemmbrett.

»Vielleicht hätten Sie Ihre Gäste in die Karibik einladen sollen«, sagte sie, »das wird eine teure Angelegenheit.«

»Das macht nichts«, Sergio zuckte die Schultern, »die Leute sollen bis zum nächsten Jahr davon sprechen. Ich habe die besten Bands engagiert, und das Essen wird allen die Sprache verschlagen. Was ist mit dem Champagnerbrunnen?«

»Er wird direkt in der Mitte des Saales stehen«, antwortete die Frau und klemmte sich gedankenverloren ihren Bleistift hinters Ohr. Sergio musterte sie eingehend.

»Sie machen Ihre Arbeit gut«, bemerkte er. »Hätten Sie Lust, heute Mittag mit mir zum Lunch zu gehen?«

»Das ist sehr freundlich von Ihnen«, Sharon Capriati blickte auf und lächelte dasselbe unpersönliche Lächeln, das Alex so meisterhaft beherrscht hatte, »aber ich habe noch sehr viel zu tun. Immerhin wollen Sie in knapp 24 Stunden hier feiern.«

»Dann vielleicht ein anderes Mal?«

Die junge Frau sah ihn an, und Sergio verspürte ein prickelndes Gefühl der Erregung in sich aufsteigen. Sie war ein ganz anderer Typ, aber irgendwie erinnerte Sharon Capriati mit ihrem ausgeprägten Selbstbewusstsein und ihrer Professionalität an Alex. Diese kühle Distanz, diese Sicherheit. Unvermittelt kam ihm die Idee, sie als seine Begleiterin mit auf den Ball zu nehmen. Er trat näher an sie heran.

»Ich habe vor Weihnachten wahnsinnig viel zu tun«, sie blickte nicht einmal von ihrem Klemmbrett hoch und hob bedauernd die Schultern, was ihn ärgerte. War sie eine Lesbe?

»Dann begleiten Sie mich doch morgen Abend auf mein Fest«, sagte er, »vielleicht könnten wir miteinander tanzen.«

Statt Begeisterung erntete er für seine Einladung höfliche Gereiztheit.

»Hören Sie, Mr Vitali«, Sharon Capriati blickte auf, und ihr Tonfall ähnelte dem einer Kindergärtnerin, die mit einem geistig zurückgebliebenen Kind sprach. »Sie haben mich engagiert, weil ich die beste Innenarchitektin und Dekorateurin der Stadt bin. Ich mache meinen Job, und Sie bezahlen mich dafür. Dabei sollten wir es belassen.«

Diese deutliche Zurückweisung verschlug Sergio für einen Augenblick tatsächlich die Sprache.

»Okay«, er nickte und hob die Augenbrauen, »wenn Sie meinen. Dann will ich Sie nicht länger stören.«

»Alles klar«, sie lächelte kurz, war aber in Gedanken schon wieder ganz woanders, als sie sich abwandte und zu einer Gruppe Elektriker hinüberging, die Scheinwerfer für die Bühne anbrachten.

»Dumme Zicke«, murmelte Sergio gekränkt. Er ging die Treppe hinauf, die vom Foyer in den Ballsaal führte, und drehte sich auf der obersten Stufe um. Der erste Eindruck war so kolossal wie der zweite. Zweifellos würde es den ganzen Aufwand wert sein, denn das Fest würde ein Erfolg werden, das wusste Sergio schon jetzt. Es war der Höhepunkt der Ballsaison in New York, und die beinahe tausend geladenen Gäste kamen aus den ganzen Vereinigten Staaten und sogar Europa. Neben der New Yorker Prominenz wurden Politiker aus Washington, Filmstars aus Hollywood, berühmte Sportler und große Wirtschaftsbosse erwartet. Die Gästeliste las sich wie ein Who-is-Who der feinen und erfolgreichen Gesellschaft, und niemand hatte abgesagt. Allerdings würde er allein zu seinem Fest gehen, denn er hatte in diesem Jahr keine Begleiterin. Constanzia war und blieb verschwunden, und Alex, die ihn im vergangenen Jahr begleitet hatte, war tot. Sergios Gesicht verdunkelte sich beim Gedanken an sie, und er drehte sich so abrupt um, dass er beinahe mit Luca zusammengeprallt wäre.

»Was ist los?«, fragte Sergio, den die Zurückweisung der Innenarchitektin noch immer wurmte. Er warf Luca einen Blick zu. Der sonst so ruhige und kaltblütige Mann wirkte aufgeregt.

»Ich habe gerade einen Anruf bekommen«, Luca sprach leise und schnell, »von Sandro Girardelli, er arbeitet in der Verwaltung des Goldwater Memorial.«

»Und?« Sergio verspürte plötzlich ein flaues, leeres Gefühl im Magen, und ihn überkam eine düstere Vorahnung.

»Vor drei Tagen wurde nachts eine Frau eingeliefert«, fuhr Luca fort. »Sie wurde sofort auf die Privatstation einer Dr. Summer gebracht, und bis heute wurde der Verwaltung nicht mitgeteilt, wer sie ist und weshalb sie sich im Krankenhaus befindet. Niemand vom Krankenhauspersonal darf in ihr Zimmer, ja es darf eigentlich niemand wissen, dass sie überhaupt da ist.«

»Weiter ...«, forderte Sergio ihn mit versteinertem Gesicht auf.

»Zwei US-Marshals bewachen rund um die Uhr das Zimmer«, sagte Luca, »aber die Frau hat jede Nacht Besuch. Und zwar von Bürgermeister Kostidis höchstpersönlich.«

»Du hast mir gesagt, ihr hättet sie in den Fluss geworfen!« Sergio musste sich bemühen, seine Stimme zu dämpfen. Alex war tot! Er hatte mit eigenen Augen gesehen, dass sie nicht mehr geatmet hatte. Es war unmöglich, sie konnte nicht mehr leben.

»Meine Männer haben sie an den Brooklyner Docks in den

East River geworfen, an einer Stelle, wo die Strömung am stärksten ist«, bestätigte Luca. »Sie war tot.«

»Wenn diese Frau im Goldwater Memorial Alex ist«, erwiderte Sergio grimmig, »dann war sie es wohl nicht.«

Ihm stand plötzlich kalter Schweiß auf der Stirn, die Gedanken überschlugen sich in seinem Kopf.

»Ich muss Jenkins anrufen«, sagte er und biss sich auf die Unterlippe. Er ging schnell durch das große Foyer des *St. Regis*, dann blieb er stehen und drehte sich zu Luca um.

»Ein Krankenhaus ist ein wunderbarer Ort, um jemanden verschwinden zu lassen«, sagte er. »Du gehst selber, Luca. Du und Silvio. Ich will nicht, dass noch einmal etwas schiefgeht. Ihr geht zu ihr hinein und legt sie um. Und diesmal wünsche ich keine schlechten Nachrichten zu bekommen, *capito*?«

»Ja, Boss«, Luca nickte, »wir erledigen das sofort.«

* * *

Harvey Brandon Forrester war es gewöhnt, Menschen nachzuspüren, die bereits vor langer Zeit verschwunden waren. Vor 20 Jahren hatte er eine kleine Privatdetektei gegründet und sich auf aussichtslose Fälle spezialisiert. Seine vier Partner beschränkten sich lieber auf die einfacheren Sachen, wie die Überwachung untreuer Ehepartner oder die Auffindung säumiger Zahler, aber Forrester bevorzugte anspruchsvolle Aufgaben. Genau genommen war er weniger ein Privatdetektiv als ein Kopfgeldjäger, und durch seine guten Verbindungen zur Staatsanwaltschaft und vielen renommierten Rechtsanwaltskanzleien in New York konnte er nicht über Langeweile klagen. Die Suche nach dem Augenzeugen des Mordes an einem Gangster namens Stefano Barelli im März des Jahres 1963 entpuppte sich jedoch als schwierig. Schwierig deshalb, weil Forrester keine Nachforschungen in Little Italy anstellen durfte, denn sein Auftraggeber wollte unter allen Umständen verhindern, dass etwas über die Ermittlungen in einem mehr als 30 Jahre alten Mordfall bekannt wurde. Zwei

Tage lang hatte Forrester die Polizeiakten studiert, die man ihm zur Verfügung gestellt hatte, er hatte Vernehmungsprotokolle und Anklageschriften gelesen, Fotos betrachtet, den Tathergang rekonstruiert und war schließlich zu der Überzeugung gelangt, dass es nicht nur einen Augenzeugen, sondern mindestens sechs oder sieben geben musste. Die Staatsanwaltschaft suchte allerdings einen bestimmten Mann, und zwar den Schwiegersohn des damaligen Inhabers der kleinen Trattoria, in der Barelli erschossen worden war. Er hieß Vincente Molto und war seit diesem Tag verschwunden. Forrester durchforstete die Unterlagen und Computer des Einwohnermeldeamtes, um sich über die Identität des Mannes klarzuwerden, den er finden musste. Vincente Molto war am 24. Juli 1940 geboren worden, er hatte am 11. Mai 1962 Lucretia Amato geheiratet und war am 28. Mai 1963 mit seiner Frau aus New York mit unbekanntem Ziel weggezogen. Der Mann musste heute also 60 Jahre alt sein. Forrester stöberte im Polizeicomputer und hatte Glück. Vincente Molto war im Jahre 1961 straffällig geworden, schwere Körperverletzung. Es gab ein Foto und Fingerabdrücke. Außerdem gab es in seiner Polizeiakte den Hinweis, dass man ihn damals für ein Mitglied der Genovese-Familie gehalten hatte. Harvey Brandon Forrester schlief drei Tage und drei Nächte nicht, zapfte sämtliche Quellen an, sprach mit verlässlichen Informanten und reiste schließlich nach Florida, wo er tatsächlich fündig wurde. In Tarpon Springs, einem kleinen Städtchen in der Nähe von Tampa, fand er Valentine Mills, der in einem kleinen Häuschen mit Blick auf den Golf lebte. Forrester beobachtete den Mann einen Tag lang, aber er war sicher, dass er den Richtigen gefunden hatte. Seitdem das Foto auf einem New Yorker Polizeirevier gemacht worden war, war Vincente Molto alias Valentine Mills zwar 50 Kilo schwerer geworden, doch die ungewöhnlich buschigen Augenbrauen und das fliehende Kinn hatten sich nicht verändert. Forrester rief Lloyd Connors an.

»Ich hab Ihren Mann gefunden, Chef«, sagte er. »Er lebt jetzt unter einem anderen Namen in Florida, Nähe Tampa.«

»Sind Sie hundertprozentig sicher?« Die Stimme des Staatsanwalts klang angespannt.

»Tausendprozentig«, erwiderte Forrester, »ich täusche mich nie.«

»Okay«, sagte Connors, »ich schicke zwei US-Marshals. Tun Sie vorher nichts, damit er nicht gewarnt wird.«

»Geht klar.«

Lloyd Connors konnte sein Glück kaum fassen. Er hatte keine großen Hoffnungen gehabt, dass Forrester den Mann finden würde, den Nelson van Mieren erwähnt hatte. Wenn dieser Molto oder Mills jetzt auch noch bereit war, vor Gericht gegen Vitali auszusagen, dann war alles klar. Der Staatsanwalt lächelte grimmig. Vielleicht konnte es ihm gelingen, Vitali wegen Mordes an Stefano Barelli vor Gericht zu bringen. Dieser Mord, der am 17. März 1963 geschehen war, war eindeutig ein Fall für den elektrischen Stuhl. Van Mieren hatte behauptet, Vitali habe Barelli getötet, weil dieser versucht hatte, ihn aus dem Geschäft zu drängen. Er hatte ihn regelrecht hingerichtet, kaltblütig und vorsätzlich, mit einem Schuss ins Genick. Die Mordanklage würde das Sahnehäubchen auf dem Haftbefehl werden. Connors griff nach dem Telefonhörer, um Nick Kostidis anzurufen und ihm von dem Erfolg zu berichten, aber seine Sekretärin teilte ihm mit, dass der Bürgermeister privat unterwegs sei. Der Staatsanwalt wählte Nicks Handynummer.

***

»Ich bin gerade auf dem Weg ins Krankenhaus«, sagte Nick, nachdem Connors ihm von Forresters Fund erzählt hatte. »Ich halte es für besser, Alex noch heute an einen anderen Ort zu bringen.«

»Okay«, erwiderte Connors, »ist sie in der Lage, morgen früh ein paar Fragen zu beantworten? Ich will Vitali morgen Abend auf seinem großen Ball verhaften, und dazu brauche ich dringend ihre Aussage.«

»Ich denke, sie ist dazu bereit«, sagte Nick. »Ich rufe dich an, wenn ich mit ihr gesprochen habe.«

»Gut«, der Staatsanwalt lehnte sich zurück, »sie ist mein stärkster Trumpf gegen Vitali. Pass gut auf sie auf.«

»Worauf du dich verlassen kannst.«

***

Zwei Sanitäter in den Uniformen von Medicaid betraten die Privatstation von Dr. Virginia Summer im 3. Stock des Goldwater Memorial Hospital. Einer schob eine Krankentrage, der andere hielt ein Klemmbrett unter dem Arm. Ein junger Arzt trat aus dem Schwesternzimmer.

»Hallo«, sagte er zu den beiden Sanitätern, »kann ich euch helfen?«

Einer der Sanitäter, ein untersetzter Mann Mitte vierzig, lächelte höflich und warf einen Blick auf sein Klemmbrett.

»Wir sollen eine Patientin Ihrer Station in ein anderes Krankenhaus bringen«, sagte er, »eine Miss Alexandra Sontheim.«

Der Arzt sah ihn mit plötzlich erwachtem Misstrauen an.

»Hier gibt es keine Patientin dieses Namens«, sagte er und streckte die Hand aus, »zeigen Sie mir mal Ihre Papiere.«

Der dunkelhaarige Sanitäter, der hinter dem Arzt stand, griff in seine Jackentasche und zog einen Revolver mit einem Schalldämpfer heraus. Während der Arzt noch auf die Papiere starrte, hob er die Waffe und drückte ab. Der Untersetzte fing den Mann auf und legte ihn auf die Tragbahre, während der andere das leere Schwesternzimmer betrat und auf den Belegungsplan der Station blickte.

»Zimmer 16 ist als einziges angeblich nicht belegt«, sagte er, »schauen wir mal nach.«

Die beiden Männer gingen den Gang entlang, bis sie die Tür des Zimmers mit der Nummer 16 ganz hinten rechts erreicht hatten. Sie hielten sich nicht mit Klopfen auf, sondern traten sofort ein.

»Schöne Grüße von Sergio«, sagte Luca. Aus zwei Meter Entfernung richtete er seine Waffe auf die zusammengekrümmt daliegende Gestalt unter der weißen Krankenhausbettdecke und feuerte viermal.

»Das war's«, sagte er und steckte die Waffe ein. Die beiden Männer verließen die Station ungesehen und nahmen den Aufzug ins Erdgeschoss. Die fahrbare Trage mit der Leiche des Arztes ließen sie im Flur der Privatstation stehen.

***

Nick Kostidis und Frank Cohen betraten das Foyer des Goldwater Memorial Hospital am späten Nachmittag des 14. Dezember in Begleitung der US-Marshals Spooner und Khazaeli.

»So ein blöder Idiot!«, schimpfte Deputy Spooner. »Fährt mir doch fast in meinen nagelneuen Dodge, dieser Trottel.«

»Es ist doch nichts passiert«, versuchte Khazaeli seinen Kollegen zu beruhigen. Auf dem Parkplatz vor dem Krankenhaus war unversehens ein dunkler Lincoln rückwärts aus einer Parklücke gestoßen und hätte beinahe Spooners Auto gerammt. Der Fahrer, ein dicker Sanitäter, hatte sich noch nicht einmal entschuldigt, sondern war ungerührt weitergefahren.

»Trotzdem, so ein Idiot!« Spooner schüttelte den Kopf. In dem Augenblick ging der Piepser an seinem Gürtel los.

»Das ist der Boss«, verkündete er nach einem kurzen Blick auf das Gerät. »Mist. Im Krankenhaus funktioniert mein Handy nicht.«

Er wandte sich ab und ging zum Informationsschalter, um zu telefonieren. Nick, Frank und Khazaeli warteten in der Halle, bis er das Gespräch beendet hatte. Mit einem Mal überfiel Nick ein eigenartiges Gefühl, eine Art dunkle Vorahnung, als er den Gesichtsausdruck Spooners sah. Es war, als habe ihm jemand einen Faustschlag in den Magen versetzt.

»Was ist los?«, fragte er den US-Marshal mit mühsam beherrschter Stimme.

»Irgendwas stimmt nicht«, entgegnete Spooner mit grimmiger Miene, »der Boss kann weder Boyd noch Ruscoe erreichen. Sie sind nicht auf ihrem Posten.«

»Wer ist das?«, fragte Nick ungeduldig. Spooner antwortete nicht, aber er entsicherte seine Glock und ging zum Treppenhaus.

»Unsere Kollegen, die auf die Sontheim aufpassen«, sagte Deputy Khazaeli an seiner Stelle. Auch er zog seine Waffe und drückte auf die Ruftaste des Aufzugs. Nick wurde es eiskalt, und alle Farbe wich aus seinem Gesicht.

»Was hat das zu bedeuten?«, fragte Frank, als sie in den Aufzug stiegen, in dem bereits zwei Krankenschwestern standen, die Khazaelis Pistole entgeistert anstarrten.

»Ich weiß es nicht«, erwiderte der Polizeibeamte, »auf jeden Fall warten Sie am Aufzug, bis wir die Lage geklärt haben.«

Nick schluckte. Er zitterte am ganzen Körper. Der Aufzug hielt mit einem leisen Läuten im 3. Stock.

»Sie bleiben hier!«, wiederholte Khazaeli, aber Nick schüttelte den Kopf.

»Das werde ich sicher nicht«, erwiderte er.

»Verdammt!« Die Anspannung stand dem US-Marshal ins Gesicht geschrieben. »Ich habe keine Lust, mit Ihnen zu diskutieren! Machen Sie doch, was Sie wollen!«

»Nick, wir sollten vielleicht wirklich …«, wandte Frank vorsichtig ein, aber Nick hörte ihm nicht zu. Seine dunklen Augen waren schwarz vor Angst, und er wäre am liebsten an den beiden Polizisten vorbeigestürmt. In dem Moment flog die Milchglastür der Privatstation auf, eine junge Krankenschwester kam ihnen schreiend entgegen.

»Dr. Walters!«, schrie sie verstört. »Dr. Walters ist tot!«

Spooner und Khazaeli rannten an ihr vorbei, Nick und Frank folgten. Vor der Tür des Schwesternzimmers mitten auf dem Gang stand eine fahrbare Krankentrage, darauf lag ein Mann mit weit aufgerissenen Augen. Blut lief aus seinem halbgeöffneten Mund und tropfte auf den hellgrauen Linoleumboden. Entsetzte Ärzte und Krankenschwestern schrien hysterisch durcheinander, einige weinten. Frank, der kein Blut sehen konnte, kämpfte gegen einen Brechreiz und wandte sich ab.

»In welchem Zimmer liegt die Sontheim?«, schrie Deputy Spooner Nick an.

»Sechzehn«, flüsterte Nick. Sein Herz klopfte wie rasend, sein Gehirn wollte nicht akzeptieren, was angesichts des erschossenen Arztes offensichtlich war. Vitali hatte erfahren, dass Alex noch lebte, und nicht lange gezögert. Seine Killer hatten ihren blutigen Auftrag bereits erfüllt. Plötzlich stand Ginnie Summer vor ihm. Ihre sonst so freundliche Miene war fassungslos und entsetzt.

»Nick!«, rief sie schrill und ergriff ihn am Arm. »Was geht hier vor? Wer hat das getan?«

»Ich ... ich weiß es nicht«, sein Blick folgte den beiden Marshals, die den Gang hinunterrannten, und flog zurück zu dem toten Arzt, der das Pech gehabt hatte, zur falschen Zeit am falschen Ort gewesen zu sein. Alles in seinem Innern wehrte sich dagegen, zu begreifen, was sich wohl im Krankenzimmer mit der Nummer 16 abgespielt hatte. Er wollte es nicht wissen, er wollte nicht ihre zerschossene Leiche sehen. Wieder einmal hatte er versagt. Hatte er Alex nicht versprochen, er würde sie beschützen und auf sie aufpassen?

»Nick ...«, Frank berührte ihn am Arm, und er zuckte zusammen.

»Mr Kostidis!«, rief Deputy Spooner im gleichen Moment und winkte.

»Nein«, murmelte Nick, »bitte, bitte nicht ...«

Die Schritte zur Tür des Zimmers, in dem sich Alex befunden hatte, wurden zu Meilen. Er registrierte, dass Spooner erleichtert aussah, und starrte wenig später verwirrt auf das zerschossene Bett, ohne zu begreifen.

»Jemand hatte Decken und Kopfkissen unter die Bettdecke gestopft«, erklärte Deputy Khazaeli. »Die Typen haben es wohl für einen Menschen gehalten und drauflosgeballert.«

»Aber wo ist sie?«, flüsterte Nick.

»Hier«, sagte Spooner, und Nick fuhr herum, »sie scheint o.k. zu sein.«

Auf dem Boden der Nasszelle des kleinen Badezimmers, das auf der Privatstation zur Ausstattung der Zimmer gehörte, kauerte Alex, die Arme um die Knie geschlungen, und starrte sie aus aufgerissenen Augen verängstigt an. Als sie Nick erkannte, streckte sie nur stumm die Arme aus, und er sank vor ihr auf die Knie. Die Erleichterung fiel ihm wie ein ganzes Gebirge vom Herzen, und er konnte nicht verhindern, dass ihm die Tränen in die Augen schossen. Alex schlang ihre Arme um seinen Hals und presste ihr Gesicht an seine Brust.

»Es tut mir so leid«, flüsterte Nick mit tränenerstickter Stimme, »es tut mir so leid. Ich habe dir versprochen, dass du in Sicherheit bist. O Gott, Alex.«

»Bring mich hier weg, Nick, bitte.«

»Ja, das tue ich«, er streichelte ihr Haar, »nicht weinen, jetzt wird alles gut.«

Er hob sie hoch und verließ das Zimmer. Auf dem Flur kam ihm Gordon Engels mit fünf US-Marshals entgegen.

»Ist sie in Ordnung?«, erkundigte er sich.

»Ja«, erwiderte Nick, »was ist mit Ihren Leuten, die auf sie aufpassen sollten?«

»Sind beide tot«, sagte Engels mit versteinertem Gesicht, »ich weiß noch nicht, was passiert ist, aber man hat sie mit einem Genickschuss getötet, genau wie den Arzt. Wir haben ihre Leichen in einer Wäschekammer gefunden.«

Nick spürte, wie Alex in seinen Armen erschauerte.

»Ich weiß, wer sie erschossen hat«, flüsterte sie.

»Ich wollte gerade das Zimmer verlassen. Ich weiß nicht warum, ich hatte so ein komisches Gefühl. Da sah ich einen Arzt mit zwei Notfallsanitätern auf dem Flur stehen. Plötzlich zog einer eine Pistole und schoss dem Arzt von hinten in den Kopf. Ich wusste sofort, dass sie wegen mir hier waren, denn ich habe sie erkannt.«

Sie begann zu schluchzen.

»Wer war es?«, fragte Nick mit sanfter Stimme.

»Sergios engste Mitarbeiter. Luca di Varese und Silvio Bacchiocchi.«

***

Das blutige Massaker im Goldwater Memorial Hospital beherrschte an diesem Tag alle Nachrichtensendungen. Kamerateams aus aller Welt belagerten das Krankenhausgebäude. Gordon Engels hatte sich zu einer gezielten Falschmeldung entschlossen, um Alex' Leben zu schützen. Er verkündete den wartenden Fernsehreportern und Journalisten, dass ein Täter, der unerkannt entkommen war, aus noch ungeklärten Gründen zwei Polizeibeamte, einen Arzt und eine Patientin des Krankenhauses erschossen habe. Engels ging davon aus, dass die beiden Täter, die sich unerkannt wähnten, nicht untertauchen, sondern ihr Leben ganz normal weiterführen würden. Auch sie sollten am nächsten Abend verhaftet werden. Nick brachte Alex ins Kloster St. Ignatius. Hinter den festungsähnlichen Mauern des Jesuitenklosters war sie sicher.

***

Alex trug ein graues Kapuzensweatshirt und eine Jeans. Das Haar hatte sie zu einem schlichten Pferdeschwanz frisiert. Die Spuren der schrecklichen Misshandlungen waren deutlich in ihrem Gesicht zu sehen. Für die Befragung durch die Staatsanwaltschaft hatten die Jesuitenpatres einen großen Raum zur Verfügung gestellt, in dem sich außer einem großen Tisch und zehn Stühlen fast nichts befand. Pünktlich morgens um sieben Uhr erschienen Lloyd Connors und Royce Shepard von der Staatsanwaltschaft Manhattan in Begleitung von Gordon Engels und Truman McDeere im Kloster St. Ignatius. Auch Nick und Frank Cohen waren anwesend, und es versetzte Nick einen Stich, als Alex in der Begleitung von Oliver Skerritt den Raum betrat. Beschützend hatte er den Arm um ihre Schultern gelegt und trennte sich nur widerstrebend von ihr, als die Anhörung begann. Der Staatsanwalt stellte sich und seine Mitarbeiter vor, dann fragte er Alex, ob sie etwas dagegen habe, wenn das Gespräch auf Tonband mitgeschnitten würde.

»Mrs Sontheim«, begann Lloyd Connors, »wir haben uns angesichts der Dringlichkeit der Situation dazu entschieden, das Verhör durch die SEC für eine Weile zu verschieben. Mr Kostidis hat mir mitgeteilt, dass Sie auf anwaltlichen Beistand verzichten. Ist das richtig?«

»Ja«, Alex' Stimme klang fest. Sie saß sehr aufrecht, die Hände vor sich auf den Tisch gelegt, und blickte den Staatsanwalt aufmerksam an.

»Gut«, Connors räusperte sich, »uns geht es heute einzig darum, Beweise für die Beteiligung Mr Sergio Vitalis an der Bestechungsaffäre zu bekommen. Womöglich werden Sie Hauptbelastungszeugin in einem Prozess gegen ihn sein, wenn er denn stattfinden wird. So, wie sich mir die Situation zum derzeitigen Zeitpunkt darstellt, sind Sie die einzige Person, die überhaupt bezeugen kann, dass er daran beteiligt ist. Bitte schildern Sie uns kurz Ihre Tätigkeit bei LMI.«

Alex nickte und gab die gewünschten Informationen. Dann berichtete sie von dem Angebot, das Levy ihr gemacht hatte. Sie zählte alle Deals auf, die sie für LMI gemacht hatte und von denen Levy und Vitali mit Hilfe von St. John illegal profitiert hatten. Sie erzählte, wann sie das erste Mal Verdacht geschöpft hatte, dass jemand hinter ihrem Rücken mit ihren Informationen geheime Geschäfte tätigte, und erwähnte die Falle, die sie St. John mit Syncrotron gestellt hatte. Auch aus ihrem Verhältnis zu Vitali machte sie kein Geheimnis. Dann kam sie zu seiner Geburtstagsfeier in seinem Haus in Mount Kisco, als sie zufällig Zeugin des Gesprächs zwischen Sergio und dem Mann mit den gelben Augen geworden war. Truman McDeere verzog das Gesicht, schwieg aber. Alex sprach mit emotionsloser Stimme und wandte den Blick nicht einmal von Connors ab.

»Wissen Sie etwas von den Vorfällen in der Nacht, als auf Mr Vitali geschossen wurde?«

»Ja«, sie nickte, »ich war dabei.«

Die Staatsanwälte wechselten einen raschen Blick. Alex begann damit, dass Nick sie am Nachmittag davor gewarnt hatte, Sergio sei in Konflikte mit dem kolumbianischen Drogenkartell verwickelt. Sie schilderte minutiös den Hergang des Attentats, sie beschrieb das Lagerhaus in Brooklyn, in das sie mitgefahren war. Gordon Engels, der bis dahin geschwiegen hatte, stellte ein paar Fragen, die Alex, ohne zu zögern, beantwortete. Schließlich bat Connors sie, darüber zu berichten, wie sie dem Bestechungskomplott auf die Spur gekommen war. Alex trank einen Schluck Wasser, dann erzählte sie von ihren Nachforschungen, in deren Verlauf sie darauf gestoßen war, dass die dubiosen Aktienkäufe über eine Investmentfirma namens MPM getätigt worden waren. Sie berichtete von ihrem Ausflug ans MIT nach Boston, bei dem sie von den geheimnisvollen Konten auf Grand Cayman und Vitalis Beteiligung an MPM erfahren hatte. Die Staatsanwälte schienen mit ihren Ausführungen sehr zufrieden zu sein.

»Kommen wir zu den Ereignissen in der Nacht, in der Mr St. John erschossen wurde«, sagte Connors, »was geschah wirklich?«

Alex vergaß auch bei dieser Schilderung kein noch so kleines Detail.

»Weshalb haben Sie nicht die Polizei verständigt?«, fragte Royce Shepard.

»Ich wusste, dass Vitali den Polizeipräsidenten bestochen hatte und auch den Bundesstaatsanwalt. Ich hätte keine Chance gehabt, außerdem hatte ich Angst vor Vitali.«

»Wo ist das Geld geblieben?«

»Ich änderte die Transaktion auf meinen Namen«, sagte Alex. »Ich wusste ja, wem das Geld gehörte, und dachte, dass es eine Absicherung sein könnte. Es war mir klar, dass St. John keinen Selbstmord begangen hatte, als ich die E-Mails aus seinem Computer gelesen hatte. Vitali hat ihn töten lassen, weil er befürchten musste, dass St. John alles auffliegen lassen würde. Er wollte seinen Tod zuerst als Selbstmord tarnen, aber dann kam ihm später eine bessere Idee. Indem er mir den Mord in die Schuhe schob, hatte er zwei Fliegen mit einer Klappe geschlagen. St. John war tot und ich unglaubwürdig.«

»Wo ist das Geld jetzt?«

»Ich habe es im Ausland auf Treuhandkonten angelegt.«

»Weshalb verließen Sie das Land, wenn Sie doch durch die Aussage von St. John beweisen konnten, dass Sie unschuldig waren?«, fragte Engels.

»Wem sollte ich das denn beweisen?« Alex verzog das Gesicht und zuckte die Schultern. »Niemand hätte mir geglaubt, denn Vitali hatte die richtigen Männer auf seiner Seite. Man hätte mich verhaftet, und wahrscheinlich hätten mich Vitalis Leute bereits im Untersuchungsgefängnis umgebracht. Denken Sie nur an die Sache mit seinem Sohn.«

»Was geschah an dem Tag, als Sie aus dem Portland Square Hotel verschwanden?«, wollte Lloyd Connors wissen, und Alex senkte den Blick. Nick verzog gequält das Gesicht. Früher, als er selbst noch solche Fragen gestellt hatte, hatte er nicht geahnt, wie schmerzhaft diese sein konnten. Bei jeder Antwort erlebte man das Grauen und Entsetzen wieder, und er wünschte, er hätte Alex diesen Teil des Verhörs ersparen können.

»Mr Vitali drang mit vier Männern in mein Zimmer ein«, sie sprach mit ausdrucksloser Stimme, »er schlug mich und ließ mich fesseln. Er ließ keinen Zweifel daran, dass er mich töten würde, wenn er alles erfahren hatte, was er wissen wollte.«

Die anwesenden Männer schwiegen.

»Vitali wollte mich zwingen, ihm die Dinge zu sagen, die ich Ihnen jetzt gesagt habe. Er schlug mich wieder, dann ließ er mich von seinen Männern schlagen und vergewaltigen. Als er glaubte, dass ich tot war, ließ er mich in den East River werfen.«

Nick konnte es kaum mehr aushalten. Das erste Mal, seitdem Alex den Raum betreten hatte, blickte sie ihn an, und sie sah, dass es ihn beinahe genauso quälte wie sie selbst.

»Es ist schon in Ordnung, Nick«, sagte sie leise. »Ich will, dass er verhaftet und verurteilt wird.«

»Es tut mir leid, dass wir Ihnen das nicht ersparen können, Mrs Sontheim«, Connors' Stimme klang entschuldigend, »aber durch Ihre Aussage können wir Mr Vitali wegen mehrerer Kapitalverbrechen anklagen. Ich möchte nicht riskieren, dass er uns noch einmal durch die Lappen geht.«

Alex nickte.

»Sind Sie bereit, vor Gericht gegen ihn auszusagen?«

»Ja«, Alex nickte wieder, »das bin ich.«

Eine Weile herrschte völlige Stille in dem großen Raum.

»Sie wissen, wie gefährlich eine solche Aussage für Sie werden kann?«

»Ja«, erwiderte Alex ruhig, »das weiß ich. Aber ich habe keine Angst mehr. Ich werde mich nicht verstecken, und ich will auch keine andere Identität. Wenn er will, wird er mich immer und überall finden. Ich werde gegen ihn aussagen.«

Das Verhör war um halb eins beendet. Nick und Frank fuhren in die City Hall, und die Staatsanwälte machten sich an die Arbeit, die Haftbefehle vorzubereiten. Alex hatte auf Fotos nicht nur den Mörder von David Zuckerman, sondern auch die Männer, die sie vergewaltigt hatten, identifiziert. Außerdem hatte sie Luca di Varese und Silvio Bacchiocchi als Mörder der beiden US-Marshals und des Arztes im Goldwater Memorial benannt. 23 Staatsanwälte arbeiteten unter Hochdruck bis zum Abend an den Anklageschriften und den Haftbefehlen. In wenigen Stunden würde die Bombe platzen. Sergio Vitali ahnte nicht, dass viele seiner ›Freunde‹ heute Abend nur ins *St. Regis* kommen würden, weil die Staatsanwaltschaft sie dazu gezwungen hatte. Sehr bald würden sich die Handschellen um seine Handgelenke schließen, und Lloyd Connors war fest entschlossen, dafür zu sorgen, dass er das Gefängnis niemals wieder verlassen würde.

***

Nick verließ am späten Nachmittag sein Büro in der City Hall in Begleitung der beiden Sicherheitsbeamten, auf die Frank und Lloyd Connors stur bestanden. Connors hatte Nick gebeten, mit ins *St. Regis* zu fahren, um Vitalis Verhaftung mitzuerleben, aber er hatte abgelehnt. Er fühlte sich müde und ausgebrannt. Es kam ihm plötzlich so vor, als sei er jeder Perspektive beraubt und habe die Fähigkeit verloren, die einfachsten Entscheidungen zu treffen. Die letzten Wochen und Tage hatten ihn ausgelaugt, und nun, da das Ziel, das er jahrelang so verbissen verfolgt hatte, in greifbare Nähe gerückt war, merkte er, dass es ihm nichts mehr bedeutete. Der Preis, den er gezahlt hatte, war zu hoch gewesen, und es gab niemanden mehr, mit dem er den Triumph, der Vitalis Verhaftung hätte werden sollen, teilen konnte. Und dann war da noch Alex. Vitali hatte auch sie auf dem Gewissen. Nick ahnte, dass sie die Stadt verlassen würde, sobald der ganze Spuk vorbei war, und er konnte verstehen, dass sie hier, wo sie so Entsetzliches erlebt hatte, nicht mehr leben wollte. Sie war noch jung, irgendwo konnte sie ein neues Leben anfangen, bis die schrecklichen Ereignisse nur noch Schatten aus der Vergangenheit waren. Mit Oliver Skerritt, der sie ganz offensichtlich liebte und ihr nicht von der Seite wich, hatte sie vielleicht eine neue Chance. Während die Limousine im Samstagnachmittagsstau über die Brooklyn Bridge kroch, dachte Nick über seine eigene Zukunft nach. Ein Jahr als Bürgermeister dieser Stadt, die er gleichzeitig hasste und liebte, lag noch vor ihm. Er würde dieses Jahr durchstehen, denn das war er den Menschen, die ihn gewählt hatten, schuldig. Dann würde er 55 Jahre alt sein. Vielleicht sollte er als Anwalt in eine Kanzlei eintreten, vielleicht war es aber auch besser, New York den Rücken zu kehren und woanders neu zu beginnen. Seine Gedanken schweiften unwillkürlich wieder zu Alex. Wie seltsam das Leben spielte! Letztlich verdankte er es ausgerechnet Vitali, dass er sie kennengelernt hatte. Es dämmerte schon, als die Limousine das Eingangstor des Klosters St. Ignatius passierte. Bevor Nick zu Pater Kevin ging, bog er in den Kreuzgang ein, um zum Friedhof zu gelangen. Zwar gab es niemanden mehr, mit dem er reden konnte, aber an Marys Grab hatte er wenigstens das Gefühl, dass sie ihm zuhörte. Als er die Tür zum Kreuzgang öffnete, erblickte er auf dem Innenhof, der von den letzten Strahlen der untergehenden Dezembersonne erhellt wurde, Alex und Oliver Skerritt auf einer Bank unter den kahlen Ästen der mächtigen Kastanie. Es versetzte seinem Herzen einen schmerzhaften Stich, als er sah, dass Oliver seinen Arm um Alex' Schultern gelegt hatte. Einen Moment starrte er zu ihnen hinüber, dann schloss er lautlos die Tür und nahm einen anderen Weg hinaus auf den Friedhof.

***

Alex und Oliver saßen nebeneinander auf der Bank im Garten des Klosters, der sich inmitten des Kreuzgangs befand. Schweigend hielt er ihre Hand. Zu viel Entsetzliches war geschehen, zu frisch waren die Erinnerungen, um darüber zu sprechen.

»Warum habe ich damals nur nicht auf dich gehört?«, sagte Alex schließlich mit leiser Stimme. »Ich bin schuld an allem, was euch passiert ist. Und vielleicht sind Mark und Justin gar nicht mehr am Leben.«

Oliver wandte den Kopf und blickte sie an. Er erinnerte sich an ihre erste Begegnung im Battery Park, an ihr zufälliges Zusammentreffen in Greenwich Village und die erste Nacht, die sie gemeinsam verbracht hatten. Das alles schien in einem anderen Leben stattgefunden zu haben.

»Mark hat gewusst, auf was er sich einlässt«, erwiderte er, »und Justin und ich wussten es auch. Du hast uns nie darüber im Zweifel gelassen, dass es gefährlich werden könnte.«

Sie reagierte nicht auf seine Worte, fast so, als habe sie ihn gar nicht gehört. Ein verlorener Ausdruck lag auf ihrem blassen Gesicht. Oliver legte einen Arm um ihre Schultern. Sie lehnte sich leicht gegen ihn und schloss die Augen.

»Was wirst du tun, wenn alles vorbei ist?«, fragte er.

»Ich weiß es nicht«, erwiderte Alex müde, »ich weiß überhaupt nichts mehr. Was wirst du machen?«

»Das Kapitel New York ist für mich erledigt«, sagte Oliver. »Ich werde mein Loft verkaufen und nach Hause zu meinen Eltern gehen. Mein Vater wird alt, vielleicht übernehme ich seine Fangflotte. Und schreibe ein Buch. Genug Stoff habe ich ja wirklich.«

Alex lächelte leicht und öffnete wieder die Augen.

»Komm mit mir nach Maine«, schlug Oliver vor, »wenigstens für eine Weile.«

»Nach Maine ...«, Alex seufzte. »Das scheint mir weit genug weg zu sein von alldem hier.«

Sie schwiegen wieder eine ganze Weile. Die blasse Dezembersonne verschwand hinter dem Turm der Klosterkirche, es wurde kalt.

»Ich weiß, dass es jetzt nicht der richtige Zeitpunkt ist«, flüsterte Oliver, »aber ich möchte, dass du weißt, wie gern ich dich habe.«

Alex biss sich auf die Lippe und schluckte. Dann blickte sie ihn an.

»Ich mag dich auch sehr gerne, Oliver. Aber ...«, sie verstummte, suchte nach den richtigen Worten.

»Alex, ich will dich auf keinen Fall unter Druck setzen. Du bist mir in keiner Weise verpflichtet, aber du bist nun einmal die wunderbarste Frau, die ich je kennengelernt habe. Ich kann damit leben, wenn du mir sagst, dass du mich nicht liebst, aber ich würde es mir nie verzeihen, wenn ich es nicht wenigstens versucht hätte.«

Er lächelte traurig. Sie wandte den Kopf und blickte ihn an.

»Du liebst Kostidis, nicht wahr?«, fragte er leise. Alex' grüne Augen waren unergründlich, aber dann nickte sie langsam.

»Ich glaube ja«, erwiderte sie.

»Er liebt dich auch. Gegen ihn habe ich wohl keine Chance.«

»Ach, Oliver«, plötzlich schlang Alex die Arme um seinen Hals und schmiegte sich an ihn, »ich wünschte, wir wären uns unter anderen Umständen begegnet. Ich wünschte, ich hätte die Finger von Vitali gelassen. Ich wünschte, ich hätte nie etwas von LMI, von SeaStarFriends und den ganzen Sachen gehört. Ja, manchmal wünschte ich sogar, ich wäre niemals aus Deutschland hierhergekommen.«

Oliver schloss sie in seine Arme und hielt sie fest.

»Wer weiß, wozu das alles gut war«, er hob sanft ihr Gesicht und sah sie lange an.

»Versprichst du mir, dass wir Freunde bleiben?«

»Ja«, Alex nickte ernst, »das verspreche ich dir. Wir bleiben die besten Freunde. Für immer.«

»Dann ist es gut«, er lächelte und küsste vorsichtig ihre Wange. Die Glocken der Kirche begannen zu läuten.

»Wir sollten hineingehen«, sagte Oliver, »sonst erkälten wir uns noch.«

Sie standen auf, und Alex steckte die Hände in die Jackentaschen.

»Ich gehe noch etwas spazieren«, sagte sie, »ich muss einen Augenblick alleine sein.«

»Okay«, Oliver nickte, »wir sehen uns dann später.«

Er blickte ihr nach, wie sie mit gesenktem Kopf und hochgezogenen Schultern den Hof überquerte und im Dunkel des Kreuzgangs verschwand. Es tat ihm weh, sie so zerbrochen und gequält zu sehen, aber er hatte längst begriffen, dass er nicht der Mann war, der ihr den Trost spenden konnte, den sie jetzt brauchte.

***

Auf dem Weg zur Grabstätte seiner Familie begegnete Nick Kostidis keiner Menschenseele. Der Lärm der Stadt war hinter den dicken Mauern nicht zu hören. Ein paar Spottdrosseln stritten lautstark in den hohen Eiben, und in den blattlosen Baumkronen der alten Eichen jagten sich zwei graue Eichhörnchen. Die Sonne hatte den Schnee weggetaut, nur unter den Bäumen und im Schatten der Mauer lagen noch ein paar bleiche Reste. Heute Abend würde es wieder schneien. Die klare, kalte Luft roch nach Schnee. Nick setzte sich auf die Bank und starrte auf die Grabsteine, auf denen die Namen seiner ganzen Familie standen. Sein Vater, seine Mutter, die beiden Brüder, und nun auch noch Mary und Christopher. Der Schmerz über ihren Verlust überfiel ihn so unerwartet und heftig, dass ihm die Tränen in die Augen schossen. Er legte den Kopf in den Nacken und starrte in den Himmel. Im Osten war es schon fast dunkel. Die ersten Sterne leuchteten kalt und unnahbar aus weiter Ferne, und die fahle Sichel des zunehmenden Mondes kündete die kommende Nacht an. Die Nacht, die den Untergang für Sergio Vitali bedeuten würde. Hoch oben am Himmel zog lautlos ein Flugzeug vorbei. Die untergehende Sonne beleuchtete es und ließ den metallenen Rumpf silbrig glitzern. Wie herrlich ruhig es hier war! Der Friedhof war eine Oase der Stille und des Friedens. Hier war nichts mehr von den Qualen und Schmerzen des Lebens zu spüren. Nick fand den Gedanken, allein zwischen den vielen Toten zu sitzen, nicht beängstigend. Eigentlich beruhigte ihn die Aussicht sogar, eines Tages alle Zweifel und allen Kummer besiegt zu haben.

»Heute werden sie ihn verhaften, Mary«, sagte er leise, »heute ist der Tag, von dem ich so lange Zeit geträumt habe. Vielleicht sollte ich mich freuen, aber ich kann es nicht. Es sollte mein Sieg sein, Mary, mein Triumph, aber dieser Sieg ist bitter.«

Nick fröstelte in der schneidenden Kälte des Dezemberabends.

»Ach, Mary«, stieß er hervor, »wieso habe ich mir nicht mehr Zeit für euch genommen? Dauernd denke ich daran, dass ich dir kein schönes Leben geboten habe. Warum habe ich so viel gearbeitet und dich alleine gelassen? Du hast dich in all den Jahren nie beklagt, und ich habe nicht gefragt. Das kann ich mir nicht verzeihen.«

Eine Träne rollte über seine Wange.

»Ich habe immer gedacht, wir hätten noch so viel Zeit, aber plötzlich ... plötzlich hatten wir keine Zeit mehr. Kannst du mir verzeihen, Mary? Ich weiß, es sind nur leere Worte und sie kommen zu spät, aber wenn ich die Chance hätte, etwas anders zu machen, dann würde ich es tun.«

Er fühlte sich so durch und durch einsam, dass es ihn körperlich schmerzte, und dann verbarg er sein Gesicht in den Händen und schluchzte. Schlimmer noch als der Verlust, schlimmer noch als das grauenvolle *Es ist zu spät* war das Gefühl, schuldig zu sein. Für das, was er an Mary versäumt hatte, musste er büßen. Er hatte kein Recht darauf, wieder glücklich zu werden. Und doch konnte Nick nichts dagegen tun, dass sich die Trauer um seine Familie mit der Sehnsucht nach Alex mischte. Es erschien ihm unangemessen und beinahe wie Verrat, dass er am Grab seiner Ehefrau an eine andere Frau dachte. Plötzlich nahm er eine Bewegung wahr und hob den Kopf. Sein Herz fing unwillkürlich an zu klopfen, als er ausgerechnet Alex erkannte, die mit gesenktem Kopf den Weg entlangschlenderte, die Hände tief in den Taschen der Daunenjacke vergraben. Sie schien seinen Blick zu spüren, denn sie hob den Kopf, kam auf ihn zu und blieb vor ihm stehen.

»Ich wusste gar nicht, dass du hier bist«, sagte sie leise. »Ich dachte, du wärst heute Abend dabei, wenn sie ihn verhaften.«

»Nein«, Nick schüttelte den Kopf und fuhr sich eilig mit dem Handrücken über die Augen, »das ist nicht mehr meine Angelegenheit.«

Alex sah ihn lange an.

»Setz dich doch«, forderte er sie auf. Sie zögerte.

»Ich will dich nicht stören.«

Er verstand, was sie meinte. Sie wollte ihn nicht bei der Zwiesprache mit seiner Frau, seiner Familie stören.

»Du störst mich nicht.« Er streckte die Hand nach ihr aus, und sie setzte sich neben ihn auf die vorderste Kante der Bank. Im schwindenden Tageslicht sah ihr Gesicht fast wieder so schön aus wie früher. Eine Weile saßen sie schweigend da.

»Du solltest heute Abend dabei sein«, sagte Alex schließlich. »Das war es doch, für das du so viele Jahre gekämpft hast.«

»War es das?« Nick zuckte die Schultern. »Wenn ja, dann war es falsch. Es hat mich beinahe alles gekostet, was ich im Leben hatte.«

Alex wandte sich zu ihm um, und sie sahen sich an.

»Nick«, sagte sie und ergriff fast schüchtern seine Hand, »ich möchte mich bei dir bedanken. Für alles, was du für mich getan hast.«

»Nein, das musst du nicht. Es war das Geringste, was ich tun konnte.«

Der traurige und niedergeschlagene Ausdruck in ihren Augen schien den Zustand seiner eigenen Seele widerzuspiegeln. Da saßen sie nun. Zwei Menschen, denen das Schicksal übel mitgespielt hatte. Nur knapp dem Tod entronnen, würden sie beide das Leben nie mehr auf eine so leichtfertige und oberflächliche Weise sehen wie Menschen, die etwas Vergleichbares nicht erlebt hatten. Sie waren Gezeichnete – durch das Erlebte für immer gebrandmarkt und dazu verurteilt, Außenseiter zu sein. Nick wusste, dass er sich vollkommen verändert hatte. Alles, was ihm früher einmal lebenswichtig erschienen war, war ihm nun gleichgültig: das Ansehen, die Meinung anderer Menschen, die absolute Gerechtigkeit. Es gab keine absolute Gerechtigkeit, es gab überhaupt nichts Perfektes oder Absolutes auf dieser Welt. Er würde damit leben können, weil ihm nichts anderes übrigblieb. Er hatte den Großteil seines Lebens gelebt, hatte großartige Erfolge und Triumphe feiern dürfen. Er hatte eine steile Karriere gemacht und war für alles dankbar. Für seine Zukunft hatte er bescheidenere Pläne, aber was war mit Alex? Sie war noch so jung! Würde sie auch mit dem, was sie erlebt hatte, weiterleben können? War sie stark genug, um eines Tages vergessen zu können, was geschehen war?

»Warum habe ich damals nur nicht auf dich gehört?«, brach Alex das Schweigen.

»Du meinst, als wir uns im City Plaza Hotel begegnet sind?«

»Ja. Du hattest mich vor ihm gewarnt, aber ich wollte es nicht hören.«

»Tja«, Nick zuckte die Schultern, »leider muss man im Leben viele schmerzvolle Erfahrungen selbst machen. Gute Ratschläge ersetzen keine Lebenserfahrung.«

»Ich habe alles falsch gemacht«, Alex seufzte, »ich habe so viel Schuld auf mich geladen, weil ich arrogant und eitel und in den Erfolg verliebt war.«

»Du hast keine Schuld auf dich geladen. Vitali und Levy sind Verbrecher, die nun ihre gerechte Strafe bekommen. Und auch St. John wusste, auf was er sich einließ, glaube mir. Früher oder später wäre das ganze Imperium von Vitali ohnehin zusammengebrochen. Das liegt weniger an dir als an der Aussage von Nelson van Mieren.«

»Trotzdem, ich bin so mutlos. Ich kann diese Schuldgefühle nicht mehr ertragen.«

»Meinst du, mir geht es anders?«, sagte Nick. »Ich mache mir auch immer wieder Vorwürfe. Ich frage mich, warum meine Familie sterben musste und ich weiterleben darf. Darauf gibt es keine Antwort.«

Alex blickte ihn unverwandt an, und er erwiderte ihren Blick.

»An dem Abend, an dem du in die Stadt zurückgekommen bist«, sagte Nick leise, »war ich furchtbar glücklich. Ich war erleichtert, dass dir nichts zugestoßen war, und ich war ganz überwältigt von meinen Gefühlen für dich. Aber dann bekam ich ein schlechtes Gewissen, weil Mary tot ist und nie mehr glücklich sein kann.«

Er verstummte. Ein halbes Jahr lang hatte er sich in seinem eigenen Schmerz vergraben, und erst der Kummer und die Not eines anderen Menschen hatten ihn begreifen lassen, wie es tatsächlich weitergehen konnte. An ihm selbst lag es, ob es ihm gelang. Alex seufzte. Ihr Atem stand wie eine weißliche Wolke in der frostklaren Luft.

»Glaubst du, dass man Sergio verurteilen wird?«

»Ja. Diesmal gibt es für ihn kein Entkommen«, sagte Nick überzeugt. »Es tut mir nur leid, dass du das alles durchmachen musst. Den Prozess, den Medienrummel, die Attacken der Verteidiger, die alles daransetzen werden, dich lächerlich und unglaubwürdig zu machen.«

»Das macht mir nichts aus«, Alex ließ seine Hand los, »im Gegenteil, es wird mir eine Genugtuung sein. Er hat mich so tief verletzt und gedemütigt, dass alles in mir nach Rache schreit. Es kann nicht schlimmer sein als das, was er mir angetan hat. Irgendetwas in mir drin ist zerbrochen. Für immer. Was soll noch passieren?«

Sie schauderte.

»Dir ist kalt«, bemerkte Nick, »lass uns hineingehen.«

Sie standen auf und gingen langsam und schweigend zu den Klostergebäuden. Als sie den Seiteneingang der Kirche erreicht hatten, blieb Alex stehen. Es war mittlerweile fast dunkel.

»Sehen wir uns noch einmal?«, fragte sie. Ihre Augen wirkten unnatürlich groß in ihrem blassen, schmalen Gesicht. Er dachte an Oliver Skerritt, wie er mit ihr vorhin auf der Bank gesessen und den Arm um sie gelegt hatte.

»Ich weiß nicht, ob das eine gute Idee ist«, erwiderte er deshalb.

»Ich möchte dich aber noch einmal sehen«, flüsterte sie.

»Okay«, sagte Nick nach kurzem Zögern, »ich muss noch zu Pater Kevin, aber es wird nur eine Stunde dauern.«

Sie betraten die Klosterkirche. Ein leichter Geruch nach Weihrauch und Tannenzweigen lag in der Luft und erinnerte daran, dass in wenigen Tagen Weihnachten war. Die Schritte eines alten Jesuitenpaters hallten auf dem blanken Marmorboden der Kirche. Hinter dem Hochaltar bogen sie in das Seitenschiff der Kirche ein und betraten durch eine kleine Pforte den Kreuzgang, der die Kirche mit den Klostergebäuden verband. Dort trennten sich ihre Wege. Auf dem Weg in das Zimmer, das sie im Kloster bewohnte, dachte Alex an Sergio. Heute Abend war sein großer Tag. Im letzten Jahr hatte sie ihn auf diesen Ball begleitet, und sie erinnerte sich lebhaft an das glanzvolle Fest. Wie hochmütig und selbstsicher sie damals gewesen war! Ihre Erfolge waren ihr zu Kopf gestiegen, und sie hatte wirklich geglaubt, es werde immer so weitergehen. Und Sergio ... Sie fröstelte, als sie an ihn dachte. Wahrscheinlich würde er sich gerade in diesem Moment auf den Weg in das *St. Regis* machen, gut aussehend, tadellos gekleidet und bester Laune, ohne zu ahnen, was ihn an diesem Abend erwartete. Oder ahnte er doch bereits etwas? War irgendwo etwas durchgesickert? War er vielleicht gewarnt worden und nun mit seinem Jet auf dem Weg nach Südamerika oder Europa? Alex wurde kalt bei dem Gedanken, dass er womöglich wieder entkommen sein könnte. Solange er auf freiem Fuß war, würde sie nirgendwo sicher sein. Auch hier nicht, hinter den dicken Klostermauern.

***

Sergio Vitali stand auf der Empore des großen Ballsaales und blickte sich zufrieden um. Der große Wohltätigkeitsball, den die von ihm ins Leben gerufene Stiftung *VitalAid* in diesem Jahr zugunsten behinderter Kinder veranstaltete, war ein voller Erfolg. Es war nun bereits der 15. Ball dieser Art. Mit jedem Jahr wurde er prachtvoller und die Einladungen begehrter. Der Ball der *VitalAid*-Stiftung war ohne Zweifel einer der Höhepunkte der New Yorker Wintersaison, und es hatte auch diesmal kaum Absagen gegeben. Wer in New Yorks Gesellschaft etwas gelten wollte, gierte nach einer der knapp tausend Einladungen. Sergio lächelte. Auch wenn sich Sharon Capriati als Zicke herausgestellt hatte, war sie doch wahrhaftig eine Meisterin ihres Fachs. Innerhalb von nur 48 Stunden hatte sie die perfekte Illusion geschaffen: Verschneite Pavillons und Wäldchen, Eisskulpturen, Millionen kleiner Lichtchen und Kerzen hatten den großen, aber wenig reizvollen Ballsaal, das Foyer und die Nebenräume in ein Wintermärchen verwandelt. Die 946 Gäste, unter ihnen bekannte Film- und Fernsehstars, berühmte Sportler, Models, Popmusiker, Mitglieder des europäischen Hochadels und die Spitzen aus New Yorks Politik- und Finanzwelt, amüsierten sich prächtig. Selbst aus Washington D.C. und Albany waren Gäste eingetroffen, die in den eigens für sie angemieteten Luxussuiten des *St. Regis* übernachteten, wenn sie überhaupt zu Bett gingen. Das Buffet bog sich unter den erlesensten Köstlichkeiten, die die Chefköche des hoteleigenen Nobelrestaurants Lespinasse hergerichtet hatten, und der teuerste französische Champagner sprudelte aus einem Brunnen im Foyer. Es kümmerte Sergio Vitali wenig, dass Vincent Levy in diesem Jahr nicht auf dem Ball war. Auch Clarence Whitewater fehlte und bedauerlicherweise auch Nelson van Mieren, aber das war eben der Lauf der Zeit. Manche gingen, neue Leute kamen hinzu. Und Sergio verstand es vortrefflich, die neuen Leute nach den Gesichtspunkten ihrer Brauchbarkeit auszuwählen. Mochte ein ehrgeiziger junger Staatsanwalt auch versuchen, an seinem Stuhl zu rütteln, das störte Sergio Vitali wenig. Früher war es Nick Kostidis gewesen, der sich die Zähne an ihm ausgebissen hatte, heute war es ein anderer, aber sie hatten keine Chance. Er hatte die besseren Beziehungen. Dieser Ball war der beste Beweis für seine unerschütterliche Macht. Die Stürme kamen und gingen, manch einer geriet in seinen Sog und wurde davongerissen, aber er, Sergio Vitali, trotzte jedem Sturm. Er war unantastbar.

***

In einem unauffälligen dunklen Chevy gegenüber des *St. Regis* saßen vier Männer und beobachteten das Eintreffen der Gäste. Sie sprachen nicht viel, und ihre Gesichter waren angespannt von unterdrückter Nervosität. Es war kurz nach zehn, als über Funk die Meldung kam, auf die die Männer warteten.

»Alle Einheiten sind auf ihrem Posten«, quäkte die Stimme aus dem Funkgerät, das Deputy Spooner in der Hand hielt, »das ganze Gebäude ist abgeriegelt.«

»Was ist mit Vitalis Leuten?«, fragte der US-Marshal zurück.

»Die merken nichts. Sind mit dem Geschehen im Hotel beschäftigt.«

Staatsanwalt Lloyd Connors tauschte einen Blick mit Gordon Engels.

»Okay. Dann gehen wir jetzt rein«, entschied er knapp und ergriff den Aktenkoffer, der zu seinen Füßen stand. Sein Herz klopfte bis zum Hals, und er bemerkte, dass er feuchte Handflächen vor Aufregung hatte. Jetzt war es so weit. Und es durfte nichts schiefgehen. Deputy Spooner drückte auf die Taste seines Funkgerätes.

»An alle«, sagte er, »Operation *Mousetrap* läuft an. Wir gehen durch den Haupteingang rein, Team C und D folgen uns und sichern den Eingang, die Aufzüge und das Foyer. Kein Aufsehen, verstanden?«

Er wartete die Rückmeldung seiner Männer ab, dann nickte er. Die vier Männer stiegen aus und überquerten die 5th Avenue in Höhe der 55. Straße und betraten das Hotel, das einem französischen Schloss nachempfunden war. Aus einem Auto, das weiter oben an der Straße geparkt war, stiegen weitere vier Männer und stießen zu den anderen. Wie immer, wenn in New York ein großes gesellschaftliches Ereignis stattfand, drängten sich Schaulustige und Presseleute hinter der Absperrung. Sicherheitspersonal würde jedem Unbefugten den Eintritt verwehren, das hatte Spooner bei der minutiösen Planung des Einsatzes einkalkuliert. Jeder der Männer wusste, um was es ging. Bereits am Eingang des prachtvoll dekorierten Foyers wurden sie von Sicherheitsleuten, die zur Feier des Tages ihre Straßenanzüge mit Smokings vertauscht hatten, aufgehalten.

»Dürfte ich bitte Ihre Einladungen sehen?«, fragte einer der Bodyguards.

»US-Marshals«, Engels zückte seinen Ausweis.

»Wenn Sie keine Einladung haben, darf ich Sie nicht reinlassen.« Der blonde, breitschultrige Mann zuckte bedauernd die Schultern.

»Gehen Sie aus dem Weg«, sagte Lloyd Connors, »ich bin der Bundesstaatsanwalt von Manhattan und des Südlichen Distrikts des Staates New York, und ich bin dienstlich hier.«

»Tut mir leid, ich habe Anweisung …«

»Was ist hier los?« Ein bulliger Mann mit einem Seehundschnauzbart und grimmiger Miene tauchte hinter dem blonden Hünen auf, verstärkt durch eine ganze Truppe finster dreinschauender Bodyguards.

»Wer sind Sie, und was wollen Sie ohne eine Einladung hier drin?«, fragte der Seehundschnauzbart unfreundlich.

»Wir wollen zu Mr Vitali«, entgegnete Lloyd Connors genauso unfreundlich.

»Mr Vitali ist im Augenblick beschäftigt«, schnauzte der Dicke, der nicht im Mindesten durch das Erscheinen von mehreren Staatsanwälten und US-Marshals eingeschüchtert schien. »Kommen Sie am Montag in sein Büro.«

»Gut, wenn Sie Ärger wollen«, Connors lächelte dünn, »Deputy, verhaften Sie diese Männer wegen Behinderung der Justiz.«

Er drängte sich durch die Gruppe der Sicherheitsleute, die mit offenem Mund zusahen, wie ihrem Chef Handschellen um die Handgelenke schnappten.

***

»He«, Deputy Spooner pfiff bewundernd durch die Zähne, als er den Ballsaal betrat, »so sieht es also auf einem Fest der oberen Zehntausend aus! Mein lieber Schwan!«

Livrierte Kellner eilten mit vollbeladenen Tabletts zwischen den prunkvoll geschmückten Tischen hin und her, an denen sich Damen in den feinsten Designerroben und Herren in Smoking oder Cut Hummersuppe, Lachsmousse, Filet Mignon und Trüffel schmecken ließen.

»Ich bevorzuge ein gemütliches Barbecue«, antwortete Lloyd Connors trocken und ließ den Blick durch den riesigen Saal streifen. John Khazaeli nahm sich im Vorbeigehen eine Garnele vom Buffet.

»Das ist Diebstahl«, mahnte sein Chef, Gordon Engels, augenzwinkernd.

»Mundraub«, verbesserte Khazaeli und grinste. Auf einer

Bühne spielte ein ganzes Orchester in gedämpfter Lautstärke, und die Menschen, die an Tischen des in verschiedene Ebenen eingeteilten Saales saßen, waren blendender Laune.

»Ich möchte nicht wissen, wie viele Versicherungen heute Nacht Blut und Wasser schwitzen, ob die ganzen Klunker wieder heil in die Tresore kommen«, bemerkte Deputy Spooner mit seinem üblichen Sarkasmus.

»Haltet nach Vitali Ausschau«, sagte Connors, »ich möchte nicht, dass ihn jemand warnt, bevor wir ihn gefunden haben.«

Der Staatsanwalt zitterte innerlich vor Aufregung. Wenn noch etwas schiefging, wenn Vitali ihm entwischte, dann waren alle Bemühungen der vergangenen Wochen umsonst gewesen. Ganz abgesehen davon, dass er dann morgen seinen Hut nehmen könnte. Connors verzog sein Gesicht bei dem Gedanken daran, wie es sein musste, Rechtsanwalt in einem Kaff im Mittelwesten zu sein.

»Da drüben!«, zischte Royce Shepard. »An dem Tisch ganz oben auf der Empore. Das ist er.«

»Ich sehe ihn«, Connors nickte mit grimmiger Entschlossenheit, »los, Männer! Jetzt holen wir ihn uns!«

Unhöflich bahnten sie sich ihren Weg durch die umherflanierenden Ballgäste und ernteten dafür empörte Blicke und Bemerkungen.

»Die ganze korrupte Gesellschaft auf einem Haufen«, sagte Deputy Spooner grinsend. »Hier sitzen tausend Jahre Zuchthaus. Zu schade, dass wir sie nicht gleich alle mitnehmen können.«

* * *

Der für Gäste vorgesehene Raum war etwas größer als die kleinen schlichten Zellen, in denen die Jesuitenpatres lebten, und er besaß ein eigenes kleines Badezimmer mit Dusche und Toilette, ein unerhörter Luxus im recht kargen Klosterleben. Frank Cohen hatte den Koffer, den sie im Portland Square Hotel zurückgelassen hatte, am Morgen mitgebracht. Alex streifte die Kleider ab und stellte sich unter das heiße Wasser. Noch immer glaubte sie, den scharfen Gestank von Männerschweiß auf ihrer Haut zu riechen, und verspürte den dringenden Wunsch, sich zu duschen. Gerade als sie fertig war und sich abgetrocknet hatte, klopfte es an der Tür. Sie wickelte das Badetuch um den Körper und öffnete die Tür einen Spaltbreit. Ihr Herz machte einen Satz, als sie Nick im Halbdunkel des Flurs erkannte.

»Hallo«, sagte er.

»Komm doch rein.«

Er zögerte kurz, trat aber dann ein.

»Ich kann dir leider nichts zu trinken anbieten«, sie lächelte unsicher.

»Das macht nichts«, Nick blieb neben der Tür stehen, und Alex erkannte, dass sie nicht die Einzige war, die in den letzten Tagen Schlimmes durchgemacht hatte. Sie sah die Erschöpfung in Nicks Gesicht, seine müden Augen und die tiefen Schatten darunter. Er war sehr blass, und sein Gesicht wirkte ausgezehrt.

»Du siehst sehr müde aus«, sagte Alex leise.

»Das bin ich auch«, gab Nick zu, »ich bin schrecklich müde. Ich sehne mich danach, wieder schlafen zu können. Manchmal bin ich so todmüde, dass ich einschlafe, aber jede Nacht habe ich denselben furchtbaren Traum. Ich sehe die Explosion wieder. Dann bin ich hellwach und kann nicht mehr einschlafen.«

Er seufzte.

»Komm, setz dich einen Moment«, bat Alex, und Nick ließ sich auf der Bettkante nieder. Eine andere Sitzmöglichkeit gab es in dem kleinen Raum nicht.

»Tagsüber kann ich das alles ganz gut ertragen, weil ich abgelenkt bin, aber nachts, wenn ich alleine bin, dann kommt die Einsamkeit, und mit ihr kommen die Gedanken.«

Es lag keine Bitterkeit in seiner Stimme, nur Resignation. Alex nickte langsam. Sie wusste nur zu gut, wovon Nick sprach, denn ihr erging es genauso. Am Tage waren die Dämonen der Angst blass, aber in der Dunkelheit und der Stille der Nacht erwachten sie zum Leben. Dann hörte sie das Gelächter der Männer, die

Stimmen, sah ihre grausamen gleichgültigen Augen. Sie erinnerte sich an jedes Wort, als sei jedes einzelne in ihr Gehirn eingebrannt, ihr Herz begann zu rasen, und der kalte Schweiß brach ihr aus allen Poren. Vielleicht war es die gerechte Strafe für ihren Hochmut, hatte sie doch angenommen, sie sei die Cleverste im Haifischbecken. Unwillkürlich rann eine Gänsehaut über ihre nackten Arme.

»Dir ist kalt«, stellte Nick fest. Es war kühl in dem kleinen Raum, denn die Heizung spendete nur wenig Wärme.

»Entschuldigst du mich für einen Moment?«, fragte sie. »Ich ziehe mir schnell etwas an.«

»Ich ... ich sollte jetzt besser gehen.«

»Nein«, Alex legte bittend ihre Hand auf seinen Arm, »bitte nicht. Bleib noch einen Moment hier.«

Nick dachte an Oliver Skerritt. Es war nicht richtig, dass er hier war.

»Alex«, sagte er deshalb, »ich möchte nicht ...«

»Warte noch einen Moment«, unterbrach sie ihn, »bitte. Ich bin sofort wieder da.«

»In Ordnung«, Nick zögerte noch, aber dann nickte er. Alex verschwand in dem kleinen Bad. Sie schlüpfte in ein Sweatshirt und eine Jogginghose, föhnte ihr nasses Haar. Als sie nach ein paar Minuten in das Zimmer zurückkehrte, lag Nick auf dem Bett und schlief tief und fest. Alex betrachtete ihn und empfand eine tiefe Zärtlichkeit für ihn. Sollte sie ihn aufwecken? Nein. Er war so müde und erschöpft. Vielleicht konnte er wenigstens für ein paar Stunden schlafen und etwas Erholung finden. Sie zog ihm vorsichtig Schuhe und Krawatte aus und breitete die Decke über ihn. Dann setzte sie sich auf den Boden, lehnte sich an die Wand und schlang ihre Arme um die Knie. Hier waren sie also angelangt. Nick Kostidis, einer der mächtigsten und bekanntesten Männer der Stadt und Alex Sontheim, der Star der Wall Street, clever und intelligent. Wie Ikarus, der zu hoch hinaus gewollt hatte, waren auch sie abgestürzt in das finsterste Tal der Hoffnungslosigkeit. Was war jetzt noch übrig vom Ruhm, vom

Erfolg? Ihr Ehrgeiz hatte sie beide einsam gemacht. Alex konnte kaum noch verstehen, was sie dazu getrieben hatte, 100 Stunden in der Woche zu arbeiten. War das wirklich so lebenswichtig gewesen? Vom betörenden Gefühl des Erfolgs war nicht mehr übriggeblieben als ein schaler Beigeschmack. Vor lauter Ehrgeiz hatte sie nicht sehen wollen, was sich hinter der glänzenden Fassade von Erfolg und Ruhm wirklich verbarg, hatte vor der Kehrseite der Medaille die Augen verschlossen. Sie hatte jede Warnung überhört. Alex dachte an Mark und Justin und an Oliver, der ihr seine Liebe gestanden hatte. Sollte sie mit ihm nach Maine gehen? In diesem Augenblick bewegte Nick sich. Er sah im Schlaf so entspannt und friedlich aus, wie sie ihn nie zuvor gesehen hatte. Er war kein Fremder mehr für sie, wie es Sergio immer geblieben war, und das hatte nichts mit ihrer gemeinsamen Liebesnacht zu tun. In jener Nacht hatte ihre Freundschaft lediglich eine neue Dimension bekommen. In Nicks Gegenwart fühlte Alex sich geborgen und getröstet, sie vertraute ihm, wie sie noch keinem Menschen zuvor vertraut hatte, und sie scheute sich nicht davor, ihm ihre Schwächen zu zeigen. Bei Nick musste sie keine Rolle spielen, sie musste nicht stark und kalt sein, sondern sie durfte ganz so sein, wie sie wirklich war. Und obwohl Alex wusste, dass sie ihn liebte, war ihr bewusst, dass eine breite Kluft sie trennte. Zwischen ihr und Nick Kostidis stand ganz New York City. Sie musste dieser Stadt den Rücken kehren, wenn sie eine Zukunft haben wollte, und genau das konnte Nick nicht tun. Ihn band viel mehr an diese Stadt als ein bloßes Versprechen, das er seinen Wählern gegeben hatte. Auch wenn er eines Tages nicht mehr der Bürgermeister von New York City sein würde, würde er New York niemals verlassen. Die Stadt war sein Leben, das hatte Alex längst begriffen. Die Uhr zeigte kurz vor Mitternacht, als ihr vor Müdigkeit fast die Augen zufielen. Sie löschte das Licht, und nur der helle Schein des Mondes am Nachthimmel warf einen schwachen Lichtschein in den kleinen Raum. Alex hob die Decke und schlüpfte zu Nick ins Bett. Sie spürte die tröstliche Wärme seines Körpers, und als er sich im

Schlaf bewegte, schlang sie einen Arm um ihn und schmiegte ihren Kopf an seine Schulter. Obwohl sie sich fest vorgenommen hatte, wach zu bleiben, um diese kostbaren Stunden, in denen sie ihn ganz für sich allein hatte, auszukosten, war sie nach wenigen Minuten eingeschlafen.

* * *

Sergio Vitali saß zwischen einer monegassischen Prinzessin und Cassandra Goldstein, der Witwe des Milliardärs Simon Goldstein, und war ausgezeichneter Stimmung. An seinem Tisch saßen neben dem New Yorker Baulöwen Charlie Rosenberg der Ölmulti James Earl Freyberg III, Oliver Kravitz, Staatsminister im Innenministerium in Washington, die Senatoren Ted Willings und Fred Hoffman, Gouverneur Rhodes, der Kongressabgeordnete Wynn Wyman, der Herausgeber des *TIME*-Magazine Carey Newberg, die Hollywood-Diva Liza Gaynor und einige andere hochkarätige Persönlichkeiten. Lloyd Connors war nicht besonders erstaunt darüber, auch Tate Jenkins in dieser illustren Runde zu erblicken, wohl aber war dies der stellvertretende Direktor des FBI, als er den Staatsanwalt die kleine Treppe der Empore hinaufkommen sah. Jenkins wurde blass. In dem Augenblick als Lloyd Connors an den Tisch trat, hörte wie auf ein Zeichen das Orchester auf zu spielen.

»Mr Vitali?« Connors räusperte sich und bemerkte, dass seine Nervosität verschwunden war. Hundert Mal hatte er sich diese Situation in seiner Phantasie vorgestellt, und nun, da sie Realität wurde, kam er sich wie ein Schauspieler vor, der bei der Premiere eine gut vorbereitete Rolle spielte. Sergio Vitali blickte ungehalten auf.

»Ich bin Lloyd Connors von der Staatsanwaltschaft Manhattan.«

»Ich weiß, wer Sie sind«, erwiderte Vitali, sein Lächeln reichte nicht bis zu seinen kalten Augen. »Ich kann mich nicht daran erinnern, Ihren Namen auf der Gästeliste gelesen zu haben.«

»Das stimmt«, sagte Lloyd Connors, »ich bin heute Abend dienstlich hier und hätte Sie gerne für einen Moment gesprochen.«

Er sah aus den Augenwinkeln die betretenen Mienen von Gouverneur Rhodes und Senator Hoffman, die sicherlich am liebsten in irgendwelche Mauselöcher verschwunden wären. Vitali schien über das Erscheinen des Staatsanwalts nicht im Geringsten beunruhigt zu sein, und das bedeutete, dass wirklich niemand geplaudert hatte.

»Sie sehen doch, dass ich Gäste habe«, sagte er von oben herab. »Ich habe jetzt keine Zeit. Aber Sie dürfen sich ruhig am Buffet bedienen. Ich denke, es wird für jemanden, der nur die Kantine der Staatsanwaltschaft kennt, eine Abwechslung sein.«

Außer Charlie Rosenberg und James Earl Freyberg III lachte niemand über diese Bemerkung.

»Ich muss darauf bestehen, dass Sie …«, begann Connors.

»Hören Sie, Connors«, die Maske der Liebenswürdigkeit fiel von Vitalis Gesicht ab, »ich habe im Moment keine Zeit. Kommen Sie am Montag in mein Büro.«

Seine Augen verengten sich, als er sah, dass Gordon Engels in Begleitung von Spooner und Khazaeli die Treppe hochkam. Sein Blick glitt zu Tate Jenkins, der ihn aber nicht ansah, sondern wie versteinert vor sich auf den Tisch starrte. Die Gespräche am Tisch waren verstummt.

»Gut«, der Staatsanwalt zuckte die Schultern, »wenn Sie es so wollen. Mr Vitali, ich habe hier einen Haftbefehl, der auf Ihren Namen ausgestellt ist.«

»Wie bitte?« Sergio Vitali erstarrte, und eine dunkle Röte breitete sich auf seinem Gesicht aus. »Das soll wohl ein schlechter Scherz sein, Mann! Verschwinden Sie mit Ihren Leuten, bevor ich Sie hinauswerfen lasse!«

Ungerührt faltete Connors das Blatt auseinander.

»Mr Vitali«, sagte er mit geschäftsmäßiger Stimme, »ich verhafte Sie wegen Mordes an Stefano Barelli.«

Es herrschte Totenstille rings um den Tisch.

»Was soll das?« Vitali lief jetzt dunkelrot an.

Seine Gäste schwiegen peinlich berührt und vermieden es, ihren Gastgeber anzusehen. Spooner und Khazaeli gingen um den Tisch herum und blieben hinter ihm stehen.

»US-Marshals«, Spooner hielt Vitali seine Dienstmarke unter die Nase, »würden Sie bitte aufstehen?«

Vitali machte eine Handbewegung, als wolle er ein Insekt verscheuchen, aber er erhob sich.

»Wie können Sie es wagen?«, stieß er hervor. »Das ist doch absolut lächerlich!«

Er wurde abwechselnd rot und blass, auf seiner Stirn erschienen feine Schweißperlen.

»Kommen Sie, Mr Vitali?«, sagte Connors kalt. »Sie sind verhaftet.«

Sergio Vitali starrte den Staatsanwalt sprachlos an, dann wandte er sich an seine Gäste.

»Das ist alles nur ein bedauerlicher Irrtum, der sich schnell aufklären wird.«

Spooner ergriff die Gelegenheit und ließ die Handschellen um Vitalis Handgelenke schnappen, worauf dieser zornig herumfuhr.

»Auf geht's, Mister«, sagte er, »gehen wir.«

»Sie haben das Recht zu schweigen«, begann Deputy Khazaeli mit der üblichen Belehrung, aber Vitali funkelte ihn wütend an.

»Das können Sie sich sparen«, schnappte er, »ich will sofort meinen Anwalt sprechen!«

Mittlerweile hatte es sich auch unter den anderen Gästen im Saal herumgesprochen, dass am Tisch ihres Gastgebers etwas Ungewöhnliches vor sich ging. In dem ganzen riesigen Saal hätte man eine Stecknadel fallen hören können.

»Das wird für Sie Konsequenzen haben!«, zischte Sergio Vitali, als Spooner ihn an Connors vorbeiführte. Der Staatsanwalt zuckte nur die Schultern und wandte sich zum Gehen, als ihn Gordon Engels zurückhielt.

»Warten Sie noch einen Augenblick«, bat der Generalstaatsanwalt, »ich habe auch noch etwas zu erledigen.«

Connors sah Engels erstaunt an, als dieser nun auf Tate Jenkins zuging.

»Mr Jenkins«, sagte Gordon Engels, »ich verhafte Sie im Namen der Vereinigten Staaten von Amerika. Ihnen wird vorgeworfen, landesverräterische Ausspähungen unternommen und der Bildung krimineller Vereinigungen Vorschub geleistet zu haben. Ferner erstreckt sich der gegen Sie gerichtete Haftbefehl auf Beihilfe zum Mord und die billigende Inkaufnahme des Mordes an David Zuckerman.«

Der stellvertretende Direktor des FBI erhob sich stumm. Seinem ausdruckslosen Gesicht war anzusehen, dass er begriffen hatte. Er war durchschaut, das Spiel war aus. Connors starrte Gordon Engels mit offenem Mund an.

»Deputy Khazaeli«, sagte der Generalstaatsanwalt zu seinem Mitarbeiter, »nehmen Sie den Mann fest und lesen Sie ihm seine Rechte vor.«

»Gordon«, raunte Connors, »ich verstehe nicht ganz.«

»Wir hatten schon eine ganze Weile den Verdacht, dass Jenkins ein doppeltes Spiel spielte«, erwiderte Engels leise, »aber vorgestern Nacht wurde ein Telefongespräch mitgehört, das Jenkins und Vitali führten. Das war der endgültige Beweis, den wir gebraucht hatten. Jenkins war seit Jahren Vitalis Mann.«

»Ich kann es nicht fassen«, Connors schüttelte ungläubig den Kopf, »Nick hatte wirklich recht.«

»Ja«, stimmte Gordon Engels ihm zu, »Kostidis hatte all die Jahre den richtigen Riecher. Aber sein Pech war, dass er nichts in der Hand hatte, außer Vermutungen.«

Fassungslos sahen die Gäste des Wohltätigkeitsballes der *VitalAid*-Stiftung zu, wie ihr Gastgeber und ein weiterer Gast in Handschellen quer durch den großen Saal abgeführt wurden. Niemand rührte sich von seinem Platz, und es blieb totenstill, bis die Männer die Treppe hinauf zum Foyer gingen, erst dann erwachten die Menschen aus ihrer Erstarrung, und ein wahrer

Sturm brach los. Lloyd Connors konnte nur mit Mühe ein Lächeln unterdrücken. Es war ihm gelungen, und sein Triumph war perfekt. Natürlich hätte er die Verhaftung auch diskreter vornehmen können, aber er hatte diese für Vitali demütigende Szene mit voller Absicht provoziert. Der Staatsanwalt bedauerte nur, dass Nick nicht miterleben konnte, wie Sergio Vitali vor den Augen der Öffentlichkeit verhaftet worden war. Im Foyer tauchte plötzlich Massimo Vitali auf.

»Was geht hier vor?«, rief er, als er seinen Vater und Jenkins in Handschellen, die Männer von der Staatsanwaltschaft und die US-Marshals erblickte.

»Wer sind Sie?«, wollte Lloyd Connors wissen.

»Ich bin Massimo Vitali.«

»Wir haben Ihren Vater verhaftet«, sagte der Staatsanwalt. »Sie sollten ihm so schnell wie möglich einen Anwalt besorgen. Den besten, den Sie kriegen können. Er wird ihn ziemlich nötig brauchen.«

Vitali funkelte Connors zornig an, erbost über die wenig schmeichelhafte Lage, in der er sich befand. Deputy Spooner schob ihn weiter.

»Papa!«, rief Massimo aufgeregt. »Was soll ich machen?«

»Ruf Bruyner an!«, rief sein Vater im Gehen. »Und …«

Und? Nelson war nicht mehr da, auch Richter Whitewater gab es nicht mehr. Tate Jenkins, seine wertvolle Verbindung zum FBI, ging hinter ihm in Handschellen, und auch John de Lancie schien nicht mehr im Amt. Allmählich dämmerte Sergio der Ernst seiner Lage. Er ahnte, dass er diesmal nicht so einfach davonkommen würde, denn nie zuvor war es so weit gekommen, dass man ihn verhaftete und in Handschellen abführte.

»Papa!« Massimos Stimme klang verzweifelt.

»Kommen Sie«, drängte Deputy Spooner, »los, los!«

Massimo blieb stehen und starrte den Männern hilflos nach. Die Sicherheitsleute und das Hotelpersonal waren auch wie gelähmt, und die Gäste, die neugierig aus den Türen des Ballsaales quollen, tuschelten aufgeregt miteinander.

»Muss das sein?«, protestierte Sergio Vitali, als Spooner auf den Haupteingang zusteuerte. »Können wir nicht wenigstens durch den Hinterausgang gehen?«

»O nein, Sir, Sie kriegen die ganz große Show«, Spooner grinste mit Genugtuung, »ganz so, wie es einem Mann Ihres Formats gebührt.«

Vitali setzte ein grimmiges Lächeln auf und straffte die Schultern. Er verzog keine Miene im Blitzlichtgewitter der wartenden Fotografen und strafte die Reporter, die laufenden Kameras von WNBC und WCNY und die gaffende Zuschauermenge mit Missachtung. Royce Shepard öffnete die hintere Tür der dunklen Limousine, Spooner drängte Vitali in den Fond des Wagens.

»Fassen Sie mich nicht an!«, fuhr Vitali ihn zornig an. »Ich werde dafür sorgen, dass Sie in Zukunft Strafzettel ausfüllen dürfen!«

»Ich freue mich schon drauf«, erwiderte Spooner gelassen.

Er setzte sich zu Vitali auf die Rückbank, während Connors den aufgeregten Reportern ein kurzes Interview gab. Sergio Vitalis Gesicht war zu Eis erstarrt, er wandte nicht ein einziges Mal den Blick, als die Reporter gegen das Fenster klopften, um ihn gut ins Bild zu bekommen. Lloyd Connors setzte sich auf den Beifahrersitz des Autos, das sich sofort mit zuckendem Rotlicht und Sirene in Bewegung setzte. Ein zweiter Wagen mit Gordon Engels und Tate Jenkins folgte, dahinter eine ganze Kolonne weiterer Autos. Connors stieß einen Seufzer der Erleichterung aus. Er hatte es geschafft! Bis zur letzten Sekunde hatte er am Erfolg des Unternehmens gezweifelt, aber nun war ihm endlich das gelungen, was Nick Kostidis so viele Jahre vergeblich versucht hatte: Er hatte Sergio Vitali, den heimlichen Paten von New York City, verhaftet. Die Beweise waren erdrückend und die Hauptbelastungszeugen am Leben. Über Funk kam die Meldung, dass di Varese und Bacchiocchi ebenfalls festgenommen worden waren. Vitali reagierte auf diese Mitteilung nicht.

»Das hat euch sicher einen Heidenspaß gemacht, was?«, sagte er nach einer Weile mit verächtlicher Stimme. »Dieser kleine

Bastard wird sich in die Hose pissen vor Freude, wenn er davon hört.«

»Von wem sprechen Sie, Mr Vitali?«, fragte Connors kühl.

»Von diesem verdammten Hurensohn Kostidis«, in Vitalis Augen glomm eine mörderische Wut, »dem habe ich dieses ganze Spektakel doch wohl zu verdanken!«

»Ihre Verhaftung«, Lloyd Connors drehte sich um, »verdanken Sie der Tatsache, dass Sie mindestens einen Menschen getötet und Mrs Sontheim auf brutalste Art und Weise misshandelt haben.«

»So ein Quatsch«, Vitali schüttelte den Kopf, »wohin bringen Sie mich? Ich habe tausend Gäste, und Sie haben nichts Besseres zu tun, als mich wegen einer kleinen Schlampe, die mich bestohlen und belogen hat, zu verhaften! Ich werde mich beim Justizminister persönlich über diesen Vorfall beschweren!«

»Beschweren Sie sich, wo Sie wollen.« Das Lächeln auf Connors' Gesicht erstarb. Er dachte an Alex' entstelltes Gesicht, an ihre Angst und ihr Entsetzen. Er dachte an Mary und Christopher Kostidis, die hatten sterben müssen, weil ihr Ehemann und Vater Sergio Vitali im Weg gewesen war. Er dachte an David Zuckerman und Zachary St. John, die Vitali geopfert hatte, als sie ihm nicht mehr nutzen konnten und zu einer Gefahr zu werden drohten. Er dachte an den Rechtsanwalt in Los Angeles, der auf eine so bestialische Weise getötet worden war, und an die vielen Menschen, die gestorben waren, weil der Mann, der hinter ihm auf der Rückbank des Wagens saß, es so bestimmt hatte.

»Wir werden Ihnen jetzt die Fingerabdrücke abnehmen und ein paar Fotos von Ihnen schießen«, sagte Connors, »und dann dürfen Sie auf Staatskosten übernachten. Das wird sicher nicht so komfortabel sein, wie Sie es gewohnt sind, aber vielleicht ist es eine ganz nette Einstimmung auf das, was Sie in den nächsten 100 Jahren erwartet.«

»Ich bleibe keine 24 Stunden im Gefängnis!«, fauchte Vitali, aber seine Überheblichkeit war verschwunden und sein Zorn hilfloser Verbitterung gewichen.

»Das«, erwiderte Lloyd Connors mit ruhiger Stimme, »wird der Haftrichter morgen früh entscheiden. Nicht Sie und nicht ich.«

***

Nick Kostidis fuhr mitten in der Nacht erschrocken hoch. Er brauchte ein paar Sekunden, um zu begreifen, wo er war, und bemerkte erstaunt, dass er nicht alleine im Bett lag. Neben ihm lag Alex, und sie schlief tief und fest. Da erinnerte er sich, dass er sie besucht hatte. Offenbar war er vor lauter Müdigkeit und Erschöpfung einfach eingeschlafen, und Alex hatte ihm die Schuhe ausgezogen und ihn schlafen lassen. Nick lächelte. Die Leuchtziffern seiner Armbanduhr zeigten halb drei morgens. Er dachte an Lloyd Connors. War es dem Staatsanwalt gelungen, Vitali zu verhaften? Vorsichtig, um Alex nicht aufzuwecken, erhob Nick sich und ging auf Zehenspitzen hinüber in das kleine Badezimmer, schloss die Tür und machte Licht. Er trat vor den Spiegel und starrte sein Gesicht an. Die letzten sechs Monate hatte er in einer Welt zwischen Alptraum und Hölle verbracht, aber nun war er aus ihr erwacht und wusste, dass er wieder leben wollte. Und das verdankte er Alex. Die starken Gefühle, die er für sie empfand, erschienen ihm wie ein zarter Lichtschimmer am Ende einer langen Nacht, ein dünner Lichtstrahl der Hoffnung, der ihn aus dem Tal der Tränen und Schuldgefühle hinausführen konnte. Er hatte sich viel zu lange angesichts des Unbegreiflichen, Unabänderlichen, das ihm widerfahren war, in sinnlosem Selbstmitleid ergangen, aber nun war es an der Zeit, eine Entscheidung für die Zukunft zu treffen. Heute Nacht würde er nicht mehr zur Staatsanwaltschaft fahren, wie er es Connors eigentlich versprochen hatte. Er wollte Vitali nicht sehen und überhaupt nicht wissen, was geschehen war. Es war eigenartig, aber es war ihm tatsächlich vollkommen gleichgültig. Morgen früh würde er schon alles erfahren. Nick zog sein Jackett, das Hemd und die Hose aus, löschte das Licht und ging leise zurück zum Bett. Im schwachen Lichtschein, der durch das kleine Fenster fiel, sah er, dass Alex aufgewacht war.

»Nick?«, flüsterte sie verschlafen.

»Ja«, er setzte sich auf den Bettrand und sah sie an.

»Ich habe dich schlafen lassen«, sagte sie leise, »du warst so müde und erschöpft.«

»Danke«, erwiderte er. Alex lächelte, und Nick stellte fest, dass sie sogar verschlafen einfach bezaubernd aussah.

»Wie viel Uhr ist es?«, fragte sie.

»Viertel vor drei.«

»Dann können wir noch ein paar Stunden schlafen.« Sie hob die Bettdecke, und Nick legte sich zu ihr. Sie schlang ihre Arme um ihn und schmiegte ihr Gesicht an seine Brust.

»Glaubst du, dass sie ihn verhaftet haben?«, flüsterte sie.

»Ich weiß nicht«, antwortete Nick, »aber ich denke schon.«

Die Glocke der Klosterkirche schlug, um die Viertelstunde anzuzeigen.

»Nick?«

»Ja?«

»Ich bin froh, dass du da bist.«

Er zog sie enger in seine Arme. Dieser Frau hatte er es zu verdanken, dass der eisige Klumpen, zu dem sein Herz erstarrt war, geschmolzen war. Die Kälte in seinem Inneren, die ihn gelähmt hatte, war verschwunden.

»Ich bin auch froh«, flüsterte er und streichelte vorsichtig ihr geschundenes Gesicht.

»Meinst du, wir werden irgendwann wieder ein normales Leben führen können?«

»Ich hoffe es«, erwiderte er leise, »ich hoffe es sehr.«

Ihre Augen waren dicht vor den seinen, und sie sahen sich eine ganze Weile schweigend an.

»Was wirst du jetzt tun?«, fragte Nick schließlich, obwohl er sich vor der Antwort, die sie ihm geben würde, fürchtete.

»Ich werde bei LMI kündigen und die Stadt verlassen«, sagte Alex. Er nickte langsam.

»Das verstehe ich«, seine Stimme klang belegt, »wohin wirst du gehen?«

»Wahrscheinlich zuerst für eine Weile nach Hause, zu meinen Eltern nach Deutschland. Ich brauche Zeit, um nachzudenken«, sagte sie und sah ihn an, »und Oliver hat mich eingeladen, mit ihm nach Maine zu gehen.«

»Und? Wirst du das tun?« Nick spürte keinen Schmerz und keine Enttäuschung. Er hatte gewusst, dass sie gehen würde. Sie brauchte Zeit, um ihre Wunden zu heilen.

»Vielleicht. Oliver ist ein wirklich guter Freund«, erwiderte Alex. »Was wirst du machen?«

»Ich bin noch für ein Jahr als Bürgermeister gewählt«, sagte Nick. »Irgendwann wird diese ganze Sache Schnee von gestern sein. Das Leben geht weiter, und ich werde meinen Job weitermachen.«

»Du wirst New York niemals verlassen, nicht wahr?«, fragte Alex leise.

»Darüber habe ich schon häufig nachgedacht«, gab Nick zu. »Ich habe noch nie woanders leben wollen, aber nach allem, was geschehen ist, denke ich manchmal, es wäre besser, ich würde auch von hier weggehen.«

»Die Stadt würde den besten Bürgermeister verlieren, den sie jemals gehabt hat«, Alex streckte die Hand aus und berührte zärtlich seine Wange, »und du würdest es auf Dauer nicht aushalten, ohne die Hektik, den Lärm, die Wolkenkratzer und das alles.«

Nick lachte leise.

»Glaubst du das?«

»Ja«, Alex lächelte, »diese Stadt ist wie eine Krankheit. Wenn man sich einmal mit ihr infiziert hat, wird man sie nie mehr los.«

»Und was ist mit dir?«, fragte er. »Hast du diese Krankheit auch?«

Alex drehte ihr Gesicht, so dass sie ihn besser ansehen konnte. Das Lächeln verschwand.

»Ich glaube, ich habe eine andere Krankheit«, entgegnete sie ernst. »Aber sie hat viel mit dieser Stadt zu tun.«

Nick spürte, wie sein Herz zu klopfen begann.

»Aha. Und welche Krankheit ist das?«

Alex stützte ihr Gesicht in ihre Hand.

»Ich verrate es dir«, sagte sie leise, »wenn du es nicht weitersagst.«

»Kein Sterbenswort«, versprach er, »also? Was ist es?«

»Ich habe mich in den Bürgermeister von New York City verliebt«, flüsterte Alex.

»Tatsächlich?«

Alex nickte stumm.

»Stell dir vor«, Nicks Stimme klang rau, »und er hat sich in dich verliebt.«

Da erhellte ein unsagbar bezauberndes Lächeln ihr Gesicht, und plötzlich erfüllte ihn ein so starkes Glücksgefühl, dass es beinahe weh tat. Er beugte sich über sie und küsste lange und sanft ihren Mund.

»Kannst du dir vorstellen, eines Tages wieder nach New York zurückzukommen?«, fragte er. Ihr Lächeln vertiefte sich, ihre Augen tauchten tief in seine.

»Wenn ich dich nicht ohne diese Stadt haben kann«, erwiderte sie, »dann werde ich sie wohl oder übel in Kauf nehmen müssen.«

Bei diesen Worten überrollte Nick eine Woge von Entzücken und Zuversicht, und sein Herz tat einen so wilden und glücklichen Satz, dass er für eine Sekunde glaubte, er müsse platzen vor lauter Glück. Er legte die Arme um sie und zog sie an sich. Alex liebte ihn, so wie er sie liebte. Und auch, wenn sie morgen gehen würde, wusste er, dass es nicht das Ende war, sondern ein neuer Anfang.

Epilog

Alex und Oliver verfolgten im Aufenthaltsraum des Klosters die Frühnachrichten von WNBC, die einen ausführlichen Bericht über die sensationelle nächtliche Verhaftung von Sergio Vitali brachten. Es wurden Bilder von ihm gezeigt, wie er in Handschellen das *St. Regis* verließ und in ein wartendes Auto verfrachtet wurde. Alex sah seinen Gesichtsausdruck, seine mörderische Wut, und sie erschauerte, denn diese Wut kannte sie nur zu gut. Aber sie verspürte keinen Triumph und keine Freude, sondern nur eine tiefe Erleichterung. Es war vorbei. Staatsanwalt Connors hatte Sergio vor den Augen aller Gäste bei seinem großen Wohltätigkeitsball verhaftet, und die Reporterin zählte alle Verbrechen auf, derer man Vitali beschuldigte. Alex wurde erwähnt, und man blendete sogar ein Foto von ihr ein. Der Mordverdacht und alle anderen Verdächtigungen gegen sie waren aus der Welt. Ein nächster Bericht zeigte Sergio auf dem Weg vom Haftrichter zum Gefängnis. Er trug keinen maßgeschneiderten Smoking mehr, und er sah nicht mehr zornig, sondern nur noch grimmig aus. Mittlerweile musste er erfahren haben, dass sein Bestechungskomplott aufgeflogen war, ja vielleicht wusste er schon von van Mierens Lebensbeichte und der Verhaftung seiner Handlanger di Varese und Bacchiocchi. In der letzten Nacht waren 14 seiner Männer festgenommen worden, und man hatte Vincent Levy verhaftet, als er sich nach Europa absetzen wollte. Die schönste Nachricht aber war, dass Mark und Justin lebten. Polizeibeamte hatten sie erschöpft, aber unversehrt in Vitalis Lagerhäusern in Brooklyn gefunden. Auf dem

Bildschirm erschien Nick Kostidis, der Bürgermeister von New York City, auf den Stufen der City Hall. Alex lächelte unwillkürlich, als sie das Gesicht des Mannes sah, in dessen Armen sie heute Morgen aufgewacht war. Er sah wieder fast so aus wie früher: Seine Augen leuchteten, er war voller Energie und Tatkraft, selbstsicher und stark. Nicholas Kostidis war tatsächlich der beste Bürgermeister, den diese Stadt jemals gehabt hatte.

»Alex?«

Sie zuckte zusammen und blickte Oliver an.

»Es scheint, als ob dieser Alptraum endlich vorbei wäre.« Er lächelte und streckte die Hand nach ihr aus. Sie erwiderte sein Lächeln und ergriff seine Hand.

»Hast du dir überlegt, ob du mit nach Maine kommst?«

»Ja«, Alex' Lächeln vertiefte sich, »aber erst fliege ich zu meinen Eltern.«

»Und dann?«

»Dann hätte ich Zeit, um mit dir Hummer zu fischen.«

»In Maine gibt's noch mehr als Hummer«, Oliver grinste, »ich freue mich schon darauf, dir alles zu zeigen.«

»Ich mich auch«, Alex lächelte ihn an, dann fiel ihr Blick auf den Fernseher, auf dessen Bildschirm Nick zu sehen war. Eines Tages würden die Schatten verflogen und der Alptraum nur noch ferne Erinnerung sein.

»Vielleicht komme ich eines Tages nach New York zurück«, sagte sie und erhob sich, um den Fernseher auszuschalten. »Komm, Oliver. Ich werde Connors anrufen und fragen, wann er uns einen Wagen schickt. Und dann besuchen wir als Erstes Mark und Justin.«

STECKBRIEFE

Erfahren Sie mehr über Nele Neuhaus' sympathisches Ermittler-Duo

PIA LUISE KIRCHHOFF

» WAS SIE MAG
Neben Toastbrot mit salziger Butter und ganz viel Nutella mag die blonde Kriminalhauptkommissarin vor allem Tiere. Sie hat vier Pferde, vier Hunde, Katzen und Meerschweinchen.

» IHR LEBENSTRAUM
Der Birkenhof in Unterliederbach. Nach der Trennung von dem Pathologen Henning Kirchhoff hat sie sich den Hof gekauft.

» IHR LIEBLINGSBUCH
Kein bestimmtes. Aber als Polizistin liest sie auch in ihrer Freizeit gern Thriller und Kriminalromane.

» IHRE LIEBLINGSMUSIK
Alles außer Rap und Freejazz.

» WAS ZEICHNET SIE AUS?
Sie ist positiv, humorvoll, praktisch veranlagt, bodenständig, loyal und mutig. Entscheidungen trifft sie meist aus dem Bauch heraus und liegt intuitiv oft richtig. Das schätzt Oliver an ihr sehr.

» DAS GEHT GAR NICHT!
Kleingeistigen, egoistischen und narzisstischen Menschen geht sie lieber aus dem Weg. Früher hat Pia ihren Eltern oder ihrem Mann zuliebe oft Dinge getan, die sie nicht tun wollte. Heute hat sie gelernt, auch mal „Nein“ zu sagen.

OLIVER VON BODENSTEIN

» WAS ER MAG
Lesen, Musik, Spaziergänge im Taunus, Gartenarbeit zur Entspannung. In seiner Jugend ist er gerne und gut geritten. Was der Graf auch mag: einen Porsche 911 Carrera natürlich.

» WO ER HERKOMMT
Aus einer respektablen Familie. Seine Mutter ist Leonora Gräfin von Bodenstein, sein Vater Heinrich Graf von Bodenstein. Er hat noch zwei Geschwister: die ältere Schwester Theresa von Freyberg und den jüngeren Bruder Quentin.

» SEINE SCHWÄCHE
Gutes Essen. Am liebsten Italienisch oder Französisch.

» SEINE LIEBLINGSMUSIK
Klassik, Rock, Pop.

» SEIN LIEBLINGSFILM
Der Vater von drei Kindern schaut selten fern, aber wenn, dann bevorzugt er Dokumentationen, politische Talksendungen und TV-Krimis. Letzteres guckt er vor allem deshalb, weil er sich dabei so gut über die Darstellung der Polizeiarbeit amüsieren kann.

» WAS ZEICHNET IHN AUS?
Er ist diszipliniert, rücksichtsvoll und immer formvollendet höflich. Manchmal zu gutmütig.

»Spannend und vortrefflich geschrieben«
Gazeta pomorska

Izabela Szolc

EIN STILLER MÖRDER

Kriminalroman

ISBN 978-3-941688-21-6

Anna Hwierut, eine attraktive Blondine und alleinerziehende Mutter, ist Kriminalkommissarin in der polnischen Hauptstadt Warschau. Nicht nur ihr pubertierender Sohn Kuba macht Ärger, auch ihr erster Fall ist rätselhaft:
Der Wagen einer jungen Frau geht am Waldrand in Flammen auf, der Täter, ein berühmter Geiger, scheint schnell gefasst. Dann verschwindet ein selbstmordgefährdeter Junge, und die Weichsel spült einen Toten an. Hwierut tappt lange im Dunkeln. Und als sie die Gefahr erkennt, ist es fast zu spät!

»Ein flotter, düsterer Krimi, der Warschau ein mörderisches Gesicht gibt«
Rzeczpospolita Warschau

Prospero